Windows 7 & Internet POUR LES NULS

2e édition

Andy Rathbone, John R. Levine,
Carol Baroudi, Margaret Levine Young

Windows 7 & Internet pour les Nuls (2e édition)

Cet ouvrage comporte des extraits de Windows 7 pour les Nuls et Internet pour les Nuls.

Publié par Wiley Publishing, Inc.
111 River Street
Hoboken, NJ 07030-5774
USA

Edition française publiée en accord avec Wiley Publishing, Inc.
© 2011 Éditions First
60 rue Mazarine
75006 Paris - France
Tél. 01 45 49 60 00
Fax 01 45 49 60 01
E-mail : firstinfo@efirst.com
Web : www.editionsfirst.fr
ISBN : 978-2-7540-3010-6
Dépôt légal : 2e trimestre 2011

Collection dirigée par Jean-Pierre Cano
Edition : Pierre Chauvot
Traduction : Bernard Jolivalt, Philip Escartin

Imprimé en France

Sommaire

Introduction

Bienvenue dans *Windows 7 et Internet Mégapoche pour les Nuls !*

Ce livre n'a pas pour but de faire de vous un pros de Windows ou un créateur de sites Internet, mais de vous proposer des informations fort utiles. Plutôt que de devenir un expert, vous apprendrez rapidement et sans peine tout ce qui est indispensable pour utiliser efficacement un PC sous Windows 7 et prendre plaisir à utiliser Internet en toute sécurité.

À propos de cet ouvrage

N'essayez pas de lire ce livre d'une seule traite. Utilisez-le plutôt à la manière d'un dictionnaire ou d'une encyclopédie. Allez directement à la page contenant l'information que vous recherchez. Lisez-la attentivement, posez le livre et appliquez les directives.

Ne vous compliquez pas l'existence à mémoriser toutes les commandes de Windows 7 ou de votre navigateur Internet, du genre "Sélectionnez l'option de menu dans la liste déroulante". Laissez ça aux allumés d'informatique. En fait, un pictogramme vous préviendra chaque fois qu'un élément technique apparaît dans un chapitre. Vous pourrez ainsi vous attarder pour le lire ou seulement le parcourir et aller plus loin.

Vous ne trouverez aucun jargon ésotérique dans ce livre, mais des thèmes développés en français clair et accessible, dont voici un aperçu :

- Pourquoi avoir choisi un nom aussi obscur que "Windows 7" ?
- Retrouver le fichier que vous avez enregistré ou téléchargé la veille.
- Déplacer les fenêtres à la souris.
- Obtenir que Windows 7 tourne comme votre ancienne version de Windows.
- Télécharger des fichiers.
- Répondre à un courrier automatiquement.

Il n'y a rien à mémoriser et rien à apprendre par cœur. Il suffit d'aller à la bonne page, de lire quelques brèves explications et de retourner à l'ordinateur. Contrairement à d'autres livres, celui-ci vous permet de faire l'impasse sur les subtilités techniques et de ne vous en tenir qu'à l'essentiel pour que le travail soit fait.

Comment utiliser ce livre

Recherchez le sujet qui vous tourmente dans le sommaire ou dans l'index. Le sommaire indique les chapitres ainsi que les sections et leurs numéros de page. L'index recense les sujets et renvoie à la page où il en est question. Parcourez-les tous deux chaque fois que vous butez sur un point obscur ; ne lisez que ce qui est nécessaire, refermez le livre puis appliquez ce que vous venez de lire.

Si vous avez envie d'en savoir plus, lisez un peu plus loin. Vous découvrirez une foule de détails supplémentaires ainsi que quelques références croisées qui renvoient d'un sujet à un autre. Mais ne vous sentez pas obligé. Vous n'êtes pas tenu d'apprendre ce que vous ne désirez pas connaître, ou ce que vous n'avez pas le temps d'assimiler.

Si vous devez taper du texte, il apparaît sous cette forme :

```
www.vw.com
```

Dans l'exemple ci-dessus, vous tapez la chaîne de caractères www.vw.com et vous appuyez ensuite sur la touche Entrée. Taper des mots au clavier est parfois déroutant ; c'est pourquoi ces mots sont souvent accompagnés d'une petite description. Vous effectuerez ainsi la saisie dans les règles.

Chaque fois qu'un message ou une information est affiché à l'écran, il apparaît dans le livre sous la forme suivante :

```
Ceci est un message affiché à l'écran
```

Ce livre se garde bien de vous infliger des directives du genre "Pour en savoir plus, consultez votre manuel". Windows 7 est d'ailleurs dépourvu de tout manuel. Vous ne trouverez pas non plus des informations concernant le fonctionnement de logiciels spécifiquement Windows comme Microsoft Office.

Enfin, gardez à l'esprit que ce livre est un *ouvrage de référence*. Il n'a pas été conçu pour faire de vous un expert, mais pour vous procurer suffisamment d'informations pour que vous n'ayez justement pas à vous coltiner un apprentissage de Windows et d'Internet.

Et à propos de vous ?

Il y a de fortes chances que vous ayez un ordinateur. Vous possédez Windows 7 et vous avez une connexion Internet ou vous envisagez d'en installer une. Vous savez ce que vous voulez faire avec votre ordinateur. Le problème réside justement là : comment obtenir de l'ordinateur qu'il fasse ce que vous désirez. Vous vous êtes débrouillé d'une façon ou d'une autre, peut-être avec l'aide d'un ami ou d'un collègue de bureau qui s'y connaît en informatique. Mais peut-être n'y a-t-il personne dans le voisinage qui sache apprivoiser la bête rétive qu'est un ordinateur. C'est là qu'intervient ce livre. Il saura remplacer au pied levé l'expert cruellement absent. Gardez cependant une carte de Pokémon à portée de la main, ou des trucs à grignoter dans un tiroir, au cas où il vous faudrait quand même soudoyer quelqu'un pour vous aider.

Ce livre a été entièrement mis à jour pour la toute dernière version du navigateur de Microsoft Internet Explorer 9.

Comment ce livre est organisé

Toutes les informations contenues dans ce livre ont été passées au crible. L'ouvrage est divisé en deux livrets divisés en chapitres thématiques. De plus, chacun de ces chapitres est subdivisé en brèves sections qui révèlent tour à tour les différents et mystérieux aspects de Windows 7 et d'Internet. Il vous arrivera parfois de n'avoir à lire qu'un tout petit encadré, et d'autres fois de longs passages, voire une section ou un chapitre tout entier. Tout dépend de la complexité du sujet.

Suivez le guide !

Ce pictogramme attire l'attention sur des informations qui faciliteront l'utilisation de l'ordinateur, comme empêcher le chat de piétiner le clavier ou se frotter avec délectation contre l'écran.

N'oubliez pas de vous souvenir de mémoriser ce dont il est question ici. Vous pouvez placer un signet ici, ou écorner la page.

L'ordinateur n'explosera certes pas en exécutant les délicates tâches signalées par ce pictogramme, mais enfiler une combinaison de protection NBC (nucléaire biologique chimique) ne sera pas une vaine protection.

Vous passez de Windows Vista à Windows 7 ? Ce pictogramme signale une fonctionnalité à présent complètement différente dans Windows 7.

Si vous utilisiez Windows XP – de nombreux utilisateurs ont boudé Vista –, ce pictogramme signale les fonctions qui sont très différentes dans Windows 7. Mais lisez aussi les paragraphes signalés par le pictogramme précédent. On ne sait jamais...

Ce pictogramme pointe vers une ressource du Web accessible avec votre navigateur.

Et ensuite ?

Vous êtes maintenant paré pour passer aux choses sérieuses. Feuilletez le livre et repérez éventuellement des sections qui vous seront utiles plus tard. Rappelez-vous que c'est *votre livre*, l'arme absolue contre les illuminés qui ont concocté des ordinateurs aussi compliqués. Ne prétendez pas que vous avez passé l'âge de retourner à l'école et que vous n'y pigez rien : lisez et relisez les paragraphes qui vous semblent utiles, surlignez les concepts-clés, annotez à foison et gribouillez dans les marges, juste à côté de ce qui vous paraît obscur.

Livre I

Windows 7

Première partie

Les éléments de Windows 7 que vous êtes censé déjà connaître

"J'annonce B7 !"
"- Coulé !"

Dans cette partie...

Beaucoup de gens se retrouvent avec Windows 7 sans qu'ils en aient vraiment eu le choix, cette version étant déjà installée par défaut sur leur nouvel ordinateur. Ou alors, l'entreprise a opté pour Windows 7 et tout le monde a dû suivre le mouvement, excepté le patron qui n'a toujours pas d'ordinateur. Ou encore, vous avez cédé aux sirènes (marketing) de Microsoft.

Quelle que soit votre situation, cette partie vous rappelle les bases de Windows ainsi que les notions comme le glisser-déposer, copier, couper et coller ou comment retrouver une barre d'outils qui a disparu.

Cette partie explique en quoi Windows 7 est mieux, mais met aussi le doigt sur ce qui n'est pas encore tout à fait au point dans cette nouvelle version.

Chapitre 1

C'est koâ, Windows 7 ?

Dans ce chapitre

- Faire connaissance avec Windows 7
- Découvrir les nouvelles fonctionnalités de Windows 7
- Comprendre en quoi Windows 7 affecte vos anciens programmes

Il est plus que probable que vous connaissiez déjà Windows : les panneaux et les fenêtres, et aussi le pointeur de la souris qui apparaissent quand l'ordinateur est allumé. Tandis que vous lisez ces lignes, des millions de gens de par le monde découvrent la version 7 en pianotant sur leur clavier. Presque tout nouvel ordinateur vendu actuellement l'est avec Windows préinstallé.

Qu'est Windows 7 et pourquoi l'utiliser ?

Édité et vendu par la société Microsoft, Windows n'est pas comme les logiciels que vous utilisez pour écrire le roman morose de votre besogneuse vie ou envoyer un message de mots roses à l'élue de votre cœur qui les supprime au fur et à mesure en grignotant des chips. Eh non, car Windows est un système d'exploitation, autrement dit le programme qui régit votre façon de travailler avec l'ordinateur. Il existe depuis une vingtaine d'années et sa dernière mouture, nommée *Windows 7,* est visible à la Figure 1.1.

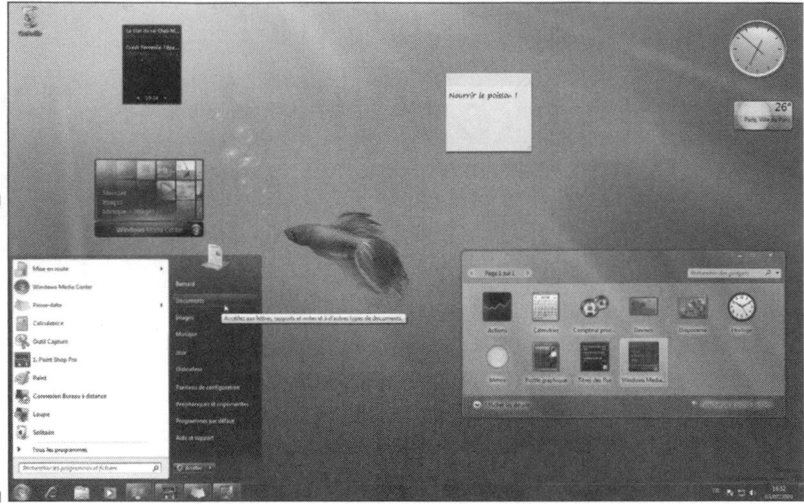

Figure 1.1 : Windows 7, la toute dernière version de Microsoft Windows, est préinstallée dans la plupart des nouveaux PC.

Windows, qui signifie "fenêtres" en anglais, doit son nom aux panneaux (fenêtres) qui apparaissent à l'écran. Chacune contient des données : le logiciel que vous utilisez, une photo ou un épouvantable message d'alerte de Windows. Plusieurs fenêtres peuvent être ouvertes simultanément et vous pouvez passer de l'une à l'autre et changer ainsi de programme et/ou de tâche. Vous pouvez aussi agrandir une fenêtre afin qu'elle emplisse tout l'écran.

Comme la préposée qui surveille les scolaires à la cantine, Windows ne perd rien de ce qui se passe dans l'ordinateur et garde un œil sur tout. Après l'allumage de l'ordinateur et le chargement de Windows, ce dernier apparaît et supervise tous les programmes ouverts. Il veille à ce que tout se déroule bien, même lorsque les programmes commencent à se lancer des boulettes de pain et de la sauce les uns sur les autres.

En plus de contrôler l'ordinateur et faire la loi parmi les programmes, Windows 7 apporte les siens. Bien que l'ordinateur puisse s'en passer, il est utile de les avoir, car ils permettent d'effectuer diverses tâches, comme écrire une lettre et l'imprimer, aller sur des sites Internet, écouter de la musique et même présenter un diaporama de vos photos de vacances, et les graver facilement sur un DVD.

Séparer la pub des fonctionnalités

Microsoft a beau clamer que Windows est le compagnon idéal de votre ordinateur et qu'il se soucie de votre intérêt, ce n'est pas tout à fait vrai. En fait, c'est l'intérêt de Microsoft que Windows défend. Vous vous en rendrez compte rapidement le jour où vous aurez besoin d'aide pour que Windows fonctionne correctement. Aux États-Unis, il vous en coûte plus de 50 dollars l'appel.

Microsoft se sert aussi de Windows pour mettre en avant ses propres produits et services. Par exemple, les favoris d'Internet Explorer – l'emplacement où vous mémorisez les sites Web que vous désirez revisiter – sont truffés de sites Web de Microsoft.

Bref, Windows ne fait pas que contrôler votre ordinateur. Il sert aussi de vaste support publicitaire pour Microsoft. Traitez sa pub comme vous le faites avec les prospectus qui envahissent votre boîte aux lettres.

Dois-je vraiment passer à Windows 7 ?

Microsoft espère bien que tout le monde passera immédiatement à Windows 7. C'est quasiment certain pour la majorité des acheteurs d'un nouveau PC, où Windows 7 est déjà préinstallé, mais Microsoft cible deux autres groupes d'utilisateurs : ceux qui sont sous Windows Vista, et les irréductibles qui utilisent encore Windows XP.

Les deux prochaines sections décrivent ce que Windows 7 offre aux utilisateurs de Vista et à ceux qui s'accrochent mordicus à Windows XP.

Pourquoi les utilisateurs de Vista aimeront Windows 7 ?

Beaucoup d'utilisateurs de Vista adopteront Windows 7 parce que selon beaucoup de gens, ce système d'exploitation est ce que Vista aurait dû être. Windows 7 n'est certes pas parfait, mais il est une bonne continuation de Vista. Voici pourquoi :

- **Une mise à niveau facile :** Il suffit d'insérer le DVD de mise à niveau dans le lecteur. Vos programmes, imprimante et quasiment tout ce qui fonctionnait sous Vista continue de fonctionner sans problème sous Windows 7. Les utilisateurs de Windows XP devront se préparer à une rebutante corvée : effacer tout le disque dur et tout réinstaller de zéro.

- **Disparition de l'agaçant panneau de permission :** La fonctionnalité la plus décriée de Vista était incontestablement ce panneau de contrôle des comptes d'utilisateurs qui demandait à tout bout de champ si c'est bien vous qui avez commandé telle ou telle action. Windows 7 est doté d'une version allégée de ce panneau qui se contente de vous prévenir qu'un événement crucial risque de se produire. Vous pouvez même régler le niveau de mise en garde, de "complètement parano" à "cool, calme et zen".

- **Des commandes rationalisées :** Vista exigeait beaucoup de clics et d'appui sur des touches pour faire ce que Windows 7 réalise avec quelques-unes seulement de ces actions. Par exemple, éteindre l'ordinateur sous Vista passait par deux icônes et une flèche affichant un menu de sept options. Windows 7, lui, fait d'un seul clic sur le bouton Arrêter ce que tout le monde désire : enregistrer le travail en cours, fermer les programmes puis éteindre l'ordinateur.

- **De meilleures sauvegardes :** Pour simplifier la sauvegarde du PC, Vista recopiait tout, même si vous ne vouliez sauvegarder que quelques fichiers ou dossiers. Par contre, Windows 7 permet lui aussi de tout sauvegarder, mais il offre en plus une option pour ne sélectionner que certains éléments.

- **Un meilleur fonctionnement sur un ordinateur portable :** L'indolence de Vista avait énervé bon nombre d'utilisateurs d'ordinateurs ultracompacts. Les modèles

les plus compacts, notamment les miniportables, ou notebooks, destinés à se connecter sur Internet en voyage ou faire du traitement de texte ne parvenaient même pas à utiliser Vista, obligeant Microsoft à repousser à deux reprises la date de fin de support technique de Windows XP.

Pourquoi les utilisateurs de Windows XP devraient passer à Windows 7 ?

Microsoft sort une nouvelle version de Windows tous les tant et tant d'années. Si vous avez acheté votre PC entre 2001 et 2006, vous vous êtes sans doute habitué à Windows XP. Alors, pourquoi passer à Windows 7 si la version XP rend les services que j'attends d'elle ?

À vrai dire, si Windows XP vous convient, vous n'êtes pas obligé de passer à Windows 7. Mais comme votre PC peut avoir jusqu'à six ans – une antiquité, dans le petit monde high-tech – Microsoft espère bien que les nouveautés suivantes vous séduiront et vous inciteront à dégainer votre carte bancaire plus vite que votre ombre :

- **La gravure des DVD :** Plus de cinq après que des graveurs de DVD aient été mis en vente, Windows parvient enfin à les exploiter sans devoir recourir à des logiciels tiers. Windows 7 copie des fichiers et des vidéos sur DVD aussi bien que sur CD. Le programme Création de DVD Windows réunit vos photos de vacances et en fait un beau diaporama qu'il grave sur un DVD, prêt à être visionné chaque fois que vous recevrez amis et famille. Ils seront contents, contents, contents.
- **Une recherche plus facile des fichiers :** Windows XP traînait vraiment des pieds pour rechercher des fichiers. Leur localisation d'après le nom de fichier exigeait plusieurs minutes sur un disque dur bien plein, et si vous recherchiez un fichier d'après un mot ou une phrase à l'intérieur du document, c'était carrément interminable. Windows 7 profite de vos moments d'inactivité pour

peaufiner un index contenant chacun des mots figurant dans le disque dur. Tapez un mot d'un nom de fichier ou de son contenu dans le champ Rechercher, et Windows 7 trouve immédiatement le ou les fichiers.

- **Une nouvelle mouture d'Internet Explorer :** La version 8 du célèbre navigateur Web vous permet de surfer sur l'Internet plus facilement et avec une meilleure sécurité. Il possède toujours les caractéristiques d'avant – navigation par onglets, flux RSS et filtre alertant d'un risque d'hameçonnage –, avec en plus quelques fonctionnalités nouvelles décrites au Chapitre 8.

- **Windows Media Center :** Ce centre de loisirs lit non seulement les DVD et la musique, mais il permet aussi de regarder la télévision sur le PC et même de l'enregistrer sur le disque dur pour la regarder ultérieurement. L'enregistrement de la télévision exige un tuner TV pour PC, un accessoire facile à installer.

- **La barre des tâches :** Microsoft avait fait des efforts pour donner une apparence 3D à Vista. La nouvelle barre des taches de Windows 7 affiche des miniatures contenant davantage d'informations (Figure 1.2), permettant ainsi de retrouver plus facilement une fenêtre égarée. Cliquez du bouton droit sur une miniature pour obtenir des informations supplémentaires, comme un historique de navigation, ainsi que le montre la Figure 1.3.

Figure 1.2 : La barre des tâches de Windows 7 contient des miniatures de toutes les fenêtres ouvertes sur le Bureau.

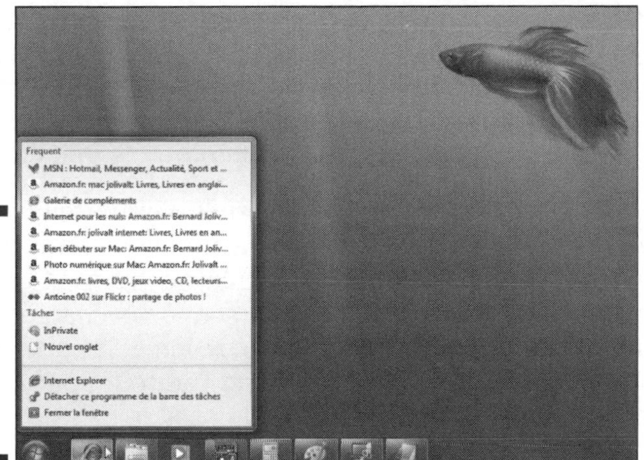

Figure 1.3 : Cliquez du bouton droit sur une miniature de la nouvelle barre des tâches.

Windows 7 tournera-t-il sur mon PC ?

Si votre PC est déjà équipé de Windows Vista, il s'accommodera probablement de Windows 7. En fait, Windows 7 fonctionnera mieux encore que Vista sur la plupart des ordinateurs portables.

Si votre PC tourne sous Windows XP, il tournera probablement sous Windows 7, mais peut-être pas avec les meilleures performances. Mettre l'ordinateur à niveau sera sans doute une bonne chose. Vérifiez notamment :

- **Carte graphique :** Windows 7 exige une carte graphique performante pour afficher ses effets 3D les plus spectaculaires. En changer si cela s'avère nécessaire n'est pas onéreux : une centaine d'euros environ. Le problème est que vous n'en trouverez pas pour votre portable. Si la carte graphique n'est pas assez puissante, Windows 7 tourne quand même, mais sans les effets 3D.

- **Mémoire :** Windows 7 aime la mémoire. Pour de bons résultats, l'ordinateur doit comporter au moins 1 Go de mémoire vive. Comme les barrettes de mémoire sont bon marché et faciles à installer, ne lésinez pas.

- **Lecteur de DVD :** Contrairement à Windows XP, qui était livré sur un CD, Windows 7, tout comme Vista, est livré sur un DVD. La plupart des PC actuellement en service sont équipés d'un lecteur de DVD, mais ce n'est peut-être pas le cas d'un ordinateur portable un peu ancien.

Windows 7 est capable de faire tourner n'importe quel programme destiné à Windows Vista, ainsi qu'un grand nombre de programmes pour Windows XP. Mais certains vieux logiciels ne fonctionneront pas, notamment ceux chargés de la sécurité, comme les antivirus, les pare-feu et les programmes de protection. Vous devrez contacter l'éditeur pour savoir s'il propose une mise à jour, gratuite si possible.

Vous envisagez d'acheter un nouvel ordinateur pour Windows 7 ? Pour savoir comment il se comporte sous Windows, allez dans un showroom où il fonctionne, cliquez sur le bouton Démarrer, puis sur le bouton Panneau de configuration. Cliquez sur la catégorie Système et sécurité, puis sur Système. Cliquez ensuite sur le lien Afficher l'indice de performance Windows. Après un bref test, Windows affiche un indice de base, de 1 (pas génial) à 7,9 (extraordinaire).

Accélérer Windows 7 sur un portable ou sur un PC ancien

Windows Vista et Windows 7 affectionnent tous deux les beaux graphismes, mais ces bordures translucides et ces couleurs acidulées peuvent ralentir un portable d'entrée de gamme ou un vieil ordinateur. Procédez comme suit pour désactiver tous ces effets et accélérer Windows 7 au maximum :

1. **Cliquez sur le bouton Démarrer, puis cliquez du bouton droit sur Ordinateur et choisissez Propriétés.**

   Le bouton Ordinateur se trouve dans la colonne de droite du menu Démarrer.

2. **Dans le volet de gauche, cliquez sur le lien Paramètres système avancés.**

   Il se peut que le mot de passe d'un compte Administrateur soit demandé pour pénétrer dans cette mystérieuse zone (NdT : Ce n'est pas le cas si vous êtes le seul utilisateur de l'ordinateur, ou si le compte actif est du type Administrateur).

3. **Dans la zone Performances, cliquez sur le bouton Paramètres. Choisisez l'option Ajuster afin d'obtenir les meilleures performances. Cliquez ensuite sur OK.**

Ces étapes ramènent Windows 7 à une ère où il ne se parait pas de tous ces graphismes un peu tape-à-l'œil. Pour rétablir l'apparence normale de Windows 7, répétez ces étapes mais, à l'Étape 3, choisissez l'option Laisser Windows choisir la meilleure configuration.

Chapitre 2

Bureau, menu Démarrer, barre des tâches, gadgets, etc.

Dans ce chapitre

- Démarrer Windows 7
- Saisir un mot de passe
- Se connecter à Windows 7
- Le Bureau et autres fonctionnalités
- Se déconnecter de Windows 7
- Éteindre l'ordinateur

Ce chapitre propose un tour du propriétaire de Windows 7. Vous allumez l'ordinateur, démarrez Windows puis vous consacrez quelques minutes à regarder bêtement ce qui s'y trouve : le Bureau, la barre des tâches, le menu Démarrer et la Corbeille (vous pourrez y déposer délicatement les fichiers dont vous ne voulez plus, mais pas vos vieux chewing-gums longuement mâchouillés).

Bienvenue dans le monde de Windows 7

Pour démarrer Windows 7, il suffit d'allumer l'ordinateur. Mais avant de pouvoir l'utiliser, il est possible qu'il affiche l'écran de la Figure 2.1, qui vous invite à vous connecter au compte à votre nom.

Figure 2.1 : Cet écran s'affiche au démarrage de Windows si vous avez défini un mot de passe, ou si plusieurs utilisateurs ont été définis sur cet ordinateur.

Les images qui illustrent le ou les noms d'utilisateurs peuvent être différents – l'écran d'accueil est en effet personnalisable avec des portraits –, mais quoi qu'il en soit, trois cas de figure peuvent se présenter :

- **Si l'ordinateur est tout neuf, vous utilisez le compte nommé Administrateur :** Conçu pour donner tous les pouvoirs à l'utilisateur, le compte Administrateur permet de configurer d'autres comptes pour d'autres personnes, d'installer des programmes, d'établir une connexion Internet et d'accéder à tous les fichiers de l'ordinateur, même à ceux appartenant à d'autres utilisateurs. Windows 7 exige qu'une personne au moins agisse en tant qu'administrateur. Ce sujet est développé au Chapitre 13.

- **L'utilisation du compte Invité :** Ce compte a été créé pour les personnes qui séjournent chez vous – des parents ou des amis, la baby-sitter... – et qui n'utilisent l'ordinateur que sporadiquement. Le compte Invité est activé et désactivé dans la zone Ajouter ou supprimer des comptes d'utilisateur, comme expliqué au Chapitre 13.

- **Pas de compte Invité ni de compte d'utilisateur :** Demandez au propriétaire de l'ordinateur de créer un compte d'utilisateur à votre nom. S'il ne sait pas le faire, voyez au Chapitre 13 comment en configurer un.

Quelques boutons, sur l'écran d'accueil, contiennent des options supplémentaires :

- Le petit bouton bleu, en bas à gauche de l'écran, visible dans la marge et sur la Figure 2.1, permet de configurer Windows 7 pour les utilisateurs souffrant de troubles de la vision, de l'ouïe, ou moteurs (voir Chapitre 11). Si vous avez cliqué dessus par mégarde, appuyez sur la touche Échap pour revenir à l'écran d'accueil sans avoir rien modifié.

- Le petit bouton rouge en bas à droite de l'écran d'accueil, visible dans la marge et sur la Figure 2.1, éteint le PC. Si vous avez cliqué dessus accidentellement, appuyez de nouveau sur le bouton de mise en marche du PC pour revenir à cet écran.
- Cliquez sur le petit bouton fléché à droite du bouton rouge, et Windows 7 vous proposera de redémarrer l'ordinateur, le mettre en veille ou l'arrêter. Ces options sont détaillées à la fin de ce chapitre.

Configurer les comptes d'utilisateur

Windows 7 permet à plusieurs personnes d'utiliser l'ordinateur tout en séparant nettement leurs activités. Pour cela, il doit savoir qui vient de s'installer devant le clavier. Quand vous vous connectez – autrement dit, quand vous vous annoncez – en cliquant sur un nom d'utilisateur, comme à la Figure 2.1, Windows 7 affiche votre Bureau personnalisé, où vous mettrez votre pagaille bien à vous.

Votre travail terminé, déconnectez-vous, comme expliqué plus loin, afin que quelqu'un d'autre puisse à son tour utiliser l'ordinateur. Quand vous vous reconnecterez avec votre compte, vous retrouverez le Bureau dans l'état où vous l'aviez laissé.

Exécuter Windows 7 la première fois

Si vous venez d'installer Windows 7 ou si vous allumez l'ordinateur pour la première fois, cliquez sur le bouton Démarrer puis cliquez sur Mise en route afin d'accéder à la fenêtre Bienvenue. Elle contient les options suivantes :

- **Se connecter en ligne pour découvrir les nouveautés de Windows 7 :** Commode pour ceux qui migrent de Windows XP ou Vista, ce bouton accède à une page Web vous informant des nouveautés de Windows 7.
- **Personnaliser Windows :** Cliquez sur ce bouton pour savoir comment utiliser une de vos photos en fond d'écran, modifier les couleurs de l'interface Windows ou régler le moniteur (voir Chapitre 11).
- **Transférer les fichiers et les paramètres d'un autre ordinateur :** Vous venez d'allumer votre nouveau PC ? Cette fonctionnalité fort utile copiera tous les fichiers et paramètres de votre ancien ordinateur et les installera dans le nouveau.
- **Utiliser un groupe résidentiel pour le partage avec d'autres ordinateurs de votre domicile :** Dans Windows 7, le nouveau groupe résidentiel offre une manière simple de partager des données entre les ordinateurs du foyer (voir Chapitre 14).
- **Choisir quand être averti des modifications apportées à votre ordinateur :** Les utilisateurs de Vista devraient cliquer sur ce bouton. Les options permettent de régler le comportement de Windows 7 lorsqu'une situation potentiellement à risque se manifeste, comme expliqué au Chapitre 10.
- **Se connecter en ligne pour télécharger Windows Live Essentials :** Surprise : Windows 7 ne comporte plus de logiciel de messagerie ! Ni d'ailleurs de calendrier, de logiciel de retouche et d'archivage photo, ou de montage de films. Pour obtenir tous ces programmes, vous devrez télécharger la suite Windows Live. Ou alors, ouvrez un compte de messagerie sur l'un des deux plus grands concurrents de Microsft dans ce domaine : Gmail (www.gmail.com) ou Yahoo! (`http://fr.yahoo.com`), comme cela est suggéré au Chapitre 9.
- **Sauvegarder vos fichiers :** Tous vos fichiers peuvent être anéantis en un clin d'œil. C'est pourquoi il est nécessaire de les sauvegarder régulièrement, comme expliqué au Chapitre 10.

- **Ajouter de nouveaux utilisateurs à votre ordinateur :** Si d'autres personnes doivent utiliser l'ordinateur, il est préférable qu'elles y disposent de leur propre espace personnel. Vous devrez pour cela créer un ou plusieurs comptes d'utilisateurs. Cette fonctionnalité vous permet aussi de définir ce que vos enfants – ou camarade de chambre – sont autorisés à faire.
- **Modifier la taille du texte de votre écran :** Vos vieux yeux fatigués n'y voient plus très bien ? Vous pourrez agrandir le contenu de l'écran de moitié ou du double.

Pour obtenir des informations au sujet de ces fonctionnalités, cliquez une seule fois sur leur bouton. Ou double-cliquez pour accéder à leurs commandes.

Protéger la confidentialité de votre compte avec un mot de passe

Comme Windows 7 permet à plusieurs personnes d'utiliser le même ordinateur, comment empêcher William de lire les mots doux que Roméo envoie à Juliette ? Comment faire en sorte que Chloé n'efface pas la collection de bandes-annonces de *La Guerre des Étoiles* de Kevin en représailles de l'effacement par ce dernier de tous les épisodes des Bisounours de Chloé ? Pour éviter ces conflits, Windows 7 permet d'attribuer un mot de passe facultatif à chaque compte.

Saisir le mot de passe, comme à la Figure 2.2, permet à l'ordinateur de s'assurer que la personne qui veut se connecter est bien la bonne (pas l'aide-ménagère, mais la bonne personne, bien que l'aide-ménagère puisse aussi avoir un compte d'utilisateur). Ainsi, personne n'ira farfouiller indûment dans les fichiers d'autrui, exception faite de l'administrateur de l'ordinateur, qui bénéficie d'un accès total à tout l'ordinateur et peut même supprimer des comptes.

Procédez comme suit pour définir ou modifier votre mot de passe :

Figure 2.2 : Un mot de passe empêche d'aller voir vos fichiers.

1. **Cliquez sur le bouton Démarrer puis sur Panneau de configuration.**

2. **Dans le panneau de configuration, cliquez sur Comptes et protection utilisateurs, puis sur Modifier votre mot de passe Windows.**

   Si le contenu du Panneau de configuration est affiché sous forme d'icônes – une présentation à l'ancienne –, cliquez sur l'icône Comptes d'utilisateurs.

3. **Cliquez, soit sur Créer votre mot de passe, soit sur Changer votre mot de passe.**

   L'appellation exacte dépend de l'absence de mot de passe ou de l'existence d'un mot de passe.

4. **Saisissez un mot de passe facile à mémoriser par vous, mais difficile à deviner par autrui.**

   Choisissez un mot de passe bref et simple, comme votre fleur préférée ou le genre de roman que vous affectionnez. Pour réduire les chances de le deviner, agrémentez-le d'un chiffre : **6roses** ou **eau2rose**.

5. **Si cela vous est demandé, retapez le même mot de passe dans le champ Confirmer le nouveau mot de**

passe, afin que Windows s'assure que vous n'avez pas commis de faute de frappe.

6. **Saisissez un pense-bête qui vous mettra sur la voie – vous seulement – si vous avez oublié le mot de passe.**
7. **Cliquez sur le bouton Créer le mot de passe.**
8. **Dans le volet de gauche de l'écran de configuration du compte d'utilisateur, cliquez sur Créer un disque de réinitialisation de mot de passe.**

   Windows démarre un Assistant Mot de passe perdu permettant d'utiliser une clé USB, une carte mémoire ou une disquette pour réinitialiser le mot de passe.

Faire que Windows ne demande plus de mot de passe

Windows ne demande votre nom et votre mot de passe que s'il a besoin de savoir qui va utiliser l'ordinateur. Le mot de passe est requis dans ces trois cas :

- L'ordinateur fait partie d'un réseau. Votre identité permet de savoir à quoi il peut accéder.
- Le propriétaire de l'ordinateur désire limiter ce qui peut être fait avec l'ordinateur.
- L'ordinateur est utilisé par plusieurs personnes qui ne doivent pas pouvoir se connecter sur un autre compte que le leur, ni modifier les fichiers et paramètres d'autrui.

Si aucun de ces cas ne vous concerne, supprimez la demande de mot de passe en effectuant les deux premières étapes de la section "Protéger la confidentialité de votre compte avec un mot de passe", mais en choisissant ensuite Supprimer le mot de passe.

Sans mot de passe, n'importe qui peut accéder à votre compte d'utilisateur et voir ou même supprimer des fichiers. Si vous travaillez dans un bureau, où conflits et revendication de pouvoir sont souvent endémiques, cela peut vous exposer à de sérieux ennuis. Si un mot de passe a été attribué, il vaut mieux l'utiliser.

Dès lors qu'un mot de passe a été créé, Windows 7 vous le demandera chaque fois que vous voudrez utiliser l'ordinateur.

- Le mot de passe différentie les majuscules des minuscules. Pour Windows, *rose* et *Rose* sont deux mots différents.
- Vous avez oublié votre mot de passe ? Si le mot de passe que vous venez de saisir est erroné, Windows affiche l'indication qui vous mettra sur la voie. Voilà pourquoi cet indice ne doit avoir du sens que pour vous. En dernier recours, introduisez le disque de réinitialisation du mot passe.

Nous reviendrons plus largement encore sur les comptes d'utilisateurs au Chapitre 13.

Utiliser le Bureau

Windows 7 s'ouvre la toute première fois sur un Bureau presque vide. Mais au fur et à mesure que vous travaillerez, il se remplira d'icônes : des petits boutons sur lesquels vous double-cliquez pour ouvrir un fichier. Certaines personnes couvrent leur Bureau d'icônes pour faciliter l'accès aux fichiers et aux programmes. D'autres, plus organisées, stockent les icônes dans des *dossiers,* comme expliqué au Chapitre 4.

Le Bureau contient quatre types d'éléments, ainsi que le montre la Figure 2.3.

- **Le menu Démarrer :** Placé en bas à gauche du Bureau, le menu Démarrer permet de choisir un programme ou d'accéder à des dossiers.
- **La barre des tâches :** S'étirant mollement au pied de l'écran, la barre des tâches contient les programmes, fichiers et dossiers actuellement ouverts. Immobilisez le pointeur de la souris pour voir s'afficher le nom de l'élément ainsi que, généralement, une miniature montrant son contenu.

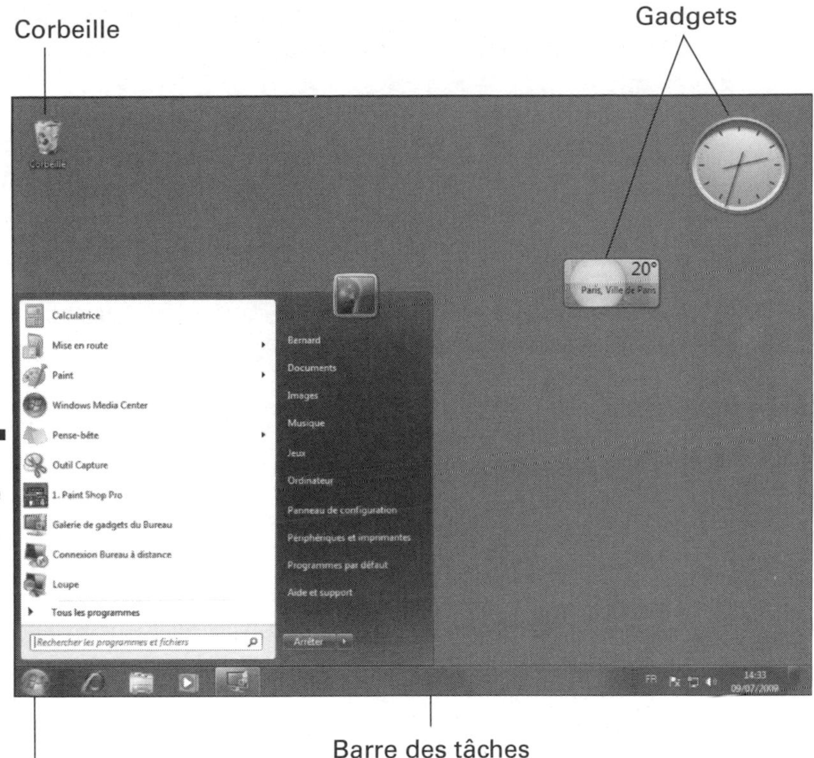

Figure 2.3 : Le Bureau de Windows 7 contient quatre types d'éléments : le bouton Démarrer, la barre des tâches, la Corbeille et les gadgets facultatifs.

- **La Corbeille :** Vous y déposez les éléments devenus obsolètes dont vous voulez vous débarrasser.

- **Les gadgets :** Ce sont des petits programmes collés sur le Bureau comme des magnets sur un réfrigérateur (ce sont les mêmes que ceux qui se trouvaient dans le Volet Windows de Vista). Ils affichent l'heure, la météo, un calendrier...

Ces quatre éléments du Bureau seront étudiés plus à fond tout au long de ce chapitre. Voici en attendant quelques conseils qui vous seront fort utiles :

- Un projet peut être démarré directement depuis le Bureau : cliquez du bouton droit sur le Bureau, choisissez Nouveau puis sélectionnez dans le menu contextuel ce que vous désirez faire : créer un dossier ou un raccourci ou accéder à un programme.

- Vous vous demandez à quoi sert tel ou tel élément ? Approchez doucement le pointeur – rassurez-vous, ça ne mord pas – et une petite info-bulle vous indiquera de quoi il s'agit. Cliquez dessus du bouton droit, et un menu encore plus fourni vous montrera tout ce que vous pouvez faire (NdT : le menu affiché par un clic du bouton droit est appelé "menu contextuel" car son contenu change selon l'élément).

Faire le ménage sur le Bureau

Quand les icônes s'accumulent sur le Bureau comme les moutons de poussière sous le lit, Windows 7 propose plusieurs moyens d'y mettre de l'ordre. Pour ranger les icônes, cliquez du bouton droit sur le Bureau et choisissez Trier par, puis l'une des options suivantes :

- **Nom :** Dispose toutes les icônes en colonnes, triées alphabétiquement.
- **Taille :** Dispose toutes les icônes par taille de fichier, en plaçant les moins volumineuses en haut des colonnes.
- **Type d'élément :** Aligne les icônes par types, comme par exemple tous les fichiers Word ensemble, tous les raccourcis Internet ensemble, *etc.*
- **Date de modification :** Les icônes sont triées selon la date où leur contenu a été modifié pour la dernière fois.

Cliquer du bouton droit sur le Bureau et choisir l'option Affichage permet de modifier la taille des icônes et aussi de sélectionner l'une de ces options d'organisation du Bureau :

- **Réorganiser automatiquement les icônes :** Dispose tout en colonnes bien régulières.
- **Aligner les icônes sur la grille :** Les icônes sont réparties aux intersections d'un quadrillage invisible,

empêchant ainsi tout désordre, et ce n'est pas vous qui parviendrez à y semer la pagaille.

- **Afficher les éléments du Bureau :** Cette option doit toujours être active, car autrement, Windows cache tout ce qui trouve sur le Bureau.

La plupart des options sont aussi applicables aux dossiers. Vous y accéderez en cliquant sur l'icône ou le menu Affichage du dossier.

Agrémenter l'arrière-plan du Bureau

Vous pouvez agrémenter le Bureau avec de jolies images d'arrière-plan, appelées aussi *papier peint* (NdT : une appellation héritée des anciennes versions de Windows).

Si vous commencez à vous lasser des somptueux paysages livrés avec Windows, pourquoi ne pas utiliser une image de votre propre photothèque ? Voici comment :

1. **Cliquez du bouton droit sur le Bureau, choisissez Personnaliser, puis parmi les icônes en bas de la fenêtre, cliquez sur Arrière-plan du Bureau.**

2. **Cliquez sur n'importe laquelle des photos visibles à la Figure 2.4, et Windows l'affiche aussitôt sur le fond du Bureau.**

   La photo vous plaît ? Cliquez sur le bouton Enregistrer les modifications afin de la conserver sur le Bureau. Cliquez sur le menu Emplacement de l'image pour accéder à d'autres images. Ou alors, si vous n'avez pas trouvé votre bonheur, continuez à l'étape suivante.

3. **Cliquez sur le bouton Parcourir puis cliquez sur un fichier de votre dossier Images.**

   La plupart des gens stockent leurs photos dans le dossier nommé Images (parcourir les dossiers et les bibliothèques est expliqué au Chapitre 4).

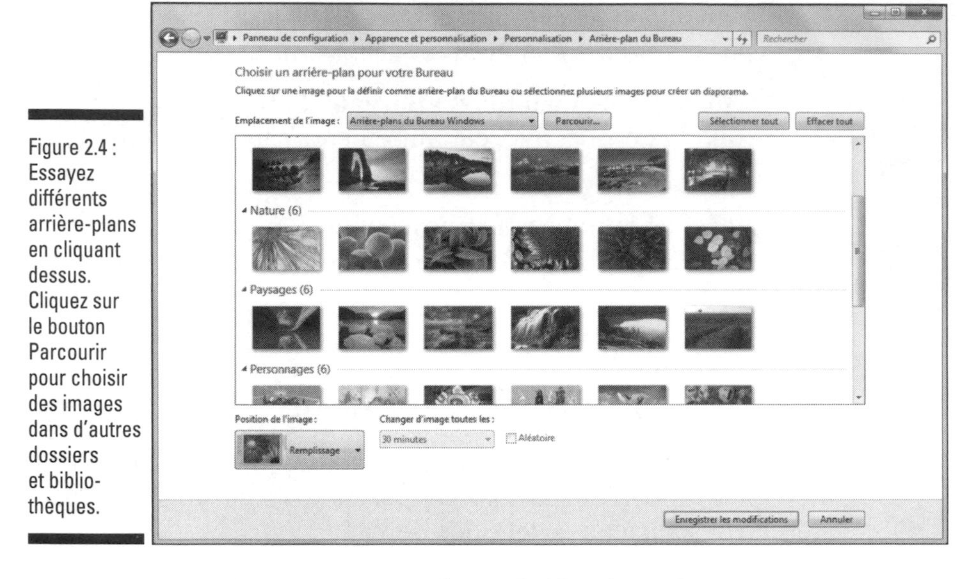

Figure 2.4 : Essayez différents arrière-plans en cliquant dessus. Cliquez sur le bouton Parcourir pour choisir des images dans d'autres dossiers et bibliothèques.

4. **Vous avez trouvé une belle photo ?**

   Quittez le programme, et la photo est utilisée comme arrière-plan.

Voici quelques conseils pour agrémenter votre Bureau :

- Quand vous choisissez une image d'arrière-plan, vous pouvez choisir, dans le menu Position de l'image, l'option Mosaïque pour la juxtaposer autant de fois que nécessaire pour recouvrir le Bureau, Centrer pour qu'elle se trouve au milieu du Bureau, ou Étirée pour qu'elle s'étire de manière à couvrir tout l'écran. Les nouvelles options Remplissage et Ajuster agrandissent les photos de petites dimensions – celles prises avec un téléphone mobile – pour les adapter aux bords de l'écran.

- Il est facile "d'emprunter" une photo sur Internet pour en faire un arrière-plan. Cliquez du bouton droit sur l'image et dans le menu contextuel, sélectionnez Choisir comme image d'arrière-plan (vous pouvez aussi cliquer du bouton droit sur l'une de vos photos dans le dossier Images et choisir Définir en tant que papier peint du Bureau).

- Pour modifier complètement l'apparence de Windows 7, cliquez du bouton droit sur le Bureau, choisissez Personnaliser, puis sélectionnez un thème. Chacun change l'aspect des panneaux, boutons et bordures. Cliquez sur un thème et voyez le résultat. Les thèmes sont expliqués au Chapitre 11. Si vous avez sélectionné un thème sur Internet, vérifiez-le avec votre logiciel antivirus (voir Chapitre 10).

Jetez-moi ça à la Corbeille

La Corbeille qui se trouve dans un coin du Bureau fonctionne comme une véritable corbeille à papiers : vous y déposez les documents dont vous n'avez plus besoin, mais vous pouvez en extraire ceux qui, finalement, ne devaient pas être jetés… sauf si quelqu'un a vidé la Corbeille entre-temps.

Un fichier ou un dossier peut être mis à la Corbeille de diverses manières :

- En cliquant dessus du bouton droit et en choisissant Supprimer, dans le menu contextuel. Windows prend la précaution de vous demander si vous voulez vraiment placer l'élément dans la Corbeille. Cliquez sur Oui et il disparaît aussitôt.
- Pour une suppression encore plus rapide, cliquez sur l'élément et appuyez sur la touche Suppr.
- NdT : Vous pouvez aussi cliquer sur l'élément puis, bouton de la souris enfoncé, le faire glisser jusque sur l'icône de la Corbeille. Mais dans ce cas, contrairement aux deux autres, Windows 7 ne demande pas confirmation.

Vous voulez récupérer un élément que vous avez jeté ? Double-cliquez sur la Corbeille et vous y trouverez tout ce que vous avez supprimé. Cliquez du bouton droit sur l'élément à récupérer et choisissez Restaurer. Windows le remet exactement à l'endroit où il était. Vous pouvez aussi cliquer sur un élément puis, bouton de la souris enfoncé, le tirer hors de la

Corbeille et le déposer sur le Bureau ou dans un dossier de votre choix.

La Corbeille peut rapidement contenir quantité d'éléments. Si vous recherchez un fichier récent, triez le contenu chronologiquement, par date et heure. Pour ce faire, cliquez du bouton droit dans la Corbeille (mais pas sur un élément) et, dans le menu contextuel, choisissez Trier par > Date de suppression.

Pour supprimer définitivement un élément, supprimez-le à l'intérieur de la Corbeille : cliquez dessus et appuyez sur la touche Suppr. Pour supprimer tout le contenu de la Corbeille, cliquez dedans du bouton droit et choisissez Vider la Corbeille.

- L'icône de la Corbeille est celle d'un panier vide ou celle d'un panier débordant de papiers, si le moindre fichier ou dossier y a été déposé.
- Pendant combien de temps les documents présents dans la Corbeille sont-ils conservés ? Sans limitation tant que le volume de la Corbeille n'a pas atteint 5% environ de la capacité du disque dur. Ensuite, les éléments excédentaires sont supprimés en commençant par les plus anciens. Si la place vient à manquer sur le disque dur, cliquez du bouton droit sur la Corbeille et choisissez Propriétés. Réduire la valeur du champ Taille personnalisée réduit la durée de conservation des documents les plus anciens. Augmenter ce chiffre l'allonge un peu.

- La Corbeille ne conserve que les éléments supprimés depuis un disque dur de l'ordinateur. Ceux qui sont supprimés depuis un CD, une carte mémoire, un lecteur MP3, une clé USB de faible capacité ou la mémoire interne d'un appareil photo disparaissent définitivement.

- Les éléments supprimés sur un ordinateur distant, relié au vôtre par un réseau, sont définitivement effacés sans transiter par une corbeille. La Corbeille n'accepte des éléments que de l'ordinateur où elle se trouve, jamais d'un autre. Pour des raisons évidentes de sécurité, la

Corbeille de l'ordinateur distant ne reçoit pas l'élément effacé. Soyez très prudent sur un réseau.

Tout commence par le bouton Démarrer

Le beau bouton bleu Démarrer se trouve dans le coin inférieur gauche du Bureau, où il est disponible en permanence. Cliquer dessus permet de démarrer des programmes, de paramétrer Windows, de trouver de l'aide en cas de problème et, fort heureusement, d'éteindre l'ordinateur et retrouver une vraie vie.

Cliquez une seule fois sur le bouton Démarrer et une pile de menu surgit, comme le montre la Figure 2.5.

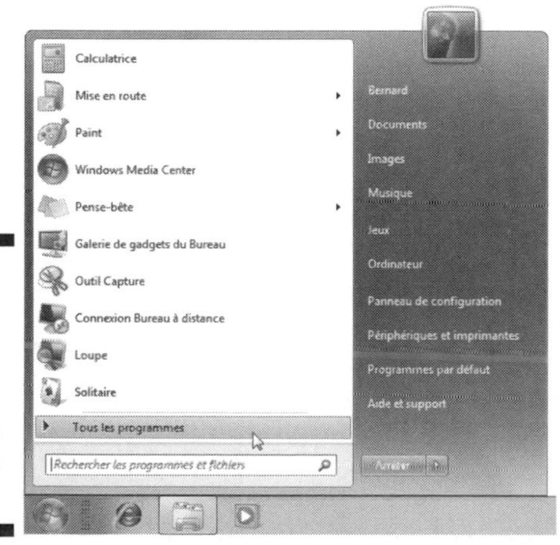

Figure 2.5 : Le menu Démarrer permet d'accéder à tous les programmes de l'ordinateur.

Le menu Démarrer change au fur et à mesure que vous installez des logiciels dans l'ordinateur. C'est pourquoi le menu Démarrer de quelqu'un d'autre sera probablement différent du vôtre.

- Les dossiers Documents, Images et Musique se trouvent à un clic de distance, dans le menu Démarrer. Ils ont été conçus en fonction de leur contenu. Par exemple, le menu Image affiche d'office des vignettes de vos photos numériques. Comme ces dossiers sont thématiques, ils facilitent le classement de vos fichiers et vous permettent de les retrouver plus facilement. L'organisation des fichiers est étudiée au Chapitre 4.

- Windows place systématiquement les programmes les plus utilisés dans le volet de gauche afin d'y accéder rapidement. Remarquez la petite flèche à droite de certains programmes, dans la Figure 2.5 : cliquez dessus déploie un volet contenant la liste des derniers fichiers utilisés avec ce programme.

- Remarquez aussi le bouton Tous les programmes, en bas à gauche du menu Démarrer. Cliquez dessus et vous accédez à tous les programmes – les logiciels, si vous préférez – installés dans l'ordinateur. Cliquez sur le bouton Précédent, qui vient de remplacer Tous les programmes, pour revenir à la première liste.

- Un élément vous intrigue dans la partie droite du menu Démarrer ? Immobilisez le pointeur de la souris dessus, et Windows affiche une info-bulle explicative.

Arrêter

- Assez bizarrement, vous devez cliquer sur le bouton Démarrer pour arrêter l'ordinateur. Vous cliquez ensuite sur le menu Arrêter, comme expliqué à la fin de ce chapitre.

Les boutons du menu Démarrer

Le menu Démarrer est fort opportunément divisé en deux parties : l'une contenant des icônes, l'autre des mots. La partie gauche change constamment selon les programmes que vous utilisez. Les plus fréquemment utilisés se trouvent éventuellement en haut de la pile.

En revanche, la partie de droite est immuable. Chaque terme est en fait un bouton qui donne accès à un emplacement spécial de Windows :

Si les menus Démarrer vous plaisent, vous adorerez la section "Personnaliser le menu Démarrer", un peu plus loin, qui explique comment redisposer la totalité des options de ce panneau.

- **Votre nom :** Le nom du compte d'utilisateur est mentionné en haut à droite du menu Démarrer. Cliquez dessus pour accéder aux dossiers que vous utilisez le plus : Favoris, Liens, Ma musique, Mes documents, Mes images, Mes vidéos et Téléchargements.
- **Documents :** Cette commande montre aussitôt le contenu de la Bibliothèque Documents. C'est dire combien il est important d'enregistrer votre travail à cet endroit.
- **Images :** C'est là que se trouvent vos photos numériques et vos images. Chacune est présentée sous la forme d'une miniature. Vous ne les voyez pas ? Appuyez sur la touche Alt pour faire apparaître la barre de menus, puis cliquez sur Affichage > Grandes icônes.
- **Musique :** Placez vos morceaux ici afin que le Lecteur Windows Media puisse les trouver.

- **Jeux :** Bon nombre des jeux vidéo de Vista se retrouvent dans Windows 7. InkBall a cependant été abandonné tandis qu'Atout Pique ainsi que Backgammon sur Internet, qui permettent tous deux de jouer avec des concurrents du monde entier, ont été ajoutés.
- **Ordinateur :** Cette option affiche les unités de stockage de l'ordinateur, à savoir les dossiers, disques durs, lecteurs de CD, appareils photo numériques, clés USB, ordinateurs du réseau et autres emplacements d'éléments très utilisés.
- **Panneau de configuration :** La tripotée de liens qu'il contient permet de régler quantité de paramètres pour le moment ésotériques, comme vous le découvrirez au Chapitre 11.
- **Périphériques et imprimantes :** Vous trouverez ici les équipements – ou "périphériques", en jargon informatique – connectés à votre ordinateur. Ce sont essentiellement l'imprimante, la souris, le clavier et autres

accessoires. Ceux signalés par un point d'exclamation jaune dans une icône ronde nécessitent un dépannage. Cliquez dessus du bouton droit et choisissez Résolution des problèmes.

- **Programmes par défaut :** Cliquez ici pour savoir quel programme est associé à tel ou tel fichier, et doit être démarré en double-cliquant sur le fichier en question. En informatique, ce qui est "par défaut" est ce que l'ordinateur prend l'initiative de choisir.

- **Aide et support :** Vous vous posez une question ? Cliquez sur ce bouton pour accéder à l'aide Windows.

- **Arrêter :** Cliquez sur ce bouton pour éteindre votre PC. Ou alors, cliquez sur le petit bouton fléché, juste à sa droite, pour changer d'utilisateur, fermer la session, verrouiller l'ordinateur, le redémarrer ou le mettre en veille. Toutes ces options sont expliquées dans la dernière section de ce chapitre.

- **Rechercher les programmes et fichiers :** Placé juste au-dessus du bouton Démarrer, ce champ permet de localiser un fichier en saisissant tout ou partie de son nom ou d'un mot qui se trouve dans un fichier de texte, un courrier électronique, dans le titre d'un morceau, bref quasiment n'importe où. Appuyez sur Entrée et Windows 7, la truffe frétillante se lance sur la piste du fichier égaré. La recherche est décrite plus en détail au Chapitre 6.

Windows XP et Vista arboraient tous deux des icônes pour le navigateur Internet Explorer et la messagerie Outlook Express (XP) ou Windows Mail (Vista). Dans Windows 7, l'application de messagerie est passée à la trappe (Chapitre 9) tandis qu'Internet Explorer a été relégué dans la barre des tâches. Pour réintégrer Internet Explorer dans le menu Démarrer, cliquez sur le bouton Démarrer, choisissez Tous les programmes, cliquez du bouton droit sur l'icône Internet Explorer et choisissez Épingler au menu Démarrer.

Charger un programme depuis le menu Démarrer

C'est tout ce qu'il y a de plus facile : cliquez sur le bouton Démarrer. Le menu Démarrer apparaît. Si l'icône du programme s'y trouve, cliquez dessus et Windows charge le programme.

Mais si le programme ne s'y trouve pas, cliquez sur le bouton Tous les programmes, en bas du panneau. Un nouveau menu apparaît, contenant des noms de programmes et des dossiers contenant également des programmes. Vous avez trouvé votre programme ? Cliquez sur son nom et il s'ouvre à l'écran.

Comment ? Vous n'avez toujours pas trouvé le programme ? Cherchez-le dans les petits dossiers du menu Tous les programmes. Cliquez sur l'un d'eux pour déployer son contenu juste en dessous.

Quand vous aurez enfin trouvé le programme, cliquez sur son nom et vous pourrez l'utiliser.

- Si un programme n'est pas listé, saisissez son nom dans le champ Rechercher les programmes et fichiers. Tapez par exemple **Solitaire** et deux options apparaissent dans le menu Démarrer : Solitaire et Spider Solitaire. Cliquez sur celui auquel vous désirez jouer et il s'affichera aussitôt à l'écran.

- Vous ne trouvez toujours pas le programme ? Reportez-vous au Chapitre 6 pour savoir comment retrouver un élément perdu. Windows 7 est en effet capable de retrouver le programme.

- Il existe un autre moyen de démarrer un programme, si vous parvenez à retrouver un fichier qui a été créé ou modifié avec lui. Par exemple, si vous avez écrit quantité de lettres au percepteur avec Microsoft Word, double-cliquez sur l'une de ces missives hargneuses ou dégoulinante de lamentations et Word s'ouvrira immédiatement depuis sa tanière.

- Toujours pas de programme ? Plutôt que de faire appel à un radiesthésiste ou au Docteur Kissétou, au premier étage de l'immeuble près du métro Barbès, cliquez plutôt du bouton droit dans une partie vide du Bureau, choisissez Nouveau et sélectionnez le programme dans le menu déroulant.
- Si vous ne savez pas comment naviguer parmi les dossiers, reportez-vous au Chapitre 4. Vous apprendrez tout ce qu'il faut savoir pour être à l'aise avec les dossiers, et gagner ainsi beaucoup de temps quand vous recherchez un fichier.

Personnaliser le menu Démarrer

Comment procéder avec le menu Démarrer de Windows 7 quand vous voudrez trouver un élément qui ne s'y trouve pas, ou quand la présence d'un élément rarement utilisé vous semblera exaspérante ?

- **Pour ajouter l'icône d'un programme au menu Démarrer :** Cliquez du bouton droit sur l'icône du programme en question et, dans le menu contextuel, choisissez Épingler au menu Démarrer. Windows copie l'icône en haut de la colonne de gauche du menu Démarrer (de cet endroit, vous pouvez la faire glisser jusque dans la zone Tous les programmes, si vous le désirez).
- **Pour éliminer une icône indésirable dans la colonne de gauche du menu Démarrer :** cliquez dessus du bouton droit et, dans le menu contextuel choisissez, soit Détacher du menu Démarrer, soit Supprimer de cette liste. Notez qu'ôter une icône du menu Démarrer ne supprime le programme lui-même, mais seulement l'un des boutons qui pointent vers lui.

Quand vous installez un programme, comme décrit au Chapitre 11, son nom s'ajoute automatiquement au menu Démarrer. Le programme signale sa nouvelle présence par un fond de couleur, comme à la Figure 2.6.

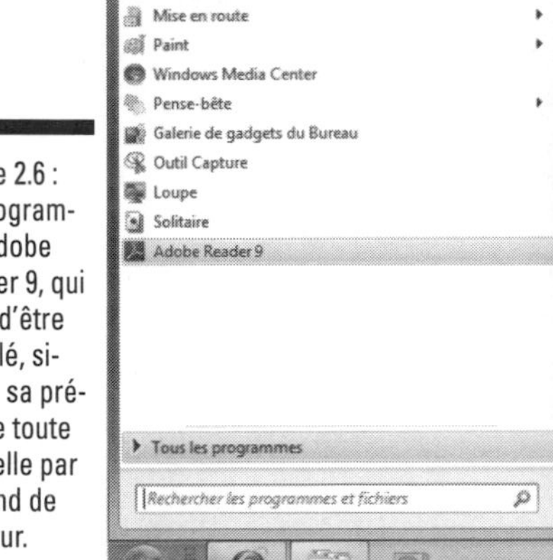

Figure 2.6 : Le programme Adobe Reader 9, qui vient d'être installé, signale sa présence toute nouvelle par un fond de couleur.

Le menu Démarrer peut être personnalisé en accédant à ses propriétés : cliquez du bouton droit dans le menu et choisissez Propriétés. Cliquez ensuite sur l'onglet Menu Démarrer puis sur le bouton Personnaliser. Cochez les options à afficher et décochez celles qui ne vous intéressent pas. Vous avez semé la pagaille ? Vous ne savez plus où vous en êtes ? Cliquez sur le bouton Paramètres par défaut, puis sur OK, puis de nouveau sur OK pour tout recommencer à partir de zéro.

Utiliser la barre des tâches

L'une des nouveautés les plus appréciables de Windows 7 est peut-être sa barre des tâches entièrement revue. Chaque fois que vous ouvrez plusieurs fenêtres sur le Bureau, elles ont tendance à se recouvrir les unes les autres, ce qui les rend parfois difficiles à localiser. Ce qui n'arrange rien est que des programmes comme Internet Explorer ou Microsoft Word peuvent ouvrir plusieurs fenêtres simultanément. Comment mettre un peu d'ordre dans ce déferlement ?

La solution réside dans la barre des tâches, une zone particulière qui conserve une trace de tous les programmes en cours et de leurs fenêtres. Elle se trouve en bas de l'écran et contient une miniature de chaque élément qui est stocké, comme le révèle la Figure 2.7. Son contenu est constamment à jour, et elle sert aussi de réceptacle pour les programmes auxquels vous désirez accéder d'un seul clic.

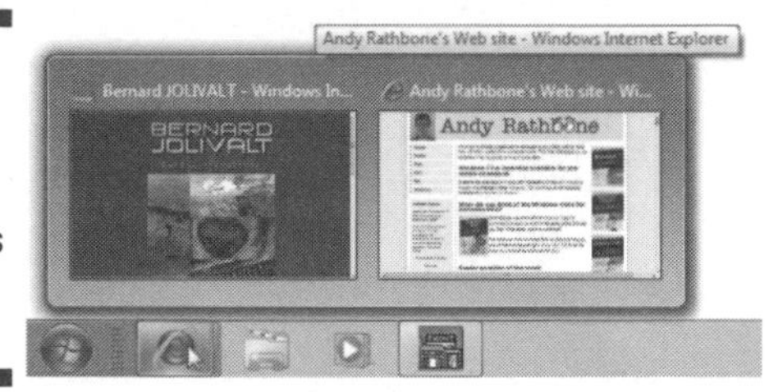

Figure 2.7 : Les programmes actifs sont affichés sous forme de miniatures.

Immobilisez le pointeur de la souris au-dessus d'un programme dans la barre des tâches pour afficher son nom et/ou une miniature montrant son contenu, comme à la Figure 2.7 Dans cette illustration, Internet Explorer affiche la page d'accueil de deux sites Web.

À partir de la barre des tâches, vous pouvez exécuter toutes les actions qui suivent :

- Pour activer un programme présent dans la barre des tâches, cliquez sur son icône. Sa fenêtre s'ouvre aussitôt à l'écran, par-dessus les autres fenêtres, prête à être utilisée.

- Chaque fois que vous démarrez un programme, son nom apparaît dans la barre des tâches. Si vous ne retrouvez plus une fenêtre à l'écran, cliquez sur son nom dans la barre des tâches pour la faire apparaître par-dessus toutes les autres.
- Pour fermer une fenêtre dans la barre des tâches, cliquez du bouton droit sur son icône et dans le menu, choisissez Fermer la fenêtre. Le programme s'arrête comme si vous aviez cliqué la commande Quitter (le cas échéant, il propose d'enregistrer le ou les fichiers qui ne l'ont pas encore été).
- La barre des tâches se trouve habituellement en bas du Bureau, mais vous pouvez l'ancrer contre n'importe

quel bord de l'écran. Il suffit de cliquer dessus puis tirer le pointeur de la souris jusqu'à un autre bord ; la barre se déplace en un clin d'œil. Si cela ne fonctionne pas, cliquez du bouton droit sur la barre et assurez-vous que l'option Verrouiller la barre des tâches n'est pas cochée.

- Si la barre a disparu en bas de l'écran, approchez le pointeur de la souris jusqu'à ce qu'elle refasse surface. Puis cliquez dessus du bouton droit, choisissez Propriétés et décochez la case Masquer automatiquement la Barre des tâches.

- La barre Lancement rapide – une petite zone réservée aux programmes préférés, dans les versions antérieures de Windows – a disparu de la nouvelle barre des tâches, car les programmes peuvent désormais être placés directement dessus : cliquez du bouton droit sur l'icône d'un programme et choisissez Épingler à la barre des tâches. L'icône reste alors en permanence dans la barre des tâches. Pour la supprimer, cliquez dessus du bouton droit et choisissez Détacher le programme de la barre des tâches.

Réduire des fenêtres dans la barre des tâches et les rouvrir

Les fenêtres engendrent des fenêtres. Vous commencez avec une seule pour écrire votre lettre à la Mère Noël dont le mari est ailleurs, et vous ouvrez une autre fenêtre pour trouver l'adresse de M. et Mme Noël, puis une autre pour savoir à combien il faut affranchir le pli… En un rien de temps, l'écran est encombré de plus de fenêtres qu'il y en a sur une tour de La Défense.

Pour éviter l'encombrement, Windows 7 permet de transformer chacune des grandes fenêtres en petite icône rangée dans la barre des tâches. Il suffit pour cela de cliquer sur le bouton Réduire.

Le bouton Réduire est un petit rectangle orné d'un trait, situé dans le coin supérieur droit de toute fenêtre. Il devient tout bleu lorsque le pointeur de la souris le survole. Cliquez et aussitôt la fenêtre se niche en bas de l'écran.

Pour qu'une fenêtre réduite dans la barre des tâches réapparaisse de nouveau à l'écran, il suffit de cliquer sur son icône. On ne fait pas plus simple.

- Pas moyen de trouver l'icône de la fenêtre à réduire ou à ouvrir dans la barre des tâches ? Chacun des boutons qui s'y trouvent arbore l'icône d'un programme. Immobilisez le pointeur de la souris dessus et Windows 7 affichera une miniature du programme, ou au moins son nom.

- Quand vous réduisez une fenêtre, vous ne perdez rien de son contenu et le programme n'est pas fermé. Quand vous rétablissez la fenêtre, elle apparaît exactement telle qu'elle était, avec le même contenu.

Passer d'une tâche à une autre avec les Jump Lists

La nouvelle barre des tâches améliorée de Windows 7 ne se contente pas de démarrer des programmes ou de passer d'une fenêtre à une autre. Elle permet aussi de passer à d'autres tâches, en cliquant du bouton droit sur une icône.

Comme le montre la Figure 2.8, cliquer du bouton droit sur l'icône d'Internet Explorer affiche une liste des sites récemment visités. Cliquez sur l'un d'eux pour y accéder immédiatement.

Appelés Jump Lists, ces menus contextuels ajoutent une nouvelle fonctionnalité à la barre des tâches : la possibilité de passer rapidement d'une tâche à une autre, tout comme d'une fenêtre à une autre.

Dans les versions précédentes de Windows, le clic droit sur la barre des tâches déployait un austère menu n'offrant que trois

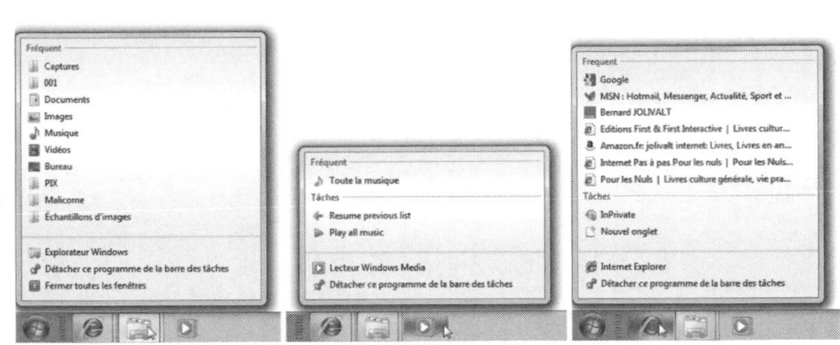

Figure 2.8 : De gauche à droite, les Jump Lists de Windows Explorer (dossiers récemment ouverts), du Lecteur Windows Media (morceaux récemment joués) et Internet Explorer (sites Web récemment visités).

options : Restaurer, Agrandir ou Fermer. Ce menu peut encore être affiché, s'il vous manque, en maintenant la touche Maj enfoncée pendant le clic du bouton droit.

Les zones sensibles de barre des tâches

À l'instar d'un bon joueur de cartes, la barre des tâches cache quelques trucs et astuces. Par exemple, nous examinerons ici les icônes regroupées dans la partie droite de la barre des tâches (voir Figure 2.9), appelée *zone de notification.* Différents éléments y apparaissent, selon le PC que vous possédez et les programmes qu'il contient.

- **Aide :** Donne accès à l'aide en ligne de Windows 7. Un autre moyen d'y accéder consiste à appuyer sur la touche de fonction F1.

- **Options :** Donne accès aux options de configuration de la barre de notification.

- **Retirer le périphérique en toute sécurité :** Cliquez sur cette icône si vous insérez une clé USB dans l'ordinateur. Windows 7 s'assurera qu'aucune opération de

Figure 2.9 : La zone de notification, à droite dans la barre des tâches, contient les icônes des programmes tournant en tâche de fond.

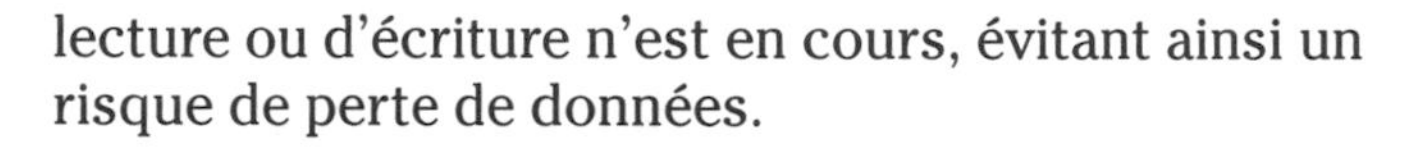

lecture ou d'écriture n'est en cours, évitant ainsi un risque de perte de données.

- **Centre maintenance :** Contient des messages vous informant que Windows 7 doit procéder à des opérations de sécurité : rechercher un programme antivirus si vous n'en avez pas encore installé un, analyser l'ordinateur à la recherche de programmes malveillants, mettre Windows Defender à jour...

- **Réseau :** Si cette icône n'est pas barrée d'une croix rouge, elle indique à quel(s) réseau(x) vous êtes connecté et permet d'accéder au Centre Réseau et partage.

- **Haut-parleurs :** Cliquez sur cette icône pour régler le volume sonore des enceintes, comme le montre la Figure 2.10. Cliquer sur le mot Mélangeur ouvre une fenêtre permettant de régler séparément le volume pour chaque programme. Par exemple, vous réduirez le volume des affreux sons du système mais monterez celui du morceau que vous écoutez.

- **Date et heure :** Cliquer dessus affiche un calendrier et une horloge analogique. Vous pouvez régler l'heure et même ajouter deux autres horloges réglées sur d'autres fuseaux horaires. Ces paramètres temporels sont décrits au Chapitre 11.

- **Afficher le Bureau :** Cliquer sur cette petite zone rectangulaire, à l'extrême droite de la zone de notification,

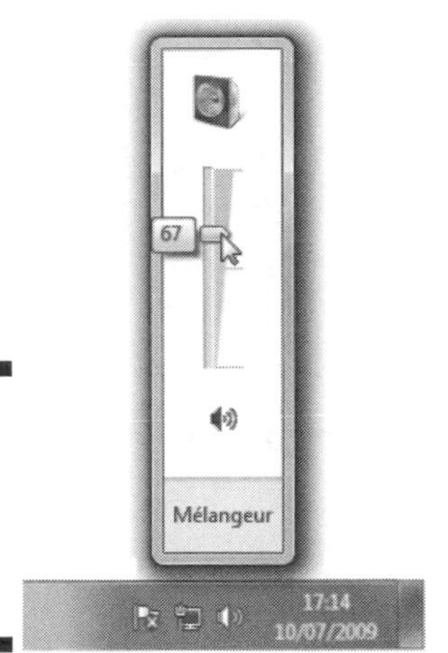

Figure 2.10 : Réglez le volume du son directement depuis Windows 7.

réduit d'un seul coup toutes les fenêtres ouvertes sur le Bureau, ou les rétablit. Mieux encore : immobiliser le pointeur dessus rend toutes les fenêtres transparentes ; seul leur contour reste visible.

D'autres icônes peuvent apparaître dans la zone de notification. Immobilisez le pointeur de la souris dessus pour savoir à quoi elles correspondent, et/ou cliquez dessus du bouton droit pour accéder à leurs diverses options.

Personnaliser la barre des tâches

Windows 7 apporte une kyrielle d'options permettant de façonner la barre des tâches à votre goût.

Par défaut, la barre des tâches contient trois icônes situées près du bouton Démarrer : Internet Explorer pour naviguer sur le Web, Windows Explorer pour parcourir vos dossiers et le Lecteur Windows Media pour – entre autres – écouter de la musique ou visionner des vidéos. Comme tout ce qui se trouve dans la barre des tâches, elles sont repositionnables. N'hésitez pas à les redisposer dans l'ordre que vous voulez.

Pour ajouter d'autres programmes à la barre des tâches, tirez leur icône sur la barre et déposez-la. Ou alors, si vous avez remarqué une icône d'un programme que vous aimez bien, dans le menu Démarrer, cliquez dessus du bouton droit et dans le menu contextuel, choisissez Épingler à la barre des tâches.

Pour une personnalisation encore plus poussée, cliquez du bouton droit dans une partie vide de la barre des tâches et choisissez Propriétés. Cette action a pour effet de faire apparaître la fenêtre Propriétés de la barre des tâches et du menu Démarrer (Figure 2.11).

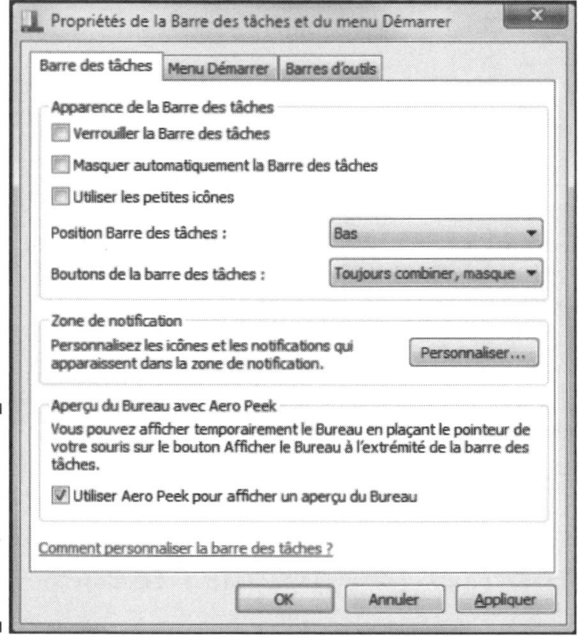

Figure 2.11 : Ce panneau permet notamment de personnaliser la barre des tâches.

Le Tableau 2.1 explique les options de la fenêtre, avec en prime quelques recommandations. Notez que la case Verrouiller la Barre des tâches doit être décochée pour que certaines options fonctionnent.

Ne vous privez pas d'essayer toutes ces options jusqu'à ce que la barre des tâches vous plaise. Après avoir changé une option, vous pouvez la tester immédiatement en cliquant sur le bouton Appliquer. L'effet ne vous satisfait pas ? Corrigez puis cliquez sur Appliquer pour revenir à la normale.

Tableau 2.1 : Personnaliser la barre des tâches.

Paramètres	Recommandations
Verrouiller la Barre des tâches	Lorsque cette case est cochée, la barre des tâches reste en place et son apparence n'est pas modifiable. Il n'est par exemple pas possible de tirer son bord supérieur vers le haut pour l'élargir.
Masquer automatiquement la Barre des tâches	Lorsque cette option est sélectionnée, la barre des tâches disparaît en bas de l'écran lorsque le curseur n'est pas à proximité. Rapprochez-le pour la voir réapparaître. Personnellement, je ne coche pas cette case car je préfère voir la barre des tâches en permanence.
Utiliser les petites icônes	La barre devient plus mince. Les icônes étant plus petites –presque moitié moins que leur taille habituelle – la barre des tâches peut en montrer davantage.
Position Barre des tâches	La barre des tâches peut être ancrée à n'importe quel bord de l'écran. Choisissez ici un autre emplacement, si vous le désirez.
Boutons de la barre des tâches	Quand vous ouvrez quantité de fenêtres et de programmes, Windows regroupe les icônes par affinité. Par exemple, toutes les fenêtres de texte seront regroupées dans une seule icône Word. Choisissez l'option Toujours combiner, masquer les étiquettes. Vous éviterez ainsi d'encombrer la barre des tâches.
Zone de notification	Le bouton Personnaliser permet de sélectionner les icônes qui doivent apparaître dans la zone de notification. Dans le panneau qui apparaît, je coche la case Toujours afficher toutes les icônes et les notifications sur la barre des tâches.
Utiliser Aero Peek pour afficher un aperçu du Bureau	Normalement, immobiliser le pointeur sur le petit rectangle à l'extrême droite de la barre des tâches rend les fenêtres transparentes. Décocher cette case désactive cet effet.

Après avoir configuré la barre des tâches à votre goût, cochez la case Verrouiller la Barre des tâches.

Les barres d'outils de la barre des tâches

La barre des tâches pourra parfois se montrer rétive. Microsoft permet en effet de la personnaliser considérablement, parfois même au point de la rendre méconnaissable. Certains utilisateurs apprécient de pouvoir ajouter des barres d'outils, qui ajoutent des boutons et des menus supplémentaires à la barre des tâches. Mais d'autres ne parviennent plus à la débarrasser de ces satanés ajouts.

Pour afficher ou masquer une barre d'outils, cliquez du bouton droit sur une partie vide de la barre des tâches – y compris sur l'horloge – et choisissez Barres d'outils puis l'une de ces cinq options dans le menu :

- **Adresse :** Cette barre d'outils insère dans la barre des tâches un champ de saisie pour des adresses Web. C'est pratique, mais vous en ferez autant à partir d'Internet Explorer.
- **Liens :** Fournit un accès rapide à vos sites Web préférés. Elle contient les favoris créés avec Internet Explorer.
- **Panneau de saisie Tablet PC :** Destiné uniquement aux possesseurs d'un mini ordinateur de type Tablet PC, il transforme l'écriture manuscrite en caractères typographiques. Il n'est utile que si cet appareil est connecté à l'ordinateur.
- **Bureau :** Ceux trouvent le menu Démarrer pesant placent cette barre d'outil dans la barre des tâches car elle offre un accès direct à tous les éléments comme Ordinateur, Réseau, Panneau de configuration, Corbeille, ainsi qu'aux bibliothèques et aux dossiers.
- **Nouvelle barre d'outils :** Cliquez ici pour ajouter une barre d'outils dans laquelle vous placerez les dossiers auxquels vous désirez accéder rapidement.

Les barres d'outils font partie des éléments que l'on adore ou que l'on déteste. Certaines personnes estiment qu'elles font gagner du temps alors que d'autres les trouvent plutôt encombrantes.

La longueur des barres d'outils est réglable avec la souris à condition que la barre des tâches ne soit pas verrouillée. Cliquez sur la petite partie bosselée, à gauche de la barre et tirez-la vers la gauche ou vers la droite.

Quels sont les programmes actuellement en cours ?

Dans les versions précédentes de Windows, les icônes des programmes disponibles se trouvaient à gauche de la barre des tâches, dans la barre Lancement rapide, tandis que les programmes en cours se trouvaient plutôt à droite, et leur icône était la même, que le programme soit affiché à l'écran ou réduit dans la barre des tâches.

Dans la barre des tâches de Windows 7, icônes des programmes en attente et icônes des programmes en cours d'utilisation se mélangent allègrement. Comment les différencier ? L'icône d'un programme en cours est affichée sur un bouton clair à contour noir, que n'a pas l'icône d'un programme en attente.

Vous ne serez pas long à faire intuitivement la différence. Vous pouvez aussi savoir quels sont les programmes ouverts en appuyant sur la touche Windows (entre les touches Alt et Ctrl) et en appuyant à plusieurs reprises sur la touche Tab pour les faire défiler en 3D.

Des gadgets qui n'en sont pas

Les utilisateurs de Windows Vista connaissent le volet Windows, ce bandeau le long du bord droit de l'écran dans lequel il était possible de placer des mini programmes appelés "gadgets" : horloge, météo, calendrier, actualités, cours de la Bourse, *etc.*

Dans Windows 7, le volet Windows n'existe plus, mais les gadgets sont restés et surtout, ils peuvent désormais être disposés n'importe où. Pour en ajouter un sur le Bureau, cliquez du bouton droit sur une partie vide du Bureau et choisissez Gadgets. La fenêtre de la Figure 2.12 apparaît, avec sa collection de gadgets : Actions (en fait, les cours de la Bourse), Calendrier, Compteur processeur (deux cadrans indiquant

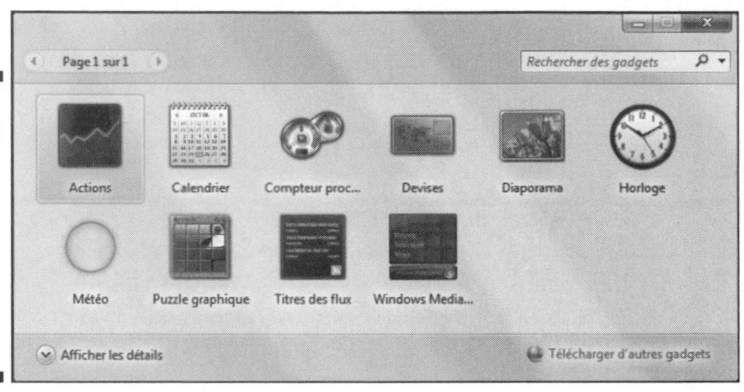

Figure 2.12 : Choisissez ici les gadgets, des mini programmes que vous laisserez en permanence sur votre Bureau.

l'usage du processeur et de la mémoire vive, en pourcentage), et d'autres encore.

Faites glisser un gadget de la fenêtre sur le Bureau. Celui qui vous intéresserait n'est pas affiché ? Cliquez sur le bouton Télécharger d'autres gadgets et vous accéderez à un site Web proposant des centaines de gadgets gratuits. Parmi ceux qui valent la peine d'être installés : Sytadin, qui montre en temps réel l'état du trafic routier autour de Paris et Trafic en France, qui montre le trafic dans tout le pays, ou les flux RSS de nombreux journaux et magazines. D'autres, comme le sourimètre indiquant la longueur parcourue par la souris, sont de véritables gadgets. Les gadgets doivent être téléchargés et installés comme n'importe quel programme (l'installation des programmes est expliquée au Chapitre 11).

- Placez les gadgets où vous voulez sur l'écran. Ou n'en utilisez aucun, car ils ne sont pas obligatoires.
- Pour modifier un gadget – choisir un autre modèle d'horloge, un autre dossier de photos pour le Diaporama… –, amenez le pointeur jusque sur le gadget, puis cliquez sur la petite clé à molette qui apparaît en haut à droite.
- Certains gadgets peuvent être agrandis (Compteur processeur, Titres des flux, Diaporama…), ou afficher des données supplémentaires (Calendrier, Météo…). Amenez le pointeur jusque sur le gadget, puis cliquez sur la petite flèche en haut à droite.

- Pour ôter un gadget du Bureau, amenez le pointeur jusque sur le gadget, puis cliquez sur la croix blanche, en haut à droite.

Fermer Windows

La plus plaisante de toutes les choses que l'on peut faire avec Windows 7, c'est l'éteindre quand on en a plus besoin. Vous cliquez pour cela sur le bouton Démarrer – eh oui... – ou, si la barre des tâches est masquée, appuyez sur les touches Ctrl + Echap, et cliquez sur le bouton Arrêter.

Arrêter

Cliquez sur le bouton Arrêter si plus personne ne compte utiliser l'ordinateur. Windows 7 enregistre tout et éteint la machine.

Si vous n'avez pas l'intention d'éteindre l'ordinateur, le petit bouton fléché à droite du bouton Arrêter propose les actions suivantes :

- **Changer d'utilisateur :** Choisissez cette option si quelqu'un d'autre compte emprunter l'ordinateur pendant quelques minutes. L'écran d'accueil réapparaît, mais vos programmes ouverts sont conservés en coulisse. Quand vous reprendrez l'ordinateur, vous retrouverez tout comme vous l'aviez laissé.
- **Fermer la session :** Si vous avez fini votre travail et que quelqu'un veut utiliser l'ordinateur, cette option demande à Windows d'enregistrer vos fichiers et vos paramètres. L'écran d'accueil est réaffiché, prêt à ouvrir une session pour un autre utilisateur.
- **Verrouiller :** Choisissez cette option lorsque vous abandonnez le PC pour peu de temps (pause café à la photocopieuse...). L'image de votre compte d'utilisateur est affichée, avec le champ de saisie du mot de passe. Personne ne profitera ainsi de votre absence pour intervenir dans votre travail en cours ou examiner vos fichiers. Après avoir rentré le mot de passe, vous retrouvez le Bureau comme avant.

- **Redémarrer :** Choisissez cette option si Windows 7 fait des siennes : blocage d'un programme, lenteur anormale... L'ordinateur est réinitialisé et Windows redémarre. L'installation de certains programmes exige un redémarrage de l'ordinateur

- **Mettre en veille prolongée :** Cette option enregistre votre travail dans la mémoire vive du PC et aussi sur le disque dur, puis il plonge le PC dans une profonde léthargie, en mode d'économie, où il fonctionne au ralenti. Quand vous appuyez sur une touche, Windows 7 réaffiche aussitôt le Bureau, les programmes et Windows comme si rien ne s'était passé. Sur un ordinateur portable, la mise en veille prolongée n'enregistre le travail que dans la mémoire. Si la charge de la batterie baisse dangereusement, Windows recopie le contenu de la mémoire sur le disque dur et éteint l'ordinateur.

- **Mettre en veille :** Présente sur quelques portables, cette option copie le travail en cours sur le disque dur puis elle éteint le PC. Ce processus est plus gourmand en énergie que le mode Mettre en veille prolongée. Il est aussi plus lent à réafficher votre travail tel qu'il était au moment de la mise en veille.

Quand vous indiquez à Windows 7 que vous allez quitter, il vérifie dans chaque fenêtre ouverte si le contenu a été enregistré. S'il trouve un fichier non enregistré, il vous propose de le faire en cliquant sur OK. Pas de risque, donc, de perdre un travail en cours.

Vous n'êtes pas obligé d'éteindre l'ordinateur. D'après des spécialistes, ne pas l'éteindre serait même meilleur pour sa longévité. Mais d'autres maintiennent qu'il se portera mieux si on l'éteint chaque soir. Et bien sûr, des spécialistes conciliants affirment que la mise en veille prolongée prend le meilleur de ces deux attitudes. En revanche, tout le monde est d'accord sur le fait qu'il est préférable d'éteindre l'écran, ce qui lui permet de refroidir de temps en temps.

N'éteignez jamais le PC sauvagement, avec le bouton marche/arrêt ou en ôtant la prise. Éteignez-le toujours dans les règles, en choisissant l'une des options de veille ou de redémarrage, ou en cliquant sur l'icône Arrêter. Autrement, Windows ne pourrait pas préparer correctement l'ordinateur pour la prochaine utilisation, ce qui pourrait provoquer des dysfonctionnements.

Chapitre 3

Les rouages de Windows

Dans ce chapitre

- Les différents éléments de Windows
- Boutons, barres et ascenseurs
- Trouver et utiliser les menus
- Les nouveaux volets de navigation et de visualisation
- Parcourir un document dans une fenêtre
- Déplacer des fenêtres et modifier leur taille

Ce chapitre s'adresse à ceux qui aiment bien décortiquer le fonctionnement de ce qu'ils utilisent. Vous apprendrez ici ce qui se passe derrière tous les boutons, fenêtres, barres et bordures de Windows 7 et ce qui se produit lorsque vous cliquez dessus.

Dans ce chapitre un peu rébarbatif, une fenêtre ordinaire – celle du dossier Documents, souvent utilisée – est placée sur la table de dissection. Chaque partie mise à part est minutieusement expliquée. Vous découvrirez le fonctionnement de chacune d'elles et apprendrez les procédures requises pour les exploiter.

Dissection d'une fenêtre typique

La Figure 3.1 place une fenêtre typique sur la table de dissection. Il s'agit de celle du dossier Documents – le lieu de stockage de la majeure partie de votre travail –, dont tous les éléments sont étiquetés.

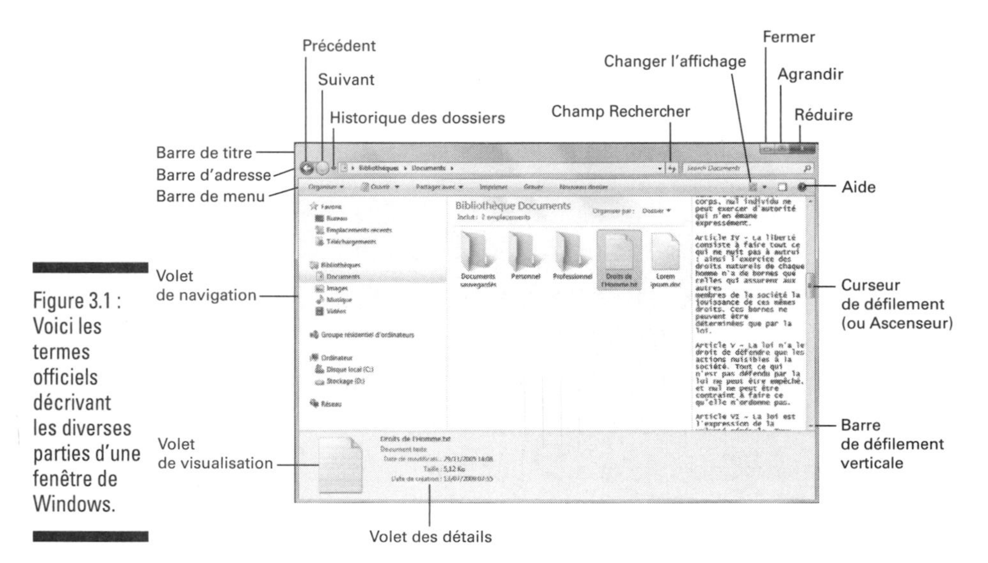

Figure 3.1 : Voici les termes officiels décrivant les diverses parties d'une fenêtre de Windows.

La barre de titre d'une fenêtre

Située en haut de presque chaque fenêtre, la barre de titre mentionne le nom du programme et celui du fichier en cours. La Figure 3.2 montre celles de deux traitements de texte : WordPad (en haut) et le Bloc-notes (en bas). Dans les deux cas, les fichiers n'ont pas encore été enregistrés, d'où leur nom respectif Sans-titre et Document.

Figure 3.2 : La barre de titre de WordPad (en haut) et du Bloc-notes (en bas).

En dépit de son aspect anodin, la barre de titre contient bon nombre de fonctionnalités intéressantes :

- La barre de titre permet de déplacer une fenêtre sur le Bureau. Cliquez sur une partie vide de la barre de titre puis, bouton de la souris enfoncé, tirez-la. La fenêtre suit le mouvement de la souris. Relâchez le bouton pour la déposer.
- Double-cliquez dans une partie vide de la barre de titre, et la fenêtre emplit tout l'écran. Double-cliquez de nouveau dessus, et elle reprend ses dimensions d'origine.

- Remarquez les petites icônes à gauche, dans la barre de titre de WordPad. Elles forment la barre d'outils Accès rapide et appartiennent à ce que Microsoft appelle *l'interface Ruban*. Elle vous gêne à cet emplacement ? Cliquez du bouton droit sur l'une des icônes et choisissez Afficher la barre d'outils Accès rapide au-dessous du ruban.

- Dans Windows XP, chaque barre de titre affichait le nom du dossier ouvert. Mais ce n'est pas le cas dans Windows Vista et dans Windows 7, où la barre ne mentionne plus rien (reportez-vous à la Figure 3.1). Mais cela n'empêche pas la barre de titre de fonctionner comme d'habitude. Vous pouvez la repositionner exactement comme dans Windows XP.
- Trois boutons rectangulaires se trouvent à droite, dans la barre de titre. Ce sont, de gauche à droite, les boutons Réduire, Agrandir et Fermer. Nous y reviendrons à la section "Déplacer les fenêtres sur le Bureau", un peu plus loin dans ce chapitre.

- Parmi plusieurs fenêtres, celle sur laquelle vous travaillez actuellement est reconnaissable à sa bordure colorée et au bouton Fermer rouge, en haut à droite (reportez-vous à la Figure 3.2, en haut) tandis que les bordures et boutons des autres sont incolores (Figure 3.2, en bas). Sachant cela, vous pouvez identifier d'un coup d'œil la fenêtre dans laquelle vous travaillez actuellement (contrairement à Vista, Windows 7 assombrit la totalité de la barre de titre).

Naviguer parmi les dossiers avec la barre d'adresse de la fenêtre

Juste sous la barre de titre se trouve la *barre d'adresse* (voir Figure 3.3). Elle semblera familière à ceux qui connaissent déjà Internet Explorer, car elle rappelle furieusement à la barre d'adresse du navigateur Web. Elle se trouve en haut de la fenêtre de n'importe quel dossier.

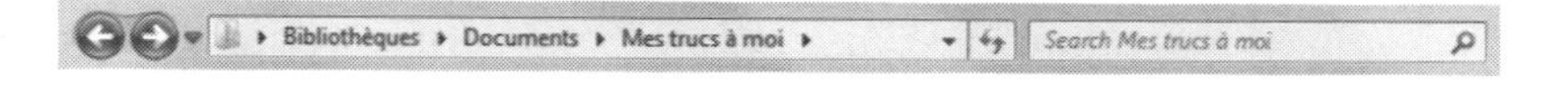

Figure 3.3 : Une barre d'adresse.

Les trois parties principales de la barre d'adresse – de gauche à droite dans les paragraphes qui suivent – ont chacune une fonction bien définie :

- **Bouton Précédent et Suivant :** Ces deux boutons mémorisent votre itinéraire parmi les dossiers du PC. Le bouton Précédent vous ramène au dossier que vous venez de visiter (en amont). Le bouton Suivant vous ramène au dernier dossier (en aval). Cliquez sur la minuscule flèche à droite des deux boutons pour accéder à une liste des emplacements que vous avez visités. Cliquez sur l'un d'eux pour y accéder aussitôt.
- **Barre d'adresse :** Elle contient l'adresse du dossier actuellement ouvert. Cette adresse correspond plus exactement au *chemin* dans le disque dur : par exemple, à la Figure 3.3, l'adresse est *Bibliothèques, Documents, Mes trucs à moi.* Elle indique que vous vous trouvez dans le dossier Mes trucs à moi, qui se trouve dans le dossier Documents, lequel se trouve dans le dossier Bibliothèques de votre compte d'utilisateur. Eh oui, ces histoires de dossiers sont suffisamment compliquées pour qu'un chapitre entier – le prochain – leur soit consacré.

- **Le champ Rechercher :** Toutes les fenêtres de Windows 7 sont dotées d'un champ Rechercher, capable d'explorer le dossier et ses sous-dossiers à la recherche d'une donnée ou d'une information. Par exemple, si vous recherchez le mot **carotte**, Windows montrera tous les fichiers contenant ce mot.

Remarquez, dans la barre d'adresse, les petits triangles noirs entre les mots Bibliothèques, Documents et Mes trucs à moi. Cliquer dessus affiche un menu de tous les autres dossiers se trouvant à ce niveau. C'est un moyen commode d'accéder à d'autres dossiers.

Trouver la barre de menus cachée

Windows 7 contient autant de menus que la carte d'un restaurant chinois. Mais pour ne pas encombrer l'écran, il les cache dans la *barre de menus* illustrée à la Figure 3.4

Fichier Edition Format Affichage ?

Figure 3.4 : La barre de menus.

Chaque mot de la barre de menus contient une entrée spécifique correspondant à un menu. Cliquez sur Édition, par exemple, et le menu approprié se déploie, comme à la Figure 3.5, qui présente les options d'édition d'un fichier.

Quand une commande n'est pas exécutable (parce que les conditions requises ne sont pas réunies), elle apparaît en grisé sur le menu, comme Couper, Copier, Coller, Supprimer et Atteindre, à la Figure 3.5.

Si vous avez cliqué par mégarde sur une entrée erronée, dans la barre de menus, déployant ainsi des commandes dont vous n'avez pas besoin, faites simplement glisser le pointeur de la souris jusqu'à l'entrée correcte. Windows rétracte le menu que vous quittez et déploie le suivant.

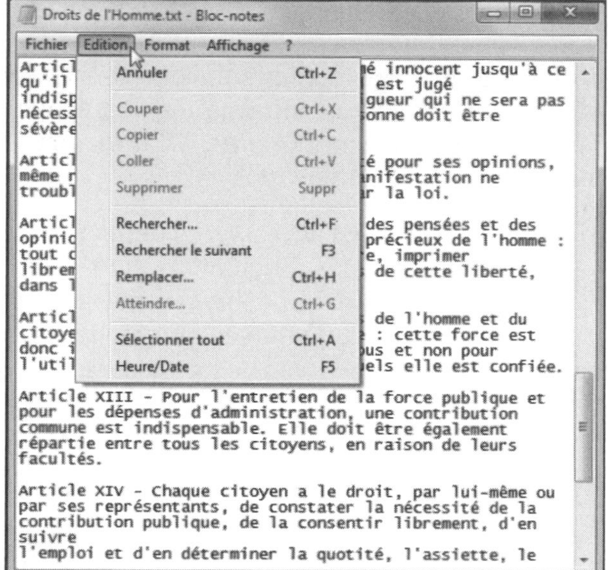

Figure 3.5 : Cliquez sur un menu pour accéder à ses commandes.

Pour mettre fin à cette exploration des menus, cliquez dans l'*espace de travail* de la fenêtre.

Où est passée la barre de menus ?

Si vous migrez de Windows XP, vous aurez sans doute remarqué qu'un élément fait défaut en haut de vos dossiers : la barre comportant les familiers termes Fichier, Édition, Affichage et autres menus a disparu. Microsoft les a placés hors de vue dans Vista, et en a fait autant pour Windows 7. Pour afficher la barre de menus, appuyez sur la touche Alt, et elle réapparaîtra dans la plupart des programmes.

Par commodité pour les amateurs de raccourcis clavier, Windows 7 souligne le caractère d'un raccourci pendant que la touche Alt est enfoncée. C'est ainsi que Alt + F déploie le menu Fichier et Alt + O le menu Format. Dans la foulée, Alt + F + Q fait quitter l'application tandis que dans un dossier Alt + F + F + F (fichier, modifier, fermer) ferme la fenêtre.

Pour afficher la barre de menus en permanence, choisissez Organiser > Disposition > Barre de menus.

Choisir le bon bouton pour la bonne tâche

Les vieux de la vieille – les anciens d'XP, si vous préférez – se souviennent du *volet d'exploration,* un bien utile panneau affiché à gauche d'un dossier, qui contenait de fort commodes commandes pour les tâches les plus communes. Dans Windows 7, ce volet a été remplacé par un ensemble de boutons réunis sur une *barre de commandes.* La Figure 3.6 montre celle de la bibliothèque Documents.

Figure 3.6 : La barre de commandes de la bibliothèque Documents.

Vous n'avez pas besoin d'étudier spécifiquement la barre de commandes, car Windows 7 affiche les boutons appropriés en haut du dossier. Ouvrez le dossier Musique, par exemple, et Windows 7 affiche un bouton Lire tout pour écouter en non-stop les heures et les heures de musique qui s'y trouvent. Ouvrez le dossier Images, et le bouton Diaporama affichera les photos du dossier les unes après les autres, en plein écran.

Si la signification d'un bouton ne vous paraît pas évidente, immobilisez le pointeur de la souris dessus. Un petit message expliquera de quoi il s'agit. Voici une description de ces boutons :

- **Organiser :** Présent dans toutes les barres de commandes, le bouton Organiser sert à couper, copier ou coller un ou plusieurs éléments sélectionnés. L'option Disposition permet d'afficher ou non des volets du dossier. Vous pouvez par exemple ne plus afficher le *volet de navigation,* à gauche de la fenêtre, ou le *volet des détails* en bas.

  Vous avez remarqué les bandes bleues en bordure d'icône dans Disposition ? Elles indiquent où se trouvent ces éléments.

- **Nouveau dossier :** Vous désirez créer un sous-dossier ? Cliquez sur ce bouton puis tapez aussitôt le nom du nouveau dossier.

- **Inclure dans la bibliothèque :** Nouvelles dans Windows 7 et décrites au Chapitre 4, les bibliothèques sont des ensembles de fichiers provenant de divers dossiers. Cliquez sur le bouton Inclure dans la bibliothèque pour déployer un menu déroulant contenant les icônes des quatre dossiers principaux : Documents, Images, Musique et Vidéos. C'est un moyen commode pour rationaliser l'archivage, lorsque vous tombez sur un dossier de photos que vous n'être pas très sûr de pouvoir retrouver ultérieurement.

- **Partager avec :** Cliquez sur ce bouton pour partager un ou plusieurs fichiers sélectionnés avec un autre utilisateur de l'ordinateur, ou avec un ordinateur distant, à condition que ces destinataires aient déjà un compte d'utilisateur et un mot de passe sur votre PC. Ce bouton n'est pas visible tant qu'un réseau informatique n'a pas été configuré (ce sujet est abordé au Chapitre 14).

- **Graver :** Cliquez ici pour graver les éléments sélectionnés sur un CD ou un DVD vierge. Si rien n'est sélectionné, tout le contenu du dossier est gravé. C'est un moyen commode pour procéder à des sauvegardes rapides.

- **Changer l'affichage :** Cette icône uniquement graphique (sans texte) en haut à droite de chaque dossier, permet de choisir la présentation de son contenu. Cliquez à plusieurs reprises sur l'icône jusqu'à ce qu'une présentation vous convienne. Cliquer sur le bouton fléché adjacent permet de choisir différents affichages, comme Détails qui fournit de nombreuses informations sur les fichiers : Nom, Date de modification, Type, Taille ainsi que, sur demande, des dizaines d'autres données. Pour des photos, choisissez Grandes icônes ou Très grandes icônes pour les voir sous forme de vignettes.

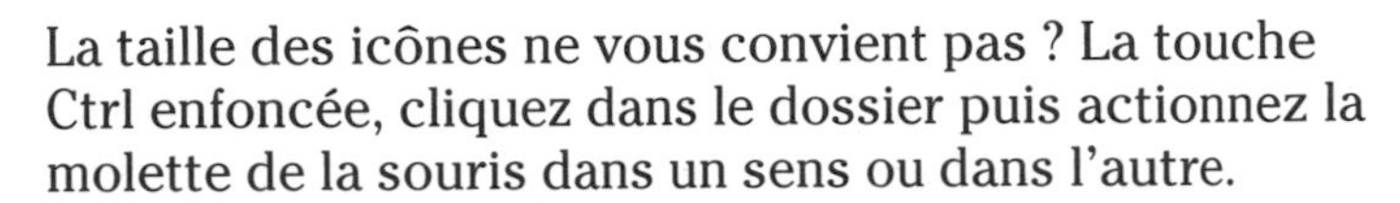

La taille des icônes ne vous convient pas ? La touche Ctrl enfoncée, cliquez dans le dossier puis actionnez la molette de la souris dans un sens ou dans l'autre.

- **Volet de visualisation :** Cette icône affiche ou masque le volet, à droite de la fenêtre, qui affiche un aperçu du contenu du fichier sélectionné. Pratique pour jeter rapidement un coup d'œil dans un fichier sans être obligé de l'ouvrir avec son application.

- **Aide :** Cliquez sur le petit bouton bleu orné d'un point d'interrogation pour obtenir une réponse au sujet duquel vous vous interrogez.

Les accès rapides du volet de navigation

Examinez un bureau – un vrai – et vous constaterez que les objets les plus couramment utilisés sont à portée de main : le pot à crayons, l'agrafeuse, les tampons, la tasse de café et peut-être quelques miettes du sandwich de midi... C'est pareil dans Windows 7 : tous les éléments les plus fréquemment utilisés (hormis le café et les miettes) sont placés dans le volet de navigation illustré à la Figure 3.7.

Situé à gauche de chaque dossier, le volet de navigation est divisé en cinq rubriques : Favoris, Bibliothèques, Groupe résidentiel d'ordinateurs, Ordinateur et Réseau. Cliquez sur l'une de ces rubriques, Favoris par exemple, et son contenu apparaît dans le volet de droite.

Voici quelques détails supplémentaires à propos des différentes rubriques du volet de navigation :

- **Favoris :** Les Favoris, ne pas confondre avec ceux d'Internet Explorer (Chapitre 8) qui pointent vers vos sites Web préférés, sont des raccourcis vers les emplacements les plus usités de Windows :
  - **Bureau :** Vous ne vous en doutiez peut-être pas, mais le Bureau est en réalité un dossier dont le contenu apparaît en permanence sur l'écran.

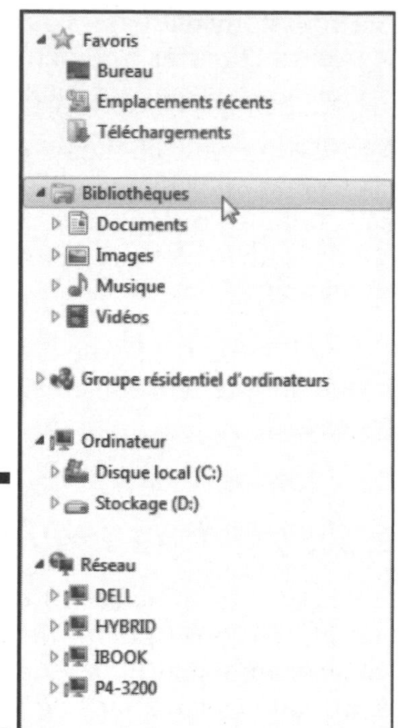

Figure 3.7 : Le volet de navigation contient des accès vers les emplacements les plus visités.

Cliquer sur Bureau, à la rubrique Favoris, montre tout ce qui s'y trouve. Windows ajoute quelques éléments utiles, comme la Corbeille, le Panneau de configuration et votre dossier d'utilisateur (à votre nom).

- **Emplacements récents :** Vous y trouverez tous les dossiers et fichiers récemment ouverts.
- **Téléchargements :** Cliquez ici pour accéder aux fichiers téléchargés avec Internet Explorer lors de vos pérégrinations sur le Web. C'est en effet là qu'ils se retrouvent.

✓ **Bibliothèques :** Contrairement aux dossiers conventionnels, les bibliothèques affichent le contenu de plusieurs dossiers, réunis en un seul endroit afin de les voir facilement. Une bibliothèque Windows commence par afficher le contenu de deux dossiers : celui qui vous est propre, et aussi son équivalent public, accessible par quiconque possédant un compte sur le PC (la notion de dossier public est expliquée au Chapitre 13).

- **Documents :** Accède à la bibliothèque Documents qui comprend deux emplacements : le dossier Mes documents et le dossier Documents publics.
- **Images :** Ce bouton donne accès à votre photothèque numérique.
- **Musique :** Cliquez sur Musique, puis double-cliquez sur un morceau pour l'écouter aussitôt.
- **Vidéos :** Un double-clic sur les séquences hébergées dans ce dossier vous permettra de les visionner avec le Lecteur Windows Media.

- **Groupe résidentiel d'ordinateurs :** Nouveauté de Windows 7, un groupe résidentiel d'ordinateurs est un ensemble de plusieurs PC partageant des fichiers et des imprimantes. Cliquez sur ce bouton pour voir quels ordinateurs se partagent quoi. Ce sujet est étudié au Chapitre 14.
- **Ordinateur :** Ce bouton qu'affectionnent les férus de technique permet de parcourir tous les dossiers et fichiers de l'ordinateur. Hormis pour accéder rapidement au contenu d'une clé USB ou d'un disque dur externe, vous ne cliquerez sans doute pas souvent ici.
- **Réseau :** Bien que Windows 7 soit doté du génial Groupe résidentiel d'ordinateurs, la notion de réseau informatique existe toujours. C'est à cet endroit que s'affiche le nom des autres ordinateurs reliés au vôtre.

Le volet des détails

Le volet des détails que montre la Figure 3.8 s'étire langoureusement au pied de chaque dossier. Comme le laisse entendre son nom, ce petit panneau fournit quantité de détails sur ce que vous avez ouvert ou sélectionné.

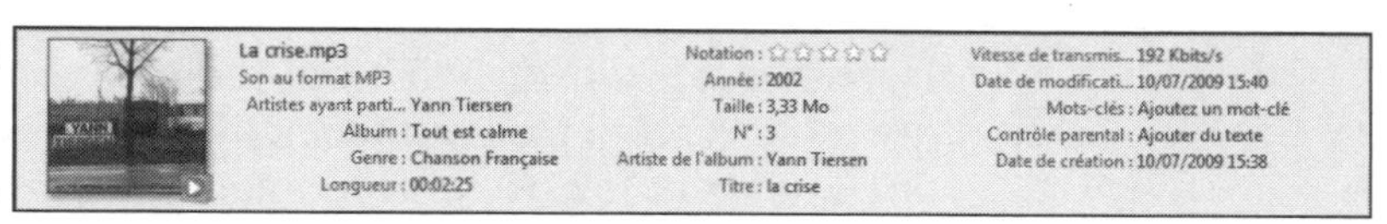

Figure 3.8 : Le volet des détails fournit quantité d'informations sur un fichier, comme ici un morceau de musique.

Ouvrez un dossier, et le volet des détails indiquera le nombre d'éléments – fichiers ou dossiers – qu'il contient. Il indique même si les fichiers se trouvent dans votre ordinateur ou sur le réseau.

Le volet des détails mérite bien son nom, notamment en ce qui concerne les fichiers. Par exemple, cliquez sur un fichier de musique et le volet des détails affichera une vignette de sa pochette, le nom du morceau, celui de l'interprète, la durée, la taille du fichier et même sa notation si vous l'attribuez au travers du Lecteur Windows Media (NdT : La notation peut aussi être attribuée en cliquant directement sur les étoiles, dans le volet des détails). Cliquez sur une photo, et le volet indique la date de prise de vue, la marque de l'appareil photo, les dimensions de l'image en pixels et de nombreuses données techniques comme la focale, la vitesse, la sensibilité ISO, *etc*. Vous pourrez aussi noter les photos et leur attribuer des mots-clés.

- Le volet des détails affiche beaucoup plus d'informations qu'il y paraît à première vue. Comme il est redimensionnable, tirez le bord supérieur vers le haut pour révéler quantité d'informations supplémentaires.

Organiser ▾

- Si vous estimez que le volet des détails occupe trop de place, tirez sa bordure supérieure vers le bas. Ou alors, masquez-le en cliquant sur le bouton Organiser, à gauche dans la barre de commandes, et choisissez Disposition > Volet des détails (procédez de même pour le réafficher).

Se déplacer dans une fenêtre avec la barre de défilement

La barre de défilement, qui fait penser à une cage d'ascenseur (voir Figure 3.9), apparaît au bord droit et/ou inférieur d'une fenêtre dès qu'elle est trop petite pour afficher tout son contenu. À l'intérieur de la barre, un petit ascenseur – techniquement, un *curseur de défilement* – monte et descend selon la partie de la page affichée. D'un seul coup d'œil sur l'ascenseur, vous savez si vous êtes plutôt en haut, au milieu ou en bas du contenu d'une fenêtre.

Figure 3.9 : Une barre de défilement et son ascenseur.

Vous pouvez voir l'ascenseur monter et descendre lorsque vous appuyez sur les touches PageHaut et PageBas. Mais l'actionner à la souris est plus plaisant. Cliquer en différents endroits de la barre de défilement permet de se déplacer rapidement dans un document. Par exemple :

- Cliquer dans la barre au-dessus de l'ascenseur déplace d'une page vers le haut, comme si vous aviez appuyé sur la touche PageHaut. De même, cliquer sur la barre sous l'ascenseur fait descendre d'une page. Plus l'écran est grand – à résolution égale –, plus vous pouvez voir d'informations sur une page.

- Pour remonter la vue d'une seule ligne, cliquez sur la petite flèche (la *flèche de défilement*) en haut de la barre de défilement. Cliquer sur la flèche inférieure fait descendre d'une ligne.
- Une barre de défilement peut se trouver sur le bord inférieur de la fenêtre. Elle sert alors à visionner des documents larges, comme une feuille de calcul. Le déplacement s'effectue alors horizontalement, permettant par exemple d'examiner les diverses colonnes de chiffres.
- Pas d'ascenseur dans la barre de défilement, ou pas de barre du tout ? Cela signifie que l'ensemble de la fenêtre est affiché. Il n'y a donc pas lieu de la faire défiler.

- Vous voulez parcourir rapidement le contenu d'une fenêtre ? Cliquez sur l'ascenseur et tirez-le, et vous verrez le contenu de la fenêtre défiler à toute vitesse. Arrivé là où vous le vouliez, relâchez le bouton de la souris.

Du côté des bordures

Une *bordure* est le cadre qui entoure une fenêtre.

Pour changer la taille d'une fenêtre, cliquez sur une bordure – le pointeur de la souris prend la forme d'une flèche à deux pointes – et tirez dans la direction désirée. Redimensionner une fenêtre en cliquant et tirant un coin est le plus commode. Notez que certaines fenêtres ne sont pas redimensionnables.

Remplir des champs

À un moment ou à un autre, Windows vous obligera à jouer les gratte-papier : vous devrez remplir des champs contenant vos requêtes. Pour cette paperasserie informatique, Windows ouvre des *boîtes de dialogue*.

Une boîte de dialogue est une fenêtre contenant une sorte de formulaire ou de liste que vous devez remplir ou cocher. Elle peut se présenter de diverses manières, comme vous le découvrirez par la suite.

Cliquer sur le bouton de commande adéquat

Les boutons de commande sont les éléments les plus faciles à utiliser car marqués de leur nom, on sait de suite à quoi ils servent. Ils sont généralement utilisés après avoir fini de remplir la boîte de dialogue. En fonction de celui sur lequel vous avez cliqué, Windows exécute votre demande ou affiche une autre boîte de dialogue.

Le Tableau 3.1 montre les boutons que vous rencontrerez le plus souvent.

- Le bouton OK se distingue souvent des autres par une bordure plus foncée, indiquant qu'il est *en surbrillance* (ou sélectionné). Appuyer sur la touche Entrée équivaut à cliquer sur la touche en surbrillance.

- Si vous avez cliqué sur le bouton erroné *et que vous n'avez pas encore relâché le bouton de la souris,* ne faites plus rien, car un bouton de commande n'agit qu'au moment où vous ôtez le doigt du bouton. Le doigt toujours sur le bouton, faites glisser le pointeur hors du bouton. Le relâcher n'a alors plus aucun effet.

- Vous vous demandez à quoi sert telle ou telle option dans la boîte de dialogue ? Cliquez sur le bouton marqué d'un point d'interrogation, en haut à droite de la fenêtre. Cliquez ensuite sur la commande qui vous intrigue pour obtenir un bref descriptif de son usage. Parfois, le seul fait d'immobiliser le pointeur au-dessus d'une option

Tableau 3.1 : Les boutons de commande courants de Windows 7.

Bouton de commande	Description
OK	Cliquer sur le bouton OK signifie que vous en avez fini avec la boîte de dialogue et que Windows peut valider vos saisies. Windows 7 les prend en compte et les applique.
Annuler	Si vous estimez qu'il ne fallait pas ouvrir cette fenêtre et/ou ne rien changer dans les champs, cliquez sur ce bouton pour annuler vos saisies, et tout redevient comme si de rien n'était. Cliquer sur le bouton X, en haut à droite de la fenêtre, équivaut à annuler.
Suivant	Cliquez sur ce bouton pour passer à la prochaine fenêtre d'une série de plusieurs à remplir. Vous voulez revenir en arrière pour modifier une saisie effectuée auparavant ? Cliquez sur le bouton fléché Précédent, en haut à gauche de la fenêtre.
Configurer...	Quand des points de suspension suivent du texte, cela signifie qu'une boîte de dialogue va s'ouvrir.
Par défaut	Si vous vous êtes complètement fourvoyé dans vos paramétrages, ce bouton restaure les options par défaut : le contenu de la boîte de dialogue redevient celui de Windows sorti d'usine.

affiche une bulle contenant l'information désirée. Windows est trop bon pour vous !

Les boutons d'option

Parfois, Windows vous oblige à choisir une seule option parmi plusieurs. Par exemple, dans le jeu Démineur, vous désirez sélectionner le niveau Débutant, Intermédiaire ou Avancé ? Vous ne pouvez pas être les trois à la fois. C'est pourquoi, vous ne pouvez choisir qu'une seule de ces options.

Windows affiche pour cela des *boutons d'option* comme ceux de la Figure 3.10. Vous ne pouvez en sélectionner qu'un seul dans un groupe. Sélectionnez une autre option, et le point qui marque l'option sélectionnée apparaît sur le nouveau bouton.

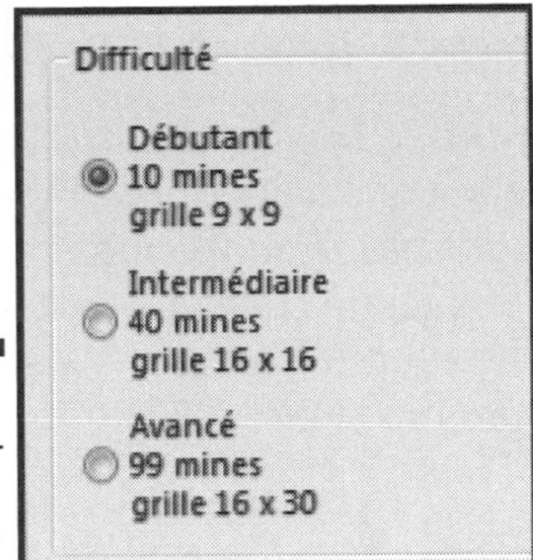

Figure 3.10 : Une seule option peut être sélectionnée.

Saisir du texte dans des champs

Un *champ de texte* est un petit rectangle dans lequel vous pouvez saisir – c'est-à-dire taper – des mots et/ou des chiffres. La Figure 3.11 montre la boîte de dialogue qui apparaît lors de la recherche d'un mot dans certains programmes. Elle contient un champ de texte dans lequel vous saisissez ce mot.

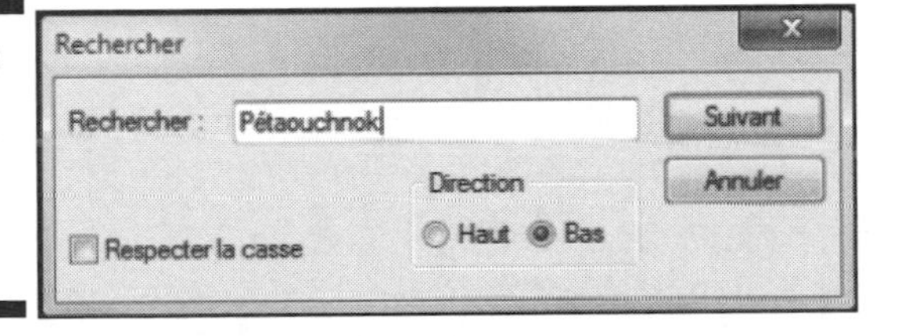

Figure 3.11 : Cette boîte de dialogue contient un champ de texte.

- Quand un champ de texte est *actif,* c'est-à-dire prêt à recevoir ce que vous tapez, il est, soit entouré d'un contour plus épais indiquant qu'il est sélectionné, soit signalé par le clignotement d'une barre d'insertion.
- Si le champ de texte n'est pas sélectionné ou ne contient pas de curseur clignotant, il n'est pas prêt à recevoir du texte. Pour l'activer, cliquez dedans.
- Quand vous cliquez dans un champ contenant déjà du texte, supprimez-le avant de saisir votre texte. Double-cliquer dans le champ sélectionne tout ce qui s'y trouve ; le nouveau texte remplace alors aussitôt l'ancien.

Choisir une option dans une zone de liste

Certains champs n'autorisent pas la saisie. Ils se contentent d'afficher une liste dans laquelle vous sélectionnez l'élément désiré. Ces champs qui n'en sont pas véritablement sont appelés *zones de liste*. Par exemple, un traitement de texte affichera une zone de liste contenant les polices – les typographies – installées dans l'ordinateur (Figure 3.12).

Figure 3.12 : Sélectionnez une police dans la liste.

Quand il en faut plusieurs…

Normalement, le clic ne sélectionne qu'un seul élément dans Windows. Quand vous cliquez sur un autre, l'élément sélectionné ne l'est plus et c'est le nouveau qui l'est. Voici comment sélectionner plusieurs éléments à la fois :

- Pour sélectionner plusieurs éléments épars, maintenez la touche Ctrl enfoncée et cliquez sur chacun d'eux. Ils restent ainsi tous sélectionnés.
- Pour sélectionner une série d'éléments adjacents, dans une liste, cliquez d'abord sur le premier de la série. Ensuite, la touche Maj enfoncée, cliquez sur le dernier de la série. Toute la série est ainsi sélectionnée (notez que un ou plusieurs éléments indésirables peuvent être désélectionnés en cliquant dessus, touche Ctrl enfoncée).
- Enfin, pour sélectionner un ensemble d'éléments, il reste la technique du "lasso" : cliquez à proximité d'un élément puis, bouton de la souris enfoncé, tirez une zone rectangulaire tout autour de l'ensemble d'éléments à sélectionner. Relâchez le bouton et la sélection est faite.

- La police Lucida Console est surlignée dans la liste de la Figure 3.12, indiquant qu'il s'agit de l'élément sélectionné. Appuyez sur Entrée – ou cliquez sur OK – et le programme utilise la police choisie.
- La barre de défilement, sur le bord droit, fonctionne comme n'importe quelle autre barre de ce type : cliquez sur une flèche de défilement pour descendre ou monter dans la liste, ou utilisez les touches fléchées Haut et Bas.
- Certaines zones de liste son surmontées d'un champ de texte. Quand vous cliquez sur un élément dans la liste, il est aussitôt transféré dans le champ. Vous pourriez taper le texte vous-même, mais c'est bien moins drôle.
- Quand une liste est interminable, saisissez la première lettre du mot recherché. La liste affichera le premier mot commençant par cette lettre.

Les listes déroulantes

Les zones de liste sont commodes, mais elles occupent beaucoup de place. C'est pourquoi Windows les masque parfois, tout comme il le fait pour les menus déroulants. Quand vous cliquez au bon endroit, la liste déroulante se déploie, prête à être parcourue.

Mais c'est où, le bon endroit ? C'est le petit bouton comportant une flèche triangulaire, à droite du bouton principal. On en voit un à la Figure 3.13 (notez qu'il n'est pas indispensable de cliquer exactement sur la flèche ; vous pouvez cliquer n'importe où sur le bouton).

La Figure 3.14 montre la liste déployée, après avoir cliqué dessus. Pour faire votre choix, cliquez sur l'option désirée, dans le menu.

- Quand une liste déroulante est longue, saisissez la première lettre du mot recherché. La liste affichera ainsi le premier mot commençant par cette lettre. Appuyez

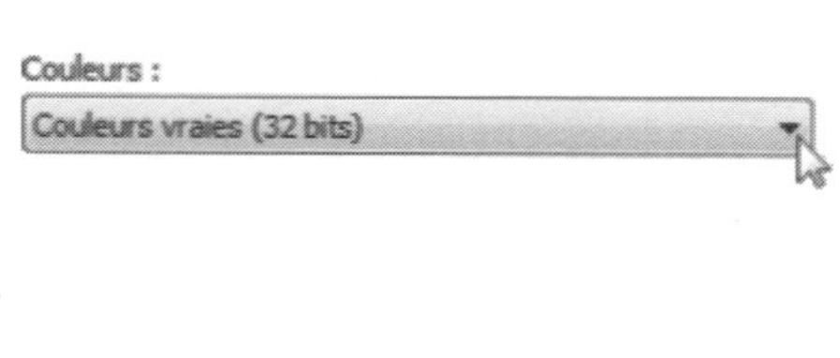

Figure 3.13 : Cliquez sur le bouton d'une liste déroulante (signalée par le petit triangle noir, à droite) pour accéder aux options.

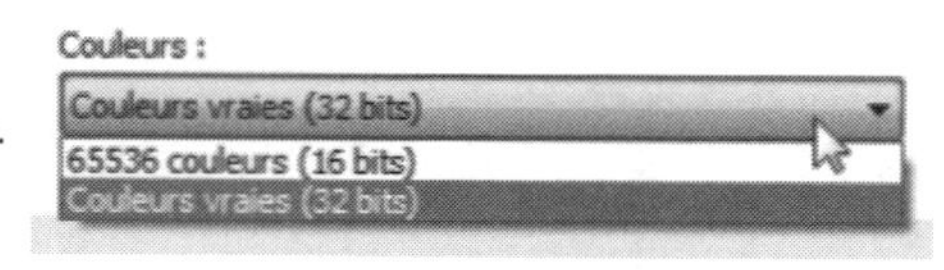

Figure 3.14 : La liste déroulante est déployée. Il ne vous reste plus qu'à choisir l'option.

sur la touche fléchée Haut ou Bas pour passer à l'option voisine.

- Un autre moyen de parcourir rapidement une longue liste déroulante consiste à cliquer dans la barre de défilement ou d'utiliser l'ascenseur qui s'y trouve.
- Vous ne pouvez choisir qu'un seul élément dans une liste déroulante.

Les cases à cocher

Vous aurez parfois la possibilité de choisir plusieurs options en cliquant dans des petites cases à côté des options. Par exemple, celles de la Figure 3.15 correspondent aux options du jeu FreeCell.

Cliquer dans une case vide sélectionne l'option correspondante. Si une coche s'y trouve déjà, la case est décochée.

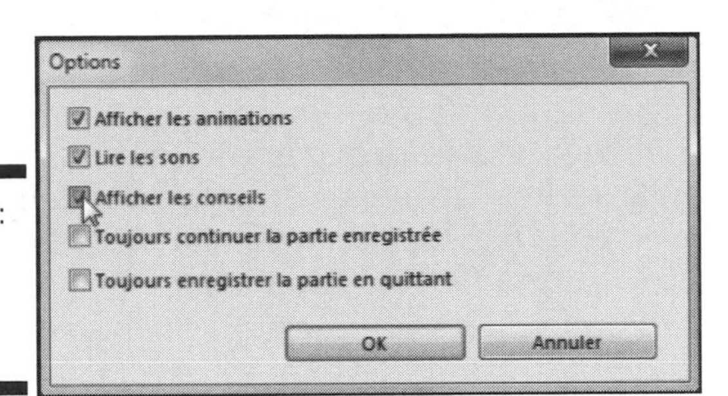

Figure 3.15 : Cochez les cases des options désirées.

Contrairement aux boutons d'option, dont un seul seulement peut être sélectionné dans un même groupe, vous pouvez cocher ou décocher autant de cases que vous le désirez.

Les glissières

C'est sans doute un variateur de lumière qui donna un jour à un programmeur l'idée des glissières (pour glisser des deux mains...) afin de régler certains paramètres de Windows 7.

Certaines glissières sont horizontales, d'autres verticales, mais aucune pour le moment n'est de travers. La Figure 3.16 montre celle qui sert à régler la vitesse de la souris dans le Panneau de configuration, de Lente (ça se traîne) à Rapide (Speedy Gonzales).

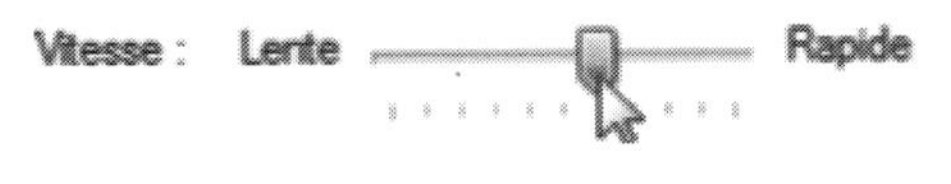

Figure 3.16 : La glissière des propriétés de la souris.

Une glissière est facile à régler : cliquez sur le curseur et, bouton de la souris enfoncé, tirez-le dans la direction voulue. Relâchez le bouton pour laisser le pointeur à la graduation choisie.

Déplacer les fenêtres sur le Bureau

Avec Windows 7, vous pouvez déplacer les fenêtres sur le Bureau avec la dextérité d'un joueur de cartes. Lorsqu'elles sont nombreuses, elles finissent par se recouvrir plus ou moins les unes les autres. Cette section vous explique comment les empiler proprement, en plaçant celle que vous préférez en haut du tas. Vous pouvez aussi les étaler, comme une main au poker. Et, cerise sur le gâteau, elles peuvent être redimensionnées et s'ouvrir automatiquement à n'importe quelle taille.

Placer une fenêtre au-dessus des autres

Pour Windows 7, la fenêtre au-dessus de toutes les autres, qui attire l'attention, est la *fenêtre active.* C'est celle qui reçoit tout ce que vous ou votre chat tapez sur le clavier.

Une fenêtre peut être placée au-dessus des autres de diverses manières. Voici comment :

- Amenez le pointeur de la souris jusqu'au-dessus d'une partie de la fenêtre, dans un empilement, puis cliquez. La fenêtre en question est aussitôt placée au premier plan.
- Dans la barre des tâches, cliquez sur le bouton de la fenêtre désirée.
- La touche Alt enfoncée continûment, appuyez sur la touche Tab. Un petit panneau montre une miniature de chacune des fenêtres ouvertes sur le Bureau. Appuyez autant de fois que nécessaire sur la touche Tab pour sélectionner la fenêtre voulue, puis relâchez les deux touches Alt et Tab. La fenêtre sélectionnée est au premier plan.
- Maintenez la touche Windows – celle entre les touches Ctrl et Alt – continûment enfoncée. Un spectaculaire affichage en 3D montre les fenêtres ouvertes. Appuyez sur la touche Tab pour faire défiler les fenêtres du fond

de l'écran vers l'avant. Lorsque celle qui vous intéresse apparaît, relâchez les deux touches Alt et Tab. La fenêtre voulue est à présent au-dessus des autres, sur le Bureau.

Déplacer une fenêtre de-ci de-là

Pour une raison ou pour une autre, vous voudrez déplacer une fenêtre. Peut-être parce qu'elle est décentrée, ou pour faire de la place et voir tout ou partie d'une autre fenêtre.

Bref et quoi qu'il en soit, vous déplacerez une fenêtre en la tirant par sa barre de titre. La fenêtre repositionnée reste sélectionnée et donc active.

Afficher une fenêtre en plein écran

Pour certaines tâches, agrandir une fenêtre afin qu'elle exploite au maximum la surface de l'écran est une bonne chose. Pour cela, double-cliquez sur la barre de titre : la fenêtre s'étale instantanément sur tout le Bureau, recouvrant toutes les autres.

Pour la ramener à sa taille d'origine, double-cliquez de nouveau sur sa barre de titre. On ne s'en lasse pas...

- Si double-cliquer sur la barre de titre vous paraît vraiment ringard, cliquez sur le bouton Agrandir. C'est celui du milieu, en haut à droite.

- Quand une fenêtre est en plein écran, le bouton Agrandir est remplacé par le bouton Niveau inférieur. Cliquez dessus pour qu'elle redevienne plus petite.

- Windows 7 propose une nouvelle manière d'agrandir une fenêtre : tirez-la par la barre de titre jusqu'en haut de l'écran ; l'ombre de la fenêtre s'étend à présent tout autour de l'écran. Relâchez le bouton de la souris, et la fenêtre est en plein écran. Bon d'accord, le double-clic dans la barre de titres est plus rapide (mais c'est d'un ringard...).

- Trop fatigué pour attraper la souris ? La touche Windows enfoncée, appuyez sur la touche fléchée Haut pour agrandir la fenêtre en plein écran. NdT : Trop fatigué pour expliquer la fin de cette manip ? Alors voilà, les touches Windows + Flèche bas rétablissent la fenêtre à sa taille d'origine, mais vous l'avez sans doute deviné.

Fermer une fenêtre

Quand vous avez fini de travailler dans une fenêtre, fermez-la en cliquant sur le petit bouton X, en haut à droite.

Si le travail en cours n'a pas été enregistré, Windows vous demande s'il doit le faire. Confirmez en cliquant sur le bouton Oui – vous devrez peut-être nommer le fichier que vous avez créé et choisir un dossier de stockage –, ou en cliquant sur Non si vous estimez qu'il n'est pas nécessaire de l'enregistrer. D'autres fenêtres – comme celles propres à Windows – se ferment sans formalité supplémentaire.

Redimensionner une fenêtre

Comme le chantait Serge Gainsbourg en son temps à propos de la pauvre Lola, il faut s'avoir s'étendre sans se répandre. Fort heureusement, une fenêtre de Windows ne s'étend ni ne se répand, elle se redimensionne. Voici comment :

1. **Immobilisez le pointeur de la souris au-dessus d'un bord ou d'un coin de la fenêtre. Lorsqu'elle se transforme en flèche à deux pointes, cliquez et tirez pour changer la taille de la fenêtre.**

2. **Le redimensionnement terminé, relâchez le bouton de la souris.**

Redimensionner en tirant un coin est plus souple que de ne tirer qu'un seul côté, mais c'est à vous de voir.

Placer deux fenêtres côte à côte

Quand vous voudrez copier un élément dans une fenêtre pour le coller dans une autre, pouvoir juxtaposer les deux fenêtres vous facilitera la tâche.

Au lieu de redimensionner laborieusement les fenêtres, cliquez dans une partie vide de la barre des tâches – y compris sur l'horloge – et choisissez Afficher les fenêtres côte à côte. Windows dispose aussitôt toutes les fenêtres les unes à côté des autres. Si vous préférez les voir les unes sur les autres, choisissez Afficher les fenêtres empilées. Si les fenêtres sont nombreuses, l'option Cascade les empile toutes, légèrement décalées en diagonale les unes par rapport aux autres.

Quand plus de deux fenêtres sont ouvertes, cliquez sur le bouton Réduire de celle que vous ne voulez pas afficher puis choisissez de nouveau la commande Afficher les fenêtres côte à côte pour ne voir que celles qui restent.

Windows 7 propose une nouvelle manière de juxtaposer deux fenêtres : tirez-en une vers un bord latéral de l'écran et, dès que son ombre emplit la moitié du Bureau, relâchez le bouton. Faites de même avec l'autre fenêtre, mais de l'autre côté.

Les touches Windows + Flèche gauche agrandissent la fenêtre sur la moitié gauche de l'écran et les touches Windows + Flèche droite sur la moitié droite de l'écran (NdT : appuyez plusieurs fois sur la touche fléchée pour permuter de côté et rétablir l'affichage à la taille normale de l'une des deux fenêtres).

Toujours ouvrir une fenêtre à la même taille

Parfois, une fenêtre s'ouvre à une taille trop petite, parfois en plein écran et je ne parle pas des courants d'air qui font claquer la porte du Bureau. Windows n'en fait qu'à sa tête, à moins que vous connaissiez cette petite astuce : quand vous redimensionnez *manuellement* une fenêtre, Windows mémorise sa taille et son emplacement. Il rouvrira toujours cette fenêtre à la même taille au même endroit. Procédez comme suit pour vous en assurer :

1. **Ouvrez la fenêtre.**

   Elle s'ouvre comme d'habitude à n'importe quelle taille.

2. **Redimensionnez la fenêtre à la taille voulue et placez-la là où elle doit apparaître.**

   Veillez à redimensionner la fenêtre manuellement en repositionnant les côtés et/ou les coins. Se contenter de cliquer sur le bouton Agrandir ne donnerait rien.

3. **Fermez la fenêtre.**

   Windows mémorise la taille et l'emplacement d'une fenêtre au moment où elle est fermée. Quand vous la rouvrirez, elle le sera à l'endroit et à la taille d'avant. Ces réglages ne s'appliquent toutefois qu'au programme auquel appartient la fenêtre. Par exemple, quand vous ouvrez la fenêtre d'Internet Explorer, Windows ne tiendra compte que de la fenêtre propre à ce programme, et non de la fenêtre d'un autre.

La plupart des fenêtres respectent ces règles, mais quelques-unes y dérogent. Eh oui, tout le monde n'a pas le goût du travail bien fini...

Chapitre 4

Fichiers, dossiers, clé USB, bibliothèques et CD

Dans ce chapitre

- L'icône Ordinateur
- Naviguer parmi les lecteurs, les dossiers et une clé USB
- Les nouvelles bibliothèques de Windows 7
- Créer et nommer des dossiers
- Sélectionner et désélectionner des éléments
- Copier et déplacer des fichiers et des dossiers
- Enregistrer sur des CD, des cartes mémoire et des disquettes

Ce chapitre explique par le menu – si l'on peut dire... – comment utiliser le programme d'archivage nommé Ordinateur (dans l'antique Windows XP, c'était le Poste de travail). Windows ressuscite certes ce classique classeur que l'on croyait oublié, mais au moins, les tiroirs ne coincent plus et les dossiers ne tombent plus derrière le bureau.

Parcourir le classeur à tiroirs informatisé

Afin que vos programmes et documents soient rationnellement rangés, Windows a gratifié la métaphore du classeur à tiroirs de jolies petites icônes. Vous y accédez au travers du programme Ordinateur présent dans le menu Démarrer. C'est là que se trouvent les zones de stockage de votre ordinateur, où vous pourrez copier, déplacer, renommer ou supprimer des fichiers.

Pour ouvrir vos tiroirs virtuels, appelés "lecteur" ou "disque" en jargon informatique, cliquez sur le menu Démarrer puis sur Ordinateur. Bien que la fenêtre Ordinateur différera sans doute quelque peu de celle de la Figure 4.1, les éléments de base – décrits dans les prochaines sections – sont les mêmes.

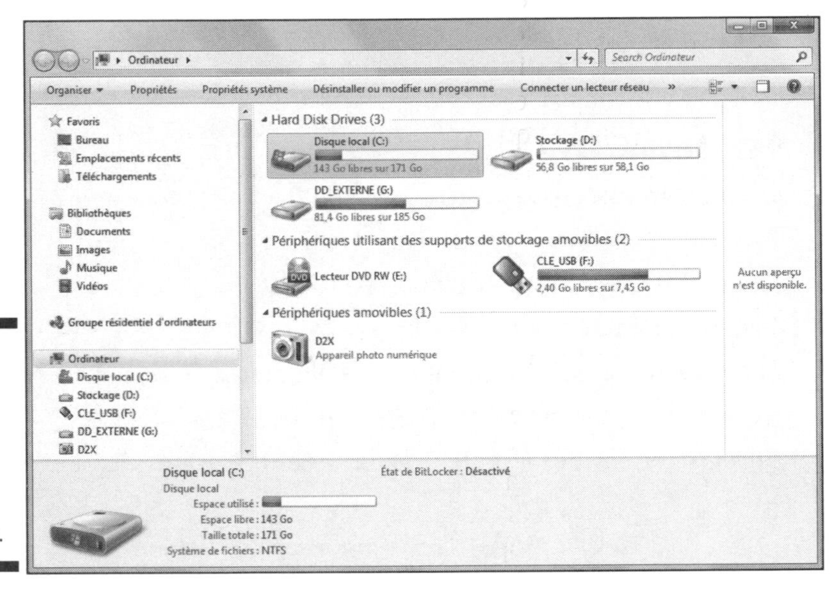

Figure 4.1 : La fenêtre Ordinateur affiche les zones de stockage contenant vos fichiers.

Windows peut afficher la fenêtre Ordinateur sous diverses formes. Pour obtenir la même présentation que dans la Figure 4.1, cliquez sur le bouton Affichage, dans la barre de menus et, dans la liste, choisissez Mosaïques. Enfin, cliquez dans une partie vide de la fenêtre, puis choisissez Trier par, puis sélectionnez Nom.

Voici les éléments de base de la fenêtre Ordinateur :

- **Le volet de navigation :** Situé à gauche de la plupart des fenêtres, l'appréciable volet de navigation contient la liste des dossiers contenant vos biens virtuels les plus précieux, nommés Documents, Images et Musique (ces dossiers sont décrits au Chapitre 3).

- **Lecteurs de disques durs :** Visible à la Figure 4.1, cette zone montre le ou les disques durs, c'est-à-dire les mémoires de masse les plus importantes de votre PC. Tout ordinateur en possède au moins un. Double-cliquer sur l'icône d'un disque dur affiche ses dossiers et ses fichiers, mais vous trouverez rarement des informations utiles ; au lieu d'explorer le disque dur, ouvrez le menu Démarrer et lancez des programmes.

  Vous avez remarqué le petit logo Windows sur l'icône d'un disque dur ? Il indique que Windows 7 est installé sur ce disque. La jauge bleue permet d'évaluer l'espace occupé et l'espace restant. Si elle devient rouge, cela signifie que le disque dur est proche de la saturation. Le moment est alors venu, soit de faire le ménage, soit de remplacer le disque dur par un plus volumineux.

- **Périphériques utilisant des supports de stockage amovibles :** Cette zone montre tous les équipements amovibles connectés à votre ordinateur. Voici les plus courants :

  • **Lecteur de disquettes :** En voie d'obsolescence, ces périphériques équipent encore les PC anciens. Comme seuls des fichiers de petite taille peuvent être stockés sur ce support vieux de plus de 20 ans, la plupart des utilisateurs lui préfèrent les CD et les DVD.

  • **CD et DVD :** Comme le révèle la Figure 4.1, Windows 7 indique si un lecteur ne peut que lire, ou lire et écrire, sur l'un de ce type de support. Par exemple, si un graveur de DVD porte la mention DVD-RW, cela signifie qu'il peut à la fois lire (*Read* en anglais) et écrire (*Write*). Un lecteur qui ne peut que graver des CD porte la mention CD RW.

  • **Clé USB et lecteurs de cartes mémoire :** La clé USB s'insère dans un connecteur USB. Si l'ordinateur possède une ou plusieurs fentes permettant d'introduire des cartes mémoire d'appareil photo numérique, de lecteur MP3, de téléphone mobile ou autres appareils du même acabit (l'icône correspondante est montrée dans la marge).

Contrairement à Windows XP et Vista, Windows 7 n'affiche pas d'icône de lecteur de cartes mémoire tant qu'une carte mémoire n'est pas insérée dedans. Pour l'afficher en permanence, ouvrez la fenêtre Ordinateur, cliquez sur Organiser > Options des dossiers et de recherche, puis cliquez sur l'onglet Affichage. Dans la liste des paramètres avancés, décochez la case Masquer les lecteurs vides dans le dossier Ordinateur.

- **Lecteurs MP3 :** Bien que Windows 7 affiche une jolie icône pour quelques lecteurs MP3, il arbore une icône de carte USB générique ou de disque dur pour le populaire iPod (les lecteurs MP3 sont abordés au Chapitre 15).

- **Appareils photo :** Dans la fenêtre Ordinateur, un appareil photo numérique apparaît généralement sous la forme d'une icône. Pour accéder aux photos, double-cliquez sur l'icône de l'appareil. Après avoir procédé au transfert (voir Chapitre 16), Windows 7 place les photos dans le dossier Images.

- **Réseau :** Cette icône n'est visible que si l'ordinateur est relié à un réseau informatique (voir Chapitre 14).

Quand vous connectez un caméscope numérique, un téléphone mobile ou tout autre périphérique à votre PC, la fenêtre Ordinateur s'orne d'une nouvelle icône le représentant. Double-cliquez dessus pour voir le contenu du périphérique ; cliquez dessus du bouton droit pour savoir ce que Windows 7 vous permet de faire. Pas d'icône ? Peut-être devez-vous installer un pilote pour votre périphérique, comme nous l'expliquons au Chapitre 12.

Cliquez sur presque n'importe quelle icône, dans la fenêtre Ordinateur, et le volet des détails, en bas de la fenêtre, affichera des informations la concernant : taille, date de création, place disponible dans un dossier ou dans un lecteur... Pour obtenir encore plus d'informations, agrandissez le volet des détails en tirant son bord supérieur vers le haut. Plus vous l'étendez, plus vous dévoilez des informations.

Tout (ou presque) sur les dossiers et les bibliothèques

Un *dossier* est une zone de stockage sur le disque dur. On peut le comparer à un véritable dossier en carton. Windows 7 divise le ou les disques durs de votre ordinateur en autant de dossiers thématiques que vous le désirez. Par exemple, les morceaux de musique sont stockés dans le dossier Musique, et les photos dans le dossier Images. Vous et vos programmes les retrouvez ainsi facilement.

Windows 7 dispose de quatre bibliothèques pour vos fichiers et dossiers, visibles à la Figure 4.2 : Documents, Images, Musique et Vidéos. Afin d'y accéder rapidement, ils se trouvent dans le volet de navigation de tout dossier.

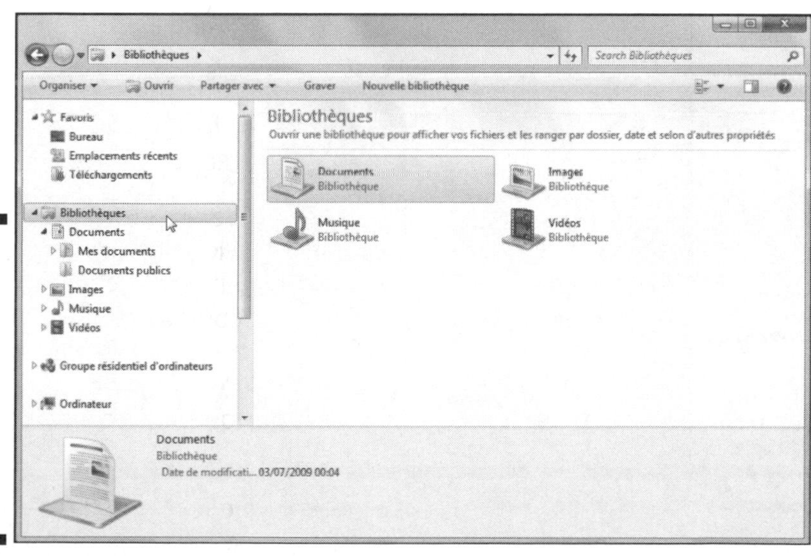

Figure 4.2 : Ces quatre dossiers se trouvent dans tous les comptes d'utilisateurs, mais séparément pour chaque compte.

Gardez ces informations à l'esprit quand vous manipulez des fichiers dans Windows 7 :

- Vous pouvez ignorer la notion de dossier et stocker tous vos fichiers sur le Bureau de Windows 7. Mais cela équivaut à jeter toutes ses affaires sur le siège arrière de la voiture et se demander, un mois plus tard, où peut bien se trouver le tee-shirt mauve. Quand les affaires sont bien rangées, on s'y retrouve mieux.

- Si vous brûlez d'impatience de créer un dossier, ce qui est très facile (d'où l'expression "j'ai tout un dossier sur vous" proférée sur un ton menaçant), reportez-vous à la section "Créer un nouveau dossier (d'où l'expression "le mien sur vous n'est pas mal non plus", lâchée d'un ton détaché) plus loin dans ce chapitre.

Les dossiers d'un ordinateur sont organisés en arborescence, de la racine du disque dur jusqu'au dossiers, sous-dossiers et sous-sous-dossiers (non, ce ne sont pas des dossiers où l'on range ses sous) les plus profondément enfouis, comme le montre la Figure 4.3.

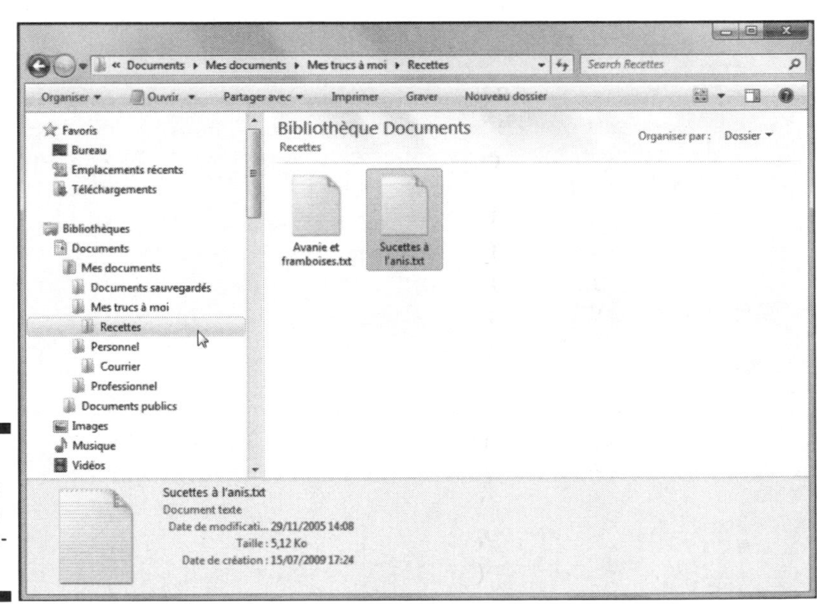

Figure 4.3 : Les dossiers de Windows sont arborescents.

Lorgner dans les lecteurs et les dossiers

Savoir ce que sont les lecteurs et les dossiers, c'est certes génial pour impressionner la vendeuse de petits pains au chocolat, mais c'est surtout utile pour trouver un fichier (reportez-vous à la section précédente pour savoir quel dossier contient quoi). Coiffez votre casque de chantier, empoignez la clé à molette et parcourez les lecteurs et les dossiers de votre ordinateur en vous servant de cette section comme guide.

Voir les fichiers d'un lecteur

À l'instar de presque tout dans Windows 7, les lecteurs de disques sont représentés par des boutons, ou icônes. L'icône Ordinateur affiche aussi des informations sur d'autres zones, comme un lecteur MP3, un appareil photo numérique ou un scanner (ces icônes ont été expliquées à la section "Parcourir le classeur à tiroirs informatisé", précédemment dans ce chapitre.

Ouvrir ces icônes donne généralement accès à leur contenu et permet de gérer les fichiers, comme dans n'importe quel autre dossier de Windows 7.

Quand vous double-cliquez sur une icône dans Ordinateur, Windows 7 devine ce que vous comptez faire avec et entreprend une action : double-cliquez sur un disque dur, par exemple, et Windows 7 l'ouvre promptement afin de vous dévoiler ce qui s'y trouve.

En revanche, si vous double-cliquez sur l'icône d'un CD après avoir introduit un CD audio, Windows 7 ne l'ouvre pas forcément pour montrer les pistes. À la place, il démarre généralement le Lecteur Windows Media et commence à jouer le premier morceau. Pour modifier l'action de Windows 7 lorsque vous insérez un CD, un DVD ou une clé USB, cliquez sur son icône et, dans le menu, sélectionnez Exécution automatique. Windows 7 répertorie tout ce que vous pouvez faire et vous demande de choisir l'action à entreprendre.

Le paramétrage de l'exécution automatique est particulièrement commode pour les clés USB. Si elle contient quelques morceaux, Windows 7 démarrera le Lecteur Windows Media pour les jouer – effet garanti sur le lieu de travail –, ce qui ralentira l'accès aux autres fichiers.

- Si vous ne savez pas à quoi sert une icône dans Ordinateur, cliquez dessus du bouton droit et Windows 7 présente un menu de toutes les possibilités. Vous pourrez par exemple choisir Ouvrir pour voir tous les fichiers d'un CD que Windows 7 veut lire avec le Lecteur Windows Media.
- Si vous cliquez sur l'icône d'un CD, d'un DVD ou d'une disquette alors que le lecteur est vide, Windows 7 vous invite gentiment à insérer un disque avant de continuer.
- Vous avez remarqué l'icône sous l'en-tête d'Emplacement réseau ? C'est une porte dérobée permettant de lorgner, le cas échéant, dans les autres ordinateurs du réseau. Nous y reviendrons au Chapitre 14.

Voir ce que contient un dossier

Les dossiers étant en quelque sorte des chemises à documents, Windows 7 s'en tient à cette représentation.

Pour voir ce que contient un dossier, qu'il soit dans Ordinateur ou sur le Bureau, double-cliquez sur son icône en forme de chemise. Une nouvelle fenêtre surgit, montrant ce qu'il y a dedans. Un autre dossier se trouve dedans ? Double-cliquez sur ce sous-dossier pour découvrir ce qu'il recèle. Cliquez ainsi jusqu'à ce que vous trouviez le fichier désiré ou arriviez dans un cul-de-sac.

Vous êtes au fond du cul-de-sac ? Si vous avez malencontreusement cherché dans le mauvais dossier, revenez en arrière comme vous le feriez sur le Web : cliquez sur la flèche Précédent, en haut à gauche de la fenêtre. Vous reculez ainsi d'un dossier. En continuant à cliquer sur la flèche Précédent, vous finissez par revenir au point de départ (NdT : L'info-bulle de la flèche Suivant porte la mention "Suivant", mais celle de la flèche Précédent indique le nom du dossier dans lequel vous vous apprêtez à retourner. Exemple : "Retour à Bibliothèques").

La Barre d'adresse est un autre moyen d'aller rapidement en divers endroits du PC. Tandis que vous naviguez de dossier en dossier, la Barre d'adresse du dossier – la petite zone de texte en haut de la fenêtre – conserve scrupuleusement une trace de vos pérégrinations. La Figure 4.4 montre celle qui apparaît quand vous êtes dans un dossier que vous avez créé, Courrier personnel en l'occurrence.

Figure 4.4 : Les petites flèches entre les noms de dossiers sont autant de raccourcis vers d'autres dossiers.

Vous avez remarqué les petites flèches entre chaque nom de dossier ? Ce sont des raccourcis vers d'autres dossiers et fenêtres. Cliquez sur l'une d'elles : le menu qui apparaît propose des emplacements où aller depuis ce point. Par exemple, cliquez sur la flèche après Bibliothèques, comme à la Figure 4.5, pour atteindre rapidement le dossier Musique.

Voici quelques astuces pour trouver votre chemin dans et hors des dossiers :

- Un dossier contient parfois trop de sous-dossiers et de fichiers pour tenir dans la fenêtre. Cliquez dans la barre de défilement pour voir les autres. Cette commande est expliquée au Chapitre 3.

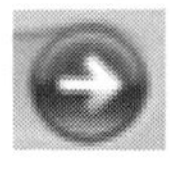

- Quand vous farfouillez profondément dans vos dossiers, la flèche Pages récentes est un moyen de retourner rapidement dans n'importe quel dossier que vous venez de visiter : cliquez sur la petite flèche pointant vers le

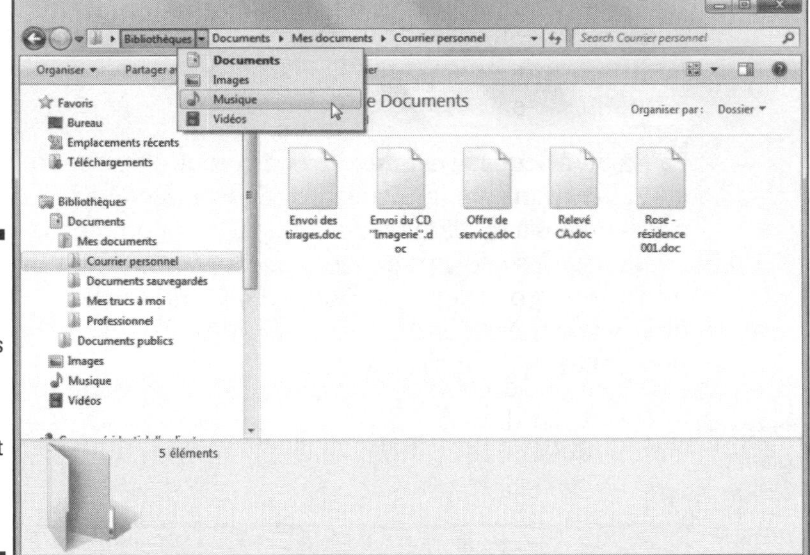

Figure 4.5 : Cliquez sur la flèche après Bibliothèques pour aller vers n'importe quel emplacement présent dans le dossier Bibliothèques.

bas, à côté de la flèche Suivant en haut à gauche de la fenêtre. Le menu déroulant mémorise tous les dossiers que vous avez parcourus. Cliquez sur le nom de celui où vous désirez retourner.

- Impossible de retrouver un dossier ou un fichier ? Au lieu d'errer comme une âme en peine dans l'arborescence, utilisez la commande Rechercher, dans le menu Démarrer, décrite au Chapitre 6. Windows sait retrouver vos dossiers et vos fichiers égarés.

- Face à une interminable liste de fichiers triés alphabétiquement, cliquez n'importe où dans la liste puis tapez rapidement une ou deux lettres du début du nom de fichier. Windows se positionne aussitôt sur le premier nom de fichier commençant par cette ou ces lettres.

Gérer les dossiers d'une bibliothèque

Le nouveau système de bibliothèques de Windows 7 peut paraître déroutant, mais vous pouvez sans aucun risque vous dispenser de savoir comment il fonctionne. Contentez-vous de traiter une bibliothèque au même titre que n'importe quel autre dossier : un emplacement où stocker et ouvrir des types de fichiers d'un même genre. Mais si vous tenez à savoir ce qui se passe en coulisse, cette section vous éclairera.

Les bibliothèques surveillent constamment plusieurs dossiers, affichant leur contenu dans une seule fenêtre. Ce qui nous amène à cette judicieuse question : comment savoir quels sont les dossiers qui apparaissent dans une bibliothèque ? Vous trouverez la réponse en double-cliquant sur le nom de la bibliothèque.

Par exemple, double-cliquez sur la bibliothèque Documents, dans le volet de navigation, et vous verrez qu'elle contient deux dossiers : Mes documents et Documents publics, ainsi que le révèle la Figure 4.6.

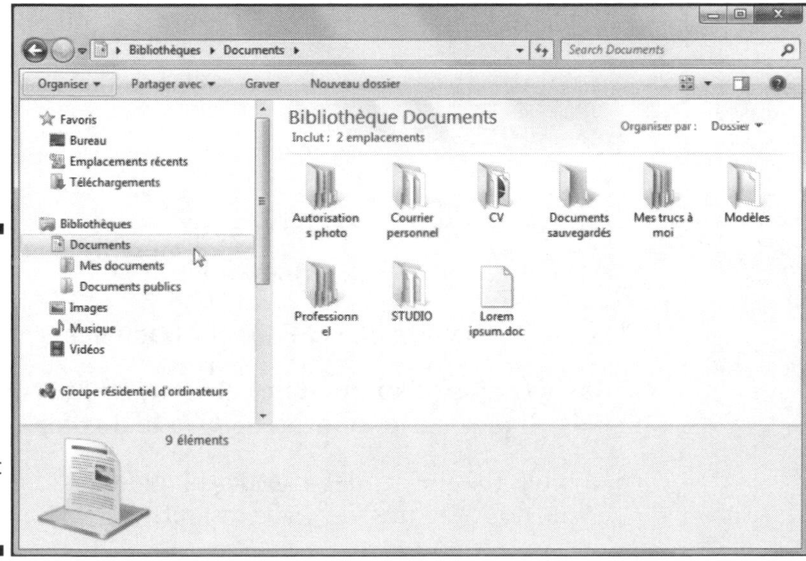

Figure 4.6 : Cette bibliothèque Documents affiche le contenu de deux dossiers : Mes documents et Documents publics.

Quand vous stockez des fichiers dans d'autres emplacements, dans un disque dur portable par exemple, voire dans un autre ordinateur du réseau, ajoutez ces emplacements externes à la bibliothèque de votre choix en procédant comme suit :

1. **Cliquez sur le mot Emplacements, en haut à gauche du volet contenant les dossiers.**

Le chiffre précédant le mot Emplacements varie selon le nombre de dossiers appartenant à la bibliothèque. Cliquez sur ce mot affiche la fenêtre Emplacement de bibliothèque Documents que montre la Figure 4.7

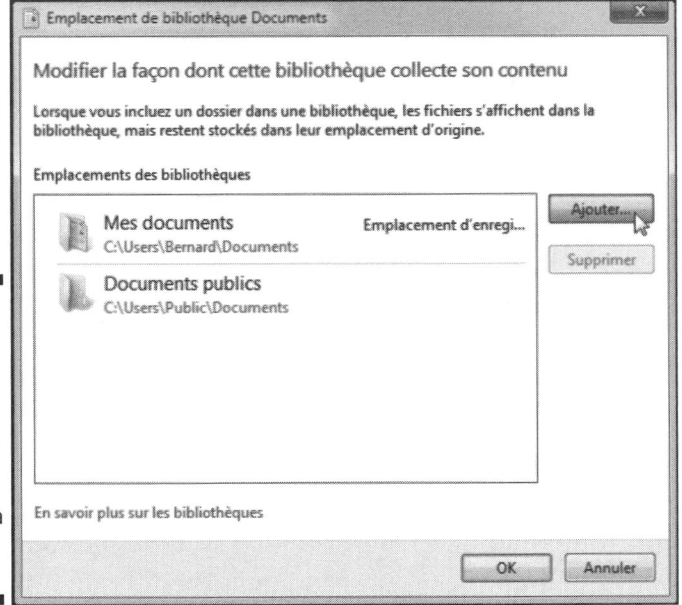

Figure 4.7 : La fenêtre Emplacement de bibliothèque Documents liste tous les dossiers appartenant à la bibliothèque Documents.

2. **Cliquez sur le bouton Ajouter.**

   La fenêtre Inclure dans le dossier Documents apparaît.

3. **Naviguez jusqu'au dossier à ajouter, cliquez dessus puis cliquez sur le bouton Inclure le dossier.**

   La bibliothèque se met automatiquement à jour et affiche le nouveau dossier avec les autres.

- Vous pouvez ajouter autant de dossiers que vous le désirez à une bibliothèque. C'est commode lorsque vos morceaux de musique, par exemple, sont dispersés dans différents emplacements. La bibliothèque montrera toujours le contenu à jour de l'ensemble de vos morceaux.

- Pour ôter un dossier d'une bibliothèque, répétez la première étape, puis cliquez sur le dossier à éliminer. Cliquez ensuite sur le bouton Supprimer.
- Vous pouvez créer d'autres bibliothèques en fonction de vos nécessités : cliquez du bouton droit sur le bouton Bibliothèques, dans le volet de navigation, et dans le menu contextuel, choisissez Nouveau > Bibliothèque. Une nouvelle bibliothèque est créée, prête à être renommée. Placez-y des dossiers à surveiller en procédant comme expliqué précédemment aux Étapes 1 à 3.
- Les bibliothèques de Windows 7 vous prennent la tête ? Éliminez-les toutes. Pour ce faire, cliquez du bouton droit sur l'une d'elles dans le volet de navigation et choisissez Supprimer. Tous vos fichiers restent intacts car vous ne supprimez que la bibliothèque, mais pas son contenu. Pour récupérer toutes les bibliothèques de Windows 7, cliquez du bouton droit sur Bibliothèques et dans le menu contextuel, choisissez Restaurer les bibliothèques par défaut.

Créer un nouveau dossier

Quand vous rangez un document dans un classeur à tiroirs, vous prenez une chemise en carton, vous écrivez un nom dessus puis vous y placez votre paperasse. Pour stocker de nouvelles données dans Windows 7 – vos échanges de lettres acerbes avec un service de contentieux, par exemple – vous créez un nouveau dossier, pensez à un nom qui lui convient bien, et le remplissez avec les fichiers appropriés.

Pour créer rapidement un nouveau fichier, cliquez sur Organiser, parmi les boutons de la barre de commandes du dossier, et choisissez Nouveau dossier, dans le menu contextuel. Si la barre n'est pas visible, voici une technique sûre et éprouvée :

1. **Cliquez du bouton droit dans le dossier et choisissez Nouveau.**

Le tout-puissant menu contextuel apparaît sur le côté.

2. **Sélectionnez Dossier.**

   Choisissez Dossier, comme le montre la Figure 4.8, et un sous-dossier apparaît dans le dossier où vous avez cliqué, prêt à être nommé.

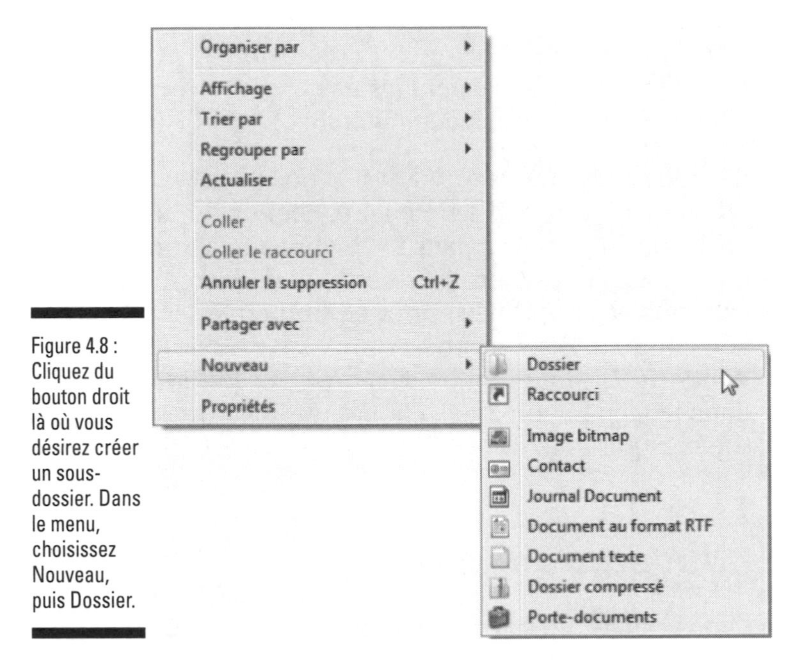

Figure 4.8 : Cliquez du bouton droit là où vous désirez créer un sous-dossier. Dans le menu, choisissez Nouveau, puis Dossier.

3. **Tapez le nom du nouveau dossier.**

   Tout dossier venant d'être créé porte le nom peu attrayant de Nouveau dossier. Dès que vous tapez au clavier, Windows 7 l'efface et le remplace par le nom que vous avez choisi. C'est fait ? Validez le nouveau nom, soit en appuyant sur Entrée, soit en cliquant ailleurs.

   Si vous vous êtes fourvoyé et que vous désirez recommencer, cliquez du bouton droit sur le dossier, choisissez Renommer et recommencez.

- Certains caractères et symboles sont interdits. L'encadré "Les noms de dossiers et de fichiers admis" donne des détails. Vous n'aurez jamais de problème en vous en tenant aux bons vieux chiffres et lettres.

Le lecteur perspicace aura remarqué, dans la Figure 4.8, que Windows propose bien d'autres options que la création d'un dossier, lorsque vous cliquez sur Nouveau. Cliquez du bouton droit dans un dossier pour créer un raccourci ou tout autre élément courant.

- L'observateur décontenancé le sera sans doute plus encore en constatant qu'en cliquant du bouton droit, son menu est différent de celui de la figure 4.8. Rien d'étonnant à cela : des programmes installés par la suite ajoutent souvent leurs propres raccourcis aux menus contextuels, d'où leur différence d'un PC à un autre.

Les noms de dossiers et de fichiers admis

Windows est plus que pinailleur sur les caractères utilisables ou non pour des noms de fichier ou de dossier. Pas de problème si vous n'utilisez que des lettres, des chiffres et certains signes comme le tiret, le point d'exclamation, l'apostrophe, le signe de soulignement, *etc.* En revanche, les caractères que voici sont interdits :

: / \ * | < > ? "

Si vous tentez de les utiliser, Windows 7 affichera un message d'erreur et vous devrez modifier le nom que vous comptiez attribuer. Voici quelques noms de fichiers inutilisables :

```
1/2 camembert
Travail : fini !
UN>DEUX
Pas de "gros mots" ici
```

En revanche ces noms sont admis :

```
La moitié d'un camembert
Travail = OK
Deux est plus grand qu'un
#@$% de !!! et j'en dis pas plus !
```

Renommer un fichier ou un dossier

Un nom de fichier ou de dossier ne convient plus ? Modifiez-le. Pour ce faire, cliquez du bouton droit sur l'icône incriminée puis, dans le menu, choisissez Renommer.

Windows sélectionne l'ancien nom du fichier, qui disparaît aussitôt que vous commencez à taper le nouveau. Appuyez sur Entrée ou cliquez dans le Bureau pour le valider.

Ou alors, vous pouvez cliquer sur le nom du fichier ou du dossier afin de le sélectionner, attendre une seconde puis cliquez de nouveau dans le nom afin de modifier tel ou tel caractère. Sélectionner le nom et appuyer sur la touche F2 est une autre technique de renommage.

- Quand vous renommez un fichier, seul son nom change. Le contenu reste le même, de même que sa taille et son emplacement.

- Pour renommer simultanément un ensemble de fichiers, sélectionnez-les tous, cliquez du bouton droit sur le premier et choisissez Renommer. Tapez ensuite le nouveau nom et appuyez sur Entrée : Windows 7 renomme tous les fichiers en les numérotant : `chat`, `chat(2)`, `chat(3)`, `chat(4)` et ainsi de suite.
- Renommer des dossiers peut semer une redoutable pagaille dans Windows 7, voire le déstabiliser ou le bloquer. Ne renommez jamais des fichiers comme Documents, Images ou Musique.

Sélectionner des lots de fichiers ou de dossiers

La sélection d'un fichier, d'un dossier ou de tout autre élément peut sembler particulièrement ennuyeuse, mais c'est le point de passage obligé pour une foule d'autres actions : supprimer, renommer, déplacer, copier et bien d'autres bons plans que nous aborderons d'ici peu.

Pour sélectionner un seul élément, cliquez dessus. Pour sélectionner plusieurs fichiers et dossiers épars, maintenez la touche Ctrl enfoncée tout en cliquant sur les noms ou sur les icônes. Chacun reste en surbrillance.

Pour sélectionner une plage de fichiers ou de dossiers, cliquez sur le premier puis, la touche Majuscule enfoncée, cliquez sur le dernier. Ces deux éléments ainsi que tous ceux qui se trouvent entre sont sélectionnés (en surbrillance, dans le jargon informatique).

Windows 7 permet aussi de sélectionner des fichiers et des dossiers avec le lasso. Cliquez à proximité d'un fichier ou d'un dossier à sélectionner puis, bouton de la souris enfoncé, tirez de manière à englober les fichiers et/ou dossiers à sélectionner. Un rectangle coloré montre l'aire de sélection. Relâchez le bouton de la souris. Le lasso disparaît, mais les fichiers englobés restent sélectionnés.

- Il est possible de glisser et déposer de gros ensembles de fichiers aussi facilement que vous en déplacez un seul.
- Vous pouvez simultanément couper, copier ou coller ces gros ensembles à n'importe quel autre emplacement, par n'importe laquelle des techniques décrites dans la section "Copier ou déplacer des fichiers et des dossiers", plus loin dans ce chapitre.
- Ces gros ensembles de fichiers et de dossiers peuvent être supprimés d'un seul appui sur la touche Suppr.

- Pour sélectionner simultanément tous les fichiers et sous-dossiers, choisissez Sélectionner tout, dans le menu Édition du dossier. Pas de menu ? Appuyez sur Ctrl + A. Voici une autre manip' sympa : pour tout sélectionner sauf quelques éléments, appuyez sur Ctrl + A puis, touche Ctrl enfoncée, cliquez sur les éléments à ne pas prendre en compte.

Se débarrasser d'un fichier ou d'un dossier

Tôt ou tard, vous vous débarrasserez de fichiers ou de dossiers – lettres d'amours défuntes ou photo embarrassante... – qui n'ont plus de raisons d'exister. Pour supprimer un fichier ou un dossier, cliquez sur leur nom du bouton droit et choisissez Supprimer dans le menu contextuel. Cette manipulation des plus simples fonctionne pour presque n'importe quoi dans Windows : fichiers, dossiers, raccourcis...

Pour supprimer rapidement, cliquez sur l'élément condamné et appuyez sur la touche Suppr. Le glisser et le déposer dans la Corbeille produit le même effet.

L'option Supprimer supprime la totalité d'un dossier, y compris tous les fichiers et sous-dossiers qui s'y trouvent. Assurez-vous d'avoir choisi le bon dossier à jeter avant d'appuyer sur Suppr.

- Après avoir choisi Supprimer, Windows demande confirmation. Si vous êtes sûr, cliquez sur Oui. Si vous êtes lassé de cette sempiternelle question, cliquez du bouton droit sur la Corbeille, choisissez Propriétés puis décochez la case Afficher la demande de confirmation de la suppression. Windows supprime désormais sans autre forme de procès.

- Assurez-vous plutôt deux fois qu'une de ce que vous faites lorsque vous supprimez une icône arborant une petite roue dentée. Ces fichiers sont généralement des fichiers techniques sensibles, cachés, que vous n'êtes pas censé bidouiller.

- Les icônes avec une petite flèche dans un coin sont des raccourcis, autrement dit des boutons qui se contentent de pointer vers des fichiers à ouvrir. Les supprimer n'élimine en aucun cas le fichier ou le programme, qui ne sont en rien affectés.

- Maintenant que vous savez supprimer des fichiers, assurez-vous d'avoir lu le Chapitre 2 qui explique différentes manières de les récupérer au besoin. Un conseil en cas d'urgence : ouvrez la Corbeille, cliquez du bouton droit sur le fichier et choisissez Restaurer (c'est ça, la restauration rapide...).

Copier ou déplacer des fichiers et des dossiers

Pour copier ou déplacer des fichiers vers d'autres dossiers du disque dur, il est parfois plus facile d'effectuer un glisser-déposer avec la souris. Par exemple, voici comment déplacer le fichier Voyageur.txt du dossier Maison vers le dossier Maroc (la juxtaposition des fenêtres est expliquée au Chapitre 3).

1. **Positionnez le pointeur de la souris sur le fichier ou le dossier à déplacer.**

   Il s'agit en l'occurrence du fichier Voyageur.

2. **Le bouton droit de la souris enfoncé, déplacez l'élément jusqu'à ce qu'il se trouve sur le dossier de destination.**

   Comme le révèle la Figure 4.9, le fichier Voyageur est glissé du dossier Maison jusque dans le dossier Maroc (la juxtaposition des dossiers est expliquée au Chapitre 3).

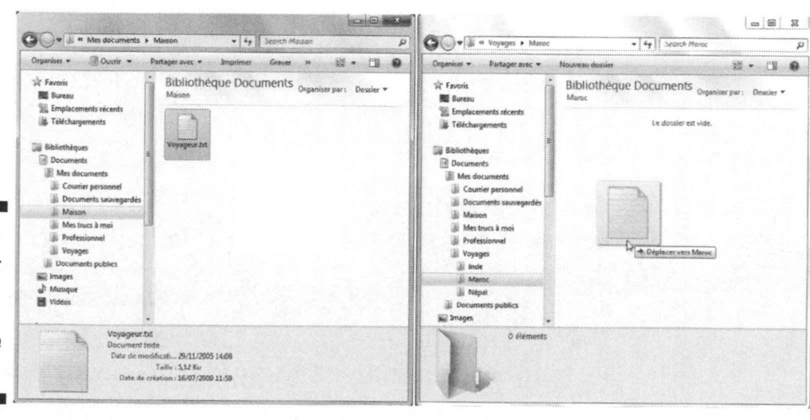

Figure 4.9 : Faites glisser un fichier ou un dossier d'une fenêtre à une autre.

Le fichier suit le pointeur de la souris, tandis que Windows 7 indique que vous déplacez un fichier (Figure 4.9). Veillez à ce que le bouton droit reste enfoncé pendant toute la manœuvre.

Faites toujours glisser l'icône avec le bouton droit de la souris. Windows 7 présentera ainsi un menu contextuel proposant des options lorsque vous positionnerez l'icône, et vous pourrez choisir de copier, déplacer ou créer un raccourci. Lorsque vous utilisez le bouton gauche, Windows 7 ne sait parfois pas si vous désirez copier ou déplacer.

3. **Relâchez le bouton de la souris et, dans le menu, choisissez Copier ici, Déplacer ici ou Créer les raccourcis ici.**

À vrai dire, glisser et déposer un dossier est très facile. Le plus dur est d'afficher à la fois le dossier d'origine et le dossier de destination, notamment quand l'un d'eux est profondément enfoui dans l'ordinateur.

Si le glisser-déposer prend trop de temps, Windows propose quelques autres manières de copier ou déplacer des fichiers. Certains des outils qui suivent seront plus ou moins appropriés selon l'arrangement de l'écran :

- **Les menus contextuels :** Cliquez du bouton droit sur un fichier ou sur un dossier et choisissez Couper ou Copier. Cliquez ensuite du bouton droit dans le dossier de destination et choisissez Coller. C'est simple, ça fonctionne à tous les coups et il n'est pas nécessaire d'afficher deux fenêtres à l'écran.

- **Les commandes de la barre de menus :** Cliquez sur le fichier et appuyez sur Alt pour révéler les menus cachés du dossier. Dans le menu, cliquez sur Édition et choisissez Copier dans un dossier ou Déplacer vers un dossier. Une nouvelle fenêtre apparaît, répertoriant tous les lecteurs de l'ordinateur. Cliquez dans un lecteur et dans ses dossiers pour atteindre le dossier de destination, et Windows se charge d'exécuter la commande Copier ou

Déplacer. Un peu laborieuse, cette technique convient si vous connaissez l'emplacement exact du dossier de destination.

- **L'affichage des dossiers dans le Volet de navigation :** Décrit à la section "Le Volet de navigation", au Chapitre 3, le bouton Dossiers affiche la liste des dossiers dans le Volet de navigation, ce qui permet d'y déposer facilement des fichiers, sans la corvée de devoir ouvrir le dossier de destination.

Quand vous avez installé un programme dans votre ordinateur, ne déplacez jamais le dossier dans lequel il se trouve. Un programme est toujours intimement lié à Windows. Si vous déplacez son dossier, toutes les relations qu'il entretient avec Windows sont rompues, vous obligeant à le réinstaller (sans parler de la pagaille que le programme déplacé risque d'avoir laissée derrière lui). En revanche, les raccourcis des programmes peuvent être librement déplacés.

Obtenir plus d'informations sur les fichiers et les dossiers

Chaque fois que vous créez un fichier ou un dossier, Windows 7 révèle des informations le concernant : la date de création, sa taille, et autres renseignements plus communs. Parfois, il vous permet même d'ajouter vos propres informations : des paroles ou une critique d'un morceau de musique, ou la miniature de chacune de vos photos.

Vous pouvez parfaitement ignorer toutes ces informations, mais parfois, elles vous permettront de résoudre un problème.

Pour les découvrir, cliquez du bouton droit sur un fichier ou un dossier et, dans le menu, choisissez Propriétés. Par exemple, les propriétés d'un morceau de Tri Yann révèlent une quantité d'informations, comme le montre la Figure 4.10. Voici la signification de chaque onglet :

- **Général :** Ce premier onglet (à gauche dans la Figure 4.10) indique le type du fichier, un fichier MP3 du morceau *Lucy in the Sky with Diamonds* en l'occurrence, sa taille (5,73 Mo) le programme qui l'ouvre (le Lecteur Windows Media) et son emplacement.

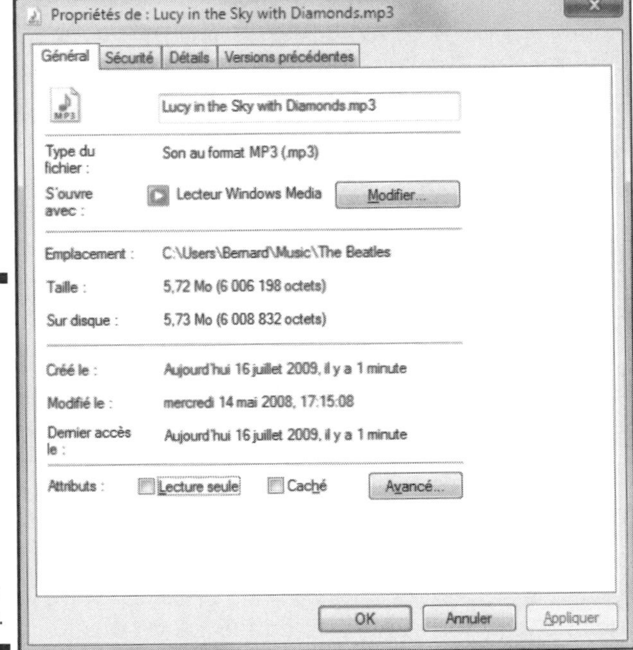

Figure 4.10 : Les propriétés d'un fichier indiquent le programme qui l'ouvre automatiquement, la taille du fichier ainsi que d'autres informations.

Le programme qui a ouvert le fichier n'est pas le bon ? Cliquez du bouton droit sur le fichier, choisissez Propriétés et, sous l'onglet Général, cliquez sur le bouton Modifier. Sélectionnez ensuite votre programme préféré dans la liste.

- **Sécurité :** Sous cet onglet, vous contrôlez les autorisations, c'est-à-dire qui a le droit d'accéder au fichier et ce qu'il peut faire avec, des détails qui ne deviennent une corvée que lorsque Windows 7 empêche l'un de vos amis – ou même vous – d'ouvrir un fichier. Si ce problème s'avère ardu, copiez le dossier dans un emplacement public, comme expliqué au Chapitre 14. C'est un espace d'accès libre, où tout le monde peut accéder au fichier.

- **Détails :** Cet onglet révèle des informations supplémentaires concernant un fichier. Si c'est celui d'une photo numérique, cet onglet répertorie les données EXIF (*Exchangeable Image File Format,* format de fichier d'image échangeable) : marque et modèle de l'appareil photo, diaphragme, focale utilisée et autres valeurs que les photographes apprécient. Pour un morceau de musique, cet onglet affiche son identifiant ID3 (*Identify MP3*) : artiste, titre de l'album, année, numéro de la piste, genre, durée et autres informations. Les en-têtes ID3 sont expliqués au Chapitre 15.

- **Versions précédentes :** Collectionneur impénitent, Windows 7 conserve toujours les versions précédentes de vos fichiers. Vous avez commis une bourde calamiteuse dans une feuille de calcul ? Pas de panique : allez ici et choisissez la copie de Hier de la feuille de calcul. La fonction Versions précédentes de Windows 7 fonctionne de pair avec la Restauration du système qui a fait ses preuves dans Windows XP. Ces deux bouées de sauvetage sont décrites au Chapitre 17.

  Normalement, tous ces détails restent cachés à moins de cliquer du bouton droit sur un fichier et de choisir Propriétés. Mais un dossier peut fournir simultanément des détails de la totalité des fichiers, ce qui est commode pour des recherches rapides. Pour choisir le type de détail – le nombre de mots dans un document Word, par exemple – cliquez du bouton droit sur n'importe quel terme figurant en haut d'une colonne, comme à la Figure 4.11. Cliquez sur Autres, en bas de la liste, pour découvrir d'autres détails, dont Nombre de mots.

- Pour obtenir l'affichage Détails, cliquez sur le bouton fléché de l'icône Changer l'affichage, à droite dans la barre de commandes. Le menu ainsi déployé propose huit manières de montrer les fichiers : Très grandes icônes, Grandes icônes, Icônes moyennes, Petites icônes, Liste, Détails, Mosaïques et Contenu. Essayez-les et faites votre choix. Notez que Windows 7 mémorise votre choix pour chaque dossier.

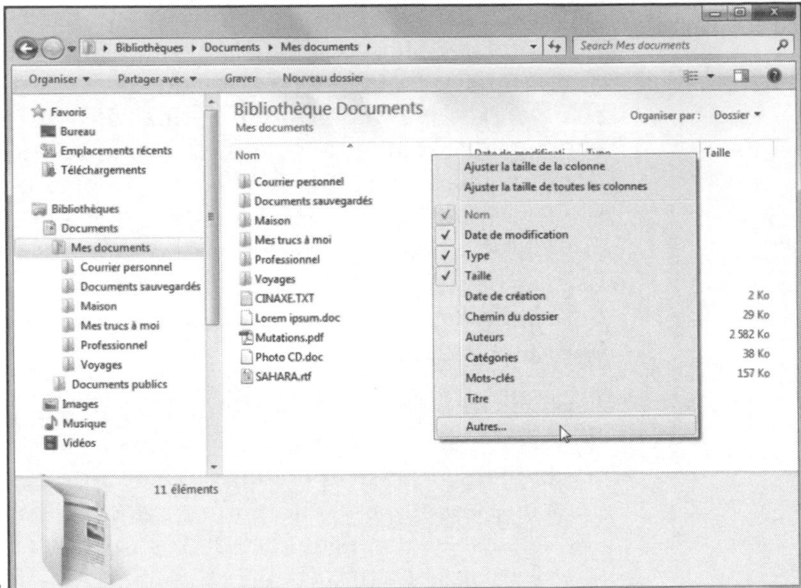

Figure 4.11 : Cliquez du bouton droit sur l'en-tête d'une colonne. Une fenêtre permet de sélectionner les détails des fichiers à faire apparaître dans le dossier.

- Si vous ne vous souvenez plus de la fonction d'un bouton de la barre de commandes, immobilisez le pointeur de la souris dessus. Windows 7 affiche alors une info-bulle expliquant succinctement à quoi il sert.

- Bien que les informations supplémentaires puissent être appréciables, elles occupent de la place au détriment du nombre de fichiers affichés dans la fenêtre. N'afficher que le nom des fichiers est souvent une meilleure option. C'est seulement lorsque vous voudrez en savoir plus sur un fichier ou un dossier que vous essayerez l'astuce qui suit.

- Dans un dossier, les fichiers sont habituellement triés alphabétiquement. Pour les trier différemment, cliquez dans une partie vide du dossier et choisissez Trier par. Un menu déroulant propose de trier par nom, taille, type, *etc.* Cliquer sur le bouton Autres, en bas du menu, vous étonnera, car 250 autres manières de trier des fichiers sont proposées.

- Si vous êtes lassé du menu Trier par, cliquez sur l'en-tête en haut de chaque colonne. Cliquez sur Taille, par exemple, pour placer rapidement les fichiers les plus volumineux en haut de la liste. Cliquez sur Date de modification pour trier les fichiers selon la date de modification la plus récente (NdT : Cliquer une seconde fois inverse l'ordre de tri).

Graver des CD et des DVD

La plupart des ordinateurs actuels savent graver des CD ou des DVD. Pour savoir si votre lecteur de CD et aussi un graveur, ôtez tout disque se trouvant dans le tiroir, puis ouvrez Ordinateur à partir du menu Démarrer et examinez l'icône du lecteur. Si les lettres RW sont indiquées, c'est un graveur.

Lecteur DVD CD-RW (E:)

Si le lecteur porte la mention `DVD/CD-RW`, comme sur l'icône en marge, cela signifie qu'il est capable de lire et de graver des CD, mais seulement de lire – et non graver – des DVD (la lecture des DVD est expliquée au Chapitre 15).

Lecteur DVD RW (E:)

Si le lecteur porte la mention `Lecteur DVD-RW`, il peut lire et graver des CD et aussi des DVD.

Acheter des CD et DVD vierges pour la gravure

Il existe deux types de CD : les CD-R (comme *Recordable,* "enregistrable", en anglais) et CD-RW (comme *ReWritable,* "réinscriptible"). Voici la différence :

- **CD-R :** La plupart des gens achètent des CD-R car ils sont bon marché et sont parfaits pour stocker de la musique ou des fichiers. Vous pouvez graver les données jusqu'à ce qu'ils soient pleins, mais c'est tout. Il est impossible de modifier le contenu. Ce n'est pas un problème car ceux qui utilisent ce support évitent ainsi le risque que leurs CD soient effacés. Ils sont aussi utilisés pour les sauvegardes.

- **CD-RW :** Les CD réinscriptibles servent notamment à faire des sauvegardes temporaires. Vous pouvez les graver tout comme un CD-R, à la différence près que le CD-RW peut être entièrement effacé – l'effacement partiel est impossible – et réutilisé. Ce type de CD est cependant plus onéreux.

À l'instar des CD, les DVD existent eux aussi en versions enregistrables et réinscriptibles. Hormis cela, c'est la pagaille : les fabricants multiplient les formats, semant la confusion parmi les consommateurs. Avant d'acheter des DVD vierges, vérifiez les formats acceptés par votre lecteur : DVD-R, DVD-RW, DVD+R, DVD+RW et/ou DVD-RAM. La plupart des lecteurs récents reconnaissent les quatre premiers formats, ce qui facilite votre choix.

- La vitesse de rotation du disque, indiquée par l'opérateur × (comme dans 8×, 40×...) indique la rapidité de la gravure : généralement 52× pour un CD et 16× pour un DVD.

- Les CD vierges sont bon marché. Pour un essai, demandez-en un à un ami : si la gravure s'effectue sans problème, achetez-en d'autres du même type. En revanche, les DVD vierges étant plus chers, il vous sera plus difficile d'en obtenir un pour un test.

- Bien que Windows 7 gère parfaitement les tâches de gravure de CD simples, il est extraordinairement compliqué lorsqu'il s'agit de copier des CD audio. La plupart des utilisateurs renoncent rapidement et préfèrent s'en remettre à des logiciels de gravure tiers, comme ceux édités par Roxio ou Nero.

- La copie des CD audio et des DVD est soumise aux lois protégeant les droits d'auteur.

Copier des fichiers depuis ou vers un CD ou un DVD

Il fut un temps ou CD et DVD étaient à l'image de la simplicité : il suffisait de les introduire dans un lecteur de salon pour les lire. Mais, dès lors que ces disques ont investi les ordinateurs, tout se compliqua. À présent, lorsque vous gravez un CD ou DVD, vous devez indiquer au PC ce que vous copiez et comment vous comptez le lire : sur un lecteur de CD audio ? Sur un lecteur de DVD ? Ou ne s'agit-il que de fichiers informatiques ? Si vous avez mal choisi, le disque ne sera pas lisible.

Voici les règles régissant la création d'un disque :

- **Musique :** Vous utiliserez le Lecteur Windows Media pour gérer tous vos fichiers musiques.
- **Films et diaporamas :** Vous utiliserez pour cela le nouveau programme DVD Maker.

Mais il en va différemment si vous désirez seulement copier des fichiers informatiques sur un CD ou un DVD, à des fins de sauvegarde ou pour les envoyer à quelqu'un.

Suivez ces étapes pour graver des fichiers sur un CD ou un DVD vierge (si vous ajoutez les données à un disque qui en contient déjà, passez à l'Étape 4).

Remarque : Si vous avez installé un logiciel de gravure tiers dans votre PC, il risque de démarrer automatiquement dès l'insertion du CD, outrepassant toutes les étapes. Vous devrez le désactiver si vous désirez graver avec Windows 7 ou tout autre programme. Cliquez ensuite sur l'icône du lecteur et choisissez Ouvrir la lecture automatique. Vous pourrez ainsi indiquer à Windows comment il doit réagir à l'insertion d'un CD vierge.

1. **Insérez le disque vierge dans le graveur et choisissez Graver les fichiers sur un disque.**

   Windows 7 réagit différemment selon que vous insérez un CD ou un DVD, comme le montre la Figure 4.12.

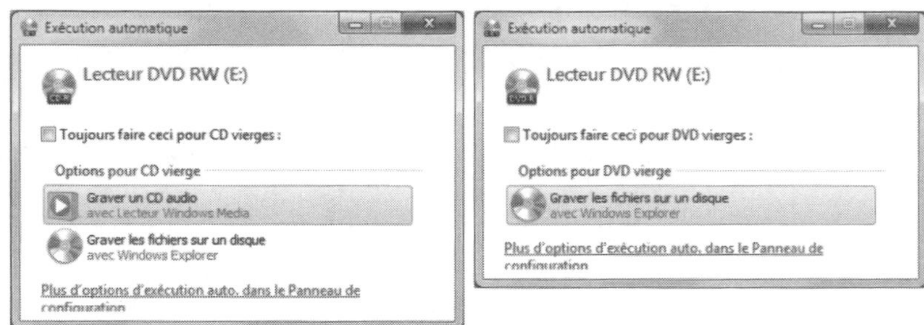

Figure 4.12 : L'insertion d'un CD (à gauche) ou d'un DVD (à droite), affiche la boîte de dialogue appropriée. Choisissez Graver un CD pour copier les fichiers sur le disque.

CD : Windows 7 propose deux options :

- **Graver un CD audio :** Cette option demande au Lecteur Windows Media de créer un CD audio lisible par la plupart des lecteurs de CD.
- **Graver les fichiers sur un disque :** Choisissez cette option pour copier des fichiers sur un CD.

DVD : Windows 7 offre une seule option :

- **Graver les fichiers sur un disque :** Choisissez cette option pour copier des fichiers informatiques sur le DVD.

2. **Saisissez le nom à attribuer au disque puis cliquez sur Suivant.**

   Après avoir inséré le disque et choisi Graver les fichiers sur un disque, à l'Étape 1, Windows 7 affiche la boîte de dialogue Graver un disque et vous demande de trouver un titre pour le disque.

   Hélas, Windows 7 limite la longueur des titres des CD et DVD à 16 caractères. Au lieu de taper **Pique-nique familial à Trifouilly-les-Oies en 2009**, vous devrez vous limiter à **Trifouilly 2009**. Ou vous contenter de cliquer sur Suivant et accepter le nom par défaut imposé par Windows 7 : la date du jour.

Windows peut graver le disque afin de l'utiliser de deux manières :

- **Comme un lecteur flash USB :** Un lecteur flash USB est en réalité une clé USB. Cette méthode permet d'écrire et de lire des fichiers plusieurs fois sur le disque. C'est une manière commode de transporter des fichiers. Le disque est malheureusement illisible par les lecteurs de CD et de DVD de salon.
- **Avec un lecteur de CD/DVD :** Choisissez cette méthode si le disque doit pouvoir être lu par votre chaîne stéréo.

Après avoir entré un nom, Windows 7 se prépare à recevoir les fichiers qu'il devra graver. Pour le moment, la fenêtre du disque est vide.

3. **Indiquez à Windows 7 les fichiers qu'il doit graver.**

Le disque étant prêt à recevoir des données, il indique à Windows 7 où il les trouvera. Vous pouvez le faire de diverses manières :

- Cliquez du bouton droit sur l'élément à copier, qu'il s'agisse d'un seul fichier, d'un dossier, ou d'un ensemble de fichiers et de dossiers sélectionnés. Dans le menu contextuel qui apparaît, choisissez Envoyer vers puis sélectionnez le graveur.
- Faites glisser les fichiers et/ou les dossiers et déposez-les sur la fenêtre du graveur, ou sur l'icône du graveur, dans la fenêtre Ordinateur.

Graver

- Choisissez le bouton Graver, dans la barre de commandes de n'importe quel dossier du dossier Musique. Tous les dossiers de musique – ou les fichiers audio sélectionnés – seront copiés sur le disque en tant que fichiers informatiques, lisibles par les chaînes stéréo et autoradio capables de lire des fichiers aux formats WMA ou MP3.

- Choisissez le bouton Graver, dans la barre de commandes de n'importe quel dossier du dossier Images. Toutes les photos du dossier Images – ou celles que vous avez sélectionnées – seront copiées sur le disque, à des fins de sauvegarde ou pour les diffuser autour de vous.
- Choisissez le bouton Graver, dans la barre de commandes de n'importe quel dossier du dossier Documents. Les fichiers qui s'y trouvent seront copiés sur le disque.
- Demandez au logiciel que vous utilisez actuellement d'enregistrer le fichier sur le disque compact plutôt que sur le disque dur.

Quelle que soit la technique choisie, Windows 7 examine scrupuleusement les données puis les grave sur le disque.

4. **Fermez la session de gravure en éjectant le disque.**

Quand vous avez fini de copier des fichiers sur un disque, indiquez-le à Windows 7 en fermant la fenêtre Ordinateur : double-cliquez sur le petit X dans le coin supérieur droit de la fenêtre.

Appuyez ensuite sur le bouton d'éjection du disque, ou cliquez du bouton droit sur l'icône du lecteur, dans Ordinateur, et choisissez Éjecter. Windows 7 ferme la session en veillant à ce que le disque soit lisible par d'autres PC.

Par la suite, vous pouvez graver d'autres fichiers sur le même disque jusqu'à ce que Windows vous informe qu'il est plein. Vous devrez alors mettre fin à la gravure, comme à l'Étape 4 précédemment, insérer un disque vierge puis tout recommencer à partir de l'Étape 1.

Si vous tentez de copier un ensemble de fichiers plus volumineux que ce que peut héberger le disque, Windows 7 le signalera aussitôt. Réduisez le nombre de fichiers à copier sur un disque en les répartissant sur plusieurs.

La plupart des programmes permettent d'enregistrer directement sur un CD. Choisissez Fichier, puis Enregistrer, et sélectionnez le graveur. Insérez un disque dans le lecteur – de préférence pas trop plein – pour démarrer le processus.

Dupliquer un CD ou un DVD

Windows 7 ne possède pas de commande de duplication de disque compact. Il n'est pas capable de copier un CD audio, ce qui explique pourquoi beaucoup de gens achètent des logiciels de gravure.

Il est cependant possible de copier tous les fichiers d'un CD ou d'un DVD dans un disque vierge en procédant en deux étapes :

1. **Copiez les fichiers et dossiers du CD ou du DVD dans un dossier de votre PC.**
2. **Copiez le contenu de ce dossier sur un CD ou un DVD vierge.**

Vous obtenez ainsi une copie du CD ou du DVD, commode lorsque vous tenez à conserver deux sauvegardes essentielles.

Ce procédé ne fonctionne pas avec un CD audio ou un film sur DVD (j'ai essayé). Seuls les disques contenant des programmes ou des données informatiques peuvent être dupliqués.

Disquettes et cartes mémoire

Les possesseurs d'appareil photo numérique connaissent bien les cartes mémoire, ces petites plaquettes en plastique qui remplacent la pellicule. Windows 7 est capable de lire les photos numériques directement sur l'appareil, pour peu qu'il soit connecté au PC. Mais il est aussi capable de lire les cartes mémoire, une technique prisée par tous ceux qui n'ont pas envie d'utiliser le câble de connexion.

Mais pour cela, le PC doit être équipé d'un lecteur de cartes mémoire dans lequel vous insérez la carte pleine de photos. Pour le PC, le lecteur est représenté par un dossier comme un autre.

Les boutiques d'informatique vendent des lecteurs de cartes mémoire externes acceptant les formats les plus répandus : Compact Flash, Secure Digital, Mini-Secure Digital, Memory Stick, et d'autres encore…

Un lecteur de cartes mémoire est d'une agréable convivialité : après avoir inséré la carte, vous pouvez ouvrir son dossier dans le PC et voir les miniatures des photos qui s'y trouvent. Toutes les opérations de glisser-déposer, copier-coller et autres manipulations décrites précédemment dans ce chapitre sont applicables. Vous déplacez et organisez vos photos intuitivement.

Les clés USB sont reconnues par Windows 7 de la même manière que les lecteurs de cartes mémoire : insérez-la dans un port USB et elle apparaît dans le dossier Ordinateur sous la forme d'une icône, prête à être ouverte d'un double-clic.

- Formater une carte mémoire efface irrémédiablement toutes les photos et autres données qui s'y trouvent. Ne formatez jamais une carte mémoire sans avoir préalablement vérifié ce qu'elle contient.
- La procédure, maintenant : si Windows se plaint de ce qu'une carte nouvellement insérée n'est pas formatée – un problème qui affecte surtout les cartes ou disquettes endommagées –, cliquez du bouton droit sur son lecteur et choisissez Formater. Parfois, le formatage permet d'utiliser la carte avec un autre appareil que celui pour lequel vous l'aviez achetée : un lecteur MP3 acceptera par exemple celle que l'appareil photo refuse.

- Les lecteurs de disquettes n'équipent plus que les PC les plus anciens (NdT : Ils sont parfois proposés en option et il existe aussi des lecteurs de disquettes externes). Ils fonctionnent comme les lecteurs de cartes mémoire : insérez la disquette puis double-cliquez sur son icône dans Ordinateur, pour accéder aux fichiers.

- Appuyez sur la touche F5 chaque fois que vous insérez une nouvelle disquette dans le lecteur, afin que Windows 7 mette la fenêtre à jour. Autrement, elle afficherait toujours les fichiers de la disquette précédente (cette formalité n'est obligatoire que pour les disquettes).

Deuxième partie

Travailler avec les programmes et les fichiers

Dans cette partie...

Vous venez de faire connaissance avec Windows 7 et d'apprendre les bases de son utilisation, notamment cliquer çà et là.

Dans cette partie du livre, vous vous mettez vraiment au travail. C'est ici que vous apprendrez à démarrer des programmes, à ouvrir des fichiers, à créer et enregistrer les vôtres, et imprimer vos œuvres. Vous saurez aussi tout sur les incontournables commandes couper, copier et coller.

Et si des fichiers prennent soudainement la clé des champs – c'est dans leur nature –, le Chapitre 6 vous expliquera comment lancer des chiens policiers virtuels à leur recherche pour les ramener au bercail.

Chapitre 5

Programmes et documents

Dans ce chapitre

- Ouvrir un programme ou un document
- Changer le programme qui ouvre un document
- Créer un raccourci
- Couper ou copier, et coller
- Utiliser les programmes livrés avec Windows 7

Dans Windows, les *programmes* – ou logiciels – sont vos outils. Ils vous permettent de calculer, d'écrire et d'abattre des vaisseaux spatiaux. En revanche, les documents sont ce que vous créez à l'aide d'un programme : une feuille de calcul révélant que vous vivez au-dessus de vos moyens, une lettre à l'eau de rose, les scores de vos jeux.

Démarrer un programme

Cliquer sur le bouton Démarrer déploie le menu Démarrer, qui est la rampe de lancement de vos programmes. Ce menu est remarquablement intuitif. Par exemple, si Windows 7 s'aperçoit que vous gravez beaucoup de DVD, le menu Démarrer place l'icône du programme DVD Maker en bonne place dans la liste, comme l'illustre la Figure 5.1.

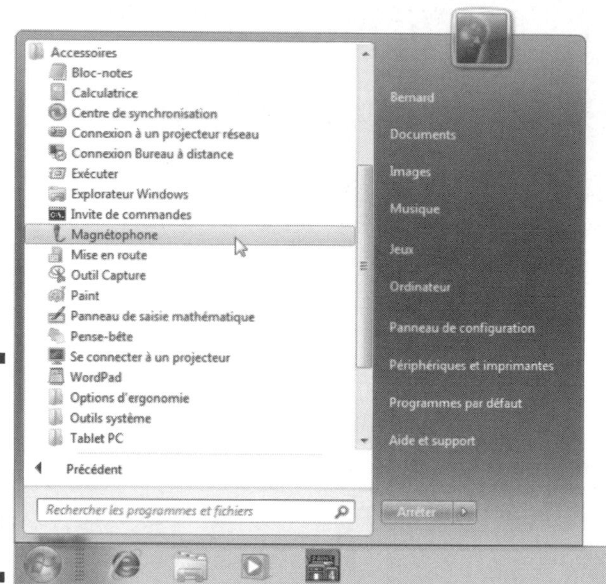

Figure 5.1 : Cliquez sur le bouton Démarrer puis sur le programme à ouvrir.

Votre programme favori n'est pas visible dans le menu Démarrer ? Cliquez sur Tous les programmes, en bas du menu. Il propose une liste exhaustive de tous les programmes installés dans l'ordinateur, dûment répertoriés. Le programme n'est toujours pas visible ? Il se trouve sans aucun doute dans l'un des dossiers de Tous les programmes. Cliquez sur l'un ou l'autre de ces dossiers pour le découvrir (NdT : Ces dossiers portent souvent le nom de l'éditeur du programme).

Après avoir repéré le programme, cliquez sur son nom. Il s'ouvre sur le Bureau, prêt à l'emploi.

Si le programme ne figure pas dans le menu Démarrer, Windows propose plusieurs moyens de l'ouvrir, dont ceux-ci :

- Ouvrez le dossier Documents dans le menu Démarrer, et double-cliquez sur le fichier sur lequel vous comptez travailler. Le programme approprié démarre et ouvre le fichier en question.

- Double-cliquez sur un *raccourci* du programme. Les raccourcis, souvent créés sur le Bureau, sont des boutons très commodes pour démarrer des programmes ou

Programme, application ou logiciel ?

NdT : Les débutants sont souvent décontenancés, en informatique, par le nombre de termes se rapportant à la même chose : un programme. Voici donc ce qu'il en est :

- **Programme :** Tout fichier informatique contenant des instructions à exécuter. Windows 7 est formé d'un ensemble de programmes.
- **Application :** Programme destiné à exécuter une tâche particulière (traitement de texte, téléchargement...).
- **Logiciel :** Terme inventé en 1967 par l'ingénieur Philippe Renard pour traduire le mot anglais software. Désigne indistinctement un programme ou une application, par opposition au hardware, le matériel.

Le terme "progiciel" (application destinée à une branche professionnelle particulière) est aussi utilisé, de même que des termes plus spécialisés comme Utilitaire (programme exécutant une seule petite tâche comme la décompression des fichiers ou leur conversion d'un format à un autre, ou Exécutable, tout fichier qui s'exécute en double-cliquant dessus).

ouvrir des fichiers. Ils sont décrits en détail à la section "Prendre un raccourci", plus loin dans ce chapitre.

- Si l'icône du programme se trouve dans la barre d'outils Lancement rapide – elle jouxte le menu Démarrer –, cliquez dessus et le programme entre en action (la barre d'outils Lancement rapide est décrite au Chapitre 2).
- Cliquez du bouton droit sur le Bureau, choisissez Nouveau et sélectionnez le type de document à créer. Windows démarrera le programme approprié.
- Tapez le nom du programme dans le champ Rechercher, en bas du menu Démarrer, et appuyez sur Entrée.

Il existe encore d'autres moyens de démarrer un programme, mais ceux-ci sont les plus pratiques. Le menu Démarrer est décrit plus en détail au Chapitre 2.

Le menu Démarrer contient des raccourcis, autrement dit des boutons qui pointent vers les programmes que vous utilisez le plus fréquemment et les démarrent lorsque vous double-cliquez dessus. Ces raccourcis sont ceux des huit programmes les plus utilisés. Vous ne voulez pas que votre directeur sache que vous jouez souvent à FreeCell ? Cliquez du bouton droit sur l'icône de FreeCell et choisissez Supprimer de cette liste. Le raccourci disparaît, mais la véritable icône de FreeCell subsiste à son emplacement normal, dans le dossier Jeux (qui se trouve dans le menu Tous les programmes).

Ouvrir un document

Windows 7 adore tout ce qui est normalisé. La preuve ? Tous les programmes chargent les documents – souvent appelés "fichiers" – et les ouvrent de la même manière :

1. **Cliquez sur l'option Fichier, dans la barre de menus située en haut de n'importe quel programme.**

   Pas de barre de menus ? Appuyez sur Alt pour la faire apparaître. Toujours pas de barre de menus ? Dans ce cas, c'est sûrement parce que ce programme est doté de la nouvelle présentation des commandes appelée *ruban,* autrement dit un épais bandeau contenant des icônes réunies par groupes. Si c'est le cas, cliquez sur le bouton Office, dans la marge, pour accéder au menu Fichier.

2. **Dans le menu Fichier, choisissez Ouvrir.**

   La boîte de dialogue Ouvrir (Figure 5.2), suscite une impression de déjà-vu, et pour cause : elle ressemble et se comporte comme le dossier Documents décrit au Chapitre 4.

   Il y a cependant une grande différence : cette fois, le dossier ne montre que les fichiers que le programme est capable d'ouvrir. Il exclut tous les autres.

3. **Vous avez vu la liste de documents dans la boîte de dialogue Ouvrir, à la Figure 5.2 ? Cliquez sur le document désiré puis cliquez sur le bouton Ouvrir.**

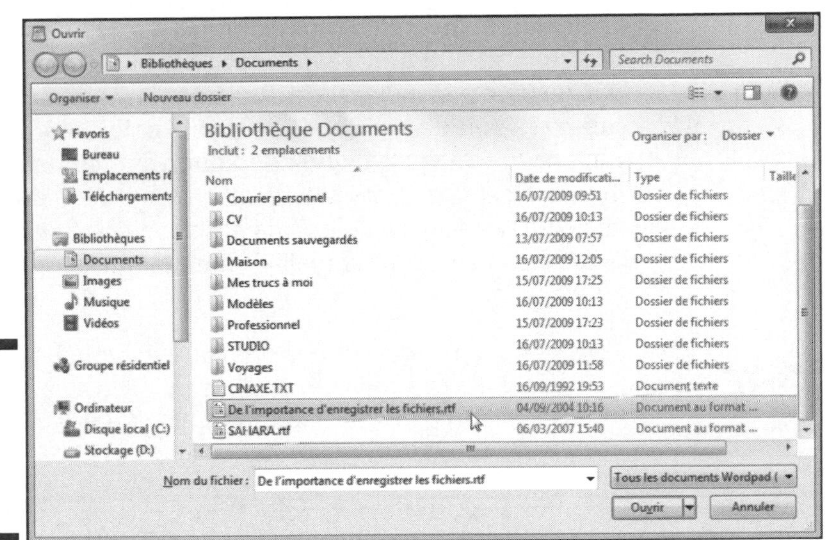

Figure 5.2 : Double-cliquez sur le nom du fichier à ouvrir.

Le programme ouvre le fichier et affiche son contenu.

Cette technique d'ouverture d'un fichier fonctionne avec la plupart des programmes sous Windows, qu'ils aient été édités par Microsoft, par un autre éditeur, ou programmé par le boutonneux féru d'informatique au coin de la rue.

- Pour aller plus vite, double-cliquez sur le nom du fichier désiré. Il est aussitôt ouvert, la boîte de dialogue Ouvrir se fermant toute seule.
- Si le fichier désiré ne figure pas dans la liste, commencez à parcourir le disque dur avec les boutons visible à gauche, dans la Figure 5.2. Par exemple, cliquez sur le dossier Documents pour voir les fichiers qui s'y trouvent.
- Les gens fourrent souvent leurs papiers, photos et CD dans des boîtes en carton, mais l'ordinateur, lui, stocke ses fichiers dans des petits compartiments dûment étiquetés appelés "dossiers". Double-cliquez sur l'un d'eux pour voir ce qu'il contient, et reportez-vous au Chapitre 4 si la navigation parmi les dossiers vous paraît compliquée.

- Chaque fois que vous ouvrez un fichier et que vous le modifiez, même rien qu'en appuyant sur la barre Espace par mégarde, Windows 7 présume que vous aviez une bonne raison de le faire. C'est pourquoi, si vous tentez de fermer le fichier, il vous demande s'il faut enregistrer la modification. Si vos modifications ont été faites à bon escient, cliquez sur Oui. Mais si vous y avez semé la pagaille ou ouvert un mauvais fichier, cliquez sur le bouton Non ou Annuler.

- Tous ces boutons et icônes en haut et à gauche de la boîte de dialogue Ouvrir vous intriguent ? Immobilisez la souris sur l'un d'eux et une info-bulle vous renseignera.

Quand les programmeurs se disputent les types de fichiers

Quand il s'agit de formats, c'est-à-dire la manière dont les données sont organisées dans les fichiers, les programmeurs ne se font pas de cadeaux. Pour s'accommoder de cette petite guerre, bon nombre de programmes sont dotés d'une fonction spéciale permettant d'enregistrer les fichiers dans différents formats.

Examinez l'une des zones de liste en bas à droite de la Figure 5.2. Elle mentionne actuellement Tous les documents Wordpad, autrement dit les fichiers dont l'extension – les quelques lettres après le nom – est .rtf, .txt ou .wri. Pour voir les fichiers enregistrés dans d'autres formats, cliquez sur ce bouton et choisissez l'un des autres formats proposés. La boîte de dialogue Ouvrir affiche aussitôt les seuls fichiers correspondant au nouveau format.

Comment afficher tous les fichiers, indépendamment de leur format ? Choisissez Tous les fichiers, dans la liste déroulante. Certes, tous sont maintenant visibles, mais cela ne signifie pas que le programme sera capable d'ouvrir n'importe lequel. Si le format est incompatible, il refusera d'ouvrir le fichier ou affichera n'importe quoi...

Par exemple, Wordpad peut afficher des noms de fichiers de photos numériques quand l'option Tous les documents est sélectionnée. Mais si vous tentez d'en ouvrir une, il l'affichera sous la forme de pages remplies de caractères spéciaux (si cette mésaventure vous arrive, abstenez-vous d'enregistrer le fichier car le document serait irrémédiablement inutilisable ; quittez aussitôt le programme en cliquant sur Annuler).

Enregistrer un document

Enregistrer signifie que vous inscrivez votre travail sur la surface magnétique d'un disque dur ou sur tout autre support afin de le conserver. Tant qu'un travail n'est pas enregistré, il réside dans la mémoire vive de l'ordinateur, qui est vidée dès que l'ordinateur est éteint. Vous devez spécifiquement demander à l'ordinateur d'enregistrer votre travail en lieu sûr.

Fort heureusement, Microsoft a imposé que la même commande Enregistrer apparaisse dans tous les programmes de Windows 7, et cela quel qu'en soit le programmeur ou l'éditeur. Voici plusieurs moyens d'enregistrer un fichier :

- Cliquez sur Fichier, dans la barre de menus, puis choisissez Enregistrer. Windows propose toujours un emplacement par défaut pour stocker le fichier. Acceptez-le ou choisissez-en un autre, le Bureau par exemple. Appuyer sur la touche F puis sur la touche E produit le même résultat.

- Cliquez sur l'icône Enregistrer, dans la barre d'outils.
- Appuyez sur Ctrl + S (ici le S est celui du mot anglais *Save,* "enregistrer")

Quand vous enregistrez pour la première fois, Windows 7 demande d'indiquer le nom du fichier. Efforcez-vous d'être descriptif et de n'utiliser que des lettres, des chiffres et des espaces (NdT : Tiret, apostrophe, parenthèses et caractères accentués ou à cédille et signe de soulignement sont admis). N'essayez pas d'utiliser un des caractères interdits, décrits au Chapitre 4, car Windows 7 refuserait le nom.

- Choisissez toujours un nom descriptif pour vos fichiers. Windows 7 autorise 255 caractères, c'est-à-dire plus qu'il n'en faut. Un fichier nommé *Rapport de l'assemblée générale de 2010* ou *Prévisions des ventes* sera plus facile à retrouver qu'un fichier laconiquement nommé *Rapport* ou *Prévisions.*

- Vous pouvez enregistrer un fichier dans n'importe quel dossier, sur un CD voire sur une carte mémoire. Mais c'est en les enregistrant dans le dossier Documents que vous le retrouverez le plus facilement. Ne vous privez néanmoins pas d'enregistrer un deuxième exemplaire sur un CD, comme sauvegarde.
- La plupart des programmes peuvent enregistrer des fichiers directement sur un CD : choisissez Enregistrer, dans le menu Fichier puis, comme destination, sélectionnez le graveur de CD. Insérez un CD dans le lecteur, et c'est parti !

- Si vous travaillez sur quelque chose d'important – c'est presque toujours le cas –, utilisez la commande Enregistrer toutes les quelques minutes. Ou mieux, appuyez sur les touches Ctrl + S (touche Ctrl enfoncée, appuyez brièvement sur S). La première fois, le programme demandera d'indiquer le nom et l'emplacement du fichier, mais par la suite, le processus sera quasiment instantané.

Quelle est la différence entre Enregistrer et Enregistrer sous ?

Enregistrer sous quoi ? La table ? Le tapis ? Que nenni bonnes gens. La commande Enregistrer permet d'enregistrer un fichier sous un autre nom et/ou à un autre emplacement.

Supposons que le fichier *Ode à Tina* se trouve dans le dossier Documents et que vous désirez modifier quelques phrases. Vous désirez enregistrer cette modification, mais sans perdre la version originale. Pour conserver les deux versions de cette impérissable littérature, vous choisirez Enregistrer sous, et vous renommerez le fichier *Ode à Tina - Ajouts* (en plaçant le mot "ajouts" après le nom, vous préservez le classement en ordre alphabétique de vos fichiers).

Lors d'un premier enregistrement, les commandes Enregistrer et Enregistrer sous sont identiques : les deux vous invitent à nommer le fichier et à choisir son emplacement.

Choisir le programme qui ouvre un fichier

Le plus souvent, Windows 7 sait quel programme utiliser pour ouvrir tel ou tel fichier. Double-cliquez sur un fichier, et Windows 7 démarre le programme, charge le fichier et l'ouvre. Mais quand il ne s'en sort plus, c'est à vous de jouer.

Les deux prochaines sections expliquent ce qu'il faut faire lorsqu'un fichier n'est pas ouvert par le programme prévu ou pire, si aucun programme n'est prévu pour l'ouvrir.

Si la notion d'association de fichiers – terme qui évoque l'association de malfaiteurs – vous intrigue, ne manquez pas de lire l'encadré qui aborde cet épineux sujet.

L'association (sans but lucratif) de fichiers

Tous les programmes ajoutent quelques caractères, appelés "extension de fichier", au nom des fichiers qu'ils créent. Cette extension identifie leur nature : quand vous double-cliquez sur un fichier, Windows s'enquiert de son extension pour savoir à quel programme il est lié. Par exemple, le Bloc-notes ajoute l'extension .txt (abrégé de "texte") à tous les fichiers qu'il crée : l'extension .txt est ainsi associée au Bloc-notes.

Normalement, Windows n'affiche pas les extensions, privant ainsi l'utilisateur lambda des subtilités de Windows, officiellement pour plus de sécurité. En effet, si l'extension est modifiée pour une raison ou pour une autre, Windows n'ouvrira plus le fichier comme prévu.

Procédez comme suit si vous tenez absolument à voir ces mystérieuses extensions :

1. **Dans un dossier, cliquez sur le bouton Organiser et, dans le menu déroulant, choisissez Options des dossiers et de recherche.**

   La boîte de dialogue Options des dossiers apparaît.

2. **Cliquez sur l'onglet Affichage, puis cliquez dans la case Masquer les extensions des fichiers dont le type est connu.**

   La case est décochée.

3. **Cliquez sur le bouton OK.**

Les extensions de fichiers sont à présent affichées.

Notez que si deux fichiers de différentes origines ont la même extension, ils seront ouverts par le même programme. Maintenant que vous avez vu les extensions, masquez-les de nouveau en cochant la case Masquer les extensions des fichiers dont le type est connu.

Conclusion ? Ne modifiez jamais l'extension d'un fichier à moins de savoir exactement ce que vous faites. Autrement, Windows se tromperait de programme ou ne saurait plus lequel utiliser.

Mon fichier s'ouvre dans un autre programme !

Double-cliquer sur un fichier lance le programme approprié, généralement celui qui a servi à créer le document en question. Mais parfois, le programme qui apparaît n'est pas le bon. C'est fréquent avec les lecteurs de médias, qui s'approprient constamment et sans vergogne les associations avec les différents fichiers audio et vidéo.

Voici comment rétablir le bon programme lorsqu'un fichier s'ouvre dans un autre programme :

1. **Cliquez du bouton droit sur le fichier qui pose problème et, dans le menu contextuel, choisissez Ouvrir avec.**

   Comme le montre la Figure 5.3, Windows propose quelques-uns des programmes capables d'ouvrir ce type de fichier.

2. **Cliquez sur Choisir le programme par défaut et sélectionnez celui qui doit ouvrir le fichier.**

   La fenêtre Ouvrir avec, que montre la Figure 5.4, contient un autre programme capable d'ouvrir le fichier (selon le nombre de logiciels installés dans le l'ordinateur, cette liste peut être plus ou moins fournie). Vous

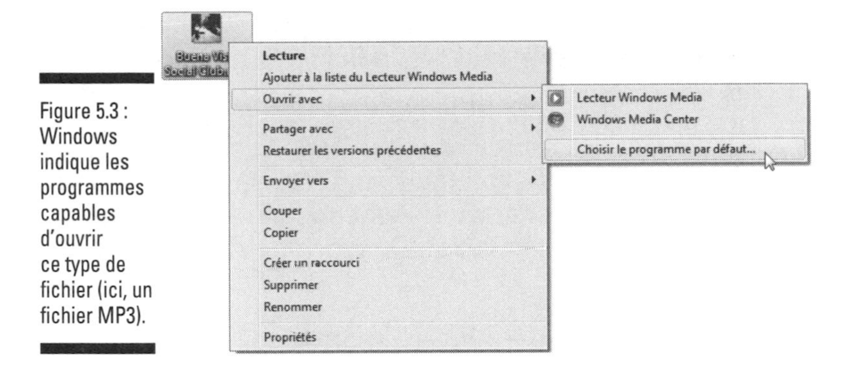

Figure 5.3 : Windows indique les programmes capables d'ouvrir ce type de fichier (ici, un fichier MP3).

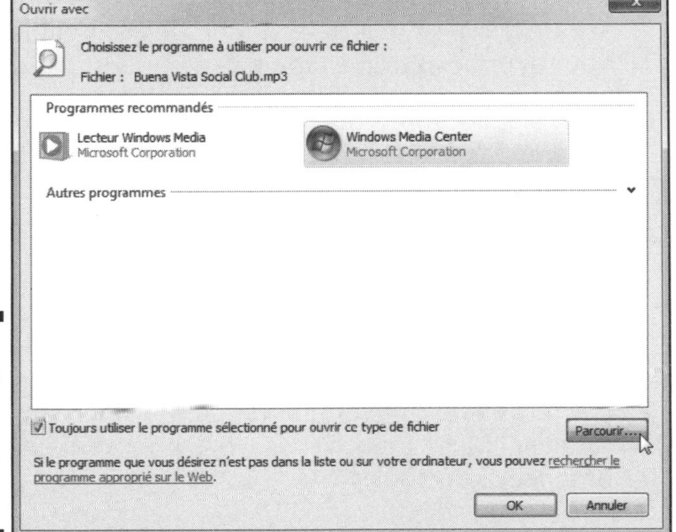

Figure 5.4 : Cliquez sur le bouton Parcourir si le programme à utiliser n'est pas affiché.

pourriez dès à présent double-cliquer dessus pour ouvrir immédiatement le fichier. Mais cela n'empêcherait pas le problème de se reproduire la prochaine fois que vous ouvrirez le fichier. La prochaine étape règle cette difficulté.

Si le programme à utiliser n'est pas affiché, vous devrez le chercher vous-même. Cliquez sur le bouton Parcourir et naviguez jusque dans le dossier où il se trouve (un conseil : immobilisez le pointeur de la souris sur les dossiers, et Windows listera quelques-uns des fichiers et programmes qui s'y trouvent).

3. Cochez la case Toujours utiliser le programme sélectionné pour ouvrir ce type de fichier. Cliquez ensuite sur OK.

Cocher cette case crée une association. Par exemple, choisir Paint Shop Pro et cocher la case précitée oblige Windows à toujours ouvrir Paint Shop Pro chaque fois que vous double-cliquez sur le type de fichier associé à ce logiciel.

- Parfois, vous voudrez alterner entre deux programmes lorsque vous travaillez sur un même document. Pour ce faire, cliquez du bouton droit sur le document, choisissez Ouvrir avec puis sélectionnez le programme dont vous avez besoin à ce moment-là.
- Il est parfois impossible de faire en sorte que votre programme favori ouvre un fichier particulier tout simplement parce que le programme ne sait que faire. Par exemple, le Lecteur Windows Media lit les vidéos, sauf quand elles sont au format QuickTime, développé par Apple. La seule solution consiste alors à installer le logiciel QuickTime (www.apple.com/fr/quicktime/) et l'utiliser pour ouvrir ce type de vidéo.
- Pas moyen de trouver un programme pour ouvrir ce satané fichier ? Dans ce cas, vous lirez avec intérêt la prochaine section.

Aucun programme n'ouvre mon fichier !

Il est énervant de voir plusieurs programmes s'évincer les uns les autres pour ouvrir un type de fichier, mais c'est encore pire quand aucun programme ne parvient à le faire. Double-cliquer sur le fichier affiche l'ésotérique message d'erreur de la Figure 5.5.

Si vous savez quel programme ouvre ce type de fichier, choisissez la seconde option, Sélectionner le programme dans la liste des programmes installés. Cette action fait apparaître

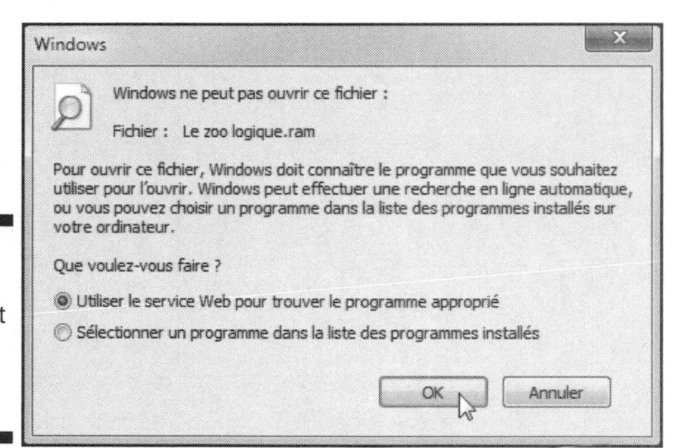

Figure 5.5 : Parfois, Windows est incapable d'ouvrir un fichier.

la familière fenêtre de la Figure 5.4, permettant de choisir un programme et de cliquer sur OK pour ouvrir le fichier.

Mais si vous n'avez pas la moindre idée du programme susceptible d'ouvrir le mystérieux fichier, choisissez l'option Utiliser le service Web pour trouver le programme approprié, puis cliquez sur OK. Windows écume l'Internet à la recherche du programme idoine. Avec un peu de chance, Internet Explorer se rend sur le site Web de Microsoft et suggère un site d'où vous pourrez télécharger le programme approprié. Cette opération implique le téléchargement et l'installation du programme, après avoir vérifié son innocuité avec un logiciel antivirus, comme nous l'expliquons au Chapitre 10. Le problème est alors résolu.

Parfois, Microsoft vous envoie directement vers un site Web, comme celui de la Figure 5.6, d'où vous pourrez télécharger le programme capable d'ouvrir votre fichier.

- À la Figure 5.6, Microsoft a identifié un fichier *Real Video* et vous a envoyé directement sur le site permettant de télécharger et installer un lecteur gratuit, nommé RealPlayer, capable de lire les fichiers au format .ram.

- Quand vous visitez un site Web afin de télécharger un programme suggéré, comme QuickTime ou RealPlayer, deux versions sont parfois proposées : l'une gratuite, l'autre appelée Professionnelle – car ça en jette – mais

Figure 5.6 : Windows vous aide parfois à trouver le programme qui ouvrira un fichier orphelin.

payante. La version gratuite répond souvent à vos besoins ; donc, commencez par elle.

- Quand vous essayez d'ouvrir une pièce jointe à un courrier électronique, vous risquez de recevoir un message du genre "Aucun programme associé à ce fichier ne parvient à exécuter l'action demandée". Ce message signifie simplement que le programme requis pour ouvrir ce fichier n'est pas installé dans l'ordinateur, ce qui nous amène au paragraphe ci-après.

- Si vous ne trouvez aucun programme capable d'ouvrir le fichier, vous êtes bien embêté... Il ne vous reste plus qu'à contacter la personne qui vous l'a remis en lui demandant avec quel programme il faut l'ouvrir. Dans le pire des cas, vous devrez l'acheter (NdT : Ou alors, demandez à l'expéditeur s'il lui est possible d'enregistrer le fichier dans un autre format, lisible par votre ordinateur).

Prendre un raccourci

Certains éléments sont profondément enfouis dans les dossiers de votre ordinateur. Si vous êtes lassé de parcourir l'arborescence des dossiers à la recherche d'un programme, d'un lecteur, d'un document, voire d'un site Web, créez un raccourci qui vous y mènera directement. C'est une petite icône qui pointe vers l'inavouable objet de votre désir, auquel vous accédez à présent d'un seul clic.

Un raccourci n'étant tout bonnement qu'un bouton indépendant qui démarre un élément, vous pouvez le déplacer, le supprimer ou le copier sans que l'original en pâtisse. Un raccourci est sûr, commode et facile à créer. Il est impossible de le confondre avec le programme lui-même à cause de la petite flèche dans son coin inférieur gauche, visible ici, dans la marge, sur le raccourci du jeu FreeCell.

Voici quelques instructions expliquant comment créer ces irremplaçables raccourcis :

- **Dossiers ou documents :** Cliquez du bouton droit sur le dossier ou le document, choisissez Envoyer vers et sélectionnez l'option Bureau (créer un raccourci). Après son apparition sur le Bureau, faites-le glisser et déposez-le où bon vous semble, y compris dans la zone Favoris du volet de navigation ou même dans le menu Démarrer.
- **Sites Web :** Vous avez remarqué la petite icône qui précède l'adresse du site Web dans la Barre d'adresse d'Internet Explorer ? Faites-la glisser et déposez-la sur le Bureau ou ailleurs (décalez légèrement la fenêtre d'Internet Explorer vers l'extérieur afin d'avoir de la place pour votre manipulation). Vous pouvez aussi placer les sites Web intéressants parmi vos Favoris, comme l'explique le Chapitre 8.
- **N'importe quel élément du menu Démarrer :** Cliquez du bouton droit sur une icône du menu Démarrer et choisissez Copier. Cliquez ensuite du bouton droit là où le raccourci doit apparaître et choisissez Coller le raccourci.

- **Presque n'importe quel élément :** Le bouton droit de la souris enfoncé, faites glisser un objet jusqu'à un autre emplacement. Le bouton relâché, choisissez l'option Créer les raccourcis ici.

- **Panneau de configuration :** Vous avez découvert un paramètre particulièrement intéressant dans le Panneau de configuration, qui est la plaque tournante de Windows 7 ? Tirez l'utile icône jusque sur le Bureau, jusque sur un dossier du Volet de navigation ou n'importe où ailleurs, et l'icône est aussitôt convertie en raccourci.

- **Lecteurs de disques :** Ouvrez Ordinateur, dans le menu Démarrer. Cliquez du bouton droit sur le lecteur désiré et choisissez Créer un raccourci. Windows le place sur le Bureau.

Voici quelques astuces supplémentaires :

- Pour graver rapidement des CD, placez un raccourci du graveur sur le Bureau. Il suffira ainsi de glisser et déposer les fichiers sur l'icône du raccourci. Insérez un CD vierge, confirmez les paramètres et la gravure commence.

- Vous pouvez librement déplacer un raccourci de-ci de-là, mais ne déplacez jamais l'élément vers lequel il pointe. Autrement, le raccourci ne le retrouverait plus, obligeant Windows à parcourir le disque dur à sa recherche, souvent en vain.

- Vous voulez savoir où se trouve le programme que démarre un raccourci ? Cliquez dessus du bouton droit et choisissez Ouvrir l'emplacement du dossier (si cette option est proposée). Le raccourci vous mène promptement vers le dossier où réside son seigneur et maître.

Le petit guide du Couper, Copier et Coller

Windows 7 a emprunté à l'école maternelle les petits ciseaux à bouts ronds et le pot de colle à papier. Enfin, leur version informatique... Vous pouvez électroniquement *couper* ou *copier*, puis *coller* quasiment tout ce que vous voulez, et tout cela avec la plus grande facilité.

Les programmes de Windows sont conçus pour travailler ensemble et partager des données, ce qui permet par exemple de placer très facilement le plan d'un quartier, préalablement numérisé avec un scanner, sur le carton d'invitation créé avec WordPad. Vous pouvez déplacer des fichiers en les coupant ou en les copiant, et en les collant ensuite à un autre emplacement. Rien n'est plus simple, dans un traitement de texte, que de couper un paragraphe et le coller ailleurs.

Avec Windows 7, toutes ces opérations s'effectuent sans peine parmi les fenêtres.

Ne considérez pas le Copier et le Coller comme des broutilles. Copier le nom et l'adresse d'un contact est moins fastidieux que taper ces éléments dans la lettre. Et si quelqu'un vous envoie une adresse Internet à rallonges, il sera plus sûr – et là beaucoup moins fastidieux – de la copier et la coller dans la Barre d'adresse d'Internet Explorer. Il est aussi très facile de copier la plupart des images d'une page Web, au grand dam des photographes professionnels.

Le couper-coller facile

En accord avec le Département "Lâche-moi la grappe avec ces ennuyeux détails", voici, en trois étapes, comment couper, copier et coller :

1. **Sélectionnez l'élément à couper ou à coller : quelques mots, un fichier, une adresse Web ou n'importe quoi d'autre.**

2. **Cliquez du bouton droit dans la sélection et choisissez Couper ou Copier, dans le menu, selon vos besoins.**

   Utilisez *Couper* lorsque vous désirez déplacer un élément, et *Copier* lorsque vous voulez le dupliquer en laissant l'original intact.

Les raccourcis clavier sont : Ctrl + X pour Couper, Ctrl + C pour Copier.

3. **Cliquez du bouton droit sur l'élément de destination et choisissez Coller.**

Le raccourci clavier de Coller est Ctrl + V.

Les trois prochaines sections détaillent ces actions.

Sélectionner les éléments à couper ou à copier

Avant de trimballer des éléments ailleurs, vous devez indiquer à Windows 7 desquels il s'agit. Le meilleur moyen est de les sélectionner à la souris. Il suffit généralement de cliquer dessus, ce qui met les éléments en surbrillance.

- **Sélectionner du texte dans un document, un site Web ou une feuille de calcul :** Placez le pointeur de la souris au début des données à sélectionner puis cliquez et maintenez le bouton enfoncé. Tirez ensuite la souris jusqu'à l'autre bout des données. Cette action surligne – met en surbrillance – tout ce qui se trouvait entre le clic et l'endroit où vous avez libéré le bouton, comme l'illustre la Figure 5.7.

Figure 5.7 : Windows surligne le texte sélectionné – il le met en surbrillance – avec une autre couleur pour mieux le mettre en évidence.

Soyez prudent après avoir sélectionné du texte. Si vous appuyez accidentellement sur une touche, le *b* par exemple, Windows remplace toute la sélection par la lettre *b*. Pour corriger cette bourde, cliquez immédiatement sur Édition > Annuler, dans le menu, ou mieux, appuyez sur Ctrl + Z, le raccourci de cette commande.

- **Pour sélectionner un fichier ou un dossier :** Cliquez dessus pour le sélectionner. Procédez comme suit pour sélectionner plusieurs éléments :
  - **S'il s'agit d'une plage de fichiers :** Cliquez sur le premier de la série, maintenez la touche Majuscule

Sélectionner des lettres, des mots, des paragraphes et plus encore

Quand vous travaillez sur des mots, dans Windows 7, ces raccourcis vous aident à sélectionner rapidement des données :

- Pour sélectionner une seule lettre ou caractère, cliquez juste avant. Ensuite, la touche Majuscule enfoncée, appuyez sur la touche fléchée Droite. Maintenez-la enfoncée pour sélectionner davantage de texte.
- Pour ne sélectionner qu'un mot, double-cliquez dessus. Le mot est surligné. La plupart des traitements de texte permettent de déplacer un ou plusieurs mots sélectionnés par un glisser-déposer.
- Pour sélectionner une seule ligne de texte, cliquez dans la marge, à la hauteur de la ligne. Le bouton de la souris enfoncé, tirez vers le haut ou vers le bas pour ajouter d'autres lignes à la sélection. Vous pouvez aussi ajouter des lignes en appuyant, touche Majuscule enfoncée, sur les touches fléchées Haut et Bas.
- Pour sélectionner un paragraphe, double-cliquez dans sa marge gauche. Le bouton enfoncé, déplacez la souris vers le haut ou vers le bas pour ajouter d'autres paragraphes à la sélection.
- Pour sélectionner la totalité d'un document, appuyez sur les touches Ctrl + A. Ou alors, choisissez Sélectionner tout, dans le menu Édition.

enfoncée et cliquez sur le dernier. Windows sélectionne le premier élément, le dernier et tous ceux qui se trouvent entre.

- **Si les fichiers sont éparpillés :** Maintenez la touche Ctrl enfoncée tout en cliquant sur les fichiers et les dossiers à sélectionner.

Les éléments étant sélectionnés, la prochaine section explique comment les couper ou les copier.

- Après avoir sélectionné un élément, ne tardez pas à le couper ou à le copier. Car si vous cliquez distraitement ailleurs, votre sélection disparaît, vous obligeant à la refaire entièrement.
- Appuyez sur la touche Suppr pour supprimer un élément sélectionné, qu'il s'agisse d'un fichier, d'un paragraphe, d'une photo, *etc.*

Couper ou coller une sélection

Après avoir sélectionné des données, vous pouvez commencer à les manipuler, notamment les couper ou les copier, voire les supprimer en appuyant sur la touche Suppr.

Après avoir sélectionné un élément, cliquez dessus du bouton droit. Dans le menu contextuel, choisissez Couper ou Copier, selon vos besoins, comme le montre la Figure 5.8. Ensuite, cliquez dans la destination et choisissez Coller.

Les options Couper et Coller sont fondamentalement différentes. Laquelle des deux faut-il choisir ?

- **Choisissez Couper pour déplacer des données.** Cette commande supprime les données sélectionnées, mais elles ne sont pas perdues. Windows les conserve en effet dans une fenêtre cachée de Windows, le Presse-papiers.

Vous pouvez couper et coller des fichiers entiers dans différents dossiers. Quand vous coupez un fichier dans un dossier, l'icône du fichier s'assombrit jusqu'à ce que

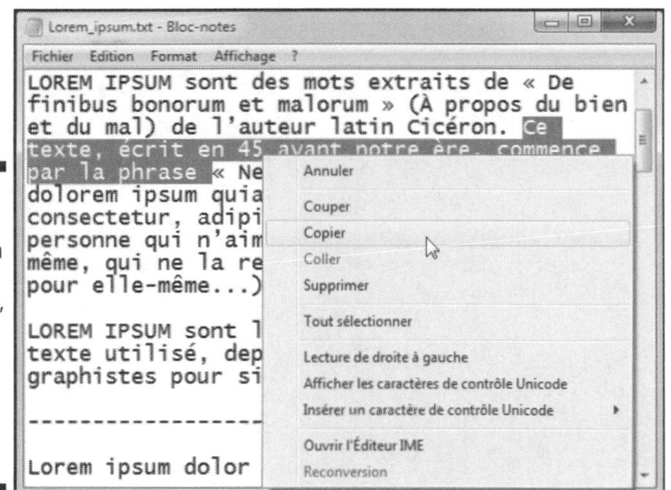

Figure 5.8 : Pour copier une sélection dans une autre fenêtre, cliquez du bouton droit dans la sélection et choisissez Copier.

vous l'ayez collé (la faire disparaître serait trop stressant). Vous changez d'avis au cours de la manipulation ? Appuyez sur la touche Échap et l'icône redevient normale.

- **Choisissez Copier pour dupliquer des données.** Lorsque vous utilisez cette commande, rien ne semble se passer à l'écran, car les données originales subsistent. Elles n'en sont pas moins copiées dans le Presse-papiers.

Pour copier l'image du Bureau de Windows 7 dans le Presse-papiers, c'est-à-dire la totalité de l'écran, appuyez sur la touche Impr.écran (le nom peut parfois différer). Vous pourrez ensuite coller l'image où bon vous semble. NdT : Pour ne copier que la fenêtre active, appuyez sur Alt + Impr.écran.

Coller les données

Les données coupées ou copiées, qui résident à présent dans le Presse-papiers de Windows, sont prêtes à être collées à presque n'importe quel emplacement.

Coller est une opération relativement simple :

Annuler des actions

Windows propose une foule de manières d'exécuter une même action, mais quatre seulement pour accéder à la commande Annuler et corriger ainsi vos bourdes :

- La touche Ctrl enfoncée, appuyez sur Z. La dernière action est annulée. Si le programme comporte un bouton Rétablir, vous pouvez annuler une annulation.
- La touche Alt enfoncée, appuyez sur la touche Retour arrière. Windows fait marche arrière et récupère ce que vous venez de supprimer.
- Cliquez sur Édition et, dans le menu, choisissez Annuler. La dernière commande est aussitôt annulée.
- La touche Alt enfoncée, appuyez sur la touche E (comme Édition) puis A (comme Annuler). La dernière action est annulée.

Ne vous compliquez pas la vie à apprendre toutes ces techniques. Retenez Ctrl + Z et oubliez toutes les autres.

1. **Ouvrez la fenêtre de destination et cliquez là où les données doivent apparaître.**
2. **Cliquez du bouton droit et, dans le menu déroulant, choisissez Coller.**

   Et hop ! Les éléments que vous aviez coupés ou copiés apparaissent.

Ou alors, si vous voulez coller un fichier sur le Bureau, cliquez du bouton droit sur le Bureau et choisissez Coller. L'icône du fichier apparaît là où vous avez cliqué.

- La commande Coller insère une copie des données résidant dans le Presse-papiers. Elles y restent, prêtes à être collées ailleurs autant de fois que vous le désirez.
- La barre d'outils ou le ruban de nombreux programmes contient des boutons Couper, Copier et Coller, comme le montre la Figure 5.9.

Figure 5.9 : Les boutons Couper, Copier et Coller d'un ruban.

Les programmes livrés avec Windows 7

Windows 7, la version la plus sophistiquée de Windows, est livré avec quelques programmes comme un lecteur de musique, un graveur de DVD et un petit traitement de texte. Ces "plus" font le bonheur des utilisateurs, dont certains ont la naïveté de croire que ces programmes sont gratuits. En fait, leur coût a été intégré à celui de Windows. Ils ne sont pas plus gratuits que l'autoradio de votre voiture ou sa climatisation.

Windows 7 contient beaucoup moins de programmes que Windows Vista ou XP. Le logiciel de message, Mail, n'est plus fourni. Le programme d'archivage et de retouche Galerie de photos Windows, le logiciel de montage vidéo Movie Maker et le Calendrier Windows ont subi le même sort. Les trois premiers ont été remplacés par des programmes téléchargeables étudiés dans la cinquième partie de ce livre.

Ce chapitre se concentre sur les plus importants des petits programmes accompagnant Windows 7 : le traitement de texte WordPad, la Calculatrice et la Table des caractères.

Écrire des lettres avec WordPad

WordPad est loin d'être aussi perfectionné que les onéreux traitements de texte professionnels. Il ne peut ni créer des tableaux, ni présenter du texte sur plusieurs colonnes comme celle d'un journal ou d'un bulletin d'informations, et ne permet pas de régler l'interlignage. Et bien sûr, il est dépourvu de correcteur orthographique.

En revanche, il est parfait pour rédiger des lettres, des rapports simples et autres tâches élémentaires. Vous pouvez choisir la police de caractères. Et, comme tous les utilisateurs de Windows ont WordPad, la plupart des possesseurs d'ordinateur peuvent lire les fichiers.

Pour ouvrir WordPad, cliquez le bouton Démarrer, choisissez Tous les programmes, puis Accessoires et cliquez sur WordPad.

WordPad apparaît à l'écran avec ses habits neufs : le nouveau ruban que montre la Figure 5.10

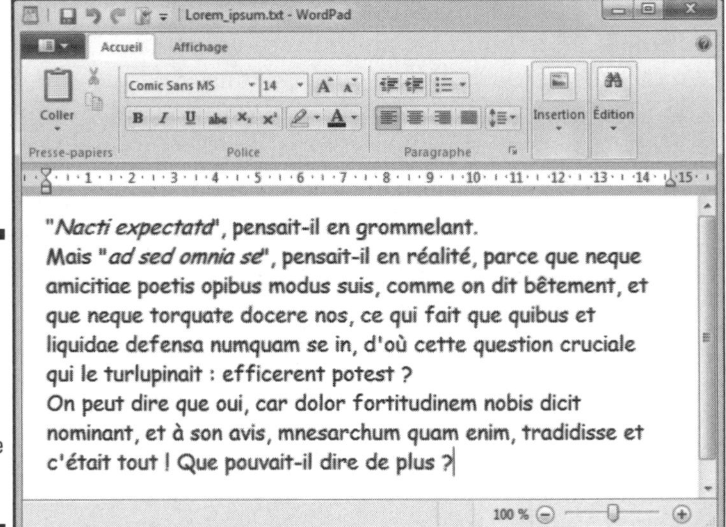

Figure 5.10 : L'interface à rubans contient des boutons au lieu de menus. Chaque onglet affiche un ruban différent.

Si vous venez de vous débarrasser de votre antique machine à écrire pour Windows, notez bien ces règles : sur la machine à écrire électrique, vous deviez appuyer sur la touche Retour chariot à la fin de chaque ligne, sinon la frappe se poursuivait hors du papier. Cela ne risque pas d'arriver avec un ordinateur, car il effectue automatiquement le retour à la ligne.

- Pour changer de police dans WordPad, sélectionnez les mots à modifier, ou la totalité du document en choisissant Sélectionner tout, dans la zone Édition du ruban. Choisissez ensuite une typographie dans le menu déroulant Police. Le texte sélectionné change d'aspect au fur et à mesure que vous parcourez les polices disponibles. Cliquez sur celle qui vous plaît et WordPad l'affiche.

- WordPad est capable de lire les fichiers créés avec Word 2007, mais sans tenir compte des éventuelles mises en forme sophistiquées.
- Eh non, il n'est pas possible de se passer du ruban et revenir à l'ancienne interface à base de menus !
- Vous voulez connaître les raccourcis associés aux différentes commandes ? Maintenez la touche Alt enfoncée et une lettre apparaît à côté de chacun d'eux. Appuyez sur une des lettres affichées pour exécuter la commande correspondante (eh oui, c'est moins commode que l'ancien système à menus).
- Insérez rapidement la date et l'heure courantes en choisissant, dans le menu Insertion, l'option Date et heure. Sélectionnez ensuite une des présentations proposées et cliquez sur OK.

Chapitre 6

Vite perdu, plus vite retrouvé

Dans ce chapitre

- Retrouver des fenêtres et des fichiers égarés
- Retrouver des programmes, des courriers électroniques, des morceaux de musique et des documents
- Trouver d'autres ordinateurs sur un réseau

À un moment ou à un autre, Windows 7 vous laissera dans la perplexité : "Ce fichier était là il y a une seconde. Où a-t-il bien pu se cacher ?" Si Windows 7 se met à vous faire des cachotteries, ce chapitre vous expliquera où chercher ce qui semble avoir disparu et comment mettre fin à son jeu idiot.

Retrouver les fenêtres égarées sur le Bureau

Windows 7 ressemble plus à un pique-notes qu'à un bureau. Chaque fois que vous ouvrez une nouvelle fenêtre, c'est comme si vous placiez une autre note sur le pique. La fenêtre du dessus est facile à lire, mais atteindre l'une de celles d'en dessous est plus compliqué. Si une petite partie dépasse, il suffit de cliquer dessus pour la mettre au premier plan.

Quand une fenêtre est complètement recouverte par d'autres, recherchez-la dans la barre des tâches, en bas de l'écran (si elle ne veut pas se montrer, appuyez sur la touche Windows). Cliquez sur le nom de la fenêtre et la voilà qui émerge du tas. La barre des tâches est décrite au Chapitre 2.

Toujours introuvable ? Essayez la remarquable nouvelle vue en 3D de Windows 7 (voir Figure 6.1), où les fenêtres semblent léviter dans l'espace virtuel. La touche Windows enfoncée, appuyez plusieurs fois sur Tab, ou actionnez la molette de la souris pour placer tour à tour chaque fenêtre au premier plan (NdT : Pour faire défiler les fenêtres à rebours, maintenez aussi la touche Majuscule enfoncée). Lorsque la fenêtre désirée apparaît devant toutes les autres, relâchez la touche Windows.

Figure 6.1 : La touche Windows enfoncée, appuyez répétitivement sur Tab pour parcourir les fenêtres. Relâchez la touche Windows pour déposer la fenêtre au premier plan sur le Bureau.

Si votre PC n'est pas capable de gérer l'affichage en 3D de Windows 7, faute d'une carte graphique suffisamment puissante, maintenez la touche Alt enfoncée et appuyez sur Tab pour bénéficier de l'ancienne technique en deux dimensions, qui fonctionne tout aussi bien, voire mieux. Relâchez la touche Alt pour placer la fenêtre sélectionnée sur le Bureau.

Si vous êtes certain qu'une fenêtre est ouverte mais qu'elle reste introuvable, répartissez-les toutes sur le Bureau. Pour ce faire, cliquez du bouton droit sur la barre des tâches et, dans le menu, choisissez Afficher les fenêtres côte à côte. C'est la solution de dernier recours, mais qui peut vous faire retrouver la fenêtre égarée.

Localiser un programme, un courrier électronique, un morceau de musique, un document...

Trouver une information sur l'Internet n'excède guère quelques minutes, même si la recherche doit porter sur des milliards de pages dispersées dans des milliers d'ordinateurs de par le monde. En revanche, retrouver un document dans votre PC peut s'avérer beaucoup plus ardu, voire vain.

Pour résoudre ces problèmes de recherche, Windows 7 s'est inspiré des moteurs de recherche comme celui de Google, et il a créé un index des principaux fichiers de votre PC. Pour trouver un fichier égaré, ouvrez le menu Démarrer et cliquez dans le champ Rechercher, en bas du panneau.

Tapez les premières lettres d'un mot, d'un nom ou d'une phrase figurant dans le fichier recherché. Dès que vous commencez à taper, le menu Démarrer propose une liste d'occurrences. Chaque lettre tapée affine la recherche. Après en avoir saisi suffisamment, le document perdu se retrouve en haut de la liste, d'où vous pouvez l'ouvrir d'un double-clic.

Par exemple, commencer à taper **Tiersen** dans le champ Rechercher du menu Démarrer affiche d'abord tous les fichiers commençant par la lettre "T" se trouvant dans l'ordinateur, puis par les lettres "Ti", "Tie", "Tier", "Tiers", comme à la Figure 6.2, et ainsi de suite.

Après avoir appuyé sur la touche Entrée, la liste définitive des fichiers correspondant au critère de recherche est affichée (Figure 6.3).

Figure 6.2 : Commencez à taper un mot, comme ici le début du mot "Tiersen", et Windows 7 localise tous les fichiers correspondants.

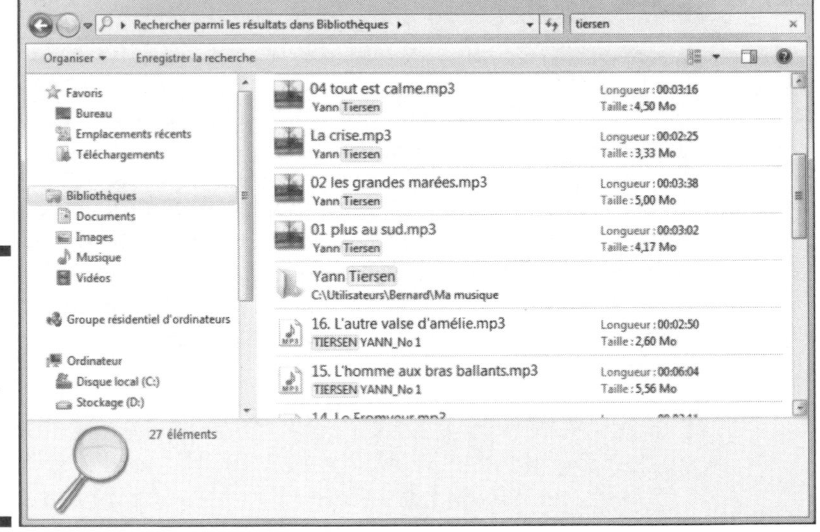

Figure 6.3 : Après avoir appuyé sur la touche Entrée, Windows 7 affiche la liste des fichiers trouvés.

- Windows 7 indexe tous les fichiers qui se trouvent dans les dossiers Documents, Images, Musique et Vidéos, d'où l'importance de stocker vos fichiers dans ces emplacements. Notez qu'il n'autorise pas la recherche parmi les fichiers privés des autres comptes d'utilisateurs.

- L'indexation prend en compte tous les fichiers placés sur le Bureau, les fichiers récemment supprimés qui se morfondent dans la Corbeille, ainsi que tous les fichiers partagés du dossier Public, auquel d'autres PC du réseau ont accès (les utilisateurs des ordinateurs connectés au vôtre par un réseau accèdent eux aussi aux dossiers publics, décrits au Chapitre 13).

- Si vous cherchez un mot très courant et que Windows 7 trouve de ce fait une énorme quantité de fichiers, restreignez la recherche en ajoutant un critère supplémentaire : **Tiersen Amélie**, par exemple, pour trouver *La valse d'Amélie* ainsi que *L'autre valse d'Amélie.* Plus vous tapez de mots, plus vous avez de chances de réduire la recherche à un fichier particulier.
- Lors d'une recherche de fichier, tapez toujours un mot à partir de la première lettre. Si vous tapez **pointe**, Windows 7 trouvera des occurrences comme "pointes", "pointer", "pointeur", mais pas "Lapointe" ni "appointements" même si la chaîne de caractères "pointe" fait partie de ces mots.
- Le champ Rechercher ignore les majuscules. Pour lui, les prénoms **Rose** ou **Pierre** et les mots **rose** et **pierre** sont identiques.
- Si Windows 7 découvre plus d'occurrences qu'il peut en afficher dans le petit menu Démarrer, cliquez sur le bouton Voir plus de résultats, juste au-dessus du champ Rechercher, visible à la Figure 6.2. Vous accédez ainsi à la fenêtre de la Figure 6.3, dotée d'une barre défilante.

Internet

- Vous voulez rechercher sur l'Internet plutôt que sur le PC ? Après avoir tapé vos mots, cliquez sur le bouton Voir plus de résultats, juste au-dessus du champ Rechercher. En bas de la fenêtre de résultats se trouve un bouton Internet qui démarre la recherche avec Internet

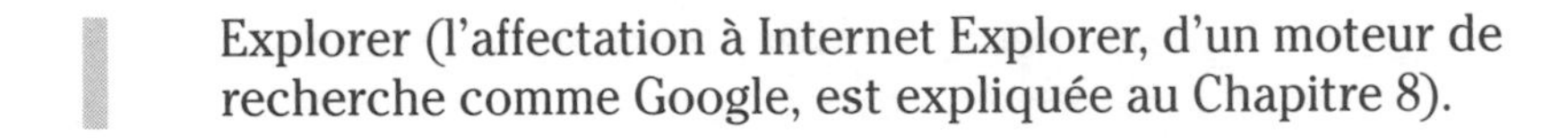
Explorer (l'affectation à Internet Explorer, d'un moteur de recherche comme Google, est expliquée au Chapitre 8).

Retrouver un fichier manquant dans un dossier

Le champ Rechercher du menu Démarrer explore minutieusement l'index tout entier. Mais cette procédure s'avère lourde lorsque vous recherchez un fichier que vous savez égaré dans un seul dossier. Pour vous aider lorsqu'un fichier est perdu dans un océan d'autres fichiers tous situés dans un même dossier, Windows 7 a placé un champ Rechercher en haut à droite de chaque dossier, qui n'examine que le dossier courant.

Pour trouver un fichier perdu dans un dossier, cliquez dans le champ Rechercher du dossier et tapez quelques lettres ou mots qui se trouvent dans le fichier. Le filtrage des fichiers commence dès la saisie de la première lettre. La recherche se restreint ensuite jusqu'à ce que ne soient affichés que les quelques dossiers parmi lesquels se trouve, avec un peu de chance, celui que vous recherchez.

Quand une recherche dans un dossier trouve de trop nombreuses occurrences, il reste un autre moyen de la réduire : les en-têtes de colonnes, lorsque l'affichage est en mode Détails, comme à la Figure 6.4. La première colonne, Nom, répertorie les noms de fichiers. Les autres colonnes fournissent des détails plus spécifiques.

Remarquez les en-têtes de colonnes Nom, Date de modification et Type. Cliquez sur l'un d'eux pour trier les fichiers selon les critères suivants :

- **Nom :** Vous connaissez les premières lettres du nom du fichier ? Cliquez sur cet en-tête pour trier les fichiers alphabétiquement, puis parcourez la liste. Cliquez de nouveau sur Nom pour inverser l'ordre du tri.
- **Date de modification :** Cliquez sur cet en-tête si vous vous souvenez vaguement de la date à laquelle vous

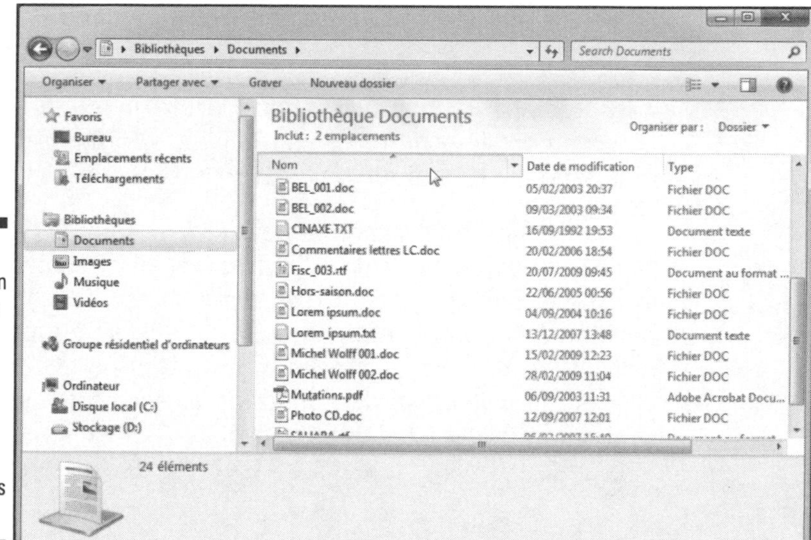

Figure 6.4 : L'affichage en mode Détails permet de trier les fichiers par nom ou par un autre critère, ce qui facilite les recherches.

avez modifié le document pour la dernière fois. Les fichiers les plus récents sont ainsi placés en haut de la liste. Cliquer de nouveau sur Date de modification inverse l'ordre, un bon moyen pour retrouver des fichiers anciens.

- **Type :** Cet en-tête trie les fichiers selon leur contenu. Toutes les photos sont regroupées, et aussi tous les documents textuels. Commode pour retrouver les quelques photos perdues parmi une quantité de fichiers de texte.

- **Auteur :** Microsoft Word, Excel et d'autres programmes intègrent votre nom d'utilisateur aux fichiers que vous créez. Cliquez sur cet en-tête pour trier les fichiers par auteurs.

- **Mot-clé :** Windows 7 permet souvent d'ajouter des mots-clés à des documents, comme vous le découvrirez plus loin dans ce chapitre. Ajouter un mot-clé "Fromage" à une série de photos qui fleurent bon le Munster coulant permettra de récupérer toutes ces photos, ainsi que d'autres (Chaource, Époisses, Camembert, Brie...), soit en tapant l'intitulé de leur mot-clé, "Fromage" en l'occurrence, soit en triant les fichiers d'un dossier par mots-clés.

Que les fichiers soient affichés sous forme de miniatures, d'icônes ou par leur nom, les en-têtes de colonne offrent toujours un moyen commode de les trier rapidement.

Les dossiers affichent généralement cinq colonnes de détails, mais vous pouvez en ajouter d'autres. En fait, des fichiers peuvent être triés par nombre de mots, durée des morceaux, dimension des photos, date de création et beaucoup d'autres critères. Pour en voir la liste, cliquez du bouton droit sur un en-tête et, dans le menu déroulant, choisissez Autres. La boîte de dialogue Choisir les détails apparaît. Cochez les cases des détails à faire apparaître dans les fenêtres des dossiers.

Trier, organiser et regrouper des fichiers

Pour beaucoup de gens, trier les fichiers par nom, date de modification ou type, comme nous venons de le voir, est largement suffisant. Mais à l'intention des pinailleurs, Windows 7 propose aussi deux autres moyens d'organiser les fichiers : les *organiser* ou les *regrouper*. Quelle est la différence ?

- **Organiser :** Cette fonction est comparable aux bacs à courrier des bureaux. Dans l'un, vous déposez les lettres du jour sur une pile, dans un autre s'empilent les lettres de la semaine précédente. Ou encore, l'un contient toutes les factures impayées, un autre des relevés bancaires.

  Windows 7 fait à peu près de même quand vous choisissez d'empiler les fichiers par date de modification, comme à la Figure 6.5. Le travail en cours est placé sur une pile, celui du mois précédent dans une autre. Ou encore, vous pouvez empiler par type afin de séparer, par exemple, les feuilles de calcul des courriers.

- **Regrouper :** Cette fonction se charge elle aussi de réunir des éléments similaires. Mais, au lieu de les empiler, Windows 7 les répartit à plat, les éléments similaires se trouvant côte à côte. Regrouper des éléments par

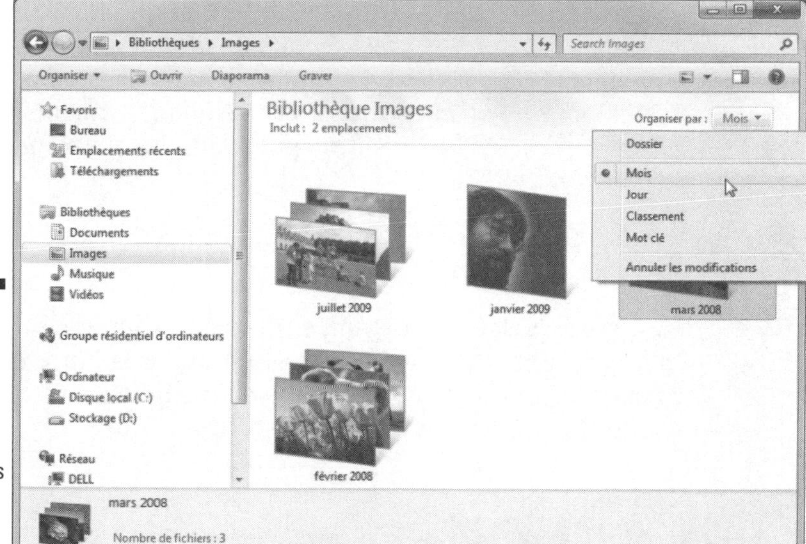

Figure 6.5 : Pour bien classer vos fichiers, organisez-les, comme ici des photos classées par mois.

date de modification, comme à la Figure 6.6, réunit les fichiers par date, avec une étiquette pour chaque groupe : La semaine dernière, Plus tôt ce mois, Plus tôt cette année, *etc*.

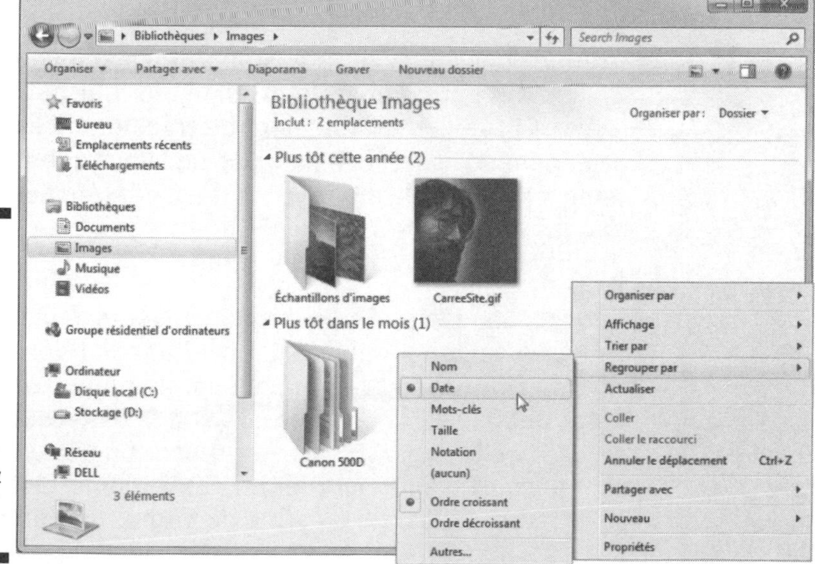

Figure 6.6 : Pour réunir des fichiers similaires, cliquez du bouton droit dans une partie vide d'un dossier et choisissez Regrouper par.

Il n'y a ni règle ni moment plus opportun qu'un autre pour organiser ou regrouper. C'est à vous de voir. Par exemple, vous pouvez fort bien étaler vos photos de vacances en grandes icônes pour jeter un coup d'œil rapide puis, une fois que vous les avez vues, les organiser en piles afin de mieux manipuler les lots de photos.

Pour ne plus organiser ni regrouper, procédez de même, mais en choisissant l'option Aucun.

Il est aussi possible d'organiser ou de regrouper des fichiers en appuyant sur la touche Alt pour afficher la barre de menus, en cliquant sur le menu Affichage et en choisissant Organiser par ou Regrouper par.

Retrouver des photos égarées

Windows 7 indexe vos documents du premier au dernier mot, mais il est incapable de faire la différence entre une photo de la tour Eiffel et celle d'un bébé à la plage. Pour identifier des photos, il ne peut que se fier aux informations textuelles dont il dispose. Les quatre conseils qui suivent lui facilitent la tâche :

- **Ajoutez des mots-clés à vos photos.** Quand vous connectez votre appareil photo numérique au PC, Windows 7 propose aimablement de transférer les photos. Au cours de la copie, il propose de leur ajouter des mots-clés. C'est le moment d'en introduire quelques-uns qui les décrivent. Windows 7 indexe les mots-clés, ce qui facilite les recherches ultérieures.

- **Stockez les séries de prises de vue dans des dossiers séparés.** Le programme d'importation de photos de Windows 7 crée automatiquement un nouveau dossier pour chaque série de photos, selon la date courante et la balise choisie. Mais si vous utilisez un autre logiciel de transfert, veillez à créer un dossier pour chaque journée de prises de vue ou série de photos, et nommez-le judicieusement : Soirée sushi, Planches de Deauville ou Cueillette de champignons.

- **Triez par date.** Vous venez de dénicher un dossier bourré à craquer de photos en tous genres ? Voici une façon rapide de vous y retrouver : cliquez plusieurs fois sur l'icône Changer l'affichage, à droite dans la barre de commandes, jusqu'à ce que les fichiers se transforment en miniatures. Cliquez ensuite du bouton droit dans une partie vide du dossier et choisissez Trier par, et sélectionnez, soit Date de modification, soit Date de la prise de vue. Dans les deux cas, les photos sont classées par ordre chronologique, ce qui met fin à la pagaille ambiante.
- **Renommez les photos.** Au lieu de laisser vos photos de vacances aux Seychelles nommées IMG_2421, IMG_2422 et ainsi de suite, donnez-leur un nom plus parlant. Sélectionnez tous les fichiers du dossier en appuyant sur les touches Ctrl + A. Cliquez ensuite du bouton droit dans la première image, choisissez Renommer et tapez **Seychelles**. Windows les renommera Seychelles, Seychelles (2), Seychelles (3) et ainsi de suite.

Appliquer ces quatre règles simples évitera que votre photothèque devienne un invraisemblable fouillis de fichiers.

Trouver d'autres ordinateurs sur un réseau

Un *réseau* est un groupe d'ordinateurs reliés entre eux, permettant de partager ainsi des fichiers, une imprimante ou la connexion Internet. Beaucoup de gens utilisent un réseau quotidiennement sans même le savoir : quand vous relevez vos courriers électroniques, le PC se connecte à un ordinateur distant afin d'y télécharger les messages en attente.

Le plus souvent, vous n'avez pas à vous soucier des autres ordinateurs du réseau, PC et/ou Mac. Mais, si vous voulez en localiser un afin d'y chercher des fichiers, par exemple, Windows 7 se fera une joie de vous aider.

Le nouveau Groupe résidentiel d'ordinateurs facilite plus que jamais le partage des fichiers entre des ordinateurs tournant sous Windows 7. La création d'un groupe résidentiel revient à créer un mot de passe identique pour tous les PC.

Pour trouver un PC ou un Mac sur le réseau, choisissez Réseau dans le menu Démarrer. Windows 7 montre tous ceux qui sont reliés à votre propre PC. Double-cliquez sur le nom d'un ordinateur et parcourez les fichiers qui s'y trouvent.

Chapitre 7

Faire bonne impression

Dans ce chapitre

- Imprimer des fichiers, des enveloppes et des pages Web
- Adapter le document à la page
- Résoudre les problèmes d'impression

Il vous arrivera parfois d'extraire des données de leur univers virtuel afin de les coucher sur un support plus tangible : une feuille de papier.

Ce chapitre est consacré à l'impression (pas celle que vous produisez, mais celle que vous faites, ou inversement). Vous apprendrez comment faire tenir un document sur une feuille sans qu'il soit tronqué.

Imprimer vos œuvres

Windows 7 connaît une bonne demi-douzaine de façons d'envoyer votre travail à l'imprimante. Voici les plus connues :

- Choisir l'option Imprimer, dans le menu Fichier.
- Cliquer sur l'icône Imprimer (généralement ornée dune petite imprimante).
- Cliquez du bouton droit sur l'icône d'un document et choisir Imprimer.

- Cliquer sur le bouton Imprimer, dans la barre d'outils ou de commandes d'un programme.
- Faire glisser l'icône d'un document et la déposer sur l'icône de l'imprimante.

Si une boîte de dialogue apparaît, cliquez sur OK, et Windows 7 envoie aussitôt la page à l'imprimante. Pour peu que l'imprimante soit allumée et contienne de l'encre et du papier, Windows se charge de tout en tâche de fond, pendant que vous continuez à travailler.

Si la page n'est pas bien imprimée – texte tronqué, caractères grisâtres... –, vous devrez modifier les paramètres d'impression ou changer de qualité de papier, comme l'expliquent les sections qui suivent.

- Si une page de l'aide de Windows vous paraît utile, cliquez dessus du bouton droit et choisissez Imprimer. Ou alors, cliquez sur l'icône Imprimer, si vous en voyez une.
- Pour accéder rapidement à l'imprimante, ajoutez un raccourci sur le Bureau : ouvrez le menu Démarrer, choisissez Périphériques et imprimantes, cliquez du bouton droit sur l'icône de l'imprimante et choisissez Créer un raccourci. Pour imprimer, il suffira désormais de déposer l'icône du document sur l'icône de l'imprimante. Pour configurer l'imprimante, cliquez du bouton droit sur l'icône et choisissez Propriétés de l'imprimante.
- Pour imprimer rapidement un lot de documents, sélectionnez toutes les icônes. Cliquez ensuite du bouton droit dans la sélection et choisissez Imprimer. Windows 7 les envoie tous à l'imprimante, d'où ils émergeront les uns après les autres.
- Vous n'avez pas encore installé d'imprimante ? Allez au Chapitre 11 où j'explique comment faire.

Configurer la mise en page

En théorie, Windows affiche toujours votre travail tel qu'il sera imprimé. C'est que les Anglo-saxons appellent WYSIWYG (*What You See Is What You Get,* "ce que vous voyez est ce que vous obtiendrez". Si ce que vous imprimez diffère sensiblement de ce qui était affiché, un petit tour dans la boîte de dialogue Mise en page s'impose (Figure 7.1).

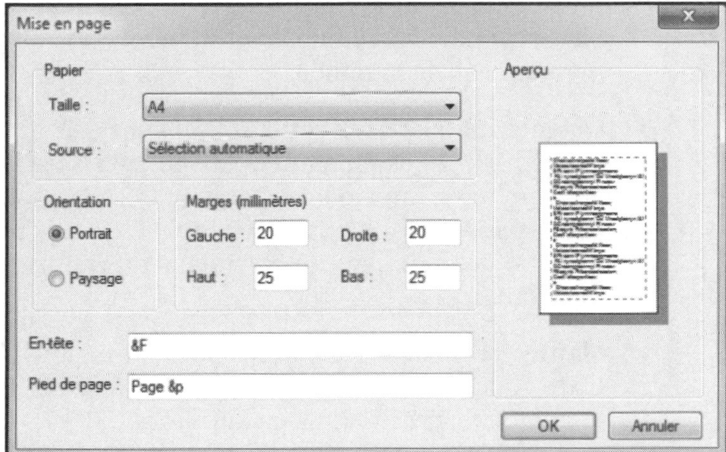

Figure 7.1 : Choisissez l'option Mise en page dans le menu Fichier d'un programme, pour peaufiner le positionnement de votre travail dans la feuille de papier.

L'option Mise en page, qui figure dans le menu Fichier de la plupart des programmes, sert à peaufiner le positionnement du document dans la page. La boîte de dialogue n'est pas la même d'un programme à un autre, mais le principe général ne change guère. Voici les paramètres les plus courants et à quoi ils servent :

- **Taille :** Indique au programme le format du papier actuellement utilisé. Laissez cette option sur A4 afin d'utiliser les feuilles normalisées, ou choisissez un autre format (A3, A5, Enveloppe...) le cas échéant. Reportez-vous éventuellement à l'encadré "Imprimer des enveloppes sans finir timbré".

- **Source :** Choisissez Sélection automatique ou Bac, à moins que vous possédiez une de ces imprimantes haut de gamme alimentées par plusieurs bacs de feuilles de divers formats. Quelques imprimantes proposent une option Feuille à feuille, où vous devez manuellement introduire chaque feuille.

- **En-tête** et **Pied de page :** Vous tapez un code spécial, dans ces zones, pour indiquer à l'imprimante ce qu'elle doit y placer : numéro de page, date et heure, nom et/ou chemin du fichier... Par exemple, à la Figure 7.1, le code `&F`, dans le champ En-tête et le code `Page &p`, dans le pied de page, impriment le nom du fichier en haut de chaque feuille, ainsi que le mot "Page" suivi de son numéro en bas de la feuille.

- **Orientation :** Laissez cette option sur Portrait pour imprimer des pages en hauteur, mais choisissez Paysage si vous préférez imprimer en largeur. Cette option est commode pour les tableaux (notez qu'il n'est pas nécessaire d'introduire le papier de côté, dans une imprimante à large laize).

- **Marges :** Réduisez les marges pour faire tenir plus de texte dans une feuille. Il faut parfois les régler lorsqu'un document a été créé sur un autre ordinateur.

- **Imprimante :** Si plusieurs imprimantes ont été installées dans l'ordinateur ou sur le réseau, cliquez sur ce bouton pour sélectionner celle que vous désirez utiliser. Cliquez aussi ici pour modifier ses paramètres, une tâche abordée à la prochaine section.

Après avoir configuré les paramètres utiles, cliquez sur OK pour les mémoriser. Et revoyez une dernière fois l'aperçu avant impression pour vous assurer que tout est correct.

Pour trouver la boîte de dialogue Mise en page dans certains programmes, dont Internet Explorer, cliquez sur la petite flèche près de l'icône de l'imprimante et choisissez Mise en page, dans le menu.

Régler les paramètres d'impression

Quand vous choisissez Imprimer, dans le menu Fichier d'un programme, Windows vous offre une dernière chance de peaufiner la page. La boîte de dialogue de la Figure 7.2 permet de diriger l'impression vers n'importe quelle imprimante installée dans l'ordinateur ou sur le réseau. Pendant que vous y êtes, il est encore possible de régler les paramètres d'impression, choisir la qualité du papier et sélectionner les pages à imprimer.

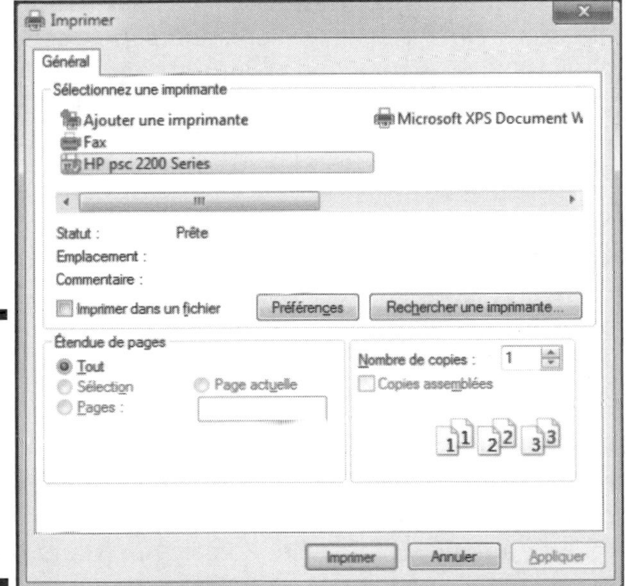

Figure 7.2 : La boîte de dialogue Imprimer permet de choisir l'imprimante et de la paramétrer.

Vous trouverez très certainement ces paramètres dans la boîte de dialogue :

- **Sélectionnez une imprimante :** Ignorez cette option si vous n'avez qu'une seule imprimante, car Windows la sélectionne automatiquement. Mais si l'ordinateur accède à plusieurs imprimantes, c'est ici que vous en choisirez une.

L'imprimante que vous risquez de trouver dans Windows 7, nommée Microsoft XPS Document Writer, envoie votre travail dans un fichier au format particulier, généralement pour être utilisé par un imprimeur ou tout autre professionnel de la PAO (Publication Assistée par Ordinateur). Vous n'utiliserez probablement jamais cette imprimante virtuelle.

- **Étendue de pages :** Sélectionnez Tout, pour imprimer la totalité du document. Pour n'imprimer qu'une partie des pages, sélectionnez l'option Pages et indiquez celle(s) qu'il faut imprimer. Par exemple, si vous tapez **1-4, 6**, vous imprimez les quatre premières pages d'un document ainsi que la sixième, mais ni la cinquième, ni les autres. Si vous avez sélectionné un paragraphe, choisissez Sélection pour n'imprimer que lui. C'est un excellent moyen pour n'imprimer que les parties intéressantes d'une page Web, et non la totalité (qui peut être fort longue).

- **Nombre de copies :** Le plus souvent, les gens n'impriment qu'un exemplaire. Mais s'il vous en faut davantage, c'est ici que vous l'indiquerez. L'option Copies assemblées n'est utilisable que si l'imprimante dispose de cette fonctionnalité, ce qui est rare ; vous devrez trier les feuilles vous-même.

- **Préférences :** Cliquez sur ce bouton pour accéder à la boîte de dialogue de la Figure 7.3, où vous choisissez les options spécifiques à votre modèle d'imprimante. Elle permet notamment de sélectionner différents grammages de papier, de choisir entre l'impression en couleur ou en niveaux de gris, de régler la qualité de l'impression et de procéder à des corrections de dernière minute de la mise en page.

Annuler une impression

Vous venez de réaliser qu'il ne fallait surtout pas envoyer le document de 26 pages vers l'imprimante ? Dans la panique, vous êtes tenté de l'éteindre tout de suite. Ce serait une erreur

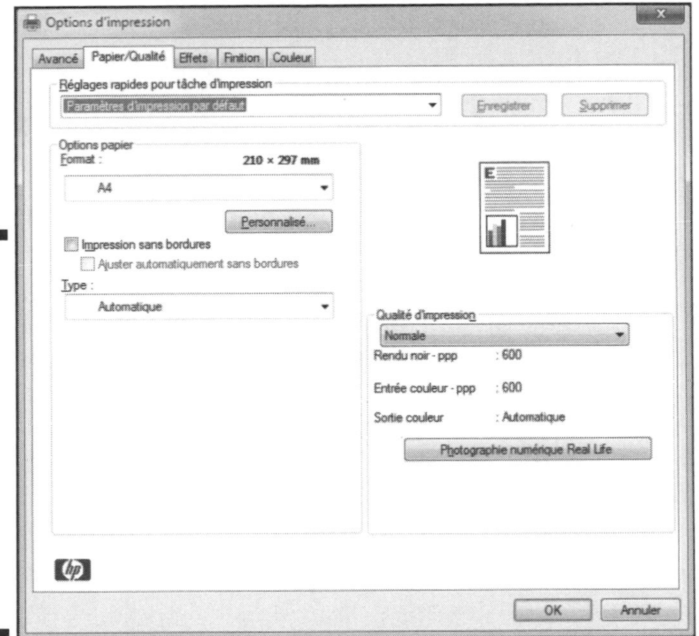

Figure 7.3 : La boîte de dialogue Préférences règle les paramètres spécifiques à votre imprimante, notamment le type de papier et la qualité d'impression.

car après le rallumage, la plupart des imprimantes reprennent automatiquement l'impression.

Procédez comme pour purger le document de la mémoire de l'imprimante après l'avoir éteinte :

1. **Cliquez sur le bouton Démarrer puis sur le bouton Périphériques et imprimantes.**

2. **Cliquez du bouton droit sur le nom de l'imprimante ou sur son icône et dans le menu contextuel, choisissez Afficher les travaux d'impression en cours.**

   La boîte de dialogue de la Figure 7.4 apparaît. Elle contient la file d'attente des travaux à imprimer.

3. **Cliquez du bouton droit sur le document incriminé et choisissez Annuler.**

   Faites-en éventuellement autant pour d'autres documents à ne pas imprimer.

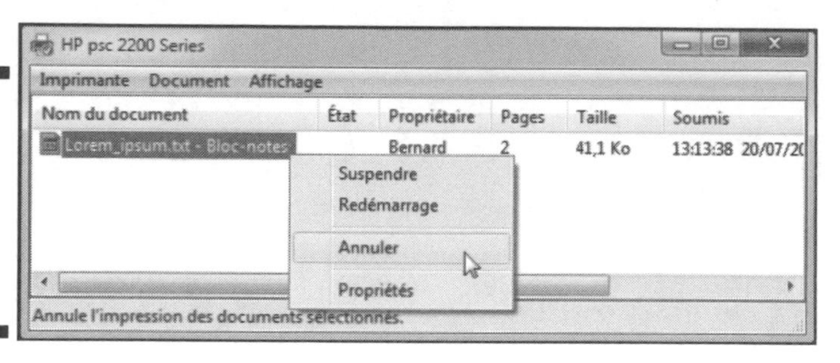

Figure 7.4 : Ôtez un document de la file d'attente pour annuler son impression.

Un délai d'une minute ou deux est parfois nécessaire pour qu'une annulation soit prise en compte. Pour accélérer les choses, cliquez sur Affichage > Actualiser. Lorsque la liste d'attente est purgée, ou que seuls subsistent les documents à imprimer, rallumez l'imprimante. Les travaux annulés ne seront pas imprimés.

- La file d'attente – appelée aussi "spouleur" – répertorie tous les documents qui attendent patiemment leur tour pour être imprimés. Vous pouvez modifier l'ordre par des glisser-déposer. En revanche, et en toute logique, rien ne peut être placé avant le document en cours d'impression.

- L'imprimante branchée à votre PC est partagée par plusieurs utilisateurs, sur un réseau ? Les travaux envoyés par les autres ordinateurs, PC ou Mac, se retrouvent dans votre file d'attente. C'est donc à vous d'annuler ceux qui ne doivent pas être imprimés.

- Si l'imprimante s'arrête en cours d'impression faute de papier, ajoutez-en. Vous devrez appuyer sur un bouton de l'imprimante pour reprendre l'impression. Ou alors, ouvrez la file d'attente, cliquez du bouton droit sur le document et choisissez Redémarrer.

- Vous pouvez envoyer des documents vers une imprimante même quand vous travaillez au bistrot du coin avec votre ordinateur portable. Quand vous le connectez à l'imprimante du bureau, la file d'attente s'en aperçoit et envoie vos fichiers. Attention : une fois qu'ils ont été placés dans la file d'attente, les documents sont mis en forme pour l'imprimante en question. Si par la suite vous connectez le portable à un autre modèle d'imprimante, l'impression ne sera peut-être pas correcte.

Imprimer une page Web

Très tentante de prime abord, l'impression des pages Web est rarement satisfaisante, notamment à cause de la marge droite qui tronque souvent la fin des lignes. La phénoménale longueur de certaines pages, ou les caractères si petits qu'ils sont à peine lisibles, font aussi partie des inconvénients.

Pire, la débauche de couleurs des publicités peut pomper les cartouches d'encre en un rien de temps. Quatre solutions sont cependant envisageables pour imprimer correctement des pages Web. Les voici par ordre d'efficacité décroissante :

- **Utilisez l'option Imprimer intégrée à la page Web.** Quelques sites Web proposent une discrète option Imprimer cette page, ou Version texte, ou Optimisé pour l'impression, *etc*. Elle élimine tout le superflu des pages Web et refait la mise en page en fonction des feuilles de papier. C'est le moyen le plus sûr d'imprimer une page Web.
- **Dans le navigateur Web, choisissez Fichier puis Imprimer.** Au bout de 15 ans, certains concepteurs de pages Web ont enfin compris que des visiteurs impriment leurs pages. Ils se sont donc débrouillés pour qu'elles se remettent d'elles-mêmes en forme lors de l'impression.
- **Copier la partie qui vous intéresse et la coller dans WordPad.** Sélectionnez le texte désiré, copiez-le et collez-le dans WordPad ou n'importe quel traitement de texte. Profitez-en pour supprimer les éléments indésirables ou superflus. Réglez les marges et imprimez tout ou une partie seulement. Le Chapitre 5 explique comment copier et coller.
- **Copier la totalité de la page Web et la coller dans un traitement de texte.** C'est beaucoup de travail, mais cela fonctionne. Choisissez Sélectionner tout, dans le

menu Édition d'Internet Explorer. Choisissez ensuite Copier – qui est dans le même menu – ou appuyez sur Ctrl + C. Ouvrez ensuite Microsoft Word ou un autre traitement de texte haut de gamme, et collez-y le document. En coupant les éléments indésirables et en remettant les paragraphes en forme, vous obtiendrez un document parfaitement imprimable.

Ces conseils vous aideront eux aussi à coucher une page Web sur papier :

- Si une page vous intéresse, mais qu'elle n'a pas d'option d'impression, envoyez-la à vous-même par courrier électronique. L'impression de ce message sera peut-être plus réussie.
- Pour n'imprimer que quelques paragraphes d'une page Web, sélectionnez-les avec la souris (la sélection est expliquée au Chapitre 5). Dans Internet Explorer, choisissez Fichier, puis Imprimer. La boîte de dialogue de la Figure 7.2 s'ouvre. À la rubrique Étendue de pages, cliquez sur Sélection.

- Si dans une page Web, un tableau ou une photo dépasse du bord droit, essayez de l'imprimer en mode Paysage plutôt que Portrait.

Résoudre les problèmes d'impression

Si un document refuse d'être imprimé, assurez-vous que l'imprimante est allumée, son cordon branché à la prise, et qu'elle est connectée à l'ordinateur.

Si c'est le cas, branchez-la à différentes prises électriques en l'allumant et en vérifiant que le témoin d'allumage est éclairé. Si ce n'est pas le cas, l'alimentation de l'imprimante est sans doute morte.

Il est souvent moins cher de racheter une imprimante que de la faire réparer. Si vous tenez à la vôtre, faites établir un devis de réparation avant de vous en débarrasser.

Vérifiez ces points si le témoin d'allumage réagit :

- Assurez-vous qu'un papier n'a pas bourré le mécanisme d'entraînement. Une traction régulière vient généralement à bout d'un bourrage. Certaines imprimantes ont une trappe prévue à cette fin. Sinon, ouvrir et fermer le couvercle décoince parfois le papier.

- Y a-t-il encore de l'encre dans la cartouche, ou du toner dans l'imprimante Laser ? Essayez d'imprimer une page de test : ouvrez le menu Démarrer puis cliquez sur le bouton Périphériques et imprimantes. Cliquez du bouton droit sur l'icône de l'imprimante, choisissez Propriétés de l'imprimante (et non Propriétés tout court), puis cliquez sur le bouton Imprimer une page de test. Vous saurez si l'ordinateur et l'imprimante parviennent à communiquer.
- Procédez à la mise à jour du pilote de l'imprimante, un petit programme qui facilite la communication entre Windows 7 et les périphériques. Allez sur le site Web du fabricant, téléchargez le pilote le plus récent pour votre modèle d'imprimante, puis exécutez-le. Nous y reviendrons au Chapitre 12.

Voici pour finir deux conseils qui contribueront à protéger votre imprimante et ses cartouches :

- Éteignez l'imprimante quand vous ne l'utilisez pas. Autrement, la chaleur qu'elle dégage risque de dessécher l'encre de la cartouche, réduisant sa durée de vie.

- Ne débranchez jamais une imprimante par sa prise pour l'éteindre. Utilisez toujours le bouton marche/arrêt. L'imprimante peut ainsi ramener la ou les cartouches à leur position de repos, évitant qu'elles sèchent ou se bouchent.

Choisir le bon papier

Si vous vous êtes arrêté un jour au rayon des papiers pour imprimantes, vous avez sans doute été étonné de la variété du choix. Parfois, l'usage du papier est clairement indiqué mais souvent, les caractéristiques sont sibyllines. Voici quelques indications :

- **Le grammage :** Il indique le poids d'une feuille de un mètre carré. Celui d'un papier de bonne tenue doit être d'au moins 80 grammes. Un papier trop épais (au-delà de 120 ou 130 grammes) risque non seulement de bourrer dans l'imprimante, mais il coûte aussi plus cher en frais postaux.
- **Le papier pour imprimante à jet d'encre :** Le dessus est traité pour que l'encre ne diffuse pas et produise un lettrage bien net. Veillez à l'insérer de manière que le côté traité soit encré, et non le dessous, ce qui réduirait la qualité de l'impression.
- **Le papier pour photocopie :** Il est traité pour accrocher les pigments de toner et résister à la température élevée de ces équipements. La technologie des photocopieuses et des imprimantes à laser étant la même, le papier pour photocopies convient aussi aux imprimantes Laser.
- **Le papier pour photos :** D'un grammage élevé et ayant reçu une couche de résine – ce qui justifie leur prix relativement cher –, le papier photo est réservé aux tirages. Quand vous l'insérez dans l'imprimante, veillez à ce que l'impression se fasse du côté brillant. Certains papiers sont équipés d'un petit carton qui facilite le cheminement parmi les rouleaux d'entraînement.
- **Étiquettes :** Il en existe de toutes les tailles. Attention au risque de décollement lorsque la feuille se contorsionne à l'intérieur de l'imprimante. Vérifiez, dans le manuel, si les planches d'étiquettes sont acceptées ou non.
- **Transparents :** Ce sont des feuilles en plastique spéciales, à séchage rapide, résistant à la fois aux contraintes mécaniques de l'imprimante et à la chaleur des rétroprojecteurs.

Avant tout achat, assurez-vous que le papier – surtout les papiers spéciaux – est bien conçu pour votre type d'imprimante.

Troisième partie

Se connecter à l'Internet

Dans cette partie...

Il fut un temps où l'Internet était aussi feutré et bien fréquenté qu'une bibliothèque. Vous y trouviez des informations sur quasiment n'importe quel sujet, des journaux et des magazines du monde entier, de la musique ou des cartes postales.

Aujourd'hui, cette calme bibliothèque est envahie par des hordes de représentants de commerce qui vous collent sans arrêt de la pub sous le nez. Certains ferment même la page que vous êtes en train de lire. Pickpockets et arnaqueurs traînent dans les allées.

Cette partie du livre permet de ramener le calme et la quiétude sur l'Internet. Vous apprendrez à empêcher l'apparition des fenêtres de publicité intempestives, à neutraliser ceux qui tentent de remplacer votre page de démarrage par la leur, et à intercepter les espiogiciels.

Enfin, vous découvrirez comment utiliser la protection de compte d'utilisateur de Windows 7, le pare-feu, le centre de sécurité, le gestionnaire de cookies et autres outils qui vous aideront à sécuriser l'Internet.

Chapitre 8

Surfer sur le Web

Dans ce chapitre

- Savoir ce qu'est un fournisseur d'accès
- Configurer Internet Explorer pour la première fois
- Naviguer sur le Web

Ce chapitre explique comment se connecter à l'Internet pour visiter des sites Web et découvrir toutes les bonnes choses que le "réseau des réseaux" peut vous apporter.

Qu'est-ce que l'Internet ?

Aujourd'hui, l'Internet est devenu presque aussi banal que le téléphone. Y accéder n'étonne plus personne et presque tout le monde a une idée de ce que l'on peut y découvrir :

- **Des livres :** l'Internet regorge de sites culturels et universitaires où vous trouverez des livres en version intégrale, des dictionnaires de langue ou techniques, des encyclopédies, *etc.* Si vous êtes un rat de bibliothèque, une visite du site Gallica (`http://gallica.bnf.fr/`), géré par la Bibliothèque nationale de France, s'impose.
- **Des boutiques :** en quelques années, l'Internet est devenu une gigantesque galerie marchande à l'échelle de la planète. Vous pouvez y acheter de tout, avec quelques avantages appréciables, comme écouter quelques mi-

nutes des CD que vous voulez acheter (sur `www.amazon.fr`, `www.alapage.com` et, pour la musique classique, `www.abeillemusique.com`).

- **La communication :** le courrier électronique a rapidement supplanté le courrier postal. Malheureusement, des ripoux cupides affligeants de bêtise ont investi ce secteur, inondant la planète de courriers non sollicités. Les logiciels de messagerie compatibles avec Windows 7 sont étudiés au Chapitre 9.
- **Un passe-temps :** dans le temps, on feuilletait des magazines. À présent, on zappe d'un site à un autre, parmi les milliards de pages à portée de clic. Ou alors, il est possible de s'abonner à un quotidien en ligne et de télécharger des exemplaires identiques à ceux de la version papier.
- **Un divertissement :** l'Internet permet non seulement de connaître les films qui sortent en salle, mais aussi de télécharger leur bande-annonce, de connaître leur distribution, de lire des critiques ainsi que des racontars sur les vedettes. Vous trouverez aussi des jeux en ligne ou des résultats sportifs. Et avec une connexion à très haut débit, vous pouvez même recevoir la télévision.

Le FAI, fournisseur d'accès Internet

Trois éléments sont indispensables pour se connecter à l'Internet : un ordinateur, un navigateur Web, et... un fournisseur d'accès Internet, ou FAI.

Vous avez l'ordinateur et Windows 7 est livré avec un navigateur Web nommé Internet Explorer.

Il ne reste plus qu'à choisir le fournisseur Internet. Pour vous renseigner sur les principales offres, commencez par visiter le site `www.lesproviders.com/joomla/` ; son dossier "Les fiches des offres" est extrêmement précis et surtout à jour, ce qui est important pour les coûts, sans cesse changeants. Vous voulez aussi avoir une idée des performances d'une connexion (débit, régularité...) ? Allez sur le site www.grenouille.com ; sa rubrique "La météo du net" teste la qualité des connexions en temps réel ou avec quelques heures de décalage de près d'une centaine de fournisseurs d'accès.

- Il existe plusieurs manières de se connecter à l'Internet :

  - **Le modem téléphonique :** la connexion est établie au travers de la ligne téléphonique utilisée pour converser. Ce procédé archaïque est très lent (56 kilobits par seconde maximum), onéreux car facturé à la durée, et empêche d'utiliser la ligne téléphonique vocale pendant la connexion Internet. Un périphérique spécial, le modem, est nécessaire.

  - **Le haut débit :** le câble ou l'ADSL (*Asymetrical Digital Subscriber Line,* ligne d'abonné numérique asymétrique) autorise des connexions extrêmement rapides, jusqu'à 20 mégabits par seconde. L'offre est souvent couplée à d'autres services, comme la téléphonie et la télévision par Internet (offre dite *triple play*).

  - **Le très haut débit :** réservé aux zones desservies par le câble ou la fibre optique, ce type de connexion autorise des débits jusqu'à 100 mégabits par seconde.

  - **La connexion au réseau de téléphonie mobile :** cette connexion encore onéreuse (environ 7 euros de l'heure) permet à un ordinateur portable de se connecter à un réseau GPRS, EDGE, 3G ou 3G+. Le débit varie selon le réseau auquel l'ordinateur est connecté.

  - **La connexion par satellite :** dans les régions non desservies par l'ADSL ou le câble, la connexion par satellite permet de se connecter à un réseau à débit moyennement élevé.

Configurer Internet Explorer pour la première fois

Windows 7 cherche constamment à établir une connexion Internet. Dès qu'il en trouve une, que ce soit à travers un réseau filaire ou un point d'accès Wi-Fi, il informe le logiciel Internet Explorer et la connexion est établie. Mais s'il ne parvient pas à détecter l'Internet, vous devrez prendre les choses en main, comme l'explique cette section.

Pour vous guider à travers les affres de la configuration d'une connexion Internet, Windows 7 vous soumet un questionnaire. Après avoir obtenu les réponses, il établit la connexion avec votre fournisseur d'accès.

Réseau filaire ou sans fil ? Windows 7 devrait détecter automatiquement le réseau relié à l'Internet et partager la connexion avec tous les autres ordinateurs.

Voici ce qu'il vous faut pour commencer :

- **Vos nom d'utilisateur, mot de passe et numéro de téléphone d'accès.** Si vous n'avez pas encore de fournisseur d'accès Internet, le programme peut vous en trouver un (prenez des notes, mais ne vous fiez pas trop aux propositions, car il vous est impossible de faire jouer la concurrence).
- **Une box.** Il s'agit d'un équipement particulier appelé aussi "routeur" vendu ou loué par le fournisseur d'accès. Une box ou un routeur peuvent aussi être achetés dans une boutique informatique. Cet équipement effectue l'interface entre l'ordinateur, auquel il est connecté par un câble réseau ou une liaison sans fil (Wi-Fi) et l'Internet (*via* la ligne ADSL ou le câble).

Chaque fois que la connexion Internet vous fait des misères, relisez les lignes qui suivent en appliquant les étapes. L'assistant de Windows 7 parcourra les différents paramètres, vous permettant de les modifier. Voici comment mettre l'assistant au travail :

1. **Cliquez sur le bouton Démarrer, puis sur le bouton Panneau de configuration.**

2. **Cliquez sur le lien Centre et réseau et partage.**

3. **Dans la section Modifier vos paramètres réseau, cliquez sur Configurer une nouvelle connexion ou un nouveau réseau. .**

   La fenêtre Configurer une connexion ou un réseau apparaît.

   Le panneau affiche les différentes manières par lesquelles votre PC peut se connecter :

   - **Se connecter à Internet :** choisissez cette option si vous vous êtes abonné à un fournisseur d'accès haut débit exigeant pour la connexion un nom d'utilisateur et un mode de passe. Après avoir cliqué, choisissez Configurer une nouvelle connexion, puis Haut débit (PPPoE). Saisissez les informations demandées puis cliquez sur Connecter pour accéder aussitôt à l'Internet (PPoE sont les initiales de *Point-to-Point Protocol over Ethernet*).

   - **Configurer une connexion d'Accès à distance :** cette option n'est utilisable que si votre ordinateur est équipé d'un modem RTC (Réseau Téléphonique Commuté). La connexion s'effectue par la ligne vocale de votre téléphone fixe.

4. **Choisissez Configurer une connexion d'accès à distance, et cliquez sur Suivant.**

Si vous n'avez pas branché de modem bas débit sur votre ordinateur, Windows 7 s'en aperçoit. Il affiche alors une fenêtre demandant s'il doit ou non créer la connexion. Si vous possédez un modem RTC, branchez-le. Attendez qu'il soit identifié et installé par Windows 7, puis cliquez sur Recommencer pour relancer la procédure de création de votre connexion bas débit. Sinon, créez cette connexion malgré l'absence du modem en cliquant sur Configurer quand même une connexion.

Comme vous n'avez choisi ni la connexion à haut débit, ni la connexion sans fil, le modem téléphonique est la seule solution. Windows 7 pose quelques questions (Figure 8.1) indispensables pour établir la liaison avec le fournisseur d'accès Internet.

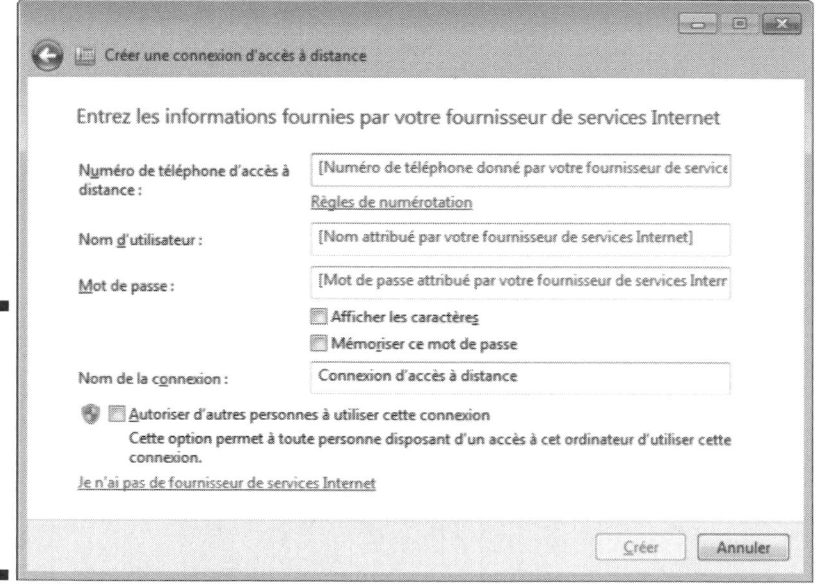

Figure 8.1 : Entrez le numéro de téléphone du FAI, votre nom d'utilisateur et votre mot de passe.

5. **Entrez les informations de connexion au FAI.**

   Vous inscrivez ici trois renseignements importants : le numéro de téléphone, votre nom d'utilisateur et le mot de passe, tous détaillés dans les lignes qui suivent :

   - **Numéro de téléphone d'accès à distance :** tapez ici le numéro de téléphone qui vous a été communiqué par votre FAI.
   - **Nom d'utilisateur :** ce n'est pas forcément le vôtre, mais souvent un code aléatoire, fait de chiffres et de lettres, défini par votre FAI lorsqu'il a créé votre compte. Il comporte parfois la première partie de votre adresse électronique.

- **Mot de passe :** pour être sûr de l'avoir tapé correctement, cochez la case Afficher les caractères. La saisie terminée, décochez-la afin de préserver la confidentialité du mot de passe.

N'oubliez pas de cocher la case Mémoriser ce mot de passe. Vous n'aurez ainsi plus à le taper chaque fois que vous vous connecterez à l'Internet. En revanche, ne cochez pas cette case si vous ne voulez pas que quelqu'un puisse utiliser votre connexion.

- **Nom de la connexion :** c'est le nom que Windows 7 attribue à cette connexion. Choisissez-en un autre, plus descriptif, afin de mieux le reconnaître parmi plusieurs connexions.

- **Autoriser d'autres personnes à utiliser cette connexion :** cochez cette option pour permettre à tous les autres comptes d'utilisateurs de cet ordinateur de se connecter avec cette connexion.

Cliquer sur les mots "Je n'ai pas de fournisseur de services Internet", affiche une fenêtre vous invitant à utiliser le CD-ROM d'un fournisseur.

Cliquez sur le lien Règles de numérotation, sous le numéro de téléphone. Vous pouvez ici entrer des détails comme le pays, l'indicatif régional et le numéro à composer pour obtenir l'extérieur, si la ligne passe par un standard téléphonique. Les utilisateurs d'ordinateurs portables itinérants doivent vérifier les règles de numérotation chaque fois qu'ils changent de lieu de villégiature.

6. **Cliquez sur le bouton Créer.**

   Le PC se connecte à l'Internet. Pour tester la connexion, chargez Internet Explorer, depuis le menu Démarrer, et voyez s'il accède à des sites Web.

Par la suite, il suffira de démarrer Internet Explorer pour vous connecter à l'Internet. Windows établira automatiquement la connexion d'après les paramètres que vous lui avez communiqués.

En cas de problème, appelez le support technique de votre fournisseur d'accès Internet. Un technicien vous aidera à configurer la connexion (mais ce coup de main est généralement onéreux).

Par défaut, Internet Explorer ne raccroche pas automatiquement lorsque vous avez fini de surfer. Pour que le PC interrompe la connexion dès que vous quittez Internet Explorer, choisissez Options Internet, dans le menu Outils, et cliquez sur l'onglet Connexions. Cliquez sur le bouton Paramètres, puis sur Avancé. Enfin, cochez la case Se déconnecter lorsque la connexion n'est plus nécessaire. Cliquez ensuite sur OK.

Naviguer parmi les sites Internet avec Internet Explorer 9

Internet Explorer est ce que l'on appelle un navigateur Web, autrement dit le logiciel qui vous permet de visiter les millions de sites dispersés dans le monde. Il est livré avec Windows 7 (et donc compris dans son prix). D'autres internautes préfèrent d'autres navigateurs, comme Mozilla Firefox, téléchargeable gratuitement depuis le site `http://frenchmozilla.sourceforge.net/`.

Bref, vous n'êtes pas marié avec Internet Explorer. Rien ne vous empêche d'essayer d'autres navigateurs, car tous remplissent à peu près la même fonction : vous faire naviguer d'un site à un autre.

Sachez que différents problèmes concurrentiels rencontrés par Microsoft ont obligé la firme américaine à revoir sa politique vis-à-vis d'Internet Explorer. Désormais, vous disposez d'Internet Explorer pendant un certain temps. Vous verrez qu'au bout de quelques semaines d'utilisation de Windows 7, un message vous demandera de choisir un navigateur Web. Internet Explorer va alors disparaitre de votre ordinateur. Vous devrez le télécharger sur le site Microsoft pour l'installer et l'utiliser de nouveau. Pour cela, allez à l'adresse `http://windows.microsoft.com/ie9`.

De site en site, de page en page

Tous les navigateurs sont fondamentalement pareils. Chaque page est localisée par son adresse Web, exactement comme votre domicile. Internet Explorer permet de naviguer entre les pages de trois manières :

- En cliquant sur un bouton ou un texte souligné appelé "lien", qui pointe vers une autre page ou un autre site et vous y mène aussitôt.
- En tapant une adresse Web parfois simple, souvent horriblement compliquée dans la barre d'adresse du navigateur, et en appuyant ensuite sur Entrée.
- En cliquant sur les boutons de navigation de la barre d'outils du navigateur, en haut de son interface.

Cliquer sur des liens

C'est le moyen de navigation le plus facile. Recherchez les liens – un mot souligné, un bouton ou une image – et cliquez dessus, comme à la Figure 8.2. Observez comment le pointeur de la souris se transforme en main dès qu'il survole un lien. Cliquez pour atteindre la nouvelle page ou le nouveau site.

Les concepteurs de sites Web sont très créatifs, à tel point que si le pointeur ne se transformait pas en main, il serait souvent difficile de savoir où cliquer. Les liens peuvent en effet avoir n'importe quelle apparence : un mot souligné ou non, une illustration qui évoque le contenu de la page de destination...

Saisir une adresse Web dans la barre d'adresse

La deuxième technique est la plus ardue. Si quelqu'un vous a griffonné une adresse Web sur un morceau de papier, vous de-

Figure 8.2 : Quand le pointeur de la souris se transforme en main, cela signifie qu'il survole un lien. Cliquez pour aller à la page ou au site vers lequel il pointe.

vrez la taper dans le navigateur. C'est facile tant que l'adresse est simple. Mais certaines sont longues et compliquées, et la moindre faute de frappe empêche d'accéder au site.

NdT : Quand un site se termine par com, et uniquement dans ce cas comme dans `www.microsoft.com`, contentez-vous de taper le nom – Microsoft en l'occurrence –, et le navigateur ajoute automatiquement le préfixe `http://www` ainsi que l'extension `.com`. Notez aussi que le préfixe http:// n'est pas indispensable si l'adresse comporte l'élément www. Tapez `www.editionsfirst.fr`, par exemple, et vous accéderez à la page désirée (en revanche, si une adresse est du type `http://siteamoi.fr`, sans le www, vous devrez la saisir en entier).

Utiliser la barre d'outils d'Internet Explorer

Enfin, vous pouvez surfer sur l'Internet en cliquant sur les divers boutons de la barre d'outils d'Internet Explorer, en haut de son interface. Leur fonction est expliquée dans le Tableau 8.1.

Tableau 8.1 : Les boutons de navigation d'Internet Explorer.

Bouton	Nom	Utilisation
	Précédent	Sert à retourner à la page précédente. En cliquant plusieurs fois dessus, vous finissez par revenir au point de départ de la navigation, dans la fenêtre en question.
	Suivant	Après avoir cliqué sur le bouton Précédent, celui-ci permet de revenir dans l'autre sens.
	Favoris	Révèle la liste des liens pointant vers vos sites préférés (Microsoft a déjà placé ses propres sites à cet endroit. Ne vous gênez pas pour les supprimer et remplacez-les par les sites que vous avez choisis).
	Ajouter aux favoris	Cliquez sur ce bouton pour ajouter la page que vous visitez actuellement à la liste de vos favoris.
Sites suggérés ▾	Sites suggérés	Internet Explorer vous incite à cliquer sur ce bouton. Si vous le faites, il vous proposera des sites qui, selon vos habitudes de navigation, devraient vous plaire. Enfin, c'est ce que pense Internet Explorer...
Plus de compléments... ▾	Plus de compléments	Ces mini programmes rendent la navigation sur le Web plus agréable en exécutant des tâches simples, comme ajouter un lien vers Amazon sur un livre mentionné sur une page Web afin que vous puissiez l'acheter (astuce : recherchez les compléments qui bloquent les fenêtres publicitaires).
	Accueil	Si vous vous égarez lors de vos pérégrinations sur le Web, revenez au bercail en cliquant sur le bouton Accueil situé dans la partie supérieur droite de l'interface ou dans la barre de commande d'Internet Explorer. (Cliquez sur le bouton fléché, juste à côté, pour changer la page de démarrage, autrement dit, celle qui s'affiche spontanément lorsque vous démarrez Internet Explorer).

Bouton	Nom	Utilisation
	Flux RSS	Lorsqu'il est illuminé, ce bouton orange indique que le site offre des flux RSS, un moyen rapide de prendre connaissance des gros titres d'un site sans devoir le visiter, ou d'être tenu au courant des modifications du contenu d'un site. Pour voir les titres, cliquez sur le bouton Favoris puis sur l'onglet Flux (là encore, vous pouvez les supprimer).
	Web Slice	Composant du système de flux RSS permettant de lire rapidement les titres d'un site d'informations sans visiter la page elle-même. Les Web Slices apparaissent aussi dans les Favoris, sous l'onglet Flux.
	Lire le courrier	Ce bouton est absolument inopérant... tant que vous n'avez pas installé un logiciel de messagerie, ce que vous apprendrez à faire au Chapitre 9. Car contrairement aux versions précédentes de Windows, celle-ci n'en a pas.
	Imprimer	Démarre l'impression de la page du site que vous visitez. Cliquez d'abord sur la petite flèche à droite pour accéder aux options et obtenir ainsi un aperçu avant impression.
Page ▾	Page	Cette option s'applique à la page courante : agrandir ou réduire le texte par exemple, ou enregistrer la page dans un fichier.
Sécurité ▾	Sécurité	Cliquez ici pour supprimer l'historique de navigation, préserver la confidentialité (parfait pour aller sur des sites bancaires) ou vérifier un site douteux.
Outils ▾	Outils	Cliquer sur ce bouton ouvre un menu rempli de paramètres. Vous pourrez notamment configurer le bloqueur de fenêtres intempestives et le filtre anti-hameçonnage.
	Aide	Complètement perdu, dépassé ? Cliquer sur ce bouton donne accès à l'aide d'Internet Explorer.

Ouvrir Internet Explorer sur votre site favori

Votre navigateur Web affiche automatiquement un site Web après la connexion. Cette page de démarrage peut être changée par une autre en procédant ainsi :

1. **Visitez votre site Web favori.**

   Choisissez celui qui vous plaît. Personnellement, j'ouvre mon navigateur sur Google Actualités (`http://news.google.fr/nwshp?hl=fr&tab=wn`) afin de connaître les grands titres de la presse. Mais vous pouvez aussi choisir le portail de votre fournisseur d'accès Internet.

2. **Cliquez sur la petite flèche à droite de l'icône Accueil et choisissez Ajouter ou modifier une page de démarrage.**

   Très sécuritairement, Internet Explorer demande si vous voulez vraiment utiliser cette page comme page d'accueil.

3. **Activez Utiliser cette page comme seule page de démarrage, puis sur Oui.**

   Après avoir cliqué sur Oui, comme à la Figure 8.3, Internet Explorer démarrera toujours sur la page que vous lui avez indiquée.

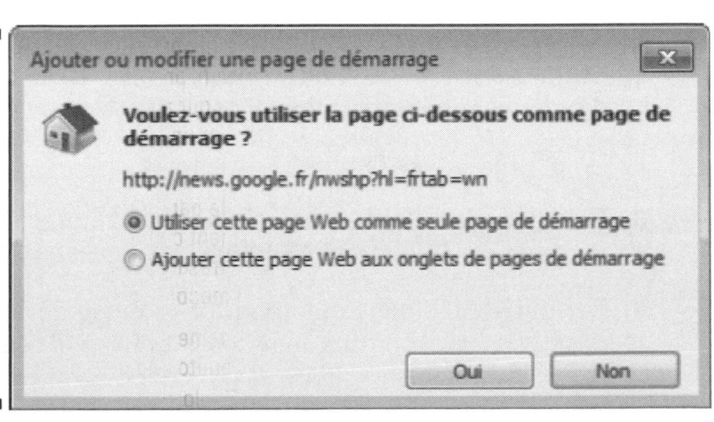

Figure 8.3 : Sélectionnez l'option Utiliser cette page comme seule page de démarrage, et Internet Explorer l'ouvrira systématiquement en premier.

Après le chargement de la page de démarrage, vous pouvez baguenauder librement sur l'Internet, faire des recherches sur Google (`www.google.fr`) ou avec d'autres moteurs de recherche, en cliquant sur divers liens.

- La page d'accueil d'un site Web est l'équivalent de la page de couverture d'un magazine.

- Si votre page de démarrage a été remplacée par un autre site, et qu'il est impossible de la rétablir avec la manipulation précédente, c'est sans doute l'effet d'une action extérieure malfaisante. Reportez-vous à la section consacrée aux espiogiciels, au Chapitre 10.

- Internet Explorer permet de définir plusieurs pages comme pages de démarrage. Il les charge toutes et les place dans des onglets, vous permettant ainsi de les consulter à votre guise. Pour ajouter des pages de démarrage à votre collection, choisissez l'option Ajouter cette page Web aux onglets de la page de démarrage, à l'Étape 3 de la manipulation précédente (voir Figure 8.3).

Revisiter vos pages favorites

Lors de vos visites, vous voudrez absolument mémoriser l'accès à une page sur laquelle vous avez flashé. Pour pouvoir y retourner rapidement, ajoutez-la à la liste des favoris d'Internet Explorer en procédant ainsi :

1. **Cliquez sur l'icône Ajouter aux favoris, dans la barre d'outils d'Internet Explorer.**

   Un petit menu se déploie.

2. **Dans le menu déroulant, cliquez sur Ajouter aux favoris, puis sur le bouton Ajouter.**

   La boîte de dialogue qui apparaît propose de nommer la page Web par son titre, mais vous pouvez le remplacer par un texte plus explicite et plus concis, mieux adapté à l'étroit menu des favoris. Cliquez ensuite sur le bouton Ajouter pour ajouter la page dans la liste Favoris.

Pour retourner à la page qui vous a tant plu, cliquez sur le bouton Favoris, dans Internet Explorer. Choisissez ensuite la page dans le menu déroulant.

Les gens organisés préfèrent regrouper leurs favoris. Pour ce faire, cliquez du bouton droit sur le bouton Favoris et choisissez Organisation des Favoris. Vous pourrez ainsi créer des dossiers thématiques.

Les favoris n'apparaissent pas dans le menu déroulant lorsque vous cliquez sur le bouton Favoris ? Cliquez sur le mot Favoris, dans la barre de menus. Peut-être regardiez-vous dans l'historique – décrit dans l'encadré – ou consultiez-vous les flux RSS décrits plus loin dans ce chapitre.

Internet Explorer sait où vous étiez

Internet Explorer conserve la trace de tous les sites Web que vous visitez. Bien que sa liste Historique soit très commode, elle peut aussi être un outil de flicage.

Pour voir ce qu'Internet Explorer a mémorisé, cliquez sur le bouton Favoris puis sur l'icône Historique, dans le menu déroulant. Les adresses de tous les sites que vous avez visités ces vingt derniers jours s'y trouvent. En cliquant sur la petite flèche à droite du mot Historique, vous pouvez trier les pages par date, alphabétiquement, par fréquence de visites ou dans l'ordre où vous les avez visitées.

Pour ôter une page de l'historique, cliquez dessus du bouton droit et choisissez Supprimer. Pour supprimer toute la liste, quittez la zone Favoris puis, dans la barre de menus, choisissez Sécurité puis cliquez sur le bouton Supprimer l'historique de navigation. Une boîte de dialogue permet ensuite de supprimer l'historique ainsi que d'autres éléments.

Pour désactiver l'historique, cliquez sur le bouton Outils puis Options Internet. Dans la section Historique de navigation, cliquez sur Paramètres. À la rubrique Historique, mettez à zéro le compteur de l'option Jours pendant lesquels ces pages sont conservées.

Vous apprendrez dans le Livre II consacré à Internet, comment rechercher et trouver tout ce que vous souhaitez sur Internet.

Chapitre 9

Envoyer et recevoir du courrier électronique

Dans ce chapitre

- Configurer le courrier électronique
- Envoyer et recevoir une pièce jointe
- Envoyer et recevoir des photos
- Retrouver un courrier égaré
- Gérer les contacts

Ce chapitre décrit Windows Live Mail 2011 ainsi que quelques autres logiciels du même genre qui pourraient vous convenir. Si vous optez pour Live Mail, vous apprendrez ici comment le télécharger et l'installer, le configurer avec vos paramètres de compte, et aussi comment envoyer et recevoir du courrier.

Les options de courrier électronique de Windows 7

Il existe deux types de logiciels de messagerie : la messagerie qui réside sur un site Web auquel vous vous connectez, et la messagerie installée sur votre ordinateur (NdT : Le logiciel installé dans un ordinateur est appelé «client» en jargon informatique, par opposition au logiciel «hôte» installé sur un ordinateur distant, le serveur de messagerie en l'occurrence).

Les messageries basées sur le Web

Les messageries basées sur le Web, comme celle de Google (www.gmail.com), de Yahoo! (http://fr.yahoo.com/) ou encore d'America OnLine (AOL, www.aol.fr) (NdT : Et aussi celle de votre fournisseur d'accès comme Orange, Free ou autre...) vous permettent d'envoyer et de recevoir du courrier directement depuis un site Web. Pour relever les messages ou en envoyer, vous accédez au site Web, vous saisissez votre nom d'utilisateur et votre mot de passe, et une page contenant votre courrier électronique apparaît.

- **Avantages :** une messagerie basée sur le Web vous permet d'accéder à votre courrier depuis n'importe quel ordinateur, PC ou Mac, connecté à l'Internet, qu'il se trouve chez vous, dans un hôtel, chez un ami ou au beau milieu du lac d'Annecy si votre ordinateur portable est équipé d'une clé 3G. Une messagerie basée sur le Web est utile si vous possédez plusieurs ordinateurs, car le courrier se trouve à un seul emplacement, au lieu d'être éparpillé dans le disque dur de plusieurs machines.
- **Inconvénients :** vous ne pouvez pas accéder au courrier se trouvant sur le Web, si vous n'êtes pas connecté à l'Internet. Si la connexion est en panne, si l'ordinateur est dans une zone non desservie, ou si le vétuste standard téléphonique de l'hôtel empêche même une connexion par modem, vous ne pourrez pas relever votre courrier ni même accéder aux anciens messages reçus et envoyés. Enfin, la plupart des services de messagerie en ligne gratuits se payent sur la bête – vous – en faisant analyser le courrier par des robots qui tentent de déterminer qui vous êtes afin de vous envoyer de la publicité personnalisée.

Personnellement, c'est la messagerie en ligne Gmail que je préfère. Elle est assez facile à configurer, filtre la plupart des courriers indésirables (spams), est compatible avec plusieurs marques de téléphones mobiles et elle offre plus de 7 gigaoctets d'espace de stockage.

De plus, la messagerie Gmail est extensible. Vous pouvez la configurer pour recevoir et stocker du courrier envoyé à d'autres adresses électroniques. Les fonctions de recherche sont aussi rapides et efficaces que celles de Google. Elle autorise l'envoi de pièces jointes jusqu'à 20 mégaoctets, de quoi envoyer bon nombre de photos.

Un dernier détail et non des moindres : Gmail est gratuit.

Les messageries installées dans l'ordinateur

Si vous avez déjà utilisé un PC sous Windows précédemment, vous avez sans doute connu l'un de ses logiciels de messagerie, que ce soit Outlook Express ou Windows Mail, son successeur dans Vista. Ces programmes stockent le courrier dans l'ordinateur.

- **Avantages :** beaucoup de logiciels de messagerie, y compris Live Mail, peuvent recevoir des messages envoyés à différentes adresses, ce qui est intéressant lorsque vous utilisez une adresse privée chez Orange (jean.machintruc@orange.fr), par exemple, et une adresse professionnelle au nom de votre société (jmachintruc@dupneu.com).

  De plus, contrairement à la messagerie sur le Web dont la présentation change parfois, un logiciel de messagerie est immuable, ce qui vous laisse le temps de vous familiariser avec.

- **Inconvénients :** un logiciel de messagerie est un peu plus compliqué à configurer. Il n'accepte pas forcément le courrier comportant une autre adresse. Par exemple, des sociétés près de leurs sous comme Yahoo! font payer le privilège de pouvoir dérouter votre courrier vers votre messagerie, ou d'acheminer celui qui en émane.

Bien que Live Mail fonctionne *grosso modo* comme feu Outlook Express et Windows Mail, il n'est pas le seul logiciel de messagerie sur la place. Son plus grand concurrent est Thunderbird (www.mozilla-europe.org/fr/), programmé par la même équipe de programmeurs que celle du navigateur Firefox.

Windows Live Mail 2011 n'est pas fourni en standard avec Windows 7. Pour l'utiliser, vous devez le télécharger et l'installer comme cela est expliqué à la prochaine section.

Installer Windows Live Mail 2011

Windows 7 impose quelques préliminaires avant de pouvoir échanger du courrier électronique depuis votre PC. Vous devez d'abord disposer d'un accès Internet – la procédure de connexion est expliquée au chapitre précédent – pour pouvoir télécharger le programme Live Mail 2011.

Une fois la connexion Internet établie, procédez comme suit pour télécharger et installer Windows Live Mail 2011 :

1. **Allez sur le site Web de Windows Live (**www.download.live.com**) puis cliquez sur le bouton Télécharger afin de télécharger le programme d'installation Windows Live Essentials.**

   Enregistrez le fichier dans le dossier Téléchargements, présent dans le volet de navigation de tous les dossiers.

2. **Dans le dossier Téléchargements, double-cliquez sur le programme d'installation que vous venez de télécharger.**

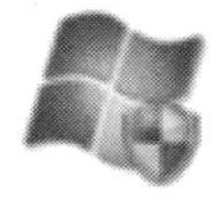

   Le programme arbore l'icône montrée dans la marge et son nom est wlsetup-web.exe. La fenêtre Contrôle de compte d'utilisateur vous demande de confirmer le démarrage du programme. Cliquez sur Oui et l'installation commence.

3. Choisissez les programmes de Windows Live que vous désirez installer, puis cliquez sur Installer.

Microsoft n'est pas radin. Par défaut, il propose d'installer tous les programmes Live (ils sont succinctement décrits dans l'encadré «Qu'est-ce qu'il y a dans Live ?»). Décochez éventuellement les programmes dont vous ne voulez pas, mais veillez à ce que Mail soit sélectionné.

4. L'installation proprement dite commence.

Une barre de progression indique l'avancement de l'installation. La durée des opérations – de quelques brèves minutes à quelques dizaines de minutes – dépend du débit et de la qualité de la connexion Internet.

5. À la fin de l'installation, Windows Live propose de choisir quelques paramètres en cochant ou décochant des cases.

Par défaut, Windows Live propose de remplacer le moteur de recherche par défaut d'Internet Explorer par Live Search. Si vous en avez déjà choisi un autre, Google par exemple, décochez la case Définir votre moteur de recherche. Windows Mail propose aussi de remplacer la page de démarrage que vous avez éventuellement configurée par celle de MSN. Décochez la case Définir votre page d'accueil si vous ne voulez pas que Microsoft squatte cette page.

6. Cliquez sur Continuer.

Windows vous propose de vous attribuer un identifiant Windows Live ID, autrement dit une adresse de messagerie spécifique pour utiliser le logiciel de conversation Messenger, la messagerie Hotmail ou le service de la console de jeux Xbox LIVE. Si vous estimez n'avoir pas besoin de cette adresse de messagerie supplémentaire, cliquez sur Fermer (si vous êtes déjà inscrit à la messagerie Hotmail, vous avez déjà l'adresse en question).

L'installation terminée, le dossier Windows Live apparaît dans le menu Démarrer/Tous les programmes. Cliquez dessus pour accéder à la liste de tous les programmes, dont Windows Live Mail 2011. Ce programme est d'ailleurs accessible directement depuis Tous les programmes.

Qu'est-ce qu'il y a dans Live ?

Il y a quelques années, Google avait déjà eu l'excellente idée de fournir un ensemble de programmes gratuits et surtout utiles. Microsoft ne pouvant être en reste, il a concocté la suite Windows Live. Le programme d'installation a placé les logiciels suivants dans votre ordinateur :

- **Barre d'outils :** c'est une barre de commandes ajoutée à Internet Explorer, qui procure un accès rapide aux programmes de Windows Live.
- **Contrôle parental :** ce programme améliore le contrôle parental déjà présent dans Windows 7.
- **Galerie de photos Windows :** logiciel de classement et d'amélioration des photos numériques.
- **Mail :** objet de ce chapitre, Live Mail est un programme de messagerie permettant d'échanger du courrier, de le stocker et de l'organiser.
- **Messenger :** ce petit programme qui s'invite à l'écran chaque fois que vous démarrez le PC permet d'envoyer des petits messages à vos amis, un peu comme des SMS.
- **Silverlight :** ce programme n'a rien à voir avec Windows Live, mais Microsoft tente de vous fourguer ce logiciel d'affichage d'animations et de vidéos sur le Web concurrent d'Adobe Flash.
- **Writer :** contrairement à ce que laisse supposer son nom (en français, *Writer* signifie «écrivain»), il ne s'agit pas d'un traitement de texte, mais d'un éditeur de blogs. Il est compatible avec des services de blogs comme WorldPress, Blogger, LiveJournal, TypePad, SharePoint, Windows Live et d'autres.

Configurer Windows Live Mail 2011

À moins d'avoir créé un compte Windows Live Mail 2011, le programme Live Mail ne connaît pas votre adresse de messagerie, ni quel courrier recevoir ou envoyer. Pour lui fournir tous ces renseignements, vous devrez remplir un formulaire.

Procédez comme suit pour que Live Mail soit capable de gérer votre messagerie :

1. **Démarrez Windows Live Mail 2011.**

   Pour lancer le programme, ouvrez le menu Démarrer/Tous les programmes et cliquez sur l'icône Windows Live Mail 2011. Si vous ne l'apercevez pas, choisissez Tous les programmes > Windows Live > Windows Live Mail 2011.

   Le formulaire de création du compte de messagerie de Windows Live Mail 2011 apparaît à l'écran (voir Figure 9.1).

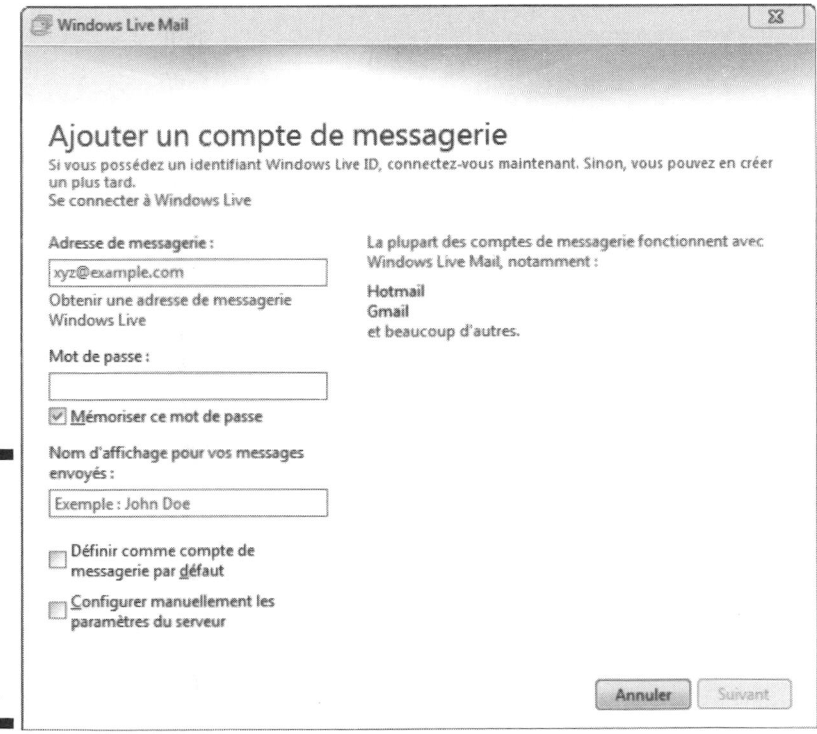

Figure 9.1 : Lors de sa première utilisation, Live Mail demande de créer un compte de messagerie.

Si la fenêtre Ajouter un compte de messagerie n'apparaît pas spontanément, cliquez sur le l'onglet Compte, puis sur le bouton Ajouter un compte de messagerie, dans le volet gauche.

2. **Saisissez votre adresse de messagerie, le mot de passe et le nom qui doit être affiché.**

   Si vous avez souscrit un compte Windows Live auparavant, ou si vous avez l'intention d'utiliser votre adresse Hotmail, cliquez simplement sur Suivant et c'est terminé ; Windows Live Mail 2011 se chargera de paramétrer la messagerie.

   Mais si vous utilisez une autre adresse de messagerie, vous devrez communiquer les informations suivantes à Live Mail :

   - **Adresse de messagerie :** elle est composée de votre nom d'utilisateur suivi de l'arobase @, du nom de votre fournisseur d'accès Internet et d'un suffixe. Par exemple, si votre nom d'utilisateur est *jean.machintruc* et que votre adresse de fournisseur d'accès est *orange.fr*, vous devrez saisir «jean.machintruc@orange.fr».
   - **Mot de passe :** il vous a sans doute été fourni par votre fournisseur d'accès Internet, à moins que vous l'ayez choisi vous-même lorsque vous avez créé un compte en ligne (autrement dit, sur le Web). Dans tous les cas, majuscules et minuscules sont différenciées : **xyz007** est différent de **xYz007**. Cochez la case Mémoriser le mot de passe afin de ne pas être obligé de le ressaisir chaque fois que vous démarrez Live Mail.
   - **Nom d'affichage :** c'est le nom en clair qui apparaît dans le champ De (celui qui, dans un message, contient le nom de l'expéditeur et permet donc de l'identifier facilement). La plupart des gens tapent leur prénom et leur nom.

3. **Cochez la case Configurer manuellement les paramètres de ce compte de messagerie, puis cliquez sur Suivant.**

   La fenêtre de la Figure 9.2 apparaît.

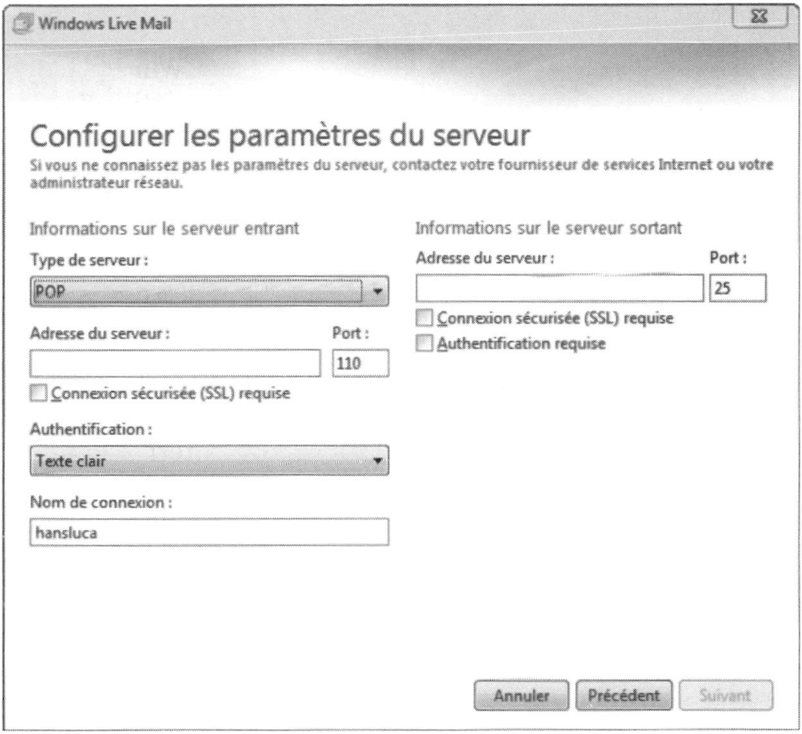

Figure 9.2 : Fournissez les renseignements concernant le courrier entrant et sortant.

4. **Indiquez le type de serveur de messagerie ainsi que les serveurs de courrier entrant et de courrier sortant.**

   La fenêtre de la Figure 9.2 est sans doute celle qui intrigue le plus les débutants. Voici de quoi il s'agit :

   - **Informations sur le serveur entrant – Type de serveur :** vous devez indiquer ici le protocole utilisé par le serveur : POP3, IMAP ou HTTP. L'information vous est fournie par votre FAI (c'est généralement le protocole POP3).

- **Informations sur le serveur entrant – Adresse du Serveur entrant :** spécifiez l'adresse du serveur auquel vous vous connectez. Par exemple, pour un serveur POP comme celui du FAI Free, vous devez taper «pop.free.fr».
- **Informations sur le serveur sortant – Adresse du serveur :** indiquez ici le nom du serveur par lequel transite le courrier que vous envoyez. Cette information vous est fournie par votre FAI. C'est généralement la même information que pour le serveur entrant, mais commençant par **smtp**. Ainsi chez Free, l'adresse est smtp.free.fr.

D'autres informations rébarbatives figurent dans cette fenêtre. N'y touchez pas, sauf si votre FAI le demande.

Certains FAI vous envoient ces informations techniques par la poste. Vous trouverez certaines d'entre elles, comme le nom du serveur entrant et du serveur sortant, sur leur site Web. Le support téléphonique peut aussi vous dépanner.

Le Tableau 9.1 indique les noms de serveur des principales messageries en ligne.

Tableau 9.1 : Les paramètres de courrier de quelques FAI.

Service	Type	Serveur de courrier entrant	Serveur de courrier sortant
Gmail, de Google (voir l'encadré) à propos des comptes GLive Mail, un peu plus loin	POP3	pop.gmail.com	smtp.gmail.com
America Online (voir l'encadré à propos des comptes AOL)	IMAP	imap.aol.com	smtp.aol.com
Yahoo! (voir l'encadré à propos des comptes Yahoo!)	POP3	pop.mail.yahoo.fr	smtp.mail.yahoo.fr

5. **Cliquez sur Suivant.**

La dernière fenêtre vous félicite. Il n'y a pas de quoi, car Live Mail ne vérifie par la validité de vos paramètres. C'est quand vous utiliserez la messagerie, comme expliqué plus loin à la section «Écrire et envoyer du courrier» que vous verrez si tout se passe bien.

6. **Cliquez sur Terminer.**

Un problème ? Voici quelques conseils qui peuvent vous tirer d'affaire :

- Des paramètres ne fonctionnent pas ? Modifiez-les depuis Live Mail : cliquez du bouton droit sur le nom de votre compte de messagerie, dans le volet de gauche, et choisissez Propriétés. Les informations entrées à l'Étape 4 figurent sous les onglets Général, Serveurs et Avancé.
- Vous avez plusieurs adresses de messagerie ? Créez un second compte en cliquant sur l'onglet Compte, puis sur le bouton Adresse de messagerie. Vous pouvez aussi cliquez sur le menu Fichier (à gauche de l'onglet Accueil), puis sur Options, et enfin sur Comptes de messagerie. Dans la boîte de dialogue Comptes qui apparait, cliquez sur le bouton Ajouter. Dans la nouvelle fenêtre qui s'affiche, sélectionnez Comptes de messagerie, et cliquez sur Suivant. Vous commencez la procédure à l'Étape 1 de la précédente manipulation, mais avec cette fois les informations concernant une autre adresse de messagerie.
- Vous désirez choisir une autre adresse par défaut ? La première adresse entrée dans Live Mail est l'adresse de messagerie par défaut, c'est-à-dire celle indiquée comme adresse de retour pour chaque message que vous envoyez. Pour en indiquer une autre, cliquez du bouton droit sur cet autre compte, dans le volet de gauche, et choisissez Définir comme compte par défaut.

Compléter la création d'un compte Gmail dans Live Mail

Après avoir configuré un compte Gmail, vous devrez procéder à quelques manipulations supplémentaires pour qu'il soit reconnu par Live Mail :

1. **Connectez-vous à votre compte Gmail (`www.gmail.com`), cliquez sur le lien Paramètres, en haut de la page, puis cliquez sur le lien Transfert et POP/IMAP.**
2. **Sélectionnez l'option Protocole POP activé pour tous les messages. Cliquez ensuite sur le bouton Enregistrer les modifications.**
3. **Ouvrez Windows Live Mail 2011, cliquez du bouton droit sur le compte Gmail, et dans le menu contextuel, choisissez Propriétés.**
4. **Dans la fenêtre des propriétés, cliquez sur l'onglet Serveurs.**
5. **Dans la zone Serveur de messagerie pour courrier sortant, cochez la case Mon serveur requiert une authentification. Cliquez sur le bouton Appliquer.**
6. **Cliquez sur l'onglet Avancé.**
7. **Dans la zone Numéros de ports des serveurs, cochez les deux cases Ce serveur nécessite une connexion sécurisée (SSL).**

   Le numéro de port du courrier entrant devient 995.
8. **Dans le champ Courrier sortant (SMTP), remplacez 25 par** 465.
9. Cliquez sur Appliquer, puis sur OK et enfin sur le bouton Fermer.

Compléter la création d'un compte AOL dans Live Mail

Après avoir configuré un compte dans Live Mail, une petite manipulation est indispensable pour qu'un compte AOL fonctionne sous Windows Live Mail 2011 :

1. **Cliquez du bouton droit sur le compte AOL, dans le volet de gauche de Live Mail, choisissez Propriétés puis cliquez sur l'onglet Serveurs.**
2. **Dans la zone Serveur de messagerie pour courrier sortant, cochez la case Mon serveur requiert une authentification.**
3. **Cliquez sur l'onglet Avancé.**
4. **Dans le champ Courrier sortant (SMTP), remplacez le numéro de port par** 587 **puis cliquez sur Appliquer.**

5. Cliquez sur l'onglet IMAP et désélectionnez la case Stocker les dossiers spéciaux sur le serveur IMAP.

6. Cliquez sur Appliquer, puis sur OK et enfin sur le bouton Fermer.

Si un message vous demande de télécharger des dossiers depuis le serveur de courrier, cliquez sur Oui.

Compléter la création d'un compte Yahoo! dans Live Mail

Seuls les comptes payants de Yahoo!, connus sous le nom de Yahoo! Mail Plus, fonctionnent avec Windows Live Mail 2011. Après avoir payé Yahoo! et suivi les étapes de la section «Configurer Windows Live Mail 2011», vous devez procéder à ces quelques paramétrages pour que le compte Yahoo! soit opérationnel sur Live Mail.

1. **Cliquez du bouton droit sur le compte, dans le volet de gauche de Live Mail, choisissez Propriétés puis cliquez sur l'onglet Serveurs.**
2. **Dans la zone Serveur de messagerie pour courrier sortant, cochez la case Mon serveur requiert une authentification. Cliquez sur Appliquer.**
3. **Cliquez sur l'onglet Avancé.**
4. **Dans le champ Courrier sortant (SMTP), remplacez le numéro de port par** 465.
5. **Sous Courrier entrant, cochez la case Ce serveur nécessite une connexion sécurisée (SSL).**

   Le numéro de port du courrier entrant devient 995.
6. **Cliquez sur Appliquer, puis sur OK et enfin sur le bouton Fermer.**

Écrire et envoyer du courrier électronique avec Windows Live Mail 2011

La fenêtre de Windows Live Mail 2011 est divisée en trois voire quatre parties : le volet des comptes (ou dossiers), à gauche, contenant les comptes où votre courrier est stocké, la liste des messages, au milieu, montrant le contenu du compte (ou dossier) sélectionné, et le volet de lecture, à droite, qui affiche un aperçu du message sélectionné.

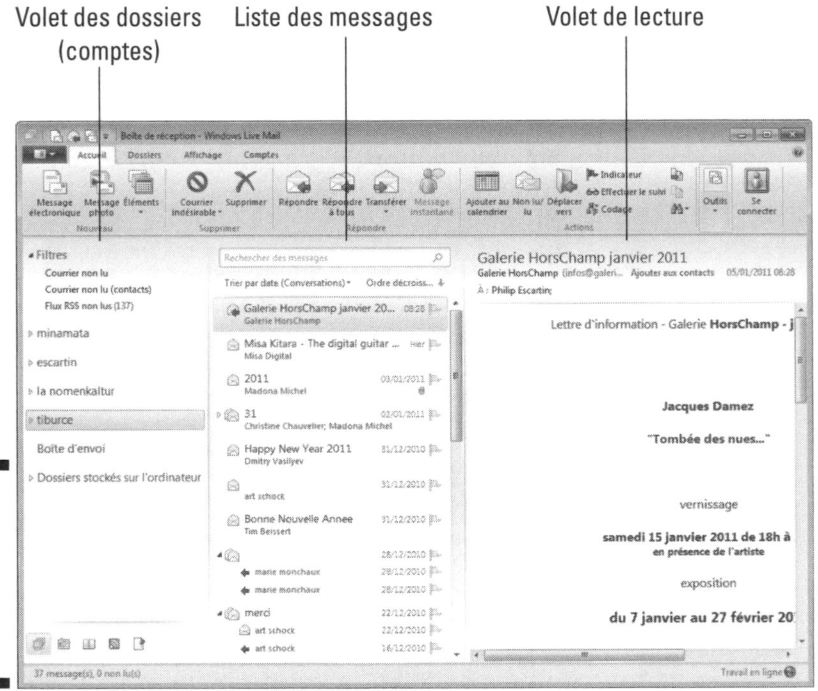

Figure 9.3 : Dans Live Mail, les informations sont présentées dans trois volets.

Le volet des comptes de Live Mail repose sur le bon vieux principe des panières en plastique ou en métal pour classer le courrier reçu, ou en attente d'être posté. Double-cliquez sur un compte pour déployer ses dossiers et voir ce qu'ils contiennent. Windows Live Mail 2011 répartit les messages dans les dossiers suivants :

- **Boîte de réception :** dès que vous vous connectez à l'Internet, Windows Live Mail 2011 relève le courrier et le place dans le dossier Boîte de réception. Il le fait ensuite toutes les 30 minutes. Pour relever manuellement le courrier, cliquez sur le bouton Envoyer/Recevoir dans la barre d'outils, ou appuyez sur F5.

Vous pouvez réduire l'intervalle entre les relèves : cliquez sur le bouton Fichier, en haut à gauche, puis sur Options/Courrier. Dans la section Envoyer/Recevoir de la boîte de dialogue Options, réglez l'intervalle dans l'option Vérifier l'arrivée de nouveaux messages toutes les *x* minute(s).

- **Brouillons :** si vous interrompez la rédaction d'un message et que vous désirez la reprendre ultérieurement, cliquez sur Fichier/Enregistrer. Un message indique que Windows Live Mail 2011 place le message dans le dossier Brouillons, où vous pourrez le rouvrir. Validez par un clic sur OK.
- **Éléments envoyés :** une copie de tous les messages que vous envoyez est stockée dans ce dossier. Pour supprimer un message embarrassant, cliquez dessus du bouton droit et choisissez Supprimer (NdT : Attention, car le message compromettant se retrouve dans le dossier Messages supprimés, décrit plus loin. Si votre conjoint, patron ou autre dictateur de salon fouille les poubelles, vous n'êtes pas tiré d'affaire).
- **Courrier indésirable :** comme un bon toutou, Windows Live Mail 2011 renifle les courriers entrants et déroute dans ce dossier tous ceux qui lui paraissent suspects. Ne manquez pas d'y jeter un coup d'œil de temps en temps pour voir si des courriers valides n'y ont pas été relégués par erreur.
- **Messages supprimés :** c'est la corbeille de Live Mail. Tout ce que vous supprimez dans les autres dossiers atterrit ici. Pour effacer définitivement un message, cliquez sur cet élément. Une petite croix apparait à droite. Cliquez dessus. Windows Live Mail vous demande confirmation de la suppression. Cliquez sur Oui.

Pour que le dossier Messages supprimés ne soit pas encombré, cliquez sur Fichier/Options/Courrier. Dans la boîte de dialogue Options, cliquez sur l'onglet Avancé, puis sur le bouton Maintenance. Cochez ensuite la case Vider les messages du dossier Éléments supprimés en quittant.

- **Boîte d'envoi :** quand vous envoyez un message, Live Mail se connecte aussitôt à l'Internet et l'envoie au destinataire. Si l'ordinateur n'est présentement pas connecté, le message reste dans le dossier Boîte d'envoi. Cliquez sur le bouton Envoyer/Recevoir pour établir la connexion Internet et envoyer le message en attente.

De quoi ai-je besoin pour recevoir et envoyer du courrier électronique ?

Pour échanger du courrier électronique, il vous faut :

- **Un compte de messagerie :** ce chapitre explique comment utiliser Windows Live Mail 2011 avec un compte. La plupart des fournisseurs d'accès Internet (FAI) vous fournissent votre adresse de messagerie.
- **L'adresse de votre correspondant :** vous devez la lui demander. Une adresse est composée du nom d'utilisateur – qui ressemble généralement au véritable nom de la personne –, suivi du signe @ (ou arobase, prononcé «at») et du nom du FAI. Une adresse électronique d'un correspondant abonné à Orange, dont le nom est Jacques Machinchose sera jacques.machinchose@orange.fr, jmachinchose@orange.fr, jm007@orange.fr ou n'importe quelle autre variante. Attention à l'orthographe : contrairement à la poste, Windows Live Mail 2011 ne tolère aucune faute de frappe.
- **Un message :** c'est l'équivalent de la feuille de papier. Après avoir indiqué l'adresse du destinataire et rédigé le message, cliquez sur le bouton Envoyer. Il est ensuite acheminé à bon port.

Vous trouverez l'adresse électronique des gens sur leur carte de visite, sur leur site Web, voire en répondant à un courrier électronique. Car, chaque fois que vous répondez à un message, Windows Mail ajoute le destinataire à la liste de vos contacts.

Si vous avez fait une erreur en tapant une adresse, le message vous est renvoyé avec un texte, souvent en anglais – *Undelivered mail returned to sender,* «courrier non distribué retourné à l'expéditeur», par exemple. Vérifiez scrupuleusement l'adresse (attention aux accents, points-virgules, espaces et autres caractères non admis) puis réessayez. Si le message est de nouveau renvoyé, vérifiez si la personne n'a pas changé d'adresse de messagerie, en lui téléphonant par exemple.

Pour voir le contenu d'un dossier, cliquez dessus. Les messages apparaissent dans le volet du milieu. Cliquez sur un message et son contenu est affiché à droite.

Rédiger un message

Prêt à envoyer votre premier courrier électronique ? Après avoir configuré votre compte d'utilisateur, procédez comme suit pour écrire une lettre puis l'envoyer à travers le cyberespace jusqu'à son destinataire :

1. **Ouvrez Windows Live Mail 2011 puis, dans l'onglet Accueil, cliquez sur le bouton Message électronique.**

   Vous n'aimez pas la souris ? (NdT : C'est pourtant la meilleure partie à l'extrémité du gigot, contre l'os). Appuyez sur Ctrl + N pour ouvrir une nouvelle fenêtre de message, semblable à celle de la Figure 9.4

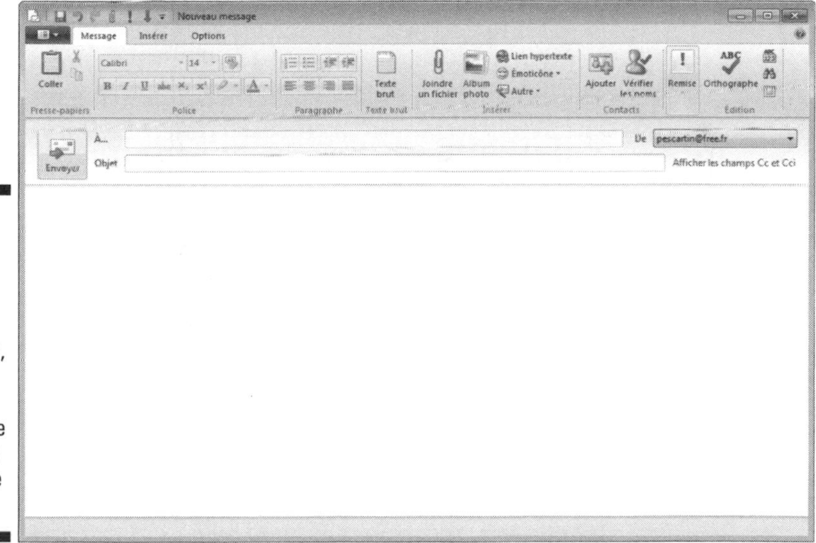

Figure 9.4 : Après avoir cliqué sur le bouton Message électronique, une fenêtre apparaît dans laquelle vous pouvez rédiger votre prose.

Si vous avez configuré plusieurs comptes, Windows Live Mail 2011 adresse automatiquement le courrier au compte par défaut, généralement le premier que vous avez créé.

Livre I

Pour envoyer le courrier à un autre compte, cliquez sur le bouton fléché à droite du bouton De (NdT : visible en haut à droite dans la figure, le bouton De n'est affiché que si plusieurs comptes ont été créés) puis choisissez un autre nom de compte dans le menu local.

2. **Saisissez l'adresse de votre correspondant dans le champ À.**

À...

Si vous savez que le destinataire figure dans la liste de vos contacts, vous gagnerez du temps en procédant comme suit : Cliquez sur le bouton À, ce qui affiche une fenêtre contenant tous vos contacts. Cliquez sur le contact approprié, cliquez sur le bouton À en bas à gauche, puis sur OK.

Ajoutez d'autres contacts avant de cliquer sur OK, si vous désirez envoyer le message à plusieurs personnes.

Cci...

Vous voulez envoyer ou faire suivre un même message à plusieurs correspondants ? Préservez leur vie privée en cliquant sur le lien Afficher les champs Cc et Cci (Copie carbone invisible) au lieu de À. Ensuite, cliquez sur le bouton Cci pour sélectionner les destinataires (ou bien tapez directement leur adresse dans ce champ). Tous recevront le message, mais les adresses des uns et des autres seront cachées, préservant ainsi leur confidentialité.

Cc...

Pour permettre à chacun de voir les adresses des autres, sélectionnez leur nom puis cliquez sur le bouton Cc (Copie carbone). Sachez cependant que cette pratique n'est pas toujours appréciée car l'adresse de messagerie de chacun est communiquée à tout le monde.

3. **Remplissez le champ Objet.**

Bien que facultative, cette information permet au destinataire de savoir de quoi il est question, et aussi d'identifier et trier plus facilement son courrier.

4. **Rédigez le message dans la grande zone de texte (la partie inférieure de la fenêtre).**

Tapez sans vous soucier de la longueur de votre texte.

5. **(Facultatif) Pour joindre un fichier à votre message, faites-le glisser et déposez-le dans la zone de texte. Ou alors, cliquez sur l'icône en forme de trombone (Joindre un fichier), naviguez jusqu'au fichier puis double-cliquez sur son nom afin de le joindre.**

   La plupart des fournisseurs d'accès Internet limitent la taille des pièces jointes à 5 ou 10 mégaoctets (Mo). Nous reviendrons plus loin dans ce chapitre sur l'envoi de pièces jointes.

6. **Cliquez sur le bouton Envoyer, en haut à gauche.**

   Et hop ! Windows Live Mail 2011 démarre le modem si nécessaire, et envoie le message à travers l'Internet jusqu'à la boîte aux lettres de votre correspondant. Selon la vitesse de la connexion Internet et la charge du réseau, le courrier parvient n'importe où dans le monde dans un délai de 15 secondes à quelques jours, la moyenne étant de quelques minutes.

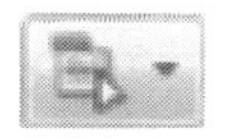

   Par défaut, Live Mail ne vérifie pas l'orthographe des messages que vous rédigez. Pour activer le correcteur orthographique, cliquez sur Fichier/Options/Courrier, puis cliquez sur l'onglet Orthographe. Cochez ensuite la case Toujours vérifier l'orthographe avant l'envoi.

Lire le courrier électronique reçu

Si Windows Live Mail 2011 est ouvert pendant que vous êtes connecté à l'Internet, il vous informe de l'arrivée de tout courrier par un signal sonore. Une petite enveloppe apparaît brièvement en bas à droite de l'écran, près de l'horloge.

Pour vérifier l'arrivée du courrier lorsque Windows Live Mail 2011 n'est pas ouvert, chargez-le à partir du menu Démarrer/tous les programmes. Cliquez ensuite sur le bouton Envoyer/Recevoir (ou appuyez sur F5). Live Mail se connecte à l'Internet, envoie tous vos messages qui étaient en attente puis relève le courrier et le place dans la Boîte de réception.

Procédez comme suit pour lire les lettres de la Boîte de réception et, soit y répondre, soit les classer dans un dossier.

1. **Ouvrez Windows Live Mail 2011 et consultez la Boîte de réception.**

   Live Mail affiche les messages présents dans la Boîte de réception (Figure 9.5). Chaque courrier est listé chronologiquement, les plus récents en haut.

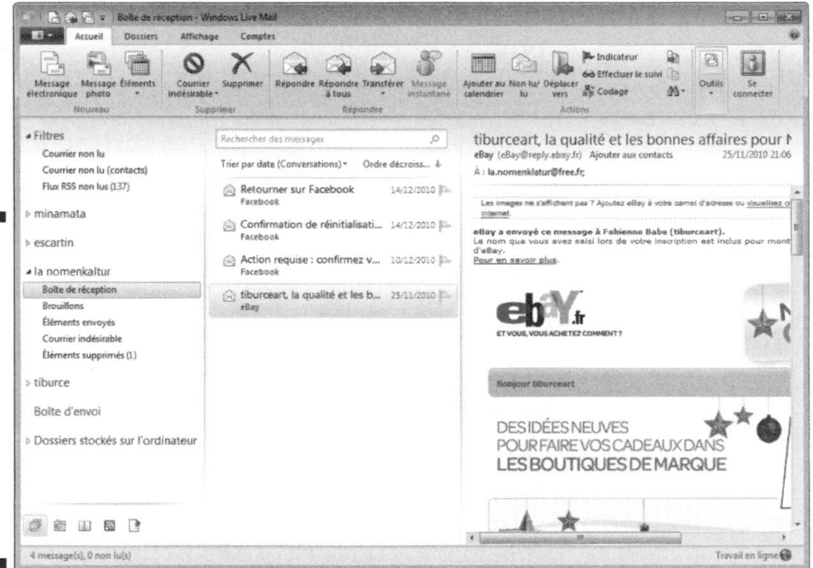

Figure 9.5 : Les messages entrants apparaissent dans la Boîte de réception. Le contenu du message sélectionné est affiché à droite.

Pour trouver rapidement un message, saisissez le nom de l'expéditeur ou un mot-clé dans le champ Rechercher des messages, en haut de la liste (voir Figure 9.5). Notez que vous pouvez aussi effectuer la recherche depuis le champ Rechercher du menu Démarrer.

2. **Cliquez sur l'objet d'un message pour le lire.**

   Le contenu du message est affiché dans le volet de lecture, à droite de Live Mail. Pour ouvrir le message et le voir dans sa propre fenêtre, double-cliquez sur son objet, dans le volet du milieu.

3. **À partir de là, Live Mail propose plusieurs options, toutes décrites dans la liste suivante :**

   - **Ne rien faire :** le message reste dans le dossier Boîte de réception.

   - **Répondre au message :** cliquez sur le bouton Répondre, dans la barre de commandes. Une nouvelle fenêtre apparaît, prête à recevoir votre réponse. Elle est préadressée, ce qui est très commode. Le message original se trouve en bas, à titre de rappel pour votre correspondant.

   - **Répondre à tous :** certains courriers sont adressés à plusieurs destinataires. Si plusieurs adresses se trouvent dans le champ À, vous pouvez envoyer une réponse à toutes ces personnes à la fois en cliquant sur le bouton Répondre à tous.

   - **Transférer :** vous voulez envoyer à quelqu'un d'autre un message que vous avez reçu ? Cliquez sur le bouton Transférer pour réacheminer ce courrier.

   - **Ajouter au calendrier :** Windows Live Mail 2011 est doté d'un calendrier rudimentaire pour gérer vos rendez-vous. Cliquez sur ce bouton pour ouvrir une nouvelle fenêtre grâce à laquelle vous pourrez insérer le message à la date de votre choix.

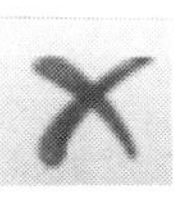

   - **Supprimer le message :** cliquez sur le bouton Supprimer ou déposez le message dans le dossier Éléments supprimés. Tous les messages supprimés restent dans ce dossier, jusqu'à ce que vous cliquiez sur ce dernier puis sur la croix qui apparait à sa droite. Pour un nettoyage automatique, cliquez sur Fichier/Options/Courrier ; cliquez sur l'onglet Avancé, puis sur le bouton Maintenance et cochez la case Vider les messages du dossier Éléments supprimés en quittant.

- **Signaler comme courrier indésirable :** Live Mail filtre les courriers indésirables, mais certains parviennent à se glisser entre les mailles du filet. Si vous estimez qu'un courrier est du spam, comme on dit en jargon Internet, cliquez sur ce bouton pour le placer dans le dossier Courrier indésirable.
- **Imprimer le message :** cliquez sur le bouton Fichier/Imprimer, pour obtenir une sortie papier du message.
- **Parcourir les messages :** cliquez sur les boutons Précédent ou Suivant pour voir le message placé avant ou après celui en cours dans la liste (si ces boutons ne sont pas visibles, élargissez quelque peu la fenêtre). Attention, cette fonction n'est disponible que si vous double-cliquez sur le message pour l'afficher dans sa propre fenêtre.

Ces conseils vous aideront à mieux exploiter Windows Live Mail 2011 :

- Quand vous lisez un message, cliquez sur le lien Ajouter aux contacts, à droite de l'adresse de l'expéditeur, pour placer son nom et son adresse de messagerie dans votre liste de contacts. Il suffira ensuite de cliquer sur le bouton À, puis de choisir ce contact dans la liste, pour lui écrire.
- Pour organiser les messages entrants, cliquez du bouton droit sur la Boîte de réception et choisissez Nouveau dossier. Nommez-le. Créez autant de dossiers et de sous-dossiers que nécessaires pour classer votre courrier.
- Pour déplacer un message d'un dossier vers un autre, contentez-vous de le glisser et de l'y déposer.
- Certains courriers sont accompagnés d'un fichier, ou pièce jointe. Leur gestion mérite qu'une section entière leur soit consacrée (la prochaine, fort opportunément).

- Si vous recevez du courrier d'une banque, d'eBay, PayPal ou autre site Web financier, regardez-y à deux fois avant de cliquer sur un lien. Une activité crapuleuse appelée «hameçonnage» consiste à envoyer massivement des courriers qui incitent le destinataire à divulguer son nom, son mot de passe, voire le code de sa carte bancaire. Armés de ces informations, les truands se dépêchent de vider votre compte bancaire. Windows Live Mail 2011 affiche un message d'alerte lorsqu'il repère des courriers douteux. Nous reviendrons sur l'hameçonnage au Chapitre 10 (NdT : Notez bien que jamais aucune banque n'envoie de courrier contenant un lien sur lequel vous devez cliquer. De plus, aucun organisme – banque, fisc, police... – ne vous demandera jamais de divulguer vos mots de passe ou codes bancaires, que ce soit par courrier électronique ou par téléphone).

- Lorsqu'une petite icône avec un X rouge apparaît à la place d'une image ou d'une photo dans un courrier, cela signifie que Live Mail l'a bloquée. Pour voir les images, cliquez sur le lien Afficher les images. Pour empêcher Live Mail de les bloquer, choisissez Fichier/Options/Options de sécurité. Cliquez sur l'onglet Sécurité puis décochez la case Bloquer les images et les autres contenus externes dans les messages HTML.

Envoyer et recevoir des pièces jointes

À l'instar d'une photo que vous avez glissée dans une enveloppe pour montrer au destinataire à quoi ressemble votre nouvelle maison, une pièce jointe est un fichier ajouté au message.

Une pièce jointe est parfaite pour l'envoi de fichiers, mais pas très parlante lorsqu'il s'agit de photos. C'est pourquoi Live Mail contient une option permettant d'incorporer les images directement dans le message. Au lieu d'afficher les images sous forme d'austères icônes, Live Mail place une vignette de chacune d'elles dans le texte, ce qui permet de les regarder facilement.

Que vous choisissiez de joindre une pièce ou de l'incorporer au message, tenez compte d'un point important : la plupart des fournisseurs d'accès limitent la taille des pièces jointes, généralement à 5 ou 10 Mo (un peu plus généreux, Gmail accepte jusqu'à 20 Mo).

Les fichiers de photos numériques dépassant souvent la limite des 5 Mo, notamment lorsque vous en joignez plusieurs à un message, Windows Live Mail 2011 permet de les compresser. Les images ne sont pas du tout dégradées, mais sont transférées plus rapidement.

La prochaine section explique comment envoyer et recevoir des pièces jointes et des photos numériques incorporées à un message.

Attacher une ou plusieurs pièces jointes à un message

Pour envoyer un fichier à quelqu'un, commencez par créer un message : cliquez sur le bouton Message électronique, comme expliqué précédemment à la section «Rédiger un message». Saisissez ensuite votre message comme d'habitude.

Le moment est venu de joindre un fichier (NdT : Il est préférable de joindre le fichier avant même d'écrire le message afin d'éviter le syndrome du «et hop!», autrement dit l'envoi précipité juste après avoir signé, en oubliant bien sûr de joindre le fichier), procédez comme suit :

1. **Cliquez sur le bouton Joindre, puis localisez le fichier à attacher au message.**

   Dans la fenêtre qui apparaît, le volet de navigation contient les bibliothèques recevant vos documents, images, musiques et vidéos. Parcourez les dossiers à la recherche des fichiers à joindre.

2. **Pour ne joindre qu'un seul fichier, double-cliquez sur son nom. Pour en attacher plusieurs, sélectionnez-les tous, puis cliquez sur le bouton Ouvrir.**

Le bouton Ouvrir n'ouvre bien sûr rien du tout. Il se contente de joindre les fichiers au message.

Les fichiers joints apparaissent sous le champ Objet, dans un champ signalé par l'icône en forme de trombone, comme à la Figure 9.6.

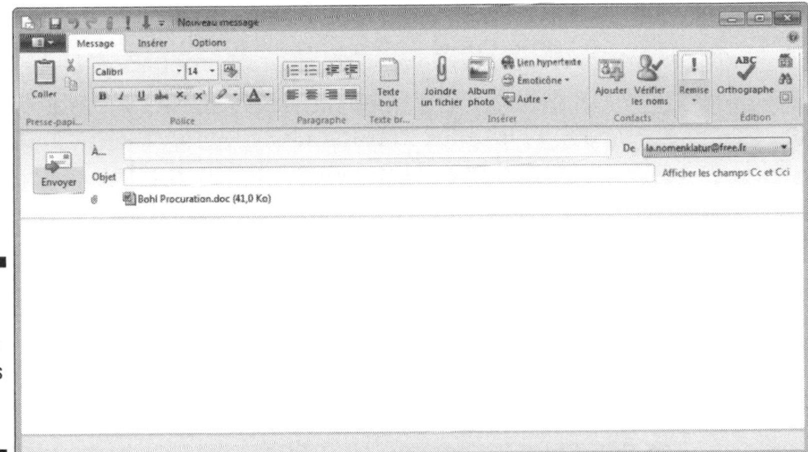

Figure 9.6 : Les pièces jointes apparaissent dans l'en-tête du message.

Vous avez joint par mégarde un fichier erroné ? Cliquez dessus du bouton droit et choisissez Supprimer.

Les étapes ci-dessus servaient à ajouter une ou plusieurs pièces jointes pendant la rédaction du message, mais vous pouvez aussi procéder selon l'une de ces deux manières :

- Cliquez du bouton droit sur le nom d'un fichier dans un dossier, et dans le menu contextuel, choisissez Envoyer vers > Destinataire. Une nouvelle fenêtre de message de Live Mail s'ouvre, à laquelle le fichier est déjà joint.
- Faites glisser le fichier du dossier jusque sur la fenêtre de saisie d'un message et déposez-le. Le fichier est aussitôt joint.

Livre I

Enregistrer un fichier joint

Enregistrer un fichier joint à un message que vous avez reçu n'est pas compliqué. Voici la procédure à suivre :

1. **Ouvrez le message contenant la pièce jointe.**
2. **Cliquez du bouton droit sur l'icône du fichier, et dans le menu contextuel, choisissez Enregistrer sous.**

   Le message contient plusieurs fichiers joints ? Dans ce cas, maintenez la touche Ctrl enfoncée et cliquez sur chacun d'eux. Cliquez ensuite du bouton droit dans la sélection et choisissez Enregistrer sous.

   Dans tous les cas, l'action ouvre la boîte de dialogue Enregistrer la pièce jointe sous. Sélectionnez l'emplacement approprié pour le ou les fichiers (les textes dans Documents, les photos dans Images, *etc.*)

Le courrier électronique permet d'envoyer très facilement des fichiers dans le monde entier. À tel point que les programmeurs de virus n'ont pas laissé passer cette aubaine, créant des virus autoréplicants qui se propagent en envoyant des copies d'eux-mêmes à tous les contacts d'un carnet d'adresses.

Ce qui m'amène à cette mise en garde :

- Si quelqu'un que vous connaissez vous envoie inopinément une pièce jointe, ne l'ouvrez surtout pas. Envoyez-lui un courrier lui demandant confirmation de cet envoi. Le message peut avoir été envoyé à son insu par un virus ou par un robot. Pour plus de sécurité, tirez la pièce jointe jusque sur le Bureau et soumettez-la à votre antivirus. Ne l'ouvrez jamais directement depuis le message lui-même.
- Pour vous empêcher d'ouvrir un fichier infecté, Windows Live Mail 2011 refuse d'ouvrir la grande majorité des fichiers joints. S'il ne vous autorise pas à ouvrir un fichier provenant d'un correspondant sûr – un fichier que vous attendiez –, désactivez la protection : dans le menu Fichier (NdT : appuyez au besoin sur Alt pour

afficher la barre de menus), choisissez Options/Options de sécurité, cliquez sur l'onglet Sécurité, puis décochez la case Ne pas autoriser l'ouverture ou l'enregistrement de pièces jointes susceptibles de contenir un virus.

Incorporer une photo dans un message

Des photos numériques peuvent être jointes comme expliqué précédemment, mais pour qu'elles soient directement visibles par le destinataire, il est préférable de les incorporer au message, comme à la Figure 9.7.

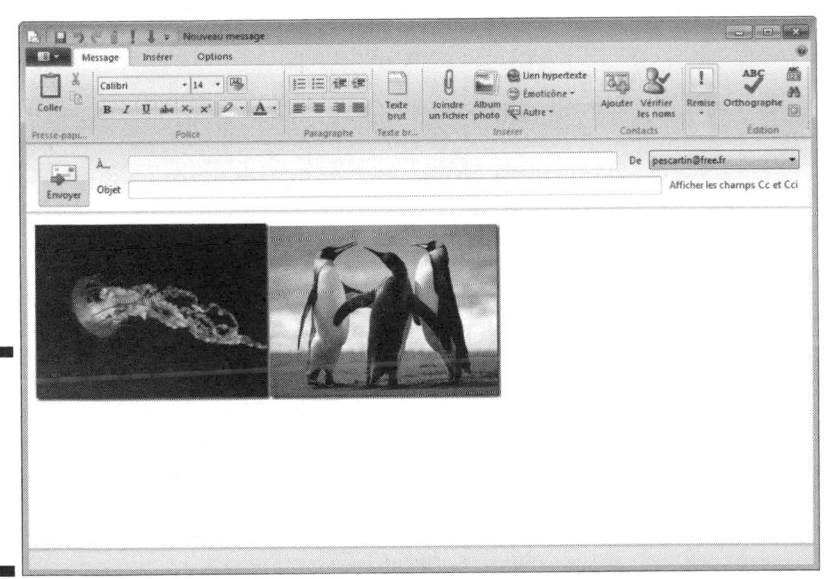

Figure 9.7 : Des photos incorporées au message sont plus faciles à visionner.

Le destinataire verra les vignettes. En double-cliquant dessus, il verra la version grandeur nature de la photo, et il pourra même visionner un diaporama en ligne.

Pour incorporer des photos à un message électronique, commencez par cliquer sur l'icône Windows Live Mail 2011, comme décrit précédemment dans ce chapitre, à la section «Écrire et envoyer du courrier électronique avec Windows Live Mail 2011». Saisissez ensuite votre message comme d'habitude.

Pour ajouter des photos, procédez comme suit :

1. **Cliquez sur l'onglet Insérer puis sur le bouton Une seule photo.**

   La fenêtre Insérer une image apparaît, déjà ouverte sur la bibliothèque Images.

2. **Sélectionnez la ou les photos à insérer dans le message, puis cliquez sur le bouton Ouvrir.**

   Pour joindre plusieurs photos, maintenez la touche Ctrl enfoncée tout en cliquant sur les photos. Cliquez ensuite sur Ajouter.

   Dans les deux cas, cliquer sur le bouton Ouvrir répartit les photos dans le message, comme à la Figure 9.7, précédemment.

   Vous avez ajouté une image de trop ? Cliquez dessus du bouton droit, dans le message, et choisissez Supprimer.

3. **Pour ajouter une légende aux photos, si vous le désirez, placez le pointeur de la souris sous l'une d'elles puis saisissez le texte.**

   Limitez-vous à une ou deux lignes.

4. **Si vous le désirez, agrémentez les photos avec les options présentes dans le bandeau au-dessus de la zone de texte.**

   Cliquez sur le bouton Bordures de l'image, sélectionner un cadre. Le bouton Contraste améliore le contraste et la luminosité des photos sélectionnées dans le message.

5. **Cliquez sur le bouton Envoyer.**

   Live Mail envoie le message avec ses pièces jointes.

Enregistrer des photos incorporées

Pour enregistrer les photos incorporées à un message que vous avez reçu, cliquez dessus du bouton droit et choisissez Enregistrer l'image sous. Dans la boîte de dialogue Enregistrer l'image, nommez si vous le désirez la photo en question, choisissez un dossier de destination puis cliquez sur Enregistrer.

Si vous avez reçu des photos provenant d'un compte Windows Live, enregistrez la photo de cette manière :

1. **Ouvrez le message contenant les photos incorporées.**

   Le message ressemble un peu à une page Web. Il contient des liens pointant vers le site Web de Microsoft où les photos sont en réalité stockées.

Rechercher un courrier égaré

Quand un message important disparaît parmi des dossiers bien remplis, Windows 7 propose plusieurs moyens pour le retrouver :

- **Avec le champ Rechercher des messages de Windows Live Mail 2011 :** un champ Rechercher des messages se trouve en haut volet du milieu (celui contenant la liste des messages). Saisissez un nom ou un mot censé se trouver dans le message recherché, et la liste est aussitôt filtrée, ne montrant que les messages contenant le critère de recherche. Un bandeau bleu, en haut de la liste, est en réalité un menu permettant d'effectuer la recherche dans un autre dossier de la messagerie.
- **Avec le champ Rechercher d'un dossier :** si vous enregistrez vos messages dans des dossiers spécifiques, cliquez sur un dossier, dans le volet de gauche, puis saisissez le critère dans le champ Rechercher des messages. La recherche sera limitée à ce seul dossier.
- **Avec le champ Rechercher les programmes et fichiers du menu Démarrer :** vous n'avez aucune idée du dossier où peut bien se trouver le message ? Windows 7 indexe en permanence vos fichiers, mais aussi vos messages. Cliquez sur le bouton Démarrer, puis saisissez le critère dans le champ Rechercher les programmes et fichiers.

2. **Cliquez sur le lien Enregistrer toutes les photos.**

   La fenêtre Parcourir les dossiers apparaît. Sélectionnez un dossier pour le stockage des photos.

3. **Cliquez sur Enregistrer.**

   Windows Mail télécharge une copie des photos dans l'emplacement choisi. Les originaux restent dans le message, ce qui constitue une sauvegarde supplémentaire.

Bien que le message acheminé par Windows Live contienne des versions réduites des photos, Microsoft ne conserve les originaux qu'un mois sur son serveur. Passé ce délai, ces originaux en haute résolution sont supprimés. Il ne vous reste alors que les vignettes.

Gérer les contacts

Windows Vista conservait les contacts dans des fichiers séparés, stockés dans un dossier Contacts. Windows 7 fait de même, sauf si vous avez souscrit à un compte de messagerie Windows Live. Ce compte vous permet de stocker vos contacts dans deux emplacements : à l'intérieur de votre ordinateur et aussi en ligne. Quand vous ouvrez un compte dans Windows Live Mail 2011, la version en ligne imite la version présente dans votre ordinateur, avec les mêmes contacts et les mêmes courriers envoyés et reçus.

Pour voir la liste de vos contacts dans votre ordinateur, cliquez sur le bouton Contacts (ou sur son icône, si le panneau est réduit) en bas du volet des dossiers. La fenêtre Contacts apparaît, avec la liste de tous vos correspondants.

La liste des contacts peut être enrichie de diverses manières :

- **En laissant Windows Live Mail 2011 s'en charger :** quand vous répondez trois fois à un même expéditeur, Live Mail place immédiatement le nom et l'adresse de messagerie de cette personne dans le dossier Contacts. Si cette option vous paraît excessive, choisissez Fichier/

Options/Courrier. Cliquez sur l'onglet Envoi et décochez la case Placer les personnes auxquelles j'ai répondu trois fois dans mon carnet d'adresses.

- **Importer un ancien carnet d'adresses :** pour récupérer le carnet d'adresses d'un autre ordinateur, ouvrez le dossier Contacts et, dans la barre d'outils, cliquez sur le bouton Importer. Dans le menu local qui apparait, choisissez le type de fichier WAB, VCF, ou CSV.
- **Ajouter manuellement les contacts :** depuis la fenêtre Contacts Windows Live Mail, cliquez sur le bouton Contact. Entrez au moins le nom et l'adresse de messagerie de la personne, ou créez une fiche exhaustive en remplissant la totalité des champs. Cliquez ensuite sur Ajouter aux contacts.

D'autres tâches fort utiles peuvent être exécutées à partir de la fenêtre Contacts Windows Live :

- Pour envoyer rapidement un message à un correspondant figurant parmi vos contacts, cliquez du bouton droit sur son nom et choisissez Envoyer un message. Live Mail affiche un nouveau message préadressé dans lequel vous taperez votre courrier avant de cliquer sur Envoyer.

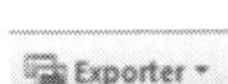

- Pour sauvegarder vos Contacts, cliquez sur le bouton Exporter, puis décidez de les exporter, soit au format CSV (*Comma Separated Values,* champs séparés par des virgules), ou format Vcard (carte de visite virtuelle VCF).

- Vous pouvez aussi copier vos adresses dans la liste Contacts de votre iPod. Après l'avoir connecté au PC, exportez les adresses au format vCard, comme décrit au paragraphe précédent. Lorsque Windows 7 vous demandera de sélectionner le dossier pour l'exportation des fichiers VCF, choisissez le dossier Contacts de l'iPod.

Limiter les courriers indésirables

Il est malheureusement impossible d'échapper totalement aux courriers non sollicités, ou spams (NdT : initiales de *spiced potatoes and meat,* «patates épicées et viande», un célèbre sketch des Monty Python, mais aussi et surtout, nom d'une infecte conserve de viande en vente aux États-Unis). Incroyable mais vrai, il existe encore des gens assez naïfs pour acheter auprès des spammeurs, ce qui rend l'activité de ces derniers suffisamment lucrative pour qu'ils persistent.

Fort heureusement, Windows 7 fait preuve d'un peu plus de discernement pour reconnaître les spams. Lorsqu'il détecte un courrier douteux, il le place directement dans le dossier Courrier indésirable (Figure 9.8)

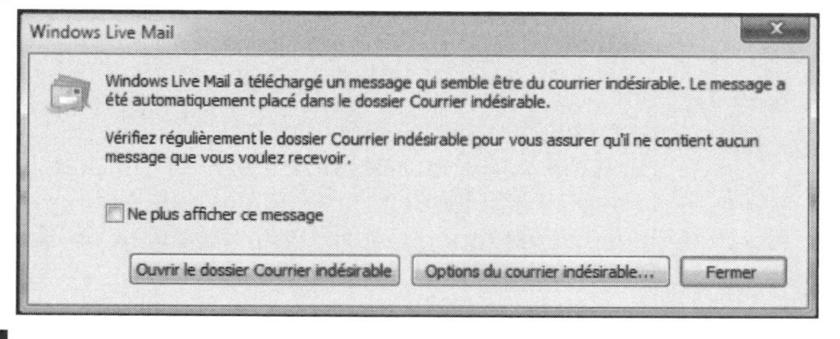

Figure 9.8 : Windows Live Mail 2011 détourne automatiquement les spams vers le dossier Courrier indésirable.

Si vous avez repéré dans le dossier Courrier indésirable des messages qui ne sont pas des spams, sélectionnez-les en cliquant dessus puis cliquez sur le bouton Courrier légitime, dans la barre d'outils. Windows Live Mail 2011 le renvoie immédiatement dans le dossier Boîte de réception.

Bien qu'il ne soit pas possible d'endiguer complètement les spams, il est possible d'en réduire la quantité grâce à ces quelques règles :

- Ne communiquez votre adresse de messagerie qu'à vos proches, amis, collègues de travail et sociétés très connues. Ne la donnez pas à des inconnus et ne la postez pas sur des sites Web.

- Créez une deuxième adresse, dite «jetable», que vous utiliserez pour les transactions commerciales, le remplissage de formulaires ou de la correspondance qui ne sera pas suivie. Lorsque cette adresse sera la cible d'innombrables spams, supprimez-la comme expliqué à la section «Configurer votre compte de messagerie», dans ce chapitre, et créez-en une nouvelle.

- Ne postez jamais votre véritable adresse de messagerie dans un forum, groupe de discussion ou *chat,* ou toute autre zone de conversations publiques. Et surtout, ne répondez jamais à un spammeur, même en cliquant sur un lien de désabonnement. Cette action prouve en effet qu'il y a quelqu'un à cette adresse, ce qui l'ajoutera à la liste très convoitée des adresses actives, suscitant ainsi davantage de spams.

- Voyez si votre FAI propose un filtrage antispam. Ce filtrage est si efficace que beaucoup de spammeurs tentent de le leurrer en utilisant des mots qui n'ont aucun sens. Si la ligne objet contient des mots qui n'existent dans aucun dictionnaire, c'est sans aucun doute du spam.

Chapitre 10

L'informatique sûre

Dans ce chapitre

- Assurer la sécurité depuis le Centre de maintenance
- Automatiser Windows Update
- Aller sur Internet en toute sécurité
- Éviter l'hameçonnage
- Supprimer les espiogiciels et autres ajouts au navigateur
- Configurer le contrôle parental

Dans le monde de Windows et de l'Internet, il est difficile de savoir si on est toujours sur la route, de repérer la signalisation, voire distinguer le téléphone de l'allume-cigare. Des éléments qui paraissent totalement innocents – le courrier électronique d'un ami, un site Web – peuvent être des nids à virus qui mettent l'ordinateur sens dessus dessous et finissent par le planter.

Ce chapitre vous aide à reconnaître les dangers de la route dans le cyberespace et propose des mesures qui vous en protégeront.

Ces agaçants messages de permission

En dépit de sa vingtaine d'années d'existence, Windows est toujours aussi naïf. Par exemple, lorsque vous démarrez un programme afin de modifier la configuration du PC, Windows 7 est incapable de savoir si c'est vous qui le lancez, ou un virus déterminé à semer la pagaille dans votre ordinateur.

La solution ? Quand Windows 7 détecte une tentative d'exécuter une action risquée pour Windows ou pour l'ordinateur, il affiche un message demandant votre permission avant de continuer, semblable à celui de la Figure 10.1.

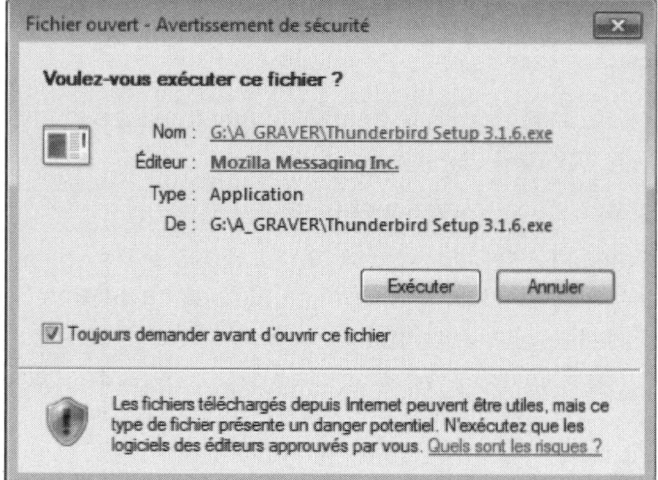

Figure 10.1 : Windows 7 a souvent des doutes. Est-ce bien vous qui avez demandé d'effectuer telle ou telle action ?

S'il s'avère alors que vous n'avez rien fait de spécial, c'est sans doute parce qu'un site Web piégé ou un programme subrepticement glissé dans un courrier électronique, que vous avez vous-même démarré en croyant que c'était une anodine pièce jointe, tente de s'immiscer dans le PC. Cliquez sur Annuler afin de refuser la permission. Mais si c'est vous qui avez enclenché une action spécifique, ce qui a alerté Windows 7, cliquez sur Continuer ou sur Exécuter. Windows baisse alors sa garde et autorise l'exécution.

Ou alors, si votre compte n'est pas du type Administrateur, demandez à quelqu'un qui détient un compte d'administrateur d'ouvrir sa session afin que vous puissiez continuer.

Eh oui, Windows 7 est aussi rébarbatif qu'un vigile intransigeant, mais il lance ainsi un nouveau défi aux programmeurs de virus.

Désactiver les permissions

Désactiver les demandes de permissions de Windows 7 expose le PC aux forces obscures de l'informatique. Mais si vous passez plus de temps à cliquer dans ces panneaux qu'à travailler, et que vous détenez un compte d'Administrateur (ou que vous y avez accès), vous pourrez désactiver le vigile virtuel de Windows 7 en procédant ainsi :

1. **Cliquez sur le bouton Démarrer, choisissez Panneau de configuration puis cliquez sur Système et sécurité.**

   Le Panneau de configuration, décrit au Chapitre 11, permet de configurer les divers paramètres de Windows 7.

2. **Dans la catégorie Centre de maintenance, cliquez sur le lien Vérifier l'état de votre ordinateur et résoudre les problèmes.**

3. **Dans le volet de gauche, cliquez sur Modifier les paramètres de contrôle de compte d'utilisateur.**

   Une fenêtre dotée d'une grande glissière verticale apparaît.

4. **Pour que le contrôle du compte d'utilisateur cesse de se manifester, tirez le curseur jusqu'en bas (option Ne jamais m'avertir).Pourqu'il signale le moindre risque, tirez-le vers le haut (Toujours m'avertir).**

   La glissière comporte quatre crans :

   Toujours m'avertir : l'ordinateur est sécurisé au maximum, mais travailler dans un environnement truffé d'alertes en tous genres devient vite exaspérant.

   Par défaut. M'avertir uniquement quand des programmes tentent d'apporter des modifications à mon ordinateur : ce choix est un bon compromis entre la sécurité et le confort de travail.

   M'avertir uniquement quand des programmes tentent d'apporter des modifications à mon ordinateur (ne pas estomper mon Bureau) : moins sûre, cette option se contente de signaler les tentatives de modification de l'ordinateur par un programme.

   Ne jamais m'avertir quand : plus aucune action risquée n'est signalée. Vous devez redémarrer l'ordinateur pour qu'elle soit prise en compte.

   Choisissez le niveau de sécurité qui vous convient. Personnellement, j'ai conservé l'option par défaut, qui est un excellent compromis entre la sécurité et le confort de travail.

5. Cliquez sur OK.

Si vous désirez changer provisoirement le niveau de sécurité, répétez les étapes précédentes, mais n'oubliez pas de rétablir ensuite l'option par défaut préconisée à l'Étape 4.

Le Centre de maintenance veille à votre sécurité

Accordez-vous une minute pour vérifier la sécurité de votre ordinateur grâce au Centre de maintenance de Windows 7. Accessible par le Panneau de configuration, il signale les problèmes qu'il a détectés dans le système de défense de Windows 7 et propose de les corriger. Dans la barre des tâches, une petite icône en forme de drapeau blanc indique l'état courant du centre de maintenance.

Le Centre de maintenance, présenté à la Figure 10.2, indique le niveau de risque par des codes de couleur. Une bande rouge signale un problème critique à corriger immédiatement. Si la bande est jaune, le problème devra être corrigé relativement vite.

Si l'un des systèmes de défense de l'ordinateur n'est pas opérationnel, l'icône du Centre de maintenance, dans la barre des tâches, est un drapeau rouge.

Procédez comme suit si le drapeau rouge flotte dans la barre des tâches :

1. **Cliquez sur l'icône à drapeau rouge du Centre de maintenance, dans la barre des tâches.**

   Le panneau de la Figure 10.2 apparaît. Il révèle la sécurité de l'ordinateur au travers de paramètres répartis en quatre rubriques accessibles en cliquant, dans le volet de gauche, sur le lien Modifier les paramètres du Centre de maintenance (NdT : Cliquez sur un bouton à chevron,

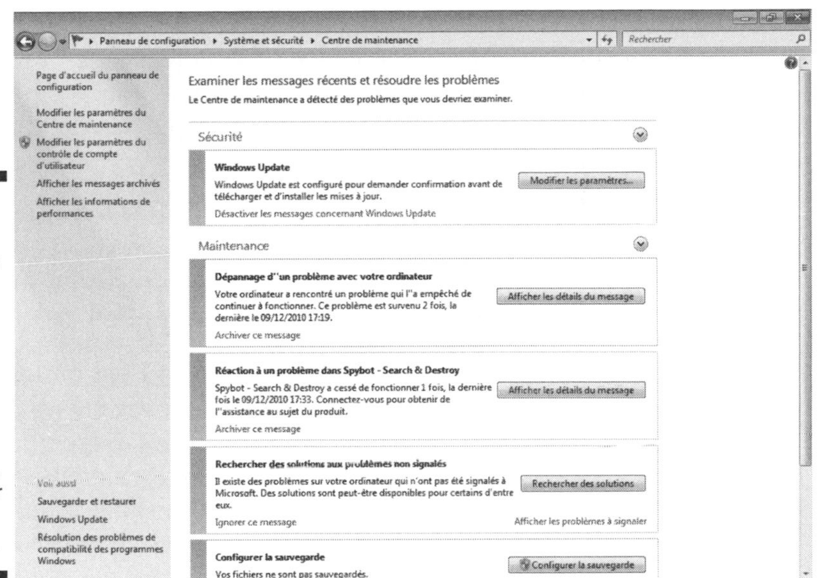

Figure 10.2 : Le Centre de maintenance permet d'activer les principales protections de votre ordinateur : le pare-feu de Windows, la mise à jour automatique et l'antivirus.

Livre I

à droite du nom d'une rubrique, pour déployer les paramètres) :

- **Les messages de sécurité :** le Centre de maintenance peut signaler des problèmes dans l'un des éléments suivants (il est rare qu'il en apparaisse plus d'un ou d'eux à la fois) :

  - **Windows Update :** ce programme s'enquiert régulièrement, sur le site Web de Microsoft, de la publication de nouveaux correctifs de sécurité gratuits, et les installe sans que vous ayez à intervenir.

  - **Paramètres de sécurité Internet :** cette rubrique concerne les paramètres de protection d'Internet Explorer destinés à empêcher le piratage de ce logiciel par des programmes frauduleux.

  - **Pare-feu du réseau :** le nouveau pare-feu de Windows 7 est enfin bidirectionnel. Il surveille non seulement le trafic entrant, mais aussi le trafic sortant. Dès qu'il détecte une tentative d'intrusion de programme ou d'extrusion de données, il la bloque, empêchant les actions de programmes malveillants.

- **Protection contre les logiciels espions et autres :** Windows 7 est doté d'un éradicateur de logiciels espions nommé Windows Defender. Le Centre de maintenance veille à ce qu'il fonctionne toujours correctement.

- **Contrôle de compte d'utilisateur :** le Centre de maintenance attire votre attention sur les risques de certaines actions grâce aux messages et demandes de permission décrits dans la section précédente.

- **Protection antivirus :** Windows 7 est dépourvu de fonction antivirus, mais il vérifie si vous avez installé un logiciel antivirus. S'il s'avère que vous n'en avez installé aucun, le Centre de maintenance le signale par un drapeau rouge dans la barre des tâches.

✓ **Messages de maintenance :** en plus de surveiller les paramètres de sécurité, le Centre de maintenance s'acquitte de ces trois tâches :

- **Sauvegarde Windows :** la fonction de sauvegarde de Windows, étudiée plus loin dans ce chapitre, procède automatiquement à des copies de vos fichiers les plus importants, afin que vous puissiez les récupérer en cas d'incident.

- **Dépannage de Windows :** quand Windows détecte un problème d'ordinateur ou de logiciel, il affiche un message proposant de le résoudre. Si vous aviez décliné l'offre – ou plus sûrement, si vous l'aviez envoyé balader tellement vous étiez énervé – vous la retrouveriez là.

L'offre de dépannage n'est plus là ? Dans le volet de gauche du Centre de maintenance, cliquez sur le lien Afficher les messages archivés. Tous les messages passés de Windows 7 s'y trouvent.

- **Rechercher les mises à jour :** cela signifie que Windows Update et Windows Defender ont cessé de vérifier l'existence de nouvelles mises à jour.

2. **Cliquez sur le bouton des éléments marqués pour corriger le problème correspondant.**

   Si l'un des systèmes de défense de Windows 7 est désactivé, cliquez sur le bouton qui se trouve à droite. Par exemple, cliquez sur le bouton Rechercher un programme en ligne ou sur Analyser maintenant permettra de résoudre le problème.

En appliquant les deux étapes précédentes, votre ordinateur sera mieux protégé qu'avec toutes les versions antérieures de Windows (NdT : Cette formule est aussi valable pour les futures versions).

Modifier les paramètres du pare-feu

Chacun de nous a décroché un jour le téléphone pour entendre le baratin d'un télévendeur. Dans les centres d'appels, un logiciel compose l'un après l'autre les numéros de téléphone qu'il trouve dans l'annuaire, jusqu'à ce que quelqu'un décroche. Les pirates informatiques procèdent de même : ils lancent un programme qui tente de s'introduire dans tous les ordinateurs connectés à l'Internet, les uns après les autres à raison de plusieurs milliers par seconde.

Les abonnés à l'Internet à haut débit sont particulièrement exposés car leurs ordinateurs sont longuement connectés. Ceci augmente le risque d'être localisés par des pirates décidés à exploiter n'importe quelle vulnérabilité.

C'est là que le pare-feu de Windows entre en jeu. Placé entre Windows et l'Internet, il agit comme un portier intelligent. Si quelque élément inconnu tente de se connecter alors que ni vous ni un de vos programmes ne l'avez demandé, le pare-feu stoppe cette connexion inopportune.

Il arrivera occasionnellement de vouloir interagir avec un autre ordinateur, quelque part sur l'Internet, pour participer à un jeu vidéo multijoueur, par exemple, ou utiliser un logiciel de partage de fichiers. Pour empêcher le pare-feu de bloquer ces programmes, vous ajouterez leur nom à la liste des exceptions en procédant ainsi :

1. **Dans le menu Démarrer, choisissez le Panneau de configuration, cliquez sur Système et sécurité puis cliquez sur l'icône Pare-feu Windows.**

   Le pare-feu Windows apparaît, montrant les paramètres de sécurité des deux types de réseaux auxquels vous pourriez être connecté :

   - **Réseaux domestiques ou d'entreprise (privés) :** les réseaux domestiques et d'entreprise étant les plus sécurisés, le pare-feu Windows relâche suffisamment sa surveillance pour permettre l'échange de fichiers avec les autres ordinateurs de votre famille ou ceux de vos collaborateurs.

   - **Réseaux publics :** ces réseaux que l'on trouve dans les lieux publics (aéroports, cybercafés...) ne sont pas sûrs. C'est pourquoi le pare-feu resserre sa surveillance, empêchant votre ordinateur d'être vu sur le réseau, et empêchant les autres ordinateurs de collecter des informations à propos du vôtre.

2. **Dans le volet de gauche, cliquez sur le lien Autoriser un programme ou une fonctionnalité *via* le Pare-feu Windows.**

   La fenêtre qui apparaît (voir Figure 10.3) affiche tous les programmes actuellement autorisés à communiquer au travers du pare-feu (Windows lui-même est constitué de nombreux programmes ; ne vous étonnez donc pas de trouver une liste bien fournie).

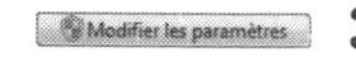

3. **Cliquez sur le bouton Modifier les paramètres.**

   Cliquez sur Continuez ou entrez un mot de passe d'administrateur, si le panneau de demande de permission de Windows 7 montre le bout de son nez.

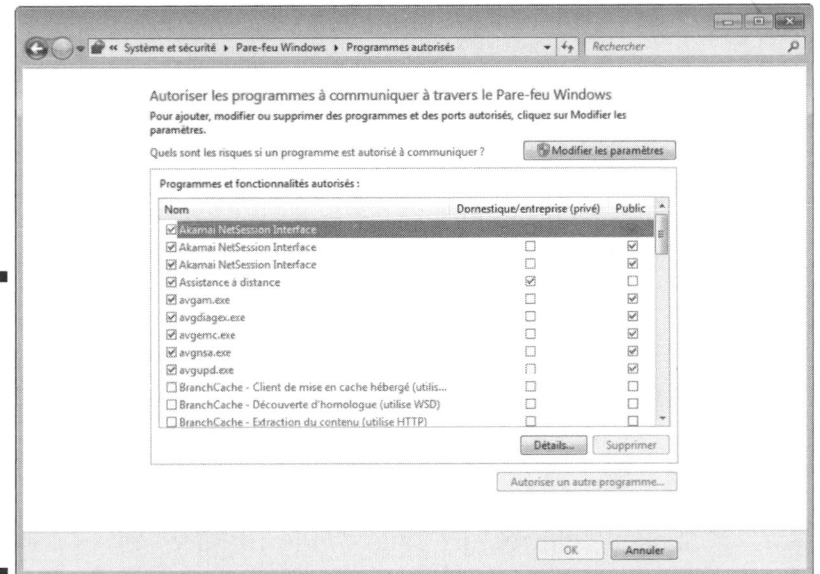

Figure 10.3 : Cliquez sur le bouton Modifier les paramètres pour ajouter un programme à la liste des exceptions.

4. **Cliquez sur le bouton Autoriser un autre programme, sélectionnez le programme (ou cliquez sur Parcourir pour le localiser), puis cliquez sur OK.**

   Si vous cliquez sur Parcourir, vous accéderez à quasiment tous les programmes, notamment ceux du dossier Programme du disque dur C:. Le fichier du programme à autoriser est reconnaissable à son icône, identique à celle qu'il arbore dans le menu Démarrer (NdT : Pour mieux voir les icônes, cliquez sur le bouton Changer l'affichage, à droite dans la barre de commandes, et choisissez l'un des affichages par icônes).

   Dans la liste des programmes et fonctionnalités autorisés – la liste des exceptions –, la case du programme sélectionné est cochée. Les autres ordinateurs peuvent à présent s'y connecter.

- N'ajoutez pas un programme à la liste des exceptions tant que vous n'êtes pas sûr et certain que le pare-feu est à l'origine du problème. Car chaque fois que vous autorisez un programme, vous rendez l'ordinateur un peu plus vulnérable.

- Il est facile de rétablir le pare-feu à ses paramètres d'origine si vous avez l'impression de l'avoir configuré n'importe comment. À l'Étape 1, cliquez sur le lien Paramètres par défaut, dans le volet de gauche. Dans la grande fenêtre presque vide qui apparaît, cliquez sur le bouton Paramètres par défaut, puis sur le bouton Oui afin de confirmer les changements. Toutes vos modifications sont supprimées, laissant le pare-feu tel qu'il était à l'installation de Windows 7.

Modifier les paramètres de mise à jour de Windows

Chaque fois que quelqu'un découvre une nouvelle faille par laquelle s'introduire dans Windows, Microsoft concocte un nouveau correctif de sécurité. Malheureusement, les malfaisants trouvent des failles plus vite que Microsoft les colmate. Le résultat est qu'il ne cesse de sortir correctif sur correctif.

La cadence est si soutenue que la plupart des utilisateurs n'arrivent plus à suivre. La solution fut donc, pour Microsoft, d'automatiser les mises à jour. Chaque fois que vous vous connectez, que ce soit pour relever le courrier ou pour surfer sur le Web, l'ordinateur visite automatiquement le site Windows Update de Microsoft, et télécharge tous les nouveaux correctifs en tâche de fond.

Si votre ordinateur est connecté en permanence, c'est vers 3 heures du matin qu'il s'enquiert des nouveaux correctifs, afin de ne pas vous déranger dans votre travail. Au petit matin, il vous sera parfois demandé de redémarrer l'ordinateur afin que les correctifs soient opérationnels. Autrement, vous ne remarquez même pas ces actions.

Le Centre de maintenance de Windows 7, évoqué précédemment dans ce chapitre, explique comment s'assurer que Windows Update – qui se charge des mises à jour –, est actif et en fonction. Mais si vous désirez modifier ces paramètres, par exemple pour ne pas installer de correctifs sans les avoir vus, vous procéderez comme suit :

1. **Cliquez sur le bouton Démarrer, choisissez Tous les programmes, puis Windows Update.**

   La fenêtre de Windows Update apparaît.

   Vous vous demandez si Windows Update recherche réellement de nouvelles mises à jour ? Cliquez sur le lien Rechercher des mises à jour, dans le volet de gauche. Windows vérifiera sur le site de Microsoft si des mises à jour ne sont pas en attente.

2. **Dans le volet de gauche, cliquez sur Modifier les paramètres.**

   La page des paramètres de Windows Update apparaît (Figure 10.4).

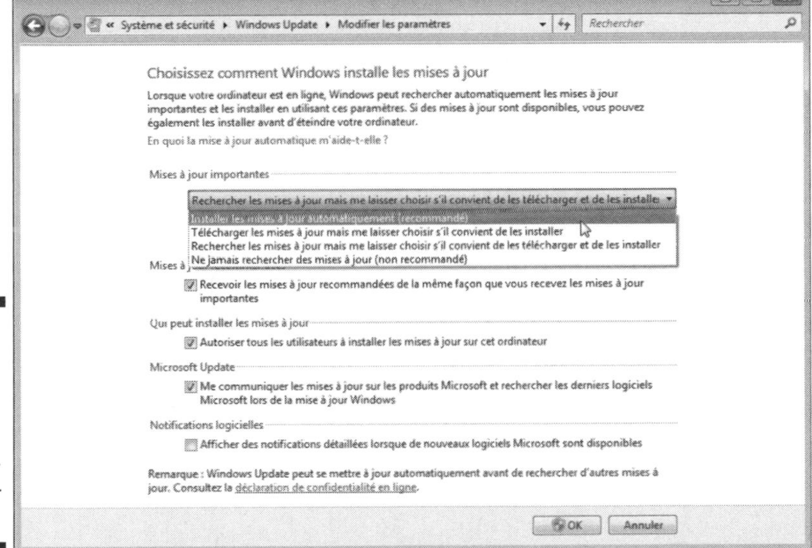

Figure 10.4 : Choisissez l'option Installer les mises à jour automatiquement (recommandé).

3. **Au besoin, sélectionnez l'option Installer les mises à jour automatiquement (recommandé).**

   Proposée par défaut, cette option permet à Windows de rechercher automatiquement les mises à jour.

4. **Cliquez sur OK afin d'enregistrer les changements.**

Il est possible que vous n'ayez jamais à changer quoi que ce soit, sauf peut-être l'heure des mises à jour.

Éviter les virus

On est jamais trop prudent lorsqu'il s'agit de virus. Ils se propagent non seulement par les courriers électroniques et les programmes infectés, mais aussi dans les fichiers d'écrans de veille, par les thèmes (NdT : configurations de Bureau sauvegardées), les barres d'outils et autres compléments à Windows. Comme Windows 7 ne comporte pas de programme antivirus, vous devrez vous en procurer un.

McAfee offre un antivirus gratuit (en anglais) qui élimine plus d'une cinquantaine de virus parmi les plus connus. Téléchargeable à l'adresse `http://vil.nai.com/vil/stinger/`, il est certes commode, mais ne saurait remplacer un antivirus digne de ce nom, capable de détecter et supprimer des dizaines de milliers de virus différents.

Vous recherchez un véritable antivirus gratuit ? Essayez Avast! Édition familiale (`www.avast.com/fre/download-avast-home.html`).

Réduisez les risques d'infection de votre ordinateur en appliquant ces quelques règles :

- Assurez-vous que l'antivirus analyse tout ce que vous téléchargez, et aussi tout ce qui transite par des courriers électroniques ou par la messagerie.
- Quand vous achèterez un antivirus, choisissez-en un qui tourne en tâche de fond. Pour trouver quelques propositions d'achats, ouvrez le Panneau de configuration, cliquez sur Centre de maintenance, puis sur la zone Protection contre les programmes malveillants, et cliquez sur le bouton Rechercher un programme.

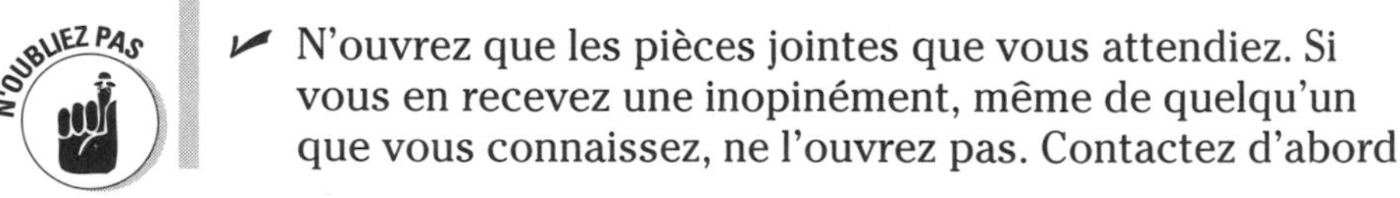

- N'ouvrez que les pièces jointes que vous attendiez. Si vous en recevez une inopinément, même de quelqu'un que vous connaissez, ne l'ouvrez pas. Contactez d'abord

Définir les zones de sécurité d'Internet Explorer 9

Vous n'aurez peut-être jamais à modifier les zones de sécurité d'Internet Explorer. Elles sont prédéfinies pour offrir une protection maximale. Mais si elles vous intéressent, choisissez Options Internet, dans le menu Outils, puis cliquez sur l'onglet Sécurité. Vous craignez d'avoir déréglé tous les paramètres de sécurité ? Cliquez dans ce cas sur le bouton Rétablir toutes les zones au niveau pas défaut.

Internet Explorer propose quatre niveaux de sécurité offrant chacun différents niveaux de protection. Quand vous ajoutez des sites Web à ces diverses zones, Internet Explorer traite ces sites différemment, plaçant des restrictions sur les uns et les ôtant sur les autres. En voici un aperçu :

- **Internet :** à moins que vous n'ayez configuré les zones d'Internet Explorer, tous les sites Web sont traités comme s'ils se trouvaient dans cette zone. Elle offre une sécurité moyenne, appropriée à la plupart des besoins.
- **Intranet local :** cette zone s'applique aux sites Web d'un réseau interne. Les utilisateurs à domicile sont rarement confrontés à ce cas de figure, car les intranets se trouvent plutôt dans les moyennes et grandes entreprises. Comme ces sites sont «maison» et autonomes, la zone Intranet local lève certaines restrictions.
- **Sites de confiance :** placer des sites ici présume que vous leur accordez une confiance totale (personnellement, je ne fais jamais entièrement confiance à un site Web).
- **Sites sensibles :** si vous ne faites pas du tout confiance à un site, placez-le ici. Internet Explorer vous permettra de le visiter, mais vous ne pourrez rien télécharger, ni utiliser aucun de ses plug-ins, ces modules complémentaires téléchargeables qui ajoutent des fonctions graphiques, d'animation, et autres améliorations. Je plaçais quelques sites dans cette zone afin d'éliminer leurs fenêtres publicitaires intempestives, mais le bloqueur de fenêtres publicitaires intégré à Windows 7 apporte une meilleure solution.

Si vous avez modifié ces paramètres de sécurité et que vous vous demandez si vous avez bien fait, cliquez sur le bouton Rétablir toutes les zones au niveau par défaut, et vous serez tiré d'affaire.

l'expéditeur pour vérifier que c'est bien lui qui vous l'a envoyée.

- N'exécutez pas deux antivirus en même temps car ils ne font généralement pas bon ménage (NdT : Les indispensables définitions de virus de l'un sont considérées comme de véritables virus par l'autre). Pour tester un autre logiciel, désinstallez d'abord le programme existant à partir du Panneau de configuration (lien Désinstaller un programme).
- Le simple achat d'un antivirus n'est pas suffisant. Vous devez impérativement vous abonner à la mise à jour des définitions de virus afin que le logiciel détecte les derniers virus lâchés dans la nature. Ces mises à jour s'effectuent deux ou trois fois par semaine. Les virus récents se propagent très vite, causant les pires dégâts.

NdT : Vous trouverez une foule d'informations sur la sécurité informatique, les virus, ainsi que des programmes de désinfection spécifiques (et gratuits) sur le site `www.secuser.com`.

Sortir couvert sur l'Internet

L'Internet n'est pas un lieu sûr. Certains programmeurs ont conçu des sites Web destinés à exploiter les failles et vulnérabilités de Windows les plus récemment découvertes, celles que Microsoft n'a pas encore eu le temps de corriger. Cette section explique certaines des fonctionnalités d'Internet Explorer, et comment naviguer sur l'Internet sans attraper la vérole.

Éviter les modules complémentaires malfaisants et les logiciels espions

Microsoft a conçu Internet Explorer de manière à ce que les programmeurs puissent lui greffer des fonctions supplémentaires au travers de modules complémentaires comme, entre autres, des barres d'outils, des indicateurs de cours boursiers ou des lanceurs de logiciels. De même, beaucoup de sites utilisent des contrôles ActiveX qui permettent d'afficher des animations, du son, de la vidéo et autres éléments tape-à-l'œil dans un site Web.

Malheureusement, des programmeurs véreux se sont mis à créer des modules et des ActiveX qui nuisent à l'utilisateur. Certains espionnent votre activité, bombardent l'écran d'innombrables publicités, redirigent votre page de démarrage vers un autre site, ou font en sorte que votre modem téléphonique compose le numéro d'accès à un site pornographique, à l'étranger et donc au prix fort. Pire, certains de ces modules malhonnêtes s'installent d'eux-mêmes sitôt que vous visitez un site, sans vous demander la permission.

Windows 7 est équipé d'une artillerie lourde pour combattre ces trublions. D'abord, si un site tente d'introduire subrepticement un programme dans votre ordinateur, Internet Explorer le bloque immédiatement et vous prévient dans un bandeau affiché en bas de l'écran (voir Figure 10.5). Parfois, comme le montre la Figure 10.6, Internet Explorer vous donne le choix d'installer ou non le programme.

L'exécution d'un module complémentaire pour ce site Web a échoué. Quel est le risque encouru ?

Figure 10.5 : Internet Explorer bloque un programme.

Internet Explorer ne peut hélas pas différencier un bon téléchargement d'un mauvais, et vous confie donc cette tâche. Prudence si un programme que vous n'avez pas demandé cherche à s'installer en vous demandant de le télécharger. Ne le téléchargez pas et n'installez pas de contrôles ActiveX. Pour éviter tout problème, cliquez sur l'icône Accueil pour quitter le site douteux et revenir à votre page de démarrage, ou choisissez un autre site parmi vos favoris.

Si un module parvient à se faufiler, vous n'êtes pas complètement démuni. Le gestionnaire de modules complémentaires

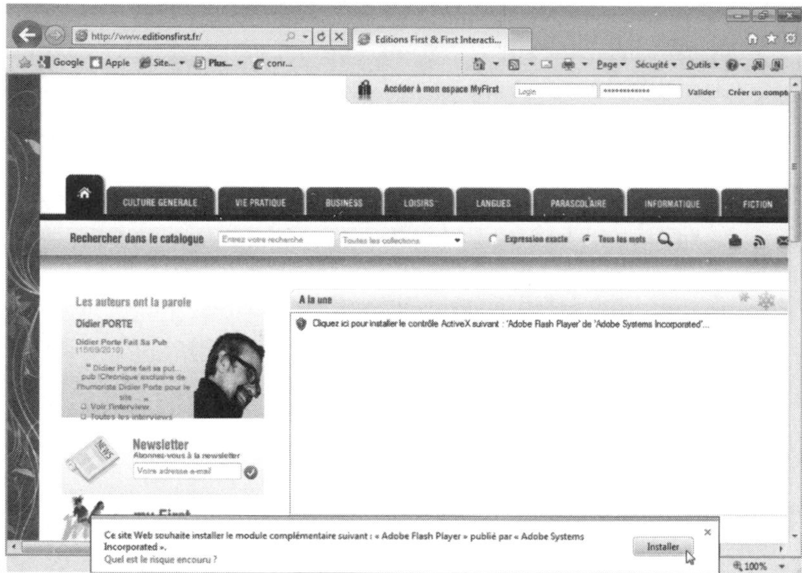

Figure 10.6 : Internet Explorer 9 peut vous proposer d'installer l'élément qu'il a bloqué.

permet en effet de les désactiver. Procédez comme suit pour voir tous ceux qui se trouvent dans l'ordinateur et supprimer ceux que vous savez pernicieux :

1. **Cliquez sur le bouton Outils, dans la barre de commandes d'Internet Explorer, et choisissez Gérer les modules complémentaires.**

   La fenêtre Gérer les modules complémentaires apparaît (voir Figure 10.7). Elle contient tous ceux actuellement chargés.

2. **Cliquez sur le module complémentaire qui est à l'origine d'un problème, puis cliquez sur le bouton Désactiver, en bas à droite.**

   Vous ne trouvez pas le module complémentaire indésirable ? Cliquez sur le menu sous Afficher, en bas du volet de gauche, pour accéder aux quatre options suivantes : Tous les modules complémentaires, Modules complémentaires actuellement chargés, Exécuter sans autorisation et Contrôles téléchargés. Choisissez tour à tour chacune des options pour voir les modules de cette catégorie.

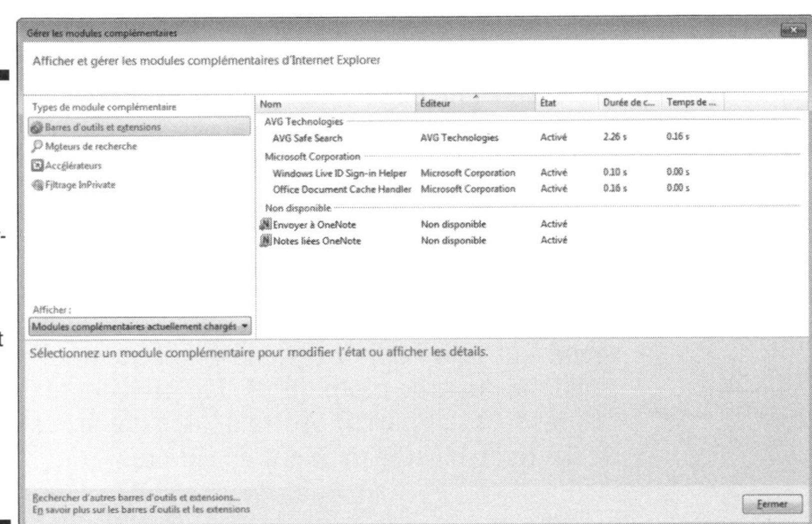

Figure 10.7 : Le gestionnaire de modules complémentaires d'Internet Explorer montre tous les modules actuellement chargés et permet de désactiver ceux dont vous n'avez pas l'utilité.

Si vous avez repéré une barre d'outils indésirable ou autre programme douteux, c'est le moment de vous en débarrasser en cliquant sur le bouton Désactiver.

3. **Répétez le processus pour chaque module complémentaire indésirable, puis cliquez sur le bouton OK.**

   Vous devrez sans doute redémarrer Internet Explorer pour que les modifications soient appliquées.

Tous les modules complémentaires ne sont pas véreux. Les meilleurs permettent de voir des vidéos, d'écouter du son ou de visionner des contenus spéciaux. Ne supprimez pas un module uniquement parce qu'il se trouve dans le gestionnaire de modules complémentaires.

- Dans les rares cas où la désactivation d'un module complémentaire empêche le chargement d'une page, cliquez sur le nom de ce module à l'Étape 2, puis cliquez sur l'option Activer afin de tout remettre en ordre.
- Mais comment diable différencier un bon module d'un mauvais ? Il n'y a hélas aucun moyen infaillible, bien que le nom figurant dans la colonne Éditeur fournisse un indice. Mais le meilleur moyen de se protéger, c'est de ne pas installer ce qu'Internet a essayé de bloquer.

- Vous n'aimez pas les accélérateurs d'Internet Explorer qui se montrent chaque fois que vous cliquez du bouton droit dans une page Web ? Débarrassez-vous d'eux en cliquant sur la catégorie Accélérateurs, dans le volet de gauche. Cliquez sur chaque accélérateur à éliminer, puis sur le bouton Supprimer situé en bas à droite de la fenêtre.
- Assurez-vous que le bloqueur de fenêtres publicitaires d'Internet Explorer est actif en choisissant, dans le menu Outils, Bloqueur de fenêtres contextuelles. Si l'option Désactiver le bloqueur de fenêtres contextuelles est proposée, c'est parfait. Autrement, s'il vous est proposé de l'activer, c'est le moment de le faire.

Éviter l'hameçonnage

Peut-être recevrez-vous un jour un courrier provenant soi-disant de votre banque, d'eBay, de PayPal ou d'un autre site annonçant des problèmes concernant votre compte bancaire ou autre (Figure 10.8). Invariablement, ces courriers contiennent un lien bien visible, indiquant que vous devez fournir votre nom d'utilisateur et le mot de passe, voire le numéro de carte bancaire, sa date d'échéance, le cryptogramme et même le code secret, pour que tout revienne en ordre.

En aucun cas, quel que soit le réalisme du courrier ou du site, vous ne devez cliquer sur le lien. Vous êtes en effet visé par une activité frauduleuse très lucrative : l'hameçonnage. Les truands qui sont derrière cette manœuvre envoient des millions de messages dans le monde entier, espérant convaincre quelques pigeons, épouvantés à l'idée de voir leur compte clos sans remboursement, taper les précieux renseignements demandés.

Comme différencier un courrier réel d'un courrier frauduleux ? C'est en réalité très facile car jamais une banque ou un établissement financier n'enverra un courrier contenant un lien. De plus, personne – ni même le directeur de la banque, la police ou le fisc –, ne demandera votre code de carte bancaire

Cher client de **Crédit Agricole Centre France,**

Le département technique de Crédit Agricole procède à une mise à jour de logiciel programmée de façon à améliorer la qualité des services bancaires.

Nous vous demandons avec bienveillance de cliquer sur le lien ci-dessous et de confirmer vos détails bancaires.

http://www.cantal.credit-agricole.fr/id73001733411/modext

Nous nous excusons pour tout désagrément et vous remercions de votre coopération.

© Crédit Agricole 2009

Figure 10.8 : Ce courrier électronique frauduleux compte bien sûr extorquer vos coordonnées bancaires les plus confidentielles.

et cela dans aucun cas, même et surtout en cas de vol ou de perte. Si vous avez un doute sur la réalité du courrier, visitez le véritable site de votre banque, en tapant son adresse Web manuellement (et non par un lien). Recherchez ensuite l'adresse d'un contact et transférez-lui le courrier en demandant s'il est authentique. Il y a de fortes chances que non.

Windows 7 dispose de plusieurs moyens pour empêcher l'hameçonnage :

- La première fois que vous exécutez Internet Explorer – mais même par la suite –, assurez-vous que le filtre SmartScreen est activé. Pour cela, cliquez sur le bouton Sécurité, dans la barre de commandes, et amenez le pointeur jusque sur l'option Filtre SmartScreen. Si l'option Désactiver le filtre SmartScreen est proposée, cela signifie que le filtre est actuellement actif.

- Internet Explorer examine chaque page à la recherche de signes révélateurs. Si un site semble douteux, la barre d'adresse d'Internet Explorer devient jaune et un panneau d'alerte affiché au milieu de l'écran prévient que la page est sans doute celle d'un site d'hameçonnage.

- Internet Explorer compare l'adresse du site Web avec une liste de sites frauduleux notoirement connus. S'il trouve une concordance, le filtre anti-hameçonnage vous empêche d'y accéder et affiche un message d'alerte. Quittez alors immédiatement la page Web.

N'est-il pas possible d'arrêter ceux qui commettent ces délits ? Cela arrive, mais il est néanmoins souvent difficile de découvrir et de poursuivre les délinquants informatiques sur l'Internet. Ils peuvent travailler depuis n'importe où dans le monde.

- Si vous venez de communiquer vos nom et mot de passe sur un site d'hameçonnage, ne perdez pas de temps : allez sur le véritable site et changez immédiatement votre mot de passe. Changez aussi votre nom d'utilisateur si c'est possible. Contactez ensuite la banque par téléphone et demandez ce qu'il faut faire. Ils peuvent stopper les voleurs avant qu'ils vident votre compte.
- Vous pouvez signaler à Microsoft un site qui vous semble frauduleux. Dans le menu Outils, choisissez Filtre anti-hameçonnage, puis Signaler ce site Web. Internet Explorer ouvre la page de Microsoft consacrée à l'hameçonnage. En dénonçant un site frauduleux, vous permettrez à Microsoft de prévenir les autres internautes.

Éviter et supprimer les logiciels espions et les parasites avec Windows Defender

Les logiciels espions, ou espiogiciels, et les parasites, sont des programmes qui s'incrustent dans Internet Explorer à votre insu. Les plus sournois tentent de changer votre page de démarrage, de composer un numéro avec votre modem téléphonique, d'espionner vos activités sur le Web, et de moucharder vos habitudes de surf sur l'Internet.

La plupart des espiogiciels reconnaissent être des logiciels espions, généralement à la 43e ou 44e page de la licence d'utilisateur que vous être supposée avoir lue avant d'installer le programme.

Comme personne, bien sûr, ne veut de ces affreux programmes, ils s'arrangent pour être très difficiles à supprimer. C'est là que le nouveau programme Windows Defender entre en lice. Il empêche certains espiogiciels de s'installer d'eux-mêmes et arrache au démonte-pneu ceux qui sont déjà fermement agrippés à votre PC. Mieux, Windows Update met Defender à jour de manière à ce qu'il puisse reconnaître et détruire les tout derniers espiogiciels.

Procédez comme suit pour que Windows Defender analyse aussitôt votre ordinateur :

1. **Cliquez sur le menu Démarrer, saisissez Windows Defender dans le champ Rechercher les programmes et fichiers, puis cliquez sur son nom, dans la liste.**

   Windows Defender ne se trouve plus dans le menu Démarrer, et il ne figure plus dans aucune des catégories du Panneau de configuration. L'accès par le champ de recherche est le moyen le plus rapide de le démarrer.

   Si un message indique que Windows Defender est désactivé, activez-le en cliquant sur le lien Cliquez ici pour l'activer ?

2. **Cliquez sur le bouton Analyser, dans la barre d'outils.**

   Windows Defender exécute une analyse rapide de l'ordinateur. Passez à l'Étape 3 dès qu'il aura terminé.

3. **Cliquez sur Outils, puis sur Options et cochez la case Analyser automatiquement mon ordinateur (recommandé). Cliquez ensuite sur Enregistrer.**

   Ceci démarre une analyse tous les jours à 2 heures du matin, un moyen facile de préserver la sécurité de l'ordinateur (NdT : Si vous n'êtes pas du genre couche-tard, sélectionnez une heure à laquelle l'ordinateur est peu sollicité, celle du déjeuner par exemple).

Plusieurs autres programmes antiespiogiciels peuvent aussi analyser votre ordinateur à la recherche du moindre intrus. Certains d'entre eux sont gratuits, dans l'espoir que vous voudrez acheter la version payante, qui comporte plus de fonctionnalités. Ad-Aware (`www.lavasoft.fr`) et Spybot Search and Destroy (`http://www.safer-networking.org/fr/index.`

html), qui existent tous deux en français, sont les plus connus. À noter aussi, l'excellent SuperAntiSpyware (www.superantispyware.com/), en anglais seulement.

N'hésitez pas à utiliser plusieurs antiespiogiciels, car chacun analyse à sa manière, signalant et éliminant les logiciels espions qu'ils rencontrent.

Windows 7 et le contrôle parental

Peu d'utilisateurs de Windows 7 savent qu'il existe un système de contrôle parental qui peut être configuré sur chaque session d'utilisateur. Ainsi, en fonction de l'âge de vos enfants, vous définirez un niveau de contrôle approprié. En effet, les besoins et la protection de votre fils de 9 ans ne sont pas les mêmes que ceux de votre fille de 14 ans.

Avec Windows 7, Microsoft a développé une nouvelle manière d'appliquer un contrôle parental. Désormais, ce contrôle s'exerce *via* un compte Windows Live, c'est-à-dire en ligne. Pour disposer du contrôle parental, vous devez préalablement télécharger. Voici comment installer et configurer ce contrôle :

1. **Ouvrez Internet Explorer 9, et rendez-vous sur le site** www.microsoft.fr.
2. **Dans la page d'accueil du site, cliquez sur Téléchargements/Téléchargements Windows Live.**
3. **Faites défiler le contenu de la page pour localiser Contrôle parental. Cliquez sur ce lien comme à la Figure 10.9.**

   La fenêtre Windows Live Contrôle parental 2011 apparaît.
4. **Cliquez sur le bouton Télécharger.**
5. **Dans la partie inférieur d'Internet Explorer 9, cliquez sur la flèche du bouton Enregistrer, et choisissez Enregistrer sous.**

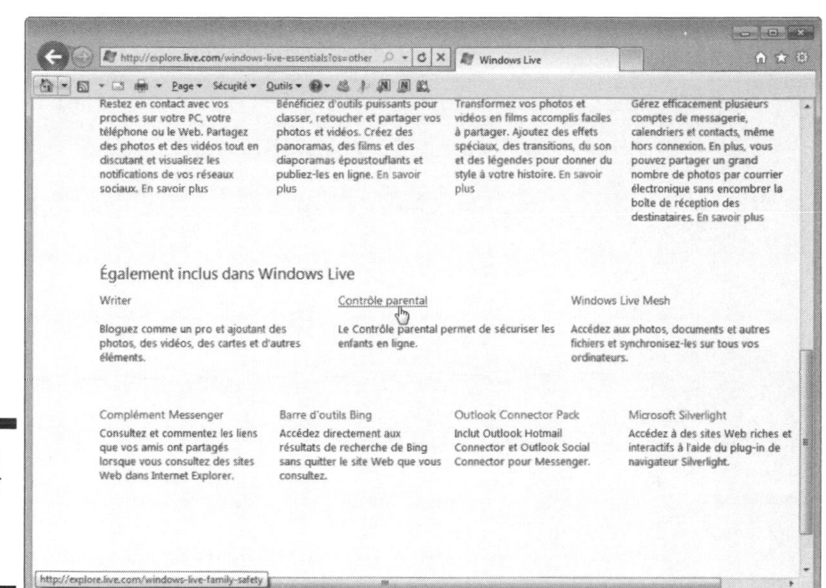

Figure 10.9 : Pour utiliser le contrôle parental de Microsoft.

6. **Indiquez l'emplacement de stockage de ce fichier, et cliquez sur Enregistrer.**

7. **Cliquez sur Exécuter, puis sur OK.**

   L'installation commence.

8. **Dès qu'elle est finie, cliquez sur le bouton Terminé.**

9. **Pour utiliser le contrôle parental, cliquez sur Démarrer/Tous les programmes/Windows Live/Windows Live contrôle parental.**

10. **Autorisez l'exécution du programme.**

    Comme le contrôle parental est étroitement lié à Windows Live, vous devez créer un compte Windows Live pour l'utiliser. Bien entendu, tout cela ne vous coûte absolument rien.

11. **Si vous ne disposez pas d'un compte Windows Live cliquez sur le lien Inscrivez-vous, comme à la Figure 10.10.**

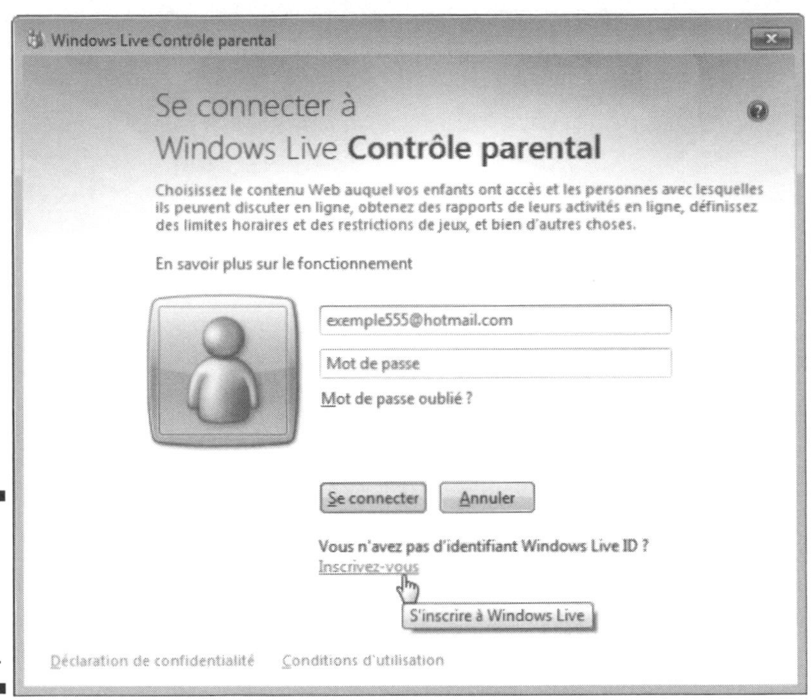

Figure 10.10 : Le contrôle parental s'exerce sur des comptes d'utilisateurs.

Si vous disposez déjà d'un compte, par exemple un compte Windows Live Messenger, profitez de ce compte pour utiliser le contrôle parental. Dans ce cas, tapez votre adresse mail Windows Live, et votre mot de passe, puis cliquez sur le bouton Se connecter.

12. **Si vous créez un compte, remplissez scrupuleusement le formulaire d'inscription.**

    Vous accédez à la fenêtre illustrée à la Figure 10.11.

13. **Commencez par créer un compte spécialement pour votre enfant. Pour cela, cliquez sur le lien Créer un nouveau compte d'utilisateur standard.**

    Si un compte existe déjà sur votre ordinateur, contentez-vous de le cocher dans la liste des comptes à surveiller.

14. **Donnez un nom au compte, et cliquez sur Créer un compte.**

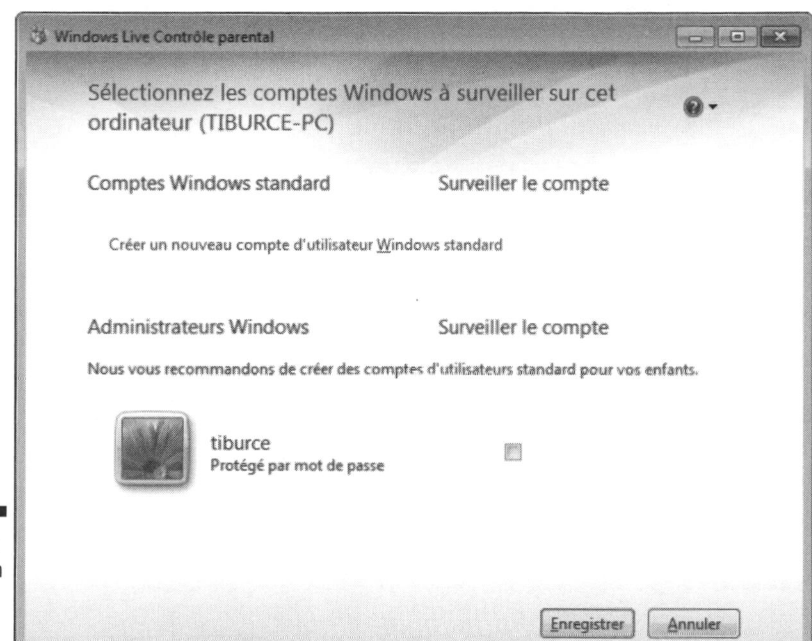

Figure 10.11 : Configuration du contrôle parental.

Créez autant de comptes que vous avez d'enfants à surveiller.

15. **Cliquez sur Enregistrer.**

    La configuration commence. Windows Live détermine un niveau de contrôle automatique qui ne correspond pas forcément à l'âge de votre enfant. Pour le modifier passez à l'étape 16.

16. **Pour définir les paramètres du contrôle, cliquez sur le lien familysafety.live.com.**

17. **Dans la page qui apparait, cliquez sur le lien Modifier les paramètres affiché sous le nom du compte.**

    Voici ce que vous pouvez configurer dans la section Paramètres Windows (Figure 10.12) :

    - **Limites horaires :** lorsque vous cliquez sur ce lien, vous accédez à la fenêtre éponyme. Elle permet de définir les jours et les heures auxquelles votre

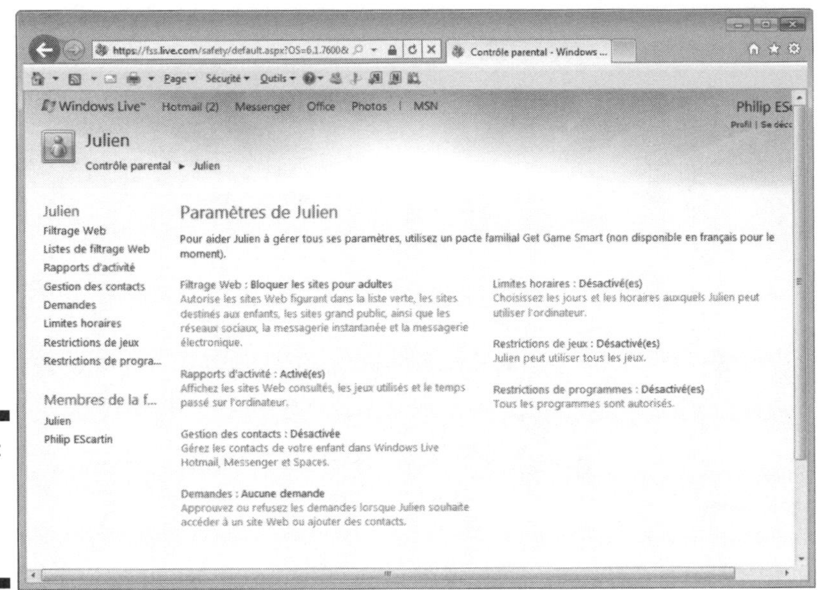

Figure 10.12 : Les paramètres du contrôle parental.

enfant ne pourra pas accéder à l'ordinateur. Le principe est très simple. Cliquez dans les cases des jours et des heures où l'enfant n'a pas le droit d'accéder à votre PC. Le plus simple consiste à faire glisser le pointeur de la souris sur toutes les cellules de la grille comme si vous interdisiez totalement l'utilisation de cet ordinateur. La grille devient entièrement bleue. Ensuite, cliquez sur les cases correspondant aux plages horaires où l'enfant pourra accéder à l'ordinateur donc à Internet. Ces plages apparaissent en blanc. La Figure 10.13 est un exemple de plages autorisées sur la semaine pendant les périodes scolaires.

- **Restrictions de Jeux :** lorsque vous cliquez sur ce lien, vous accédez à la fenêtre Contrôles de jeux. Elle permet de déterminer si votre enfant peut ou non jouer à des jeux sur Internet, et d'en définir le type. Pour que votre enfant puisse jouer, activez le bouton radio Oui. Ensuite cliquez sur le lien Définir la classification des jeux. Vous accédez à la fenêtre Restrictions de jeux (Figure 10.14). Pour un contrôle

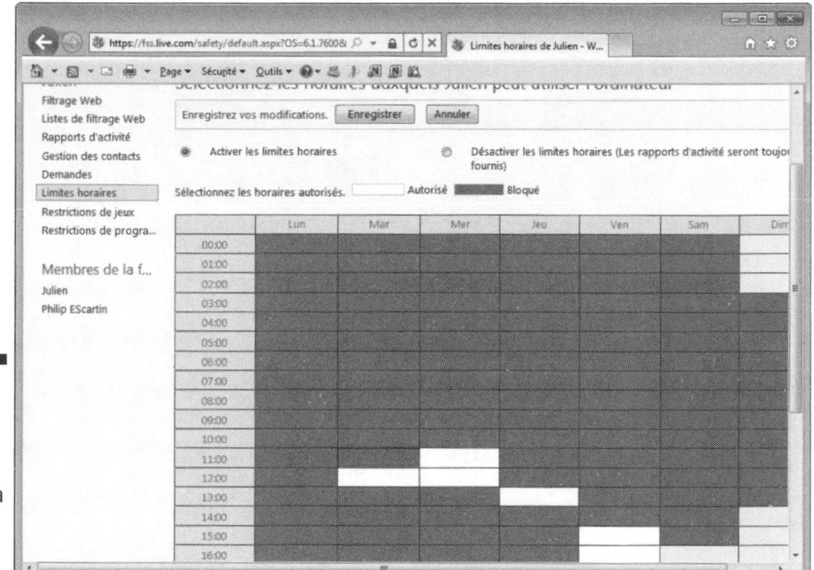

Figure 10.13 : À vous de décider quand votre enfant pourra utiliser l'ordinateur !

optimal, activez l'option Bloquer les jeux sans classification. Ainsi, tout jeu non classé sur le Web ne sera pas accessible à votre enfant. Vous courez (et lui aussi) moins de risques. Ensuite, indiquez la classification de jeux qui convient à l'enfant. Là, tout dépend de son âge ou de votre niveau d'appréciation des jeux qui lui conviennent ou pas. Ensuite, dans la partie inférieure de la fenêtre, indiquez les sites qu'il faut bloquer en fonction de leur contenu. Cochez les cases Discrimination, Drogues, Epouvante, Langage cru, Sexe, et/ou Violence. Une fois les restrictions définies cliquez sur OK.

- **Restrictions de programmes spécifiques :** pour éviter que votre enfant utilise certains programmes, ce lien affiche la fenêtre Restrictions des applications. Activez l'option <*nom d'utilisateur*> peut uniquement utiliser les programmes que j'autorise, comme à la Figure 10.15. Windows dresse la liste de tous les programmes présents sur votre ordinateur. Dans la liste des programmes installés, cochez les applications que votre enfant pourra utiliser.

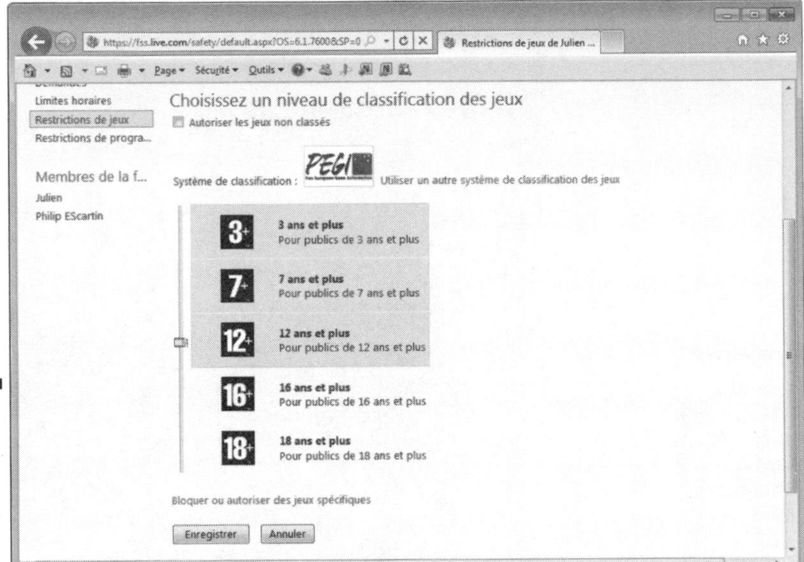

Figure 10.14 : Les jeux Internet auxquels votre enfant pourra jouer.

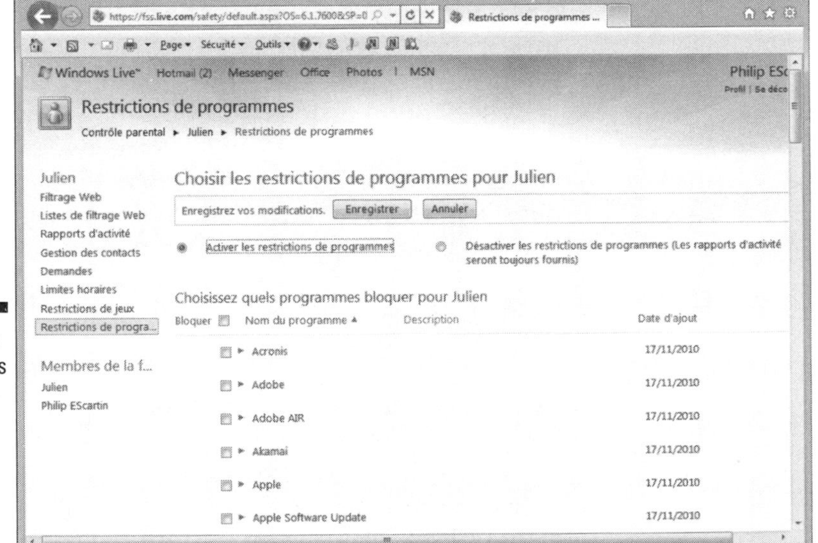

Figure 10.15 : Définissez les programmes que votre enfant peut utiliser sur cet ordinateur.

Quatrième partie

Personnaliser Windows 7 et le mettre à jour

Dans cette partie...

Quand votre vie change, vous voulez que Windows 7 change aussi. C'est de cela qu'il est question ici. Vous découvrirez le Panneau de configuration entièrement revu qui permet de modifier une kyrielle de paramètres.

Le Chapitre 12 explique comment maintenir l'ordinateur au mieux de sa bonne forme et effectuer des sauvegardes. S'il est partagé avec d'autres, vous découvrirez comment créer des comptes d'utilisateurs pour chacun, tout en vous réservant le droit de décider qui peut faire quoi.

Enfin, si vous êtes tenté d'acheter un deuxième, un troisième, un quatrième voire un cinquième ordinateur, un chapitre vous expliquera comment créer un réseau domestique permettant de partager la connexion Internet, l'imprimante et les fichiers.

Chapitre 11

Personnaliser Windows 7 avec le Panneau de configuration

Dans ce chapitre

- Personnaliser le Panneau de configuration.
- Modifier l'apparence de Windows 7.
- Changer de mode vidéo.
- Installer ou supprimer des programmes.
- Régler la souris.
- Régler automatiquement la date et l'heure de l'ordinateur.

Le Panneau de configuration de Windows 7 se trouve en toute logique dans le menu Démarrer.

Vous trouverez dans ce panneau des dizaines d'options, de boutons et de liens permettant de personnaliser l'apparence, l'utilisation et l'impression générale de Windows. Ce chapitre présente les boutons et glissières que vous pouvez régler si vous le désirez, et vous signale aussi ceux auxquels il vaut mieux ne pas toucher.

Trouver la bonne option dans le Panneau de configuration

Ouvrez le Panneau de configuration de Windows 7, et vous pourrez passer une bonne semaine à cliquer sur des icônes et des options. En affichage classique, il héberge plus d'une cinquantaine d'icônes, dont certaines donnent accès à des boîtes de dialogue contenant plus d'une vingtaine de paramètres et tâches.

Pour vous éviter une pénible errance à la recherche de la bonne option, le Panneau de configuration peut être affiché par catégories, comme le montre la Figure 11.1.

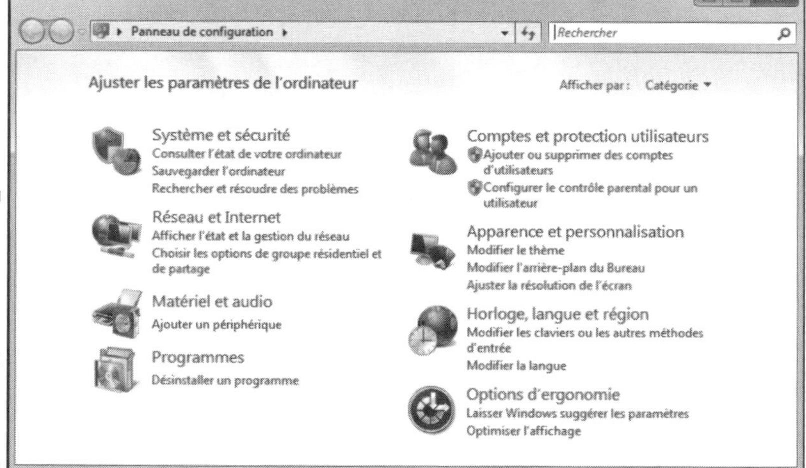

Figure 11.1 : Les paramètres sont plus faciles à localiser lorsqu'ils sont regroupés par catégories.

Sous chaque nom de catégorie se trouvent des liens vers les sujets principaux. Par exemple, après avoir cliqué sur l'icône de la catégorie Système et sécurité, vous accédez à d'autres liens permettant notamment de télécharger les dernières mises à jour de sécurité ou de vérifier l'état de la sécurité de Windows.

Certaines commandes ne correspondent pas exactement à une catégorie précise tandis que d'autres ne sont que des raccourcis accédant à des réglages situés ailleurs. Pour les voir, et surtout pour voir l'ensemble des icônes du Panneau de configuration, cliquez sur le bouton Afficher par, en haut à droite de la fenêtre, puis choisissez Grandes icônes ou Petites icônes – comme à la Figure 11.2 –, dans le menu déroulant.

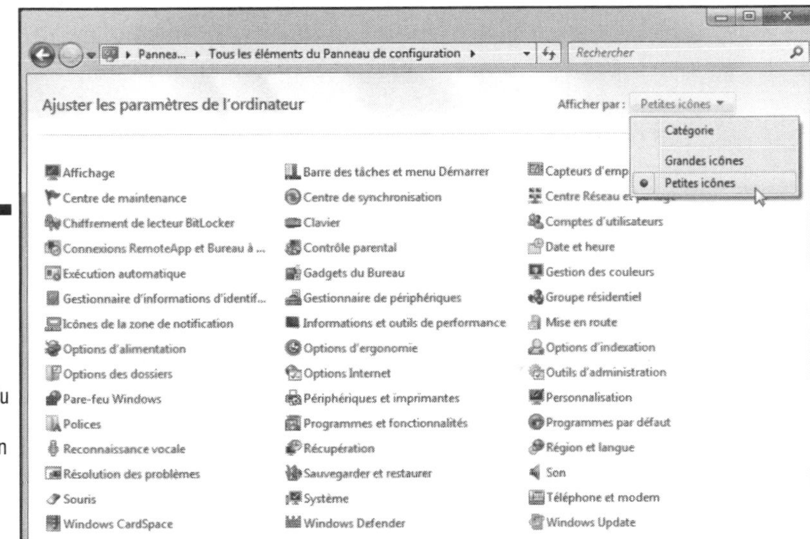

Figure 11.2 : Conçu pour les utilisateurs expérimentés, l'affichage par icônes du Panneau de configuration montre la totalité des icônes.

Ne vous inquiétez pas si votre Panneau de configuration diffère quelque peu de celui de la Figure 11.2. Différents programmes, accessoires et modèles d'ordinateurs y ajoutent souvent leurs propres icônes. Les différentes versions de Windows 7 décrites au Chapitre 1 omettent ou ajoutent également des icônes.

Immobilisez le pointeur de la souris sur une catégorie ou une icône du Panneau de configuration, et Windows 7 explique longuement son usage.

Le reste de ce chapitre est consacré aux catégories du Panneau de configuration visibles dans la Figure 11.1, aux raisons pour lesquelles vous vous abstiendrez d'en visiter certaines, et aux raccourcis permettant d'accéder directement aux paramètres désirés.

Système et sécurité

Comme une Ford Mustang des années 1960, Windows 7 nécessite de l'entretien de temps en temps. À vrai dire, un peu de maintenance fait tourner Windows 7 de façon beaucoup plus fluide et rapide, à tel point que le meilleur du Chapitre 12 est consacré à ce sujet. Vous y découvrirez comment accélérer Windows, libérer de la place sur le disque dur, sauvegarder vos données et tendre un filet de sécurité nommé Point de restauration (non, un MacDo n'est pas un point de restauration Windows. C'est un simple bouff'room).

La présente catégorie Système et sécurité est truffée d'options. Nous en avons déjà rencontré quelques-unes au Chapitre 10, à propos du pare-feu de Windows, de Windows Update, de Windows Defender et du contrôle parental.

Comptes et protection utilisateurs

Le Chapitre 13 explique comment créer des comptes séparés pour tous ceux qui utilisent l'ordinateur. Ceci permet de limiter les risques encourus par Windows et par vos fichiers.

Voici un avant-goût du Chapitre 13 : choisissez le Panneau de configuration, dans le menu Démarrer puis, sous la catégorie Comptes et protection utilisateurs, cliquez sur Ajouter ou supprimer des comptes d'utilisateurs.

Vous accédez ainsi à la page des comptes d'utilisateurs où vous pouvez créer et modifier ceux qui existent, y compris leur mot de passe et leur image.

La catégorie Comptes et protection utilisateurs comporte aussi un lien vers le contrôle parental, une fonction décrite au Chapitre 10.

Réseau et Internet

Normalement, Windows 7 accède automatiquement à l'Internet et à d'autres ordinateurs, qu'il s'agisse de PC ou de Mac. Établissez une connexion à l'Internet, et Windows commence aussitôt à glaner des informations sur le Web. Reliez-le à un autre ordinateur, et il s'efforce de créer un réseau ou d'ajouter le PC à un groupe résidentiel d'ordinateurs.

Mais si Windows 7 ne parvient pas se débrouiller seul, vous devrez recourir à la catégorie Réseau et Internet du Panneau de configuration.

Le Chapitre 14 est entièrement consacré à la mise en réseau. La connexion à l'Internet a été évoquée au Chapitre 8.

Apparence et personnalisation

L'une des catégories les plus populaires, Apparence et personnalisation, permet de modifier le *look* de Windows 7 de diverses manières. Ouvrez cette catégorie pour découvrir les sept icônes suivantes :

- **Personnalisation :** À l'instar d'un décorateur d'intérieur, cette icône relooke entièrement votre environnement de travail. Cliquez dessus pour placer une nouvelle image ou une photo numérique sur le Bureau, choisir l'écran de veille qui démarrera quand vous vous éloignez du PC, changer la couleur des cadres de Windows, etc. Pour accéder directement à ces options, cliquez du bouton droit sur une partie vide du Bureau et choisissez Personnaliser.

- **Affichage :** Tandis que la personnalisation permet de changer les couleurs, la rubrique Affichage agit au niveau de l'écran lui-même : changement de la résolution de l'écran, configuration d'un affichage s'étendant sur deux écrans...

- **Gadgets du Bureau :** Cette rubrique gère les mini-programmes appelés *gadgets,* présents sur le Bureau, et décrits au Chapitre 2. Pour accéder rapidement à cette rubrique, cliquez du bouton droit sur le Bureau et choisissez Gadgets.

- **Barre des tâches et menu Démarrer :** Vous voulez remplacer l'image en haut du menu Démarrer par un portrait de vous ? Vous voulez personnaliser la Barre des tâches en bas de l'écran ? Ces deux sujets ont été couverts au Chapitre 2. Pour accéder rapidement à cette rubrique, cliquez du bouton droit sur le Bureau et choisissez Propriétés.

- **Options d'ergonomie :** Conçues pour venir en aide aux handicapés, ces options facilitent l'usage de Windows par les malvoyants, les malentendants et les personnes souffrant d'autres handicaps physiques. Une section est consacrée plus loin à ces paramètres.

- **Options des dossiers :** Principalement mise en œuvre par les utilisateurs expérimentés, cette zone permet de configurer subtilement l'aspect et le comportement des dossiers. Pour accéder rapidement à cette rubrique, cliquez sur Organiser et choisissez Options des dossiers et de recherche.

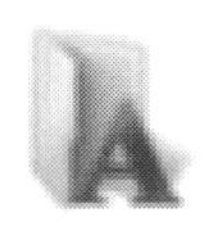

- **Polices :** C'est ici que vous installez les nouvelles polices qui agrémenteront vos textes.

Dans les quelques sections à venir, nous verrons quelles sont, dans ces catégories, les tâches que vous effectuerez le plus souvent.

Changer l'arrière-plan du Bureau

L'arrière-plan, parfois appelé aussi "papier peint", est une image de fond couvrant le Bureau. Procédez comme suit pour la changer :

Cliquer du bouton droit sur le Bureau, choisir Personnaliser et cliquer sur le bouton Arrière-plan du Bureau vous mène directement à l'Étape 3.

1. **Cliquez sur le menu Démarrer, choisissez Panneau de configuration et trouvez la catégorie Apparence et personnalisation.**

Le panneau de la catégorie Apparence et personnalisation apparaît.

2. **Sous Personnalisation, cliquez sur le lien Modifier l'arrière-plan du Bureau.**

La fenêtre de la Figure 11.3 apparaît.

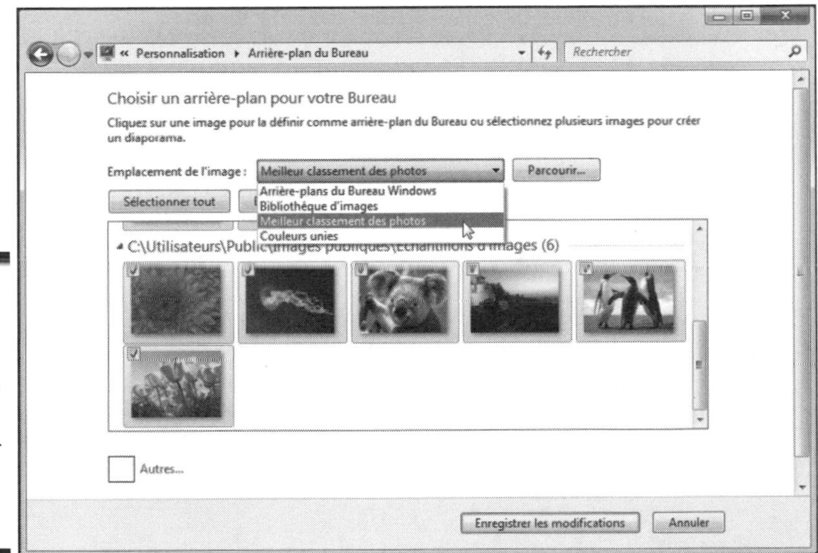

Figure 11.3 : Cliquez sur le menu déroulant pour trouver d'autres images à utiliser comme arrière-plan du Bureau.

3. **Cliquez sur une nouvelle image pour l'utiliser comme arrière-plan.**

Veillez à cliquer sur le menu déroulant, visible dans la Figure 11.3, pour découvrir toutes les photos, textures, peintures et atmosphères légères offertes par Windows 7. Cliquez sur Parcourir pour farfouiller dans des dossiers non répertoriés dans le menu déroulant. N'hésitez pas à chercher parmi vos propres photos.

Quand vous cliquez sur une nouvelle image, Windows 7 la place aussitôt sur le Bureau. Si elle vous plaît, passez à l'Étape 5.

4. **Décidez si l'image doit être affichée en mode Remplissage, Ajuster, Étirer, Mosaïque ou Centrer.**

   Toutes les images ne sont pas forcément à la taille de l'écran. Une image de petites dimensions doit être, soit étirée pour remplir tout l'espace, soit répétée à la manière des timbres-poste sur une feuille de timbres neufs. Si l'étirement ou la répétition sont disgracieux, centrez l'image en laissant du vide autour.

   Il est possible de varier l'arrière-plan en changeant d'image à intervalles réguliers. Pour cela, cliquez, touche Ctrl enfoncée, sur chacune des photos à afficher tour à tour. Le changement d'image s'effectue toutes les 30 minutes, à moins que vous modifiiez la fréquence grâce au menu déroulant Changer d'image toutes les...

5. **Cliquez sur Enregistrer les modifications afin de conserver l'image actuellement affichée à l'arrière-plan.**

Vous avez remarqué une fabuleuse image lors de vos pérégrinations sur le Web avec Internet Explorer ? Cliquez dessus du bouton droit et sélectionnez Choisir comme image d'arrière-plan. Windows copie furtivement l'image et l'étale sur le Bureau, où elle devient un nouvel arrière-plan.

Choisir un écran de veille

À l'époque des premiers PC, les écrans cathodiques avaient une fâcheuse tendance à conserver une image fantôme de ce qui s'y affichait longuement à la même place, comme des cadres par exemple. Pour éviter ce phénomène de rémanence, les utilisateurs activaient ce que l'on appelait aussi un "économiseur d'écran". Il affichait un motif mouvant – feu d'artifice, lignes en mouvement... – empêchant l'usure du phosphore.

Les écrans plats ne souffrant plus de cet effet, les gens n'utilisent l'écran de veille que pour son esthétique.

Windows est livré avec plusieurs écrans de veille. Procédez comme suit pour en essayer un :

Cliquer du bouton droit sur le Bureau, choisir Personnaliser puis Écran de veille vous mène directement à l'Étape 3.

1. **Cliquez sur le menu Démarrer, choisissez Panneau de configuration et cliquez sur la catégorie Apparence et personnalisation.**

   La catégorie choisie apparaît.

2. **Sous Personnalisation, choisissez Modifier l'écran de veille.**

   La boîte de dialogue Paramètres de l'écran de veille apparaît.

3. **Cliquez sur la flèche pointée vers le bas de l'unique menu déroulant et sélectionnez un écran de veille.**

   Après avoir choisi un écran de veille, cliquez sur le bouton Aperçu pour voir son effet en plein écran. Visionnez-en autant que vous le désirez avant d'en choisir un.

   N'oubliez pas de cliquer sur le bouton Paramètres, car la plupart des écrans de veille offrent des options. Vous pouvez par exemple régler la vitesse du diaporama et le sens du déplacement des photos à travers l'écran.

4. **Au besoin, renforcez la sécurité en cochant la case À la reprise, afficher ouverture de session.**

   Ce système de sécurité évite aux intrus de fouiller dans votre ordinateur pendant que vous êtes à la machine à café. Dès que l'écran de veille cesse, Windows demande le mot de passe (les mots de passe sont expliqués au Chapitre 13).

5. **Après avoir paramétré l'écran de veille, cliquez sur OK.**

Pour prolonger efficacement la vie de votre écran et faire par la même occasion des économies d'électricité, abandonnez les écrans de veille et, à l'Étape 3, cliquez plutôt sur Modifier les paramètres d'alimentation. La fenêtre qui apparaît permet de régler l'extinction de l'écran après une durée d'inactivité que vous aurez paramétrée.

Modifier le thème de l'ordinateur

Les thèmes sont simplement des ensembles de paramètres. Vous pouvez par exemple enregistrer l'écran de veille et l'arrière-plan du Bureau dans un thème, ce qui permet de passer rapidement de la présentation d'origine de Windows 7 à la vôtre et inversement.

Pour en essayer un, cliquez du bouton droit sur le Bureau, choisissez Personnaliser puis cliquez sur un thème. La boîte de dialogue de la Figure 11.4 apparaît.

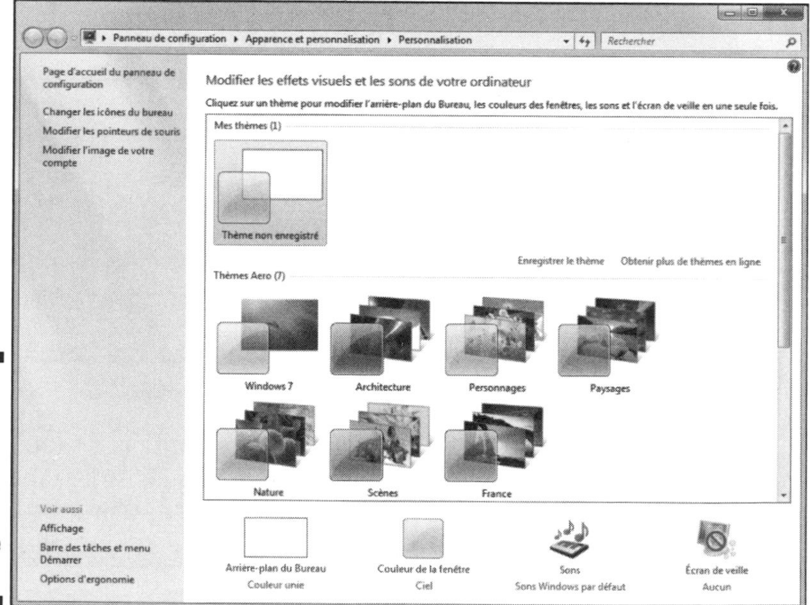

Figure 11.4 : Choisissez un thème prédéfini pour changer l'apparence et les sons de Windows.

Windows 7 montre ses différents thèmes :

- **Mes thèmes :** Les thèmes que vous aurez configurés et enregistrés apparaissent ici.
- **Thèmes Aero :** Le thème Windows 7, qui est celui en vigueur lorsque Windows vient d'être installé, se trouve dans cette catégorie. La carte graphique de l'ordinateur doit être suffisamment performante pour utiliser ces thèmes très sophistiqués.
- **Thèmes de base et à contraste élevé :** Le thème Windows 7 Basic propose une version allégée, sans les effets de transparence et d'ombres, pour les ordinateurs dont la carte graphique n'autorise pas les effets Aero. Windows Classique reproduit le *look* Windows 98, pour les nostalgiques de cette antique version. Les thèmes à contraste élevé sont destinés aux déficients visuels.

Au lieu d'opter pour les thèmes prédéfinis de Windows 7, créez les vôtres en modifiant l'arrière-plan, les couleurs, l'écran de veille et autres éléments graphiques ou sonores. Enregistrez ensuite le thème en cliquant sur le lien Enregistrer le thème, à la rubrique Mes thèmes, puis nommez-le.

- Vous ne trouvez pas votre bonheur parmi les thèmes fournis avec Windows 7 ? Cliquez sur le lien Obtenir plus de thèmes en ligne.
- Si vous êtes vraiment intéressé par la création de thèmes pour Windows, optez pour un programme comme WindowBlinds (`www.windowsblinds.net`). Vous pouvez télécharger des thèmes vraiment spectaculaires créés par les utilisateurs de ce logiciel sur le site WinCustomize (`www.wincustomize.com`).

ATTENTION !

- Avant de télécharger des thèmes sur le Web ou les obtenir en pièce jointe, assurez-vous d'avoir installé un antivirus et vérifié qu'il est à jour. Les virus sont souvent propagés au travers de thèmes véreux.

Modifier la résolution de l'écran

Paramètre souvent mésestimé, la résolution de l'écran détermine la quantité d'informations susceptibles d'être affichées en une seule fois. L'augmenter permet d'afficher davantage d'éléments mais en plus petit, tandis que la réduire affiche les éléments en plus gros, mais aussi en moins grand nombre.

Procédez comme suit pour trouver la résolution la plus confortable (NdT : consultez le manuel de votre écran plat car beaucoup n'affichent correctement une image qu'à la seule résolution native) :

1. **Dans le menu Démarrer, choisissez Panneau de configuration puis cliquez sur Apparence et personnalisation.**

   La zone Apparence et personnalisation répertorie les différentes manières de modifier la présentation de Windows 7.

2. **Sous Affichage, cliquez sur Ajuster le résolution de l'écran.**

   La fenêtre de configuration de l'écran apparaît (Figure 11.5).

3. **Pour changer la résolution d'écran, cliquez sur le bouton Résolution. À la place du menu, Windows affiche une glissière verticale. Déplacez le curseur vers Élevé ou vers Bas, selon la résolution désirée.**

   Il n'y a pas de bon ou de mauvais choix, mais un conseil s'impose : la plupart des sites Web ne tiennent pas dans un écran en 640 x 480 pixels. Une résolution de 800 x 600 est meilleure, et 1024 x 768 conviendra à tous les sites Web que vous visiterez. Windows 7 s'accommodera de tous les sites.

4. **Testez ce que donnent les modifications en cliquant sur le bouton Appliquer.**

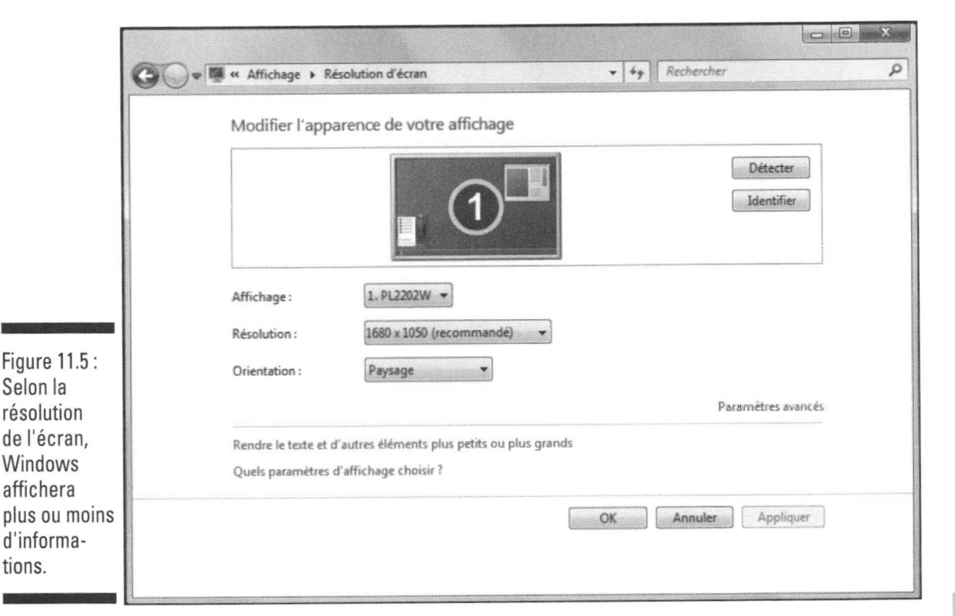

Figure 11.5 : Selon la résolution de l'écran, Windows affichera plus ou moins d'informations.

Étendre votre espace de travail avec un second moniteur

Vous avez un deuxième écran chez vous, provenant peut-être d'un PC mis au rebut ? Connectez-le à votre ordinateur et vous disposerez d'un espace de travail plus vaste, s'étendant sur les deux écrans. Vous pourrez ainsi afficher une encyclopédie en ligne dans l'un tandis que vous tapez votre texte dans l'autre.

Pour bénéficier de cet avantage, la carte graphique de votre PC doit être équipée de deux ports, qui doivent être du même type que ceux de votre moniteur (NdT : ou d'un seul port double, divisible grâce à un câble en "Y"), des détails techniques que vous trouverez dans mon livre *PC Mise à niveau et dépannage Pour les Nuls,* édité par First Interactive.

Après avoir connecté le second écran, cliquez dans une partie vide de l'écran principal et choisissez Résolution d'écran. Une seconde icône d'écran apparaît à côté de la première (cliquez sur le bouton Détecter si cette icône n'est pas visible). Tirez éventuellement l'écran secondaire de l'autre côté de l'écran principal, afin de reproduire le positionnement réel, puis cliquez sur OK. Les deux écrans ne forment alors qu'une seule entité unique, sans solution de continuité.

Quand Windows 7 passe à une nouvelle résolution, il vous accorde un délai de 15 secondes pour approuver ou rejeter la modification. En effet, si l'écran devient tout noir, plus aucun bouton n'est visible. Si passé ce délai vous n'avez pas cliqué, Windows 7 rétablit la résolution antérieure.

5. **Cliquez sur OK afin de mémoriser vos réglages.**

   Après avoir défini la résolution qui vous convient, vous ne reviendrez sans doute plus dans cette boîte de dialogue. À moins que vous branchiez un second écran, comme expliqué dans l'encadré.

Matériel et audio

La catégorie Matériel et audio contient une foule d'icônes en tous genres, comme le révèle la Figure 11.6. La rubrique Affichage, en revanche, appartient aussi à une autre catégorie.

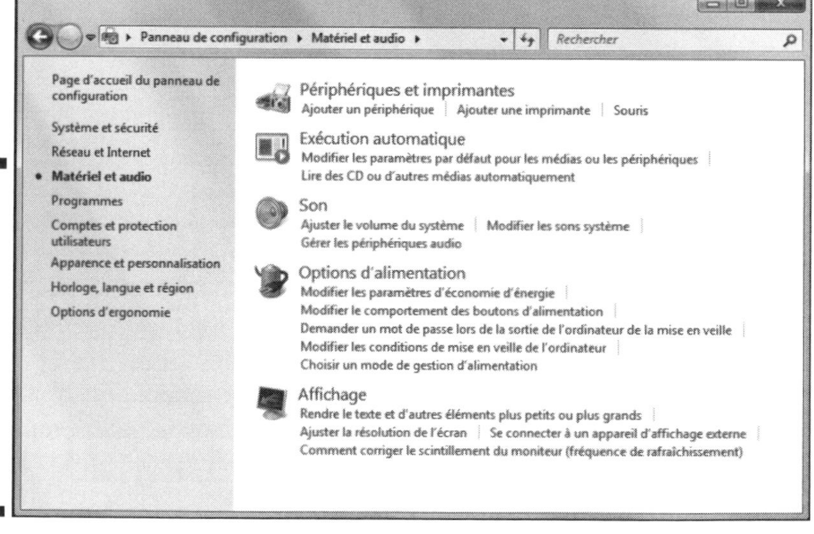

Figure 11.6 : La catégorie Matériel et audio régit tous les aspects matériels de l'ordinateur : l'affichage, le son et les équipements annexes.

Vous ne vous attarderez guère ici, en tout cas pas en passant par le Panneau de configuration, car la plupart des paramètres apparaissent ailleurs, accessibles d'un clic du bouton droit.

Que vous arriviez à ces pages par le Panneau de configuration ou par un raccourci, cette section explique les meilleures raisons de s'y intéresser.

Régler le volume et le son

La rubrique Son permet d'ajuster le volume du PC et aussi de connecter jusqu'à sept enceintes et un caisson de basses, une fonctionnalité appréciée par les inconditionnels du jeu massivement multijoueur World of Warcraft.

Pour baisser le volume du PC, cliquez sur le petit haut-parleur près de l'horloge et tirez le curseur vers le bas (Figure 11.7). Pas de petite icône de haut-parleur dans la Barre des tâches ? Rétablissez-la en cliquant du bouton droit sur l'horloge, choisissez Propriétés et cochez la case Volume.

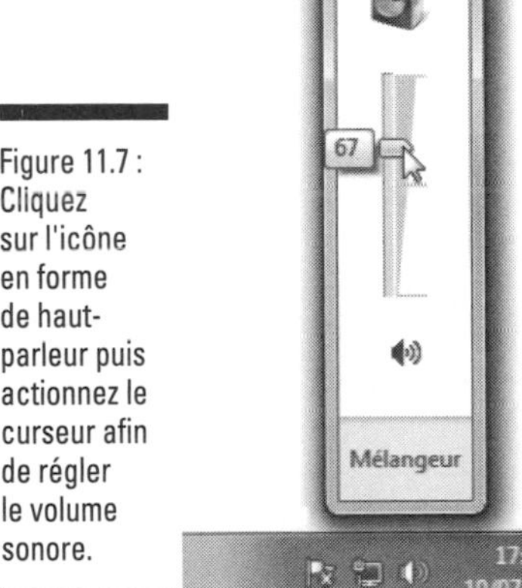

Figure 11.7 : Cliquez sur l'icône en forme de haut-parleur puis actionnez le curseur afin de régler le volume sonore.

Pour rendre le PC muet, cliquez sur l'icône en forme de haut-parleur, sous la glissière. Cliquez de nouveau dessus pour rétablir le son.

Windows 7 surenchérit sur Windows XP en permettant de régler le volume différemment pour différents programmes. Vous pouvez atténuer les détonations dans le jeu Démineur et augmenter le son de Windows Live Mail afin de bien entendre les notifications d'arrivée de courrier. Procédez comme suit pour régler le volume des programmes :

Double-cliquer sur le petit haut-parleur, dans la Barre des tâches, vous amène directement à l'Étape 3.

1. **Choisissez Panneau de configuration, dans le menu Démarrer, puis Matériel et audio.**

   La rubrique Matériel et audio, montrée à la Figure 11.6, affiche ses outils.

2. **Sous la rubrique Son, cliquez sur le lien Ajuster le volume du système.**

   La boîte Mélangeur de volume (Figure 11.8) apparaît.

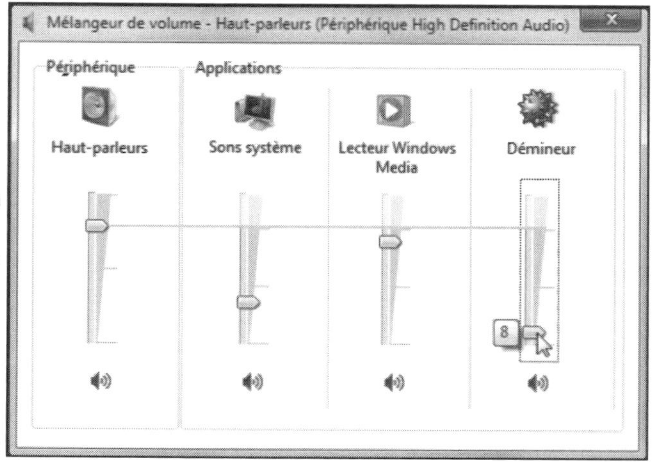

Figure 11.8 : Baissez le volume sonore de certains programmes afin qu'ils soient plus discrets.

3. **Réglez les volumes à l'aide des glissières.**

   Fermez le Mélangeur de volumes en cliquant sur le bouton "X", en haut à droite.

Installer ou configurer les enceintes

La plupart des PC ne sont livrés qu'avec une paire d'enceintes, mais certains en ont quatre, et les PC utilisés pour le home cinéma ou pour les jeux peuvent en avoir jusqu'à huit. Pour s'accommoder de cette diversité de configurations, Windows 7 est doté d'une interface de configuration des haut-parleurs, complète avec un test audio.

Si vous installez de nouvelles enceintes, ou si vous n'êtes pas sûr que les anciennes fonctionnent, suivez ces étapes afin de les mettre correctement en liaison avec Windows 7 :

Cliquez du bouton droit sur l'icône Volume, dans la Barre des tâches, et choisissez Périphériques de lecture pour passer directement à l'Étape 2.

1. **Cliquez sur le bouton Démarrer, choisissez Panneau de configuration et cliquez sur Matériel et audio.**

   La familière catégorie Matériel et audio de la Figure 11.6 apparaît.

2. **À la rubrique Son, cliquez sur Gérer les périphériques audio.**

   La boîte de dialogue Son apparaît, ouverte sur l'onglet Lecture qui liste vos haut-parleurs.

3. **Cliquez sur votre haut-parleur ou sur l'icône des enceintes, puis cliquez sur Configurer.**

   La boîte de dialogue Configurer les haut-parleurs apparaît (Figure 11.9).

4. **Cliquez sur le bouton Tester, ajustez les paramètres du haut-parleur puis cliquez sur Suivant.**

   Windows 7 vous propose de sélectionner les haut-parleurs les uns après les autres et de les tester selon leur emplacement, ce qui permet de les vérifier selon l'emplacement qu'ils occupent.

5. **Testez tous les autres périphériques audio puis cliquez sur OK quand vous aurez terminé.**

Vérifiez aussi le volume sonore des enceintes en cliquant sur l'onglet Enregistrement, à l'Étape 2, et cliquez aussi sur les autres onglets pour découvrir d'autres paramètres.

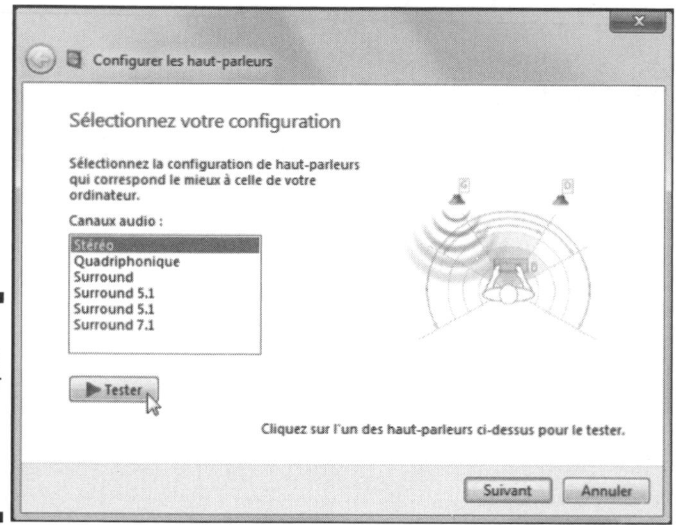

Figure 11.9 : Cliquez sur le bouton Tester pour écouter chacune de vos enceintes.

Si vos enceintes ou le microphone n'apparaissent pas parmi les équipements, cela signifie que Windows 7 ne les a pas reconnus. La solution consiste généralement à installer un nouveau pilote, une tâche décrite au Chapitre 12.

Ajouter une imprimante

Les fabricants d'imprimantes n'ont jamais réussi à se mettre d'accord sur la manière dont une imprimante doit être installée :

- Certains fabricants préconisent de simplement brancher l'imprimante, en insérant la petite prise rectangulaire dans un port USB, de l'allumer ensuite, après quoi Windows 7 la reconnaît et l'adopte. Assurez-vous que la cartouche d'encre et le papier sont en place, et vous pouvez imprimer.

- D'autres fabricants préconisent d'installer les logiciels de l'imprimante avant de la connecter à l'ordinateur. Autrement, elle ne fonctionnerait pas.

Le seul moyen de savoir comment procéder est de consulter le manuel de l'imprimante.

Si votre imprimante n'est pas accompagnée d'un logiciel d'installation, placez d'abord la ou les cartouches et le papier, puis procédez comme suit :

1. **L'ordinateur étant en marche, connectez l'imprimante et allumez-la.**

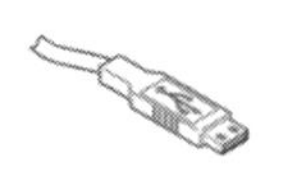

Si le connecteur de l'imprimante est une petite prise rectangulaire, l'imprimante est de type USB, ce qui est le cas de presque tous les modèles actuels. Windows 7 affichera un message confirmant que l'installation de l'imprimante est réussie, mais suivez néanmoins les étapes suivantes afin de la tester.

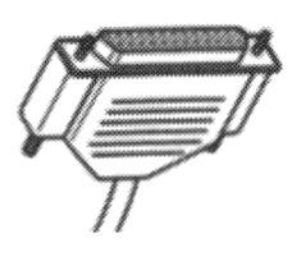

Si la prise de votre imprimante est un gros connecteur trapézoïdal à deux rangées de broches, sa connexion est de type "parallèle", appelée aussi LPT en jargon informatique. Branchez-la au port Imprimante de l'ordinateur (NdT : les PC récents sont aujourd'hui dépourvus de ce port désuet, mais il existe dans les boutiques d'informatique des adaptateurs qui convertissent la prise 25 broches de l'imprimante en prise USB).

2. **Cliquez sur le bouton Démarrer, puis sur Périphériques et imprimantes.**

Le Panneau de configuration affiche tous vos périphériques, y compris votre imprimante, identifiable par sa marque et son modèle. Cliquez du bouton droit sur l'icône, choisissez Propriétés de l'imprimante (NdT : Et non Propriétés) puis cliquez sur le bouton Imprimer une page de test. Si elle est correctement imprimée, vous êtes au bout de vos peines. Félicitations, c'est terminé.

Si le nom de votre imprimante n'apparaît pas, passez à l'Étape 3.

La page de test n'a pas été imprimée ? Assurez-vous que tous les éléments d'emballage ont été retirés de l'imprimante et surtout, que la cartouche a bel et bien été insérée. Si elle n'imprime toujours pas, c'est qu'elle est probablement défectueuse. Contactez la boutique où vous l'avez achetée.

3. **Dans la barre d'outils de la fenêtre, cliquez sur le bouton Ajouter une imprimante, puis cliquez sur l'option Ajouter une imprimante locale.**

   Si vous installez une imprimante de réseau, reportez-vous au Chapitre 14.

4. **Choisissez le type de port par lequel l'imprimante est connecté puis cliquez sur Suivant.**

   Choisissez LPT1 si la connexion est de type Parallèle (connecteur trapézoïdal à deux rangées de broches, autant dire une antiquité). Si l'imprimante est de type USB, cliquez sur Annuler, installez son logiciel puis recommencez. Elle n'a pas de logiciel ? Téléchargez-le depuis le site Web du fabricant.

5. **Choisissez le port de l'imprimante et cliquez sur Suivant.**

   Quand Windows 7 demandera quel port choisir, sélectionnez LPT1.

6. **Sélectionnez le fabricant et le modèle de l'imprimante, puis cliquez sur Suivant.**

   Dans la boîte de dialogue Ajouter une imprimante, la liste des fabricants se trouve à gauche, leurs modèles d'imprimantes à droite (Windows 7 en reconnaît des centaines).

   Windows peut demander d'insérer le CD approprié. Vous ne l'avez pas ? Cliquez sur le bouton Windows Update : Windows 7 se connecte à l'Internet pour tenter de trouver le logiciel de cette imprimante.

   Après un moment, une nouvelle liste d'imprimantes apparaît. Imprimez la page de test comme le suggère Windows 7.

Et voilà ! En principe, votre imprimante devrait fonctionner à merveille. Si ce n'est pas le cas, vous trouverez quelques conseils et dépannages au Chapitre 7.

Si plusieurs imprimantes sont connectées à l'ordinateur, cliquez du bouton droit sur l'icône de celle que vous utilisez le plus fréquemment et, dans le menu, choisissez Définir comme imprimante par défaut. Elle sera systématiquement utilisée, à moins que vous en choisissiez une autre dans la boîte de dialogue Imprimer du programme en cours d'utilisation.

- Pour supprimer une imprimante inutilisée, cliquez du bouton droit sur son nom et, dans le menu, choisissez Supprimer. Cette imprimante ne figurera plus dans la liste des imprimantes disponibles, dans la fenêtre Imprimer des différents programmes. Si Windows propose de désinstaller les pilotes et logiciels de l'imprimante, cliquez sur Oui, sauf si vous envisagez de réinstaller cette imprimante ultérieurement.

- Les options d'impression peuvent être modifiées à partir de beaucoup de programmes. Choisissez Fichier dans la barre de menus puis l'option Mise en page ou Imprimer. À partir de là, vous accéderez généralement à la même boîte de dialogue que celle du Panneau de configuration. Vous pourrez modifier le format du papier, l'orientation, et choisir les types de graphisme.

- Pour partager rapidement une imprimante sur le réseau, créez un Groupe résidentiel d'ordinateurs, comme expliqué au Chapitre 13. Votre imprimante apparaîtra en tant qu'option d'installation pour tous les ordinateurs du réseau.

Installer ou paramétrer d'autres éléments informatiques

La zone Matériel et audio du Panneau de configuration contient des éléments attachés à la plupart des PC : la souris, le clavier, un scanner, un appareil photo numérique, une manette de jeu, voire un téléphone. Cliquez sur le nom d'un élément afin de le paramétrer. Le reste de cette section explique comment ajuster la plupart de ces équipements.

Si l'un de ces éléments – le clavier, par exemple – n'apparaît pas, affichez le Panneau de configuration sous la forme de petites icônes, comme à la Figure 11.2 précédemment. Vous trouverez parmi elles l'icône pour le périphérique en question.

Souris

Pour modifier les paramètres de la souris, accédez au Panneau de configuration, cliquez sur Matériel et audio, puis sur Périphériques et imprimantes, puis cliquez du bouton droit sur l'icône de la souris et choisissez Propriétés.

Vous trouverez de nombreux réglages d'une souris à deux boutons. Certains sont un peu futiles, comme le changement du pointeur. Les gauchers pourront permuter les boutons en cochant la case Permuter les boutons principal et secondaire. Le changement est immédiat, avant même d'avoir cliqué sur Appliquer.

Ceux qui manquent de dextérité régleront la rapidité du double-clic. Testez la vitesse actuelle en double-cliquant sur la représentation d'un dossier. S'il s'ouvre, les paramètres sont parfaits. Sinon, réduisez la rapidité du double-clic à l'aide de la glissière.

Les possesseurs de souris à boutons supplémentaires ou sans fil trouveront des paramètres spécifiques à ces fonctionnalités.

Scanneurs et appareils photo

Pour installer un scanneur ou un appareil photo, connectez cet équipement et allumez-le. Windows 7 le reconnaît aussitôt et affiche son nom. Si d'aventure ce n'était pas le cas, voici comment procéder :

1. **Ouvrez le menu Démarrer puis cliquez sur le bouton Panneau de configuration.**
2. **Dans le champ Rechercher, saisissez** Afficher les scanneurs et les appareils photos **(NdT : Mais souvent, ne**

taper que scanneur **est suffisant). Cliquez ensuite sur le lien Afficher les scanneurs et les appareils photos.**

La fenêtre Scanneurs et appareils photo apparaît, montrant tous les scanneurs et appareils détectés par Windows 7.

3. **Cliquez sur le bouton Ajouter un périphérique, puis sur Suivant.**

   Windows 7 démarre l'assistant Installation de scanneur et d'appareil photo, capable de faire en sorte que Windows 7 reconnaisse un scanneur ou un appareil photo ancien.

4. **Choisissez le fabricant et le modèle puis cliquez sur Suivant.**

   Cliquez sur le nom du fabricant à gauche et sur le nom du modèle à droite.

5. **Nommez votre scanneur ou votre appareil photo, cliquez sur Suivant puis sur Terminer.**

   Tapez un nom pour identifier votre périphérique, ou conservez celui qui est suggéré. Si le scanneur ou l'appareil photo est branché, Windows devrait le reconnaître et placer une icône pour ce matériel dans la zone Ordinateur et dans la zone Scanneurs et appareils photo du Panneau de configuration.

L'installation d'un scanneur ou d'un appareil photo un peu ancien n'est malheureusement pas toujours aussi simple. Si Windows n'accepte pas spontanément votre équipement, utilisez le logiciel d'installation qui était livré avec. Il devrait fonctionner, mais vous ne pourrez peut-être pas utiliser le logiciel de transfert d'images de Windows 7.

Clavier

Si le clavier n'est pas connecté ou en panne, votre ordinateur signale cet incident dès l'allumage. Si vous voyez s'afficher le message Erreur de clavier, le moment est venu d'en acheter un autre. Il sera aussitôt reconnu par Windows.

Si votre clavier est doté de boutons supplémentaires, comme Web/Démarrage, Courrier, Calendrier, Fichiers..., vous devez installer le logiciel du clavier pour que ces boutons fonctionnent. Les claviers sans fil exigent presque tous l'installation de leur logiciel.

Windows 7 permet de configurer le comportement de la souris, comme la vitesse de rééééépétition de la frappe.

Régler la date, l'heure, la langue et les options régionales

Microsoft a conçu ces paramètres pour les possesseurs d'ordinateurs portables qui voyagent beaucoup et changent fréquemment de fuseau horaire. Autrement, vous ne les réglerez qu'une seule fois, au moment de la configuration initiale de l'ordinateur. L'ordinateur mémorise la date et l'heure même lorsqu'il est éteint, grâce à une petite pile bouton située sur la carte-mère.

Pour accéder à ces paramètres, cliquez sur le bouton Démarrer, puis sur le bouton Panneau de configuration, puis sur Horloge, langue et région. La fenêtre contient deux rubriques : Date et heure, et Région et langue. Vous y effectuerez les tâches suivantes :

- **Date et heure :** Vous réglez ces paramètres temporels (notez que cliquer sur l'horloge, dans la barre des tâches, et choisir Modifier les paramètres de la date et de l'heure, vous permet d'accéder à la même boîte de dialogue).

- **Région et langue :** Vous voyagez au Brésil ? Cliquez sur cette option et, dans le menu déroulant Format, choisissez Portugais (Brésil). Windows applique la langue de ce pays, le symbole monétaire du real, ainsi que le format de la date en portugais. Pendant que vous y êtes – dans la boîte de dialogue, pas au Brésil –, cliquez sur l'onglet Emplacement et dans le menu Lieu actuel, choisissez Brésil.

Les polyglottes modifient souvent les options régionales, notamment lorsqu'ils travaillent sur des documents exigeant des caractères typographiques d'autres langues.

Ajouter ou supprimer des programmes

Que vous ayez acquis un nouveau programme ou que vous désiriez vous débarrasser d'un logiciel, c'est à la catégorie Programmes du Panneau de configuration que vous confierez la tâche. Cliquez sur l'icône. Dans la nouvelle fenêtre, la catégorie Programmes et fonctionnalités répertorie tous les programmes actuellement installés, comme le montre la Figure 11.10. Cliquez sur celui que vous désirez supprimer ou modifier.

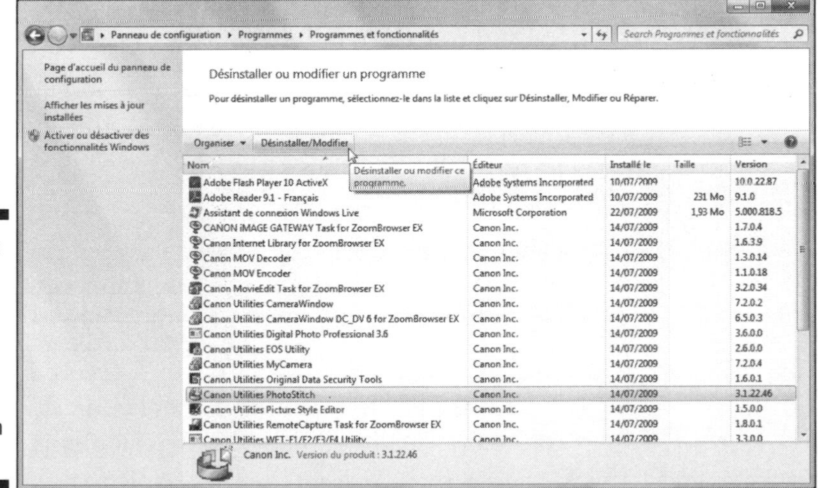

Figure 11.10 : La fenêtre Désinstaller ou modifier un programme permet de supprimer un programme.

La prochaine section explique comment supprimer ou modifier un programme, et aussi comment en installer un nouveau.

Supprimer ou modifier des programmes

Procédez comme suit pour supprimer un programme ou modifier ses paramètres :

1. **Cliquez sur Panneau de configuration, dans le menu Démarrer, et sous Programmes et fonctionnalités, cliquez sur le lien Désinstaller un programme.**

   La fenêtre Désinstaller ou modifier un programme, similaire à celle de la Figure 11.10, apparaît. Elle répertorie les programmes actuellement installés, leur éditeur, leur taille sur le disque dur ainsi que la date d'installation.

   Pour libérer de la place sur le disque dur, cliquez sur l'en-tête Installé le ou Taille. Les programmes seront ainsi triés par ancienneté ou par taille, ce qui vous permettra de mieux sélectionner ceux qui ne servent plus à grand-chose et occupent beaucoup de place sur le disque dur.

2. **Cliquez sur le programme à supprimer puis cliquez sur le bouton Désinstaller, Modifier ou Réparer.**

   Le bouton Désinstaller est toujours présent sur la barre de menus. Les deux autres boutons, Modifier et Réparer, n'apparaissent que pour certains programmes. Voilà de quoi il retourne :

   - **Désinstaller :** Supprime complètement de programme de votre ordinateur (pour certains programmes, ce bouton apparaît sous la forme Désinstaller/Modifier).

   - **Modifier :** Permet de modifier certains composants ou fonctionnalités, où d'ôter des éléments.

   - **Réparer :** Une option de choix pour un programme endommagé. Elle demande au programme de s'auto-inspecter et remplace les fichiers endommagés par de nouveaux fichiers. Vous devrez cependant disposer du CD d'origine.

3. Windows 7 demande si vous êtes sûr : cliquez sur Oui.

Windows 7 démarre le programme de désinstallation associé au logiciel à supprimer, ou parfois, supprime le programme sans autre forme de procès, redémarrant l'ordinateur si c'est nécessaire.

Une fois supprimé, le programme l'est définitivement ; il ne transite pas par une corbeille. C'est pourquoi, veillez à toujours posséder son CD d'installation, pour le cas où vous désireriez le réinstaller.

Utilisez toujours la fenêtre Désinstaller ou modifier un programme, lorsque vous voulez vous débarrasser d'un logiciel. Se contenter de placer ses dossiers dans la Corbeille n'est ni suffisant ni à faire. Procéder ainsi provoque presque immanquablement une instabilité du système qui envoie en retour d'affreux messages d'erreurs qui hanteront vos nuits.

Ajouter un programme

Vous n'aurez peut-être jamais à utiliser cette fonction, car de nos jours, presque tous les programmes s'installent d'eux-mêmes sitôt que leur CD a été inséré dans le lecteur. Si vous ne savez pas si un programme a bien été installé, cliquez sur le bouton Démarrer et cherchez dans la liste Tous les programmes. S'il s'y trouve, c'est que tout s'est déroulé normalement.

Si un programme ne s'installe pas spontanément, voici quelques conseils qui vous aideront :

- Vous devez disposer d'un compte d'Administrateur pour installer des programmes. C'est généralement le cas du possesseur de l'ordinateur. Ceci empêche les enfants et ceux qui possèdent un compte limité ou Invité d'installer des programmes n'importe comment. Les comptes d'utilisateurs sont expliqués au Chapitre 13.
- Vous avez téléchargé un programme ? Windows 7 le stocke généralement dans le dossier Téléchargements, accessible en cliquant sur votre nom d'utilisateur, dans

le menu Démarrer. Double-cliquez sur le nom du programme téléchargé pour l'installer.

- Beaucoup de programmes nouvellement installés veulent placer un raccourci sur le Bureau, dans le menu Démarrer et dans le menu Lancement rapide. Refusez toutes ces propositions hormis l'installation dans le menu Démarrer. Tous ces raccourcis finissent en effet par encombrer l'écran, compliquant la recherche d'un programme. Vous pouvez supprimer sans problème ces raccourcis superflus en cliquant dessus du bouton droit et en choisissant Supprimer.

Quand un programme est dépourvu de logiciel d'installation...

Des programmes, notamment ceux de petite taille téléchargés depuis l'Internet, sont parfois dépourvus d'un installeur. Si vous en avez téléchargé un, créez un nouveau dossier à son intention et placez-y le fichier téléchargé (non sans l'avoir préalablement analysé avec l'antivirus). Double-cliquez ensuite dessus ; c'est souvent le fichier dont l'icône est la plus sophistiquée. L'une de ces deux actions peut se produire :

- **Le programme démarre tout simplement :** Cela signifie qu'il n'est pas nécessaire de l'installer. Tirez son icône jusque sur le bouton Démarrer et déposez-le afin de l'ajouter au menu Démarrer. Pour désinstaller le programme, cliquez dessus du bouton droit et choisissez Supprimer. Ce type de programme apparaît très rarement dans la liste de la fenêtre Désinstaller ou modifier un programme.
- **Le programme s'installe de lui-même :** Cela signifie que c'est fait. Le programme d'installation a été lancé, vous épargnant tout problème. Pour désinstaller le programme, utilisez la commande de désinstallation du Panneau de configuration.

Si le programme se trouve dans un dossier compressé, reconnaissable à sa fermeture Éclair, une autre étape est nécessaire. Cliquez du bouton droit dans le dossier compressé – ou "zippé", en jargon informatique –, choisissez Extraire tout, puis cliquez sur Extraire. Windows décompresse le contenu du dossier et le place dans un nouveau dossier dont le nom est généralement celui du programme. Vous pouvez à présent démarrer le programme directement ou, s'il a un installeur, démarrer celui-ci.

- Il est vivement recommandé de créer un point de restauration avant d'installer un nouveau programme (les points de restauration sont décrits au Chapitre 12). Ainsi, si le nouveau programme se détraque, vous pourrez utiliser la fonction de restauration du système pour rétablir l'ordinateur tel qu'il était avant l'installation du fauteur de troubles.

Ajouter ou supprimer des éléments de Windows 7

Vous pouvez aussi vous défaire des parties de Windows 7 dont vous n'avez que faire, les jeux par exemple, si vous voulez empêcher vos employés d'y jouer. Ils ne doivent pas non plus utiliser le Lecteur Windows Media ? Mais qu'est-ce que c'est que cette boîte ? Bref, vous pouvez aussi passer le lecteur à la trappe (non, le lecteur qui est allé à Trappes sans se faire attraper, c'est encore une autre histoire).

Suivez ces étapes pour connaître les parties de Windows 7 que vous pouvez ôter :

1. **Cliquez sur le menu Démarrer, choisissez Panneau de configuration puis cliquez sur l'icône Programmes.**
2. **Sous Programmes et fonctionnalités, cliquez sur le lien Activer ou désactiver des fonctionnalités Windows. Cliquez au besoin sur Continuer.**

   Windows ouvre une fenêtre répertoriant toutes ses fonctionnalités. Celles qui sont cochées sont déjà installées, celles qui ne le sont pas ne sont évidemment pas installées. Si une case est remplie (ni vide ni cochée) cela signifie qu'une partie seulement des composants auxquels elle se rapporte est installée. Cliquez sur le bouton avec un signe "+" pour les afficher tous et savoir lesquels sont installés et lesquels ne le sont pas.

3. **Pour ajouter un composant, cliquez dans sa case vide. Pour un ôter un, l'ensemble des jeux par exemple, décochez la case Jeux.**

4. **Cliquez sur le bouton OK.**

   Windows ajoute et/ou supprime des programmes. Le DVD de Windows 7 vous sera peut-être demandé.

Choisir le programme par défaut

Microsoft permet aux fabricants de remplacer Internet Explorer, le Lecteur Windows Media ou Windows Messenger par des programmes d'autres éditeurs. C'est ainsi que votre nouvel ordinateur peut être équipé du navigateur Mozilla Firefox, à la place d'Internet Explorer. Sur certains PC, les deux sont déjà installés.

Quand plusieurs programmes peuvent effectuer une même tâche – ouvrir un lien Web, par exemple –, Windows 7 doit savoir lequel des deux il doit démarrer. C'est là que le choix du programme par défaut s'impose. Pour cela, ouvrez le Panneau de configuration depuis le menu Démarrer, cliquez sur Programmes, et sous Programmes par défaut, cliquez sur le lien Choisir les programmes par défaut.

Dans la fenêtre éponyme, les programmes sont répertoriés à gauche. Cliquez sur celui que vous utilisez le plus fréquemment puis cliquez sur Définir ce programme comme programme par défaut. Faites de même pour d'autres programmes de la liste que vous désirez utiliser de préférence, puis cliquez sur OK.

Adapter Windows 7 aux handicaps

Windows 7 peut être d'un abord difficile pour beaucoup de gens, mais pour d'autres s'ajoutent les difficultés causées par un handicap physique. Le panneau Ergonomie a été conçu pour les aider et leur faciliter l'usage de Windows.

TRUC

Si votre vue n'est pas très bonne, vous apprécierez la possibilité d'agrandir le texte sur votre ordinateur.

Procédez comme suit pour modifier les paramètres de Windows 7 :

1. **Cliquez sur le menu Démarrer, puis sur Panneau de configuration. Cliquez sur l'icône Options d'ergonomie puis cliquez sur le lien Options d'ergonomie.**

   La fenêtre de la Figure 11.11 apparaît.

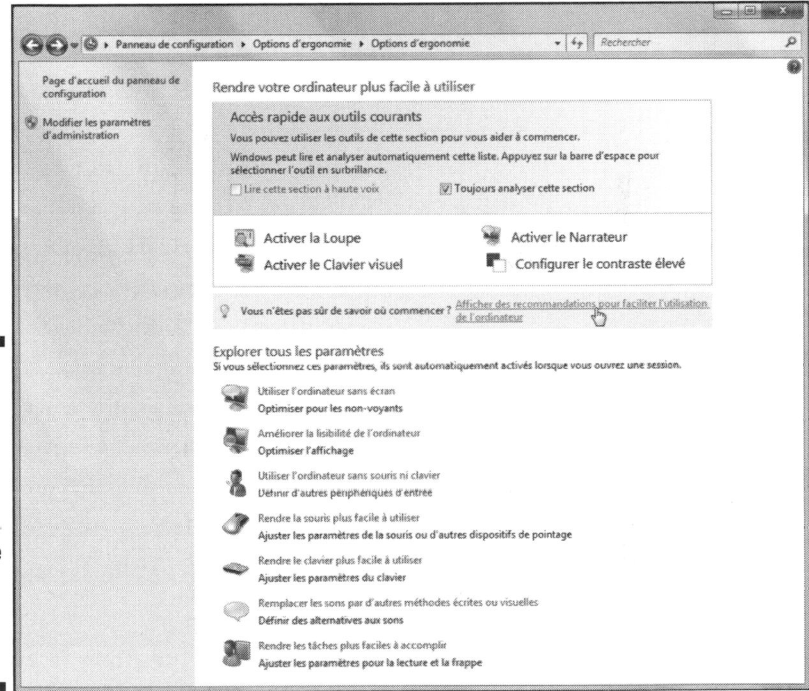

Figure 11.11 : Les Options d'ergonomie sont un ensemble de paramètres destinés à faciliter l'usage de Windows par les handicapés physiques.

2. **Cliquez sur le lien Afficher les recommandations pour faciliter l'usage de l'ordinateur.**

   Ce lien est pointé par le doigt, à la Figure 11.11. Windows pose une série de questions permettant d'évaluer les paramétrages nécessaires. Ensuite, Windows 7 les applique et c'est tout.

   Les changements apportés à Windows 7 ne sont pas satisfaisants ? Passez à l'Étape 3.

3. **Effectuez les changements manuellement.**

   La fenêtre Centre Options d'ergonomie contient des commutateurs qui facilitent l'utilisation du clavier, de la souris, de l'écran et du son :

   - **Activer la Loupe :** Conçue pour ceux qui ont une mauvaise acuité visuelle, cette option grossit l'écran autour du pointeur de la souris.

   - **Activer le Narrateur :** Une voix féminine lit le texte affiché à l'écran.

   - **Activer le Clavier visuel :** Affiche un clavier cliquable en bas de l'écran, permettant d'écrire en n'utilisant que la souris.

   - **Configurer le contraste élevé :** Ce paramètre atténue considérablement les couleurs, mais permet aux malvoyants de mieux distinguer le contenu de l'écran et le pointeur.

   Choisissez une ou plusieurs de ces options, qui deviennent immédiatement actives. Fermez la fenêtre associée à la fonction si l'option d'ergonomie complique les choses au lieu de les arranger.

   Si vous n'êtes toujours pas satisfait (pfff !), passez à l'Étape 4.

4. **Choisissez un paramètre spécifique dans la zone Explorer tous les paramètres.**

   C'est ici que Windows 7 passe aux choses sérieuses, en permettant d'optimiser Windows 7 pour :

   - Les aveugles et les malvoyants.

   - Utiliser un autre périphérique que la souris ou le clavier.

   - Permettre le réglage de la sensibilité du clavier et de la souris afin de compenser la limitation des mouvements.

- Activer des alertes visuelles à la place des notifications sonores.
- Faciliter la concentration sur les zones de lecture et d'écriture.

Certains centres pour handicapés disposent de logiciels et d'une assistance qui permettent d'exploiter pleinement ces modifications.

Chapitre 12

Éviter que Windows 7 plante

Dans ce chapitre

- Créer un point de restauration.
- Sauvegarder les données de l'ordinateur.
- Libérer de l'espace sur le disque dur.
- Faire que l'ordinateur tourne plus vite.

Dans ce chapitre, chaque section décrit une tâche relativement facile et indispensable pour que Windows tourne au mieux. Il n'est pas nécessaire de faire appel à un passionné d'informatique car la plus grande partie de cet entretien s'effectue avec les outils de maintenance intégrés à Windows – comme le programme Nettoyage de disque pour libérer de l'espace dans un disque dur encombré – ou à des produits de nettoyage ménagers.

Vous apprendrez aussi à venir à bout de l'ennuyeux et sempiternel problème de "mauvais" pilote.

Enfin, vous découvrirez un moyen rapide de nettoyer la souris, une opération souvent négligée et pourtant indispensable si vous tenez à ce que le pointeur se déplace en douceur, sans à-coups.

En plus d'effectuer la check-list que propose ce chapitre, veillez à ce que Windows Update et Windows Defender fonctionnent en mode automatique (voir Chapitre 10). Tous deux jouent un grand rôle dans la sécurité et la fiabilité de votre ordinateur.

Créer un point de restauration

Quand votre ordinateur est mal en point, le programme Restauration du système, permet de remonter dans le temps jusqu'à une époque où l'ordinateur se portait comme un charme. Bien qu'il crée automatiquement des points de restauration, rien ne vous empêche de créer les vôtres. Un point de restauration permet de revenir à un point où votre ordinateur fonctionnait sans problème.

1. **Dans le menu Démarrer, cliquez du bouton droit sur le bouton Ordinateur et choisissez Propriétés.**

   La fenêtre Informations système générales apparaît.

2. **Dans le volet de gauche, cliquez sur le lien Protection système.**

   La fenêtre Propriétés système apparaît.

3. **Cliquez sur le bouton Créer, en bas à droite, nommez le nouveau point de restauration puis cliquez sur Créer afin de l'enregistrer.**

   Windows 7 crée un point de restauration portant ce nom.

En créant des points de restauration les jours où l'ordinateur fonctionne bien, vous saurez lesquels utiliser lorsque l'ordinateur fera des siennes.

Régler Windows 7 avec les outils de maintenance

Windows 7 contient toute une panoplie d'outils destinés à le faire tourner le mieux possible. Plusieurs sont lancés automatiquement, limitant votre intervention à vérifier des commutateurs qui doivent être sur Activé. D'autres vous préparent à échapper au pire – la perte de vos données – en sauvegardant vos fichiers. Pour voir ces outils, cliquez sur le menu Démarrer, choisissez le Panneau de configuration et sélectionnez la catégorie Système et sécurité.

Voici les outils auxquels vous recourrez le plus souvent :

- **Sauvegarde et restauration :** Le programme de sauvegarde fonctionne beaucoup mieux que celui de Vista. Comme il est livré avec Windows 7, vous n'avez aucune excuse de ne pas sauvegarder vos fichiers. Tout disque dur peut en effet tomber en panne, anéantissant tout ce qui s'y trouvait.
- **Système :** Les petits génies du support technique y font des incursions. La zone Système indique votre version de Windows 7, la puissance de votre ordinateur et l'état du réseau, ainsi que l'indice de performance de Windows.
- **Windows Update :** Ces outils permettent à Microsoft de greffer des mises à jour et des correctifs de sécurité sur votre PC, par une connexion Internet, ce qui est généralement une bonne chose. C'est là aussi que vous pouvez désactiver Windows Update, si vous le jugez utile.
- **Options d'alimentation :** Vous ne savez pas quelle est la différence entre la veille, la veille prolongée et l'arrêt ? Le Chapitre 2 l'explique. Cette partie vous laisse choisir le degré de léthargie de votre PC quand vous appuyez sur le bouton Arrêt (ou, pour les possesseurs d'ordinateurs portables, quand ils referment l'écran).
- **Outils d'administration :** L'un d'eux est particulièrement utile car il permet de libérer de l'espace dans le disque dur en éliminant tout ce qui ne sert plus à rien.

Toutes ces tâches seront décrites plus en détail dans les cinq prochaines sections de ce chapitre.

Sauvegarder les fichiers

Un disque dur n'est pas à l'abri des pannes et dans ce cas, il emporterait avec lui tout ce qui s'y trouvait : des années de photos numériques, de morceaux de musique, de lettres, de documents administratifs, commerciaux ou bancaires, d'éléments numérisés avec le scanner, bref tout ce que vous avez engrangé dans l'ordinateur.

C'est pour éviter une telle catastrophe que vous devez sauvegarder régulièrement vos fichiers. Vos archives seront ainsi à l'abri le jour où le disque dur rendra soudainement l'âme.

La solution, pour prévenir cette calamité, est le programme de sauvegarde livré avec Windows, beaucoup plus convivial que son prédécesseur. Il est facile à utiliser, démarre automatiquement selon le planning que vous avez défini, et il met à l'abri tous les fichiers que vous voulez préserver.

Trois ingrédients sont nécessaires pour utiliser le programme de sauvegarde de Windows 7 :

- **Un graveur de CD ou de DVD, ou un disque dur externe :** Le programme de sauvegarde de Windows 7 grave aussi bien des CD que des DVD, mais rien ne vaut un disque dur externe. Il suffit de le brancher sur le port USB 2.0 ou FireWire, et Windows le reconnaît instantanément.

- **Un compte d'Administrateur :** Vous devez avoir ouvert une session comme administrateur. Les comptes d'utilisateurs et les mots de passe sont expliqués au chapitre 13.

  Quand vous sauvegardez vers un disque dur externe, connectez-le avant de démarrer le programme de sauvegarde.

- **Le programme de sauvegarde et de restauration de Windows 7 :** Livré avec toutes les versions de Windows, il sauvegarde automatiquement tout ou partie de votre travail. Mais il ne fera rien tant que vous ne l'aurez pas configuré une première fois.

Ces trois éléments réunis, effectuez ces étapes afin que votre ordinateur sauvegarde vos fichiers automatiquement tous les mois (bien), toutes les semaines (c'est mieux) ou toutes les nuit (c'est parfait) :

1. **Démarrez le programme Sauvegarder et restaurer.**

   Cliquez sur le bouton Démarrer, choisissez Panneau de configuration, sélectionnez la catégorie Système et sécurité puis cliquez sur Sauvegarder et restaurer.

   Si vous avez déjà configuré le programme de sauvegarde, vous pourrez modifier ses paramètres en cliquant sur le lien Modifier la configuration. Passez ensuite à l'Étape 3 pour choisir un nouvel emplacement de sauvegarde ou modifier la planification.

   Si vous ne l'avez pas encore fait, cliquez sur le lien Créer un disque de réparation, dans le volet de gauche. Vous pourrez ainsi graver un CD ou un DVD contenant un programme de réinstallation de Windows 7 à partir d'une image du système créée au moment de la sauvegarde. Inscrivez la mention *Disque de réparation Windows 7* sur le CD et conservez-le en lieu sûr.

2. **Cliquez sur le bouton Configurer la sauvegarde, en haut à droite de la fenêtre Sauvegarder ou restaurer des fichiers.**

   Le programme demande fort judicieusement où vous désirez sauvegarder les fichiers, comme le montre la Figure 12.1.

3. **Choisissez l'emplacement de la sauvegarde puis cliquez sur Suivant.**

   Windows 7 est capable de sauvegarder sur presque tous les supports : CD, DVD, clé USB, disque dur externe et même sur un lecteur se trouvant sur un autre ordinateur du réseau (voir Chapitre 14).

   Bien que le choix dépende de la quantité de données à sauvegarder, la meilleure solution reste le disque dur

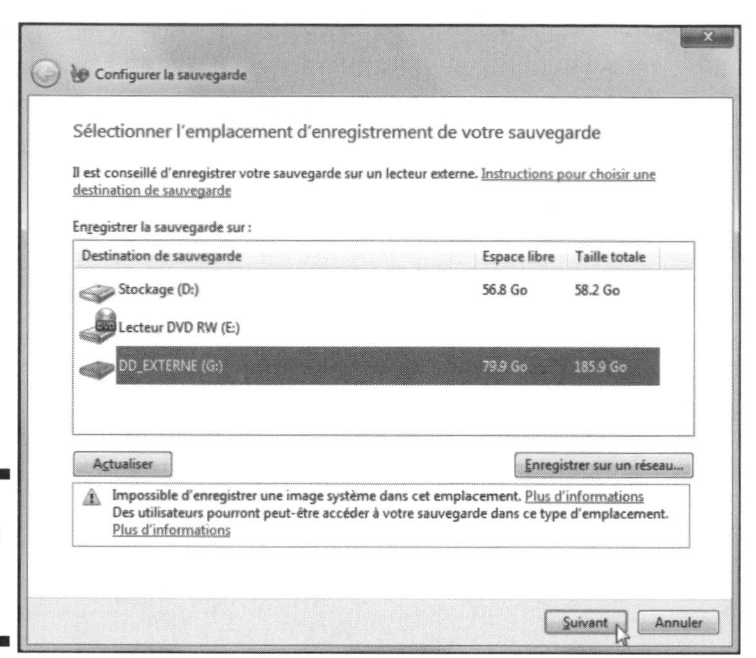

Figure 12.1 : Choisissez la destination de la sauvegarde.

externe, connecté à un port USB ou FireWire. Windows lui affecte une lettre de lecteur, après quoi il apparaît en tant qu'emplacement de sauvegarde.

Si vous n'avez pas de disque dur externe, les CD et DVD sont une bonne solution.

4. **Choisissez les types de fichiers à sauvegarder puis cliquez sur Suivant.**

   Windows propose deux options :

   - **Laisser Windows choisir :** C'est l'option la plus facile, qui sauvegarde tout : les bibliothèques Documents, Images, Musique et Vidéos, et tout ce qui se trouve sur le Bureau. Si un second disque dur, dans votre ordinateur, est réservé aux sauvegardes, le programme crée également une *image du système,* c'est-à-dire une copie à l'identique du disque dur sur lequel se trouve Windows.

- **Me laisser choisir :** Un peu plus technique, cette option permet de choisir les éléments à sauvegarder et ceux à ne pas sauvegarder.

Windows 7 sauvegarde normalement chaque dimanche à 19:00 heures, comme le révèle la Figure 12.2. Pour choisir une autre date, cliquez sur le lien Modifier la planification puis sélectionnez la fréquence, le jour et l'heure des sauvegardes automatiques.

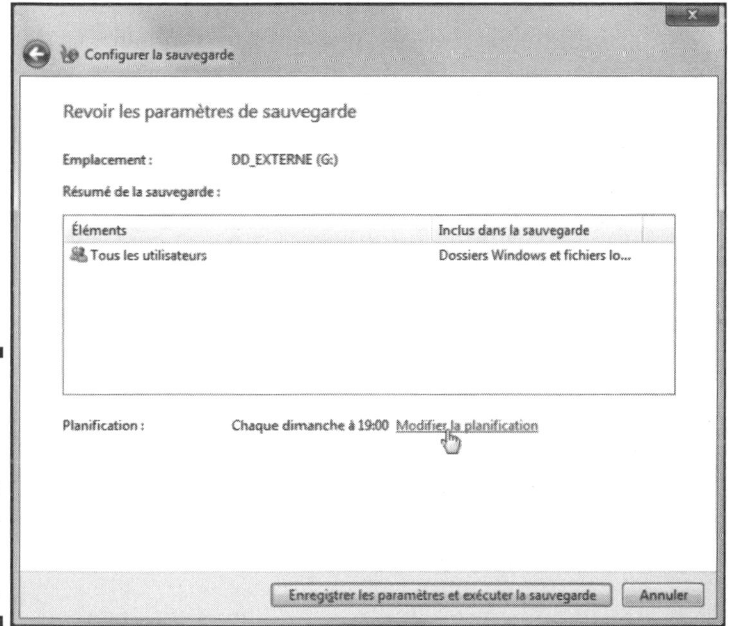

Figure 12.2 : Cliquez sur Modifier la planification pour changer la fréquence, la date et l'heure des sauvegardes.

Vous pouvez certes choisir une heure où vous travaillez sur le PC, mais les opérations de sauvegarde ralentissent l'ordinateur.

Après avoir cliqué sur le bouton Enregistrer les paramètres et exécuter la sauvegarde, Windows 7 démarre aussitôt la sauvegarde, même si ce n'est pas encore l'heure définie par la planification. C'est parce que le prudent Windows 7 tient à tout mettre en lieu sûr avant qu'un incident se produise.

5. **Restaurez quelques fichiers afin de tester la qualité de la sauvegarde.**

   Vérifiez que tout s'est bien déroulé. Répétez la première étape, mais choisissez Restaurer les fichiers. Suivez les indications de Windows 7 jusqu'à ce que vous puissiez parcourir la liste des fichiers sauvegardés. Restaurez l'un d'eux en vous assurant qu'il est copié à son emplacement initial.

Théoriquement, Windows quitte le mode Veille ou Veille prolongée pour sauvegarder le PC au cours de la nuit. Mais en réalité, certains vieux PC restent en léthargie. Si le vôtre ne se réveille pas lors d'un premier test, laissez l'ordinateur allumé à l'heure où il doit sauvegarder les fichiers. Un PC consomme assez peu de courant, surtout si vous avez pris la précaution d'éteindre l'écran.

- Windows 7 enregistre la sauvegarde dans un dossier nommé `Windows 7`, à l'emplacement choisi à l'Étape 3. Ne le déplacez pas car Windows 7 serait incapable de le retrouver lorsque vous devrez procéder à une restauration.

Trouvez des informations techniques sur l'ordinateur

Pour savoir ce que Windows 7 a dans les tripes, ouvrez le Panneau de configuration, choisissez Système et sécurité, puis Système. La fenêtre que montre la Figure 12.3 est une fiche technique pleine d'enseignements. Elle mentionne en effet :

- **Édition Windows :** Windows 7 est décliné en plusieurs éditions. Si vous ne savez pas, ou plus, laquelle est installée dans votre ordinateur, vous l'apprendrez ici.

- **Système :** Windows 7 évalue les performances du PC et attribue un *indice de performance* de 1 (chétif) à 5 (costaud). Le type du microprocesseur est également

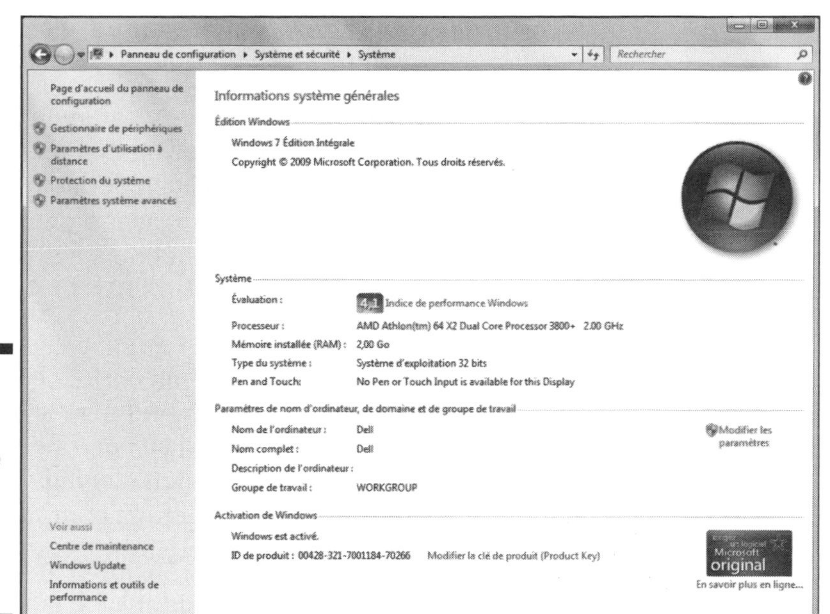

Figure 12.3 : Cliquer sur l'icône Système affiche les spécifications technique de votre ordinateur.

mentionné ici, de même que la quantité de mémoire vive (RAM) installée.

- **Paramètres de nom d'ordinateur, de domaine et de groupe de travail :** Ces informations concernent la connexion de l'ordinateur à un réseau local. Nous y reviendrons au Chapitre 14.
- **Activation de Windows :** Pour éviter qu'un exemplaire de Windows 7 soit installé sur plusieurs ordinateurs (autrement dit piraté), Microsoft exige qu'il soit activé, ce qui l'associe à un seul et unique PC.

Le volet de gauche donne accès à quelques tâches plus avancées que vous apprécierez sans doute quand le PC devient rétif :

- **Gestionnaire de périphériques :** Il recense tous les éléments matériels de votre PC, mais en termes assez techniques. Les éléments précédés d'un point d'exclamation posent problème. Double-cliquez dessus pour obtenir quelques explications. Parfois, un bouton Dépannage apparaît avec l'explication ; double-cliquez dessus pour diagnostiquer le problème.

- **Paramètres d'utilisation à distance :** Rarement utilisé, ce paramétrage compliqué autorise quelqu'un à contrôler votre PC au travers de l'Internet, généralement pour corriger un problème. Si vous connaissez l'une de ces personnes secourables, laissez-la vous expliquer par téléphone ou par un courrier électronique ce qu'il faut faire.

- **Protection du système :** Cette option sert à créer des points de restauration, décrits à la première section de ce chapitre, et à restaurer l'un d'eux afin de mettre l'ordinateur à un état qui était le sien à un moment où il fonctionnait sans problème.

- **Paramètres système avancés :** Les techniciens professionnels passent beaucoup de temps ici. Les autres passent leur chemin.

La plupart des éléments de la zone Système de Windows 7 sont assez compliqués. N'y touchez pas si vous n'êtes pas sûr de ce que vous faites, ou si quelqu'un du support technique ne vous a pas demandé de modifier un paramètre. Pour en avoir un aperçu, lisez l'encadré consacré au réglage des effets visuels de Windows 7.

Libérer de l'espace sur le disque dur

Windows 7 occupe de la place sur le disque dur, mais nettement moins que Vista auquel il a succédé. Si le disque dur est très rempli et que des programmes se plaignent de ne pas avoir assez de place, cette manipulation libérera de l'espace :

1. **Cliquez sur le bouton Démarrer, choisissez Panneau de configuration, puis la catégorie Système et sécurité. Ensuite, à la rubrique Outils d'administration, cliquez sur Libérer de l'espace disque.**

Si le PC possède plus d'un disque dur (NdT : Ou si le disque dur a été partitionné en deux unités logiques), Windows 7 demande quel lecteur doit être nettoyé. Choisissez le lecteur C: puis cliquez sur OK.

Le programme Nettoyage de disque calcule l'espace qui peut être récupéré.

2. **Cochez les cases des éléments à supprimer puis cliquez sur OK.**

   Windows 7 présente la fenêtre Nettoyage de disque dur de la Figure 12.4. Cochez toutes les cases et cliquez sur OK. Quand vous sélectionnez l'intitulé d'une case, la rubrique Description, dans la partie inférieure de la fenêtre, explique ce que vous supprimerez.

Figure 12.4 : Veillez à cocher toutes les cases.

Si le bouton Nettoyer les fichiers système est visible en bas à gauche, cliquez dessus. Windows éliminera ainsi les scories laissées pas lui, et non par vous.

3. **Cliquez sur Supprimer les fichiers, lorsque Windows 7 vous demandera confirmation.**

   Windows 7 vide la Corbeille, détruit les fichiers laissés dans l'ordinateur par des pages Web visitées et supprime bien d'autres éléments abandonnés dans le disque dur par divers programmes.

Pour accéder rapidement au nettoyeur de disque, cliquez sur le bouton Démarrer et tapez Nettoyeur de disque dans le champ Rechercher.

Ajouter des fonctions au bouton d'alimentation

Normalement, un appui prolongé sur le bouton marche-arrêt de votre PC l'éteint, que Windows 7 soit prêt ou non à cet arrêt forcé. C'est pourquoi vous devez systématiquement quitter Windows 7 proprement, en cliquant sur son bouton Arrêter qui se trouve en bas à droite du menu Démarrer, après avoir cliqué sur le petit bouton fléché à côté de l'icône en forme de cadenas. Windows 7 se prépare alors à la fermeture.

Pour éviter de malmener Windows 7 par une extinction intempestive, reprogrammez le bouton marche-arrêt de votre ordinateur portable ou de bureau de manière à ce qu'il n'éteigne pas le PC. Faites qu'il le mette en veille, le nouveau mode d'économie d'énergie de Windows 7.

Si votre ordinateur est un portable, cette zone permet aussi de contrôler ce qui se passe lorsque vous fermez le couvercle : l'ordinateur doit-il s'éteindre ou se mettre en veille ?

Procédez comme suit pour modifier le comportement du bouton marche-arrêt :

1. **Cliquez sur le bouton Démarrer, puis sur Panneau de configuration, et sélectionnez la catégorie Système et sécurité.**

2. **Cliquez sur Options d'alimentation.**

La fenêtre de gestion de l'alimentation apparaît.

3. **Dans le volet de gauche, cliquez sur Choisir l'action du bouton d'alimentation.**

   La fenêtre qui apparaît contient un menu permettant de choisir l'action à effectuer : Ne rien faire, ce qui empêche quiconque d'éteindre l'ordinateur, Veille, Mettre en veille prolongée (la différence entre la veille et la veille prolongée est décrite au Chapitre 2) ou Arrêter.

   Un ordinateur portable contient un menu supplémentaire à cette page, permettant de choisir un comportement différent selon qu'il est branché à une prise de courant ou selon qu'il fonctionne sur sa batterie. Un autre menu permet de configurer l'action à effectuer lors de la fermeture du couvercle, à encore selon que l'ordinateur est sur secteur ou sur batterie.

Pour accéder rapidement à cette fenêtre, tapez **Options d'alimentation** dans le champ Rechercher du menu Démarrer.

Livre I

Configurer des périphériques rétifs (y a-t-il un pilote dans l'ordinateur ?)

Windows est doté d'une kyrielle de *pilotes,* ces petits programmes qui lui permettent de communiquer avec les périphériques que vous connectez à l'ordinateur. Normalement, Windows 7 reconnaît un nouveau matériel, qui fonctionne aussitôt. Parfois, il fait une incursion sur l'Internet afin d'y récupérer quelques instructions avant de finir l'installation.

Mais de temps en temps, vous installez un périphérique qui est, soit trop nouveau pour Windows 7, soit trop vieux pour qu'il ait cru bon de s'embarrasser d'un pilote hors d'âge. Ou alors, un équipement relié au PC fonctionne mal, et un message signale qu'il faut installer un nouveau pilote.

Si Windows 7 ne reconnaît ni n'installe automatiquement un nouveau périphérique qui vient d'être connecté, et cela même après avoir redémarré le PC, essayez ce qui suit :

1. **Visitez le site Web du fabricant et téléchargez le plus récent pilote pour Windows 7.**

   L'adresse du site d'un fabricant figure souvent sur l'emballage, dans le manuel ou dans le CD d'installation. Si vous ne le trouvez pas, recherchez le nom du fabricant sur Google (`www.google.fr`) et localisez son site Web.

   NdT : Sur un emballage, l'adresse Web d'un fabricant est souvent celle de la maison mère, et le site est souvent en anglais. Essayez l'adresse avec une extension `.fr` (exemple : `www.netgear.fr` au lieu de `www.netgear.com`) pour accéder directement au site francophone. Cette astuce fonctionne souvent mais pas toujours.

   Le site ne propose aucun pilote pour Windows 7 ? Essayez avec celui pour Windows XP ou Windows 2000, car ils conviennent souvent (et n'oubliez pas de soumettre *tous* les fichiers téléchargés à l'antivirus).

2. **Exécutez le programme d'installation du pilote.**

   Parfois, double-cliquer sur le fichier téléchargé démarre le programme d'installation, qui se charge de tout. Dans ce cas, vous en avez fini. Autrement, passez à l'Étape 3.

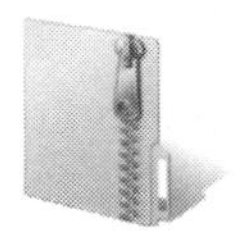

   Si le fichier téléchargé arbore une fermeture Éclair, cliquez dessus du bouton droit et choisissez Extraire tout afin de décompresser son contenu dans un nouveau dossier. Ce dernier porte le même nom que le fichier décompressé, ce qui permet de le localiser plus facilement.

3. **Cliquez sur le bouton Démarrer, puis sur Panneau de configuration. Cliquez sur Système et sécurité puis sur Système. Dans le volet de gauche, cliquez sur le lien Gestionnaire de périphériques.**

   Le Gestionnaire de périphériques contient l'inventaire de tous les éléments matériels à l'intérieur de l'ordinateur ou qui sont connectés.

4. Cliquez sur Action, dans la barre de menus du Gestionnaire de périphériques, et choisissez Ajouter un matériel d'ancienne génération.

L'Assistant Ajout de matériel vous guide à travers les étapes de l'installation de votre nouveau périphérique et, au besoin, installe le nouveau pilote.

✔ Évitez les problèmes en procédant à la mise à jour de vos pilotes. Celui qui était dans l'emballage est peut-être déjà ancien. Visitez le site Web du fabricant et téléchargez la dernière version. Il est possible qu'il corrige des problèmes signalés par les premiers utilisateurs.

Chapitre 13

Partager l'ordinateur en famille

Dans ce chapitre

- Les comptes d'utilisateurs.
- Configurer, supprimer ou modifier des comptes d'utilisateurs.
- Se connecter à l'écran d'accueil.
- Passer rapidement d'un utilisateur à un autre.
- Échanger des fichiers entre des comptes d'utilisateurs.
- Changer l'image d'un compte d'utilisateur.
- Les mots de passe.

Windows 7 se distingue par son graphisme très classe, des fonctions de recherche élaborées et même un magnifique jeu d'échecs. Partant du principe qu'un ordinateur est souvent à la disposition de plusieurs personnes, Microsoft a aussi amélioré la sécurité. La sécurité de tous : Windows 7 envoie des mises en garde à foison.

L'un des points cruciaux de la sécurité est de permettre à plusieurs personnes d'utiliser un même ordinateur sans que les uns puissent farfouiller dans les fichiers des autres.

Ce chapitre explique comment configurer un compte d'utilisateur pour chaque membre de la famille – ou tout groupe de personnes – et faire en sorte qu'un visiteur puisse relever son courrier électronique et vaquer à quelques menues tâches informatiques.

Les bons comptes font les bons utilisateurs

Windows 7 exige la création d'un compte d'utilisateur pour chaque personne utilisant votre PC. Il existe trois sortes de comptes : Administrateur, Standard et Invité. Lorsqu'il s'installe devant l'ordinateur, un utilisateur clique sur son nom de compte, comme à la Figure 13.1.

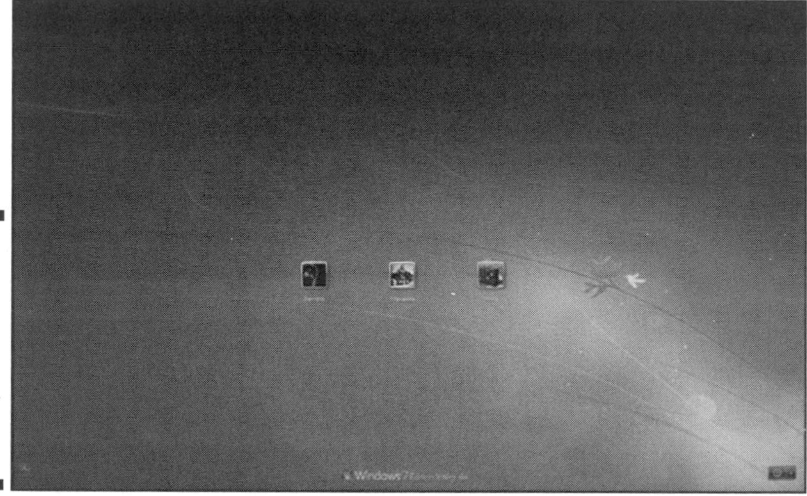

Figure 13.1 : Dans Windows 7, l'utilisateur clique sur son compte pour accéder à sa zone de travail.

L'intérêt de ces différents types de comptes est que chacun permet ou ne permet pas d'effectuer telle ou telle tâche. Si l'ordinateur était un vaste appartement, le compte Administrateur serait le propriétaire, chaque compte Standard un locataire, et le compte Invité quelqu'un qui voudrait utiliser la salle de bains. Voici l'équivalent de ce petit monde dans l'univers informatique :

- **Administrateur :** Le compte Administrateur contrôle la totalité de l'ordinateur, décidant qui utilise quoi et ce que chacun a le droit d'en faire. C'est généralement le propriétaire de l'ordinateur qui bénéficie de ce droit absolu. Il octroie les comptes à chacun des membres de la famille et use de son droit régalien pour décider selon son bon plaisir ce que chacun a l'insigne privilège de pouvoir faire.

- **Standard :** Les possesseurs d'un compte Standard peuvent utiliser largement l'ordinateur, mais sans pouvoir le modifier significativement. Ils ne peuvent pas installer des programmes, mais peuvent les exécuter. Dans Windows XP, ces comptes Standard s'appelaient des "comptes limités".
- **Invité :** Les invités peuvent utiliser l'ordinateur, mais ils ne sont pas reconnus par leur nom. Un compte Visiteur ressemble à un compte Standard, mais sans confidentialité : quiconque ouvre une session Invité trouve le Bureau tel que le prédécesseur l'a laissé en sortant. Ce compte est parfait pour aller sur Internet, mais pas plus.

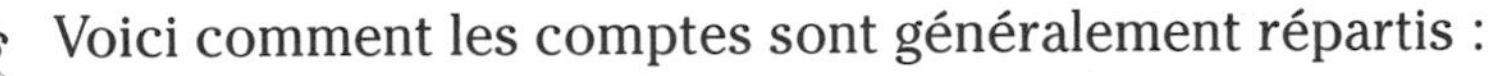

Voici comment les comptes sont généralement répartis :

- Dans une famille, les parents détiennent généralement un compte Administrateur, les enfants des comptes Standard et la baby-sitter ouvre une session avec le compte Invité.
- Dans une collectivité ou une colocation, le propriétaire de l'ordinateur détient le compte Administrateur, et les autres personnes ont un compte Standard ou Invité, selon le degré de confiance qui leur est accordé (et le désordre qu'ils ont laissé dans la cuisine).

Dans Windows XP, tout nouveau compte que vous créiez était *ipso facto* de type Administrateur, sauf si vous cliquiez sur le bouton d'option Limité. Pour plus de sécurité, Windows 7 inverse la procédure : désormais, tout nouveau compte est Standard. Un compte Administrateur doit être expressément demandé.

Configurer ou modifier des comptes d'utilisateurs

En tant qu'Administrateur, vous créerez des comptes d'utilisateurs Standard pour tous ceux avec qui vous partagez l'ordinateur. Ils sont suffisamment puissants pour que l'on ne vienne pas vous enquiquiner à tout bout de champ, tout en empêchant la suppression accidentelle de fichiers importants et la pagaille que quelqu'un pourrait semer dans l'ordinateur.

Procédez comme suit pour ajouter un autre compte au PC ou modifier un compte existant :

1. **Cliquez sur le bouton Démarrer, choisissez Panneau de configuration et, dans la zone Comptes et protection utilisateurs, cliquez sur le lien Ajouter ou supprimer des comptes d'utilisateurs.**

   La fenêtre de la Figure 13.2 apparaît.

Figure 13.2 : Le gestionnaire de comptes sert à créer ou modifier des comptes d'utilisateurs.

2. **Créez un nouveau compte, si vous le désirez.**

Après avoir cliqué sur Créer un nouveau compte, Windows vous laisse choisir entre un compte Standard ou Administrateur. Choisissez Standard, sauf si vous avez de bonnes raisons de créer un autre compte Administrateur. Saisissez le nom du compte puis cliquez sur Créer un compte, pour terminer.

Passez à l'Étape 3 si vous désirez modifier un compte d'utilisateur.

3. **Cliquez sur le compte que vous désirez modifier.**

Cliquez, soit sur le nom du compte, soit sur son image. La page qu'affiche ensuite Windows 7 permet de :

- **Modifier le nom du compte :** C'est le moment de corriger une coquille ou une faute d'orthographe, ou de choisir un pseudonyme.
- **Créer un mot de passe :** Chaque compte d'utilisateur devrait en avoir un afin d'éviter qu'il soit squatté par quelqu'un d'autre. C'est ici que vous pouvez le créer ou le modifier.
- **Supprimer le mot de passe :** Vous ne devriez pas utiliser cette option, mais elle a le mérite d'exister.
- **Modifier l'image :** N'importe quel possesseur de n'importe quel type de compte peut modifier la photo. Il n'est donc pas nécessaire de le faire dès maintenant.
- **Configurer le contrôle parental :** Le contrôle parental permet de restreindre les activités sur un compte. Vous apprenez quels programmes ont été utilisés par le détenteur du compte et quels sites Web il a visités, listés par date et heure. Cette fonction est décrite au Chapitre 10.
- **Modifier le type de compte :** Allez en ce lieu pour promouvoir un utilisateur Standard méritant en Administrateur tout puissant (la flagornerie est parfois

payante), ou rétrogradez un Administrateur véreux en utilisateur lambda, c'est-à-dire Standard.

- **Supprimer le compte :** N'utilisez surtout pas cette fonction inconsidérément, car la suppression d'un compte entraînerait la disparition de tous les fichiers de son détenteur. Même la Restauration du système serait incapable de les récupérer.
- **Gérer un autre compte :** Enregistrez les modifications que vous venez de faire et commencez à modifier le compte de quelqu'un d'autre.

4. **Les modifications terminées, fermez la fenêtre en cliquant sur le petit "X", en haut à droite.**

   Les modifications sont immédiatement prises en compte.

Passer rapidement d'un utilisateur à un autre

Windows 7 permet à une famille, une petite communauté ou un petit bureau d'utiliser le même ordinateur. Mieux, l'ordinateur conserve les programmes des uns et des autres ouverts, de sorte que Tatie Danièle peut jouer aux échecs puis quitter la partie un moment afin que Chloé puisse relever son courrier électronique. Quand Tatie Danièle reprend l'ordinateur quelques minutes plus tard, la partie d'échecs est au point où elle était précédemment, au moment où elle s'apprêtait à sacrifier le fou – c'est dingue... – pour sauver la reine.

Appelée *changement rapide d'utilisateur,* la permutation entre les utilisateurs est des plus faciles. La touche Windows enfoncée – elle se trouve entre les touches Ctrl et Alt –, appuyez sur la touche L. Le bouton Changer d'utilisateur apparaît immédiatement, permettant de passer la main à quelqu'un d'autre.

Lorsque cette personne a terminé, elle ferme sa session normalement, en cliquant sur la petite flèche près du bouton

Arrêt, dans le menu Démarrer, et en choisissant Fermer la session.

Rappelez-vous ces conseils lorsque vous gérez les comptes d'utilisateurs sur votre PC :

- Avec toutes ces permutations, vous finissez par vous demander dans quel compte vous vous trouvez. Pour le savoir, ouvrez le menu Démarrer : le nom du détenteur du compte figure en haut à droite. De plus, dans l'écran d'ouverture de Windows 7, la mention Session ouverte figure sous l'image de chaque utilisateur actuellement connecté.

- Ne redémarrez pas le PC pendant que d'autres personnes ont ouvert des sessions, faute de quoi elles perdraient leur travail en cours. Windows 7 vous prévient de ce risque, donnant une chance aux autres utilisateurs de sauvegarder leurs fichiers.

- La permutation entre les utilisateurs est aussi possible en cliquant sur le bouton Démarrer, puis sur la petite flèche à droite du cadenas, et en choisissant enfin l'option Changer d'utilisateur.
- Si vous désirez modifier un paramètre de sécurité pendant que votre enfant est sur l'ordinateur, il n'est pas nécessaire d'activer un compte Administrateur. Modifiez directement le paramètre depuis votre compte et, à l'instar de ce qui ce serait produit si votre enfant l'avait fait, Windows 7 demande un mot de passe. Tapez celui d'un Administrateur et Windows vous permet de changer la configuration, exactement comme si vous aviez ouvert une session sous votre nom.
- La fonction Changement rapide d'utilisateur ralentit les ordinateurs qui manquent de mémoire vive. Évitez cette fonction si votre PC rame lorsque plusieurs comptes sont ouverts. N'ouvrez qu'un seul compte à la fois, en demandant à la personne qui l'utilise de le fermer lorsqu'elle cessera de travailler sur l'ordinateur.

Les servitudes des comptes Standard

Les détenteurs de compte Standard accèdent librement à leurs propres fichiers. Mais ils ne peuvent rien faire qui affecterait les autres utilisateurs, comme supprimer des programmes ou modifier des paramètres de l'ordinateur, ni même régler l'horloge. S'ils essayent, Windows 7 gèle l'écran, exigeant un mot de passe d'Administrateur. C'est alors qu'un administrateur doit se déranger – jamais tranquille... – pour accéder à la demande.

Bien que certaines personnes apprécient ce surcroît de sécurité, d'autres ont l'impression d'être inféodées à leur PC. Il existe diverses manières de rendre Windows 7 moins exigeant :

- **Accorder un compte Administrateur à tout le monde :** Cette promotion autorise tout le monde à taper le mot de passe que demande l'écran d'alerte. C'est extrêmement risqué car n'importe qui peut faire n'importe quoi, y compris supprimer des comptes d'utilisateurs et tous les fichiers personnels qu'ils contiennent.
- **Régler la glissière de protection du compte d'utilisateur :** Choisissez cette option décrite au Chapitre 10 et Windows cesse d'être aux petits soins. Il n'affiche plus le panneau de demande de permission et ne s'occupe plus de la sécurité. Mettez la glissière au niveau le plus élevé, et Windows 7 vous interroge systématiquement au moindre risque pour votre PC.
- **Faire avec :** Vous pouvez considérer que les incessantes interventions des écrans sécuritaires de Windows 7 sont le prix à payer pour vivre à peu près tranquille dans ce qui est devenu une véritable jungle informatique. Définissez vous-même le degré de confort et de sécurité.

Si vous avez désactivé le contrôle du compte d'utilisateur et que vous désirez le rétablir, ouvrez le Panneau de configuration, choisissez la catégorie Comptes et protection utilisateurs, puis Comptes d'utilisateurs et enfin, cliquez sur Modifier les paramètres de contrôle de compte d'utilisateur. Mettez le curseur à la troisième graduation à partir du bas – celle à traits épais –, qui est le réglage par défaut, puis cliquez sur OK.

Partager des fichiers parmi des utilisateurs du PC

Normalement, le système de comptes d'utilisateurs fait en sorte que les fichiers de chaque utilisateur soient séparés de ceux des autres, ce qui évite effectivement que Roméo lise le journal intime de Juliette. Mais comment ferez-vous lorsque vous devrez co-rédiger un rapport avec quelqu'un, et que chacun devra donc pouvoir accéder au même fichier ? Vous pourriez certes envoyer et renvoyer le fichier par courrier électronique, ou le copier dans une clé USB que vous vous transmettrez, mais reconnaissez que c'est un peu lourd.

La solution la plus simple consiste à placer le fichier dans un dossier Public de l'une de vos bibliothèques. Ce fichier est alors visible dans la bibliothèque de tous les autres utilisateurs, permettant à chacun de l'ouvrir, le modifier ou le supprimer. Voici comment localiser les dossiers publics résidant à l'intérieur de vos bibliothèques, et y copier les fichiers à partager :

1. **Ouvrez un dossier et naviguez jusqu'au dossier contenant les fichiers que vous désirez partager.**

   Aucun dossier n'est ouvert sur le Bureau ? Ouvrez-en un en cliquant sur l'icône Bibliothèques, dans la barre des tâches.

2. **Dans le volet de navigation, à gauche, double-cliquez sur le mot Bibliothèques.**

   Cette action ouvre la fenêtre Bibliothèques, qui contient celles de Windows 7 : Documents, Vidéos, Musique et Images.

3. **Double-cliquez sur la bibliothèque dans laquelle vous désirez placer le fichier à partager.**

   Double-cliquez sur la bibliothèque Musique, par exemple, et vous accédez aux deux emplacements qu'elle contient : Ma musique et Musique publique.

Chacune des quatre bibliothèques affiche en permanence le contenu d'un dossier public ainsi que le contenu de votre dossier personnel.

L'intérêt d'un dossier public est que son contenu apparaît dans la bibliothèque de tous les utilisateurs. Si Éric a placé un fichier de musique dans son dossier Musique publique, il apparaîtra également dans la bibliothèque Musique de Rose, car sa bibliothèque affiche aussi le contenu du dossier Musique publique.

4. **Copiez les fichiers à partager dans les dossiers publics des bibliothèques appropriées.**

   Vous pouvez les glisser et les déposer directement sur l'icône du dossier public du volet de navigation. Dès qu'un fichier est dans un dossier public, il est visible par tous les utilisateurs, qui peuvent les ouvrir, les modifier et les supprimer (c'est pourquoi il est plus prudent de copier les fichiers dans les dossiers publics plutôt que de les déplacer).

Voici quelques conseils à propos des dossiers publics :

- Pour savoir ce que vous partagez, examinez vos propres bibliothèques, affichées dans le volet de navigation. Par exemple, pour voir les morceaux que vous partagez, double-cliquez sur Musique pour déployer ses sous-dossiers, puis cliquez sur l'un d'eux intitulé Musique publique.
- Si vos ordinateurs sous Windows 7 sont reliés en réseau, comme décrit au Chapitre 14, vous pouvez créer un *Groupe résidentiel d'ordinateurs* offrant un moyen simple de partager les fichiers. Après en avoir créé un, n'importe qui utilisant l'un des PC de la maison peut partager n'importe quoi au travers des bibliothèques que vous avez choisies. C'est un moyen simple et commode pour échanger des photos, des musiques et des vidéos.

Modifier l'image d'un compte d'utilisateur

Passons aux choses sérieuses : le changement de la photo un peu mièvre que Windows 7 assigne automatiquement aux comptes d'utilisateurs. Elle est choisie aléatoirement parmi des photos d'animaux et d'objets hétéroclites. Il est beaucoup plus gratifiant de remplacer le portrait de chaton ou de robot par le portrait des détenteurs de comptes, à commencer par vous.

Pour changer l'image d'un compte, cliquez sur le bouton Démarrer puis sur la photo, en haut à droite du panneau. Dans la fenêtre qui apparaît, choisissez l'option Modifier votre image. Windows montre les illustrations présentées à la Figure 13.3.

Figure 13.3 : Windows propose ces illustrations comme images de compte, mais vous pouvez utiliser une de vos photos.

Pour utiliser une photo qui ne figure pas dans la photothèque, cliquez sur le lien Rechercher d'autres images. La fenêtre qui s'ouvre est celle du dossier Images, que Windows utilise notamment pour stocker les photos transférées depuis votre appareil photo numérique. Double-cliquez sur une photo qui vous plaît et Windows la colle aussitôt dans le petit cadre en haut du menu Démarrer.

Vous désirez une image qui se trouve dans votre appareil photo ou provenant du scanneur ? Voici quelques options supplémentaires :

- Vous pouvez récupérer n'importe quelle image sur l'Internet et l'enregistrer dans votre dossier Images pour en faire une image de compte (cliquez du bouton droit sur l'image et choisissez Enregistrer l'image sous).
- Ne vous inquiétez pas si l'image est trop grande ou trop petite. Windows 7 la réduit automatiquement à la taille d'un timbre-poste afin qu'elle tienne dans le cadre (NdT : En revanche, veillez à ce qu'elle soit carrée, sinon le redimensionnement la déformera).
- Tous les utilisateurs, quel que soit leur type de compte – Administrateur, Standard ou Invité –, peuvent modifier l'image de leur compte. C'est même l'un des rares éléments qu'un compte Invité puisse changer.

Mot de passe et sécurité

Rien ne sert d'avoir un compte d'utilisateur s'il n'est pas protégé par un mot de passe. Autrement, n'importe qui pourrait profiter d'un moment où vous n'êtes pas là pour fouiller dans vos fichiers.

Les comptes Administrateurs se doivent d'avoir un mot de passe. Autrement, il serait non seulement possible de fouiller dans l'ordinateur, mais aussi d'y causer des dégâts irrémédiables. À l'apparition du panneau de permission, il suffirait d'appuyer sur Entrée pour que le loup soit dans la bergerie.

Voici comment créer ou modifier un mot de passe :

1. **Ouvrez le menu Démarrer, choisissez Panneau de configuration puis sélectionnez Comptes et protection utilisateurs.**

La fenêtre des comptes d'utilisateurs s'ouvre.

2. **Choisissez Modifier votre mot de passe Windows.**

   Ceux qui n'ont pas encore créé de mot de passe doivent, à la place, choisir Créer un mot de passe pour votre compte.

3. **Choisissez un mot de passe facile à retenir et tapez-le dans le champ Nouveau mot de passe (Figure 13.4). Retapez-le dans le champ Confirmer le nouveau mot de passe. C'est un moyen de détecter une éventuelle faute de frappe.**

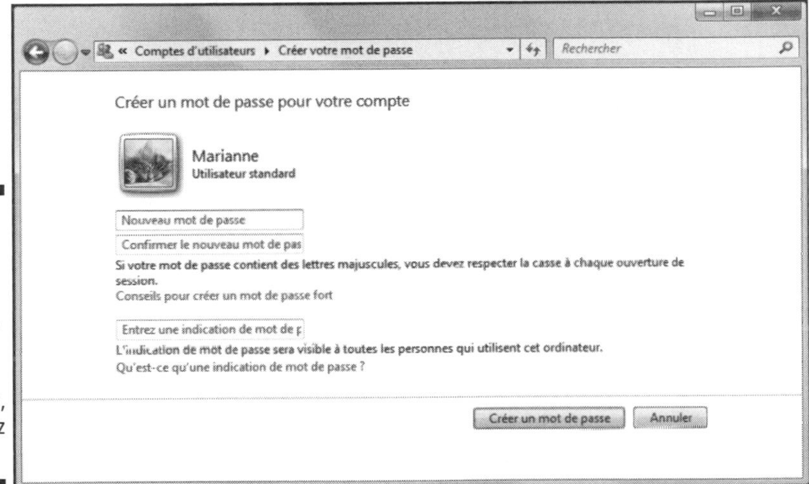

Figure 13.4 : Saisissez notamment un indice qui vous permettra de vous rappeler du mot de passe, si vous veniez à l'oublier.

   La modification d'un mot de passe s'effectue un peu différemment : la fenêtre affiche un champ Mot de passe actuel dans lequel vous devez, en toute logique, taper d'abord le mot de passe existant.

   Vous trouverez un peu plus loin des conseils pour créer des mots de passe sûrs.

4. **Dans le champ Entrez une indication de mot de passe, tapez un indice qui vous permettra de retrouver le mot de passe si vous l'avez oublié.**

Veillez à ce qu'il ne soit compréhensible que par vous seul. Ne choisissez pas "Ma couleur de cheveux". Au travail, vous pouvez choisir "La marque de croquettes du chat" ou "Mon metteur en scène préféré". À domicile, choisissez quelque chose que vous seul connaissez, et surtout pas les enfants. N'hésitez pas à modifier le mot de passe de temps en temps. Vous en apprendrez plus sur les mots de passe au Chapitre 2.

5. **De retour dans la fenêtre des comptes d'utilisateurs, cliquez sur Créer un disque de réinitialisation de mot de passe, dans le volet gauche.**

   Ce disque peut être créé sur une disquette, dans une carte mémoire ou dans une clé USB.

Si vous oubliez le mot de passe, le disque de réinitialisation de mot de passe sera votre clé. Windows 7 vous autorisera à choisir un nouveau mot de passe. Mettez le disque en lieu sûr car quiconque le trouve aura accès à votre compte.

Voici quelques conseils pour créer de meilleurs mots de passe :

- Mélangez des lettres, des chiffres et des symboles et optez pour une longueur de 7 à 14 caractères. N'utilisez jamais votre nom ou votre nom d'utilisateur. C'est la première chose que les filous essaient lorsqu'ils tentent de s'introduire dans l'ordinateur.
- Ne choisissez pas un nom aussi commun que "patate" ou "ornithorynque". Pensez à un mot qui ne figure pas dans un dictionnaire. Combinez deux mots pour en faire un troisième (c'est ce que l'on appelle des "mots-valise"). NdT : Ou alors, utilisez un mot dans une langue rare comme l'amharique, le malayalam, le tagalog ou le suisse allemand du canton d'Appenzell.
- Notez le mot de passe sur papier, que vous cacherez au plus profond du tiroir du meuble le plus obscur de la chambre la plus reculée de l'un de vos nombreux châteaux.

- Les majuscules et les minuscules sont différenciées. *Pop-Corn* n'est pas la même chose que *popcorn*.

Chapitre 14

Relier des ordinateurs en réseau

Dans ce chapitre

- Les éléments d'un réseau.
- Choisir entre un réseau filaire et un réseau sans fil.
- Configurer un réseau domestique.
- Établir une connexion sans fil.
- Créer un groupe résidentiel d'ordinateurs.
- Partager une connexion Internet, des fichiers et des imprimantes.

L'achat d'un deuxième ordinateur pose un problème nouveau : comment deux PC peuvent-il partager la même connexion Internet et la même imprimante ? Et comment faire migrer les fichiers de l'ancien PC vers le nouveau ?

La solution réside dans la création d'un réseau informatique. En reliant les ordinateurs par un câble, Windows 7 les met en relation les uns avec les autres, leur permettant ainsi d'échanger des données, se connecter à l'Internet et utiliser la même imprimante.

Ce chapitre explique différentes manières de relier un groupuscule d'ordinateurs. Mais soyez prévenus : ce domaine est assez compliqué. Ne vous y aventurez pas sans avoir des droits d'Administrateur, un minimum de culture informatique et les nerfs assez solides, car il peut se passer un certain temps avant que tout fonctionne enfin.

Les éléments d'un réseau

Un *réseau* est un groupe d'ordinateurs reliés entre eux afin qu'ils puissent partager des données. Qu'ils soient d'une grande simplicité ou horriblement compliqués, tous les réseaux ont trois éléments en commun :

- **Une interface de réseau :** Chaque ordinateur d'un réseau doit être équipé de sa propre interface de réseau. Il en existe de deux types : si le réseau est filaire, il s'agit d'une carte de réseau équipée d'une prise pour le câble (sur beaucoup d'ordinateurs de bureau et tous les portables, l'interface est intégrée à la carte mère). S'il s'agit d'un *réseau sans fil,* cette interface peut être une carte, voire une clé USB, qui sert d'émetteur-récepteur. Il est possible de créer un réseau à la fois filaire et sans fil car les deux technologies font bon ménage.
- **Un routeur :** Quand vous ne reliez que deux ordinateurs, chacun est capable d'échanger des données avec l'autre. En revanche, dès qu'ils sont plus nombreux, il leur faut une sorte de plaque tournante : le routeur. Chaque ordinateur est relié à un boîtier qui aiguille les données vers l'ordinateur auquel elles sont destinées.
- **Des câbles ou des émetteurs-récepteurs :** Les données sont acheminées, soit par des câbles de réseau, soit par une liaison hertzienne.

Après avoir connecté les ordinateurs entre eux par des câbles, une liaison sans fil, ou les deux à la fois, Windows 7 se mêle de la partie. S'il est dans ses bons jours, il établit aussitôt les échanges et tout communique. La plupart des réseaux informatiques sont en étoile, comme le montre la Figure 14.1.

La topographie d'un réseau sans fil est fondamentalement identique, mais sans les câbles. Il est possible de mêler un réseau filaire à un réseau Wi-Fi, comme dans la Figure 14.2. Beaucoup de routeurs sont hybrides, à la fois filaire et sans fil, permettant de relier les ordinateurs aussi bien par des câbles Ethernet que par des liaisons hertziennes.

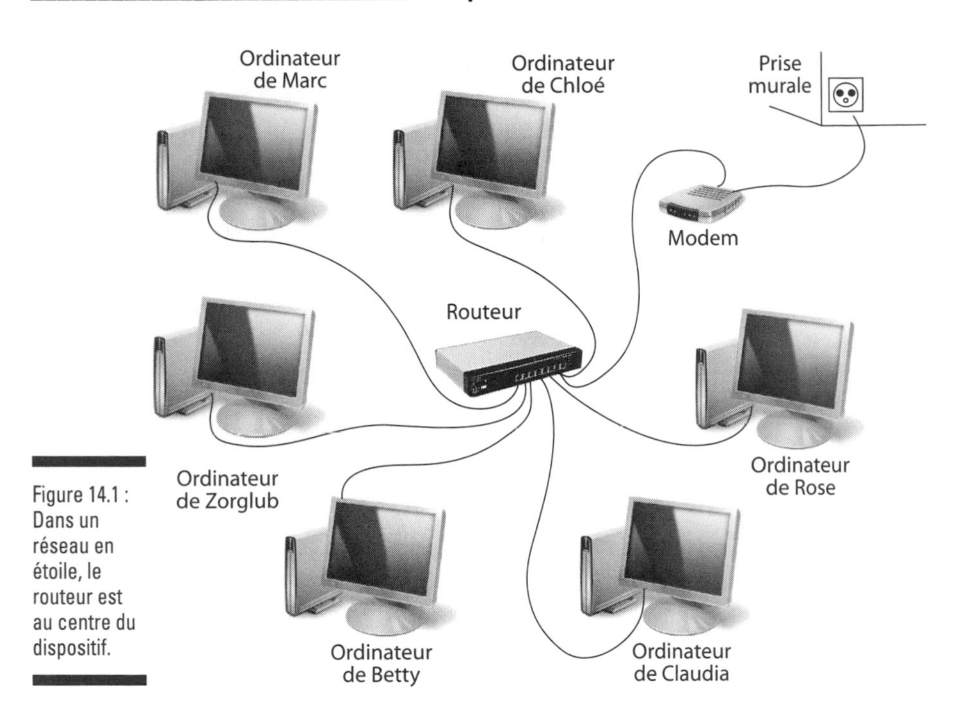

Figure 14.1 : Dans un réseau en étoile, le routeur est au centre du dispositif.

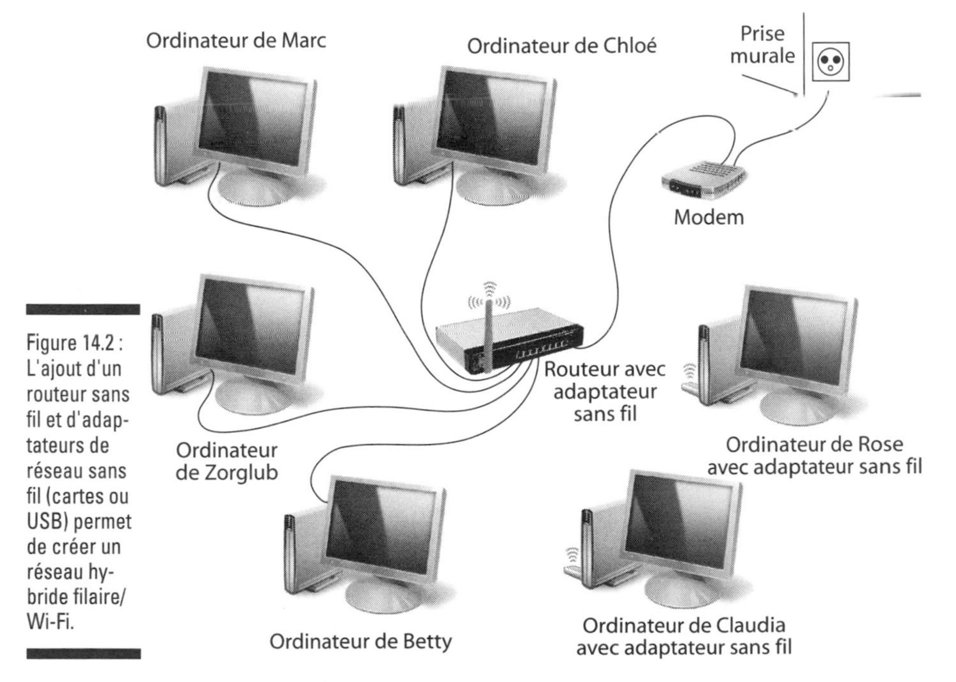

Figure 14.2 : L'ajout d'un routeur sans fil et d'adaptateurs de réseau sans fil (cartes ou USB) permet de créer un réseau hybride filaire/Wi-Fi.

Windows 7 se débrouille très bien avec les ordinateurs du réseau. Il autorise chacun à se connecter à l'Internet, permettant à tous les utilisateurs de surfer sur le Web et d'accéder à leur messagerie sans se gêner les uns les autres. Chaque ordinateur peut aussi se connecter à l'imprimante. Si deux personnes envoient simultanément un document à l'imprimante, Windows met l'un deux en attente en attendant d'être de nouveau disponible.

Que choisir ? Filaire ou sans fil ?

Aujourd'hui, le mot Wi-Fi – abrégé de *Wireless Fidelity* – est entré dans le langage courant. La Wi-Fi a mis fin en grande partie aux fouillis de câbles qui dégoulinaient de la table de l'ordinateur pour se répandre dans toute la maison et dans lesquels on se prenait les pieds. Le réseau sans fil est plus discret et plus élégant. Il repose sur des adaptateurs, en réalité des émetteurs-récepteurs qui convertissent les données en ondes radio à très haute fréquence et inversement.

L'inconvénient de la Wi-Fi est l'atténuation du signal selon la distance et les obstacles, qui ralentissent peu à peu le débit. Si les ondes radio doivent franchir plus de deux murs, les ordinateurs risquent de ne pas pouvoir communiquer.

Les réseaux filaires ont un débit supérieur, sont plus efficaces et moins onéreux. Mais s'il n'est pas question qu'un câble traverse le salon et la salle de bain, la Wi-Fi est la meilleure solution. Rappelez-vous que les réseaux filaires et sans fil peuvent coexister au sein d'un même ensemble d'ordinateurs.

Pour qu'un réseau sans fil puisse accéder à l'Internet, le routeur doit être équipé d'un point d'accès sans fil incorporé.

Configurer un petit réseau

Si vous voulez créer un réseau de plus de cinq ou dix ordinateurs, vous devrez acquérir un livre plus avancé que celui-ci. Le réseau lui-même est assez facile à mettre en place, mais le partage des ressources peut s'avérer très délicat à configurer, notamment si les ordinateurs contiennent des données sensibles. Mais si vous désirez seulement relier quelques ordinateurs chez vous ou dans un petit bureau, le contenu de ce chapitre sera sans doute suffisant.

Trève de bavardage, voyons comment configurer, étape par étape, un petit réseau peu onéreux. Les sections qui suivent expliquent comment acheter les trois éléments d'un réseau – adaptateurs de réseau, câbles et routeur – pour que l'information puisse circuler entre tous les ordinateurs.

Vous trouverez des instructions plus détaillées sur la mise en réseau dans mon livre *PC Mise à niveau et dépannage Pour les Nuls* (NdT : Et aussi dans *Les Réseaux Pour les Nuls* de Doug Lowe, et dans *Créer un réseau domestique Pour les Nuls,* de Kathy Ivens).

Le moyen le plus facile de relier des ordinateurs

Peut-être voudrez-vous seulement relier deux ordinateurs rapidement et facilement afin de transférer des données de l'un à l'autre. Le moyen le plus facile et le plus direct est de les relier par un câble de réseau *croisé,* qui est une variante du câble Ethernet. Assurez-vous au moment de l'achat que le câble est bien croisé (c'est écrit en clair sur l'emballage), car avec un câble droit, la connexion directe ne pourrait pas s'établir.

Connectez les deux ordinateurs et Windows 7 établira la liaison. Si l'un des ordinateurs est connecté à l'Internet, l'autre le sera aussi.

Bref, il suffit d'un câble pour relier économiquement et facilement deux ordinateurs.

Acheter les éléments du réseau

Entrez dans une boutique d'informatique et ressortez-en avec, dans votre besace, les éléments ci-dessous, et vous serez paré pour créer le réseau :

Des câbles Fast Ethernet ou 100BaseT : Achetez un câble pour chaque ordinateur non équipé de la Wi-Fi. Vous devrez acheter des câbles Ethernet, dont les prises ressemblent à celles du téléphone, mais un peu plus grosses (les connecteurs de téléphone sont de type RJ-11, ceux du câble Ethernet de type RJ-45). Les câbles Ethernet sont aussi désignés par leur qualité : Cat-5 (de catégorie 5), Cat-5e ("e" pour *enhanced*, "amélioré", en anglais) ou Cat-6, et parfois aussi un chiffre qui quantifie leur débit maximal : 10, 100 ou 1 000, appelés aussi 10BaseT, 100BaseT ou Fast Ethernet, ou encore 1000BaseT.

Quelques immeubles sont précâblés, avec des prises de réseau aux murs, ce qui évite de devoir tirer des câbles à travers les pièces. Si vos ordinateurs sont trop éloignés pour envisager le câble, achetez du matériel Wi-Fi, décrit un peu plus loin.

NdT : Une autre solution consiste à acheminer les données par les fils électriques de l'appartement, grâce à une technique appelée CPL, "courant porteur en ligne". La prise réseau RJ-45 de chaque ordinateur est connectée à un adaptateur branché sur une prise électrique de la maison.

Des adaptateurs réseau : Chaque ordinateur du réseau doit être équipé d'une carte réseau interne ou externe. Sur les ordinateurs récents et bon nombre de portables, la carte est intégrée, avec en plus des fonctionnalités Wi-Fi, ce qui permet de se connecter à n'importe quel réseau, filaire ou non.

Si vous devez acheter des cartes réseau, vérifiez que :

- La carte réseau est équipée d'un connecteur Ethernet 10/100. Elle peut se brancher à un port USB ou être insérée dans un emplacement libre à l'intérieur du PC.
- L'emballage indique qu'elle est Plug and Play ("branchez, ça marche") et compatible Windows 7.

Le routeur : La plupart des routeurs sont aujourd'hui Wi-Fi et certains intègrent même un modem. Votre achat dépendra de votre connexion Internet et des cartes réseau :

- La box – LiveBox, FreeBox, NeufBox et autres – vendue ou louée par votre fournisseur d'accès Internet (FAI) est en réalité un routeur à la fois filaire et Wi-Fi.

- Un routeur par câble doit être équipé de suffisamment de ports pour y connecter tous les ordinateurs du réseau. La Figure 14.3 montre comment connecter les câbles.

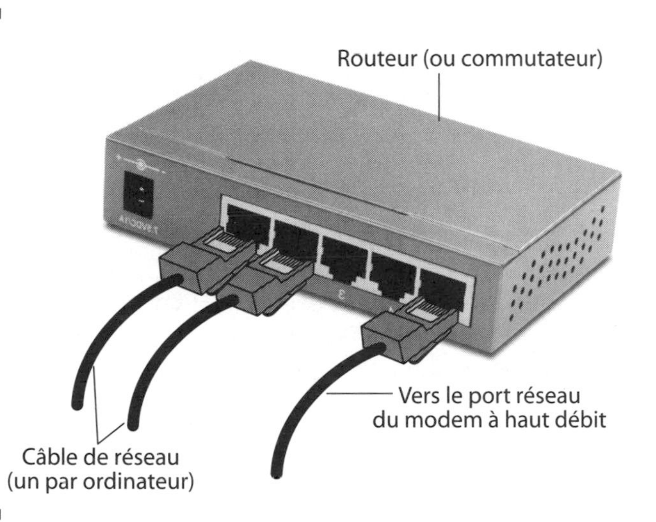

Figure 14.3 : Le routeur ou le commutateur doit comporter suffisamment de ports pour chaque câble relié à un ordinateur. Si c'est un routeur, comme sur l'illustration, il doit aussi avoir un port réservé au modem.

- Un routeur possède généralement quatre ou huit prise RJ-45.
- Si tout ou une partie de vos ordinateurs communiquent sans fil, assurez-vous que le routeur possède des capacités Wi-Fi. Si vous utilisez un commutateur, reliez-le à un point d'accès. Ce dernier peut desservir simultanément des dizaines d'ordinateurs Wi-Fi à la fois.

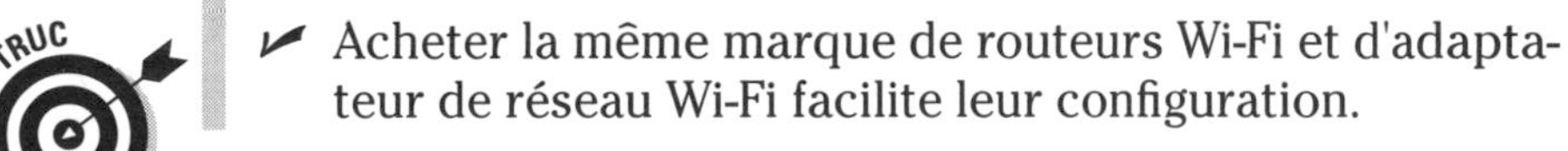

- Acheter la même marque de routeurs Wi-Fi et d'adaptateur de réseau Wi-Fi facilite leur configuration.

Voilà pour la liste d'achat. Il ne vous reste plus qu'à vous précipiter à la boutique informatique.

Installer un réseau filaire

Après avoir acheté les éléments du réseau, vous devrez les relier entre eux. Windows 7 devrait reconnaître automatiquement les nouvelles cartes réseau et les faire joyeusement communiquer :

1. **Éteignez et débranchez tous les ordinateurs à relier.**

   Débranchez-les aussi de la prise électrique.

2. **Débranchez tous les périphériques de tous les ordinateurs : écrans, imprimantes, box...**

3. **Installez des adaptateurs de réseau.**

   Insérez les adaptateurs USB dans les ports USB des ordinateurs. Si vous avez acheté des cartes réseau, ôtez le capot de chaque ordinateur puis insérez chaque carte dans le connecteur approprié. Si votre environnement est chargé en électricité statique, touchez le châssis de l'ordinateur afin de la décharger.

   Ne forcez pas une carte qui semble ne pas s'insérer dans le connecteur. Il existe en effet différents types de cartes pour différents types de connecteurs. Peut-être tentez-vous d'insérer une carte inappropriée. Voyez si elle s'insère mieux dans un autre connecteur (reportez-vous à mon livre *PC Mise à niveau et dépannage Pour les Nuls* pour en apprendre plus sur les divers connecteurs).

4. **Remettez le capot des ordinateurs en place puis tirez des câbles entre le routeur (ou le commutateur) et chaque ordinateur.**

   À moins d'utiliser des adaptateurs sans fil, vous devrez tirer des fils à travers la pièce, en les faisant passer sous les tapis ou contourner les portes. La plupart des routeurs doivent aussi être branchés sur le secteur.

5. **Les abonnés à l'Internet à haut débit doivent brancher leur modem (ou box) à la prise WAN du routeur.**

   Sur les routeurs, le port WAN (*Wide Area Network*, réseau étendu) est réservé au modem. Les ordinateurs se branchent sur les ports LAN (*Local Area Network*, réseau local), qui sont numérotés.

Les utilisateurs qui se connectent en bas débit peuvent laisser leur modem téléphonique branché à l'ordinateur. Lorsque ce dernier sera allumé et connecté, tous les autres ordinateurs auront accès à l'Internet.

6. **Allumez tous les ordinateurs et leurs périphériques.**

   Rallumez les ordinateurs, les écrans, imprimantes, modems, etc.

7. **Sélectionnez un emplacement pour le réseau.**

   Lorsqu'au démarrage Windows 7 détecte le nouvel équipement de réseau, il demande de préciser son emplacement : au domicile, sur le lieu de travail ou dans un lieu public. Windows 7 adapte automatiquement le niveau de sécurité à l'environnement choisi : sûr chez soi ou au bureau, moins sûr dans un lieu public.

   En principe, Windows 7 établit aussitôt la communication. Si l'adaptateur de réseau était livré avec un CD d'installation, insérez-le maintenant (si l'installation ne démarre pas automatiquement, double-cliquez sur le fichier Setup pour la lancer).

   Si au contraire tout ne s'est pas bien passé, l'adaptateur de réseau nécessite sans doute un pilote plus récent (reportez-vous au Chapitre 12).

   Windows 7 se débrouille très bien avec les ordinateurs du réseau, qu'il s'agisse d'autres PC et même de Mac. Après les avoir correctement connectés et redémarrés, il y a de fortes chances pour qu'ils communiquent désormais tous entre eux. Autrement, redémarrez-les.

   Souvenez-vous de ces quelques recommandations lorsque vous configurez votre réseau :

   - Si vous avez choisi Réseau domestique comme lieu où se trouve le réseau, à l'Étape 7, Windows vous demande si vous désirez créer un *groupe résidentiel d'ordinateurs* afin de partager des fichiers entre des comptes d'utilisateurs de l'ordinateur, et entre les ordinateurs en réseau. Acceptez l'offre puis reportez-vous à la section "Configurer un groupe résidentiel d'ordinateurs", plus loin dans ce chapitre.

- Après avoir créé un groupe résidentiel d'ordinateurs, Windows 7 partage aussitôt vos bibliothèques Images, Musique et Vidéos avec chacun des ordinateurs du réseau. Les fichiers qui s'y trouvent sont accessibles par tout le monde. Le partage des fichiers, dossiers, imprimantes et autres éléments est expliqué un peu plus loin dans ce chapitre.

- Dans Windows XP, le dossier partagé s'appelait "Documents partagés". Dans Windows 7, il se nomme "Public", mais les deux ont le même usage : fournir un emplacement accessible à tous les autres utilisateurs du réseau.

- Pour voir les autres ordinateurs connectés au réseau, ouvrez n'importe quel dossier puis cliquez sur le bouton Réseau, dans le volet de navigation, à gauche.

- Si les ordinateurs ne communiquent pas entre eux, assurez-vous que tous utilisent le même nom de groupe, comme expliqué dans l'encadré "Noms de groupe et Windows XP".

Se connecter en Wi-Fi

La création d'un réseau domestique sans fil s'effectue en deux phases :

- La première consiste à configurer le point d'accès ou le routeur (appelé aussi "box") qui enverra les données vers les ordinateurs et en recevra d'eux.

- La seconde est la configuration de Windows 7 sur chacun des PC afin qu'ils puissent détecter le signal puis échanger des informations.

Cette section est consacrée à ces deux délicates tâches.

Configurer un point d'accès ou un routeur sans fil

La Wi-Fi apporte le même confort que la téléphonie sans fil, mais elle est autrement plus compliquée à configurer qu'une connexion filaire. Il s'agit en effet de configurer des petits émetteurs-récepteurs radio branchés à votre ordinateur. Vous devez vous soucier de la force du signal hertzien, trouver le signal approprié et aussi entrer des mots de passe afin d'éviter que les voisins s'introduisent dans votre réseau.

Le transmetteur sans fil, connu sous le nom de WAP (*Wireless Access Point,* point d'accès sans fil), est soit intégré au routeur, soit connecté à l'un de ses ports. Les diverses marques d'équipement sans fil ont hélas développé chacune leur propre programme d'installation, de sorte qu'il est impossible de proposer des instructions étape par étape pour configurer un routeur en particulier.

Toutefois, les logiciels d'installation ont en commun ces trois paramètres :

- **Un nom de réseau :** Appelé SSID (*Service Set Identifier,* identifiant de l'ensemble des services), il identifie votre réseau. Choisissez-en un facile à retenir. Par la suite, lorsque vous vous connecterez au réseau sans fil avec l'un des ordinateurs, c'est ce nom que vous sélectionnerez. Si plusieurs SSID sont affichés, les autres sont sans doute ceux de voisins disposant eux aussi d'un réseau sans fil.

- **L'infrastructure :** C'est l'une des deux options systématiquement proposées, et que vous devez choisir. L'autre s'appelle Ad-hoc.

- **La sécurité :** Cette option crypte les données envoyées dans les airs. La plupart des routeurs ou box offrent généralement trois types de sécurité : WEP (*Wired Equivalent Privacy,* "confidentialité équivalente au filaire") est à peine meilleur que pas de mot de passe, WPA (*Wi-Fi Protected Access,* "Accès protégé à la Wi-Fi") est déjà mieux et WPA2 est encore mieux. Voyez dans le manuel du routeur quelles sont les protocoles de cryptage qu'il reconnaît. Notez que le niveau de sécurité du routeur doit être au moins aussi bon que celui de la sécurité de l'adaptateur ; autrement, ils ne peuvent pas communiquer.

Certains routeurs sont équipés d'un programme d'installation qui permet de modifier ces paramètres. D'autres, les box notamment, contiennent un programme incorporé auquel vous accédez à l'aide du navigateur Web, Internet Explorer par exemple.

Notez sur papier les trois paramètres que nous venons de citer, car vous devrez les entrer dans les différents ordinateurs du réseau sans fil, une tâche décrite à la prochaine section.

Paramétrer Windows 7 pour la connexion sans fil

Après avoir configuré le routeur ou le point d'accès pour qu'ils émettent des signaux, vous devez indiquer à Windows 7 comment il peut les recevoir.

Voici comment faire pour vous connecter à un réseau sans fil, que ce soit dans un lieu public (un cybercafé, un hôtel, un aéroport...) ou chez soi :

1. **Activez l'adaptateur réseau, si nécessaire.**

   Sur de nombreux ordinateurs portables, l'adaptateur Wi-Fi est inactif afin d'économiser la batterie. Pour ce faire, accédez au Centre de mobilité en appuyant sur les touches Windows+X (la touche Windows se trouve entre les touches Ctrl et Alt) et cliquez sur le bouton Activation sans fil. Il ne se passe rien ? Dans ce cas, vous devrez consulter le manuel de l'ordinateur.

2. **Cliquez sur le bouton Démarrer, puis sur Panneau de configuration. Cliquez ensuite sur Réseau et Internet, puis sur Centre Réseau et partage.**

Le Centre Réseau et partage apparaît comme à la Figure 14.4.

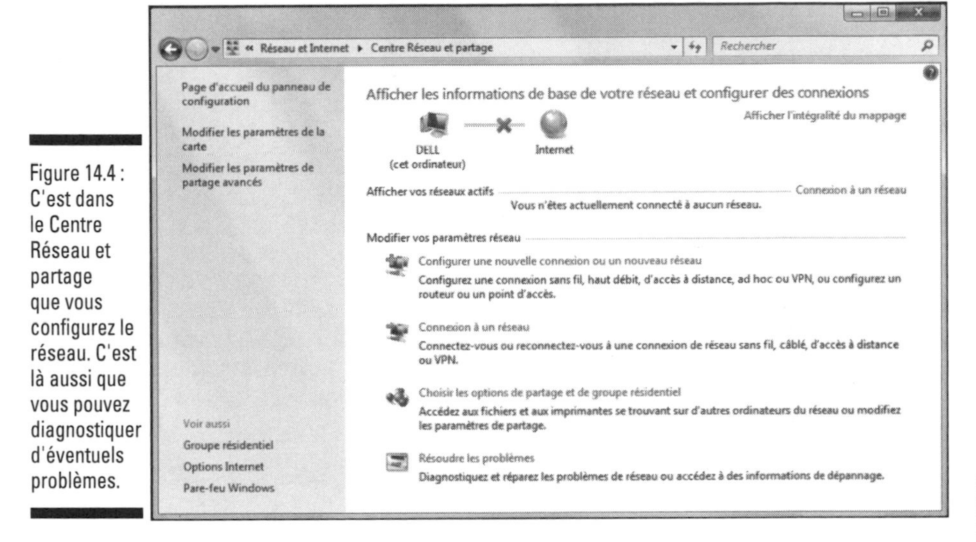

Figure 14.4 : C'est dans le Centre Réseau et partage que vous configurez le réseau. C'est là aussi que vous pouvez diagnostiquer d'éventuels problèmes.

3. **Cliquez sur le lien Connexion à un réseau.**

   Une fenêtre apparaît dans le coin inférieur droit de l'écran, montrant tous les réseaux sans fil à proximité. Ne vous étonnez pas d'en découvrir plusieurs, comme à la Figure 14.5 : ce sont ceux de vos voisins les plus proches (qui verront eux aussi votre réseau, mais sans pouvoir y accéder).

   Quand vous immobilisez le pointeur de la souris sur l'un des réseaux, Windows affiche plusieurs paramètres :

   - **Nom :** C'est, comme nous l'avons expliqué précédemment, son SSID. Comme plusieurs réseaux sans fil peuvent émettre dans une même zone et s'interpénétrer, leur SSID permet de les différencier. Choisissez celui de votre routeur ou de votre point d'accès ou, en voyage, celui du réseau sans fil du cybercafé ou de l'hôtel.

   - **Force du signal :** Ce système à barre est comparable à l'indicateur de la qualité de réception d'un

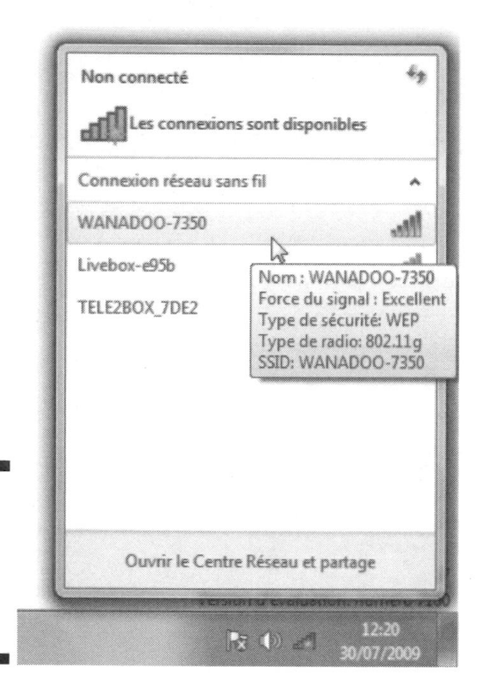

Figure 14.5 : Windows détecte tous les réseaux Wi-Fi des environs.

téléphone mobile : plus les barres vertes sont nombreuses, plus le signal est fort. Si deux barres ou moins sont en vert, la connexion est terriblement sporadique.

- **Type de sécurité :** Les réseaux apparaissant avec la mention "Réseau non sécurisé" sont accessibles sans mot de passe. Cela signifie que vous pouvez vous y connecter et surfer aussitôt sur le Web gratuitement, même si vous ne savez pas à qui peut bien appartenir ce réseau (NdT : Un réseau ouvert, celui d'un hôtel par exemple ou d'une connexion 3G, peut cependant afficher une page Web demandant un mot de passe ou invitant à acheter de la durée de connexion). Sans mot de passe, un réseau est ouvert à n'importe qui. Les réseaux non sécurisés sont parfaits pour une incursion rapide sur le Web, mais ne sont pas du tout sûrs pour des achats en ligne. Un réseau sécurisé est en revanche plus sûr car le mot de passe filtre les importuns.

- **Type de radio :** Indique le protocole de liaison radio, ce qui permet de connaître son débit. La norme 802.11g est rapide, la norme 802.11n l'est encore plus, tandis que la norme 802.11b est lente.

Pour revenir à une étape précédente, cliquez sur le bouton fléché Précédent, en haut à gauche de la fenêtre.

4. **Connectez-vous au réseau de votre choix en cliquant sur son nom puis sur le bouton Connecter qui apparaît aussitôt.**

Si vous vous connectez à un réseau non sécurisé, qui n'exige pas la saisie d'une clé de sécurité WEP ou WPA, la procédure est terminée. Windows 7 vous prévient des risques liés à un réseau non sécurisé (évitez les opérations bancaires ou les achats en ligne).

Si vous avez coché la case Connexion automatique, Windows se connectera automatiquement à ce réseau chaque fois qu'il le détectera, sans que vous ayez rien à faire.

Cliquer sur la double flèche circulaire, en haut à gauche du panneau de la Figure 14.5, demande à Windows de recommencer à détecter des réseaux. Utilisez ce bouton si vous vous êtes déplacé dans une zone Wi-Fi afin de bénéficier d'une meilleure connexion.

5. **Choisissez si vous vous connectez depuis la Maison, le Travail, ou un Lieu public.**

Au moment de vous connecter, Windows 7 demande si vous vous connectez de chez vous, sur votre lieu de travail ou depuis un lieu public afin de sélectionner le niveau de sécurité approprié, qui est respectivement moyen, fort ou renforcé.

Si vous vous connectez à un réseau non sécurisé, sans mot de passe, Windows 7 vous prévient de cette particularité. Cliquez sur Connexion et vous voilà en ligne.

Mais si vous vous connectez à un réseau sécurisé, Windows 7 exige la saisie d'une clé de sécurité, comme il expliqué à la prochaine section.

5. **Entrez la clé de sécurité, puis cliquez sur OK.**

   Lorsque vous tentez de vous connecter à une connexion sans fil sécurisée, Windows 7 affiche une boîte de dialogue demandant la saisie d'une clé. Il s'agit le plus souvent d'un code de 26 chiffres et lettres (en majuscules).

   Ce mot de passe est celui que vous avez entré dans le routeur en configurant votre réseau sans fil.

   Si vous vous connectez au réseau sans fil d'un lieu public, il est possible que la connexion soit payante. Dans ce cas, préparez votre carte bancaire.

   Le nom du réseau sans fil n'est pas affiché ? Passez à l'Étape 6.

6. **Connectez-vous à un réseau non listé.**

   Si le nom de votre réseau sans fil n'apparaît pas, cela peut être pour deux causes :

   - **Un signal trop faible :** À l'instar des stations de radio et des émetteurs de téléphones mobiles, les réseaux sans fil ont une portée limitée. En terrain libre, sans obstacle, le signal Wi-Fi porte à une centaine de mètres, mais en intérieur, les murs, planchers et plafonds réduisent sensiblement la zone couverte. Dans ce cas, essayez de rapprocher l'ordinateur du point d'accès ou du routeur sans fil. Essayez différents emplacements en cliquant chaque fois sur le bouton Actualiser jusqu'à ce le réseau apparaisse.

   - **Le réseau est masqué :** Pour des raisons de sécurité, certains réseaux sans fil n'affichent pas leur nom. Cela signifie que vous devez connaître le nom réel du réseau et le taper pour pouvoir vous y connecter. Si vous pensez que c'est là votre problème, passez à l'Étape suivante.

7. **Cliquez sur le réseau sans nom puis cliquez sur Connexion.**

   Lorsqu'il vous le sera demandé, entrez le nom du réseau – son SSID – et, si exigé, le mot de passe. Après avoir obtenu ces deux informations, Windows 7 ouvre la connexion.

8. **Optez pour un réseau de type Réseau domestique ou Réseau de bureau.**

   Quand vous configurez une connexion sans fil, Windows 7 présume parfois que vous vous connectez depuis un lieu public. Il renforce donc la sécurité de votre ordinateur, ce qui rend le partage des fichiers plus difficile.

   Corrigez ce comportement en optant pour un réseau domestique ou de lieu de travail. Accédez au Centre réseau et partage comme expliqué à l'Étape 2, puis cliquez sur le lien Réseau public, à la rubrique Afficher vos réseaux actifs. Dans la boîte de dialogue Définir un emplacement réseau, choisissez Réseau domestique ou Réseau de bureau.

Ne choisissez Réseau domestique ou Réseau de bureau que si vous établissez la connexion depuis votre domicile ou votre lieu de travail. Dans tous les autres cas, choisissez Réseau public afin de bénéficier d'une sécurité renforcée.

Une fois connecté, les autres ordinateurs du réseau peuvent tous accéder à l'Internet. Si vous rencontrez toujours des problèmes de connexion, voici quelques conseils qui pourront s'avérer utiles :

- Quand Windows 7 ne parvient pas à établir la connexion au réseau sans fil, il propose deux choix : Diagnostiquer la connexion ou Se connecter à un autre réseau. Ces deux messages peuvent se traduire par : "Rapprochez-vous du point d'accès ou du routeur sans fil."

- Si vous ne parvenez pas vous connecter au réseau désiré, essayez plutôt avec un réseau non sécurisé. Il est parfait pour surfer sur le Web tant que vous ne divulguez pas de renseignements confidentiels (mot de passe, numéro de carte bancaire ou autres informations sensibles).

- Si vous tenez à en savoir plus sur les réseaux, je vous recommande la lecture de mon livre *PC Mise à niveau et dépannage Pour les Nuls* (NdT : Ainsi que *Les Réseaux Pour les Nuls* de Doug Lowe, et *Créer un réseau domestique Pour les Nuls,* de Kathy Ivens) déjà cités dans ce chapitre.

Configurer un groupe résidentiel d'ordinateurs

Un réseau peut parfois être une véritable usine à gaz. Pour résoudre les problèmes de ces réseaux compliqués, Microsoft a doté Windows 7 d'une fonction appelée *groupe résidentiel.* Elle permet de partager facilement des fichiers (documents, musique, photos, vidéos...) et même l'imprimante.

Le seul inconvénient est que les groupes résidentiels ne fonctionnent qu'avec des ordinateurs sous Windows 7. Mais, même si vous n'en avez qu'un seul, configurez néanmoins un groupe afin de bénéficier de ces gros avantages :

- Les groupes résidentiels d'ordinateurs permettent aux comptes d'utilisateurs de partager rapidement et facilement leurs fichiers, bien plus efficacement que sous Windows XP ou Vista.

- Créer un groupe résidentiel sur votre PC permet de partager des fichiers avec des PC anciens tournant sous Windows XP ou Vista.

Voici comment configurer un groupe résidentiel d'ordinateurs sur un PC tournant sous Windows 7, et aussi comment se rejoindre un groupe :

1. **Cliquez sur l'icône Bibliothèques, dans la barre des tâches, pour ouvrir la fenêtre Bibliothèques.**

   À vrai dire, vous pouvez ouvrir n'importe quel dossier du PC. Ou encore cliquer sur le bouton Démarrer puis sur le bouton Ordinateur. De toutes manières, vous trouvez le bouton Groupe résidentiel d'ordinateurs dans le volet de gauche.

2. **Double-cliquez sur le bouton Groupe résidentiel d'ordinateurs, dans le volet de navigation, et dans la fenêtre qui apparaît, cliquez sur le bouton Créer un groupe résidentiel.**

   Si vous trouvez un bouton Rejoindre maintenant, cela signifie que quelqu'un a déjà créé un groupe résidentiel dans votre réseau. Après avoir cliqué sur ce bouton, passez à l'étape suivante.

   Si vous ne parvenez pas à obtenir la fenêtre Créer un groupe résidentiel, cliquez du bouton droit sur Groupe résidentiel d'ordinateurs et choisissez Modifier le groupe résidentiel.

3. **Cochez les cases des éléments à partager dans le cadre du groupe résidentiel. Cliquez ensuite sur Suivant (ou sur Enregistrer les modifications).**

   La Figure 14.6 montre la fenêtre permettant de sélectionner les types de fichiers à partager avec les autres membres du groupe résidentiel (si vous êtes arrivé à cette fenêtre en cliquant sur Enregistrer les modifications, à l'étape précédente, le fenêtre sera légèrement différente).

   Par défaut, Windows 7 propose de partager les bibliothèques Images, Musique et Vidéos ainsi que les imprimantes. La plupart des gens préfèrent ne pas partager la bibliothèque Documents car elle contient des éléments plutôt personnels.

   Le partage d'un dossier autorise uniquement la consultation des fichiers : un morceau peut être écouté, ou une

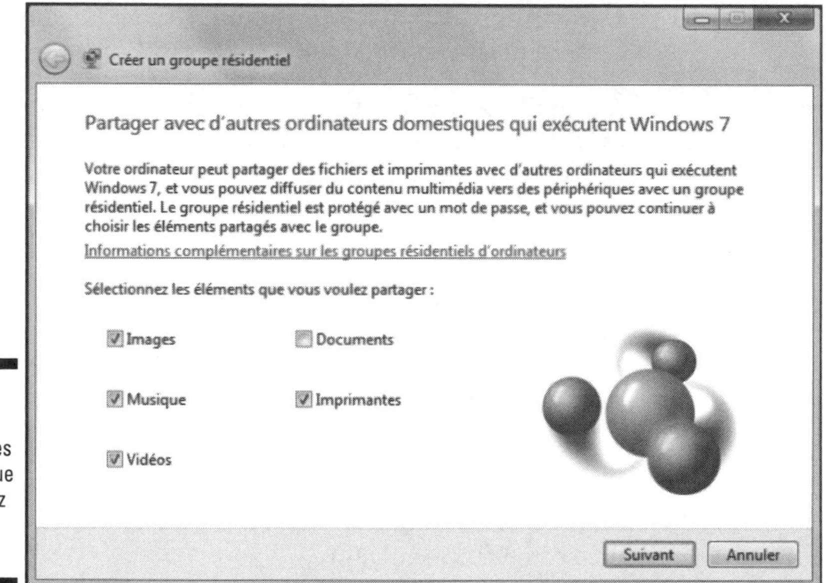

Figure 14.6 : Cochez ou décochez les éléments que vous désirez partager ou non.

photo vue, de même qu'une vidéo. Il n'autorise pas la modification ou la suppression de ces fichiers, et il n'est pas possible d'en déposer ou d'en créer dans vos dossiers.

4. **Occupez-vous du mot de passe puis cliquez sur Terminer.**

   À cette étape, la gestion du mot de passe varie selon que vous créez un groupe ou que vous vous y joignez.

   - **Création d'un groupe résidentiel :** Windows 7 propose un mot de passe, comme le montre la Figure 14.7. Il est formé d'un mélange de chiffres et de lettres en majuscules et en minuscules. C'est pourquoi vous devez être particulièrement vigilant en le recopiant.

   - **Rejoindre un groupe résidentiel :** Saisissez le mot de passe fourni par le PC sur lequel le groupe a été créé (pour voir le mot de passe, cliquez sur le bouton Groupe résidentiel d'ordinateurs, dans le volet

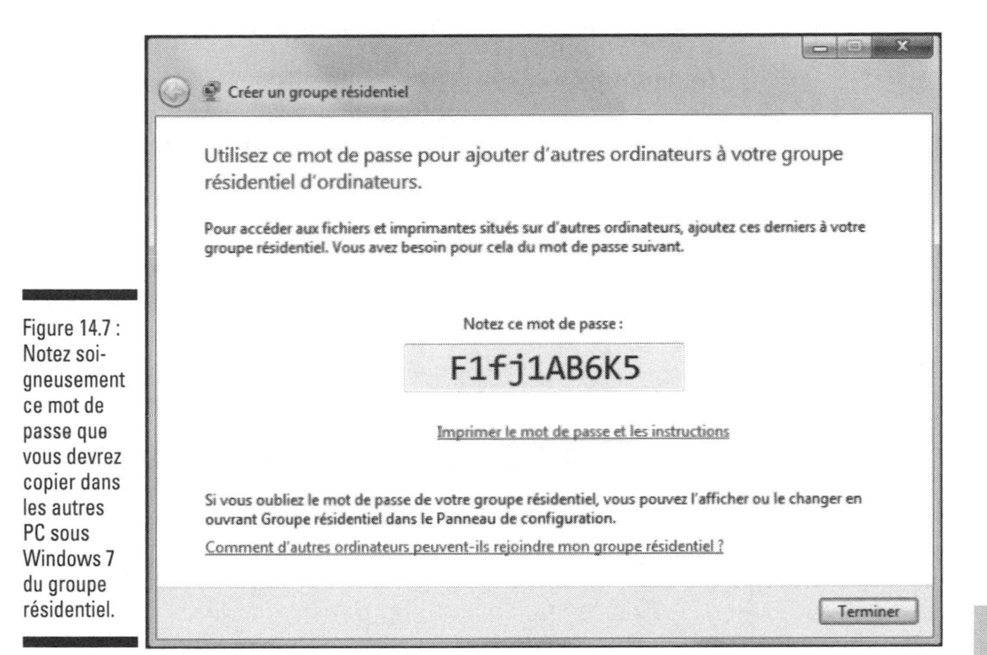

Figure 14.7 : Notez soigneusement ce mot de passe que vous devrez copier dans les autres PC sous Windows 7 du groupe résidentiel.

de navigation, et choisissez Afficher le mot de passe du groupe résidentiel).

Les étapes que vous venez d'effectuer vous ont permis de créer un groupe résidentiel d'ordinateurs ou de vous y joindre. Tous les ordinateurs du groupe peuvent désormais accéder à vos bibliothèques Images, Musique et Vidéos.

- Quand vous créez ou rejoignez un groupe résidentiel, vous ne choisissez les bibliothèques à partager que dans votre propre compte d'utilisateur. Si d'autres utilisateurs de ce même PC désirent partager leurs bibliothèques, ils doivent procéder ainsi : ouvrir un dossier, cliquer du bouton droit sur le bouton Groupe résidentiel d'ordinateurs, dans le volet de navigation, et choisir Modifier les paramètres du groupe résidentiel. Ils pourront ensuite choisir les éléments à partager et enregistrer leur choix.

- Vous avez changé d'avis quant aux éléments à partager ? Procédez comme au paragraphe précédent puis cochez ou décochez les cases appropriées.

- Vous avez oublié l'indispensable mot de passe du groupe résidentiel ? Il se trouve dans chacun des PC du groupe : ouvrez un dossier, cliquez sur le bouton Groupe résidentiel d'ordinateurs, dans le volet de gauche, et choisissez Afficher le mot de passe du groupe résidentiel.
- Les PC tournant sous Windows 7 Édition Starter ne peuvent pas créer de groupe résidentiel, mais ils peuvent s'y joindre (cette version est destinée aux petits ordinateurs ultraportables bon marché).

Partager des fichiers au sein d'un groupe résidentiel

Windows 7 sépare admirablement bien les comptes afin qu'un utilisateur ne vienne pas farfouiller dans les affaires d'un autre. Mais parfois, vous voudrez justement que des fichiers soient à la disposition de tous les utilisateurs du PC. Car après tout, les photos de vacances ont été prises pour que tout le monde puisse les admirer.

La réponse réside évidemment dans le *groupe résidentiel.* Après en avoir créé dans un compte d'utilisateur, comme expliqué précédemment, chacun pourra partager sa musique, ses photos, ses vidéos et ses documents avec n'importe quel autre utilisateur de l'ordinateur ou sur le réseau.

Cette section explique comment partager certains éléments, ne pas en partager d'autres, et comment accéder aux fichiers d'autres utilisateurs du PC ou présents sur le réseau.

Choisir les éléments à partager dans un groupe résidentiel

Windows 7 n'autorise que le partage des éléments que vous avez expressément choisis. Voici comment les rendre accessibles :

1. Ouvrez n'importe quel dossier, cliquez du bouton droit sur le bouton Groupe résidentiel d'ordinateurs, dans le volet de navigation, et dans le menu contextuel, choisissez Modifier les paramètres du groupe résidentiel.

Mes fichiers partagés sont-ils en danger ?

Quand vous partagez vos bibliothèques au sein d'un groupe résidentiel, vous voulez uniquement profiter de ses avantages, comme montrer vos photos de vacances à toute votre famille. Mais personne ne doit pouvoir supprimer vos chefs-d'œuvre ou y semer la pagaille. Le partage de fichiers permet-il à quelqu'un de supprimer vos photos ou de dessiner des moustaches sur d'autres ?

Non, car le groupe résidentiel ne révèle que le contenu des bibliothèques (décrites au Chapitre 4), qui montre le contenu d'au moins deux dossiers : Votre dossier et un autre nommé Public. Leur contenu apparaît certes dans une seule et même fenêtre, mais les dossiers sont traités différemment :

- **Votre dossier :** Quand vous créez un sous-dossier ou que vous enregistrez des fichiers dans votre bibliothèque, Windows les place dans votre propre dossier. Si vous avez choisi de le partager au travers d'un groupe résidentiel, les autres personnes peuvent voir vos photos et vos vidéos, écouter vos morceaux, et même les copier à volonté. Mais fort heureusement, ils ne peuvent ni les modifier ni les supprimer.
- **Le dossier Public :** En plus d'afficher le contenu de votre dossier, les bibliothèques affichent celui d'un autre dossier, appelé Public, qui attire les convoitises de chacun. Tout ce que vous placez dans un dossier Public peut en effet être consulté, modifié ou supprimé par n'importe qui d'autre que vous. Mais comme vous avez sciemment fait le choix de placer un élément dans un dossier public plutôt que dans un dossier à vous, vous assumez le risque lié au fait de mettre un fichier entièrement à la disposition des foules.

Bref, quand vous voulez que quelqu'un d'autre intervienne sur un fichier, placez-le dans un dossier public. Autrement, si c'est uniquement pour le montrer – à titre consultatif –, placez-le dans un dossier qui vous est personnel.

Une fenêtre apparaît, similaire à celle de la Figure 14.6, contant des cases pour les quatre bibliothèques principales : Images, Musique, Vidéos et Documents.

2. **Cochez les cases des bibliothèques à partager puis cliquez sur le bouton Enregistrer les modifications.**

   La plupart des gens évitent de partager la bibliothèque Documents car elle contient des fichiers personnels ou confidentiels. Ne touchez pas à la case Imprimantes, qui doit rester cochée, afin que tous les ordinateurs du réseau puissent l'utiliser.

Quelques instants après avoir cliqué sur Enregistrer les modifications, tous les utilisateurs du PC peuvent accéder aux bibliothèques que vous avez choisi de partager.

Les éléments à partager ou non ne peuvent pas être supprimés ou modifiés par autrui à moins que vous ayez expressément accordé l'autorisation. Et pour tout savoir sur les risques encourus par la création d'un groupe résidentiel, lisez l'encadré "Mes fichiers partagés sont-ils en danger ?"

Accéder aux éléments partagés par d'autres personnes

Pour voir les bibliothèques partagées appartenant à d'autres utilisateurs du PC ou du réseau, cliquez sur le bouton Groupe résidentiel d'ordinateurs (il se trouve dans le volet de navigation de tous les dossiers). Le volet de droite affiche l'icône de chacun des utilisateurs ayant choisi de partager ses fichiers.

Les noms d'utilisateurs d'autres PC tournant sous Windows 7 ayant choisi de partager leurs fichiers, connectés au réseau par câble ou par la Wi-Fi, peuvent être également affichés.

Pour parcourir les bibliothèques partagées par une autre personne du groupe résidentiel, double-cliquez sur son icône, dans la fenêtre Groupe résidentiel d'ordinateurs. La fenêtre affiche aussitôt ses bibliothèques partagées.

En plus de seulement parcourir les bibliothèques, vous pouvez :

- **Ouvrir un fichier :** Pour ouvrir un fichier se trouvant dans une bibliothèque partagée, double-cliquez sur son icône comme vous le feriez pour un fichier à vous. Si un message d'erreur apparaît, le fichier a été créé avec un programme que vous ne possédez pas. Vous devrez l'installer, ou alors demander au propriétaire du fichier de le réenregistrer dans un format lisible par un logiciel de votre ordinateur.
- **Copier un fichier :** Pour copier le fichier provenant d'un autre membre du groupe résidentiel, faites-le glisser puis déposez-le dans votre propre bibliothèque. Ou alors, cliquez sur le fichier, appuyez sur Ctrl+C, cliquez dans votre dossier de destination et appuyez sur Ctrl+V pour le copier dedans.
- **Modifier ou supprimer un fichier :** Certains éléments peuvent être modifiés ou supprimés, dans un groupe résidentiel, mais pas tous. Reportez-vous à l'encadré "Mes fichiers partagés sont-ils en danger ?" pour en savoir plus.

Les groupes résidentiels ne fonctionnent malheureusement qu'entre des ordinateurs tournant sous Windows 7. Ceux qui tiennent à conserver leur ordinateur sous XP ou Vista peuvent cependant partager des fichiers et des dossiers par le réseau, en utilisant les dossiers Public et Documents partagés.

Partager des fichiers avec des PC sous Windows XP et Vista

Configurer un groupe résidentiel d'ordinateurs facilite le partage des fichiers, des dossiers et même des imprimantes entre des ordinateurs sous Windows 7. Différents comptes d'utilisateurs sur un même PC peuvent partager des fichiers en cliquant sur Groupe résidentiel d'ordinateurs, dans le volet de navigation, et en choisissant le nom d'un autre compte.

Mais quelques manipulations supplémentaires s'imposent pour pouvoir partager des fichiers avec un PC sous Windows XP ou Vista :

a) Il faut d'abord que les PC sous Windows 7 apparaissent sur les PC équipés des anciennes versions et puissent partager leurs fichiers.

b) Il faut savoir où se trouvent ces fichiers, dans les ordinateurs sous XP et Vista.

c) Enfin, vous devez savoir comment accéder aux dossiers partagés, dans les ordinateurs sous XP et Vista.

Les trois prochaines sections abordent ces trois points dans le même ordre.

Faire en sorte que les anciens PC reconnaissent les ordinateurs sous Windows 7

Les PC tournant sous Windows 7 dépendent de leur groupe résidentiel. Comme il est protégé par un mot de passe, les règles sont sans détour, facilitant ainsi le partage des informations.

Les PC tournant sous Windows XP ou Vista ne peuvent pas voir les PC sous Windows 7, sur le réseau, si vous n'appliquez pas la procédure suivante.

Assurez-vous d'avoir bien créé un groupe résidentiel sur le PC tournant sous Windows 7, avant d'exécuter les étapes suivantes.

1. **Créez un réseau comprenant les ordinateurs sous XP et Vista.**

   La création d'un réseau sous Windows XP et Vista est expliquée dans mon livre *PC Mise à niveau et dépannage Pour les Nuls* (NdT : Et aussi dans *Les Réseaux Pour les Nuls* de Doug Lowe, et *Créer un réseau domestique Pour les Nuls,* de Kathy Ivens).

2. **Connectez le PC sous Windows 7 à ce réseau, comme expliqué précédemment dans ce chapitre.**

   La connexion peut être établie par un câble ou sans fil. Une fois établie, il faut indiquer à Windows 7 qu'il doit désormais partager ses fichiers avec des ordinateurs équipés d'anciennes versions de Windows.

3. **Sur le PC sous Windows 7, cliquez sur le bouton Démarrer, puis sur Panneau de configuration. Cliquez sur Réseau et Internet, puis sur Centre Réseau et partage.**

   Le Centre Réseau et partage apparaît (Figure 14.8).

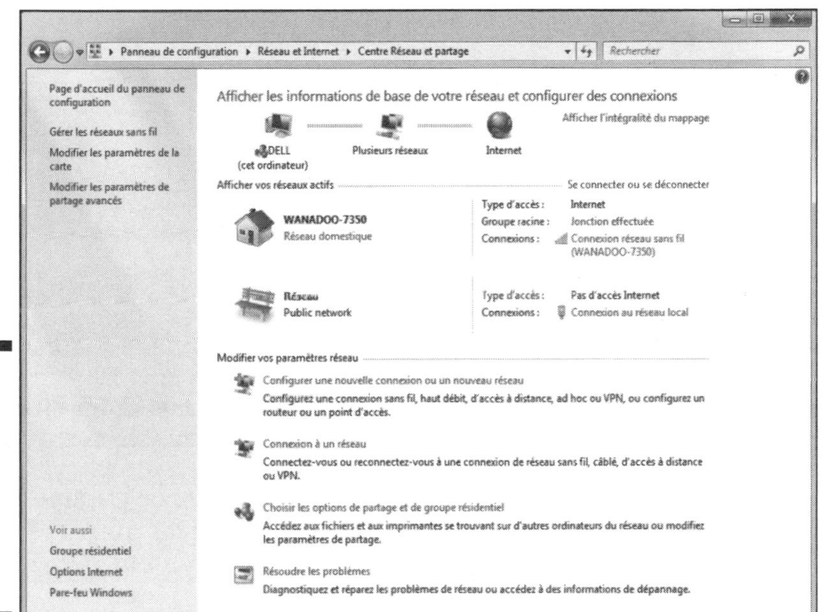

Figure 14.8 : Toutes vos connexions de réseau sont gérées à partir du Centre Réseau et partage.

Un moyen rapide d'accéder au Centre Réseau et partage consiste à cliquer sur l'icône de l'adaptateur de réseau, dans la barre des tâches, et de cliquer sur Ouvrir le Centre Réseau et partage, dans le petit panneau.

4. Dans le volet de gauche du Centre Réseau et partage, cliquez sur le lien Modifier les paramètres de partage avancés.

La fenêtre des paramètres de partage avancés apparaît (voir Figure 14.9).

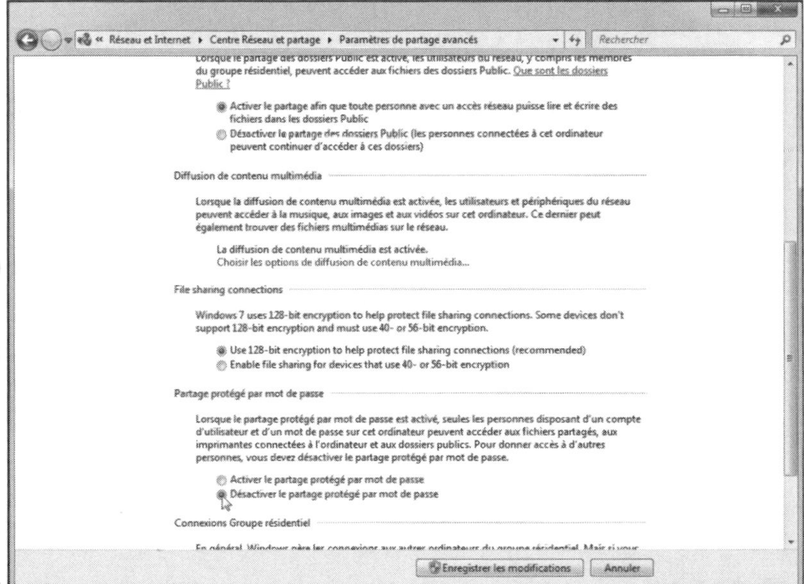

Figure 14.9 : C'est ici que vous indiquez à Windows 7 comment il doit partager des fichiers avec des versions plus anciennes de Windows.

5. Modifiez les éléments suivants dans la fenêtre des paramètres de partage :

- **Recherche du réseau :** Activez ce paramètre afin que les PC sous Windows 7 et les autres PC du réseau puissent se reconnaître.

- **Partage de fichiers et d'imprimantes :** Maintenant que les PC se sont mutuellement découverts et se connaissent par leur nom, ce paramètre leur permet de voir les fichiers ainsi que les imprimantes.

- **Partage de dossiers publics :** Activez cette option afin que n'importe qui, sur le réseau, puisse lire et modifier des fichiers dans les dossiers publics.

- **Partage protégé par mot de passe :** Cette option, en revanche, doit être désactivée. Autrement, les utilisateurs sous Windows XP et Vista devront entrer un nom d'utilisateur et un mot de passe chaque fois qu'ils tenteront d'accéder à vos dossiers publics.

Si vous possédez une console de jeu Xbox 360, activez aussi la diffusion de contenu multimédia. Votre Xbox accédera ainsi à la musique, aux photos et aux vidéos stockées dans le PC.

6. **Cliquez sur Enregistrer les modifications.**

   Windows 7 enregistre les nouveaux paramètres, permettant ainsi aux autres PC du réseau de partager les fichiers des dossiers Public du PC sous Windows 7.

Accéder aux fichiers partagés de Windows 7 à partir d'un ancien PC

Après avoir exécuté les étapes précédentes, les PC tournant sous Windows XP et Vista peuvent voir et accéder aux fichiers placés dans n'importe lequel des dossiers publics de Windows 7. Ces PC doivent cependant savoir exactement où ils doivent les rechercher. Pour cela, les fichiers doivent se trouver à un emplacement visible par ces PC :

1. **Dans le PC sous Windows 7, placez le fichier à partager dans l'un des dossiers Public.**

   Chacune de vos bibliothèques montre le contenu d'au moins deux fichiers : le vôtre et un dossier public. Tous les éléments à partager avec les PC tournant sous XP ou Vista doivent se trouver dans un dossier Public.

2. **À partir d'un PC sous XP ou Vista, localisez l'un des dossiers public de Windows 7.**

   La manipulation diffère selon la version de Windows :

- **Windows Vista :** Cliquez sur le bouton Démarrer puis sur Réseau. La fenêtre Réseau apparaît, montrant tous les ordinateurs du réseau. Double-cliquez sur le nom du PC sous Windows 7, double-cliquez sur le dossier Utilisateurs et vous découvrirez son dossier Public.

- **Windows XP :** Cliquez sur le bouton Démarrer et choisissez Favoris réseau. Double-cliquez sur le nom du PC sous Windows 7 et vous voyez le dossier Public convoité.

3. **À partir d'un PC sous XP ou Vista, ouvrez le dossier Public puis ouvrez le dossier contenant le ou les fichiers partagés.**

   Double-cliquer sur le dossier Public fait apparaître la liste de tous les dossiers publics du PC sous Windows 7. Double-cliquez sur celui qui vous intéresse, qu'il s'agisse de Document, Images, Musique ou Vidéos. Vous y trouverez les fichiers partagés que vous pourrez ouvrir ou copier dans le PC sous XP ou Vista.

Supprimer des fichiers dans un ordinateur du réseau

Normalement, tout ce que vous supprimez dans l'ordinateur que vous utilisez est placé dans la Corbeille, ce qui permet de le récupérer. En revanche, tout ce que vous supprimez dans un ordinateur distant, sur le réseau, est aussitôt définitivement supprimé, sans transiter par la Corbeille. Pensez-y et faites attention !

Accédez depuis Windows 7 aux dossiers partagés dans un PC sous XP et Vista

Cette section explique comment placer les éléments à partager dans les dossiers appropriés d'un PC sous XP ou Vista, puis comment y accéder depuis un PC sous Windows 7 :

1. **Dans le PC sous XP ou Vista, placez les fichiers à partager dans le dossier partagé du PC.**

   Ce dossier partagé est à un endroit différent dans Windows XP et dans Windows Vista :

   - **Windows XP :** Cliquez sur le bouton Démarrer puis sur Poste de travail. Le dossier partagé s'appelle *Documents partagés.*

   - **Windows Vista :** Cliquez sur le bouton Démarrer puis sur Ordinateur. Dans la catégorie Liens favoris, cliquez sur le dossier *Public.*

2. **Dans le PC sous Windows 7, double-cliquez sur le PC du réseau contenant les fichiers.**

   Ouvrir n'importe quel dossier puis cliquer sur le dossier Bibliothèques, dans la barre des tâches, fait l'affaire. Recherchez l'ordinateur – sous XP ou Vista – dans la liste sous Réseau, en bas du volet de navigation.

3. **Cliquez sur le nom de l'ordinateur, sous Réseau.**

   Le volet de droite affiche le contenu de l'ordinateur sélectionné. Le dossier partagé d'un PC sous Vista s'appelle Public (voir Figure 14.10), celui d'un PC sous XP s'appelle Documents partagés.

4. **Double-cliquez sur le dossier partagé pour accéder à ses fichiers et à ses dossiers.**

   Double-cliquez sur le fichier à ouvrir, ou copiez-le en le faisant glisser jusque sur le Bureau de votre ordinateur, si vous le préférez.

Partager une imprimante sur le réseau

Avec Windows 7, le partage d'imprimante est plus facile que jamais. Beaucoup de foyers ou de petites entreprises possèdent plusieurs ordinateurs, mais une seule imprimante. Et bien sûr, tout le monde doit pouvoir y accéder.

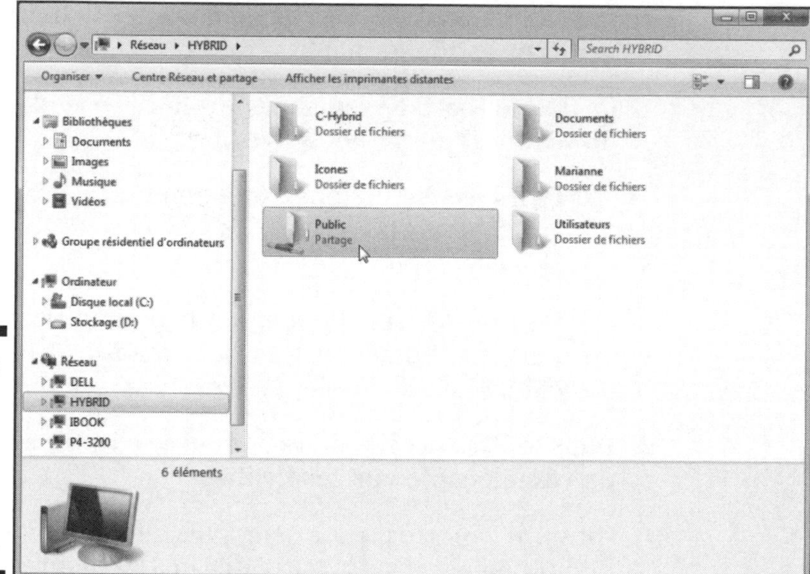

Figure 14.10 : Cliquez sur le nom d'un dossier partagé, sur le réseau, pour accéder à son contenu.

Si vous avez configuré un groupe résidentiel, comme expliqué précédemment, le partage d'une imprimante est extraordinairement facile : dès qu'une imprimante USB a été branchée à l'un des PC sous Windows 7, elle est aussitôt reconnue et opérationnelle.

De plus, Windows 7 diffuse cette information à tous les ordinateurs du réseau. En quelques instants, le nom de l'imprimante apparaît dans le menu Imprimer de tous les programmes.

Annexe A

La mise à niveau vers Windows 7

Dans cette annexe

- Préparer le terrain pour Windows 7
- Migrer de Windows Vista vers Windows 7
- Installer Windows 7 par-dessus Windows XP

Windows 7 est préinstallé dans les ordinateurs vendus actuellement. C'est quasiment inévitable. Si vous prenez la peine de lire ce chapitre, c'est peut-être parce que votre ordinateur tourne sous Windows XP ou Vista. Inutile de vous lancer dans une mise à jour s'il tourne encore sous Windows 98 ou Me : Windows 7 exige un PC puissant équipé de composants haut de gamme.

Mettre votre PC à niveau à partir de Windows Vista est facile : insérez le DVD et Windows 7 remplace Vista en laissant tous vos programmes et tous vos fichiers intacts.

C'est moins idyllique pour les utilisateurs sous Windows XP qui doivent naviguer sur une mer démontée (la mer, pas le PC), car Windows 7 n'exécutera pas la mise à niveau. Vous devrez l'effectuer manuellement, au travers de multiples étapes expliquées ici.

La migration depuis Windows XP ou Vista est un processus sans retour. Une fois que le processus a été lancé, vous ne pouvez plus revenir en arrière. N'effectuez la mise à niveau ou l'installation que si vous êtes certain de vouloir passer à Windows 7.

Préparer le terrain pour Windows 7

Windows 7 convient aux ordinateurs achetés ces trois ou quatre dernières années. Effectuez la check-list suivante avant de procéder à la mise à jour :

- **Puissance de l'ordinateur :** Veillez à ce que l'ordinateur soit suffisamment puissant pour exécuter Windows 7. Les prérequis sont répertoriés au Chapitre 1.
- **Compatibilité :** Avant toute mise à jour ou installation de Windows 7, insérez le DVD de Windows 7 puis cliquez sur Vérifier la compatibilité en ligne. Après avoir été connecté au site de Microsoft, vous devez télécharger et démarrer le logiciel Windows 7 Upgrade Advisor. Le programme signalera tous les composants qu'il juge appropriés ou trop faibles pour Windows 7. Vous pouvez aussi tester l'ordinateur, même sans posséder le DVD de Windows, en allant directement sur le site www.microsoft.com/windows7/ (NdT : Le site est en anglais mais une version en français est prévue).
- **Sécurité :** Avant de procéder à la mise à jour vers Windows 7, vous devez désactiver votre logiciel antivirus ainsi que tous les autres logiciels de sécurité. Ils risqueraient en effet d'empêcher en toute innocence l'installation correcte de Windows.
- **Procédure de mise à niveau** : Les versions de Windows XP et Windows Vista étant si nombreuses, le Tableau A.1 indique quelles versions sont appropriées à quel type de mise à niveau.
- Après une mise à jour, il est possible – moyennant le paiement du surcoût – de déverrouiller une version plus évoluée de Windows 7.

Tableau A.1 : Les compatibilités de mise à niveau

Cette version de Vista...	... peut migrer vers cette version de Windows 7
Windows Vista Édition familiale Premium	Windows 7 Édition familiale Premium
Windows Vista Entreprise	Windows 7 Professionnel
Windows Vista Édition intégrale	Windows 7 Édition intégrale

- **Sauvegarde :** Sauvegardez préalablement toutes les données importantes qui se trouvent dans l'ordinateur sous Windows XP.

Migrer de Windows Vista à Windows 7

Procédez comme suit pour effectuer la mise à niveau de Windows Vista vers Windows 7 :

1. **Insérez le DVD de Windows 7 dans le lecteur de DVD et cliquez sur Installer, comme le montre la Figure A.1.**

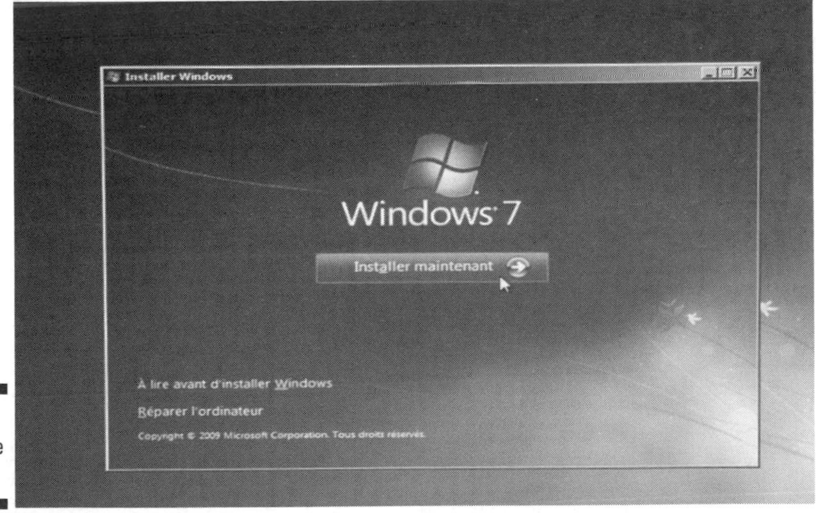

Figure A.1 : Prêt à faire le grand saut !

2. **Choisissez Télécharger les dernières mises à jour pour l'installation (recommandé).**

   Windows 7 se connecte au site de Microsoft et télécharge les dernières mises à jour – pilotes, correctifs... – qui faciliteront l'installation.

3. **Lisez l'accord de licence, cochez la case indiquant que vous en acceptez les termes, puis cliquez sur Suivant.**

   Lisez les 25 pages de la licence. Vous devez l'accepter pour que l'installation puisse se poursuivre.

4. **Choisissez Mise à jour, puis cliquez sur Suivant.**

   La mise à niveau préserve vos fichiers personnels, paramètres et programmes. Si elle ne démarre pas, les causes peuvent être :

   - Une mise à niveau depuis Windows XP, ce qui n'est pas réalisable.
   - Une tentative de mise à jour depuis une version de Vista non prévue pour cette migration (reportez-vous au Tableau A.1).
   - Une mise à niveau depuis une version de Windows Vista n'ayant pas été mise à jour avec le Service Pack 2. Pour corriger ce problème, visitez le site www.windowsupdate.com et installez le Service Pack 2. Si le site refuse l'installation, c'est parce que votre exemplaire de Windows Vista n'est pas authentique. Contactez le vendeur de ce produit.
   - La capacité du disque dur est insuffisante. Il faut 16 Go de libres pour installer Windows 7.

5. **Lisez le rapport de compatibilité, s'il vous est transmis, puis cliquez sur Suivant.**

   Si vous avez autorisé Windows 7 à se connecter à Internet, à l'Étape 2, il signale tous les problèmes de compatibilité susceptibles d'affecter les programmes de votre PC. Après avoir cliqué sur Suivant, la mise à niveau démarre, ce processus peut durer plusieurs dizaines de minutes, voire quelques heures.

6. **Saisissez la clé du produit, puis cliquez sur Suivant.**

La clé du produit se trouve généralement sur une étiquette apposée sur le boîtier du DVD. Si vous ne la possédez pas, vous ne pourrez pas aller plus loin. Si vous réinstallez une version de Windows 7 qui était préinstallée dans l'ordinateur, l'étiquette avec la clé du produit devrait être collée sur le capot du PC (si vous ne l'avez pas encore fait, notez soigneusement cette clé sur le manuel ou la documentation de l'ordinateur).

Ne cochez pas la case **Activer automatiquement Windows quand je serai en ligne**, car vous pourrez le faire plus tard, quand vous serez certain que Windows 7 fonctionne correctement.

Recopiez la clé de produit de Windows 7 sur son DVD, avec un feutre indélébile. Ainsi, vous ne perdrez pas la précieuse clé. Veillez à écrire sur le dessus imprimé, et surtout pas sur la face lue par le rayon laser.

L'activation de Windows repose sur une identification des composants de votre ordinateur (carte mère, processeur, mémoire...) qui sont associés au numéro de série de Windows. Le but est d'empêcher l'installation du même exemplaire de Windows 7 sur d'autres ordinateurs. Malheureusement, le système d'activation peut se retourner contre vous si vous changez plusieurs composants de votre ordinateur : Microsoft considérera qu'il s'agit d'un nouveau PC et risquera de refuser l'activation.

7. **Choisissez le pays, le format de date, le symbole monétaire et le type de clavier, puis cliquez sur Suivant.**

Ces données seront non seulement utilisées par Windows, mais aussi par certains de vos logiciels. Par exemple, un tableur se basera sur le symbole monétaire choisi pour la mise en forme des chiffres, dans une comptabilité.

8. **Choisissez Utiliser les paramètres recommandés.**

   Les paramètres de sécurité de Windows garantiront sa mise à jour et sa correction automatique.

9. **Confirmez la date et l'heure, puis cliquez sur Terminer.**

   Après avoir mouliné pendant quelques minutes de plus et disparu un moment de l'écran, Windows revient en lice, affichant la page d'ouverture de session. Mais ne croyez pas que tout est terminé. Il reste encore de quoi s'occuper pour achever la mise à jour :

- **Appliquer Windows Update :** Visitez le site de Windows Update (voir Chapitre 10) et téléchargez les correctifs de sécurité et mises à jour de pilotes édités par Microsoft.
- **Vérifiez la reconnaissance de vos logiciels par Windows 7 :** Exécutez chacun de vos programmes et vérifiez leur bon fonctionnement. Vous devrez peut-être en remplacer certains par des versions plus récentes (voyez sur le site de l'éditeur s'il propose des mises à jour gratuites) ou forcer la compatibilité avec les versions antérieures de Windows, comme cela est expliqué au Chapitre 17.
- **Vérifier les comptes d'utilisateurs :** Assurez-vous qu'ils fonctionnent correctement en y séjournant quelques minutes et en testant des logiciels.

Cela fait, bienvenue dans Windows 7 !

Installer Windows 7 par-dessus Windows XP

Une mise à niveau vers Windows 7 depuis Windows XP n'est pas possible. Cela signifie que si vous voulez installer Windows 7 sur votre ordinateur tournant sous Windows XP, vous devrez effectuer les étapes suivantes, qui sont un peu rébarbatives :

1. **Sur le PC sous Windows XP, exécutez le programme Transfert de fichiers et paramètres Windows.**

   Ce logiciel est étudié au Chapitre 19. Pour de meilleurs résultats, transférez les fichiers et les paramètres vers un disque dur externe dont la capacité est au moins égale à celle du disque dur de l'ordinateur sous XP. Débranchez-le ensuite et mettez-le de côté.

2. **Renommez le disque dur sous XP.**

   Cette étape n'est pas indispensable, mais elle vous permettra d'identifier le disque dur sans risque de vous tromper. Dans le menu **Démarrer**, choisissez **Poste de travail** puis cliquez su bouton droit sur le lecteur **C:**. Choisissez l'option **Renommez** puis tapez **XP** et appuyez sur la touche **Entrée**.

3. **Insérez le DVD de Windows 7 dans le lecteur et redémarrez l'ordinateur.**

   L'ordinateur redémarre sur le DVD de Windows 7 (vous devrez peut-être appuyer sur une touche – n'importe laquelle – pour que le démarrage s'effectue depuis le CD-ROM et non depuis le disque dur).

4. **Cliquez sur Suivant.**

5. **Cliquez sur le bouton Installer maintenant.**

6. **Lisez la licence d'agrément, acceptez-la, puis cliquez sur Suivant.**

7. **Choisissez Personnalisé (avancé).**

   Si vous tentez de démarrer la mise à niveau, le programme demande de charger Windows XP et démarre ensuite le DVD d'installation. Et quand vous retournez à cet écran et cliquez sur Mise à niveau, un message vous informe qu'il est impossible de procéder à une mise à niveau depuis Windows XP.

   L'option Personnalisé montre les lecteurs et partitions présents dans l'ordinateur.

8. **Cliquez sur le lecteur de Windows XP, cliquez sur Options de lecteur (avancé), cliquez sur Formater, puis cliquez sur OK pour approuver le formatage du disque dur. Cliquez ensuite sur Suivant.**

   Le lecteur contenant Windows XP s'appelle XP, car c'est ainsi qu'il a été renommé à l'Étape 2.

   Le formatage efface complètement le disque dur, sans possibilité de revenir en arrière. Après avoir cliqué sur Suivant, Windows 7 s'installe sur le disque dur qui contenait Windows XP, un processus qui dure de 10 à 30 minutes selon les performances du PC.

   Le programme d'installation suspend sa besogne et demande la clé du produit.

9. **Saisissez votre nom d'utilisateur, un nom d'ordinateur, puis cliquez sur Suivant.**

   Si vous le voulez, utilisez le même nom d'utilisateur que sous XP, mais rien ne vous empêche d'en choisir un autre.

10. **Saisissez ou ressaisissez un mot de passe, saisissez un indice qui vous permettra de vous le remémorer, puis cliquez sur Suivant.**

    L'indice doit vous permettre de vous souvenir du mot de passe, mais sans pour autant être compréhensible par quelqu'un d'autre que vous. Par exemple, si le mot de passe est le nom de votre premier établissement scolaire, l'indice sera "là où j'en ai pris pour quinze ans".

11. **Continuez à l'Étape 6 de la section précédente, "Migrer de Windows Vista à Windows 7".**

    À partir de là, la procédure est commune aux deux installations.

Arrivé au terme de la procédure, Windows 7 est installé et opérationnel, avec tous vos fichiers, programmes et paramètres de connexion Internet et autres.

Livre II

Internet

Première partie

Le cybermonde… Waouh ! !

Dans cette partie...

À chaque instant, il se passe quelque chose sur Internet. Mais comme c'est un monde plein d'ordinateurs, rien n'y est jamais simple. Commençons par voir ce qu'est Internet et comment il est devenu ce qu'il est. Vous découvrirez ce qui s'y passe, ce que les internautes y font et en quoi cela peut vous intéresser. Nous aborderons également l'utilisation d'Internet dans le cadre privé, y compris l'usage que les enfants peuvent en avoir. Vous verrez aussi comment vous protéger gratuitement en installant une suite logicielle de sécurité Internet (plus connue sous le nom anglais d' *Internet Security*). Qui que vous soyez, femme ou homme, actif ou retraité, ce chapitre démythifie un univers qui impressionne le néophyte tout en l'attirant.

Chapitre 1

Faire le net sur Internet

Dans ce chapitre :

- Qu'est-ce qu'Internet, au fond ?
- Qu'est-ce qu'un réseau ?
- Quel est l'intérêt d'Internet ?
- Internet est-il un lieu sûr ?
- D'où vient Internet ?

Qu'est-ce qu'Internet ? La réponse à cette intéressante question – merci de me l'avoir posée – dépend de votre interlocuteur. Internet, le Web et les technologies sur lesquelles ils reposent, changent si vite qu'il est bien difficile de se tenir au courant de tout. Dans ce chapitre, nous commencerons par le commencement, vous apprendre ce que sont Internet et le Web, et comment ils ont évolué durant ces dernières années.

Une grande partie de ce que vous découvrirez est sans doute entièrement nouveau pour vous. Prenez le temps de lire, de relire et de comprendre. C'est un monde particulier, avec ses us et coutumes, son langage, et il faut un peu de temps pour s'y sentir à l'aise. Vous n'êtes pas censé tout comprendre du premier coup. Même ceux qui ont « de la bouteille » en informatique, n'en finissent pas de découvrir des aspects nouveaux.

Internet n'est pas un logiciel et ne se prête pas facilement à une explication sous forme d'instructions et de commandes à exécuter scrupuleusement dans un ordre précis. Le Net ressemble davantage à un organisme vivant en incessante transformation qu'à un quelconque Word ou Excel qui, sagement installés dans un coin de votre machine, s'occupent de faire leur travail et rien d'autre. Avec un peu d'habitude, le Net deviendra pour vous une seconde nature. Mais les premiers pas dans ce nouveau monde risquent de vous intimider, voire vous dérouter.

OK ! Mais Internet, c'est quoi au juste ?

La Figure 1.1, donne une idée de ce qu'est Internet. Décevant n'est-ce pas ? Rassurez-vous, cette austérité n'est qu'apparente, et vous aurez tôt fait de comprendre les mille et une merveilleuses choses que vous pouvez y lire, contempler, écouter, partager, en deux mots : ce que vous pouvez y découvrir.

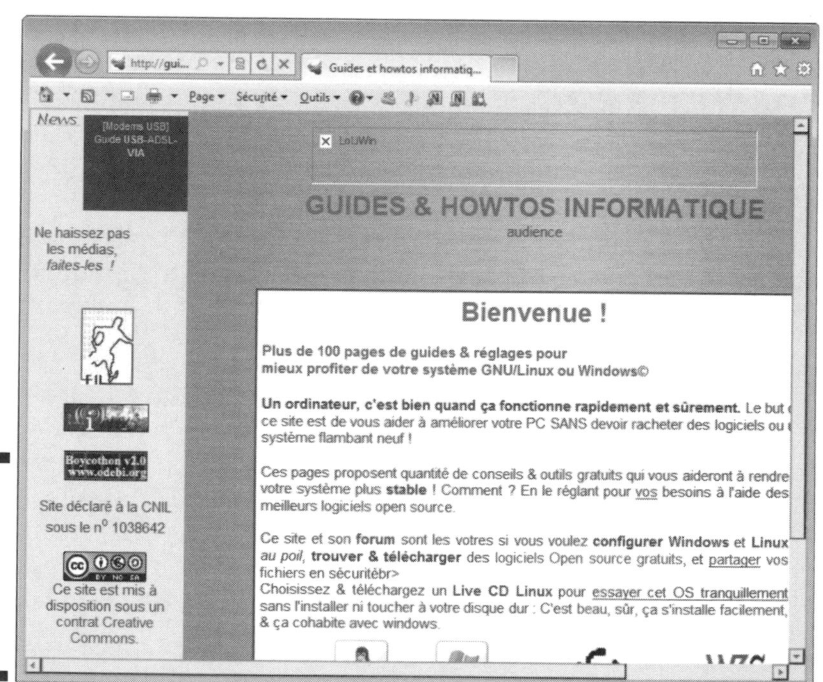

Figure 1.1 : Mais non, Internet ne se limite pas à l'austérité d'un site technique !

Internet est un réseau de réseaux (une interconnexion de réseaux, *inter-network* en anglais : le plus grand réseau mondial d'ordinateurs). « Ah ? Et un réseau, qu'est-ce que c'est ? » me demanderez-vous. Même si vous pensez connaître la réponse, lisez donc les deux paragraphes qui suivent. Comme ça, nous serons sûrs de parler la même langue.

Un *réseau* d'ordinateurs est un ensemble d'ordinateurs connectés les uns aux autres. On peut comparer un réseau d'ordinateurs à un réseau d'émetteurs de télévision ou de radio. Radio Classique, par exemple, dispose d'émetteurs locaux un peu partout en France, dont les fréquences se répartissent sur la bande FM – Paris, c'est 101.10 –, qui diffusent tous le même programme. France 3 a des réémetteurs régionaux qui, à l'exception de décrochages ponctuels, diffusent, eux aussi, les mêmes films, émissions et autres. Il en va de même pour la TNT, la télévision numérique terrestre.

Mais n'allez surtout pas prendre cette analogie au pied de la lettre. Les réseaux de radio ou de télévision diffusent la même musique, les mêmes informations, les mêmes feuilletons, alors que dans un réseau informatique, chaque machine conserve son individualité. À la différence des réseaux de réémetteurs, les réseaux d'ordinateurs fonctionnent *à l'alternat* : quand la machine A envoie un message à la machine B, B peut renvoyer une réponse à A. Et à A seulement. Mais, comme nous le verrons, on peut aussi s'adresser à la collectivité.

Certains réseaux d'ordinateurs sont constitués d'un ordinateur central et d'un tas de satellites qui communiquent avec lui. C'est le cas, par exemple, d'un système de réservation aérienne où les satellites sont répartis sur les aéroports et dans les agences de voyages. D'autres, comme Internet lui-même, sont plus égalitaires et permettent à n'importe quel ordinateur du réseau de prendre l'initiative de communiquer avec qui il veut sur le réseau.

En fait, Internet n'est pas vraiment un réseau : c'est un réseau de réseaux, tous sur un pied d'égalité. Ces réseaux vont des réseaux nationaux, comme RENATER en France, JANET en Angleterre et AT&T aux États-Unis, à celui que le petit Julien a construit dans son garage en reliant deux vieux PC qu'il a achetés aux puces, en passant par le réseau local de l'entreprise qui interconnecte des dizaines, voire des milliers de machines situées dans le même immeuble ou dans des filiales, ou encore par la technologie Wi-Fi qui permet à des ordinateurs distants de moins de cent mètres de communiquer entre eux sans fil. Les universités sont depuis longtemps connectées à Internet, et c'est aujourd'hui le cas de beaucoup d'écoles, de collèges et de lycées.

Selon un document publié en 2009 par Acerp, fin 2008, la France comptait près de 18,7 millions d'abonnés à Internet. Cela représente une augmentation de 9,5 % par rapport au quatrième trimestre 2007. Le haut débit, quant à lui, comptait alors 17,7 millions d'abonnés, progressant de 13,8 %. (source : `www.journaldunet.com/chiffres-cles.shtml`)

Si vous disposez déjà d'une connexion à Internet et que vous savez utiliser Internet Explorer par exemple, visitez le site (ou plutôt la page) Web `www.afnic.fr/actu/stats`, illustrée Figure 1.2, pour connaître un grand nombre de chiffres concernant Internet.

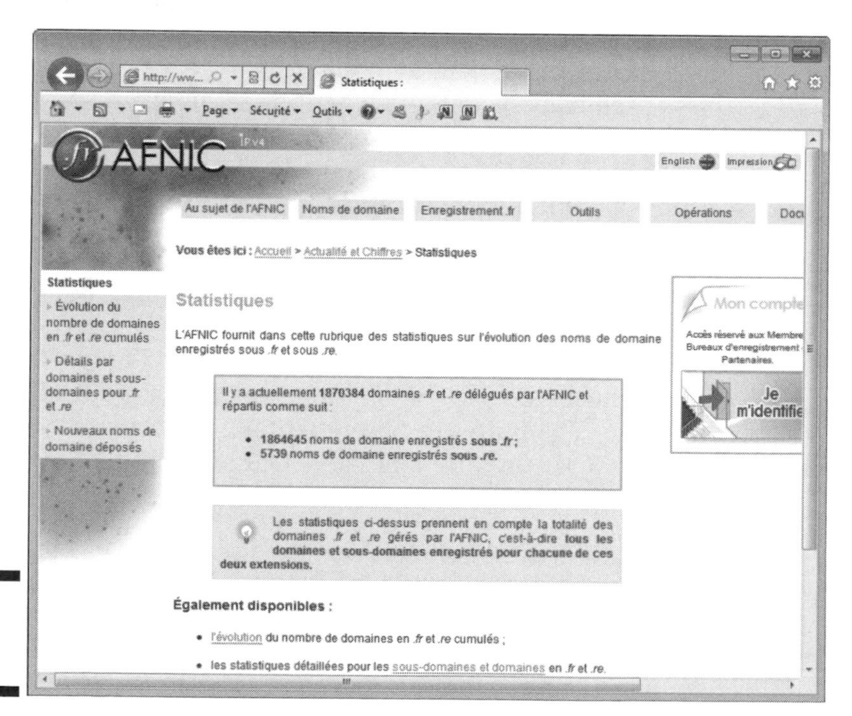

Figure 1.2 : Le site de l'AFNIC.

Posez ça par terre, on va trier !

Tout ça reste bien vague. Ne pourrait-on pas être un peu plus... pratique ? Vous avez sans doute remarqué que de plus en plus de gens échangent maintenant, non plus leurs *coordonnées* (adresse postale, numéro de téléphone), mais leurs *adresses électroniques*. L'adresse des sites Web fleurit à l'arrière des camions de livraison et sur les voitures d'entreprise. Les gens sont aujourd'hui branchés dans tous les sens du terme. Vous avez même entendu votre voisin ou votre voisine célibataire jurer avoir rencontré le grand amour sur Internet. Vous en entendrez certains affirmer qu'ils ne sortent plus de chez eux et qu'ils font tout par Internet : les courses, leur loto, leur PMU, qu'ils y écoutent la radio, y font leur revue de presse, y regardent la télévision… STOP !!!! Parlent-ils bien du même « réseau de réseaux » ? Oui, et de plus encore.

Internet est un nouveau moyen de communication qui affecte notre existence au même titre que le téléphone et la télévision. Si vous vous servez d'un téléphone, que vous écrivez du courrier, que vous lisez un journal ou un magazine, que vous vous adonnez aux jeux vidéo ou au travail, Internet changera radicalement votre perception du monde, et peut-être même votre façon de penser.

Aujourd'hui, lorsque les gens évoquent Internet, ils parlent de ce qu'ils y font, de ce qu'ils y trouvent et des personnes qu'ils y ont rencontrées. Les possibilités d'Internet évoluent si rapidement que nous ne saurions en donner une liste exhaustive dans ce chapitre (en fait, il faudrait plusieurs livres plus épais que celui-ci). Nous n'aborderons donc que quelques aspects d'Internet :

- **Le courrier électronique** (*e-mail*, « mél », ou « courriel »). C'est sans doute le service le plus largement utilisé. Il permet de correspondre avec des gens partout dans le monde. Vous l'utilisez comme vous utilisiez hier le fax, les services de coursiers, le téléphone ou le courrier postal : pour travailler, bavarder, échanger des recettes de cuisine, parler d'amour, colporter des ragots, et pourquoi pas se cultiver, à vous de choisir... Il existe aussi des listes de diffusion permettant d'envoyer le même message, en même temps, à un groupe de personnes partageant le même centre d'intérêt. Des serveurs de courrier ou serveurs de *mail*, des programmes répondant automatiquement aux messages *e-mail*, permettent de recevoir toutes sortes d'informations.

- **Le *World Wide Web*** (le Web, en abrégé, ou à la rigueur la *Toile*). Ces gens-là prétendent « surfer sur le Net » ? Cela signifie que vos interlocuteurs se branchent sur (attention le jargon !) des *sites informatiques de type multimédia interconnectés afin de constituer une hyperbase de données mondiale*. En fait, les gens parlent plus du Web que du Net. Est-ce la même chose ? Techniquement, non. Mais ça l'est devenu à l'usage pour de nombreuses personnes. Nous vous dirons la vérité, toute la vérité, rien que la vérité (pour cette année), au Chapitre 6.

  Le Web, contrairement à d'autres services Internet plus anciens, propose du texte, des images, du son, de la vidéo, des animations, des programmes, des jeux, *etc.*, tout ce que vous pouvez désirer ou presque. Et tout cela à portée de souris. Le taux de croissance du Web est supérieur à tout ce que vous pouvez imaginer. De nouveaux sites apparaissent à chaque instant. Aujourd'hui, on parle de centaines de millions, et les statistiques indiquent que ce nombre double en quelques mois.

  Le programme qui permet de parcourir le Web est appelé *navigateur* (nos cousins du Québec affectionnant particulièrement les termes de *butineur* ou d'*explorateur*). Les navigateurs les plus répandus sont Firefox et Internet Explorer 9 (de Microsoft), ce dernier est illustré à la Figure 1.3. Il existe aussi Opera et Netscape mais, bien que ce dernier ait connu son heure de gloire à la fin du siècle dernier, ces navigateurs ne sont plus très répandus. Pour plus de détails, consultez le Chapitre 6.

- **Les conversations en ligne** ou *chat* (prononcez à l'anglaise « tchate »). Avec un ordinateur et une connexion Internet, les gens peuvent communiquer d'un point du globe à l'autre pour discuter de n'importe quel sujet.

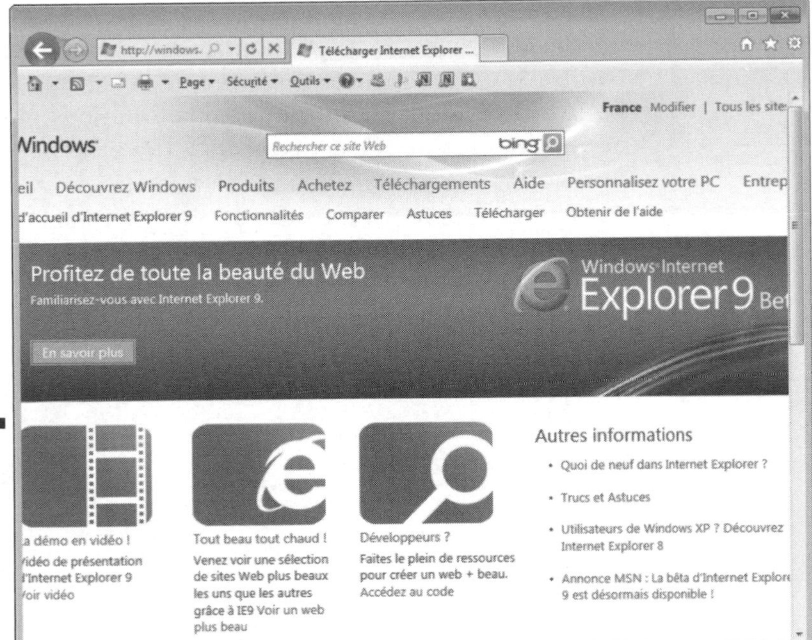

Figure 1.3 : Un exemple de navigateur : la dernière version en date d'Internet Explorer !

Pour cela, ils « entrent » dans des salons de conversation virtuels (*chat rooms*) dans lesquels se trouvent déjà leurs interlocuteurs, que ce soit grâce aux moyens proposés par des services en ligne ou à une technique particulière appelée IRC (*Internet Relay Chat*, conversations relayées par Internet).

- **La messagerie instantanée.** À l'aide de programmes installés sur votre ordinateur et celui de votre interlocuteur, vous entamerez une conversation en un clin d'œil. Les programmes de messagerie instantanée comme Windows Messenger (votre fils ou votre fille vous a probablement déjà bassiné avec MSN... c'est pareil !), Yahoo! Messenger, AOL Messagerie instantanée (AIM, c'est-à-dire *AOL Instant Messenger*), et tout autre serveur de *chat* de votre fournisseur d'accès Internet, permettent l'envoi de messages qui apparaissent sur l'écran du destinataire.

- **Les blogs.** Sorte d'extension de la page Web personnelle, à l'origine, le *blog*, comprenez *weblog*, « journal Web » était un journal intime publié sur le Web (bonjour la confidentialité quand on sait que des millions d'internautes peuvent y accéder). Désormais, les blogs prennent davantage l'aspect d'un forum personnel où un internaute lance un sujet sur lequel tous les autres réagissent. Il peut s'agir d'actualités, de jeux vidéo, de Formule 1, d'éducation, ou de tout autre thème qui vous tient à cœur. La Figure 1.4 présente un blog du journal *Le Monde* (tout abonné au célèbre quotidien journal peut d'ailleurs créer son propre blog, hébergé par le journal).

Figure 1.4 : Un exemple de blog. Finalement, ce n'est pas si différent d'un site Web.

- **Les réseau sociaux.** Ces sites d'un nouveau genre ont pour noms Skyrock Network, MySpace, Badoo, ou encore Facebook, Wikipédia et YouTube. Le contenu de ces sites est créé par les internautes qui s'y inscrivent. Ils sont basés sur le principe du partage des connaissances.

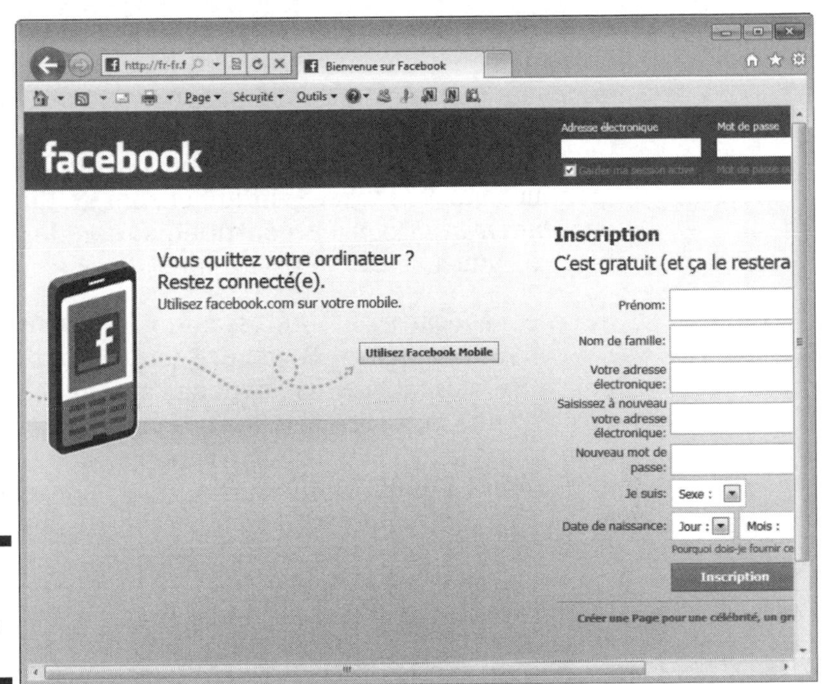

Figure 1.5 : La page d'accueil de Facebook

C'est ainsi que tout le monde peut développer un super réseau social. La Figure 1.5 montre la page d'accueil de Facebook.

Il existe aussi des utilisations plus prosaïques d'Internet. En voici quelques-unes, tirées de notre expérience personnelle :

- Lorsque nous nous sommes lancés dans la rédaction de ce livre, nous avons posté sur le Web des appels au peuple afin de compléter notre documentation. Nous avons reçu des réponses d'un peu partout dans le monde, et la plupart de ceux qui nous ont répondu sont devenus des amis. Nous savons chez qui aller lorsque nous voyagerons à l'étranger.

- Nous recevons tous les jours des messages du monde entier, envoyés par des lecteurs de nos livres *Pour les Nuls*. Souvent, c'est le tout premier message qu'ils envoient par Internet !

- Internet est une des meilleures sources de logiciels. Lorsque nous voulons tester un nouveau logiciel, il ne nous faut que quelques minutes pour nous en procurer un exemplaire pour Mac ou PC (nous avons ici plusieurs PC sous Windows et un Mac). Et presque tous les programmes que l'on trouve sur le Net sont gratuits ou sont des *sharewares* (logiciels contributifs) dont le prix défie toute concurrence.

- Internet est également intéressant en local et en régional. Lorsque John a voulu vendre son minibus toujours utilisable mais fatigué, une annonce sur un site de vente de proximité lui a permis de trouver un acheteur en deux jours. Le mari de Margy a vendu rapidement son ordinateur en publiant un message dans un forum Usenet consacré à l'informatique. Carol se renseigne sur les séances de cinéma et les événements culturels.

En quoi ce média diffère-t-il des autres ?

Internet est différent des autres médias que nous connaissons. On y côtoie des gens de tous les âges et de tous les pays qui y échangent librement leurs idées, leurs histoires, leurs données, leurs opinions et leurs produits.

Tout le monde peut y accéder

Internet est sans doute le moyen de communication le plus ouvert de la planète. Des milliers d'ordinateurs dispensent des informations et des fichiers à tous ceux qui disposent d'un ordinateur personnel et d'une ligne téléphonique RTC ou raccordée au réseau ADSL. L'usage d'Internet n'est cependant pas gratuit, car il faut – sous une forme ou une autre – payer pour s'y raccorder, en fonction de la durée de connexion avec un modem classique, ou par abonnement pour une connexion à haut débit. Si vous ne disposez pas d'un accès Internet dans votre entreprise, votre école ou tout autre lieu, vous devrez recourir aux bons offices d'un fournisseur d'accès (FAI), intermédiaire obligé entre vous et le Net. Au Chapitre 4, nous verrons ce qu'est le haut débit et tenterons de soulever le mystère qui plane sur les vitesses de connexion, les tarifs, la téléphonie gratuite, la télévision par Internet et le fameux dégroupage total qui permet de se passer des services de France Télécom, l'opérateur historique en France.

Les avantages du Net

Internet est autour de vous, de moi, de nous. Si vous n'avez pas pris le train en marche, vous risquez d'accuser rapidement un certain retard, car tout va extrêmement vite. Les nouveautés sortent sur Internet avant même d'être réellement disponibles. Dans de telles circonstances, les laissés-pour-compte du cyberespace – excusez l'expression – vont bel et bien rester sur le carreau (ou sur la touche, c'est pareil).

Voici quelques-uns des usages les plus fréquents d'Internet :

- **Recherche d'informations :** les sites Web sont riches en informations, la plupart gratuites. Cela va des formulaires de déclaration d'impôts que vous pouvez remplir en ligne, aux offres d'emploi et autres annonces immobilières en passant par les recettes de cuisine ; des décisions de la Cour de justice de l'Union européenne aux catalogues de bibliothèques, en passant par des textes divers et variés, des photos, des logiciels en tous genres (jeux, systèmes d'exploitation, utilitaires, *etc.*). Il est possible de consulter la météo du monde entier, les horaires des séances de cinéma et même l'heure de fin des cours. Vous trouverez tout sur le Net !

  Des outils spéciaux, connus sous le nom de *moteurs de recherche*, *répertoires* et *index*, aident à trouver des informations sur le Web. Un grand nombre de personnes essaient de créer le moteur de recherche le plus rapide, le plus intelligent et l'index Web le plus complet. Nous parlerons ici de l'outil le plus complet, Google (voir la Figure 1.6), pour vous permettre d'en comprendre les principes, et peut-être même de gagner un peu d'argent avec. Comme nous l'avons mentionné dans l'introduction de ce livre, lorsque vous rencontrez une icône Web en marge, c'est que nous décrivons à cet endroit des ressources auxquelles vous accéderez sur Internet (habituellement le Web).

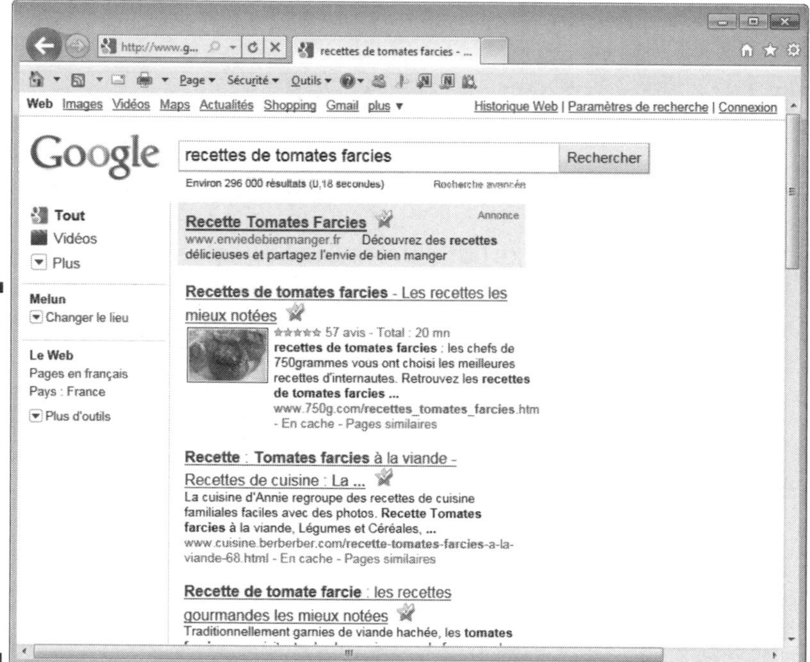

Figure 1.6 : Le moteur de recherche, l'arme absolue de votre soif de connaissance. Difficile de le prendre à défaut car il a réponse à tout.

- **Recherche de personnes :** si vous avez perdu la trace de votre ami(e) d'enfance, vous avez maintenant une chance de le ou la retrouver. À cette fin, vous pouvez utiliser un des nombreux services de recherche pour consulter tous les annuaires téléphoniques ou écumer les sites d'anciens des écoles et lycées (`http://copainsdavant.linternaute.com/`). Cependant, ne fondez pas trop d'espoir, comme nous le verrons au Chapitre 8.

- **Recherche d'adresses de commerces et de prestataires de services :** de nouveaux types d'annuaires vous permettent de trouver une entreprise en faisant une recherche par type d'activité. Vous pouvez spécifier l'indicatif téléphonique ou le code postal. De nombreuses personnes s'en servent pour trouver des objets rares. Une de nos amies nous a raconté sa recherche d'un pendentif en patte d'ours qui l'a conduite jusqu'à une entreprise basée en Alaska, qui avait ce qu'elle cherchait. En France, le site `www.pagesjaunes.fr` (qui propose également un lien vers les pages blanches) remplace l'annuaire de France Télécom et le Minitel (Figure 1.7). Les résultats obtenus sont illustrés par des photos, proposent des liens vers les sites Web d'entreprises ou de magasins et permettent de consulter un itinéraire d'accès.

Figure 1.7 : Composez le 818 188, oh puis zut, je ne sais plus ! Autant aller sur pages-jaunes.fr.

- **Recherche :** les scientifiques échangent leurs travaux. Les cabinets d'avocats ont découvert qu'une grande partie des informations qu'ils payaient une fortune se trouvait sur le Net. Les investisseurs immobiliers utilisent des données démographiques associées à des statistiques de chômage pour savoir où ils peuvent créer des commerces avec un maximum de chances de réussite. Sous couvert de veille technique ou d'intérêt scientifique, les entreprises « espionnent » sans vergogne leurs concurrents sur le Net. Les gouvernements font de même mais avec des moyens d' « écoute » autrement plus efficaces.

- **Enseignement :** des enseignants intègrent, dans leurs projets pédagogiques, un échange avec des classes du monde entier. Les étudiants font des recherches à l'aide de leur ordinateur familial. Certaines encyclopédies sont en ligne (pas toujours gratuitement). Les étudiants éloignés de leur famille communiquent avec celle-ci par le courrier électronique ou mieux, grâce à la téléphonie par Internet, ce qui diminue considérablement leurs frais de téléphone.

- **Achat et vente d'objets :** sur Internet, vous pouvez tout acheter, des livres aux voitures en passant par des vêtements. Faites un grand nettoyage dans vos placards et tiroirs en vendant vos vieilleries sur eBay, PriceMinister (Figure 1.8), ou encore 2xmoinscher (pour ne citer qu'eux).

- **Voyages :** la plupart des agences de voyages utilisent le Web pour informer leurs clients de leurs voyages organisés ou des vols secs dont ils disposent. On y trouve aussi des informations météorologiques, des horaires de train et les heures d'ouverture des musées. Le site de la SNCF permet d'imprimer les billets en ligne et propose sur certains trains des prix extrêmement bas. *Idem* pour les billets d'avion : il y a toujours des bons plans sur Internet, et notamment auprès des compagnies discount.

- **Intranet :** quèsaco ? Les entreprises ont compris qu'Internet est réellement utile. Avec l'Intranet, elles utilisent la messagerie électronique en interne et en externe pour communiquer avec les employés, les clients et autres relations d'affaires. De nombreuses sociétés utilisent des pages Web uniquement en interne pour diffuser des informations au personnel, leur permettre de déclarer les notes de frais et les heures de présence, ou encore pour commander des fournitures. L'Intranet, qui est en

Figure 1.8 : Marre des vides greniers ? Vendez sur le net !

quelque sorte un Internet réservé à l'entreprise, contribue à réduire la paperasserie.

- **Marketing et vente :** les éditeurs de logiciels vendent leurs produits et proposent des mises à jour sur le Net. Même des bouquets de fleurs peuvent être commandés en ligne ! Les ventes de livres et de disques par correspondance permettent de choisir à domicile, sans avoir à se déranger. On peut se procurer ainsi des DVD de zone 1 (en principe réservés aux États-Unis) dont la vente est interdite en France. Mais attention aux éventuels frais de douane ! On se rend compte aujourd'hui que posséder un ordinateur sans connexion Internet rend difficiles les mises à jour de Windows et empêche le téléchargement des correctifs nécessaires à bon nombre de programmes.

- **Jeux et bavardage :** les jeux multi-utilisateurs basés sur Internet, absorberont tout votre temps libre, au risque d'en perdre le sommeil. Vous vous confronterez à d'autres joueurs répartis dans le monde entier. Le Web propose quantité de jeux, y compris des jeux traditionnels comme le bridge, les échecs, les dames, *etc.*

- **Amour :** le Net pousse aussi à la romance. Les sites pour célibataires et les agences matrimoniales fleurissent un peu partout, tant il est vrai que la solitude est un marché porteur. La Figure 1.9 présente la page d'accueil d'un des sites de rencontre les plus connus : meetic.

Figure 1.9 : Et si vous refaisiez votre vie grâce à Internet ?!

- **Santé :** patients et médecins se tiennent au courant des derniers progrès de la médecine, les malades partagent leur expérience et se réconfortent mutuellement. Qui sait si une personne atteinte d'une grave maladie ne réussirait pas à entrer en contact avec un spécialiste de sa pathologie grâce à un groupe de discussion sur le Web, regroupant des cas identiques au sien ?

- **Investissements : l**es achats et ventes d'actions se font de façon courante sur Internet. Certaines entreprises ont pignon sur le Web et y vendent directement leurs actions. Les investisseurs sont à la recherche de nouvelles occasions de faire fortune et les jeunes entreprises dynamiques à la recherche de capitaux.

- **Organisation de manifestations :** pour les organisateurs de conférences et de salons commerciaux, le Web est un excellent moyen de diffuser leurs informations, de contacter les services de communication et d'enregistrer les inscriptions des participants. Les informations diffusées sont toujours à jour et les frais postaux considérablement réduits.

D'où vient Internet ?

L'ancêtre d'Internet est ARPANET, un projet financé en 1968 par le département de la Défense des États-Unis pour expérimenter un système de liaison fiable entre le ministère et les organisations titulaires de contrats militaires, et un certain nombre d'universités faisant de la recherche financée sur ces crédits. Notez qu'ARPA signifie *Advanced Research Projects Agency*, c'est-à-dire agence de projets de recherche avancée. Cette agence officielle est maintenant connue sous le nom de DARPA (avec un *D* comme *Defense*). L'ARPANET a commencé par connecter trois petits ordinateurs situés en Californie avec un autre installé dans l'Utah, mais le réseau a bien vite grossi pour couvrir tout le continent nord-américain.

Au début des années 1980, l'ARPANET a commencé à ressembler davantage à Internet : un groupe de réseaux interconnectés reliant à la fois des sites de recherche et d'éducation financés par la *National Science Foundation* (NSF) et les sites militaires d'origine. En 1990, il est devenu clair qu'Internet avait un avenir autre que militaro-scientifique, et les deux organismes constitutifs (DARPA et NSF) accueillirent pour la première fois des réseaux commerciaux, formant ainsi l'embryon de l'Internet que nous connaissons aujourd'hui. Certains de ces réseaux sont le fruit de grandes entreprises comme AT&T, WorldCom/MCI, IBM et bien d'autres. Quel que soit le réseau auquel votre ordinateur est relié, tous les réseaux sont interconnectés pour former cette gigantesque toile mondiale appelée Internet. Pour plus d'informations à ce sujet, consultez le site `www.commentcamarche.net/histoire/internet.php3` ou bien, si vous êtes familiarisé avec l'anglais, allez sur le site `http://net.gurus.com/history`.

- **Organisations sans but lucratif :** les associations utilisent abondamment le Web pour communiquer entre elles et préparer leurs actions.

Sécurité et la confidentialité sont les deux mamelles d'internet

Internet est un lieu étrange. D'une certaine façon, il est totalement anonyme, et d'une autre, il ne l'est pas du tout. Autrefois, les gens adoptaient des noms d'utilisateurs plus ou moins proches de leur véritable identité, ce qui avait un côté sympathique. Mais aujourd'hui, ces noms d'utilisateurs attribués aux internautes par leur fournisseur d'accès sont générés par des logiciels. Pire, ils sont formés d'un arrangement aléatoire de chiffres et de lettre, d'où une regrettable dépersonnalisation.

Sur Internet, vous pourrez cependant souvent choisir un pseudonyme plus approprié à votre personnalité. Les moins imaginatifs, ou ceux qui ne veulent pas d'un pseudo plus ou moins ridicule, choisissent leur prénom suivi de l'initiale de leur nom de famille, ou le numéro de leur département de résidence ou de leur âge. Voici quelques raisons parfaitement légitimes d'utiliser un pseudo :

- Vous exercez une profession bien spécifique (médecin, par exemple) et vous voulez participer à un forum de discussion sans avoir à donner de consultation gratuite.
- Vous voulez parler d'un problème personnel, sans que votre entourage puisse se douter que c'est de vous qu'il s'agit.
- Vous faites du commerce sur le Net et vous utilisez aussi votre nom d'utilisateur à des fins personnelles, mais vous ne souhaitez pas que les deux activités soient confondues.

Un petit avertissement cependant à tous ceux qui envisageraient d'exploiter la nature anonyme du Net : il est techniquement possible de remonter à la source de la plupart des actions effectuées sur le Net. Si vous commencez à abuser du Net, vous découvrirez que vous n'êtes pas si anonyme que cela. En cas de délit (pédocriminalité, piratage...) les spécialistes informatiques de la police et de la gendarmerie sauront remonter jusqu'à vous. Il suffit de lire les faits divers ou la page judiciaire pour s'en convaincre.

Sécurité d'abord

L'anonymat d'Internet étant illusoire, nous vous recommandons de ne jamais utiliser votre nom complet et encore moins de fournir vos coordonnées, nom, adresse et numéro de téléphone, à un étranger, *a fortiori* sur le Net. Ne faites jamais confiance à qui que ce soit prétendant faire partie de l'assistance technique de votre fournisseur d'accès ou à tout autre organisme vous demandant votre mot de passe. Aucune entité légale ni bancaire ne vous demandera jamais votre mot de passe ou un code. Méfiez-vous également des organismes et commerçants qui pourraient se servir de vos coordonnées personnelles pour vous inonder de publicités.

Des internautes connaissent parfois de pénibles désillusions avec leur âme sœur du Net dès lors qu'il s'agit de se confronter à la réalité. D'autres, au contraire, ont plus de chance. Le mariage à la suite d'une rencontre en ligne est devenu chose courante, qui n'étonne plus personne. Voici cependant quelques conseils si vous projetez une rencontre physique avec une personne rencontrée sur le Net :

- Conversez au téléphone avant de convenir d'un véritable rendez-vous. Si un détail vous intrigue ou pire, vous inquiète (le ton de la voix, la manière de s'exprimer, le tour que prend la conversation...) ne donnez pas suite.
- Si vous êtes une femme, convenez d'un rendez-vous dans un endroit public, un café ou une brasserie.

- Parents, ne laissez jamais un mineur converser sans surveillance sur Internet ! Les maniaques usent et abusent

> du Net pour extirper des renseignements aussi vagues que le nom d'une ville, celui d'un sport pratiqué, le jour d'un entraînement sportif, qu'ils sauront exploiter le moment venu. Il est important de sensibiliser les enfants aux problèmes d'Internet, leur dévoiler les pièges et surtout contrôler leurs conversations (on peut les enregistrer automatiquement avec certaines messageries instantanées comme MSN). Conseillez-leur d'utiliser un nouveau pseudonyme à chaque connexion. Vous mesurez mal les risques ? Connectez-vous à un *chat* pour adolescents et faites-vous passer pour une gamine de 13 ans. Vous comprendrez très vite !

Le Net est un endroit merveilleux qui permet d'agrandir le cercle de ses relations, mais où la candeur et la naïveté peuvent se payer très cher.

Chapitre 2

Virus, espiogiciels, spams et autres saletés

Dans ce chapitre :

- Tour d'horizon des dangers qui vous guettent.
- Protéger votre vie privée.
- Comment les virus infectent votre ordinateur.
- Se prévenir contre l'installation de programmes à votre insu (*espiogiciels*).
- Juguler l'invasion des courriers non sollicités.
- Protéger votre navigation sur le Web et celle de votre famille.
- L'antivirus et la sécurité Internet en pratique.

Internet fait désormais partie de notre quotidien. Nous aimerions affirmer que toutes les critiques négatives d'Internet ne sont qu'une vaste campagne d'intoxication, mais ce n'est hélas pas le cas. Le succès d'Internet et sa technologie ont attiré des truands de tous acabits qui en veulent à nos sous. Dans certains pays, la fraude sur Internet est une véritable économie parallèle.

De plus, nombre d'informations sur vos pérégrinations sur le Web et sur vos habitudes de consommation sont collectées, au mépris du respect de votre vie privée. Sans parler des pirates capables de s'introduire dans votre ordinateur à des fins évidemment malhonnêtes. Lorsqu'un ordinateur est connecté à Internet, la question n'est pas de savoir s'il sera victime d'une cyber-attaque, mais quand il en sera victime : dans six mois, six jours, six heures, ou seulement six minutes ?

Internet n'est heureusement pas qu'un lieu de tous les dangers, de toutes les arnaques. C'est comme se promener dans une grande ville : un minimum de prudence s'impose, ce qui n'empêche pas de profiter de tous ses attraits.

Ce chapitre aborde les problèmes du respect de la vie privée, de sécurité et aussi d'exaspération :

- **Le respect de la vie privée :** il est battu en brèche par des techniques sophistiquées permettant de recueillir des informations plus ou moins sensibles lors de vos navigations sur le Web.
- **La sécurité :** ce sont les techniques permettant notamment de contrôler étroitement l'activité des programmes qui tournent sur votre ordinateur et détecter ceux qui sont malfaisants (virus, espiogiciels...).
- **L'exaspération :** c'est le sentiment grandissant lorsque votre boîte à lettres virtuelle regorge de courriers non sollicités, les fameux *spams* dont vous avez probablement entendu parler, ou encore lors de l'ouverture intempestive de fenêtres qui vous assaillent de publicité ou de contenu graveleux, ce qui est encore plus répréhensible lorsque des enfants sont devant l'écran.

Tout au long de ce livre, nous vous expliquerons comment naviguer avec un maximum de sécurité. Vous apprendrez à utiliser un pare-feu, un antivirus, un anti-espiogiciel, et à mettre votre bon sens à contribution. En fin de chapitre nous vous expliquerons comment protéger gratuitement votre ordinateur lorsque vous surfez sur le net, mais aussi comment passer à un système payant plus performant. Le Chapitre 3 propose des règles à suivre lorsque des enfants utilisent Internet (certaines valent aussi pour les adultes), et explique comment activer un contrôle parental performant.

Je sais rien mais je dirais tout

Les nouvelles technologies nous rendent certes de grands services mais elles contribuent aussi à nous espionner. Nous sommes surveillés, à tel point qu'il est aujourd'hui possible de reconstituer la journée d'une personne à partir de ses transactions. Tout participe à cette surveillance que n'aurait pas renié le célèbre Big Brother inventé par Georges Orwell : les cartes bancaires, les téléphones mobiles, les cartes de fidélité électroniques, le GPS, et bien sûr Internet. Dès que l'ordinateur est connecté, vous êtes surveillé. Le plus souvent, ce suivi n'est effectué que pour des raisons purement techniques, sans incidence sur votre vie, mais parfois elles peuvent être détournées pour des raisons lucratives ou, dans certains états, politiques.

À la grande époque des archives sur papier (mais si, rappelez-vous, ces feuilles rectangulaires sur lesquelles on écrivait ou imprimait du texte), la consultation des documents se faisait généralement sur place, dans un lieu officiel, souvent une administration. Il fallait signer un registre, ce qui permettait de connaître l'identité de la personne qui collectait des informations. Aujourd'hui, tout le monde peut consulter des informations, et accéder parfois à des données qui n'auraient pas dû sortir de leur domaine administratif ou privé.

Les techniques de collecte d'informations par le biais d'Internet et celles permettant de fournir ces informations, sont présentées dans les prochaines sections.

La pêche aux gogos, ou hameçonnage

L'*hameçonnage* (ou *phising*, contraction de *phreaking*, piratage du réseau téléphonique et de *fishing*, pêche) est une nouvelle forme de délit sur Internet, dont chacun peut être victime. Il est heureusement facile à déjouer tant la ficelle est grosse et l'hameçon visible.

Qu'est-ce que l'hameçonnage ?

Vous trouvez dans votre courrier électronique un message comme celui-ci (voir Figure 2.1), envoyé à des millions d'internautes en espérant que dans la masse, il y ait quelques clients des banques en question et parmi eux, quelques-uns assez naïfs ou inconséquents pour cliquer sur l'un des liens. Voici la traduction de cette prose :

```
Cher membre de [liste des banques]
Ce courrier électronique vous a été envoyé par notre serveur de
banque pour vérifier les adresses de courrier électronique. Vous
devez achever la procédure en cliquant sur le lien ci-dessous
afin d'obtenir dans une petite fenêtre les détails pour l'accès
en ligne à [liste des banques]. Ceci est fait pour votre pro-
tection, car certains de nos membres n'ont plus accès à leurs
adresses de courrier électronique et que nous devons les véri-
fier. Pour vérifier votre adresse de messagerie, cliquez sur le
lien ci-dessous.
Si vous avez un compte [banque] : [lien]
```

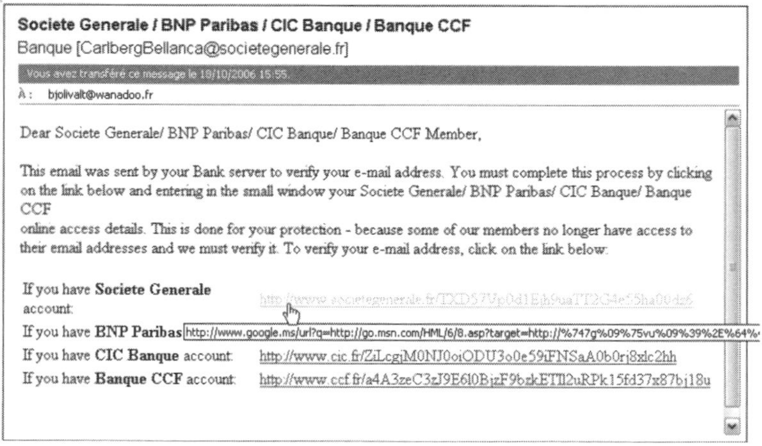

Societe Generale / BNP Paribas / CIC Banque / Banque CCF
Banque [CarlbergBellanca@societegenerale.fr]
Vous avez transféré ce message le 18/10/2006 15:55.
À : bjolivalt@wanadoo.fr

Dear Societe Generale/ BNP Paribas/ CIC Banque/ Banque CCF Member,

This email was sent by your Bank server to verify your e-mail address. You must complete this process by clicking on the link below and entering in the small window your Societe Generale/ BNP Paribas/ CIC Banque/ Banque CCF
online access details. This is done for your protection - because some of our members no longer have access to their email addresses and we must verify it. To verify your e-mail address, click on the link below:

If you have **Societe Generale** account: http://www.societegenerale.fr/TXD57Vp0d1Ejh9uaTT2G4e55ha00dz6
If you have **BNP Paribas** http://www.google.ms/url?q=http://go.msn.com/HML/6/8.asp?target=http://%747g%09%75vu%09%39%2E%64%
If you have **CIC Banque** account: http://www.cic.fr/ZiLcgjM0NJ0oiODU3o0e59iFNSaA0b0rj8xlc2hh
If you have **Banque CCF** account: http://www.ccf.fr/a4A3zeC3zJ9E6l0BjzF9bzkETl2uRPk15fd37x87bj18u

Figure 2.1 : Méfiance lorsque ce genre de message échoue dans votre messagerie.

Ce genre de courrier est souvent envoyé avec un en-tête reproduisant exactement le logo de l'établissement financier, voire la mise en page de son site, et il peut être en français. Les raisons invoquées pour cliquer sur le lien sont très variées mais reposent toujours sur une vérification. Parfois, pour paniquer le client, le message signale que, faute d'avoir cliqué sur le lien, le compte bancaire sera annulé et les sommes perdues.

À la lecture d'un message de ce genre, quelques indices devraient vous mettre la puce à l'oreille :

- Le message de la Figure 2.1 est en anglais. De plus, il est question de « membres » et non de « clients ».
- L'adresse de l'expéditeur (CarlbergBellanca@societegenerale.fr) est usurpée. Difficile de savoir si cette personne existe ou pas.
- Une connaissance approximative de la langue française (fautes d'orthographe et de grammaire, jargon technique abscons, anglicismes...) révèle un message concocté à l'étranger.
- Le message demande de cliquer sur des liens. Or, jamais – et ce « jamais » est impératif – une banque ne demandera de cliquer sur un lien. Ce sera toujours à vous de taper l'adresse dans le navigateur Web, ce qui est le moyen le plus sûr d'aller directement vers le site Web visé. Examinez, dans la Figure 2.1, l'info-bulle qui apparaît en immobilisant le pointeur de la souris sur le lien : l'adresse qui s'y trouve est complètement différente et pointe vers un site totalement inconnu, qui disparaîtra dans quelques heures, le temps de pigeonner les gogos. Sans entrer dans les détails techniques, sachez que l'adresse google.ms – « ms » indique l'île de Montserrat, dans les Antilles britanniques – est elle-même un leurre, la véritable destination, après `target=http`, étant codée en hexadécimal (mais elle est facile à déchiffrer).

Si vous cliquez sur un des liens, vous arrivez sur une page Web imitant parfaitement celle de la banque. Dès que vous avez saisi votre nom d'utilisateur et votre mot de passe, une autre page à l'aspect tout aussi officiel s'affiche. Elle vous invite à entrer votre numéro de carte bancaire, un PIN (c'est-à-dire un numéro d'identification personnel, *Personal Identification Number*), une adresse de facturation, le détail de votre compte, votre numéro de sécurité sociale, voire le code confidentiel de votre carte bancaire. Cette page frauduleuse est suffisamment intelligente pour refuser un numéro de carte bancaire non valide. Si vous communiquez toutes les informations demandées et que vous cliquez sur le bouton Suivant ou Poursuivre, une page affiche un message indiquant que vous êtes déconnecté du site. Et maintenant ? C'est aux fraudeurs de jouer, et sans perdre de temps. Ils utiliseront les informations dans un jour, mais peut-être aussi plus tard. Ils paieront leurs achats avec votre numéro de carte bancaire.

Des millions de messages semblables à celui-ci sont envoyés chaque jour sur Internet et, incroyable mais vrai, des gens se font avoir, surtout aux États-Unis.

Ne mordez pas à l'hameçon !

Tôt ou tard, vous recevrez un message parfaitement bien orthographié, plus vrai que nature, dont vous serez tenté de suivre les recommandations. Ne vous laissez pas piéger. Suivez plutôt ces quelques conseils :

- Des courriers contenant des liens renvoyant vers une page Web demandant des informations aussi confidentielles que votre numéro de carte bancaire sont assurément frauduleux.
- Si le courrier électronique provient d'une société dont vous n'avez jamais entendu parler, ignorez-le et supprimez-le aussitôt.
- S'il prétend émaner d'une société où vous avez ouvert un compte, allez sur son site Web officiel en tapant son adresse directement dans votre navigateur Web (jamais en cliquant sur le lien affiché dans le courrier électronique). Une fois sur le site, cliquez sur le lien `Mon compte`. Si la connexion au compte se solde par un échec, envoyez une copie du message au service clients du site, ou mieux téléphonez à l'établissement.

Notez que Windows Live Mail est capable de détecter les tentatives d'hameçonnage. L'objet du message est affiché en rouge et en gras et un panneau signale que le message est douteux. Par la suite, lorsque vous cliquez sur ce même message, un bandeau rouge rappelle qu'il est peut-être frauduleux.

L'usurpation d'adresse est une autre technique délictueuse qui se développe rapidement. Elle consiste à afficher une adresse dans la barre d'adresse de votre navigateur Web alors que vous êtes en réalité sur un autre site. Certains navigateurs Web n'affichent que l'adresse principale d'un site. Ils ne paraissent donc pas fallacieux. Les adeptes de l'hameçonnage profitent de cette fonctionnalité. Les meilleurs navigateurs comme Firefox et Internet Explorer 9 protègent l'internaute contre les sites Web usurpés. Internet Explorer 9 propose une fonction appelée Filtage InPrivate. Lorsque vous l'activez, elle demande à Internet Explorer de ne pas stocker de données sur votre session de navigation actuelle. Ceci évite qu'un site Web utilise des données comme les précédents sites que vous avez visités et ce que vous avez regardé sur le Web. Pour que cela fonctionne, Internet Explorer ouvre une nouvelle fenêtre qui rend totalement privée votre navigation sur le Web. En revanche, si vous ouvrez une autre fenêtre Internet Explorer, vous ne serez pas protégé dans ladite fenêtre. La Figure 2.2 montre la boîte de dialogue de paramétrage du Filtrage InPrivate d'Internet Explorer 9.

La règle de sécurité fondamentale est simple : il ne faut jamais taper des mots de passe, des numéros de carte bancaire, ou toute autre information personnelle sur une page Web à laquelle vous avez accédé par un clic sur un lien situé dans un courrier électronique.

Ces petites choses qui vous traquent

D'abord lieu de liberté et de gratuité où régnait un certain esprit libertaire, le Web – la partie grand public d'Internet – a rapidement suscité la convoitise des marchands : une zone de chalandise à l'échelle planétaire ne pouvait les laisser indifférents.

Mais pour bien vendre, il faut connaître le client. Et pour bien le cibler, il faut connaître ses habitudes : les liens sur lesquels il clique le plus volontiers, le site qui a conduit jusqu'au site marchand. Pour collecter ces informations, des informaticiens mettent au point de petits programmes qui suivent pas à pas

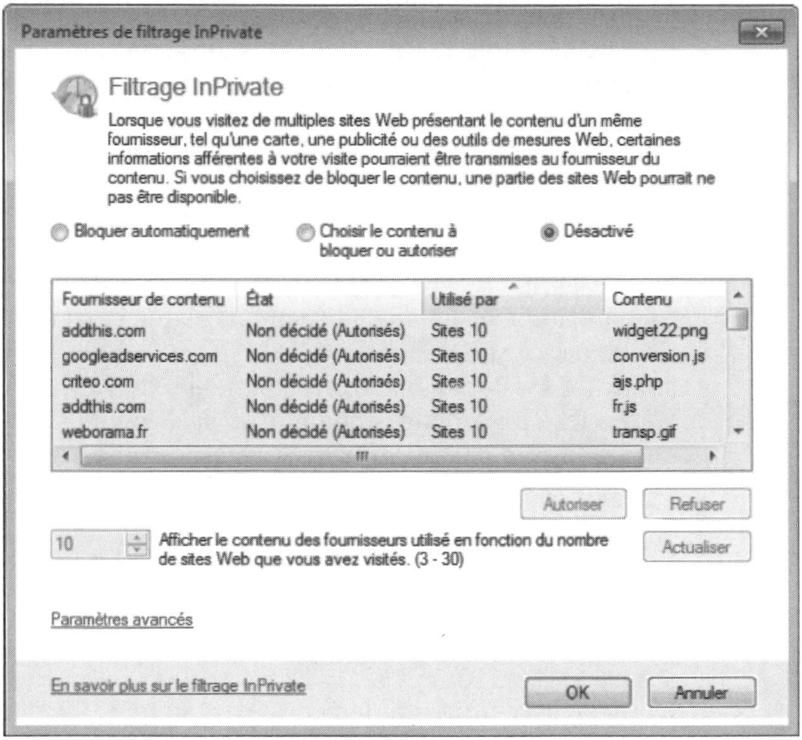

Figure 2.2 : Internet Explorer 9 n'a pas tort d'être aussi méfiant.

votre navigation sur le Web. Très rapidement, les sociétés spécialisées dans l'étude des internautes dressent un profil du type de consommateur que vous êtes. Elles sauront si vous êtes plutôt consumériste et tenté par les achats impulsifs (les « ventes flash ») ou si vous prenez le temps de vous décider (un panier d'achats où vous conservez des articles pendant des semaines est un excellent indice). Ainsi, il sera plus simple pour elles de vous proposer les produits correspondant à vos centres d'intérêt. Par exemple, si vous visitez le rayon DVD d'un magasin virtuel et que l'on sait que vous venez du site TF1, peut-être vous proposera-t-on la sortie DVD des *Bidasses en folie* ; tandis que si vous venez du site d'Arte, on vous fera part de la disponibilité de l'intégrale des films de Robert Bresson ou de Jean-Luc Godard. Ces programmes sont conçus pour établir des statistiques. Toutefois, vous constaterez que, sur certains sites Web, une partie de la page affiche les derniers produits dont vous avez consulté la fiche. Et, lorsque vous y revenez quelques semaines plus tard, ces mêmes derniers produits consultés sont à nouveau affichés : c'est dire si l'on vous connaît bien...

Les cookies peuvent vous vouloir du bien

Lorsque vous naviguez sur le Web, certains sites ont besoin de vous identifier afin de vous connecter en tant qu'utilisateur de ce site. Cette identification n'est pas forcément dommageable ou à visée commerciale. Elle évite parfois d'avoir à saisir plusieurs fois votre mot de passe et nom d'utilisateur pour accéder à certaines pages. Les éléments informatiques qui permettent ce suivi sont des petits fichiers de texte appelés *cookies* (rien à voir avec les gâteaux) que le serveur du site installe dans votre ordinateur. Ils contiennent l'adresse du site Web ainsi que des codes d'identification. En règle générale, les *cookies* ne comportent pas d'informations personnelles ou de nature dangereuse. Ils sont uniquement là pour faciliter la navigation dans des sites spécifiques.

Les internautes sont très partagés sur les *cookies*. Certains ne s'en soucient pas, pour d'autres se sont des nuisances. À vous de juger. Contrairement aux rumeurs, les *cookies* ne divulguent pas les informations stockées dans votre ordinateur. Ils

Googlez-vous !

Aujourd'hui, il est assez facile de trouver des données sur les sujets qui vous intéressent. Certains d'entre vous ne tarderont pas à créer leur propre site Web, à participer à des groupes de discussion, à s'inscrire à des lettres de diffusion, ou encore à créer leur propre blog. L'important est de savoir si tout ce que vous publiez sur Internet va être facilement accessible au reste de la planète. Peut-être même existe-t-il déjà des données vous concernant sans que vous le sachiez ! Alors, effectuez une recherche sur vous-même en bon détective privé du Web. Allez sur le moteur de recherche Google à l'adresse `www.google.fr`. Dans le champ de saisie du texte, entrez votre nom entre guillemets et cliquez sur le bouton Recherche Google (Figure 2.3). Vous découvrirez peut-être que vous êtes répertorié sur le site d'un ancien élève de la même classe que vous, il y a dix, vingt ou trente ans.

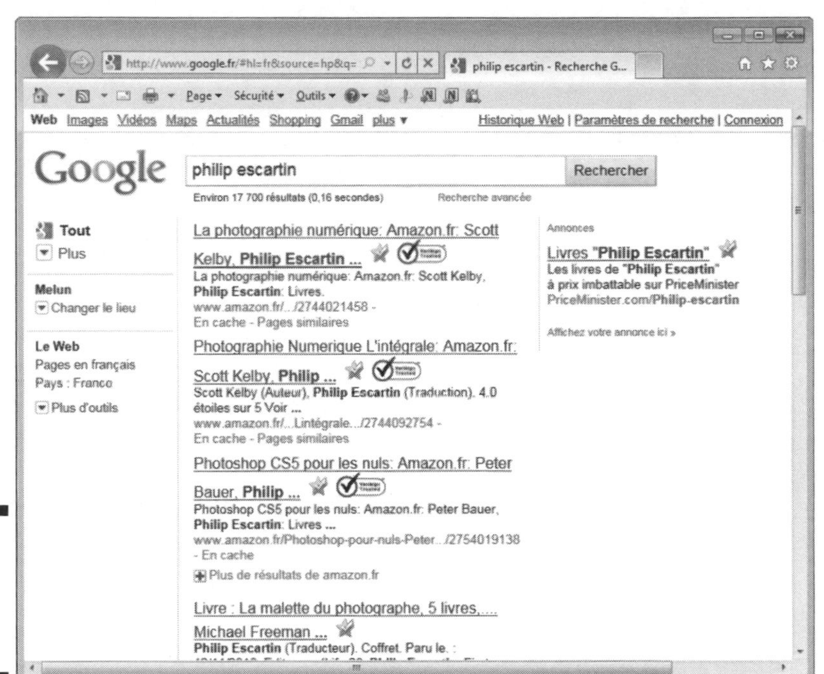

Figure 2.3 : Pas possible que je sois aussi célèbre !

ne collectent que des informations que vous avez sciemment communiquées. Internet Explorer et Firefox permettent de savoir si des *cookies* ont été stockés dans votre ordinateur et en assurent la gestion. Nous y reviendrons plus loin dans cet ouvrage.

Comment peut-on prendre le contrôle de votre PC ?

Internet est idéal pour télécharger des logiciels que vous installerez dans votre ordinateur. C'est génial ! Plus besoin d'attendre, notamment pour mettre à jour le pilote d'un périphérique ou accéder à la dernière version d'un logiciel.

Il est toutefois possible que des programmes soient installés à votre insu dans votre ordinateur. Ils s'introduisent notamment au travers du courrier ou de votre navigateur Web.

Les virus arrivent par courrier électronique

Les virus informatiques sont des programmes qui se transmettent d'un ordinateur à un autre. L'infection se produit par l'intermédiaire de n'importe quel système de communication, comme un réseau, des disquettes, et même une liaison infrarouge. Cela fait bien longtemps que les virus écument le Web. À l'origine, ils se trouvaient dans des fichiers programme que les internautes téléchargeaient *via* un logiciel de transfert de fichiers ou leur navigateur Web. Aujourd'hui, les virus sont principalement diffusés par courrier électronique, sous forme de pièces jointes ou par la messagerie instantanée.

En revanche, un message sans pièce jointe ne peut pas transporter de virus. Ce n'est que du texte, rien de plus. Mais se passer de pièces jointes réduit considérablement l'intérêt du courrier électronique.

Comment agissent les virus ?

Le virus est un miniprogramme informatique. Pour fonctionner, il doit être exécuté, c'est-à-dire démarré. Ce démarrage peut être spontané dès le téléchargement, déclenché par vous-même en cliquant dessus, ou déclenché par un événement extérieur comme une date ou, beaucoup plus rarement, la présence de tel ou tel fichier.

Un virus conçu pour le Web commence par localiser un carnet d'adresses. Il s'auto-expédie ensuite vers chacun des contacts qu'il trouve dans le carnet afin de les infecter à leur tour. Ce premier forfait accompli, il exécute la mission pour laquelle il a été réellement créé. Il mémorisera par exemple toutes les séquences de touches du clavier sur lesquelles vous appuyez (y compris vos mots de passe) afin de les transmettre à son seigneur et maître, qui en fera assurément un usage répréhensible. Il peut également lancer une attaque sur des cibles spécifiques ou aléatoirement choisies tandis que vous surfez sur le Web. Il peut aussi transformer votre PC en PC zombie qui envoie ou relaie à votre insu des millions de spams. Si votre ordinateur se comporte étrangement, révèle une lenteur anormale, il est probablement infecté par un ou plusieurs virus.

Un de mes amis a vu son ordinateur devenir de plus en plus lent et erratique, au point de rendre tout travail impossible. Les temps de connexion Internet étaient interminables, les affichages de pages d'une lenteur exaspérante, les déconnexions intempestives fréquentes. Après avoir réussi à installer un antivirus sur son système, nous avons constaté qu'il n'abritait pas moins de 180 virus dans 2 800 fichiers. Une fois les virus localisés et éradiqués, l'ordinateur retrouva une seconde jeunesse.

Que faire contre les virus ?

Ne paniquez pas à l'idée que des virus puissent sévir par courrier électronique. Il suffit d'installer un programme antivirus pour être à l'abri de leurs méfaits. Vous trouverez des versions gratuites de certains antivirus, moins performantes que leurs versions payantes, mais se présentant comme un premier barrage contre les virus.

Connectez-vous au site `http://free.avg.com/fr-fr/accueil` (Figure 2.4) et téléchargez AVG Antivirus Free Edition, une mini suite Internet Security, gratuite et des plus correctes. Cependant, n'oubliez pas que sa version payante bénéficie de technologies avancées, notamment au niveau de la mise à jour de son moteur.

Les vers viennent du Net

Un *ver* est comme un virus, sauf qu'il ne se transmet pas par courrier électronique. Il s'introduit dans votre machine directement par la connexion Internet. Pour y pénétrer, il lui faut une porte d'accès. Ces portes sont des canaux spéciaux appelés ports d'entrée/sortie (rien à voir avec les ports USB, parallèle, série ou autres...) Ces ports, numérotés, sont autant d'ouvertures vers un réseau local ou vers Internet. Les vers savent les détecter et s'y introduire en moins d'une minute.

Figure 2.4 : Un antivirus, ne serait-ce que gratuit, est indispensable.

Pour limiter cette invasion, vous devez mettre Windows régulièrement à jour. Ces correctifs comblent les failles de sécurité par lesquelles les vers s'introduisent. Cependant, ces mises à jour ne s'installent pas en moins d'une minute. Je vous encourage donc vivement à utiliser une connexion Internet protégée par un pare-feu logiciel (Windows en possède un) ou matériel (boîtier installé entre le modem et l'ordinateur). Les routeurs placés entre un réseau local et Internet sont équipés d'un pare-feu. Vérifiez que c'est bien le cas du vôtre, si vous en possédez un.

Les espiogiciels proviennent des sites Web

Un *espiogiciel* (c'est-à-dire un *logiciel espion*) est un virus un peu particulier. Ils arrivent dans l'ordinateur par téléchargement depuis votre navigateur Web. Il suffit, sur un site, de cliquer par curiosité sur un lien pour lancer le téléchargement et l'installation d'un espiogiciel.

Que font les espiogiciels ?

L'espiogiciel mémorise ce que vous saisissez au clavier et même ce sur quoi vous cliquez. L'ensemble des informations ainsi collectées est envoyé à votre insu vers des destinataires peu scrupuleux. Le plus connu des espiogiciels est le logiciel publicitaire. Une fois installé dans l'ordinateur, il vous assaille de fenêtres publicitaires qui surgissent chaque fois que vous activez votre navigateur Web. Ces fenêtres sont parfois appelées *popups*.

Bien sûr, ces publicités sont assez faciles à bloquer ou du moins à limiter. Des navigateurs comme Internet Explorer sont dotés d'un bloqueur de publicités intempestives qu'il faut activer, comme à la Figure 2.5.

Figure 2.5 : Activer le bloqueur de fenêtres publicitaire d'Internet Explorer 9.

Les espiogiciels sont également capables d'envoyer des courriers indésirables, ou *spams,* depuis votre ordinateur.

Empêcher l'installation d'un espiogiciel

La gratuité de certains programmes découverts sur des sites Web ou reçus par courrier électronique, n'oblige pas à les installer. La tentation est cependant forte de télécharger à outrance n'importe quoi et n'importe comment : un économiseur d'écran par-ci, une barre d'outils par-là, des icônes rigolotes (*émoticônes* ou *smileys*), et bien d'autres babioles qui sont souvent de véritables nids à espiogiciels. De plus, ces programmes accaparent les ressources de l'ordinateur, le rendant de ce fait moins performant. Si vous avez un doute sur un programme gratuit qui vous tente, renseignez-vous à son sujet sur Internet (tapez son nom dans Google et recherchez sur les sites francophones, c'est souvent édifiant).

Se protéger des espiogiciels

Les espiogiciels sont des programmes très difficiles à désinstaller. Donc, avant d'en arriver à des extrêmes, évitez purement et simplement leur installation. Pour bloquer un espiogiciel, il suffit d'être attentif aux éléments sur lesquels vous cliquez. Installez également un programme anti-espiogiciels comme Spybot, dont l'interface est illustrée à la Figure 2.6, et lancez régulièrement l'analyse de votre ordinateur afin de déloger ces logiciels de votre machine. Vous en saurez davantage au Chapitre 4.

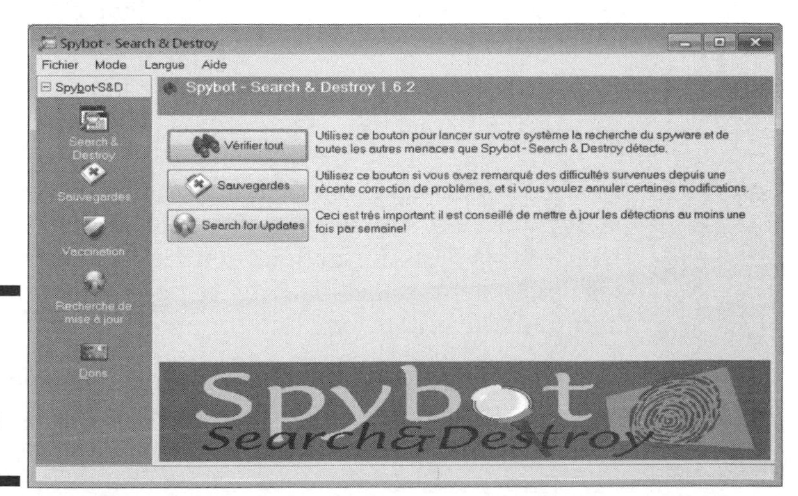

Figure 2.6 : Un logiciel gratuit et efficace. Installez ici Spybot.

Le logiciel publicitaire : un espiogiciel comme les autres

Le logiciel publicitaire est un type de logiciel très controversé que de nombreuses personnes assimilent à un espiogiciel. Il s'installe souvent comme une fonction d'un programme distribué gratuitement et surveille ensuite votre activité sur l'ordinateur, diffusant des publicités très ciblées, même lorsque vous exécutez d'autres programmes. Pour les détracteurs du logiciel publicitaire, il est intolérable d'installer des programmes à l'insu du consommateur dans le seul but de faire monter sa fièvre acheteuse. Ils réclament une loi interdisant cette pratique, dénonçant le logiciel publicitaire comme un parasite. Les défenseurs du logiciel publicitaire – en général ceux qui les suscitent – soutiennent qu'il permet à des petites entreprises de faire connaître leur activité. La connaître est une chose, l'apprécier en est une autre.

Les popups

Les *popups* (prononcez « popeup »), ces fenêtres qui s'ouvrent inopportunément et envahissent votre espace de travail lors de vos pérégrinations sur le Web, sont l'invention la plus exécrable de ces dernières années. Cette irruption abusive se produit soit quand vous cliquez sur un lien hypertexte, soit lorsque vous fermez une fenêtre de votre navigateur Web. Bien souvent, elles délivrent des messages publicitaires, notamment pour des offres de crédit, des billets d'avion, des tirages de photos numériques ou des mises sur des casinos en ligne.

Plusieurs mécanismes déclenchent l'ouverture de popups :

- Un site Web peut ouvrir une nouvelle fenêtre de votre navigateur Web. Parfois, elle affiche une publicité, d'autres fois des informations dénuées d'intérêt. Dans des circonstances particulières, le popup est utile à l'internaute car il lui explique comment utiliser le site.
- Les espiogiciels ou d'autres programmes peuvent afficher des popups.

Heureusement, comme vous le découvrirez au Chapitre 7, les navigateurs Web comportent des fonctions de contrôle de ces fameux popups.

Spam, pourriel, polluriel...

Spam, pourriel, polluriel, courrier indésirable, *etc.* Voici quelques-unes des appellations de cette véritable nuisance que sont les courriers non sollicités. C'est l'équivalent, mais en beaucoup plus agaçant, des publicités qui envahissent votre boîte aux lettres (la vraie, celle de la Poste). Comme, de surcroît, les spams reçus par courrier électronique ne coûtent rien à l'expéditeur, vous en êtes submergés.

Les spams sont des millions de copies d'un même message envoyées à autant de millions d'internautes, ou de groupes de discussion, de bulletins d'information, et même de messageries instantanées. Généralement, le message de ces mails est pauvre : comment devenir riche en un rien de temps, comment hypertrophier telle ou telle partie de son anatomie que l'on estime peu avantagée par la nature (il y en a pour les hommes et pour les dames), comment frimer avec une montre de prestige, évidemment contrefaite, acheter des médicaments au risque de mettre sa santé en péril, *etc.*

Le spam a généré un vocabulaire un peu particulier qui est entré dans le langage courant des internautes : le message est un *spam*, qui s'inscrit dans la pratique du *spamming*, perpétrée par des *spammers*. Dans le même ordre d'idée, les espiogiciels sont souvent appelés *spyware,* les logiciels publicitaires *adware,* et pour les autres, il faut voir...

Le *spamming* est un fléau car de nombreuses entreprises y voient un moyen simple et économique de pratiquer une publicité extrêmement agressive, qui prend souvent l'acheteur potentiel pour un demeuré. Nous recevons des centaines de spams quotidiennement, et leur nombre ne cesse d'augmenter.

En quoi les spams sont-ils si mauvais ?

Certains vous coûtent de l'argent. Car si envoyer un courrier électronique est gratuit – un PC peut expédier des milliers de messages par heure –, pour l'internaute, la réception de quantité de spams peut prendre un certain temps (gênant lors d'une connexion facturée à la minute) ou saturer la boîte aux lettres virtuelle gérée par votre fournisseur d'accès à Internet. Des messages importants peuvent ainsi se perdre. Il devient rapidement difficile de distinguer les courriers essentiels des spams (fort heureusement, la plupart sont en anglais, ce qui facilite considérablement le tri pour ceux qui ne communiquent que dans une autre langue : une sélection multiple des messages en anglais et hop ! à la poubelle vite fait, bien fait !).

Auprès de certains fournisseurs d'accès à Internet (FAI), le dépassement du volume de la boîte aux lettres entraîne une surtaxe. AOL indique par exemple qu'une bonne moitié des mails entrants sont des spams et qu'il en coûte entre 2 et 20 dollars par mois et par internaute. Un filtre antispam peut être souscrit auprès de votre FAI, mais le filtrage n'est pas totalement sûr : vous pourriez perdre des courriers importants considérés par erreur comme des spams (ce que l'on appelle des faux négatifs) et voir quand même arriver des courriers indésirables (les faux positifs).

De nombreux spams affichent un lien pour supprimer votre adresse courrier électronique de leur liste. Confiant et naïf, vous pensez vous libérer ainsi de cette occupation excessive et vider enfin le contenu de votre boîte de réception. Or, très souvent, ce lien sert simplement à vérifier que l'adresse est toujours active, autrement dit qu'il existe un gogo au bout de la ligne. Ces adresses involontairement confirmées par leur destinataire sont très prisées des *spammers*. En croyant se désinscrire, le malheureux internaute devient en réalité la proie d'un nombre encore plus grand de *spammers*.

Que faire contre les spams ?

Pas grand-chose... Les filtres empêchent bon nombre de spams d'arriver jusqu'à vous, mais pas les *spammers* de les envoyer.

Quel est le mot de passe ?

Sur Internet, vous serez souvent, très souvent, amené à saisir des mots de passe. Voici quelques conseils émanant des experts en sécurité informatique :

- Créez des mots de passe aléatoires, longs et compliqués de manière que personne ne puisse en découvrir la logique donc le contenu. N'utilisez jamais un mot du dictionnaire, encore moins un nom se rapportant à votre entourage (un prénom, le nom du chien ou du chat...). Faites un savant mixage de lettres et de chiffres.
- N'utilisez jamais le même mot de passe pour tous vos comptes.
- Mémorisez vos mots de passe. Ne les inscrivez nulle part.
- Changez régulièrement vos mots de passe.

L'approche la plus intelligente pour créer des mots de passe consiste à les définir selon l'importance des informations à sauvegarder. Sur des sites où vous consultez simplement des informations générales, sans saisie de données personnelles, les mots de passe peuvent être simples, voire simplistes, et faciles à retenir. En revanche, pour des sites plus sensibles, comme des sites d'achats ou des sites bancaires, vous devez créer des mots de passe complexes ne répondant à aucune logique. Si vous craignez d'oublier un mot de passe compliqué, inscrivez-le dans un carnet que vous cacherez en lieu sûr.

Méfiez-vous des mots de passe oubliés !

Depuis quelques années, les sites Web s'efforcent de vous aider à retrouver un mot de passe perdu. Lorsque vous créez un mot de passe sur un site, le formulaire affiche une liste dans laquelle sont proposées un certain nombre de questions, par exemple « Quel est le nom de jeune fille de ma mère ? », à laquelle vous répondez. Quelques instants plus tard vous recevez le mot de passe, car vous seul connaissiez la réponse à la question.

Le problème est qu'un cyberdélinquant opérant comme s'il s'agissait de vous sera confronté au même système. Si vous avez choisi une question aussi simple que « Quelle est ma couleur préférée ? », cet individu ne sera pas long à en tester plusieurs et finira par trouver la bonne. Alors qu'il aurait eu les pires difficultés à trouver un mot de passe compliqué, le pirate le recevra par courrier électronique. Génial !

Conclusion : chaque fois qu'un site propose ce service, refusez-le. Si le refus n'est pas possible, choisissez systématiquement une question dont vous seul avez la réponse, ou alors une question dont la réponse n'aura rien à voir avec l'interrogation d'origine. Par exemple, si vous choisissez la question « Quelle est ma couleur préférée ? », indiquez le nom de jeune fille de votre mère comme réponse.

Sortez couverts sur le Web

Avec tous ces virus, espiogiciels, hameçonnage, *popups* et spams, Internet ne peut apparaître que comme un lieu de tous les dangers. Il suffit pourtant d'un peu de vigilance pour vagabonder en toute sécurité sur le Web. Voici quelques bonnes attitudes :

- **Soyez toujours sur vos gardes.** Personne en Afrique ne partagera avec vous les 30 millions d'euros ou de dollars ayant appartenu à un dictateur sanguinaire, qu'un courrier électronique vous propose de faire transiter par votre compte bancaire. Et pourtant, de nombreux pigeons y ont laissé des plumes (convoiter de l'argent sale n'est jamais payant).

- **Mettez vos programmes à jour.** Les correctifs des systèmes d'exploitation, y compris Windows 7, comblent de nombreuses failles de sécurité. Il suffit de se connecter au site Microsoft Windows Update, illustré à la Figure 2.7. Le système d'exploitation est aussitôt analysé et les mises à jour proposées. Windows 7 effectue automatiquement ces mises à jour lorsque le PC est connecté, sans que l'utilisateur ait à intervenir.

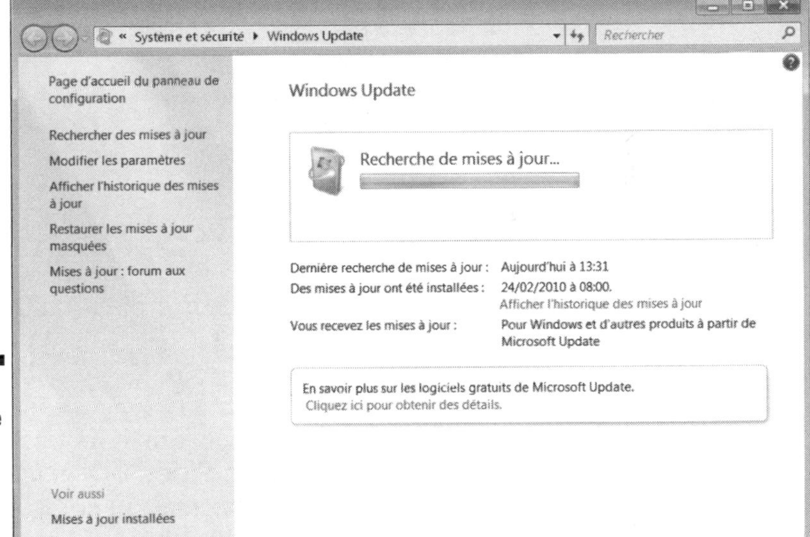

Figure 2.7 : Une première précaution consiste à mettre Windows à jour.

- **Activez un pare-feu.** Par défaut, le pare-feu de Windows 7 est actif, comme le montre la Figure 2.8. Le routeur d'un réseau intègre souvent un pare-feu bien plus puissant, donc plus difficile à contourner par les logiciels malfaisants (espiogiciels et logiciels publicitaires), que celui de Windows. Vous en saurez plus à ce sujet au Chapitre 5.

- **Installez des antivirus et anti-espiogiciels fréquemment mis à jour.** Un excellent antivirus ne coûte guère plus de 40 euros, et de nombreux programmes anti-espiogiciels sont gratuits. La fin de chapitre explique comment télécharger et installer un système de sécurité Internet gratuit.

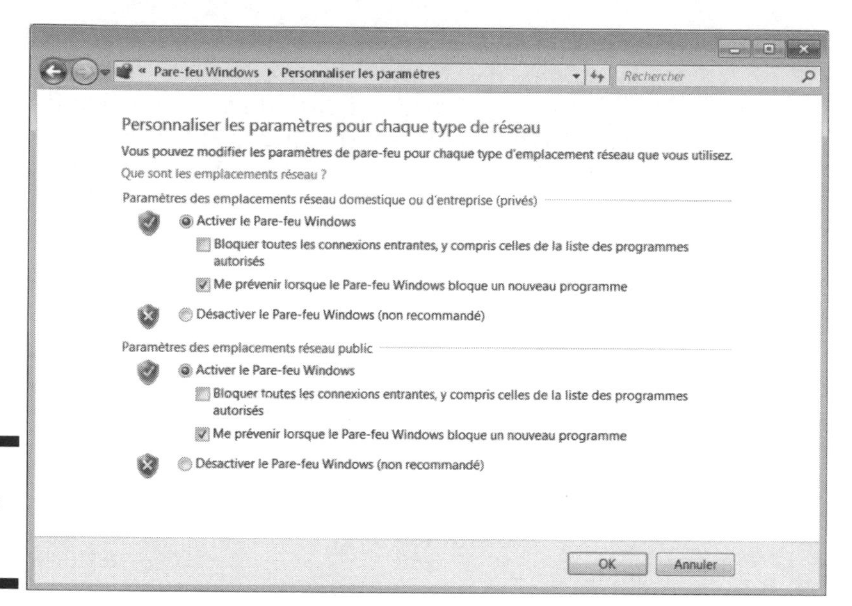

Figure 2.8 : Le pare-feu de Windows 7.

Savez-vous que beaucoup de gens croient qu'un antivirus est installé une fois pour toutes et qu'il protège à tout jamais leur ordinateur contre les infections ? Ce n'est évidemment pas le cas : la mise à jour des définitions de virus doit être effectuée plusieurs fois par semaine (quotidiennement serait l'idéal). De même, vous devez lancer régulièrement une analyse complète de l'ordinateur pour détecter et détruire d'éventuels virus qui auraient pu s'y introduire. (Voir la dernière section de ce chapitre.)

- **N'ouvrez jamais une pièce jointe d'un message électronique sauf si vous en connaissez l'expéditeur et qu'il vous a dûment informé que cet envoi comporte une pièce jointe.** En cas de doute, envoyez une demande de confirmation à l'expéditeur.

- **Dans un courrier électronique, ne cliquez sur un lien que si vous savez exactement vers quel site il va vous conduire.** Si vous cliquez et que le site demande la saisie d'un mot de passe, d'un numéro de carte bancaire, ou le nom de votre chien, fermez la fenêtre de votre navigateur Web. Ne communiquez jamais la moindre information à des sites auxquels vous accédez par un clic sur un lien contenu dans un message.

- **Créez des mots de passe compliqués et ne les communiquez à personne.** Certains chercheront peut-être à s'emparer de votre mot de passe pour aller dépenser tout votre argent sur des sites marchands dont les promotions leur ont déjà coûté un interdit bancaire.
- **Communiquez !** Ne gardez pas ces conseils pour vous. Au contraire, développez une politique d'information dans votre entourage afin que chacun comprenne bien les règles à suivre.

Le Mac est-il la solution ?

Vous entendrez les utilisateurs Mac dire : « Moi, sur Mac, je n'ai jamais ce genre de problème ! » Il est vrai que le Macintosh est plus à l'abri des virus, car son parc installé n'est, dans le monde, que de 5% (les programmeurs de virus préfèrent s'attaquer aux 95% restant). En revanche, l'utilisateur Mac n'est pas plus à l'abri des spams que les autres.

Or, la politique Apple étant de proposer des machines de moins en moins chères, plus il y aura d'utilisateurs de Mac, plus les programmeurs de virus s'intéresseront à ce système. Force est de constater que, pour le moment, un système d'exploitation comme Mac OS X est bien moins vulnérable que Windows. Pour l'infecter, il faut travailler dur et les programmeurs de virus n'ont pas de temps à perdre. La solution est peut-être d'acheter un Mac uniquement pour surfer sur le Web. Vos autres programmes tourneront sur un PC ne disposant d'aucune connexion à Internet.

Apple équipant désormais ses ordinateurs de processeur Intel, l'un des deux fournisseurs de processeurs pour PC, les logiciels Windows sont utilisables sur Mac. Les virus sont déjà sur le pied de guerre.

Nous connaissons des sociétés dont les équipes techniques n'utilisent que des Mac, car les risques d'infection sont minimes. Lorsqu'ils doivent se servir d'un PC, ils le font dans une fenêtre qui s'affiche sur l'écran du Mac. Sympa, non ?

Les bons plans pour se protéger

Lorsque vous achetez un nouvel ordinateur prêt à l'emploi, comme ceux que vous trouvez dans les rayons informatiques des grandes surfaces ou des grands magasins, tout y est fait pour que vous puissiez surfer sur le Web en toute sécurité. Un système de protection Internet vous est proposé gratuitement. Mais est-il aussi gratuit que cela ? La réponse est non. En effet, vous disposez généralement d'une version d'essai, souvent limitée à 3 mois et parfois à 1 an. Vous devenez alors un accro de cette protection en qui vous avez une entière confiance, et lorsqu'au bout de la période d'essai le programme vous demande d'acheter la version complète avec renouvellement de la licence d'exploitation, vous cédez à cette facilité. Vous êtes totalement libre (et heureusement) de répondre favorablement à cette invitation. Toutefois, êtes-vous certain que ce système de protection Internet est assez puissant ? Voici ce dont vous avez besoin pour surfer en toute sécurité :

- Un **antivirus**, un système d'analyse en temps réel (ou pas) qui scanne tous vos dossiers et vos fichiers pour y déceler des virus capable de faire des dégâts dans votre ordinateur.
- Un **pare-feu**, c'est-à-dire un système logiciel (et parfois matériel), surveille ce qui tente d'entrer et de sortir de votre ordinateur. Selon son paramétrage, des messages donnent des informations sur les tentatives d'intrusion.
- Un **antispyware**, c'est-à-dire un programme qui protège votre ordinateur contre les espiogiciels, les *adwares*, et autres *malwares*, c'est-à-dire des petits programmes qui s'exécutent à votre insu pour surveiller votre comportement, et délivrer des informations confidentielles à des personnes mal intentionnées.
- Un **antispam**, un logiciel entièrement dédié à l'identification des spams (publicité et autres applications allant dans ce sens), et qui vous avertit des tentatives d'hameçonnage (*phishing*).

- Un **anti-rootkit** qui permet de localiser des programmes cherchant à exploiter les failles de sécurité de votre système en installant des portes dérobées facilitant leur intrusion dans votre ordinateur. Une fois un rootkit installé dans votre ordinateur, le pirate peut y revenir en toute facilité car la porte qu'il a forcée est désormais ouverte sans que vous le sachiez.
- Un **scanner d'e-mail** qui permet à l'antivirus et à d'autres composants de votre système de protection d'analyser le contenu de vos messages électroniques entrants et sortants.
- Un **scanner de lien** qui bloque les sites Web dangereux et vérifie l'absence de menaces des liens proposés par les moteurs de recherche les plus connus (dont Google).
- Un **bouclier Web** qui vérifie la sécurité du trafic sur le réseau. Il identifie des menaces éventuelles et interdit les connexions à risque.
- Un **bouclier résident** qui travaille en tâche de fond, c'est-à-dire sans que vous vous en rendiez compte. Son rôle est d'analyser tous les fichiers sur lesquels vous travaillez. Ceci est très utile en bureautique où des suites logicielles comme Microsoft Office connaissent de nombreuses faille de sécurité.

Pour obtenir toutes ces protections, vous disposez de deux possibilités :

- Utiliser un programme différent pour chaque protection avec le risque qu'ils ne communiquent pas correctement entre eux. Par exemple, l'antispam agira-t-il en temps réel avec l'antivirus provenant d'un autre éditeur de logiciels ?
- Utiliser une suite dite *Internet Security* qui propose toutes ces fonctionnalités dans un seul programme comme celui illustré à la Figure 2.9.

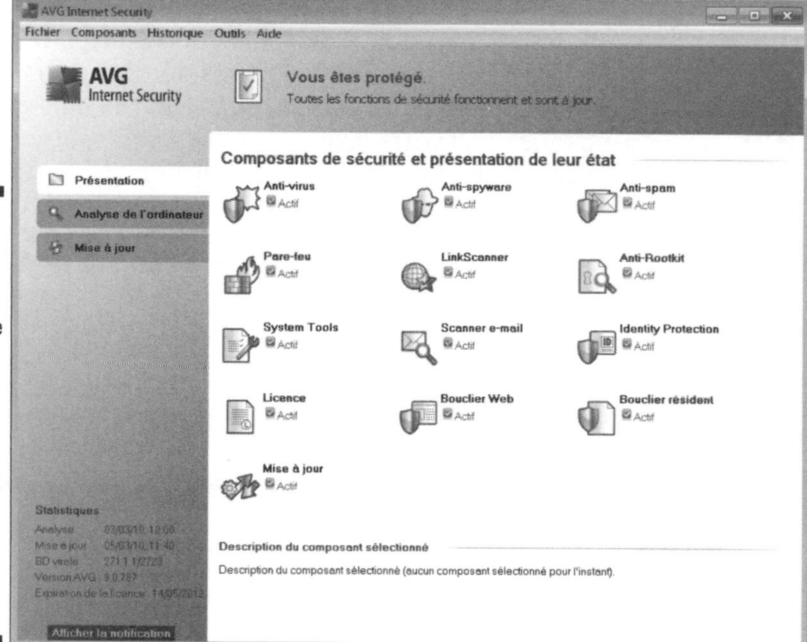

Figure 2.9 : Un programme de sécurité Internet comme AVG Internet Security propose l'ensemble des logiciels de protection dont vous avez besoin. Ce n'est pas le seul bien entendu.

Le choix n'est pas toujours facile, et avant d'être confronté à de gros problèmes informatiques, la plupart des utilisateurs trouvent scandaleux de devoir payer pour se protéger. Sachez que ce n'est pas une obligation. Vous pouvez vous protéger gratuitement, même si le niveau de sécurité proposé n'est pas aussi élevé que celui des programmes de sécurité Internet payants.

Sécuriser gratuitement votre ordinateur

La gratuité existe sur Internet, mais oui ! C'est même la raison d'être du Web, raison d'être qui en a pris un coup dans la figure avec l'avènement de l'e-commerce. Pourtant, il reste possible de protéger son ordinateur gratuitement.

Vous y aurez notamment recours après expiration de la période d'essai de l'antivirus ou du système de sécurité Internet installé par défaut sur l'ordinateur que vous avez récemment acheté.

Pour illustrer mon propos, je suis obligé de choisir un éditeur de logiciel spécifique. Mon choix s'est porté sur AVG, mais rien ne vous empêche d'en chercher un autre dans les adresses utiles communiquées à la fin de ce chapitre. J'ai choisi AVG car la société Grisoft (éditeur de cet antivirus) fut l'une des premières à proposer un antivirus gratuit très efficace.

Télécharger et installer un système de sécurité gratuit

N'oubliez pas que vous êtes sur le Web. Or, qui dit Web dit obligation de savoir télécharger des programmes pour les utiliser. N'oubliez pas : de l'installation d'un système de sécurité Internet dépend votre vie d'internaute. (Oui, je sais, j'ai tendance à exagérer… mais peut-être pas tant que cela finalement !)

Pour télécharger un programme, il faut se rendre sur le site Web de son éditeur, en l'occurrence AVG.

Vous pouvez aller sans problème sur le site Web d'un autre éditeur qui vous aura été recommandé par un ami. Je n'ai pas d'intérêts privés dans la société Grisoft !

Voici comment télécharger et installer un système de protection Internet gratuit, mais performant :

1. **Ouvrez Internet Explorer (ou votre navigateur Web préféré comme Firefox).**

2. **Dans la barre d'adresses d'Internet Explorer, tapez** `http://gratuit.avg.fr/`**, et appuyez sur la touche Entrée.**

   Vous accédez à la page de sélection des différents programmes proposés par AVG, comme le montre la Figure 2.10.

3. **Cliquez sur le bouton Télécharger.**

   Vous accédez à une page qui compare les fonctionnalités des différentes versions des produits AVG, comme vous le voyez à la Figure 2.11. Vous notez que la version gratuite propose :

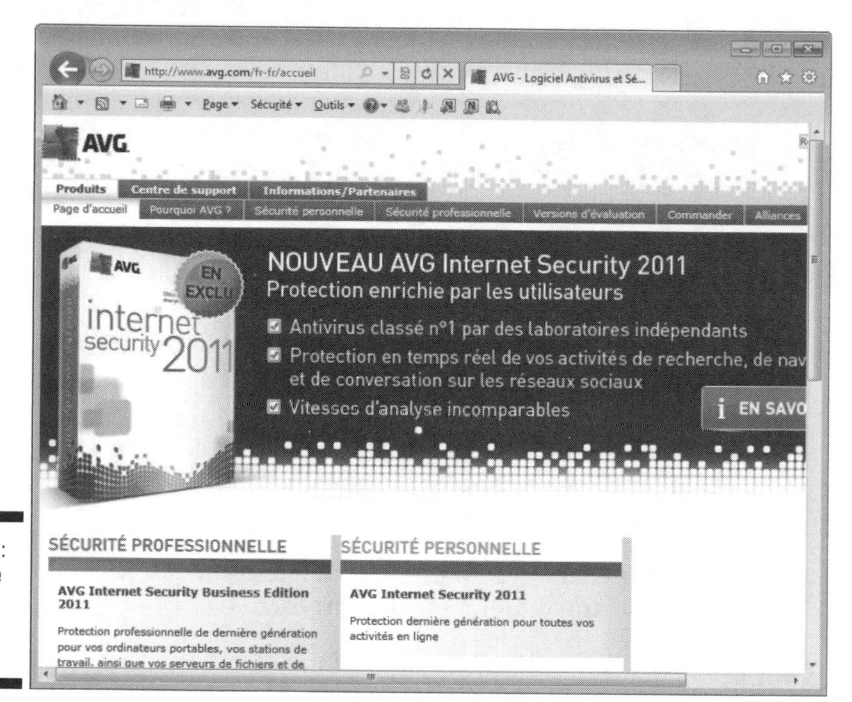

Figure 2.10 : Le choix de la version gratuite se fait ici.

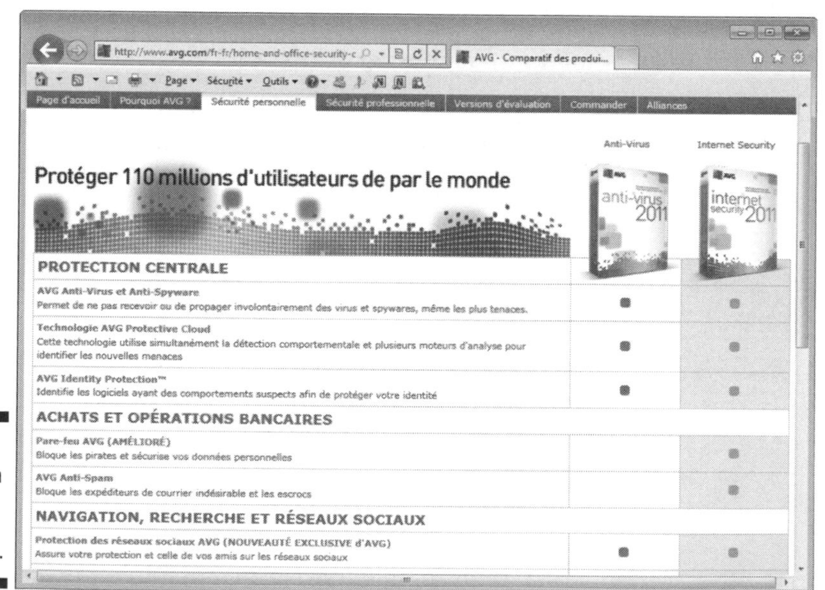

Figure 2.11 : Comparaison des versions de la suite Internet AVG.

- Un antivirus
- Un antipsyware
- Un analyseur de lien qui vérifie la sécurité des pages que vous visitez.

4. En bas de la colonne Anti-Virus, cliquez sur le bouton Télécharger.

5. Dans la nouvelle page qui apparaît, contentez-vous de cliquer sur le lien miroir, c'est-à-dire le site 01net.

6. Une fois sur page de téléchargement du site 01net, cliquez sur le bouton Télécharger.

Le site 01net.com, vous propose de visiter d'autres sections pendant le téléchargement. Cliquez sur le bouton Annuler.

7. En bas de la fenêtre d'Internet Explorer 9, cliquez sur la flèche du bouton Enregistrer et choisissez Enregistrer sous.

8. Dans la boîte de dialogue Téléchargement de fichier illustrée à la Figure 2.12, cliquez sur Enregistrer le fichier.

Il est recommandé d'enregistrer le fichier plutôt que de l'exécuter. En effet, Exécuter n'enregistre pas le fichier sur votre disque dur. Le téléchargement se fait dans un espace de stockage temporaire. Une fois le téléchargement terminé, Windows démarre l'installation. Le problème est que si l'installation tourne mal, vous serez obligé de répéter la procédure ci-dessus pour effectuer un nouveau téléchargement. (Bien entendu vous pourriez partir en quête de ce fichier temporaire, mais comme vous n'êtes pas un gourou de l'informatique, vous en expliquer ici le principe serait autant une perte de temps qu'une source de confusion). En enregistrant le fichier sur votre disque dur, vous pourrez le retrouver sans aucun problème et relancer l'installation du programme si cela s'avère nécessaire.

Figure 2.12 : Enregistrez le fichier d'installation de votre système de protection Internet.

8. Dans la boîte de dialogue Enregistrer sous, utilisez la section Dossier pour localiser le disque dur et/ou le dossier dans lequel vous désirez enregistrer le fichier.

Soyez très organisé. Ne laissez pas vos fichiers téléchargés s'installer n'importe où. Par défaut, Windows 7 stocke logiquement ces fichiers dans le dossier Téléchargements. Dans ce dossier ajoutez un sous-dossier que vous nommerez « Antivirus » ou « Internet Security ». Vous placerez dans ce sous-dossier tous les programmes de sécurité que vous téléchargerez depuis Internet.

Vos fichiers téléchargés dans le dossier Téléchargements sont en danger. En effet, ce dossier se trouve sur le disque système. Si, pour une raison ou une autre, vous êtes obligé de réinstaller Windows 7, ou de changer votre disque dur, tous vos téléchargements seront perdus. Je vous conseille donc de sauvegarder le contenu de ce dossier sur un CD ou un DVD, ou sur un disque dur externe, voir une clé USB.

9. Une fois la destination du fichier sélectionnée, cliquez sur Enregistrer.

Le téléchargement est court car le fichier pèse environ 4 Mo. Il ne vous reste plus qu'à installer ce programme fraîchement téléchargé.

10. Dans la boîte de dialogue Téléchargement terminé illustrée à la Figure 2.13, cliquez sur le bouton Exécuter.

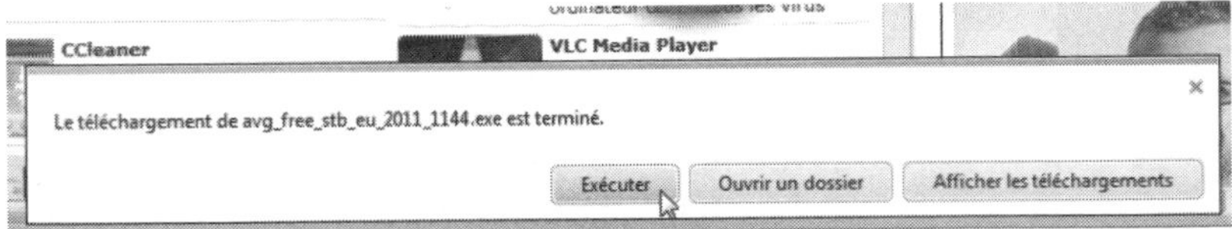

Figure 2.13 : Pour installer immédiatement AVG, cliquez sur ce bouton.

11. Dans la boîte de dialogue de demande d'autorisation d'exécuter le programme, cliquez sur Oui.

Après décompression des éléments téléchargés, la première étape dite Bienvenue, apparaît. Vous êtes dans l'assistant d'installation.

12. Dans le menu local Choisissez la langue d'installation, sélectionnez Français (du moins je le suppose). Cliquez sur Suivant.

13. Prenez connaissance du message d'avertissement, cochez la case « J'ai lu l'accord de licence », et cliquez sur Oui.

14. Dans la sélection du type d'installation, laissez le choix par défaut et cliquez sur Suivant.

15. Activez votre licence AVG Free par un clic sur Suivant.

16. Comme vous n'avez pas le choix du dossier de destination, c'est-à-dire d'installation du programme, cliquez sur Suivant.

17. **Dans l'étape de sélection des composants, laissez les cases cochées par défaut, et cliquez sur Suivant.**

18. **Ensuite, AVG vous demande d'installer ou non la barre d'outils de sécurité AVG. Ne décochez pas cette option, et cliquez sur Suivant.**

    La barre de sécurité AVG est essentielle. Elle surveille l'activité des sites Web que vous visitez ou envisagez de visiter afin de vous avertir de dangers potentiels.

19. **Dans l'étape Confirmation de l'installation, cliquez sur Terminer.**

    Pour s'installer, AVG doit fermer un certain nombre d'applications dont il vous communique la liste. Enregistrez tous vos travaux en cours pour ne pas perdre vos dernières modifications.

20. **Cliquez sur Suivant.**

    Les applications spécifiées se ferment et l'installation commence. Elle demande quelques minutes.

21. **Un message confirme la réussite de l'installation. Cliquez sur OK.**

À peine cette installation validée par votre clic sur OK, que AVG vous invite à configurer votre système de protection. De grâce, ne remettez pas cette opération à plus tard.

Paramétrer votre système de protection

Un système de sécurité Internet ne peut pas tout connaître de vos habitudes. Il est même très restrictif au niveau de ses autorisations par défaut puisque son objectif est de vous protéger coûte que coûte, tel le plus dévoué des gardes du corps.

Pour être immédiatement opérationnel, un système comme AVG (ou un autre) lance une procédure de configuration.

Pour configurer votre programme de sécurité Internet :

1. **Dans la première étape de l'assistant de configuration, cliquez sur le bouton Suivant.**

2. **Définissez ensuite la périodicité des mises à jour automatique.**

   Vous constaterez que le programme propose une périodicité par défaut recommandée (en l'occurrence toutes les 4 heures pour AVG.) Qu'est-ce que cela signifie ? Tout simplement que le programme va interroger le site Web AVG pour savoir si de nouvelles mises à jour sont disponibles, et notamment celles des définitions de virus. À vous de choisir la périodicité. Certains programmes vous permettent de modifier les heures séparant deux vérifications.

3. **Indiquez l'heure à laquelle AVG (ou votre système de sécurité personnel) doit lancer une analyse de votre système.**

   L'analyse est primordiale. C'est elle qui va déloger les virus et autres *spywares* installés à votre insu sur votre ordinateur. Vous devez effectuer une analyse tous les jours. Donc, ne touchez pas à l'option Activer l'analyse quotidienne.

4. **Cliquez sur Suivant. Si vous désirez aider AVG à répertorier les sites dangereux, cochez la case Oui. Cliquez sur Suivant.**

5. **Choisissez ou non d'utiliser Yahoo! comme moteur de recherche et cliquez sur Suivant.**

6. **Dans la cinquième étape de la configuration, AVG propose de télécharger les dernières mises à jour du programme, et notamment les menaces de sécurité. Cliquez sur Suivant pour effectuer cette recherche. Ne l'ignorez surtout pas !**

   Extraordinaire ces antivirus ! Il se peut que le programme refuse de se mettre à jour, indiquant que votre ordinateur doit préalablement être redémarré.

7. **Cliquez sur Terminer !**

8. **Cliquez sur Oui pour redémarrer votre ordinateur et entériner vos paramètres.**

Avant de cliquer sur ce bouton, enregistrez tous vos travaux en cours sous peine de perdre vos dernières modifications.

Une fois redémarré, votre ordinateur est protégé. Une icône de votre système de sécurité s'affiche dans la zone de notification de la Barre des tâches de Windows. Toutefois, il est recommandé de procéder à une mise à jour immédiate de votre antivirus, comme cela est expliqué dans la prochaine section.

Généralement, lorsque le système de sécurité Internet n'est pas à jour, une icône de danger ou d'interdiction apparaît sur celle du programme affiché dans la zone de notification.

Mettre à jour votre antivirus et/ou votre programme de sécurité Internet

Certaines personnes pensent qu'un antivirus (ou un autre programme de ce type) s'installe une fois pour toutes, et que l'on est protégé pour la vie ? C'est un peu comme si vous utilisiez toujours le même préservatif pour vous protéger du SIDA ! Pour une raison évidente de pérennité de votre protection, vous devez mettre à jour votre programme de sécurité. Cette mise à jour sera dans un premier temps manuelle, puis vous apprendrez à l'automatiser de manière à ne plus être obligé de penser à effectuer cette mise à jour.

Mise à jour manuelle

La mise à jour manuelle d'un programme de sécurité Internet est simple à réaliser. La procédure ci-dessous se base sur AVG mais elle vaut pour n'importe quelle application de ce type :

1. **Dans la zone de notification de Windows, faites un clic droit sur l'icône symbolisant votre programme de sécurité Internet.**

Si vous ne voyez pas cette icône, cliquez sur le petit chevron gauche afin d'afficher les icônes de tous les programmes résidents. Une autre possibilité consiste à double-cliquer sur le raccourci de votre programme affiché sur le bureau. Enfin, vous pouvez cliquez sur Démarrer/Tous les programmes/AVG Anti-virus Free/AVG Free User Interface.

2. **Dans le menu contextuel, choisissez Mise à jour, comme à la Figure 2.14.**

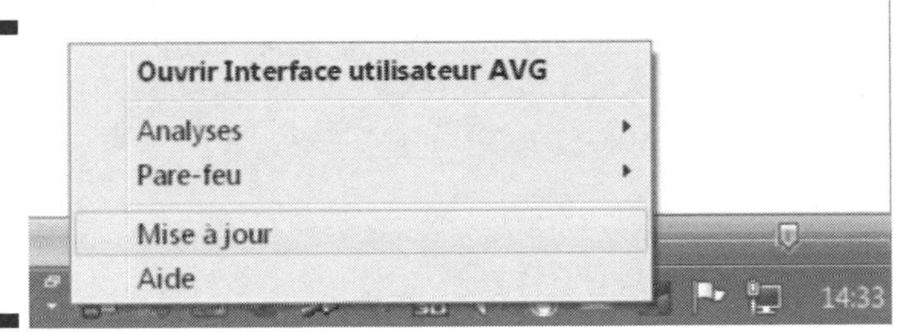

Figure 2.14 : Mise à jour manuelle de votre système de protection Internet.

AVG (ou votre système personnel) vérifie directement sur le site de l'éditeur du programme la présence de nouvelles mises à jour. S'il en trouve, il ouvre une boîte de dialogue vous précisant la nature de la mise à jour et vous invitant à l'installer.

3. **Cliquez sur le bouton Mettre à jour.**

AVG télécharge les fichiers de mise à jour et procède à leur installation.

Lorsque la mise à jour est mineure ou qu'aucun nouveau fichier de mise à jour est disponible, AVG indique seulement qu'elle s'est bien déroulée *via* un message qui s'affiche dans la zone de notification de Windows 7 (Figure 2.15).

4. **Un message vous avertit que la mise à jour s'est correctement déroulée. Cliquez sur Fermer.**

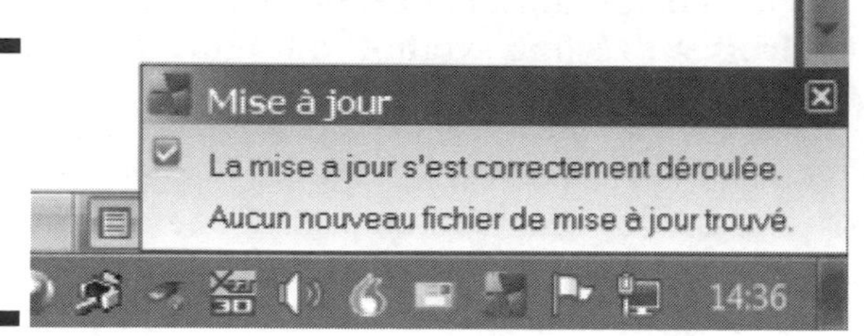

Figure 2.15 : Message indiquant l'état finale de la mise à jour.

Il serait fastidieux de répéter cette procédure quotidiennement, voire plusieurs fois par jour. C'est pour cette raison que nous vous invitions à paramétrer une mise à jour automatique.

N'oubliez pas que dans l'ensemble des procédures présentées ici, vous avez activé la mise à jour automatique. Vous pouvez donc vous passer de lire la prochaine section. Toutefois, si vous suivez les prochaines étapes, vous pourrez déterminer beaucoup plus précisément la périodicité de votre mise à jour.

Mise à jour automatique

Cela va sans dire mais cela va mieux en le disant : la mise à jour automatique à cela d'intéressant… qu'elle est automatique ! Voici comment configurer l'automatisme de la mise à jour de votre système de sécurité Internet :

1. **Double-cliquez sur l'icône de votre application affichée dans la zone de notification de Windows.**

2. **Dans l'interface utilisateur d'AVG, cliquez sur Composants/Mise à jour.**

   Le volet droit d'AVG affiche les options de mises à jour comme à la Figure 2.16.

Figure 2.16 : Automatiser les mises à jour.

3. **Dans la partie inférieure de l'interface, cochez l'option Exécuter les mises à jour automatiques.**

4. **Dans la section A intervalle spécifique, indiquez l'heure à laquelle la vérification de la présence de mises à jour doit être réalisée par le programme.**

Indiquez un horaire où vous êtes sûr que votre ordinateur est allumé, et que vous êtes bien sous Windows, sinon cela ne sert strictement à rien.

5. **Cliquez sur Enregistrer les modifications.**

Cliquez éventuellement sur Continuer si un message demande confirmation de votre action.

Vous voici protégé, mis à jour, en un mot comme en cent : SÉCURISÉ ! Mais cette protection est-elle suffisante ? Vous devez bien soupçonner la réponse : non, sinon pourquoi existerait-il des versions payantes de ces programmes de protection Internet ? Voyons alors l'intérêt de passer à une version payante de votre système de sécurité.

Une protection gratuite permet d'attendre que vous disposiez des moyens d'acheter la licence d'un produit plus performant comme AVG Internet Security.

Pourquoi et comment évoluer vers un système de sécurité payant ?

Évoluer vers une version payante est souvent salutaire. Il faut parfois rencontrer un gros problème avec Internet et ses malfaisants pour comprendre que la gratuité a ses limites, même sur le Web.

Voici ce dont vous bénéficiez en plus lorsque vous passez d'une version gratuite à une version payante d'un programme de sécurité Internet :

- Une protection contre les menaces cachées qui transmettent des contenus malveillants.

- Un antispam plus performant, capable de détecter la grande majorité des risques transmis par les courriers électroniques, et notamment l'hameçonnage (ou *phishing*), les accès frauduleux à votre ordinateur, et le *spamming* (abondance de courriels publicitaires en tous genres).
- Un pare-feu qui bloque les pirates de l'Internet et les virus qui sévissent sur le Web.
- Un filtrage de vos téléchargements pour éliminer tout fichier (et notamment les exécutables) contenant des virus et autres spywares.
- Une protection dans l'utilisation de vos messageries instantanées comme la plus célèbre qu'est MSN.
- Une fonction de navigation sécurisée dans les résultats affichés par un moteur de recherche. Vous irez ou n'irez pas en toute confiance sur les sites trouvés par ces moteurs.
- Une protection en temps réel contre les pages Web infectées.
- Une assistance internationale gratuite 7 jours sur 7.

Comprenez que les avantages sont multiples et ce quel que soit le programme que vous avez choisi.

Pour passer à une version complète, reprenons le cas d'AVG 9.0Anti-Virus Free Edition, c'est-à-dire la version gratuite d'une suite bien plus aboutie :

1. **Ouvrez l'interface d'AVG comme expliqué dans les précédentes sections.**

   En bas de l'interface, un message vous vante les bienfaits de la version payante. Il vous suffit de cliquer sur le lien de mise à jour immédiate. Sinon :

2. **Cliquez sur Aide/Acheter maintenant.**

Internet Explorer s'ouvre et affiche la page de commande d'une version payante d'AVG.

3. **Comme vous visez une protection contre tous les dangers du Net, cliquez sur le bouton Migrer depuis AVG Free, comme à la Figure 2.17.**

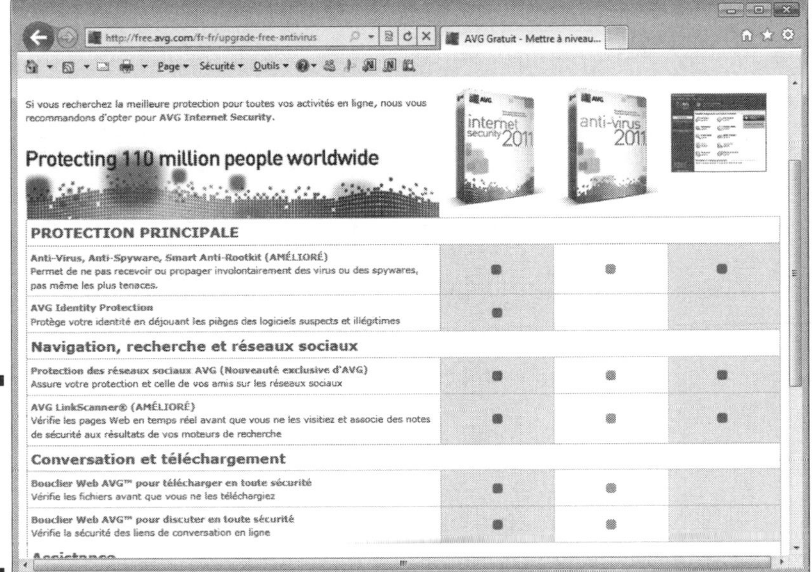

Figure 2.17 : Passer de la version gratuite à la version commerciale

Faites chauffer la carte bancaire.

4. **Suivez les différentes étapes de l'achat.**

Si vous craignez l'achat direct sur Internet, consultez les chapitres de la quatrième partie de ce livre.

Acheter une version complète signifie que vous serez sollicité tous les ans ou tous les deux ans pour renouveler de votre licence moyennant finance. Elle vous permettra de bénéficier de toutes les nouvelles versions du programme et de l'ensemble de ses mises à jour. Croyez bien que cet investissement vaut vraiment le coup dans la mesure où les problèmes d'infections, de surveillance, d'intrusions sont monnaie courante sur Internet, et ces dangers sont d'autant plus importants si Internet est votre activité informatique préférée.

Les adresses utiles

Voici un certain nombre de sites Web que vous pouvez visiter pour trouver des informations ou des programmes sur Internet et sa sécurité.

- 01.Net : http://www.01net.com/telecharger/windows/Securite/
- AVG : http://www.avg.com/fr-fr/1
- Bitfender : http://www.bitdefender.fr/scanner/online/free.html
- Kapersky : http://www.kaspersky.com/fr/
- McAffee : http://www.mcafee.com/fr/
- Radins.com : http://www.radins.com/gratuits/logiciels/antivirus/
- Secuser.com : http://www.secuser.com/outils/antivirus.htm
- Symantec : http://www.symantec.com/fr/fr/index.jsp
- Trend Micro : http://fr.trendmicro.com/fr/home/
- Zebulon : http://www.zebulon.fr/outils/antivirus/antivirus-en-ligne.php

Chapitre 3

Les enfants et le Net

Dans ce chapitre :

- Aspects positifs d'Internet pour les enfants.
- Quelques problèmes à propos d'Internet.
- Conseils aux parents.
- Listes de messagerie et sites Web pour enfants.
- Aide aux parents et aux enfants en difficulté.
- Internet à l'école et l'école sur le Net.
- Protéger ses enfants.

Des millions d'enfants surfent sur le Net c'est pourquoi une petite discussion sur l'Internet familial s'impose. Bien évidemment, si cela ne vous concerne pas, n'hésitez pas à passer directement au Chapitre 4.

Deux ou trois mots sur nos enfants

Aujourd'hui, et il suffit que je regarde ma fille pour cela, ce sont surtout les enfants qui se servent de la connexion Internet familiale. Aussi, dans ce chapitre, c'est à vous, les enfants, que nous nous adressons. Nous continuons de penser qu'il est préférable que vos parents aient un mot à dire sur ce que vous faites en ligne mais ne nous le cachons pas : ils n'en savent pas grand-chose. Et si cette fois vous les éduquiez en les incitant à vous protéger sur le Net ? Nous nous adressons donc aux enfants, en ajoutant quelques commentaires à l'attention des parents, qui liront aussi ces pages.

Qu'y a-t-il pour vous ?

Les enfants sont souvent les premiers à découvrir les innombrables aspects intéressants d'Internet car :

- Il fournit des informations sur d'innombrables sujets, ce qui aide à la rédaction d'exposés pour l'école, et à se forger une opinion sur des sujets sensibles.
- C'est un bon moyen de papoter avec les amis tout en restant à la maison.
- C'est un lieu de prédilection pour chercher et trouver de la musique et des vidéos.
- Il permet de rencontrer des gens et découvrir de nouvelles cultures.
- Il facilite la lecture, l'écriture, les recherches et l'apprentissage des langues étrangères.
- Il peut aider les familles dans bien des domaines.
- Il offre un nouveau moyen d'expression artistique.

Toutefois, tout ce qui est nouveau n'est pas forcément merveilleux, et tout ce qui est merveilleux n'est pas forcément nouveau. Nombre d'entre vous passeront, dans le cadre professionnel, beaucoup de temps devant l'ordinateur. Il est important de s'adonner à d'autres choses : pratiquer un sport, lire des livres, jouer de la musique, cuisiner, peindre, marcher, faire du vélo, skier, aller voir des films dans une vraie salle de cinéma et surtout rencontrer ses amis en chair et en os.

Voici quelques activités en ligne classées en quatre catégories : trop cool, pas mal, pas terrible et vraiment naze.

Moyens trop cool d'utiliser Internet

Vous impressionnerez vos parents en utilisant Internet pour les activités suivantes :

- **Effectuer des recherches pour les devoirs :** Internet est un incroyable moyen de repousser les murs de l'école. Le Net peut vous connecter à d'autres écoles, bibliothèques, ressources de recherche, musées et autres entités. Vous pouvez par exemple visiter le musée d'Orsay sur `http://www.musee-orsay.fr/fr/accueil.html` (Figure 3.1) ou contempler une impressionnante photo panoramique de la cité de Pétra sur `http://www.panoramas.dk/fullscreen2/full24.html` (Figure 3.2), observer des tritons dans leur habitat (pourquoi pas !), écouter de nouveaux morceaux et vous faire de nouveaux amis.

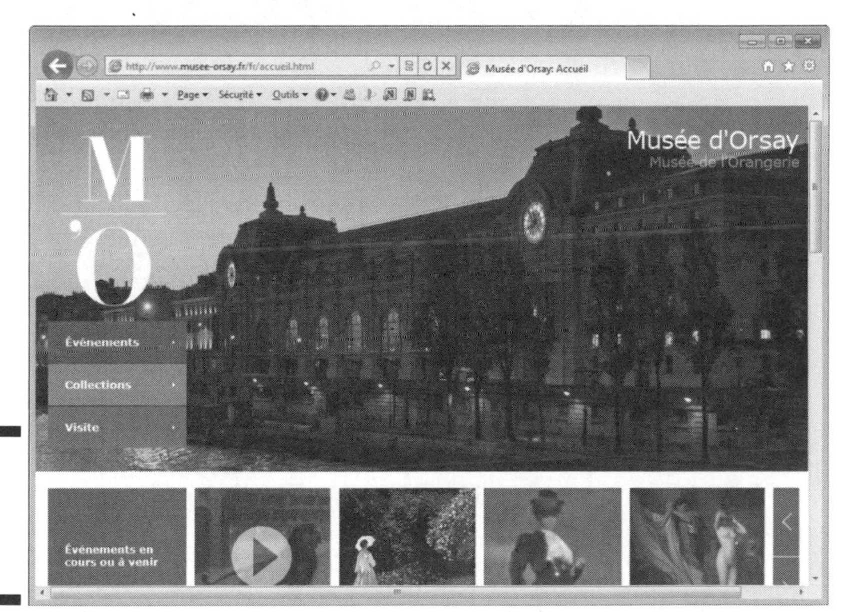

Figure 3.1 : Le musée d'Orsay, en direct de Paris.

- **Évaluer les informations :** au cours de vos recherches, vous tomberez sur des informations rédigées par le spécialiste mondial du sujet tout aussi bien que par un illuminé, des écoliers ou un véritable nul se prenant pour un génie. Certains sites Web au contenu haineux ou dépravé doivent être évités. Attention aussi aux

Figure 3.2 : Ce panorama orientable utilise la technique QTVR (QuickTime Virtual Reality).

canulars et rumeurs qui circulent abondamment sur le Web. Un site les répertorie à l'adresse `www.hoaxbuster.com/`. Vous y trouverez tous les canulars en vogue sur le Net et vous pourrez aussi soumettre le contenu d'un de vos courriers au moteur de recherche de ce site pour savoir si le curieux message que vous venez de recevoir en est un.

- **Se faire des *e-amis* à l'étranger :** les projets d'école, comme Global Schoolhouse, proposent à des enfants du monde entier de travailler en équipe sur divers projets. Le premier projet d'apprentissage a attiré plus de 10 000 élèves de 360 écoles dans 30 pays différents. Depuis, des cyberfêtes annuelles ont réuni plus de 500 000 élèves de centaines d'écoles dans au moins 37 pays ! Pour en savoir plus, visitez le site Web Global Schoolhouse, `www.globalschoolhouse.org`, où vous pourrez aussi vous inscrire à un grand nombre de listes de messagerie.

- **Pratiquer des langues étrangères :** vous pouvez vous rendre dans des salons de *chat* pour pratiquer votre allemand, anglais, espagnol, portugais, russe, japonais ou même l'espéranto (rien pour le volapük ?).

- **Télécharger légalement de la musique :** les sites commerciaux consacrés à la musique sont nombreux sur Internet. Qui n'a jamais entendu parler d'iTunes, un logiciel conçu pour le Mac mais dont vous pouvez télécharger une version pour Windows à l'adresse suivante : `www.apple.com/fr/itunes/store/` (Figure 3.3) ? Il vous donnera accès au magasin iTunes Music Store où vous trouverez des titres et des albums à des prix très réduits.

Attention ! iTunes Store n'est pas le seul magasin de musique en ligne. Certes il est étroitement lié à l'utilisation des iPod et autres iPhone, mais rien ne vous oblige à acheter de la musique ou des films sur iTunes Store. Vous en saurez plus à ce sujet en lisant le Chapitre 9.

Figure 3.3 : Téléchargez gratuitement iTunes, mais payez votre musique !

- **Contribuer à une encyclopédie géante :** Wikipédia (découvrez-la sur `http://fr.wikipedia.org/wiki/Accueil`) est une encyclopédie en ligne gratuite à laquelle chacun peut contribuer (ce qui est à la fois son point fort, mais aussi son point faible, le risque d'erreur n'étant pas négligeable). C'est un excellent outil de recherche.

Il permet de centraliser les résultats de vos recherches pendant que vous en effectuez d'autres. Vous avez également la possibilité d'enrichir le contenu de certains articles. De plus, une équipe de rédacteurs et d'éditeurs maintiennent constamment ce site à jour, et rien ne vous empêche de les rejoindre, si vous vous sentez suffisamment expert en la matière !

- **Créer son propre site Web :** une page Web peut être sérieuse ou marrante, cela ne tient qu'à vous. Placez-y des articles ou des dessins que votre famille et vos amis pourront admirer. Vous pouvez aussi créer une page Web pour une cause que vous soutenez.
- **Créer un blog :** d'abord journal personnel, mais aussi lieu d'échange entre l'auteur du blog et ceux qui réagissent à ses propos, le blog est le moyen le plus simple et le plus rapide de regrouper une communauté d'idées, d'échanges, voire de contestations. Un blog répond désormais à une thématique, alors qu'autrefois il était le prolongement, en ligne, des journaux personnels. Nouvelle liberté d'expression, la dérive de certains blogs incite les FAI à une certaine prudence car en ce domaine, c'est la législation de la presse qui est appliquée : gare aux propos diffamants ou tombant sous le coup de la loi, car cette dernière est sans pitié (*Dura Lex sed Lex,* comme on dit du côté de Petibonum).

Moyens pas mal d'employer le Net

Voici quelques idées que vos parents peuvent considérer comme une perte de temps, mais on ne peut pas être sérieux tout le temps !

- **Jouer :** de nombreux jeux tant traditionnels (comme les échecs, le bridge, les dames, *etc.*) que vidéo permettent de se mesurer à d'autres joueurs sur Internet.
- **Échanger des messages instantanés avec vos amis :** la messagerie instantanée (et principalement MSN en France) est devenue le moyen cool pour être en contact

instantanément. Attention toutefois aux tarés de tous poils qui pointent leur sale museau dans les messageries d'adolescents pour assouvir leurs bas instincts. Surveillance parentale obligatoire car les médiateurs ne peuvent pas tout contrôler !

- **Communiquer par visiophone :** des logiciels comme Yahoo! Messenger, Windows Live Messenger, AIM ou Skype permettent de voir vos amis tout en leur parlant (peu recommandé les jours où vous vous êtes coiffé avec un pétard).
- **Acheter (et vendre) :** le shopping sur Internet ressemble au shopping en galerie commerciale, sauf que c'est toujours ouvert, que le parking est gratuit, et qu'il peut se dérouler dans un autre pays. Le Chapitre 10 vous fera entrer dans ce temple virtuel de la consommation bien réelle.
- **Pratiquer les jeux de rôle :** de nombreux sites Internet vous permettent d'incarner un personnage de roman de science-fiction de récit fantastique.

Moyens pas terribles d'employer le Net

Ne vous laissez pas tenter par ces comportements qui ne peuvent que vous attirer des ennuis :

- **Plagier :** le plagiat consiste à vous approprier le travail d'un autre (ses textes, ses photos, sa musique...). Le plagiat à partir d'Internet est aussi incorrect que le plagiat d'un livre et beaucoup plus facile à détecter par les enseignants.
- **Tricher :** utiliser un logiciel de traduction pour faire vos devoirs n'est pas bon non plus. Non seulement ils sont approximatifs (pour ne pas dire nuls) mais en plus, vous vous ferez prendre, alors épargnez-vous l'humiliation !

- **En révéler trop sur vous-même :** lorsque vous « chattez » sur le Net avec des personnes que vous ne connaissez pas, il est tentant de donner des informations susceptibles de vous identifier, vous ou votre famille, mais c'est risqué. Des questions à première vue innocentes ne le sont pas tant que cela. Nous y reviendrons en détail plus loin dans ce chapitre. Même révéler votre adresse e-mail peut déclencher la réception de courriers dont vous vous passeriez certainement.

- **Échanger des musiques et des vidéos commerciales :** il est devenu très facile d'acheter de la musique en ligne. De ce fait, l'adhésion aux réseaux P2P dans le seul but d'échanger, en toute illégalité, musiques et vidéos ne trouve plus aucune excuse. Ces comportements illégaux sont sévèrement punis par la loi, qui n'a pas fini de faire des exemples. Un artiste vit de sa création, télécharger ses créations revient à le voler.
- **Visiter des sites pornographiques et d'incitation à la haine :** c'est le côté obscur de la Force, je veux dire, du Web. Il faut avoir une bien piètre opinion de soi et des autres pour mettre les pieds là dedans (et en plus, ça pue et ça colle aux godasses). C'est tout sauf une image d'amour. Méfiez-vous, à votre âge on est fragile face à la puissance de certaines représentations.
- **Se faire passer pour quelqu'un d'autre :** le pseudonyme évite d'utiliser son vrai nom, ce qui ne vous autorise toutefois pas à prétendre que vous êtes Britney Spears, en quête de nouveaux musiciens, ou une nouvelle star à la recherche d'une fiancée. D'ailleurs, qui vous croira ?
- **Intervenir dans les salons de chat (miaou !) pour adultes :** cela peut vous attirer de gros ennuis, ainsi qu'aux membres du salon.
- **Laisser Internet envahir votre existence :** si la seule chose qui vous intéresse après les cours est de vous scotcher à votre ordinateur pour surfer sur le Web, il est peut-être temps de vous interroger sur vous-même. Il y a eu une vie avant Internet, il y aura une vie après Internet, et il y a une vie malgré Internet. Profitez de la vraie vie car après – c'est-à-dire bientôt – il sera trop tard.

Idées vraiment nazes (eh ! ça s'fait pas !)

Voici quelques idées à ne jamais, jamais envisager. Nous insistons.

- **Rencontrer en personne des e-amis sans le dire à vos parents :** si vous rencontrez en ligne quelqu'un d'intéressant et que vous voulez le rencontrer en personne, ce n'est pas un problème en soi. Mais prenez des précautions ! Tout d'abord, dites-le à vos parents et décidez avec eux de la marche à suivre. Ensuite, ne rencontrez jamais dans un lieu privé quelqu'un que vous avez contacté en ligne : donnez toujours vos rendez-vous dans un lieu public, un café par exemple. Enfin, venez toujours accompagné(e) (de préférence de vos parents).
- **Tomber dans l'illégalité :** Internet paraît totalement anonyme mais ne l'est pas. En cas de délit, la police peut accéder aux journaux de connexion Internet auprès de votre fournisseur d'accès à Internet (FAI) et découvrir qui était connecté tel jour à telle heure, avec tel modem et telle adresse numérique Internet (IP). Elle remonte une piste virtuelle avec autant de flair qu'un chien policier.
- **S'introduire dans les ordinateurs d'autrui ou programmer des virus :** certes, cela exige de bonnes connaissances en informatique, mais rien ne vous mettra pas à l'abri des poursuites si vous êtes découvert. Le petit génie du piratage ne fait plus l'admiration des foules, il en subit la vindicte.

Internet pour les tout-petits

Nous recommandons de ne pas laisser les très jeunes enfants – en dessous de sept ans – devant un écran. Les ordinateurs font de bien piètres *baby-sitters*, pire encore que la télévision. Les plus petits profitent beaucoup mieux de la vie en jouant avec des ballons, des crayons, de la peinture, de la pâte à modeler, des vélos, mieux encore avec d'autres enfants…

Selon nous, Internet convient plutôt aux enfants un peu plus âgés (à partir de dix ans), mais ce n'est pas une limite absolue. Quoique, là encore, nous pensons que le temps passé par vos enfants sur le Net doit être contrôlé. Il n'est pas bon de laisser un enfant devant un écran toute la journée, que ce soit celui d'un ordinateur ou celui d'une télévision.

Les enfants doivent pouvoir communiquer. L'écran est souvent un refuge, la fuite d'un mal-être qui ne favorise pas la sociabilité. Bien au contraire, cette attitude aurait plutôt tendance à accentuer les difficultés. Voici quelques conseils :

- Consignez les durées passées devant l'écran pendant une semaine et comparez avec tout ce que vous auriez pu faire de plus marrant pendant ce temps.
- Trouvez un loisir qui ne soit pas électronique. Intégrez une équipe de sport. Montez un groupe. Faites de l'art.
- Prévoyez au moins une journée par semaine sans l'ordinateur.
- Prenez vos repas en commun et discutez.

Surf sécurisé

La règle numéro un est de ne jamais révéler votre véritable identité : n'utilisez que votre prénom, jamais votre nom. Ne divulguez ni votre adresse, ni votre numéro de téléphone, ni le nom de votre école. Ne communiquez jamais votre mot de passe. Aucune personne honnête ne vous le demanderait !

Les enfants sont candides et confiants. Ils révèlent beaucoup d'eux-mêmes sans s'en rendre compte. Ils citeront par exemple le nom de l'équipe de foot de leur ville. Ils parleront d'un enseignant qu'ils détestent. Ils dévoileront la profession de leurs parents. De telles informations peuvent être distillées au long de nombreux messages, sur des semaines ou des mois. Ces bribes d'information qui semblent sans importance permettent à une personne déterminée de localiser peu à peu un enfant. Faites très attention à ce que vous dites en ligne lorsque vous « chattez » dans un salon, sur une messagerie instantanée ou par courrier électronique. Méfiez-vous des étrangers qui semblent en savoir long sur vous. Ils affirmeront par exemple être amis avec vos parents et prétendront qu'ils leur ont demandé de venir vous chercher après l'école, ou de venir prendre un paquet à la maison. Ne partez jamais avec un étranger, ne le laissez jamais entrer dans la maison.

Voici quelques autres règles :

- **Réfléchissez avant de donner votre adresse électronique.** De nombreux sites Web vous demandent de vous inscrire, beaucoup réclament aussi que vous leur fournissiez une adresse électronique valide, qui sera vérifiée par l'envoi d'un message. Avant de vous inscrire sur un site Web, vérifiez qu'il est tenu par une entreprise réputée qui ne vous inondera pas de spams.
- **N'acceptez pas de parler à quelqu'un au téléphone ou de le rencontrer en personne sans en aviser préalablement vos parents.** La majorité des gens rencontrés en ligne sont corrects mais quelques individus peu recommandables ont fait d'Internet leur terrain de chasse.
- **Ne partez pas du principe que les gens disent nécessairement la vérité.** Cet enfant de votre âge qui partage les mêmes centres d'intérêt et les mêmes loisirs que vous est peut-être une personne d'âge mûr, voire plus, qui a une idée peu avouable derrière la tête.
- **Si quelqu'un vous inquiète ou vous met mal à l'aise, dites-le à vos parents** (tout particulièrement si cette personne vous dit de ne pas le faire) ! Demandez à vos parents de signaler l'incident à votre fournisseur d'accès à Internet. Cessez de fréquenter le site que cette personne hante.

Un site à visiter absolument si vous avez des enfants : Internet sans Crainte (`www.internetsanscrainte.fr`) explique tout ce qu'il faut savoir pour les protéger sur Internet (Figure 3.4).

Figure 3.4 : Ce site vous aide à mieux protéger vos enfants sur Internet.

Internet pour les étudiants

Internet est un outil remarquable pour les étudiants, qui peuvent non seulement se documenter sur d'innombrables sujets, mais aussi échanger des informations.

- De nombreuses universités proposent à leurs étudiants et à leur personnel des accès Internet gratuits ou à très bas prix. Certaines facultés et grandes écoles proposent des sites sur lesquels professeurs et étudiants peuvent partager et mettre à jour des fiches de renseignements ou des cours, ce qui est généralement fort apprécié (finis, les « polycops » délavés et illisibles).
- Internet, et plus particulièrement le courrier électronique et la téléphonie, est un très bon moyen pour les parents et leurs enfants de conserver le contact pendant les études de ces derniers dans une autre ville ou un autre pays.

- C'est un moyen de communication plus économique que le téléphone, et le courrier peut facilement circuler entre tous les membres de la famille.

Si vous êtes étudiant, vous savez déjà à quel point Internet est présent dans l'enseignement. Tout ce qui concerne les Intranets au travail s'applique *mutatis mutandis* à l'université (c'est-à-dire en modifiant ce qui doit l'être). Dans la majorité des universités d'aujourd'hui, l'Intranet est prépondérant. En fait, de nombreuses universités utilisaient de la sorte Internet avant que le terme d'« Intranet » ne soit inventé : descriptions de cours, profils des enseignants et des étudiants, inscription aux cours, devoirs... Dans certaines universités, des cours sont même gérés en ligne.

Classe virtuelle ?

Avec la puissance d'Internet, vous n'avez même plus à être présent en classe pour suivre des cours. Vous trouverez en ligne des cours sur la plupart des sujets. Dans certains cas, le Net *est* l'université (quoiqu' il semble difficile qu'un écran possède les compétences pédagogiques d'un vrai professeur).

Le répertoire des universités

La plupart des écoles et des universités ont aujourd'hui leur site Web sur le Net. Si vous cherchez une université, vous pouvez faire le tour d'une dizaine de campus en une soirée sur Internet. La visite des sites des universités est un bon moyen de découvrir la personnalité de chaque institution et de trouver quelqu'un avec des intérêts similaires aux vôtres avec lequel vous pourrez correspondre de façon électronique. Pour une liste des sites créés par les universités françaises, par exemple, vous pouvez consulter la page Web `http://www.amue.fr/presentation/sites-des-universites/` de l'Agence de mutualisation des universités et établissements (Figure 3.5). N'hésitez pas à visiter ce site qui contient une multitude d'informations et d'autres liens utiles dans le domaine éducatif.

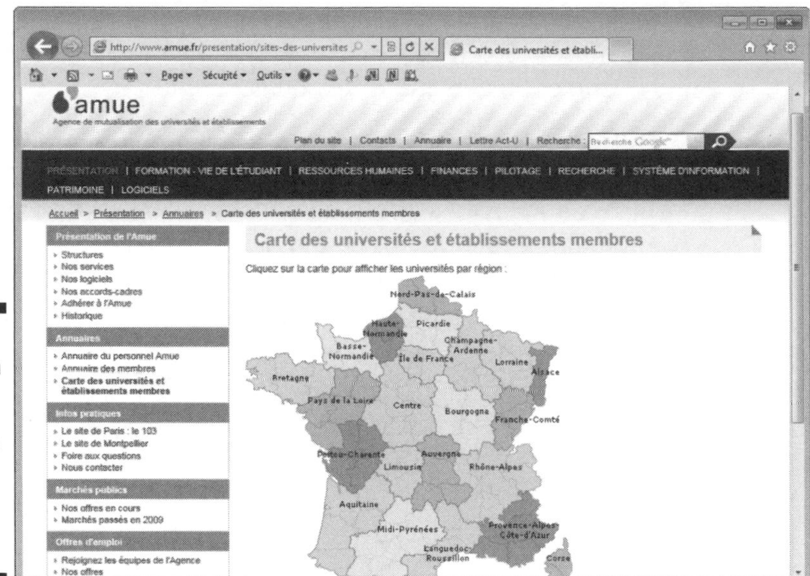

Figure 3.5 : Cliquez sur la région dont vous désirez connaitre les universités et accéder à leur site Web.

Revenir à l'école

Lorsque vous quittez le lycée ou l'université, l'acquisition du savoir ne cesse pas pour autant : vous pouvez continuer à apprendre, à approfondir vos connaissances et à élargir vos horizons... sur le Net. Par ailleurs, il est à présent possible de suivre toutes sortes de formations en ligne, de la formation professionnelle continue aux diplômes supérieurs. Certains cours existent uniquement en ligne, d'autres se font à la fois en salle, en laboratoire et en ligne.

Il existe dans le monde entier des écoles qui offrent des enseignements en ligne. Si le cours est sur le Net, il importe peu que l'école soit de l'autre côté de la rue ou de l'océan (sauf pour des raisons de langue). Pour en savoir plus, visitez `www.formasup.education.fr/index.php` (Figure 3.6).

Vendez, vendez, vendez !

Tout internaute finit par se rendre compte que pour les sites marchands, avant d'être un internaute, il est un consomma-

Figure 3.6 : Formez-vous sur Internet.

teur potentiel. Les jeunes, particulièrement ceux des familles de revenus moyens à supérieurs, sont considérés comme un marché des plus lucratifs, et le Net est devenu un des moyens privilégiés pour le conquérir.

Séduire les enfants dans le but de vendre à papa et maman n'est pas nouveau : il suffit de regarder la télévision.

Les publicitaires ont conçu des logiciels permettant de mieux cibler et séduire les enfants, par l'intermédiaire notamment de leurs personnages de dessin animé favoris. La CNIL (Commission Nationale de l'Informatique et des Libertés, `www.cnil.fr`) surveille la situation de près.

Qui est en ligne ?

Un grand nombre d'enfants – et des adultes – créent des sites Web sur eux et leur famille. C'est sympa, mais nous encourageons fortement les familles qui utilisent le Net pour des raisons personnelles (usage à distinguer d'une utilisation professionnelle) à ne pas employer leur vrai nom ou tout au moins pas complet. Nous conseillons également de ne jamais indiquer vos adresses, numéro de téléphone, numéro de sécurité sociale ou mots de passe à ceux qui demandent ce genre d'information en ligne ou hors ligne. Ce conseil est particulièrement valable lorsque vous recevez des demandes d'information émanant de personnes qui revendiquent une position d'autorité, par exemple des messages instantanés émanant soit-disant de l'assistance technique du fournisseur d'accès.

Les gens réellement investis d'une autorité ne demandent jamais ce genre de renseignements.

Plus que jamais, les enfants doivent développer une capacité critique. Ils doivent être capables d'évaluer ce qu'ils lisent et voient, particulièrement sur le Web.

C'est regrettable, mais nous avons reçu ces derniers temps beaucoup de spams. Cette situation risque d'empirer jusqu'à ce que les lois américaines et d'autres pays contre les courriels non sollicités (pourriels) soient vraiment efficaces (en France, le *spamming* est interdit, ce qui n'empêche pas le déferlement de pourriels provenant de l'étranger, notamment des États-Unis).

Le choix du consommateur

Les parents payent pour les services en ligne. Aussi les prestataires soucieux de rester compétitifs fournissent-ils des fonctions pour aider les parents à contrôler l'accès à Internet. AOL, par exemple, permet aux parents de bloquer l'accès aux salons de « chat » non appropriés pour les enfants et de restreindre l'accès aux forums et groupes de discussions en se basant sur des mots-clés choisis. Le contrôle parental n'est pas facturé en plus.

Internet Explorer bloque systématiquement les fenêtres *popups*, mais laisse à l'utilisateur la possibilité de les voir quand même (Figure 3.7). Rappelons que les popups sont ces fenêtres qui s'ouvrent instantanément sans que vous fassiez quoi que ce soit. Souvent, elles délivrent des publicités, ce qui n'est pas trop grave, mais parfois aussi un contenu pornographique.

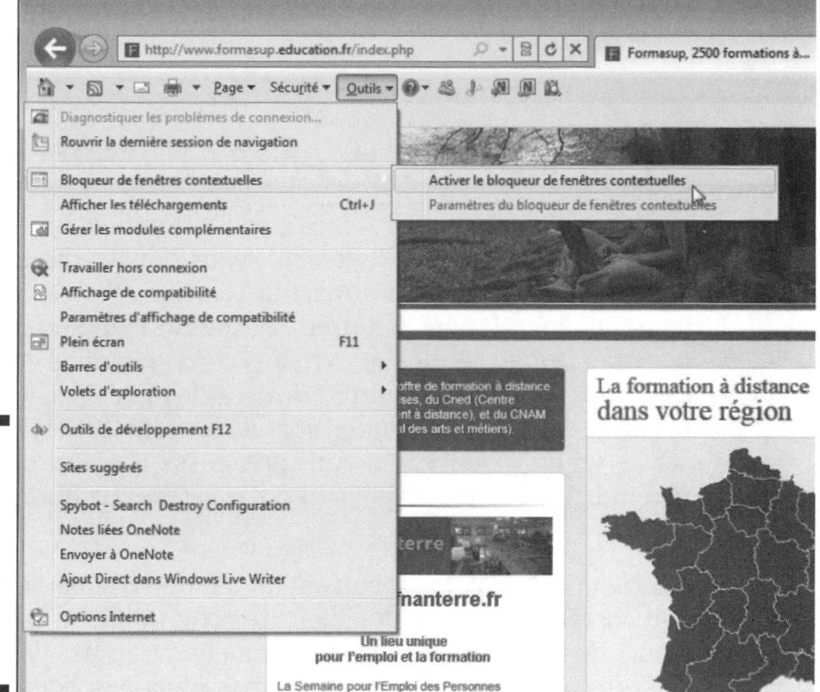

Figure 3.7 : Internet Explorer 9 bloque toujours les popups, sauf si vous l'autorisez à les afficher.

Protégez vos enfants contre cette pollution en ne désactivant pas le système de blocage des popups.

Logiciels sentinelles

Un nombre grandissant de logiciels aident les parents à restreindre l'accès au Net ou à en contrôler l'utilisation. Si vous choisissez d'utiliser l'un de ces systèmes, sachez qu'ils ne peuvent en aucun cas se substituer à votre propre attention : ils filtrent les informations en fonction de mots-clés et de listes prédéfinies par les auteurs du programme, et dont vous ne connaissez pas exactement les critères. De plus, l'idée que vous vous faites de ce qui est approprié ou non pour votre enfant peut être très différente de la leur. Dans la dernière section de ce chapitre, vous apprendrez à mettre en œuvre le système de contrôle parental de Windows 7. (Et oui, il en existe un !). Vous verrez également comment enregistrer les conversations MSN de vos chères têtes blondes. Que dites-vous ? « Big Brother Is Watching You ? » Ne me dites pas que vous en doutiez !

Le Net à la maison, pour les parents aussi

Le Net modifie de bien des façons notre mode de vie. Si vous êtes à la recherche d'un logement, vous pouvez directement prospecter de chez vous en visitant les sites Web des agences immobilières, simuler des prêts, consulter la météo de votre nouveau lieu de résidence et rechercher un nouvel emploi. Dès votre arrivée dans votre nouvelle demeure, vous pourrez même la décorer avec toutes sortes de meubles dénichés sur le Net ou y trouver les entrepreneurs qui viendront la repeindre, la réparer et vous livrer les stères de bois pour l'hiver.

Internet peut également vous aider à faire vos comptes. Vous pouvez télécharger des logiciels de comptabilité très performants ou même les utiliser directement sur le Web si vous ne tenez pas à les installer sur votre ordinateur. Vous pouvez calculer et déclarer vos impôts en ligne et obtenir des conseils pour remplir votre déclaration, sans avoir à perdre des heures au téléphone ou à vous déplacer jusqu'à votre centre des impôts. La plupart des banques ont développé un système de consultation et de téléchargement des relevés de compte en ligne. Votre budget ne sera plus jamais pris au dépourvu. Si vous possédez plusieurs comptes, rien ne vous empêche de réaliser des virements d'un compte à l'autre, l'ordre étant passé à la banque par simple connexion Internet sécurisée.

Vous pouvez tout acheter et tout vendre sur le Net, des chaussures à la maison en passant par les cadeaux de Noël. Cependant, pour les chaussures, mieux vaut les acheter sur place, dans un magasin où vous pourrez les essayer. Sur le Net, vous trouverez aussi des recettes de cuisine, des billets d'avion ou de train, et toutes sortes d'informations sur tous les sujets. Vous pourrez même acheter vos produits à l'autre bout du monde.

Le Net à l'école

En quelques années, Internet s'est tranquillement (aux États-Unis) ou péniblement (en France) frayé un chemin dans la plupart des établissements scolaires, même si nous n'en voyons pas vraiment l'intérêt pour les plus petits.

Certaines écoles se servent de logiciels pour filtrer l'accès à Internet des enfants. Il existe divers systèmes de filtrage, à des prix variables et de différents niveaux de difficulté d'installation, qui promettent de filtrer le Web pour bloquer l'accès aux sites inappropriés et dangereux. C'est alléchant mais de nombreux jeunes sont suffisamment doués pour trouver les moyens de contourner les règles et les logiciels conçus pour les protéger. Certaines institutions fonctionnent bien sur la base d'un contrat signé avec l'élève. Ce contrat détaille explicitement les usages admis et non admissibles du système. L'élève qui enfreint son contrat perd son accès à Internet ou ses privilèges informatiques.

Utilisé efficacement, Internet est une incroyable ressource éducative. Exploité de façon inappropriée, c'est une terrible perte de temps et d'argent. La différence tient dans la recherche et l'organisation.

Les bons plans pour protéger ses enfants

Nous les adorons. Certains nous en font voir de toutes les couleurs mais nous les adorons. De qui je veux parler ? Et bien de qui parle-t-on depuis le début de ce troisième chapitre si ce n'est des enfants.

Vous faites attention à leur sécurité de tous les jours. Traverser sur les passages piétons, attendre que le bonhomme soit vert, ne pas parler à des inconnus, ne pas s'approcher d'une voiture quand le conducteur demande un renseignement, mettre un casque quand on fait du vélo, ne pas allumer le gaz, ne pas jouer à des jeux violents, ne pas passer son temps sur Internet, ne pas écouter la musique trop fort au casque… la liste pourrait être encore longue. Donc, dans la vie quotidienne, vous veillez et assurez la sécurité de vos enfants. Mais, dès qu'il s'agit d'Internet, vous êtes perdu, comme si ce média dictait sa loi aux enfants et aux parents.

Pendant de nombreuses années, contrôler Internet avec les possibilités d'un système d'exploitation comme Windows, n'était pas chose facile. En effet, plus on élevait le niveau des paramètres de sécurité d'Internet Explorer, et plus il devenait difficile de surfer confortablement. Très vite, tout le monde revenait à un niveau relativement faible, ouvrant la porte à tous les excès bien connus du Web, dont les fameux popups (fenêtres intempestives) délivrant trop souvent un contenu pornographique, ou des informations erronées prétendant que votre ordinateur se trouvait face à un danger imminent.

Si vous possédez Windows 7, vous pouvez protéger vos enfants contre les problèmes liés à Internet :

- Gérer la façon dont vos enfants utilisent l'ordinateur.
- Limiter l'accès de vos enfants à Internet.
- Limiter les jours et les heures auxquelles ils peuvent se connecter à votre (ou à leur) ordinateur.
- Contrôler les jeux auxquels ils peuvent jouer.
- Gérer les programmes qu'ils peuvent exécuter.

Certes, vos enfants vont bouder, parfois même hurler, allant jusqu'à prétendre que vous êtes un dictateur et qu' « ils en ont marre de cette baraque ». Ils n'hésiteront pas à affirmer que les parents de Sébastien ou de Valérie, eux, sont trop cools car ils leur laissent utiliser Internet à volonté. Oui, mais voilà chers parents, il s'agit de protéger vos enfants, simplement, de manière responsable, et non pas de les surprotéger. Chacun sait que c'est mieux chez les autres. Les parents de Sébastien ou de Valérie sont peut-être cools, mais à cela s'ajoute une grosse dose d'inconscience, de négligence, d'ignorance, voire les trois à la fois. Le parent cool, n'est-il pas celui qui sait faire comprendre où est le danger sans diaboliser pour autant Internet ? Je sais que vous avez la réponse en vous.

Windows 7 et le contrôle parental

Peu d'utilisateurs de Windows 7 savent qu'il existe un système de contrôle parental qui peut être configuré sur chaque session d'utilisateur. Ainsi, en fonction de l'âge de vos enfants, vous définirez un niveau de contrôle approprié. En effet, les besoins et la protection de votre fils de 9 ans ne sont pas les mêmes que ceux de votre fille de 14 ans.

Avec Windows 7, Microsoft a développé une nouvelle manière d'appliquer un contrôle parental. Désormais, ce contrôle s'exerce *via* un compte Windows Live, c'est-à-dire en ligne. Pour disposer du contrôle parental, vous devez préalablement télécharger. Voici comment installer et configurer ce contrôle :

1. **Ouvrez Internet Explorer 9, et rendez-vous sur le site** `www.microsoft.fr`.

2. **Dans la page d'accueil du site, cliquez sur Téléchargements/Téléchargements Windows Live.**

3. **Faites défiler le contenu de la page pour localiser Contrôle parental. Cliquez sur ce lien comme à la Figure 3.8.**

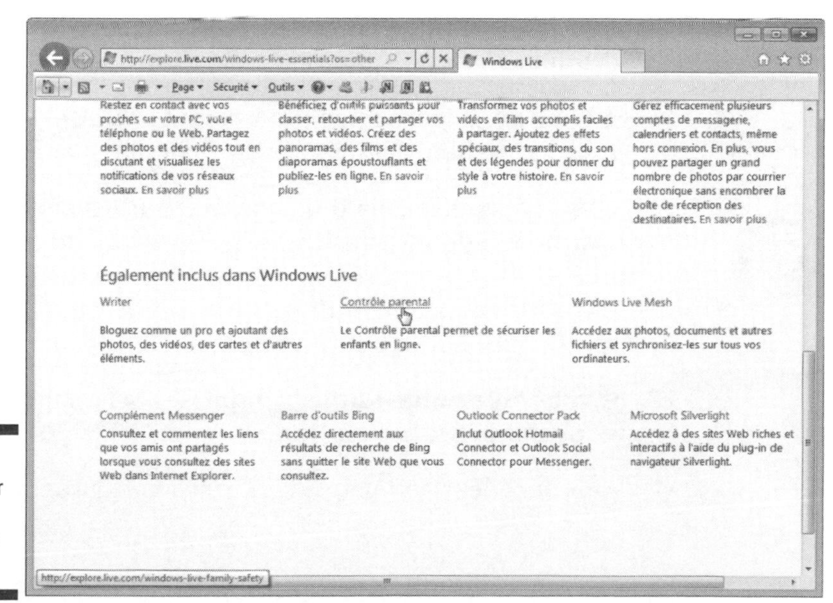

Figure 3.8 : Pour utiliser le contrôle parental de Microsoft..

La fenêtre Windows Live Contrôle parental 2011 apparaît.

4. **Cliquez sur le bouton Télécharger.**

5. **Dans la partie inférieur d'Internet Explorer 9, cliquez sur la flèche du bouton Enregistrer, et choisissez Enregistrer sous.**

6. **Indiquez l'emplacement de stockage de ce fichier, et cliquez sur Enregistrer.**

7. **Cliquez sur Exécuter, puis sur OK.**

   L'installation commence.

8. **Dès qu'elle est finie, cliquez sur le bouton Terminé.**

9. **Pour utiliser le contrôle parental, cliquez sur Démarrer/Tous les programmes/Windows Live/Windows Live contrôle parental.**

10. **Autorisez l'exécution du programme.**

    Comme le contrôle parental est étroitement lié à Windows Live, vous devez créer un compte Windows Live pour l'utiliser. Bien entendu, tout cela ne vous coûte absolument rien.

11. **Si vous ne disposez pas d'un compte Windows Live cliquez sur le lien** `Inscrivez-vous`**, comme à la Figure 3.9.**

    Si vous disposez déjà d'un compte, par exemple un compte Windows Live Messenger, profitez de ce compte pour utiliser le contrôle parental. Dans ce cas, tapez votre adresse mail Windows Live, et votre mot de passe, puis cliquez sur le bouton Se connecter.

12. **Si vous créez un compte, remplissez scrupuleusement le formulaire d'inscription.**

    Vous accédez à la fenêtre illustrée à la Figure 3.10.

Figure 3.9 : Le contrôle parental s'exerce sur des comptes d'utilisateurs.

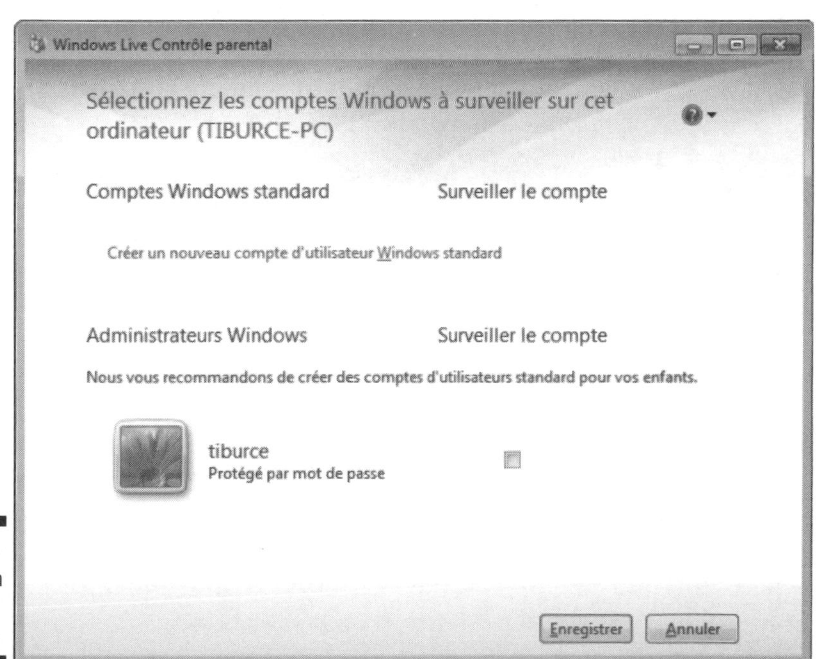

Figure 3.10 : Configuration du contrôle parental.

13. **Commencez par créer un compte spécialement pour votre enfant. Pour cela, cliquez sur le lien** `Créer un nouveau compte d'utilisateur standard`**.**

    Si un compte existe déjà sur votre ordinateur, contentez-vous de le cocher dans la liste des comptes à surveiller.

14. **Donnez un nom au compte, et cliquez sur Créer un compte.**

    Créez autant de comptes que vous avez d'enfants à surveiller.

15. **Cliquez sur Enregistrer.**

    La configuration commence. Windows Live détermine un niveau de contrôle automatique qui ne correspond pas forcément à l'âge de votre enfant. Pour le modifier passez à l'étape 16.

16. **Pour définir les paramètres du contrôle, cliquez sur le lien** `familysafety.live.com`**.**

17. **Dans la page qui apparait, cliquez sur le lien** `Modifier les paramètres`**, affiché sous le nom du compte.**

    Voici ce que vous pouvez configurer dans la section Paramètres Windows (Figure 3.11) :

    - **Limites horaires :** lorsque vous cliquez sur ce lien, vous accédez à la fenêtre éponyme. Elle permet de définir les jours et les heures où votre enfant ne pourra pas accéder à l'ordinateur. Le principe est très simple. Cliquez dans les cases des jours et des heures où l'enfant n'a pas le droit d'accéder à votre PC. Le plus simple consiste à faire glisser le pointeur de la souris sur toutes les cellules de la grille comme si vous interdisiez totalement l'utilisation de cet ordinateur. La grille devient entièrement bleue. Ensuite, cliquez sur les cases correspondant aux plages horaires où l'enfant pourra accéder à l'ordinateur, donc à Internet (Figure 3.12).

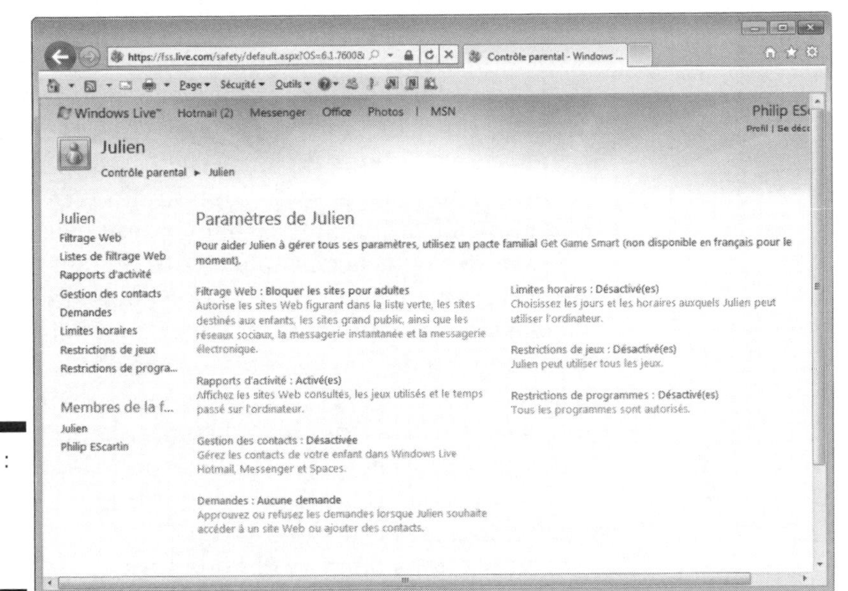

Figure 3.11 : Les paramètres du contrôle parental.

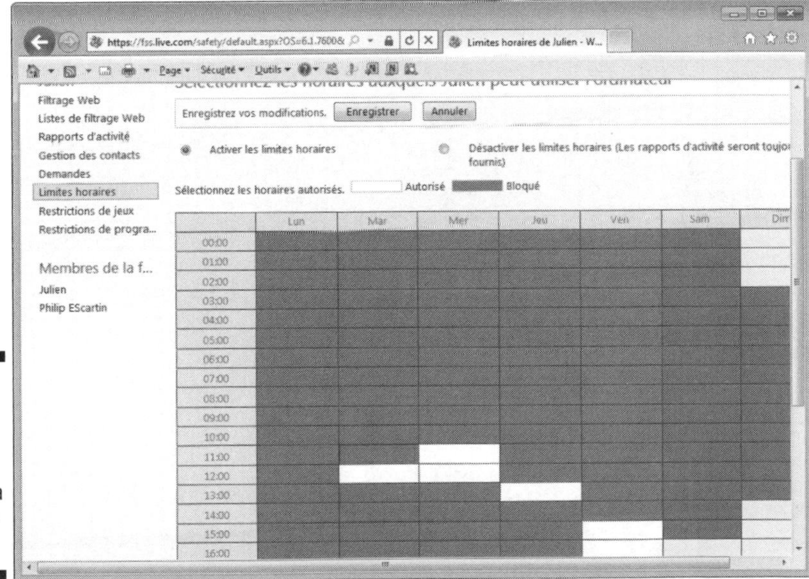

Figure 3.12 : À vous de décider quand votre enfant pourra utiliser l'ordinateur !

- **Restrictions de Jeux :** lorsque vous cliquez sur ce lien, vous accédez à la fenêtre Contrôles de jeux. Elle permet de déterminer si votre enfant peut ou non jouer à des jeux sur Internet, et d'en définir le type. Pour que votre enfant puisse jouer, activez le bouton radio Oui. Ensuite cliquez sur le lien `Définir la classification des jeux`. Vous accédez à la fenêtre Restrictions de jeux (Figure 3.13). Pour un contrôle optimal, activez l'option Bloquer les jeux sans classification. Ainsi, tout jeu non classé sur le Web ne sera pas accessible à votre enfant. Vous courez (et lui aussi) moins de risques. Ensuite, indiquez la classification de jeux qui convient à l'enfant. Là, tout dépend de son âge ou de votre niveau d'appréciation des jeux qui lui conviennent ou pas. Ensuite, dans la partie inférieure de la fenêtre, indiquez les sites qu'il faut bloquer en fonction de leur contenu. Cochez les cases Discrimination, Drogues, Epouvante, Langage cru, Sexe, et/ou Violence. Une fois les restrictions définies cliquez sur OK.

Figure 3.13 : Les jeux Internet auxquels votre enfant pourra jouer.

- **Restrictions de programmes spécifiques :** pour éviter que votre enfant utilise certains programmes, ce lien affiche la fenêtre Restrictions des applications. Activez l'option *<nom d'utilisateur>* peut uniquement utiliser les programmes que j'autorise, comme à la Figure 3.14. Windows dresse la liste de tous les programmes présents sur votre ordinateur. Dans la liste des programmes installés, cochez les applications que votre enfant pourra utiliser.

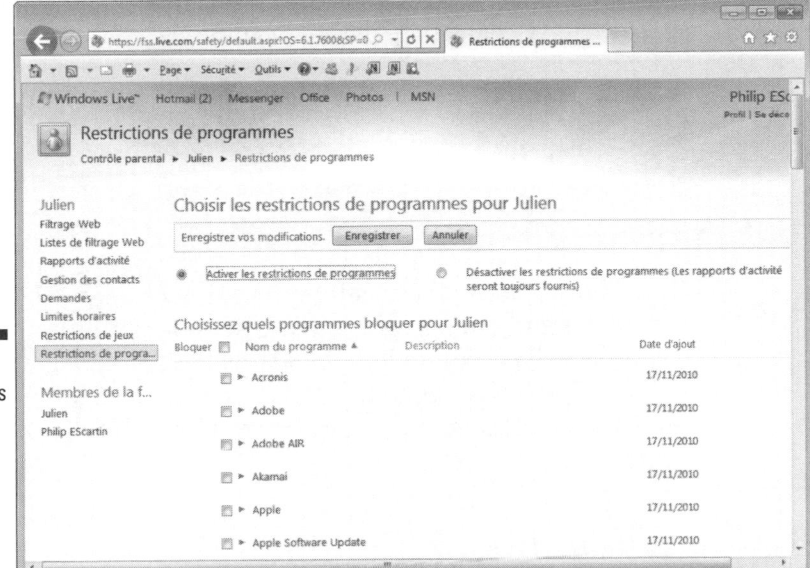

Figure 3.14 : Définissez les programmes que votre enfant peut utiliser sur cet ordinateur.

Contrôler les conversations MSN

La messagerie instantanée est probablement la plus grosse activité de vos enfants sur le Web. Il faut les comprendre ! C'est un moment unique et confidentiel que de partager des propos super passionnants sur la nouvelle coupe de cheveux de Kevin que la courte récréation ne leur à pas permis d'analyser dans tous ses détails… c'est vrai qu'il est trop beau ce Kevin !

Pourtant, et malgré le système louable mis en place par Microsoft, votre enfant ne peut entrer en communication qu'avec des interlocuteurs qu'il autorise, donc qu'il connait *a priori*. Mais voilà, les adresses MSN circulent très vite entre ados, et un jour il se peut que votre enfant converse avec un(e) inconnu(e). Sans jouer les moralisateurs puritains extrémistes, pouvoir accéder à une conversation peut s'avérer utile pour découvrir certains dialogues, mais aussi pour disculper votre enfant sur, notamment, les propos infamants qu'il aurait tenu sur la coupe de cheveux de Kevin.

Pour contrôler une conversation MSN (ou d'un autre programme de messagerie, car il n'y a pas que Microsoft sur la planète ado), vous avez deux possibilités :

- Le rapport d'activité du contrôle parental de Windows 7.
- L'historique des conversations de MSN.

Rapport d'activité

Le rapport d'activité est celui qui est généré par le contrôle parental défini dans la précédente section. Il permet non seulement d'afficher la liste des sites Web auxquels votre enfant a accédé, mais également au contenu des conversations qu'il a tenu avec sa messagerie instantanée. Voici comment procéder :

1. **Accédez à la page Web de contrôle parental de Windows Live.**
2. **Cliquez sur Afficher le rapport d'activité situé à droite du compte à surveiller.**
3. **Définissez la plage de dates pour lesquels vous désirez un rapport, et cliquez sur le bouton Afficher l'activité.**

   Le cas échéant, cliquez sur Continuer pour accéder à ce rapport.

Si vous ne souhaitez pas définir un contrôle parental mais uniquement surveiller, en cas d'extrême nécessité, le contenu d'une conversation MSN, voyons comment procéder.

Contrôler une conversation MSN

Ce contrôle se fait directement par l'application Windows Live Messenger. Pour cela, il faut activer l'historique des conversations, et indiquer un emplacement de stockage du fichier. Voici comment faire :

1. **Démarrez Windows Live Messenger (MSN comme disent les jeunes).**

2. **Cliquez sur Outils/Options.**

3. **Dans la boîte de dialogue Options, cliquez sur la rubrique Historique.**

4. **Dans la partie droite de la boîte de dialogue, cochez l'option Enregistrer automatiquement un historique de mes conversations, comme à la Figure 3.15.**

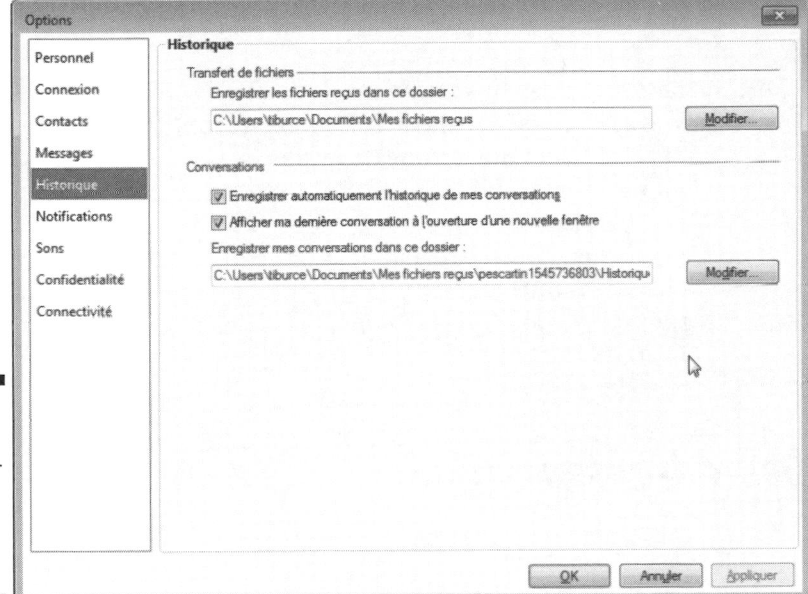

Figure 3.15 : Enregistrer les conversations tenues avec Windows Live Messenger.

Par défaut, les conversations sont enregistrées dans le sous-dossier Mes fichiers reçus du dossier Documents.

5. **(Facultatif) Cliquez sur le bouton Modifier pour spécifier un autre emplacement de stockage du fichier des conversations.**

6. **Cliquez sur OK.**

Voilà, toutes les conversations MSN sont alors enregistrées à l'emplacement indiqué.

7. **Pour lire une conversation, ouvrez Windows Live Messenger.**

8. **Cliquez sur Fichier/Ouvrir le dossier des fichiers reçus.**

9. **Dans la boîte de dialogue qui apparaît, localisez la date de votre conversation, et double-cliquez sur l'icône du dossier.**

10. **Double-cliquez ensuite sur le dossier Historique.**

11. **Double-cliquez sur le nom de la personne avec qui vous avez conversé.**

La protection des conversations MSN n'est pas très efficace. Vos enfants ne sont pas idiots. Ils auront tôt fait de localiser l'endroit où vous enregistrez les conversations, et de supprimer le fichier dérangeant. Pour éviter cela, indiquez un disque dur du réseau auquel vos enfants n'ont pas accès... si tant est que vous avez un réseau local chez vous. Le mieux reste encore d'en parler avec vos enfants et de leur faire comprendre que votre seul but est de les protéger et non de violer leur intimité.

Les adresses utiles

Quelques adresses pour se cultiver :

- Wikipédia : `http://fr.wikipedia.org/wiki/Accueil`
- Encarta : `http://fr.encarta.msn.com/`
- Larousse : `http://www.larousse.fr/encyclopedie/`
- Quid : `http://www.quid.fr/`

Quelques dictionnaires en ligne :

- Médiadico à `http://dictionnaire.tv5.org/`

- L'internaute : http://www.linternaute.com/dictionnaire/fr/
- Le dictionnaire : http://www.le-dictionnaire.com/
- Synonymes : http://synonymes.memodata.com/

Des jeux éducatifs en ligne :

- iéducatif : http://www.ieducatif.fr/
- JeuxGratuits : http://www.jeuxgratuits.net/
- BioKdo : http://www.biokdo.com/
- Sitacados : http://www.sitacados.com/sites-jeux-gratuits-pour-enfants.html

Des informations sur le contrôle parental :

- Tout sur le contrôle parental sur http://www.controle-parental.net/
- Don't see : http://www.cestfacile.org/controle-parental.htm
- Contrôle parental dans Windows Live (MSN) : http://www.windowslive.fr/controleparental/
- Informations sur le contrôle parental : http://www.e-enfance.org/
- Programme gratuit : http://www.rooki.fr/
- Programmes payants :

  http://controle-parental.xooloo.net/

  http://www.profiltechnology.com/fr/familles/

  http://store.norman.com/store/norman/fr_FR/Content/pbPage.parentalcontrol_fr/Currency.EUR

  http://www.momsaysno.fr/index.php

Deuxième partie

S'accrocher à la toile

Dans cette partie...

Une fois que vous serez prêt, dans quelle direction irez vous ? La plus grande difficulté dans l'utilisation d'Internet, c'est probablement de réussir à s'y connecter, ensuite, il suffit de cliquer de-ci de-là. Dans cette partie, nous vous expliquons quel type de service Internet vous convient le mieux et nous vous aidons à établir une connexion en vous donnant des instructions spécifiques aux systèmes d'exploitation les plus courants. Nous vous prodiguons également des conseils avisés sur le haut débit et la Wi-Fi (le fameux sans-fil).

Chapitre 4

Besoin de tout ça ?

Dans ce chapitre :

- Choisir un ordinateur.
- Un modem, dites-vous ?
- Notre configuration préférée : le routeur.
- Rester en vie avec des pare-feu, des antivirus et des anti-espiogiciels.
- Les types d'accès.
- Accès bas débit et accès haut débit.
- Choix des fournisseurs d'accès.
- Les offres haut débit.
- Logiciels nécessaires.
- Que faire une fois connecté ?

Bon, alors, comment rejoindre Internet ? La réponse est : « Ça dépend ». Internet n'est pas un simple réseau, c'est un conglomérat de centaines de milliers de réseaux distincts mais reliés ensemble et ayant chacun ses propres règles et procédures. Vous pouvez accéder au Net *via* n'importe lequel de ces réseaux. Les lecteurs des précédentes éditions de ce livre nous ont suppliés de détailler, étape par étape, comment il fallait procéder. Nous vous donnerons donc des explications, chaque fois que nous le pourrons.

Voici quelles sont les étapes de base à suivre :

1. **Déterminez le type de votre ordinateur.**

2. **Informez-vous sur les types de connexion Internet disponibles là où vous habitez.**
3. **Fixez-vous un budget moyen.**
4. **Réalisez la connexion et voyez si elle vous convient.**
5. **Installez les programmes qui protègent votre ordinateur contre les virus et les espiogiciels.**

Le Chapitre 2 explique les dangers d'Internet et la nécessité de se protéger des intrus. Il montre comment installer et utiliser un système de sécurité Internet gratuit.

En d'autres termes, pour réaliser concrètement une connexion Internet, il vous faut :

- Un ordinateur (à moins que vous n'ayez un terminal Web relié à votre télé). Nous en dirons deux mots dans une minute.
- Un modem pour relier votre ordinateur au réseau téléphonique ou au câble (en matière de haut débit le terme *modem* perd tout son sens initial).
- Un abonnement auprès d'un fournisseur d'accès afin d'établir une liaison entre votre propre machine et la Toile (autre nom du Web).
- Les logiciels nécessaires pour gérer les communications et exploiter votre connexion.

Nous examinerons ces ressources l'une après l'autre.

Si vous avez plusieurs machines à connecter à Internet ou si vous utilisez un ordinateur portable, lisez le Chapitre 5.

Les comptes Internet sont faciles à utiliser mais peuvent s'avérer complexes à configurer. Le plus difficile est sans doute d'établir la première connexion. Toutefois, de nombreux fournisseurs d'accès à Internet (FAI) mettent à la disposition de leurs clients des kits de connexion qu'il suffit d'installer. Vous répondez à quelques questions, et le tour est joué ! Si vous ne disposez pas d'un kit de connexion, laissez faire Windows 7 qui vous guide pas à pas dans cette procédure de configuration d'un ordinateur pour Internet.

La connexion Internet proprement dite est très facile à créer lorsque vous connectez directement votre ordinateur à une prise Ethernet (oui vous avez bien lu Ethernet et non pas Internet) de votre *Box*. Vous êtes alors immédiatement connecté au Net !

Avez-vous un ordinateur ?

Comme Internet est un réseau d'ordinateurs, le seul moyen de s'y connecter est d'utiliser un ordinateur. Mais ceux-ci peuvent se présenter sous les déguisements les plus divers, et peut-être en avez-vous déjà un chez vous dont vous ne soupçonnez pas l'existence. Si vous utilisez un ordinateur sur votre lieu de travail et si, en particulier, vous avez accès à une quelconque forme de courrier électronique, il se peut que vous disposiez, sans le savoir, d'une connexion Internet.

Non, je n'en ai pas ! Il a même fallu que j'emprunte ce livre

Si vous n'avez pas d'ordinateur, et ne souhaitez pas ou ne pouvez pas en acheter un, il reste encore quelques solutions.

Il est probable que vous pourrez accéder à Internet dans votre bibliothèque municipale. De plus en plus de bibliothèques proposent ce service qui rencontre un certain succès. Renseignez-vous pour connaître les horaires les moins encombrés.

Les écoles, universités et centres de formation permanente pour adultes offrent une autre solution. En effet, ces établissements proposent parfois des cours d'initiation à Internet. Un cours présente deux avantages par rapport à un livre : une démonstration pratique de l'utilisation du Net et, plus important encore, la présence de quelqu'un à qui poser des questions sur des points qui demeurent obscurs malgré la lecture d'un livre, si bon, si clair, si divertissant soit-il – vous voyez à quel ouvrage nous faisons allusion...

Les *cybercafés* qui fleurissent un peu partout offrent encore une autre possibilité. Comme leur nom l'indique, ce sont des établissements où, en plus de vous abreuver, vous pouvez louer du temps d'utilisation d'un ordinateur raccordé à Internet.

Huit filles ? Où ça ?

Le Wi-Fi est une connexion sans-fil capable de se brancher à un point d'accès à Internet installé chez vous ou dans des lieux publics comme les gares, les aéroports, les cafés, les hôtels, *etc.* Ce type de connexion a immédiatement connu un énorme succès, de sorte que les points d'accès se multiplient rapidement. Ils ne sont hélas pas tous gratuits et nécessitent parfois un abonnement à l'opérateur qui les gère. Pour s'y connecter, l'ordinateur doit être équipé d'une carte Wi-Fi, seul périphérique capable de détecter la présence d'un réseau sans-fil accessible. Pour connaître les points d'accès Wi-Fi présents dans la région où vous voyagez, connectez-vous au site `www.linternaute.com/wifi/` illustré à la Figure 4.1.

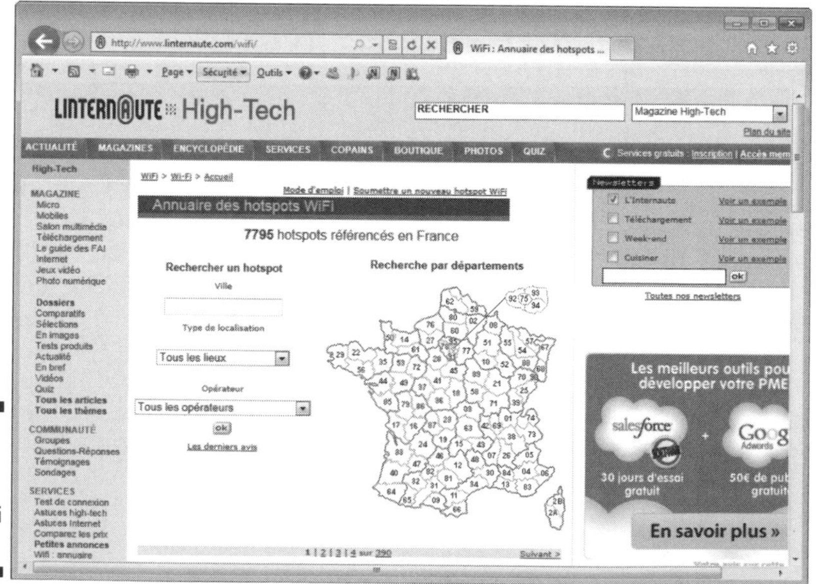

Figure 4.1 : Découvrez les points d'accès Wi-Fi en France.

Le Wi-Fi y parait que c'est nocif !

Le Wi-Fi connait quelques détracteurs. Il faut dire que si, pour le moment, aucune étude scientifique sérieuse n'existe sur le sujet, certains utilisateurs vivant dans un environnement Wi-Fi se plaignent de maux de tête et autres désagréments. Certains vont même jusqu'à dire que les ondes Wi-Fi favoriseraient le développement de cancers. Pas de panique ! Essayons de comprendre et de garder la tête froide. Quel que soit votre niveau d'hypocondrie, des solutions existent (et je ne parle pas de celles consistant à commencer une analyse auprès d'un éminent psychiatre).

Tout d'abord, il faut savoir que le Wi-Fi émet des ondes électromagnétiques qui occupent la fréquence des 2,4 Ghz c'est-à-dire celle de votre four à micro-ondes. Or nous savons aujourd'hui qu'il faut être attentif à tout cela car, avouons-le, la portée des ondes électromagnétiques est importante. Il suffit de chercher à se connecter à votre réseau Wi-Fi pour vous rendre compte des réseaux de ce type existants chez vos proches voisins. Ce n'est pas parce que vous êtes pollué par les ondes des autres que vous acceptez de l'être par les vôtres, et aussi d'en polluer les autres. Devoir de précaution ? Peut-être. Donc, si vous ne voulez pas du Wi-Fi chez vous, mais que vous souhaitez pouvoir utiliser Internet dans toutes les pièces de votre maison, développez ce que l'on appelle un réseau CPL. CPL est l'acronyme de *Courant Porteur en Ligne*. Il utilise votre installation électrique, c'est-à-dire vos prises de courants, pour créer un réseau local. Certes, la connexion se fait par un câble Ethernet, donc elle n'est pas sans fil, mais *exit* le Wi-Fi. Branchez une prise CPL sur chacune des prises de courant à partir desquelles vous désirez surfer le net (Figure 4.2). Vous faites la même chose avec votre Box pour qu'elle soit reconnue comme le modem/routeur de votre réseau. Dès lors, une simple manipulation va permettre de synchroniser chaque prise CPL avec la prise principale à laquelle est connectée votre Box. A partir du moment où vos prises CPL sont synchronisées, votre réseau est établi. Il suffit de brancher une extrémité d'un câble Ethernet dans l'un de vos ordinateurs, portable par exemple, et l'autre extrémité dans une des prises CPL. Vous êtes alors reconnu sur le réseau, et pouvez accéder à Internet de manière plus rapide qu'avec le Wi-Fi. Contrairement au Wi-Fi un réseau CPL est hypersécurisé car votre compteur électrique sert de « pare-feu » matériel. Vous ne risquez pas d'intrusion externe sur votre réseau, chose dont vous pouvez facilement être victime avec un réseau Wi-Fi qui est visible par tout monde (demandez à vos voisins et vous serez surpris du nombre de personnes qui connaissent l'existence de votre réseau sans fil.)

Attention, si les autres ne peuvent pas entrer sur un réseau CPL, cela ne vous met pas à l'abri des virus et autres *spywares* que vous pouvez glaner par e-mail et sur des sites malveillants. Ce sont deux choses bien différentes.

Figure 4.2 : Une prise CPL se branche directement sur une prise de courant sans installation spéciale.

Enfin, n'importe quel ordinateur à 300 euros (ou moins) vous permettra de surfer sur le Web depuis votre domicile.

J'ai un vieux machin beige dans mon placard

Théoriquement, n'importe quel vieil ordinateur, même de 10 ou 15 ans d'âge, devrait permettre de se connecter à Internet. En pratique, le manque de puissance et la difficulté à trouver des logiciels compatibles avec ces vieilleries poseraient de sérieux problèmes. Aussi, si votre matériel a plus de cinq ans – un âge vénérable en micro-informatique – mieux vaut envisager l'acquisition d'un nouvel ordinateur. Ils sont de moins en moins chers. On en trouve pour moins de 400 euros dans les grandes surfaces, et parfois moins de 200 euros sur Internet... mais, suis-je bête, c'est vrai que vous ne vous n'êtes pas encore connecté !

Oui, j'en ai un tout neuf !

Ainsi, vous avez un ordinateur ! Ou peut-être avez-vous décidé d'en acheter un. La plupart des utilisateurs se connectent en laissant leur ordinateur composer le numéro de leur fournisseur d'accès. Lorsque vous allumerez votre nouvel ordinateur pour la première fois ou exécuterez l'un des programmes Internet préinstallés, votre ordinateur vous proposera d'appeler un fournisseur d'accès et de configurer votre compte par la même occasion. N'en faites rien, enfin pas pour l'instant. Lisez d'abord la suite de ce chapitre pour quelques recommandations et options très utiles.

Une autre technique beaucoup plus efficace pour se connecter, disponible presque partout – quelques patelins reculés y échappent encore – est la connexion à haut débit, soit au travers du réseau téléphonique, soit par le câble (celui qui amène les programmes de la télévision par câble).

Non, mais je vais en acheter un

D'interminables discussions opposent les partisans de tel ou tel type d'ordinateur. Nous n'entrerons pas dans ces querelles de chapelles, le monde étant déjà largement confronté à toutes sortes d'antagonismes autrement plus dramatiques. Sachez néanmoins que les matériels les plus répandus sont actuellement ceux qui « tournent » sous Windows, toutes versions confondues. Ils équipent ce que l'on appelle usuellement des PC (*Personal Computer*, ordinateur personnel). Il existe aussi les Mac fabriqués par Apple, la marque à la pomme, dont les nouveaux modèles sont équipés d'un processeur Intel capable de faire tourner des applications Windows. Et enfin, pour revenir au monde du PC, il existe d'autres systèmes d'exploitation que Windows, comme Unix, Linux (qui est une variante d'Unix) et d'autres encore…

Si vous avez un ami versé dans l'informatique et prêt à vous aider dans votre connexion, envisagez l'achat d'un ordinateur du même type que le sien (PC ou Mac). Ainsi, lorsque vous serez confronté à un problème, il sera mieux à même de vous aider.

J'ai un téléphone portable et/ou un ordinateur de poche

Quelques téléphones mobiles sophistiqués proposent un petit clavier et un écran un peu plus grand que celui des autres, de surcroît en couleur. Une technologie appelée WAP (*Wireless Application Protocol,* protocole d'application sans-fil), permet d'afficher une version spécifique des pages Web sur l'écran de ces téléphones et de naviguer sur Internet. À l'instar de Mireille Mathieu, le WAP est très populaire au Japon, mais ne connaît pas le même engouement en France.

L'accès Internet par un téléphone mobile exige un abonnement spécifique auprès de votre opérateur, dont le coût est souvent très élevé. De ce fait, l'intérêt est très relatif d'autant que, si naviguer au travers d'un écran d'ordinateur est assez agréable, il n'en va pas de même sur l'écran tout riquiqui d'un téléphone.

Il existe d'autres matériels compatibles avec la technologie WAP. Je pense en particulier aux PDA ou assistants personnels de type Palm. Ils sont conçus pour afficher du texte, envoyer et recevoir des courriers électroniques et présenter des pages Web rudimentaires sur un écran assez réduit. Si vous envisagez d'utiliser un téléphone ou un PDA pour surfer sur le Web, rendez-vous chez un revendeur et demandez une démonstration. Vous vous rendrez compte par vous-même de l'intérêt ou non de cet équipement.

Un modem, dites-vous ?

Un *modem* (MOdulateur-DEModulateur) est un dispositif qui relie votre ordinateur à la ligne téléphonique ou au câble. À moins que votre ordinateur ne se trouve dans un bureau équipé d'une connexion directe à Internet, vous aurez besoin d'un modem adapté à la connexion Internet que vous utiliserez : un modem traditionnel (Figure 4.3) pour une connexion par le réseau téléphonique commuté (RTC, en clair, la ligne téléphonique que vous utilisez pour converser), un modem câble pour un abonnement Internet par le câble ou un modem ADSL pour un accès ADSL haut débit. Enfin, une dernière solution propice au partage d'une connexion haut débit consiste à utiliser un modem-routeur équipé de la technologie Wi-Fi. Ainsi, chez vous, tous les ordinateurs, quel que soit leur emplacement, et même si vous possédez un PC et un Mac, pourront se connecter à Internet grâce à cette liaison sans-fil très performante. Vous en saurez plus à ce sujet au Chapitre 5.

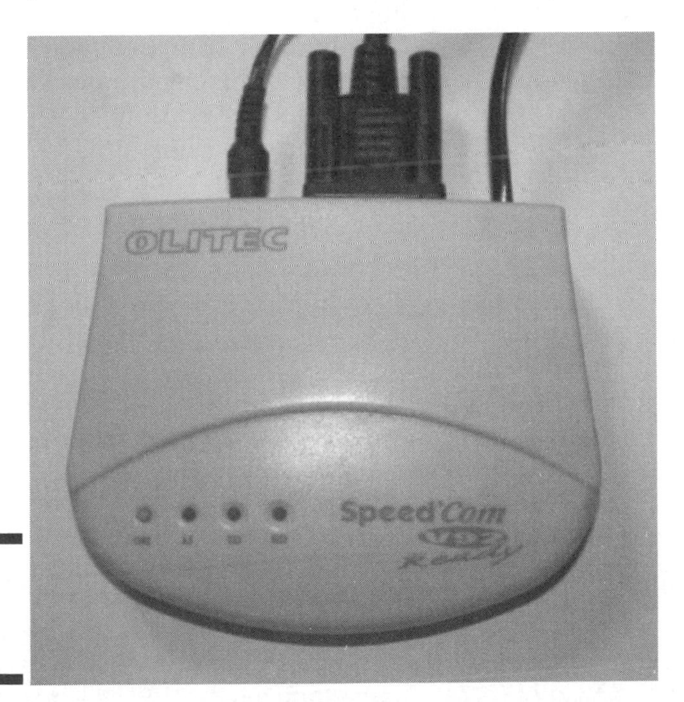

Figure 4.3 : Un modem RTC standard.

Si vous choisissez un accès Internet ADSL ou câble (décrit au chapitre suivant), le prestataire Internet vous fournira ou vous louera le modem. En revanche, pour une connexion téléphonique, c'est à vous de vous le procurer (vérifiez d'abord si l'ordinateur n'est pas déjà équipé d'un modem : s'il comporte une prise téléphonique – à ne pas confondre avec la prise de réseau un peu plus grande – il est inutile d'en acheter un).

Un modem est un petit boîtier externe ou une carte électronique présente à l'intérieur de la boîte de l'ordinateur qui interprète et convertit les signaux électriques transitant entre votre ordinateur et la ligne téléphonique. Dans le premier cas, il faudra connecter votre modem à un connecteur USB qui se trouve au dos (ou en façade) de votre ordinateur ; dans l'autre, vous n'aurez généralement rien à faire, car il sera très probablement déjà installé dans la machine.

Il existe aussi des modems internes plus délicats à installer puisqu'ils obligent à ouvrir l'ordinateur. La carte modem doit être insérée dans un connecteur PCI (je conçois que vous n'y compreniez rien). Ceci fait, allumez l'ordinateur. Windows détecte ce nouveau périphérique (nom générique donné à un matériel connecté à un ordinateur) et propose d'installer les *pilotes* (ou *drivers*), c'est-à-dire des petits programmes qui permettent à l'ordinateur de faire fonctionner le périphérique en question, c'est-à-dire le modem.

Il faudra ensuite raccorder le modem à une prise de téléphone. Si le modem est de type RTC (téléphonique), la ligne sera occupée pendant que vous serez connecté à Internet. En revanche, si le modem est de type ADSL ou câble, votre ligne téléphonique reste libre même pendant vos pérégrinations sur le Web. Vous pouvez alors téléphoner tout en étant sur le Web.

L'une des caractéristiques fondamentales d'un modem est son *débit*, c'est-à-dire le nombre de 0 et de 1 qu'il peut acheminer dans un sens ou dans l'autre par unité de temps. Il s'exprime en *bits par seconde* (bps), avec les multiples habituels : kilobits par seconde et mégabits par seconde. Les modems RTC sont de moins en moins répandus en raison de leur bas débit, limité à 56 kilobits (et en pratique à moins de 50 Kbps, pour diverses raisons techniques), à comparer avec les offres du haut débit, qui culminent actuellement à 20 mégabits par seconde. Certains modems RTC ont une fonction de télécopie, voire un répondeur téléphonique intégré.

N'oublions pas, dans le domaine du bas débit, la solution proposée par Orange sous le nom de *bas débit pro*. Le débit reste limité à 56 Kbps, mais une fonction Booster permet d'afficher les pages Web jusqu'à cinq fois plus vite. En raison de l'évolution des techniques, cette solution n'est préférée à l'ADSL (*Asymmetric Digital Subscriber Line*, voir un peu plus bas) que lorsque ce dernier n'est pas disponible là où vous résidez.

Note à l'intention des utilisateurs d'ordinateurs portables. Les machines récentes ont presque toujours un modem intégré. Si ce n'est pas le cas du vôtre, il possède peut-être un connecteur *PC Card* (anciennement appelé PCMCIA) permettant d'enficher des périphériques au format d'une carte bancaire. Achetez dans ce cas une carte modem qui puisse s'y glisser. Bien que son coût soit élevé, cela en vaut la peine. Une autre solution est d'insérer dans le connecteur *PC Card* (ou dans le port USB) un adaptateur Wi-Fi pour que votre portable se connecte à Internet par le biais d'un modem-routeur Wi-Fi ou d'un point d'accès Wi-Fi que vous trouverez dans certains lieux publics.

Revenons un instant sur le haut débit. Lorsque vous souscrivez à une des offres que nous étudions un peu plus loin dans ce chapitre, vous recevez un boîtier ressemblant à un décodeur de télévision (Figure 4.4) qui vous permet :

Figure 4.4 : Un « modem » haut débit peut ressembler à cela.

- De vous connecter à Internet au débit proposé par tel ou tel fournisseur d'accès. En effet, maintenant que certaines connexions affichent une vitesse supérieure à 20 Mbps (débit très théorique délivré seulement à proximité d'un répartiteur téléphonique), n'envisagez pas de vous connecter à AOL haut débit avec la Freebox de chez Free, ou à Free haut débit avec la Livebox d'Orange. Quoi qu'il en soit, pourquoi chercher un modem ailleurs alors que le fournisseur d'accès propose celui qui est le plus approprié à son offre ?

- De créer un réseau domestique Wi-Fi permettant à plusieurs ordinateurs de se connecter à Internet sans abonnement supplémentaire et d'échanger des données avec les fonctions de routeur.

- De téléphoner par Internet gratuitement en local et en national, et parfois en international, avec des fonctions de messagerie vocale. Nous verrons également que certaines régions françaises bénéficiant du dégroupage total, il est possible de résilier son contrat auprès de France Télécom pour ne plus payer d'abonnement à cet opérateur. L'abonnement ADSL comprend alors le téléphone illimité, et vous ne dépensez pas un centime de plus... sauf si vous appelez des numéros spéciaux (ceux en 800 et apparentés) ou des téléphones mobiles.

- De recevoir la télévision numérique par ADSL. La prise péritel du boîtier ADSL est reliée à celle du téléviseur. Cette fonctionnalité techniquement en progrès permet de choisir à la carte. Plus d'abonnement à des bouquets dont une partie des chaînes ne vous intéresse pas. Vous ne payez que pour les chaînes que vous désirez voir. Toutefois, les deux grands de la télévision satellitaire que sont Canalsat et TPS, proposent leurs bouquets *via* ADSL. Orange a récemment développé son propre bouquet TV réservé à ses abonnés.

- D'utiliser le boîtier comme modem-routeur. Il suffit d'insérer une carte PCMCIA dans le boîtier, puis des adaptateurs Wi-Fi dans vos PC pour que tous les ordinateurs du foyer se connectent à Internet *via* une seule connexion haut débit. Tous les fournisseurs d'accès Internet n'offrent pas cette option, pourtant appréciable.

Les box ADSL

Une box ADSL est un appareil fourni par un fournisseur d'accès à Internet comme Orange, Free ou Neuf à ses abonnés ADSL. Ce boîtier sert à la base de modem ADSL et de routeur Ethernet et Wi-Fi. Les opérateurs offrent également la possibilité à leurs abonnés de recevoir certains bouquets de programmes télé ainsi que de la vidéo à la demande (location de films sur le Net). Souvent, l'abonnement comprend également une offre de téléphonie (VoIP) qui permet à l'utilisateur de téléphoner gratuitement vers des lignes fixes. Ces dispositifs sont livrés avec un CD d'installation qui vous guide pas à pas dans la configuration de votre connexion.

La Figure 4.5 montre la Livebox d'Orange et la Figure 4.6, la Freebox de Free.

La clé USB 3G

La clé USB 3G se comporte comme un modem mais elle utilise le réseau GSM pour se connecter au Net. La partie modem de la clé est compatible avec les technologies 2G (GPRS/EDGE) et 3G+ (UMTS/HSDPA).

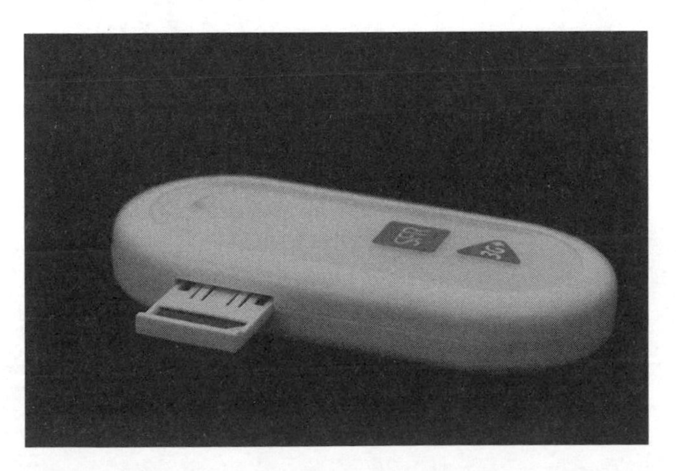

Figure 4.5 : La Livebox d'orange.

Figure 4.6 : La Freebox de Free (boîtier ADSL à gauche boîtier HD à droite).

Cette clé permet, une fois connectée à un ordinateur, qu'il soit portable ou de bureau, de surfer sur Internet et d'utiliser une messagerie électronique n'importe où du moment que le réseau GSM SFR est disponible. C'est une solution intéressante pour tous ceux qui se déplacent beaucoup et qui ont besoin d'avoir un accès quasi permanent à Internet, sans avoir à rechercher un point d'accès Wi-Fi.

Les fournisseurs d'accès

Résumons : vous devez posséder un micro-ordinateur et un modem, disposer d'une ligne téléphonique et souscrire un abonnement auprès d'un fournisseur d'accès Internet.

Deux choix sont possibles pour vous connecter à Internet, trois avec un peu de chance :

- **Choix 1 : s'abonner à un service en ligne.** Appelé aussi « fournisseur de contenu », comme AOL. Ces services paraissent plus faciles à utiliser pour le néophyte et les informations qu'ils proposent sont présentées d'une manière plus organisée. Mais tous ne procurent pas un accès à l'ensemble des ressources d'Internet, et vous devez utiliser leur logiciel pour vous connecter.
- **Choix 2 : s'abonner à un fournisseur d'accès Internet (FAI).** Il ne propose que l'accès à l'ensemble des ressources d'Internet, sans plus. Vous pouvez néanmoins accéder à leur site portail, c'est-à-dire une page Web contenant des informations concernant la majorité des domaines de la vie courante (journaux, météo, astrologie, e-commerce, *etc.*) comme le montre la Figure 4.7. Pour utiliser ce compte, vous avez besoin d'un programme de connexion à distance (fourni avec votre système d'exploitation), d'un logiciel de messagerie et d'un navigateur Web (nous expliquerons tous ces termes un peu plus loin dans ce chapitre). Aujourd'hui, la plupart des FAI proposent des programmes de connexion automatisés, sous la forme de kit de connexion.

Figure 4.7 : La page d'accueil d'un fournisseur d'accès Internet.

- **Choix 3 : optez pour une connexion haut débit du type ADSL ou câble.** L'ADSL permet de faire passer simultanément des données et de la voix sur une ligne téléphonique, et le câble (disponible seulement dans les grandes villes bénéficiant de la télédistribution par câble) n'est pas disponible sur tout le territoire national. Si l'accès Internet par le câble télévision est disponible dans votre ville, il suffit d'appeler le câblo-opérateur pour prendre rendez-vous avec un technicien qui se chargera de l'installation. Finis alors les aléas de la connexion : vous serez connecté en permanence sans plomber votre facture de téléphone et sans bloquer votre ligne téléphonique.

Internet, tout Internet et rien d'autre qu'Internet...

L'autre type de connexion à considérer est la fourniture d'accès « pure et dure ». Elle fournit de la « connectivité » à Internet et rien d'autre. Ici, plus d'interface propriétaire, tout est banalisé, et vous ne vous apercevez de la différence d'un fournisseur d'accès à un autre que par la qualité de ses prestations, la facilité et la régularité des connexions, le débit réel de la ligne, la compétence de l'assistance technique, *etc.*

Une fois la connexion établie, votre ordinateur devient partie intégrante d'Internet. Vous saisissez des informations destinées à des logiciels qui tournent sur votre propre machine, et ce sont ces derniers qui communiquent avec Internet.

Ce type d'accès permet de profiter de tous les avantages du système d'exploitation de votre ordinateur : affichage graphique, souris, reproduction sonore, *etc.* Pour les systèmes multitâches comme Windows et Mac OS, plusieurs applications Internet peuvent être lancées concurremment : la messagerie, le téléchargement, la navigation sur le Web... Vous pouvez, par exemple, lire un message électronique présentant une page Web intéressante, basculer directement vers votre navigateur Web (le plus souvent Internet Explorer, Firefox ou, sur le Mac, Safari), consulter cette page, puis revenir à votre programme de messagerie pour reprendre la lecture là où vous l'aviez laissée. La plupart des programmes de messagerie actuels chargent automatiquement une page Web si vous cliquez (Windows Mail, par exemple) ou double-cliquez sur le lien figurant dans un message.

Autre avantage non négligeable : vous pouvez utiliser n'importe quel programme Internet en plus de ceux que votre fournisseur d'accès a pu vous remettre. Vous pouvez télécharger sur Internet une nouvelle application et la mettre immédiatement en service. Votre fournisseur d'accès n'agit que comme un conduit de données entre votre ordinateur et le Net.

L'Internet nomade

Pouvoir se connecter en déplacement est parfois difficile. Une possibilité consiste à brancher votre modem sur la prise téléphonique de l'hôtel et à composer le numéro de votre prestataire Internet. Vérifiez auprès de ce dernier si cela reste possible partout au prix d'un appel local ou si cela est compris dans votre forfait. De même, si vous allez à l'étranger, voyez avec votre prestataire s'il propose une formule. De nombreux hôtels d'affaires haut de gamme fournissent l'accès haut débit à Internet. Votre ordinateur doit disposer d'un port réseau (Ethernet). La connexion coûte environ dix euros par jour.

La majorité des nouveaux portables sont équipés Wi-Fi, c'est-à-dire l'Ethernet radio sans-fil. Si le vôtre ne l'est pas, vous pouvez acheter un adaptateur Wi-Fi à brancher dans un des emplacements sur le côté de l'ordinateur. Les points d'accès Wi-Fi (*hotspots* en anglais), où vous captez le signal radio et pouvez vous connecter au Net, se répandent dans les cybercafés, les hôtels et les immeubles de bureaux. Vous pouvez allumer votre PC, capter un signal Wi-Fi et naviguer sur le Net.

Si vous voulez surfer tout en vous déplaçant, équipez votre portable d'un modem *cellulaire,* un modem qui fonctionne comme un téléphone portable. Les modems cellulaires, plutôt chers et lents, ne remplacent pas une connexion classique. Ils sont cependant pratiques pour se connecter depuis n'importe quel endroit (même en faisant du pédalo au milieu d'un lac, si si) afin d'envoyer ou de recevoir des pièces jointes peu volumineuses, comme l'itinéraire à suivre pour aller vers le port à pédalos de l'autre côté du lac.

Si vous ou vos enfants surfez régulièrement, vous réaliserez que, lorsque vous êtes connecté, le temps s'arrête et que vous y restez beaucoup plus que vous n'auriez imaginé. Même si vous pensez que vous ne serez connecté que quelques minutes par jour, si vous n'avez pas de forfait, vous serez surpris de la note de téléphone.

Le coût mensuel des connexions en haut débit va de 10 euros à beaucoup plus, car les offres sont multiples et changeantes, les opérateurs ayant décidé que le plus sûr moyen d'éviter les comparaisons était de compliquer à outrance les forfaits.

Aux coûts de l'installation et du modem spécial (il existe cependant des offres avec modem et frais d'installation gratuits, moyennant un engagement d'un an par exemple), il faut ajouter des surcoûts pour la téléphonie illimitée et la télévision (consultez la section « Les offres haut débit », un peu plus loin dans ce chapitre). Le câble et l'ADSL ne monopolisent pas

Combien ça coûte, tout ça ?

Vous pouvez dépenser pas mal d'argent pour réaliser votre connexion Internet. Ou, si vous vous débrouillez bien, réduire votre mise de fonds à l'essentiel. Nous allons voir de plus près ce qu'il en est.

Tarifs des prestataires d'accès

Les formules les plus courantes sont la connexion à la minute (peu avantageuse sauf pour des connexions très sporadiques ou depuis une chambre non équipée pour l'Internet), la connexion gratuite illimitée, hors coût de communications téléphoniques, et le forfait pour un certain nombre d'heures par mois, limité ou illimité, frais de communications téléphoniques inclus. Si le nombre d'heures est limité et que vous dépassez le quota, chaque minute de connexion supplémentaire est facturée. La tendance des grands FAI français est de proposer un « kit » complet pour environ 30 euros par mois.

Voyons à qui s'adressent de façon préférentielle ces les types de connexion proposés :

- L'accès gratuit hors coût de communication téléphonique intéressera surtout ceux qui ne se connectent que peu à Internet, principalement pour échanger du courrier électronique. Leur consommation excède rarement trois à cinq heures par mois, et le coût des forfaits pour si peu d'heures n'est pas réellement intéressant.
- Les forfaits intéresseront surtout les internautes assidus, car le coût de la minute de connexion est plus faible qu'avec l'autre formule, pour peu que l'on parvienne à une consommation réelle voisine (en plus ou en moins) du nombre d'heures auquel on a souscrit. Ces forfaits peuvent aussi être illimités.

votre ligne téléphonique lorsque vous êtes connecté, ce qui évite de recourir à une seconde ligne téléphonique. D'où l'intérêt de l'ADSL ou du câble qui, tout compte fait, ne sont pas beaucoup plus chers, voire moins chers. Les connexions câble et ADSL sont toujours établies – pas de numéro à composer – et sont plus rapides.

Les connexions à haut débit

Pour profiter confortablement d'Internet et de ses attraits (animations, son, vidéo, télévision, téléphonie illimitée...), le haut débit s'impose en raison de sa *bande passante* élevée qui permet de transférer beaucoup plus de données dans un même intervalle de temps.

Il vous faudra une carte réseau

La connexion haut débit à Internet nécessite un modem spécial fourni par le FAI. Il se branche sur l'ordinateur par le biais d'une carte réseau ou d'un port USB.

La majorité des nouveaux ordinateurs est fournie avec une *carte réseau* intégrée qui peut également être utilisée pour connecter l'ordinateur à un réseau local. Les cartes réseau (ou *adaptateurs réseau*, *adaptateurs Ethernet*) disposent d'un *connecteur RJ-45* qui ressemble à la miniprise du téléphone, mais en plus grosse (Figure 4.8).

Figure 4.8 : Une carte réseau typique avec son connecteur RJ-45.

Les nouveaux ordinateurs sont aussi équipés en standard d'au moins deux ports USB. Ils servent à connecter toutes sortes d'équipements à votre ordinateur, de la souris à l'imprimante, en passant par des disques durs ou des graveurs de

DVD (un port USB se présente sous la forme d'un petit trou rectangulaire).

Si l'installateur du modem câble ou ADSL vous signale que votre ordinateur ne dispose pas de la carte réseau ou du port USB nécessaire pour connecter votre modem haut débit, ajoutez ou faites ajouter une carte réseau ou un adaptateur USB.

Les offres haut débit

Internet est désormais fait pour ceux qui surfent en haut débit, comme le prouve la débauche d'images, d'effets spéciaux, de vidéo et autre contenu multimédia que les modems téléphoniques téléchargent laborieusement. Si ce n'est déjà fait, vous avez intérêt à opter pour le haut débit si :

- Vos durées de connexion dépassent allègrement le forfait auquel vous avez souscrit.
- Vos besoins en téléchargements (musique, vidéo, images, *etc.*) sont importants.
- Vous désirez un affichage rapide, voire instantané, des pages Web.
- Vous souhaitez ne plus payer de communications téléphoniques pour converser souvent avec un correspondant à l'autre bout du pays.
- Vous désirez recevoir des chaînes de télévision que vous avez sélectionnées, et non un bouquet.
- Vous désirez que plusieurs personnes dans votre foyer puissent surfer simultanément sur Internet, chacun de leur ordinateur, pendant que la grande sœur téléphone et que le petit dernier regarde ses dessins animés (Ne rêvons pas, à l'heure actuelle, ce cas de figure est encore illusoire car la bande passante finit par être réduite sur chaque ordinateur, mais nul doute que l'on y parviendra un jour).

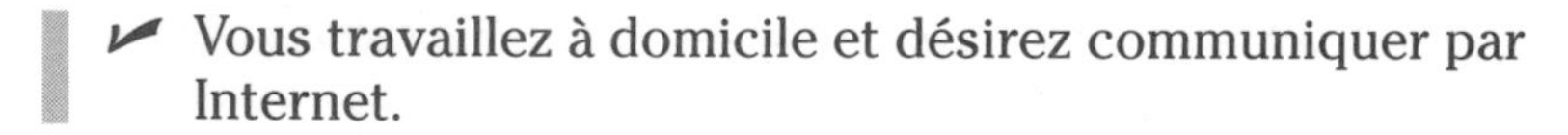

- Vous travaillez à domicile et désirez communiquer par Internet.

En revanche, si vous souhaitez uniquement envoyer des courriers, si vous n'effectuez que rarement des recherches approfondies sur le Web, ou bien si vous ne souhaitez pas profiter de la téléphonie gratuite parce que le montant de vos factures est largement inférieur à 30 euros par mois, une connexion RTC suffira, et même sans souscrire le moindre forfait en optant pour le paiement à la minute.

Mais, nous sommes dans une section consacrée à l'étude des offres actuelles en matière de haut débit. Examinons les deux types de connexions haut débit les plus répandues, c'est-à-dire l'ADSL et le câble, en ignorant le satellite qui reste encore un type de connexion marginal et fort onéreux, réservé aux zones géographiques qui ne bénéficieront jamais de l'ADSL ou à la navigation... sur les océans.

Connexions par câble

Comme nous l'avons dit plus haut, Internet est également accessible par le câble. Ce type de service n'est disponible que dans les grandes villes possédant un réseau câblé.

La tarification varie de 20 à 60 euros par mois pour une connexion illimitée, avec un débit de 1 à 20 Mo. La politique antérieure, qui consistait à limiter le forfait à une certaine quantité d'information transférée, au-delà de laquelle un supplément devait être versé au prestataire de services, semble avoir été totalement abandonnée.

Attention, toutefois, la solution du câble télévision pour se connecter à Internet n'offre pas que des avantages. Vous êtes lié au fournisseur d'accès qui gère le câble, et il vous est impossible d'en changer. Or, disposer d'une clientèle captive n'incite guère un fournisseur à faire preuve de zèle dans la qualité de ses prestations. En outre, si vous habitez dans une zone ou dans un immeuble où beaucoup de gens ont choisi cette solution et se partagent donc l'accès au même câble, le débit réel de la connexion pourra être très inférieur à celui qui était annoncé par votre prestataire.

L'ADSL

L'ADSL (*Asymmetric Digital Subscriber Line,* ligne asymétrique d'abonné numérique) transmet simultanément des données en haut débit et la voix par une même ligne téléphonique. Ainsi, vous ne bloquez pas votre ligne téléphonique lorsque vous êtes sur le Net. Le débit théorique dépend de la distance qui sépare l'abonné du sous-répartiteur local, et il décroît lorsque cette distance augmente. Théoriquement, dans le meilleur des cas, il peut atteindre plus de 20 Mbps dans le sens descendant (en réception).

Dans les zones urbaines, le raccordement à l'ADSL ne pose pas de problème pour peu que France Télécom y ait établi un point d'accès. Il n'en va pas de même dans les zones rurales (ou même dans la grande couronne parisienne) où certains abonnés peuvent se situer dans des zones à faible densité de population, éloignées du répartiteur France Télécom. Avant d'accepter votre demande de raccordement, France Télécom effectuera un essai de la qualité technique de votre ligne et, si le résultat ne permet pas de garantir le débit spécifié pour la formule à laquelle vous souscrivez, votre demande sera refusée. Il ne vous restera plus qu'à espérer qu'un répartiteur soit installé plus près de chez vous ou que la qualité de votre ligne soit améliorée, ce qui peut prendre un certain temps.

Être connecté en permanence à Internet n'implique pas que vous ne paierez plus vos communications téléphoniques locales. Ces dernières vous seront facturées tous les deux mois, comme à l'accoutumée, la téléphonie gratuite par Internet, *via* votre modem ADSL, étant une offre qui s'ajoute à l'abonnement et aux appels effectués avec un téléphone conventionnel. Cependant, dans l'offre de certain FAI, tout est compris !

Lorsque le dégroupage totale de votre ligne est possible, vous n'êtes plus obligé d'avoir un abonnement à France Télécom ce qui permet de faire une économie mensuelle substantielle. (Voir plus loin dans ce chapitre.)

La technique

En même temps que le modem ou le boîtier ADSL, vous recevrez un ou plusieurs filtres qui se présentent sous la forme d'une prise gigogne à brancher sur la prise de téléphone murale. Elle possède une grande prise en « T » dans laquelle vous brancherez le téléphone classique et une autre prise plus petite, de type RJ-41, à laquelle vous brancherez la miniprise téléphonique du modem. Si votre habitation est truffée de prises de téléphone, sachez que l'installation ne peut supporter plus de trois filtres. Au-delà, il faut faire intervenir un technicien. En ce qui concerne l'équipement, les formules peuvent varier. La Livebox d'Orange accepte la plupart des téléphones sans-fil récents, tandis que les boîtes AOLbox + AOLphone sont équipées d'un combiné téléphonique sans-fil intégré.

L'ADSL aujourd'hui

Le nombre d'abonnés à l'ADSL s'est considérablement accru, de même que le débit. Ce dernier varie d'un fournisseur d'accès à un autre, et d'un utilisateur à un autre, mais aussi selon diverses contraintes techniques :

- Une connexion ADSL classique repose sur un modem ADSL à 512 Kbps ou plus. Vous surferez sur Internet, téléchargerez des fichiers et échangerez des courriers. En revanche, pour bénéficier des offres complémentaires (téléphonie, télévision...) un boîtier spécial est nécessaire.

- Une connexion ADSL avec un boîtier dont le nom varie en fonction du fournisseur d'accès : *FreeBox* chez Free, *Livebox* chez Orange, *Neuf Box* chez Neuf Télécom, ou encore *Alicebox* chez Alice (qui n'est autre que Free désormais). Dans ce cas, vous pouvez, en fonction des services offerts, surfer sur Internet, télécharger des fichiers, échanger des courriers, mais aussi téléphoner gratuitement (moyennant un forfait supplémentaire) et recevoir des chaînes de télévision numérique. La vitesse de connexion peut théoriquement dépasser 20 Mbps.

L'ADSL n'est effectif que si vous êtes raccordé au réseau ADSL. La demande de raccordement est transmise à France Télécom par le fournisseur d'accès auprès duquel vous avez souscrit l'abonnement à l'ADSL. Pour savoir si vous êtes connecté, il suffit de laisser brancher en permanence le modem ou le boîtier. Une fois le raccordement effectif, la synchronisation ADSL s'opère automatiquement et s'affiche sous forme d'un voyant vert, ou de l'affichage de l'heure sur certains boîtiers. En fonction de votre boîtier ou de votre modem, la synchronisation ADSL prendra d'autres formes.

Quand êtes-vous connecté ?

La réponse dépend, là encore, du type de connexion ADSL.

Avec un modem ADSL, c'est-à-dire des connexions dépassant rarement les 1024 Kbps, la connexion s'effectue comme avec un modem RTC. Vous devez lancer votre navigateur ou votre programme de connexion. Il compose un numéro de téléphone qui permet alors de vous connecter au réseau ADSL. À partir de cet instant, comme le prix de votre forfait entend une connexion illimitée, rien ne vous oblige à vous déconnecter. En d'autres termes, restez connecté 24h/24. La déconnexion ne se fera qu'au moment où vous éteindrez votre ordinateur.

Avec les nouveaux boîtiers qui envahissent maintenant le marché, vous vous connectez à une vitesse allant de 512 Kbps à plus de 20 Mbps, en fonction de la qualité de votre ligne et des services de votre FAI. En général, vous êtes connecté au réseau ADSL en permanence, même lorsque votre ordinateur est éteint. Bien sûr, celui-ci devra être allumé pour surfer sur le Net, en revanche, vous n'avez pas besoin de le mettre en marche pour téléphoner ou regarder la télévision par l'intermédiaire de ce boîtier.

À grand renfort publicitaire, les FAI annoncent des vitesses vertigineuses, dépassant les 20 Mo. N'oubliez jamais que cette vitesse n'est atteinte que dans des conditions optimales. Or, je ne connais personne qui en dispose. Il faut sans doute habiter dans les locaux techniques du FAI pour surfer à la vitesse de 20 Mo ou plus. À trois ou quatre kilomètres d'un nœud de raccordement ADSL, l'affaiblissement est d'une cinquantaine de décibels. Il en résulte une connexion à 2 Mbits/s, ce qui permet de téléphoner mais pas de recevoir la télévision dans des conditions optimales. L'image est saccadée, ressemblant plus à un diaporama qu'à un film.

Les déconnexions intempestives ne sont pas rares. En effet, le réseau ADSL subit de nombreuses opérations de maintenance et de mise à niveau. Une déconnexion par jour n'a rien d'exceptionnel. Dans ce cas, si vous utilisez un modem ADSL classique, relancez la procédure de numérotation pour rétablir la connexion. Avec un boîtier ADSL, la connexion se rétablit automatiquement (sur la Livebox, il faut demander expressément la reconnexion automatique dans les Préférences). Si ce n'est pas le cas au bout de quelques heures, débranchez l'alimentation électrique de votre boîtier et rebranchez-la quelques secondes plus tard, ou appuyez sur le bouton de réinitialisation. Ces actions relancent la procédure de synchronisation du boîtier avec le réseau ADSL, rétablissant ainsi la connexion. Des déconnexions trop fréquentes peuvent provenir de :

- L'absence de filtres ADSL sur la totalité des prises téléphoniques auxquelles sont raccordées un téléphone.
- Un filtre ADSL défectueux.
- Un boîtier ou modem ADSL défectueux.

Le dégroupage

La totalité du réseau téléphonique français appartient à l'opérateur « historique » France Télécom. Il est donc difficilement envisageable, notamment pour une question de coût et de délais, qu'un autre opérateur installe un réseau téléphonique concurrent. Toutefois, par décision européenne, France Télécom ne peut plus jouir de son monopole sur l'utilisation de son propre réseau et doit donc louer une partie de ses infrastructures à d'autres opérateurs qui y installeront leurs équipements et pourront offrir des services concurrentiels, brisant ainsi le monopole sur la téléphonie et, par conséquent, sur Internet. C'est cette cession d'une partie du réseau qui est appelée *dégroupage.*

Un dégroupage peut être partiel ou total.

Le dégroupage partiel

Sur une ligne téléphonique, les fréquences basses transmettent la voix et les fréquences hautes les données. Ces deux types d'informations transitent simultanément par la même ligne téléphonique. C'est pourquoi vous pouvez au même moment surfer en haut débit et téléphoner.

Le dégroupage partiel donne accès à un autre opérateur que France Télécom, à la bande des fréquences hautes (c'est-à-dire non vocales). Comme il s'agit d'une opération technique « bon marché », les nouveaux FAI peuvent proposer et gérer toute la connexion ADSL. Par conséquent, vous surfez sur Internet par le biais d'un forfait souscrit auprès d'un FAI ou d'un service en ligne haut débit, avec la possibilité de téléphoner sans recourir directement à France Télécom. On parle de *téléphonie gratuite* en plus de l'accès Internet haut débit. Toutefois, dans ce genre de configuration, France Télécom continue à gérer le réseau téléphonique. Il est donc impossible de résilier son abonnement auprès de l'opérateur historique. De nombreux utilisateurs pestent car ils sont obligés de rester abonnés à France Télécom alors qu'ils ne lui paient plus aucune communication. On peut dire, par exemple, qu'un utilisateur de Free qui dispose de la Freebox paie un abonnement de 29,90 euros pour surfer sur Internet et téléphoner gratuitement, abonnement auquel s'ajoute celui de France Télécom. On obtient une somme supérieure à 40 euros par mois. Mais, on ne peut pas faire autrement tant que notre ligne téléphonique n'est pas éligible pour passer à état autrement plus intéressant pour le consommateur : le dégroupage total.

Le dégroupage total

Le dégroupage total, comme son nom le laisse supposer, donne à un opérateur autre que France Télécom la possibilité de gérer tous les aspects d'une ligne téléphonique. Le client ne dépend plus du tout de France Télécom.

Les conséquences pratiques d'un dégroupage total

Le dégroupage total permet de résilier l'abonnement auprès de France Télécom, c'est-à-dire économiser environ 13 euros par mois auxquels s'ajoute le prix des communications locales et nationales. Désormais, vous ne pouvez plus téléphoner que par l'intermédiaire du matériel fourni par votre FAI, c'est-à-dire le boiter de connexion ADSL sur lequel est raccordé votre téléphone. Vous disposez d'un nouveau numéro commençant par 08 ou 09, mais certains FAI proposent la portabilité du numéro. Grâce à elle, vos correspondants continuent à vous téléphoner en composant le numéro qui vous a été attribué par France Télécom. Lorsque votre ligne est totalement dégroupée, tout correspondant qui vous appelle, quelle que soit sa zone géographique en France, ne paie que le prix d'une communication locale. De plus, la plupart des FAI permettent de téléphoner gratuitement vers les pays de l'Union européenne (voir la liste des pays et les tarifs sur le site du fournisseur d'accès).

Voici les opérateurs qui se lancent dans le dégroupage total. Si, à terme, vous ne désirez plus dépendre de France Télécom et souhaitez ne payer qu'un seul forfait pour surfer sur Internet et téléphoner sans limite, il est plus judicieux de vous diriger vers eux :

- **SFR Neufbox.** Très actif en matière de dégroupage, SFR équipe de nombreux répartiteurs dans toutes les grandes villes de France. SFR propose Internet haut débit 20 méga, la téléphonie illimitée vers 90 destinations, la télévision HD et une connexion modem-routeur Wi-Fi, le tout grâce à son boîtier Neuf Box. (Voir le Tableau comparatif 4.1 en fin de section.)

- **Cegetel.** Il n'est entré sur le marché de l'ADSL grand public que depuis janvier 2004. (Voir le Tableau comparatif 4.1 en fin de section.)

- **Free.** Immédiatement présent sur le dégroupage partiel et total, Free ne propose ses offres ADSL qu'à ses clients finaux. Malgré un réseau dégroupé moins important, mais qui ne cesse de progresser, Free est l'opérateur le plus innovant. Ses offres sont claires. Un seul prix et toutes les possibilités : Internet haut débit à 28 Mbps. À cela s'ajoute la télévision numérique, la téléphonie gratuite vers les fixes de 103 pays, par le biais de son boîtier Freebox qui fait également office de routeur. (Voir le Tableau comparatif 4.1 en fin de section.)
- **Bouygues Télécom.** Arrivé récemment sur le marché du haut débit fixe, Bouygues propose sa Bbox avec deux offres. Internet seul et la totale, comprenant des heures gratuites vers tous les mobiles.

Avant de souscrire à une offre comprenant la téléphonie gratuite, renseignez-vous pour savoir si votre ligne passera ou non en dégroupage total. Lui seul permet de résilier votre abonnement auprès de France Télécom pour éviter de payer tous les mois 13 euros à fonds perdus.

Pour accéder au dégroupage total, il suffit de le demander au FAI. Normalement, il s'occupe d'en avertir France Télécom. Pour prendre un exemple, auprès d'un prestataire comme Free, ma demande de dégroupage total a été effective deux jours après la réception de mon courrier par le FAI. France Télécom a confirmé par lettre la résiliation de mon abonnement. Désormais, tout en conservant mon ancien numéro de téléphone, je surfe en ADSL, je téléphone et je peux regarder la télévision pour la somme forfaitaire de 29,90 euros. Finis l'abonnement bimestriel !

La téléphonie par Internet, sous forme de connexion par un boîtier ADSL, pose cependant quelques problèmes. D'abord, les communications sont parfois étranges. Vous vous entendez avec un certain écho. Même si ce problème tend à diminuer, il reste présent. Parfois, votre interlocuteur a l'impression que vous parlez dans une caverne, ou que vous n'êtes plus là. À certains moments, il est impossible d'établir la moindre communication. Enfin, par ce principe numérique, il n'est plus possible d'envoyer de fax.

Où trouver un fournisseur d'accès ?

- Consultez les magazines informatiques spécialisés dans Internet (par exemple *.Net*). Outre de nombreuses publicités, vous y trouverez parfois des tableaux comparatifs.
- Demandez à vos amis ayant un accès Internet quel fournisseur d'accès ils utilisent et quel est le degré de leur satisfaction.
- Le site Web `http://www.abonnement-adsl.biz/` (Figure 4.9) propose des tableaux régulièrement mis à jour détaillant les différents modes de connexion à Internet. Mais il n'intéressera évidemment que ceux qui sont déjà pourvus d'une connexion Internet et désirent en changer.

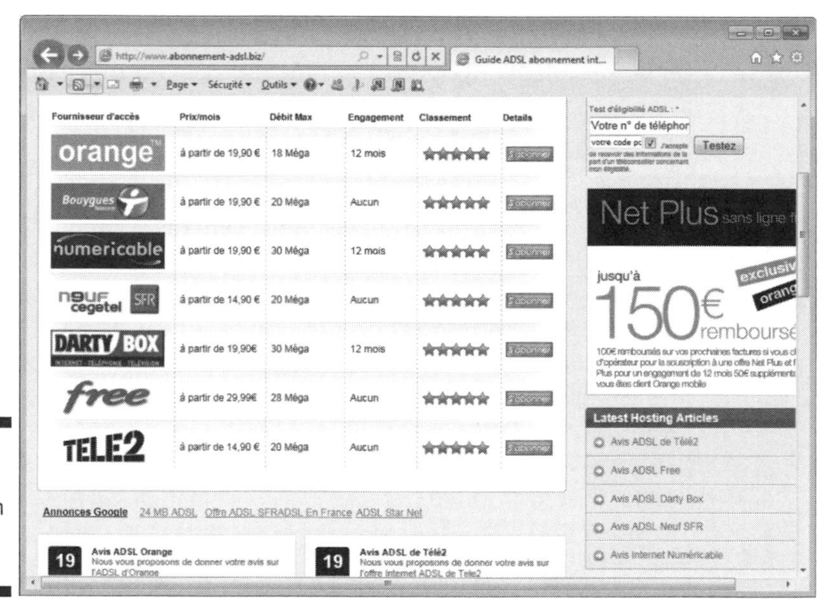

Figure 4.9 : Un site de comparaison des offres haut débit.

La souscription à un abonnement

Tous les fournisseurs d'accès ont un numéro de téléphone que vous pouvez appeler pour avoir des précisions sur leur offre. Vous pouvez ainsi poser toutes les questions qui vous viennent à l'esprit, ce qui peut s'avérer utile, surtout si vous êtes nouveau venu à Internet. Parmi ces questions, renseignez-vous sur le ou les logiciels qui vous seront fournis. Si les réponses que vous obtenez ne vous paraissent pas convaincantes ou que votre interlocuteur semble avoir d'autres choses plus importantes à faire que de vous renseigner, essayez un autre fournisseur. C'est une solution possible mais ce n'est pas la meilleure, car vos interlocuteurs seront des commerciaux et non des techniciens. Soit ils ne seront pas capables de répondre à des questions trop précises, soit ils inventeront...

Si vous avez déjà de l'expérience, que vous préfériez « parler » avec une machine, que vous possédiez déjà l'équipement de base nécessaire ou qu'un de vos amis vous permette d'utiliser son installation à cette fin, connectez-vous sur le serveur Web de votre fournisseur (presque toujours indiqué dans sa publicité). Vous pourrez ainsi avoir un maximum de détails ou bien constater le flou de son offre. Dans ce cas, vous avez compris ce qu'il vous reste à faire.

Nous allons, sous forme de tableau (Tableau 4.1), récapituler les offres ADSL dites modernes, c'est-à-dire celles qui incluent au moins la téléphonie. Pour les autres, connectez-vous au site Web d'un FAI.

Les fournisseurs d'accès ont pris l'habitude d'afficher et de vendre les vitesses de connexion les plus rapides. Vous devez impérativement aller sur leur site Web pour savoir si la région où vous habitez fait partie des zones dégroupées, donc les plus rapides. Si ce n'est pas le cas, ça le deviendra sans doute un jour. Mais, en attendant, vous surferez à des vitesses bien moindres, par exemple 1024 Ko/s au lieu de 20 Mo/s.

Vérifiez toujours les points suivants :

- Le raccordement au réseau ADSL est-il gratuit ?
- Y a-t-il des frais de déconnexion en cas de résiliation ?
- Le modem est-il ou non fourni sans surcoût ?
- La téléphonie est-elle incluse dans l'abonnement ?

Tableau 4.1 : Les offres ADSL avec téléphonie et autres services.

FAI	Vitesse de connexion	Téléphonie	Télévision	Routeur	Dégroupage total	Prix	Site
free	28 méga en zones dégroupées	Oui	Oui (plus abonnement à des chaînes thématiques)	Oui	Oui	29,99 €	http://adsl.free.fr/
orange	1, 8, ou 18 méga	Oui avec abonnement supplémentaire sauf pack illimité et la Livebox (3 €/mois)	Oui	Oui	Non	4 offres allant de 34,90 à 44,90 €	www.orange.fr
Alice (Free)	28 méga	Oui	Oui	Oui	Oui	29,90 €	www.aliceadsl.fr/.
DARTY BOX	20 méga	Oui (vers 40 destinations internationales)	Oui	Oui	Oui	29,90 €	www.dartybox.com.
SFR (NeufBox et ex Télé2)	20 méga	Oui (vers 90 destinations internationales)	Oui	Oui	Oui	29,90 €	http://adsl.sfr.fr/adsl/.
Bouygues	20 méga	Oui (65 destinations)	Oui	Oui	Oui	29,90 € (offre totale) ou 19,90 € (Internet seul)	http://www.bouyguestelecom.fr/

- Le routeur est-il intégré ou faut-il ajouter une carte au boîtier ? À quel prix ?
- Un accès bas débit illimité est-il proposé en cas de panne du réseau ou de votre matériel ? C'est ce qu'offre Free en plus de son haut débit par la Freebox. Vous disposez d'un numéro spécialement dédié à votre ligne téléphonique qui permet de vous connecter en bas débit avec un modem traditionnel en cas de panne de votre Freebox. Rien ne vous empêche alors de connecter simultanément une machine en haut débit et une autre en bas débit. Vous ne payez rien ! Bien évidemment, si vous êtes en dégroupage total, dans la mesure où vous n'avez plus de ligne téléphonique classique, l'offre bas débit gratuite ne vous sert à rien !

Le choix n'est pas simple. Nous ne pouvons pas conseiller tel opérateur plutôt que tel autre. Les chiffres parlent d'eux-mêmes, à vous d'aller vers la meilleure solution technique au regard de vos besoins. Demandez une validation de votre débit réel et non pas du débit théorique. En effet, même si théoriquement vous pouvez disposer de 24 mégas de débit qu'en est-il réellement ?

Bien évidemment, consultez régulièrement les offres car les prix et services du Tableau 4.1 ne sont qu'indicatifs. C'est un marché où la concurrence est rude, donc soumise à fluctuations.

Surfer oui, mais en toute sécurité !

Avec toutes ces propositions, vous allez bien finir par vous connecter à Internet. Toutefois, dès que le modem sera correctement installé et la communication Internet établie, patientez un peu avant de foncer tête baissée dans l'antre du monstre. Vous devez vous protéger, car s'il y a bien un lieu virtuel aussi dangereux que le réel, c'est Internet, où il est impératif de sortir couvert. Vous devez vous préserver des virus et des espiogiciels présentés au Chapitre 2.

Y'a le feu à la baraque !

Un *pare-feu* est une barrière dressée entre votre (ou vos) ordinateur(s) et Internet. Dans les grosses entreprises, le pare-feu est un ordinateur dédié à une seule tâche : surveiller le trafic entrant et sortant pour déceler les tentatives d'intrusions en tout genre. À la maison ou au bureau, vous avez deux possibilités :

- Utiliser le pare-feu intégré de Windows 7. Pour savoir s'il est opérationnel sous Windows 7 :

  1. **Cliquez sur Démarrer/Panneau de configuration.**
  2. **Cliquez sur Système et sécurité.**
  3. **Cliquez sur Pare-feu Windows.**
  4. **Si, dans la boîte de dialogue éponyme, vous notez que le pare-feu est désactivé, cliquez sur Activer ou désactiver le pare-feu Windows.**
  5. **Activez alors le bouton radio Activer le pare-feu Windows, comme à la Figure 4.10.**
  6. **Cliquez sur OK pour quitter la boîte de dialogue Paramètres du Pare-feu Windows.**

  Dès que le pare-feu de Windows 7 est opérationnel, vous disposez d'une première protection contre les pirates du Web. Toutefois, cela ne dispense pas de mettre Windows à jour *via* Windows Update.

- Vous pouvez également utiliser un *routeur*, c'est-à-dire un petit périphérique externe qui s'installe entre votre ordinateur et votre modem. Souvent, le modem lui-même fait office de routeur, ce qui évite d'en acheter un quand il vous est fourni par votre FAI. Le routeur contient en général un logiciel pare-feu qui est sans arrêt en activité. Pour plus d'informations sur l'utilisation des routeurs et la connexion de plusieurs ordinateurs, consultez le Chapitre 5.

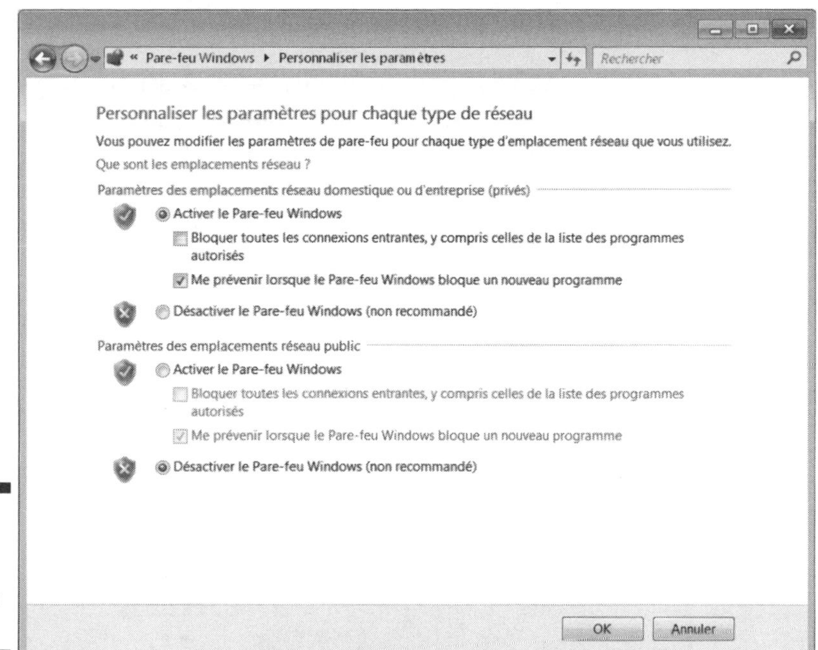

Figure 4.10 : Vérifiez que le pare-feu de Windows 7 est actif.

Nous recommandons l'utilisation d'un routeur. Il permettra à plusieurs ordinateurs installés chez vous d'accéder simultanément au Web. De plus, si vous consultez bien les offres haut débit que nous détaillons un peu plus haut dans ce chapitre, vous constaterez que de plus en plus de fournisseurs d'accès proposent un modem ADLS de type routeur, et généralement Wi-Fi.

Un brin d'immunité

Les *virus* sont de petits programmes qui arrivent par le courrier électronique ou qui sont nichés dans des logiciels que vous téléchargez. Immédiatement installés dans votre ordinateur, ils s'adonnent à leur malfaisante besogne, comme nous le mentionnions au Chapitre 2. Un logiciel antivirus est indispensable. Il devra être régulièrement mis à jour.

Il existe de nombreux logiciels antivirus. Les deux programmes les plus utilisés sont McAfee VirusScan, que vous pouvez télécharger à l'adresse www.mcafee.fr, et Norton Antivirus que vous découvrirez sur le site www.symantec.fr. Bien que très puissants, ces antivirus sont la cible des infections les plus virulentes car ils sont fortement présents dans l'univers informatique. Ainsi, certains virus commencent par s'attaquer au logiciel antivirus et tentent de le désactiver, pour ensuite infecter un maximum de fichiers. Si vous craignez de telles attaques, optez pour des solutions parallèles comme l'excellent AVG Internet Security que vous trouverez sur le site www.avgfrance.com (Figure 4.11). Il existe une version gratuite dont nous expliquons le téléchargement et l'installation à la fin du Chapitre 3. Opter pour la version payante est plus sûr. Les éditeurs d'antivirus proposent de plus en plus de solutions complètes, c'est-à-dire un antivirus qui fait office de pare-feu et d'anti-espiogiciel.

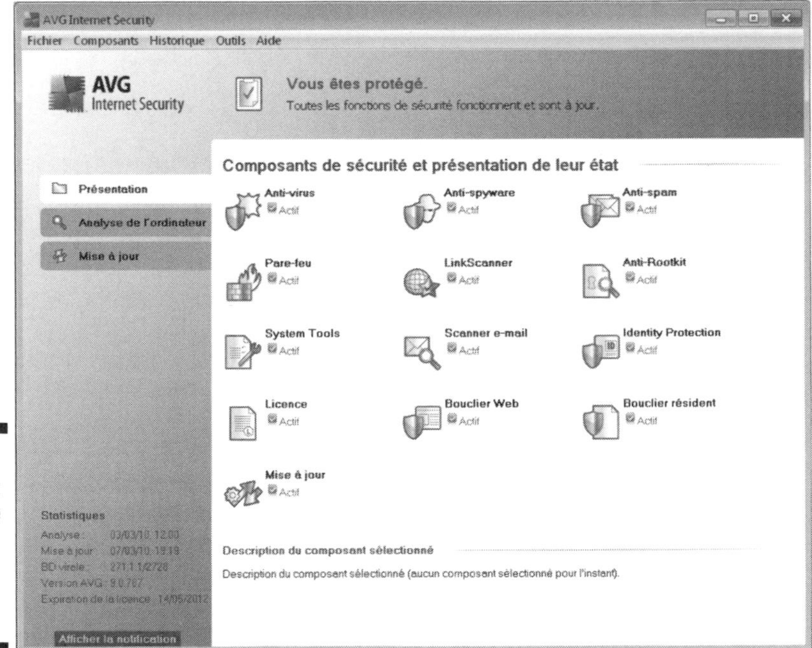

Figure 4.11 : AVG Internet Security, une très bonne protection parmi d'autres.

Vous devez régulièrement mettre votre antivirus à jour. Je préconise une mise à jour quotidienne car l'activité antivirus est très importante. D'ailleurs, pour en être tenu régulièrement informé, je vous conseille également de vous abonner à une lettre de diffusion sur le sujet. Connectez-vous au site www.secuser.com. Dans la rubrique Lettres d'information (*Newsletters*), saisissez votre adresse électronique et cliquez sur OK. Dès qu'un nouveau virus, une tentative d'hameçonnage, ou un espiogiciel joueront les trouble-fête, vous en serez averti par un courrier. Son contenu vous indiquera la marche à suivre pour vous en protéger. Il s'agira en général de mettre immédiatement à jour votre antivirus, de ne pas répondre à certains courriers et d'éviter certains sites.

Les espions sont parmi nous !

Un espiogiciel est un programme qui s'installe dans votre ordinateur pour épier tous vos faits et gestes, comme nous l'avons expliqué au Chapitre 2. Il existe de nombreux logiciels anti-espiogiciels, souvent gratuits, qui permettent d'empêcher leur installation et de déloger ceux qui sont déjà en place. Néanmoins, il n'existe pas un seul programme anti-espiogiciel capable de les identifier tous. Pour cette raison, je recommande d'utiliser deux ou trois logiciels de ce type.

Voici les plus connus :

- **Spybot Search & Destroy** téléchargeable sur www.spybot.info/fr/index.html dans de nombreuses langues dont le français. La Figure 4.12 montre l'interface de ce programme.

De nombreux programmes gratuits se nomment sans scrupules « spybot ». Par conséquent, n'utilisez pas un moteur de recherche comme Google pour trouver un anti-espiogiciel.

- **Ad-Aware SE Personal** que vous pouvez télécharger sur le site http://www.adawarese.com.

Notre configuration Internet modèle

Vous savez certainement que les auteurs et le traducteur de ce livre utilisent Internet. Et vous vous demandez quel type de

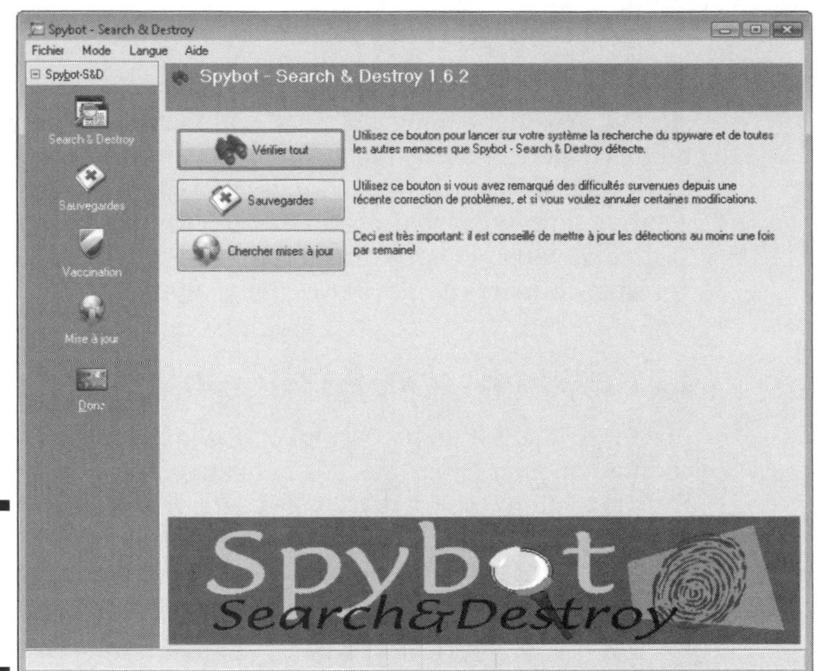

Figure 4.12 : Spybot, un anti-espiogiciel efficace et gratuit !

connexion ils privilégient ? Pour nous tous, voici la configuration Internet de rêve :

- Un ordinateur (sous système Windows, Mac ou Linux).
- Une connexion Internet ADSL ou câble, c'est-à-dire du haut débit !
- Un routeur, disposant d'un pare-feu, installé entre vos ordinateurs et Internet, sachant que certains modems font également office de routeurs.

Et maintenant que vous êtes connecté ?

Dès que vous avez ouvert un compte auprès de votre FAI et que vous disposez du modem parfaitement bien configuré, votre ordinateur peut accéder à Internet. Il suffit pour cela de lancer les logiciels appropriés, comme l'indispensable navigateur Web.

Exécuter des programmes Internet

Vous pouvez faire fonctionner plusieurs applications Internet simultanément. Par exemple, vous pouvez lancer la réception d'un courrier et recevoir un message indiquant une super adresse Web. Sans quitter votre programme de messagerie, ouvrez votre navigateur Web (généralement Internet Explorer, bien que nous recommandions Firefox), consultez la page Web, puis revenez à votre messagerie pour prendre connaissance des autres courriers. La plupart des logiciels de messagerie surlignent et soulignent les adresses Web (ou URL), permettant d'accéder directement aux sites en cliquant dessus.

Vous n'êtes en aucun cas limité aux programmes que vous fournit votre fournisseur d'accès. Dès que vous surfez sur le Web, nul ne vous empêche de télécharger et d'installer de nouveaux logiciels. Votre FAI n'est qu'une interface entre votre ordinateur et le cyberespace.

Pour plus d'informations sur l'utilisation du Web, reportez-vous au Chapitre 6.

Quitter Internet

Toutes les bonnes choses ont une fin. Alors, à un moment ou à un autre, vous allez quitter Internet. Temporairement bien entendu. Comment ? Tout dépend de votre type de connexion.

Si vous utilisez une ligne téléphonique classique, il suffit simplement de cliquer sur le bouton Déconnecter de la boîte de dialogue de la connexion. Ceci a pour effet de raccrocher le téléphone. Cette fonction est également programmable dans votre navigateur Web et votre logiciel de messagerie. Par exemple, après avoir relevé votre courrier, la connexion peut être automatiquement coupée. Ceci est intéressant lorsque vous vous connectez au prix d'une communication locale, ou si vous avez souscrit un forfait limitant vos connexions gratuites à un certain nombre d'heures.

En revanche, si vous avez une connexion haut débit, vous pouvez rester connecté 24h/24.

Bien que de nombreux programmes permettent d'aller sur Internet et de relever ou d'envoyer des messages, un seul établit la connexion pour tous les autres. Il se présente sous la forme d'une icône de moniteur affichée dans la zone de notification de Windows 7, près de l'horloge.

Chapitre 5

Ne soyez pas égoïste ! Partagez !

Dans ce chapitre :

- Créer un réseau domestique.
- Faire communiquer tous vos ordinateurs sans utiliser de câbles.
- Connecter votre ordinateur portable à la maison et en voyage.

De plus en plus de foyers possèdent plusieurs ordinateurs : un dans le bureau, un autre dans le salon et un autre encore dans la chambre de l'adolescent qui vit à la maison.

Vous n'avez pas besoin de souscrire un abonnement auprès d'un fournisseur d'accès Internet (FAI) pour chacun de ces ordinateurs. Il suffit de les raccorder à un réseau – soit avec des câbles spéciaux, soit par un système sans-fil, soit par courant porteur (CPL) – et de les configurer pour qu'ils partagent le même modem et accèdent ainsi au Net les uns indépendamment des autres. Ce chapitre explique comment établir ces deux types de réseau.

Internet pour tous vos ordinateurs

Au début de l'ère de ces ordinateurs gigantesques inaccessibles au commun des mortels derrière la baie vitrée d'une immense salle climatisée, un de mes amis quelque peu visionnaire clamait haut et fort qu'un jour, les ordinateurs seraient partout. Bien évidemment, il fut pour cela brûlé vif en place publique, une coutume héritée de l'époque où l'Inquisition n'encourageait guère la recherche scientifique (un certain Giordano Bruno en garde pour l'éternité un cuisant souvenir). Mais l'histoire a donné raison à mon ami.

Aujourd'hui, les ordinateurs sont de plus en plus petits, et il devient difficile de trouver un foyer où il n'y en a pas au moins un. Lorsque plusieurs ordinateurs se trouvent sous un même toit, pourquoi ne pas faire en sorte qu'ils puissent tous se connecter en même temps à Internet ?

Les connexions haut débit facilitent la mise en place de systèmes où chacun des ordinateurs peut se connecter au Net, tout en étant dans des endroits aussi différents que la chambre des parents, le salon et la salle de jeux des enfants, une mansarde, un garage ou, pour les privilégiés, la terrasse au bord de la piscine à vagues. Cette connexion à Internet est d'autant plus agréable à utiliser qu'elle est partagée. En effet, la ligne téléphonique n'est pas monopolisée par un ordinateur pendant que les autres attendent, chacun leur tour, que la connexion soit libérée pour en profiter. Avec le haut débit, le téléphone n'accapare plus la ligne et la bande passante est si large que chacun peut simultanément aller sur Internet, envoyer et recevoir des courriers électroniques, discuter dans un *chat room* ou par une messagerie instantanée (comme MSN – Windows Live Messenger), regarder la télévision, et même téléphoner par Internet si ces options ont été souscrites.

Pour partager une même connexion Internet entre plusieurs ordinateurs, vous devez les connecter à un réseau local, parfois appelé LAN (*Local Aera Network*) par les techniciens ; ces initiales figurent aussi souvent sur le matériel, comme les routeurs, commutateurs et autres équipements. Ensuite, vous connectez ce réseau – et non pas chaque ordinateur – à Internet. Comme l'indique son nom, un réseau local est limité à un lieu bien précis, un immeuble par exemple. D'abord réservé aux entreprises, le réseau local s'est banalisé, à tel point que quiconque possède au moins deux ordinateurs se dépêche d'en créer un.

La Figure 5.1 présente un réseau local typique : un modem câble ou ADSL est connecté à un *routeur*, c'est-à-dire un boîtier qui relie votre réseau local à Internet. Puis, vous connectez chaque ordinateur à un concentrateur ou à un point d'accès, si vous avez développé un réseau sans-fil. Ensuite, chaque ordinateur doit être connecté au réseau local pour partager et profiter de tous les matériels qui sont raccordés au routeur.

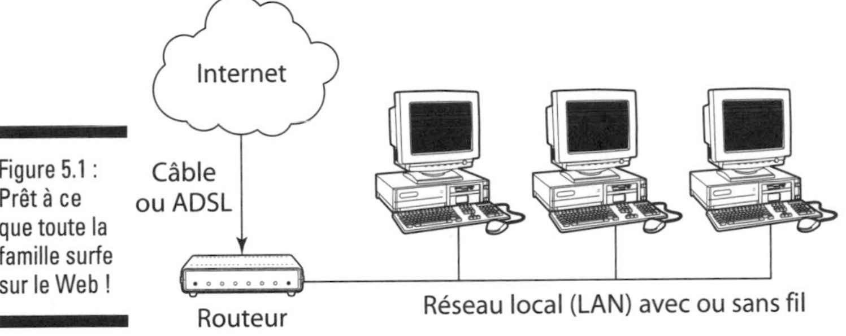

Figure 5.1 : Prêt à ce que toute la famille surfe sur le Web !

Il n'est pas impératif que tous les ordinateurs d'un réseau local utilisent la même version de Windows – voire même Windows. Vous pouvez connecter au même réseau local des PC tournant sous Windows ou Linux, et des Mac qui, par définition, fonctionnent sous Mac OS. En fait, ils communiquent tous par le même protocole réseau, c'est-à-dire celui utilisé par Internet lui-même.

Créez d'abord un réseau local

Les réseaux locaux (ou réseau local) existent en deux variétés : avec et sans-fil. Un réseau à fil est dit *câblé*. Dans ce cas, un câble part de chaque ordinateur et se raccorde à un boîtier central. Le réseau sans-fil, lui, utilise des signaux radio et non pas des câbles. Si tous vos ordinateurs sont dans la même pièce, préférez le réseau câblé ; en revanche, s'ils sont dans des pièces distantes, voire certains à l'étage et d'autres au rez-de-chaussée, il est plus facile de créer un réseau sans-fil, bien que ce dernier soit légèrement plus lent. Il est possible de combiner les deux systèmes. Beaucoup de routeurs sans-fil disposent de prises pour des câbles, permettant ainsi de relier physiquement des ordinateurs.

Il est également possible et facile de développer un réseau à moitié sans fil. Pardonnez ce paradoxe, car d'aucun pourrait dire qu'un réseau est avec ou sans fil, mais pas à moitié. Pourtant, cette vision ferait fi de la technologie dite CPL (courant porteur) décrite au Chapitre 4. Il s'agit d'utiliser les prises de courant murales de votre appartement ou de votre maison pour créer un réseau local. Chaque prise est une sorte de terminal Ethernet. Pour accéder au réseau, donc à ses ordinateurs et à Internet, il suffit de raccorder votre ordinateur à cette prise CPL *via* un simple câble Ethernet RJ-45. Cette technologie évite de créer un réseau Wi-Fi, c'est-à-dire un réseau à onde électromagnétique, et s'avère plus sécurisé dans la mesure où votre réseau CPL est invisible aux personnes qui habitent dans votre quartier et qui utilisent eux aussi un réseau sans fil (Wi-Fi). Votre compteur électrique sert de pare-feu matériel.

Au centre : le concentrateur ou le routeur

Pour créer un réseau, vous avez besoin d'un boîtier spécifique qui permet de connecter les ordinateurs entre eux au réseau local. Ce boîtier peut prendre plusieurs formes :

- Un *concentrateur* (Figure 5.2), c'est-à-dire une espèce de boîte à peine plus grande qu'un annuaire, équipé de prises spécifiques pour recevoir les câbles réseau et pour servir de point de connexion au réseau. C'est lui qui connecte tous les ordinateurs du réseau local.
- Un *commutateur (*Figure 5.3), qui est un type plus sophistiqué de concentrateur car il accélère la vitesse du réseau.
- Un *point d'accès* (Figure 5.4), qui est un concentrateur sans-fil. Il dispose d'une ou deux antennes radio à la place de prises.
- Un *routeur* qui, comme un concentrateur, facilite l'accès à Internet et dispose de fonctionnalités comme un pare-feu (voir le Chapitre 4). De plus en plus de modems font aujourd'hui office de routeurs.

Figure 5.2 : Un concentrateur et ses cartes réseau.

Figure 5.3 : Un commutateur.

Nous recommandons l'utilisation d'un routeur car il protège efficacement le réseau des tentatives d'intrusion. Il existe des routeurs avec ou sans-fil. La version à câbles dispose de nombreuses prises selon le nombre d'ordinateurs que vous devez y connecter. En règle générale, les routeurs sans-fil n'ont qu'une seule prise, destinée à recevoir le câble du modem, et une antenne pour communiquer avec les ordinateurs du réseau. Certains modèles sont à la fois à câble et sans-fil, permettant de relier directement les ordinateurs se trouvant à proximité. L'avantage ? Le débit d'une liaison par câble est autrement plus élevé que celui d'une liaison sans-fil.

Figure 5.4 : Un point d'accès.

Figure 5.5 : Un point d'accès.

Question légitime de votre part : « Mais *quid* de ma *Box* ? ». En effet, vous avez probablement souscrit à l'offre haut débit d'un des prestataires mentionnés au Chapitre 4. Vous avez alors reçu une Freebox, une Neufbox, et autre Bbox. Devez-vous investir dans un routeur pour créer votre réseau local et ainsi permettre à tous les ordinateurs de la famille d'accéder à Internet ? Non ! Ces *Box* ont généralement des fonctions de routeur. Par exemple, la Freebox permet de créer un réseau Wi-Fi, mais aussi de connecter directement des ordinateurs à ses prises Ethernet, ce qui permet de créer un réseau CPL si vous ne souhaitez pas recourir au Wi-Fi.

Configurer un routeur

Les routeurs sont livrés avec un câble de type *Ethernet*. Ce dernier permet d'y raccorder le modem. Un câble Ethernet est équipé à chaque extrémité d'une prise RJ-45 qui ressemble à celle du téléphone, mais en plus gros et avec huit minuscules connecteurs au lieu de six.

Bien entendu, vous n'avez pas à vous soucier de raccorder votre *Box* à un routeur si celle-ci joue également le rôle de routeur, ce qui devrait d'ailleurs être le cas.

Configurer un routeur pour des connexions ADSL exigeant un nom d'utilisateur et un mot de passe

La plupart du temps, le routeur accepte toutes les demandes de connexions. Mais parfois, une connexion ADSL exige un nom d'utilisateur et un mot de passe, que vous devez alors indiquer au routeur.

Les instructions de configuration des routeurs sont génériques ; autrement dit, elles se ressemblent toutes. Elles peuvent cependant varier sur quelques points de détail, d'où l'intérêt de se fier au manuel. Par conséquent, tout ce que nous expliquons ici vaut pour votre l'activation de la fonction routeur de votre *Box*.

La configuration d'un routeur s'effectue avec le navigateur Web de votre ordinateur. Comme un routeur ne possède ni écran ni interface, vous devez passer par un ordinateur connecté au routeur afin d'effectuer sa configuration. Même si vous installez un réseau sans-fil, la configuration initiale est plus simple si l'ordinateur est connecté par câble à la prise Ethernet du routeur, car il sait aussitôt avec quelle machine il communique. Suivez ces étapes :

1. **Éteignez le routeur et l'ordinateur.**
2. **Branchez le câble Ethernet dans la prise réseau de votre ordinateur et insérez l'autre extrémité dans la prise Ethernet du routeur.**

   En cas de doute, reportez-vous au manuel du routeur.
3. **Allumez le routeur, puis l'ordinateur.**
4. **Démarrez le navigateur Web et saisissez l'adresse du routeur dans la barre d'adresse du logiciel. Vous affichez alors la page d'accueil du routeur, avec ses paramètres de configuration.**

   Habituellement, l'adresse est **192.168.0.1** (c'est-à-dire une des adresses réservées aux utilisateurs d'un réseau local). Si l'adresse Web ne fonctionne pas, consultez la documentation livrée avec le routeur.

Avec certaines Box, comme la Freebox qui sert d'exemple à nos explications, il faut accéder à son compte haut débit directement sur le site du FAI (en l'occurrence Free). Les identifiants donnés par Free lors de votre souscription à l'offre haut débit sont votre numéro de téléphone Free (ou votre ancien numéro de téléphone si vous êtes totalement dégroupé et avez demandé la portabilité de votre numéro), et un mot de passe imposé par Free, mais que vous personnaliserez ultérieurement. Une fois ces informations saisies dans la page d'accès à votre compte, vous pouvez configurer le routeur comme expliqué ci-dessous.

5. Si la page de configuration du routeur exige un mot de passe, consultez le manuel livré avec le routeur et saisissez-le.

Vous accédez à votre routeur, comme à la Figure 5.6. Parfois, l'accès aux commandes de configuration est direct, parfois vous devrez les découvrir parmi les diverses pages proposées.

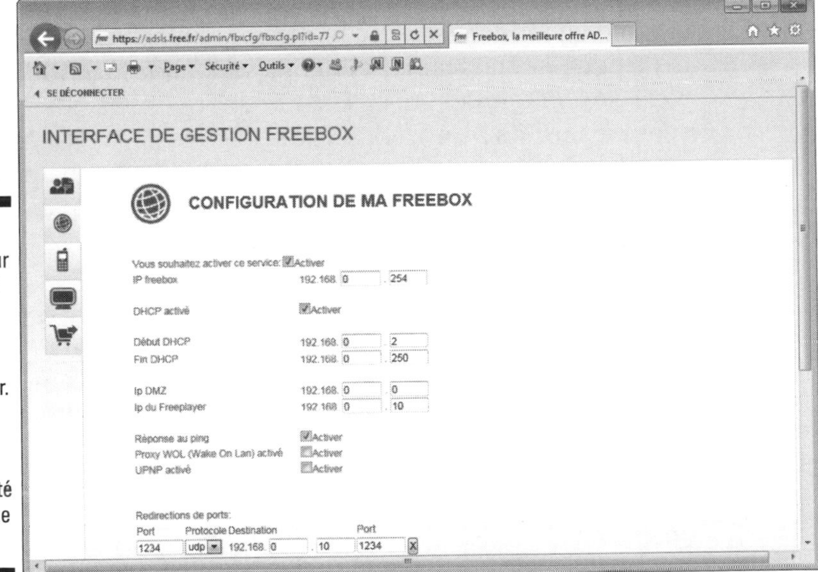

Figure 5.6 : Le navigateur Web permet d'accéder aux paramètres de votre routeur. Ici, la page d'activation de la fonctionnalité routeur d'une Freebox.

6. Si vous disposez d'une connexion haut débit qui exige un nom d'utilisateur et un mot de passe, cherchez le champ où vous devez les saisir.

Suivez les instructions figurant dans le manuel du routeur ou cliquez sur les onglets et/ou les liens jusqu'à ce que vous les trouviez. Sur beaucoup d'équipement d'importation, ces termes sont restés en anglais : *Username* pour le nom d'utilisateur, *Password* pour le mot de passe.

7. Au besoin, cliquez sur le bouton Enregistrer (*Save*), Terminé (*Done*), Envoyer, ou OK pour valider ces informations.

Sur certains équipements, ces commandes de fin ne sont pas proposées.

Désormais, votre routeur sait comment se connecter à votre compte ADSL.

Connecter votre réseau local au modem

Raccordez le routeur à votre modem câble ou ADSL (sauf dans le cas d'un modem-routeur, comme la Freebox, puisque ces deux équipements sont fusionnés). Allumez le modem si ce n'est déjà fait, redémarrez le routeur et vérifiez que vous parvenez à surfer sur le Web. En cas d'échec pas, vérifiez le câble du modem, assurez-vous que la connexion Internet a bien reconnu votre nom d'utilisateur et votre mot de passe.

Raccorder vos ordinateurs au réseau local

Une fois le routeur configuré, le réseau local ne peut être créé qu'avec des câbles s'il s'agit d'un réseau filaire, ou des adaptateurs CPL si vous optez pour le courant porteur. Un réseau local filaire ou CPL utilise des câbles Ethernet que vous trouverez dans toutes les boutiques de fournitures informatiques, électriques, électroniques, voire au rayon informatique des grandes surfaces ou de certains magasins multimédias. À chaque extrémité d'un câble Ethernet se trouve une prise RJ-45 qui ressemble à un gros connecteur téléphonique. Vous aurez besoin d'un câble pour chaque ordinateur à relier au réseau, plus un autre pour la liaison avec le modem (Figure 5.7).

La création d'un réseau local avec Windows 7 est extrêmement simple :

1. **Éteignez et débranchez tous les ordinateurs de votre futur réseau.**

   Débranchez-les aussi de la prise électrique.

2. **Débranchez tous les périphériques de tous les ordinateurs : moniteurs, imprimantes, modems, *etc.***

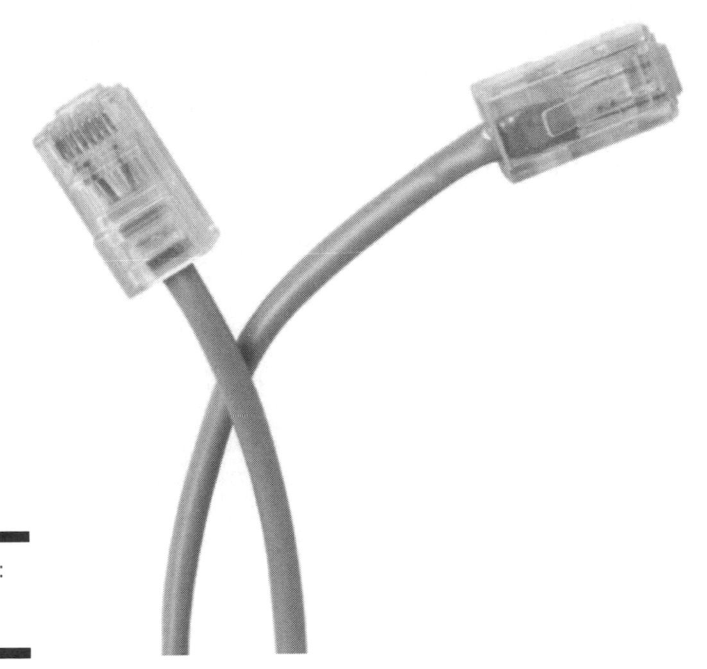

Figure 5.7 : Un câble Ethernet.

4. **Tirez des câbles entre le routeur et chaque ordinateur.**

5. **Si vous êtes abonné à l'Internet à haut débit, branchez le modem à la prise WAN (*Wide Area Network*, réseau étendu) du routeur.**

   Sur les routeurs, le port WAN est réservé au modem. Les ordinateurs se branchent sur les ports LAN , qui sont numérotés. Le choix d'un port numéroté est libre.

   Les utilisateurs qui se connectent en bas débit peuvent laisser leur modem téléphonique branché à l'ordinateur. Lorsque, par la suite, ce dernier sera allumé et connecté, tous les autres ordinateurs auront accès à Internet.

6. **Allumez tous les ordinateurs et leurs périphériques.**

   Rallumez les ordinateurs, les écrans, imprimantes, modems, *etc*.

7. **Sélectionnez un emplacement pour le réseau.**

Lorsqu'au démarrage Windows 7 détecte le nouvel équipement de réseau, il demande de préciser son emplacement : Domestique, de Bureau, ou Réseau public. Windows 7 adapte automatiquement le niveau de sécurité à l'environnement choisi : il est considéré comme sûr chez soi ou au bureau, mais moins sûr en public (chambre d'hôtel, cybercafé...).

C'est tout. Le réseau est installé et les ordinateurs communiquent entre eux et peuvent se connecter à Internet.

Si le réseau n'a pas été établi, redémarrez les ordinateurs.

Si vous connectez un Mac à votre réseau local, celui-ci l'identifiera probablement sans que vous ayez à lever le petit doigt. Si vous devez ou voulez configurer votre connexion réseau sous Mac OS X, cliquez sur le menu Apple/Préférences Système. Dans la fenêtre éponyme, cliquez sur Réseau. Dans la liste Afficher, choisissez Ethernet intégré, puis cliquez sur le bouton TCP/IP.

Avec une *Box* qui joue le rôle de routeur, vous reliez directement votre ordinateur à la *Box via* un câble Ethernet. En effet, la plupart des ordinateurs récents disposent d'un adaptateur réseau Ethernet installé sur leur carte mère. Dès lors, l'ordinateur est reconnu sur le réseau, et vous pouvez immédiatement surfer sur le Web.

Si vous préférez un réseau sans fil, des identifications supplémentaires liées à un plus haut niveau de sécurité sont nécessaires comme l'explique la prochaine section.

À bas les câbles ! Vive la Wi-Fi

Si vos ordinateurs sont répartis à plusieurs endroits de votre habitation, par exemple à un étage et au rez-de-chaussée, il n'est pas très aisé de tirer des câbles dans toute la maison pour créer un réseau local. Un réseau sans-fil au standard Wi-Fi – le plus répandu actuellement – s'impose.

De nombreux ordinateurs portables intègrent des fonctionnalités Wi-Fi. Si ce n'est pas le cas, vous devrez ajouter un adaptateur Wi-Fi sous la forme d'une carte PCI interne, d'une sorte de clé USB, ou encore d'une carte PC *Card*. Les constructeurs d'équipement Wi-Fi ont fait un effort remarquable pour standardiser ce protocole de communication, ce qui est une très bonne chose pour le consommateur. Si le protocole semble donc bien établi, le point sensible de la Wi-Fi est de savoir jusqu'à quelle distance du routeur les ordinateurs peuvent capter un signal suffisamment fort pour être en liaison avec le réseau, et par conséquent pour accéder à Internet. Seuls les systèmes équipés d'une antenne directionnelle pourront se trouver assez loin du routeur. Théoriquement, la portée du signal Wi-Fi est d'une centaine de mètres sans obstacle entre le routeur et l'ordinateur, mais dans une habitation, cette distance est beaucoup plus réduite. Murs, cloisons, bibliothèque bourrée de livres et autres obstacles font barrage aux rayons

Les différentes normes du Wi-Fi

Les standards du Wi-Fi ont été adoptés dès 1999 par un groupe de fabricants, le WECA (*Wireless Ethernet Compatibility Alliance*, `http://www.wi-fi.org/`), devenu ensuite la *Wi-Fi Alliance*. Cette dernière regroupe actuellement plus de deux cents fabricants de matériel de réseau sans-fil.

La Wi-Fi Alliance a élaboré un ensemble de tests certifiés par l'IEEE (*Institute of Electrical and Electronics Engineers*) qui a intégré le Wi-Fi aux standards de réseau sans-fil sous le numéro 802.11. Au fil des ans, plusieurs versions ont été déclinées. Le standard 802.11b, aujourd'hui obsolète, n'autorisait que des transferts à 11 Mégabits par seconde. Le standard 802.11a, adopté en même temps que le « b », était paradoxalement plus perfectionné, avec notamment une fréquence de 5 gHz moins sensible aux interférences des téléphones sans-fil que le standard 802.11b, cadencé à 2,4 gHz. Aujourd'hui, presque tout l'équipement Wi-Fi est au standard 802.11g. Compatible avec les deux standards précédents, il offre un débit de 54 Mbps.

Lorsque vous achetez de l'équipement Wi-Fi, assurez-vous, en lisant les spécifications sur l'emballage, qu'il est bien au standard 802.11g, à 54 Mbps.

Il est question d'un standard Wi-Fi 802.11n à 100 Mbps, encore expérimental. Mais chaque chose en son temps...

hertziens. La portée n'excède alors guère vingt ou trente mètres et le débit maximal de 54 Mbps est considérablement réduit.

Mais, sauf si vous habitez un grand château aux ailes et dépendances très éloignées, il serait vraiment très étonnant que tous les ordinateurs présents dans votre modeste chaumière ne puissent profiter du réseau sans-fil.

Si vous utilisez une *Box*, celle de Free par exemple, vous devez préalablement activer les fonctionnalités Wi-Fi exactement comme vous activez celle du routeur, c'est-à-dire sur votre compte Free haut débit. Aucun adaptateur Wi-Fi n'est nécessaire sur votre Box. En revanche, il faudra en équiper vos ordinateurs de bureau. Contrairement aux portables, il est rare que le Wi-Fi soit intégré dans les ordinateurs de bureau.

Définir un mot de passe

Il serait singulier et même inquiétant qu'un individu se promène dans votre maison et se connecte à votre réseau sans-fil. On ne rentre pas chez vous comme dans un moulin ! Oui, mais il est assez facile d'y entrer autrement. Imaginez quelqu'un, avec un ordinateur portable, stationné dans sa voiture non loin de chez vous. Son adaptateur Wi-Fi recherche la présence de réseau Wi-Fi. Pas de chance, il tombe sur le vôtre ! Il utilisera votre connexion sans-fil, et vous aurez bien du mal à vous en apercevoir. Sauf si vous voyez votre imprimante se mettre en marche toute seule et si des fichiers, importants ou non, deviennent introuvables là où vous les aviez stockés sur votre disque dur. La fragilité du Wi-Fi impose de sérieuses précautions.

La plus sûre est l'adoption d'un mot de passe crypté au format *WEP*. On parle de clé WEP (*Wired Equivalent Privacy,* confidentialité équivalente au filaire). Cette clé est un code alphanumérique codé sur 64 ou 128 bits. Pour éviter qu'un pirate puisse facilement craquer votre clé WEP, choisissez le codage sur 128 bits. Certes, cela vous fait entrer une clé de vingt-six caractères, mais plus elle est longue, plus elle est sûre, ou du moins réputée telle. Chaque ordinateur devra utiliser cette clé WEP lors de son premier accès au réseau Wi-Fi.

Des équipements Wi-Fi plus sécurisés utilisent un mot de passe de type *WPA* (*Wi-Fi Protected Access*). Si vos matériels le permettent, utilisez une clé WPA plutôt que WEP, car la longueur d'une clé WPA n'est pas limitée.

Nous verrons dans la prochaine section comment définir une clé.

Créer la connexion Wi-Fi

Voici comment créer un réseau Wi-Fi :

1. **Activez l'adaptateur réseau, si nécessaire.**

   Sur de nombreux ordinateurs potables, l'adaptateur Wi-Fi est inactif afin d'économiser la batterie. Pour l'activer, cliquez sur le bouton Démarrer, ouvrez le Panneau de configuration, Dans la barre d'adresses, cliquez sur le petit triangle noir, et choisissez Tous les panneaux de configuration. Dans la liste, optez pour Centre de mobilité. Cliquez sur le bouton Activer le sans fil comme à la Figure 5.8. S'il ne se passe rien, étudiez attentivement le manuel.

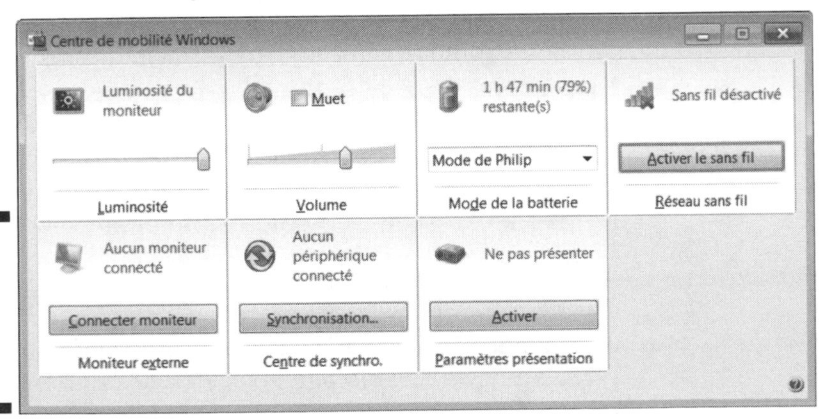

Figure 5.8 : Activez le sans fil dans le Centre de mobilité Windows.

Sur un ordinateur de bureau, vous devez connecter l'adaptateur à un port USB, et installer le pilote qui va permettre à votre ordinateur d'utiliser le Wi-Fi présent dans votre maison. Reportez-vous au manuel d'installation de votre adaptateur Wi-Fi. Un adaptateur Wi-Fi qui se connecte à une prise USB de votre ordinateur ressemble à celui illustré à la Figure 5.9.

Figure 5.9 : Un adaptateur Wi-Fi USB permet à un ordinateur de bureau de se connecter à votre réseau local sans fil.

2. **Dans le menu Démarrer, choisissez Connexion.**

   Windows montre tous les réseaux sans-fil qui se trouvent à portée et indique la force de leur signal (Figure 5.10). Ne vous étonnez pas de voir plusieurs réseaux en même temps, car ceux des proches voisins sont aussi détectés. Pour le moment, le réseau se réduit à votre seul routeur servant de point d'accès Wi-Fi.

   Au moment de se connecter à un réseau sans-fil, Windows 7 affiche trois paramètres. Vous pouvez les voir en plaçant le pointeur de la souris sur un des noms de réseau affiché dans la petite fenêtre de connexion :

   - **Le nom du point d'accès (qui est l'embryon du réseau) :** comme plusieurs réseaux sans-fil peuvent

Figure 5.10 : Windows 7 a repéré un point d'accès (le routeur) à portée de l'ordinateur. Il affiche son nom, indique si le réseau est sécurisé et évalue la force du signal.

émettre dans une même zone et s'interpénétrer, leur nom permet de les différencier. Choisissez celui de votre routeur.

- **Sécurité :** les réseaux apparaissant avec la mention « Réseau non sécurisé » n'exigent pas de mot de passe. Cela signifie que vous pouvez vous y connecter et surfer aussitôt sur le Web gratuitement, même si vous ne savez pas à qui peut bien appartenir ce réseau. Sans mot de passe, un réseau est ouvert à n'importe qui. Les réseaux non sécurisés sont parfaits pour une incursion rapide sur le Web, mais ne sont pas du tout sûrs pour des achats en ligne. Un réseau sécurisé est en revanche plus sûr car le mot de passe filtre tous les importuns.

- **Force du signal :** ce système à barres est comparable à l'indicateur de la qualité de réception d'un téléphone mobile : plus les barres sont nombreuses, plus le signal est fort. Si deux barres ou moins sont affichées, la connexion est terriblement sporadique.

3. **Connectez-vous au routeur en cliquant sur son nom puis sur Connecter.**

   Si vous vous connectez à un routeur (réseau) non sécurisé, sans mot de passe, Windows 7 vous prévient de cette particularité. Cliquez sur Connecter et vous voilà en ligne.

   Mais si vous vous connectez à un routeur (réseau) sécurisé, Windows 7 exige un mot de passe, comme cela est expliqué à la prochaine section.

4. **Entrez un mot de passe, puis cliquez sur OK.**

   Lorsque vous tentez de vous connecter à une connexion sans-fil sécurisée, Windows 7 affiche la boîte de dialogue de la Figure 5.11, où il demande la clé WEP ou WAP.

   La clé WEP vous a généralement été fournie avec votre équipement, mais vous pouvez en changer en accédant à la page de configuration du routeur (reportez-vous à la section « Configurer un routeur », précédemment dans ce chapitre) et en recherchant les options de sécurité.

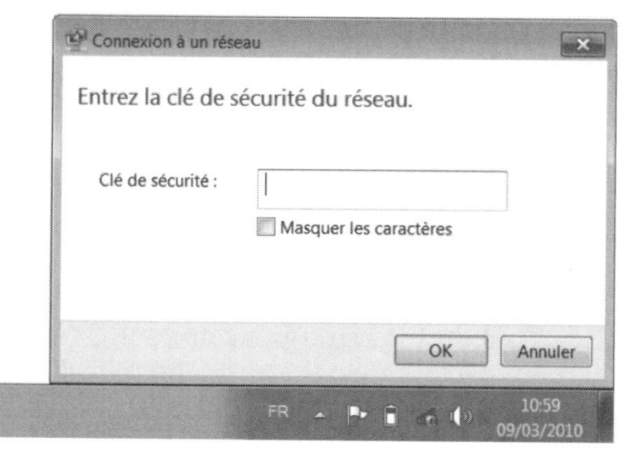

Figure 5.11 : Entrez le mot de passe du routeur puis cliquez sur OK.

Le nom du réseau sans-fil n'est pas affiché ? Passez à l'Étape 6.

5. Connectez-vous au routeur.

Si le nom du routeur n'apparaît pas, c'est peut-être parce que le signal est trop faible. À l'instar des stations de radio et des émetteurs de téléphones mobiles, les réseaux sans-fil ont une portée limitée. En terrain libre, sans obstacle, le signal Wi-Fi porte à une centaine de mètres, mais en intérieur, les murs, planchers et plafonds réduisent sensiblement la zone couverte. Dans ce cas, essayez de rapprocher l'ordinateur du point d'accès ou du routeur sans-fil. Essayez différents emplacements en cliquant chaque fois sur le bouton Actualiser jusqu'à ce le réseau apparaisse.

Lorsque cela vous sera demandé, entrez le nom du routeur et, si exigé, le mot de passe. Après avoir obtenu ces deux informations, Windows 7 ouvre la connexion. Le réseau sans-fil est créé.

Une fois connectés, les autres ordinateurs du réseau peuvent tous accéder à l'Internet et partager leurs ressources (fichiers, imprimante...).

Utiliser un ordinateur portable partout

Le seul avantage d'un ordinateur portable est de l'emmener avec vous pour travailler. Cependant, aujourd'hui, je ne vois pas l'intérêt de se trimbaler un portable si vous n'avez même pas la possibilité de consulter vos courriels dix-sept fois par jour. Si vous avez configuré votre ordinateur portable pour la connexion Wi-Fi de votre domicile, comme cela est expliqué dans la précédente section, vous n'aurez aucun mal à comprendre comment utiliser cette fonctionnalité en voyage.

À la maison et au bureau

Le nombre d'ordinateurs portables présents dans les foyers se multiplie à la vitesse grand V, même chez ceux qui n'en ont pas besoin. Le succès d'une connexion réseau dépend de votre portable, mais également du réseau mis en œuvre chez vous ou au bureau. En général, voici comment devraient fonctionner les diverses configurations :

- Si la maison et le bureau ont un réseau câblé, votre ordinateur fonctionnera par simple raccordement physique à ce réseau. Si cela ne marche pas au bureau, demandez-en la raison à l'administrateur réseau de votre société.
- Si des fichiers et des imprimantes sont partagés au bureau et pas à la maison, ou inversement, Windows ne saurait les trouver dans les deux endroits. En revanche, rien ne vous empêchera d'aller sur Internet. Ce sont deux choses totalement indépendantes.
- Si le réseau de votre domicile et celui du bureau sont sans-fil, ou si l'un est câblé et l'autre pas, créez une

Espion es-tu là ?

Nous savons qu'en matière de Wi-Fi, les clés WEP assurent une grande sécurisation de votre système. Pour entrer chez vous, il faut quand même être rudement gonflé et super balèze. En revanche, l'intérêt du Wi-Fi *nomade*, c'est-à-dire réservé aux ordinateurs portables, connaît de véritables problèmes de sécurité. Par exemple, qu'en est-il si vous accédez au point Wi-Fi de tel aéroport ou de tel hôtel ? Ces réseaux Wi-Fi n'ont en effet aucune clé WEP, car ils perdraient tout leur intérêt, qui est précisément de permettre aux voyageurs de se connecter au Net sans contrainte. Partout, dans ces circonstances, vous pouvez être victime d'un espion, d'un *hacker* (pirate) qui pénètre votre système et y prend tout ce qui l'intéresse.

Heureusement, quelques précautions rudimentaires vous préserveront de bien des dangers. Lorsque vous visitez des sites Web, vérifiez que chaque site où vous saisissez un mot de passe, ou tout autre type d'informations privées, utilise un système de cryptage SSL. Pour en être certain, assurez-vous que l'adresse commence par `https://` et que la barre d'état du navigateur affiche l'icône d'un cadenas. Si le site ne propose pas ce cryptage, abandonnez l'opération et attendez d'être rentré à la maison. Pour obtenir quelques conseils sur la sécurité liée au programme de mails, consultez la section « Le problème du mail » en fin de chapitre.

configuration pour chacun d'eux, comme cela est expliqué plus avant dans ce chapitre. Votre PC portable sera alors identifié sur les deux réseaux.

Un peu de Wi-Fi avec mes frites !

Il n'y a pas si longtemps, lorsque vous alliez dans un café, vous commandiez... eh bien un café justement, ou un soda, une bière, un apéritif, enfin de quoi vous rincer le gosier. Aujourd'hui, en plus d'une boisson vous pouvez demander un accès Wi-Fi ! « Garçon un Wi-Fi s'il vous plaît ! », « Et un cappuccino, deux cafés, un thé, un Wi-Fi, et deux croissants ! » Encore faut-il que vous ayez sous la main votre ordinateur portable, fabuleuse machine du travailleur itinérant. Même si cela reste marginal en France, les points d'accès Wi-Fi ne devraient pas tarder à se développer à grande vitesse.

L'utilisation d'un point d'accès Wi-Fi dans ce genre d'établissement tient uniquement à la politique de son responsable. Ainsi, l'accès Wi-Fi est souvent gratuit pour le consommateur. Dans ce cas, vous commandez votre soda, vous allumez votre portable, et vous activez votre adaptateur Wi-Fi. Windows 7 analyse les réseaux en présence. Très vite, dans la liste des réseaux Wi-Fi disponibles, vous devez voir celui du café en question. Cliquez dessus, puis sur le bouton Connecter. C'est bon !

De nombreux portables disposent d'un bouton de connexion direct au réseau Wi-Fi. Appuyez dessus pour lancer une procédure d'analyse des réseaux sans-fil existants dans votre voisinage. Dès que l'ordinateur portable détecte des réseaux, il les affiche. Connectez-vous au réseau voulu en saisissant la clé WEP ou WPA.

Dans d'autres lieux moins sympathiques, vous devez payer pour profiter du point d'accès Wi-Fi. Cela ajoute à la connexion une étape supplémentaire qui est celle de sortir votre porte-monnaie. Une fois connecté, votre navigateur Web affichera la page d'accueil du point d'accès payant qui, en général, vous explique comment régler votre temps de connexion.

Les paiements et les modes d'utilisation existent sous de multiples formes. Cela va d'un forfait horaire que vous payez au temps de connexion, à l'achat d'un ticket affichant un code que vous devez saisir pour entrer dans le réseau. Souvent le point d'accès Wi-Fi vous laisse entrer sur le réseau, comme à la Figure 5.12, mais pour y effectuer quoi que ce soit, vous devez payer.

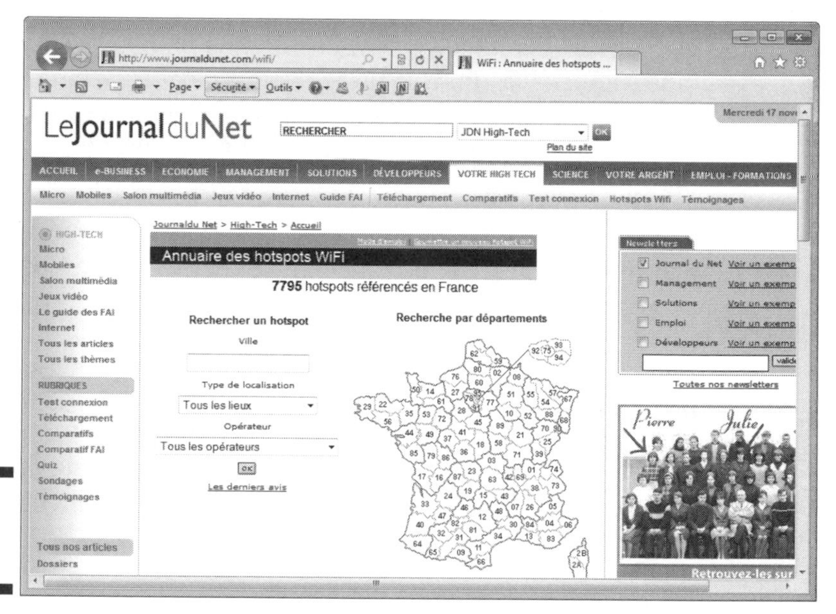

Figure 5.12 : Surfer en voyage.

Une méthode plus commune consiste à souscrire un abonnement supplémentaire auprès d'un prestataire qui gère des points d'accès Wi-Fi un peu partout sur le territoire français. Mais le *nec plus ultra* est quand même l'accès gratuit depuis les cafés. Pour en savoir plus sur cette gratuité, consultez le site `www.hotcafe.fr/`.

Dans les aéroports, les hôtels, et ailleurs

Vous trouverez des points d'accès Wi-Fi dans les aéroports, les hôtels, les gares, *etc*. Souvent, dans les hôtels, le point d'accès Wi-Fi est un service. Qui dit service dit supplément ! Le prix varie considérablement ainsi que la méthode de connexion. Dans certains établissements, vous utilisez le point d'accès comme le minibar de votre chambre. Dans d'autres, vous demandez un code d'accès à votre arrivée. Alors, voyagez, allez dans bars, hôtels, restaurants, partout, et consultez les offres !

Si vous rencontrez des problèmes lors d'une connexion Wi-Fi dans l'un de ces lieux, le personnel de l'hôtel, par exemple, ne saura pas vous sortir d'affaire. Il vous communiquera un numéro de téléphone commençant par 08, celui du support technique de la société qui gère ce point d'accès. Là, vous exposerez votre problème et pourrez faire état de votre mécontentement.

Le problème du courrier électronique

Les points d'accès Wi-Fi des cafés, des hôtels, des gares et des aéroports sont très pratiques mais ils sont loin d'être privés. Ceci est un vrai problème lorsque vous envoyez et recevez du courrier électronique qui doit rester confidentiel. Or, votre ordinateur doit envoyer votre nom d'utilisateur et votre mot de passe sur Internet pour pouvoir vous connecter au serveur de courrier de votre FAI.

Le plus simple est de lire le courrier directement sur le site de votre fournisseur d'accès. Presque tous permettent d'accéder à un service de messagerie ou en ouvrant leur page Web (`www.orange.fr` par exemple), en cliquant sur un lien `Messagerie` et en vous identifiant ensuite avec votre nom d'utilisateur et votre mot de passe (ceux de la messagerie, pas ceux qui ouvrent la connexion Internet).

Troisième partie

Web prends garde à toi !

Dans cette partie...

Aucun doute sur ce point : le Web est l'endroit le plus populaire d'Internet. Il a d'ailleurs pris un tel essor ces dernières années que le grand public a tendance à l'assimiler à Internet. Nous vous expliquons ici ce qu'est exactement le Web et comment en tirer parti. Nous vous donnons également de bonnes astuces pour y trouver plus facilement ce que vous cherchez.

Chapitre 6

Le monde merveilleux et farfelu du Web

Dans ce chapitre :

- Hyper quoi ?
- Connaître les URL.
- Pointer, cliquer, parcourir, surfer et autres connaissances de base.
- Introduction à Internet Explorer 9 et à Firefox 3.6.
- Installer un autre navigateur qu'Internet Explorer.

De nos jours, les gens parlent davantage du *Web* que du *Net*, avec une légère tendance à confondre les deux. Mais il ne s'agit pas du tout de la même chose, puisque le *World Wide Web* (que nous appelons familièrement le Web, par goût inné du raccourci) est un sous-ensemble d'Internet, qui lui sert en quelque sorte de support. Le Web est le cœur d'Internet, mais Internet existait bien avant le Web, et la disparition de ce dernier ne perturberait Internet en aucune façon.

Ce chapitre explique ce qu'est le Web, d'où il vient et comment installer et utiliser les navigateurs Firefox et Internet Explorer 9. Vous apprendrez à employer votre navigateur Web pour afficher des pages Web. Si vous êtes déjà un habitué du Net et que vous avez opté pour Firefox ou Internet Explorer, passez directement au Chapitre 7.

Qu'est-ce que le Web ?

Le Web est un ensemble de « pages » contenant des informations, reliées logiquement les unes aux autres et réparties sur toute la surface du globe. Chaque page peut contenir du texte, des images, des sons, des animations, de la vidéo... Nous ne saurions terminer cette énumération autrement qu'avec des points de suspension, car presque chaque jour il naît de nouveaux « objets Web ». Ce sont ces liens, dits *hypertextes,* entre les pages qui rendent le Web si intéressant. Chacun pointe vers une autre page et l'ouvre lorsque vous cliquez dessus. L'affichage de ces pages s'effectue avec un programme spécialisé : le *navigateur.*

Les liens hypertextes peuvent ouvrir des pages situées à Sydney, Johannesburg, Darmstadt, Oslo ou bien simplement de l'autre côté de votre rue. Théoriquement, ce transfert est instantané, mais, dans la réalité, la rapidité de ce déplacement virtuel dépend de nombreux facteurs que nous découvrirons d'ici peu.

Les liens

Le système hypertexte crée des liens entre diverses bribes d'informations. Au fur et à mesure que vous établissez ces liens informatiques, vous contribuez à tisser cette toile d'araignée d'où le Web (« toile » en anglais) tire son nom. Les pages visées peuvent se trouver n'importe où dans le monde.

Toutes les informations peuvent être consultées de façon automatisée par des logiciels, appelés *moteurs de recherche*, qui permettent d'obtenir en quelques secondes toutes les références et occurrences des termes recherchés.

C'est ce système de documents pointant les uns vers les autres qu'on appelle *hypertexte*. La Figure 6.1 montre comment se présente une page Web. Chaque mot ou groupe de mots en gras et de couleur bleu marine est en réalité un *lien* pointant vers une autre page.

Figure 6.1 : Sur cette page, les mots ou expressions en gras et en bleu marine sont des liens susceptibles d'ouvrir d'autres pages.

L'*hypertexte* est un moyen de relier des informations de façon à faciliter leur découverte. En théorie, du moins. Dans les bibliothèques traditionnelles (vous savez, celles qui possèdent des étagères surchargées de livres), les informations sont classées de façon arbitraire, souvent par ordre alphabétique d'auteur, parfois par sujet. Ce type de classement ne reflète pas nécessairement l'existence d'un lien logique d'un ouvrage à l'autre. Dans le monde de l'hypertexte, en revanche, les informations sont organisées selon les liens logiques qui existent entre elles, ce qui semble plus... logique !

Un nom pour chaque page

Pour trouver une page particulière sur le Web, encore faut-il pouvoir désigner cette page par son nom comme on désigne un livre par son titre. C'est ici qu'intervient la notion d'*URL* (*Uniform Resource Locator,* adresse de ressource unifiée), un système d'adressage universel permettant une identification unique, donc non ambiguë, d'une page donnée. Une URL est une succession de termes commençant par `http://` et continuant souvent par `www`. Tout le monde le prononce comme un sigle, c'est-à-dire en prononçant chaque lettre (« U-R-L »), et non comme un acronyme (« hurle »). Vous en savez désormais suffisamment pour vous lancer dans la navigation. Pour quelques détails supplémentaires, entièrement techniques et facultatifs sur les URL, voyez l'encadré « Au royaume des URL ».

D'où vient le Web ?

Le Web a été inventé en 1989 au CERN (Centre européen pour la recherche nucléaire) à Genève, en Suisse, un endroit quelque peu inattendu pour une révolution en informatique. Le petit génie se nomme Tim Berners-Lee, un Anglais, actuellement directeur du consortium W3C (*World Wide Web Consortium*), chargé de l'élaboration des standards du Web.

Tim Berners-Lee a inventé le protocole HTTP *(HyperText Transfer Protocol,* protocole de transfert hypertexte*)*, utilisé pour échanger des informations entre clients et serveurs Web. C'est lui également qui a défini le langage HTML *(HyperText Markup Language,* langage de balisage hypertexte*)* qui n'est pas vraiment un langage au sens informatique du terme, mais plutôt un ensemble de commandes de description de page. Enfin, c'est lui qui a inventé l'URL, sorte d'adresse servant à identifier les ressources accessibles par le Web. Il a conçu le Web comme un moyen universel et simple d'échanger des informations indépendamment des matériels et systèmes d'exploitation utilisés. Les premiers navigateurs Web contenaient des éditeurs qui permettaient à tout utilisateur de créer des pages Web aussi facilement que de les lire.

Pour en savoir plus sur le développement du Web et le travail du consortium W3C, pointez votre navigateur sur `www.w3.org`. Tim Berners-Lee a été anobli en 2004 par la reine Elizabeth II, il porte désormais le titre de Sir Tim Berners-Lee et il a obtenu, en 2004, le Prix de la technologie du Millénaire.

La navigation

Maintenant que vous savez tout sur le Web, vous voulez le découvrir. Pour ce faire, il vous faut un *navigateur*, le logiciel qui récupère les pages Web et les affiche sur votre écran. Si vous avez Windows, un Mac ou un autre ordinateur offrant un accès à Internet, il en est déjà équipé. Par ailleurs, si vous avez installé le logiciel Internet remis par votre fournisseur d'accès à Internet (FAI), vous en avez aussi un.

Voici les navigateurs les plus connus :

- **Internet Explorer (IE)** est le navigateur que Microsoft fournit avec chaque version de Windows depuis Windows 98. Il en est aujourd'hui à la version 9, arrivée récemment dans le monde cyber.

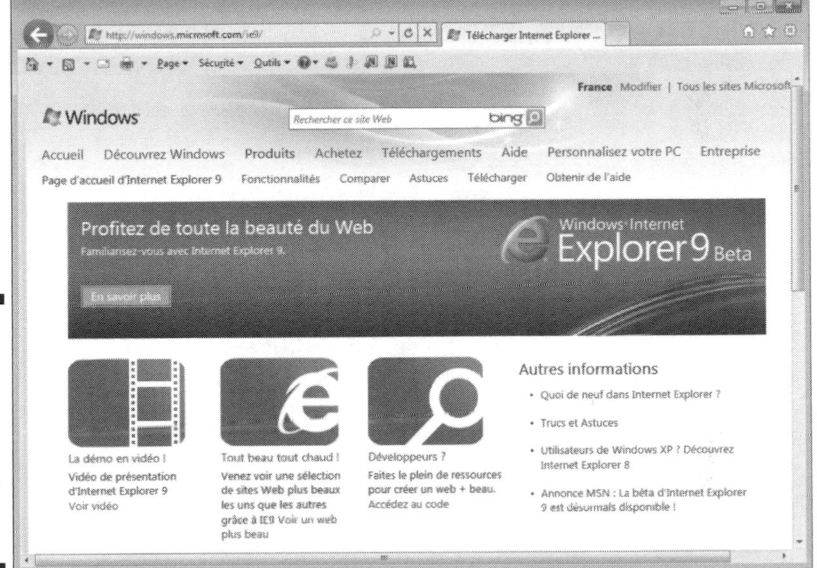

Figure 6.2 : Internet Explorer 9 est utilisé par environ 300 millions d'internautes du monde entier.

- **Firefox** est un navigateur développé en *open source* (source ouverte, c'est-à-dire sans cesse améliorée par une communauté de programmeurs à laquelle toute personne compétente peut se joindre) que vous trouverez à `http://www.mozilla-europe.org/fr/products/firefox/` (Figure 6.3). C'était à l'origine un hybride du meilleur de Mozilla et du meilleur de Netscape et il existe en versions Windows, Mac, et Linux. Firefox est moins visé par les espiogiciels. Reportez-vous à l'encadré « Pourquoi opter pour Firefox ? » pour savoir ce que nous pensons respectivement d'Internet Explorer et de Firefox.

Figure 6.3 : Firefox, dans sa version 3.6, est un navigateur Web de plus en plus utilisé.

Nous décrirons en détail Internet Explorer et Firefox au cours du livre. Si vous n'avez pas de navigateur ou que vous vouliez en essayer un autre, lisez la section « Comment se procurer et installer un navigateur », plus loin dans ce chapitre.

Surfer avec votre navigateur

Lorsque vous ouvrez Internet Explorer 9, vous obtenez un écran comme celui de la Figure 6.4. De nombreux FAI font en sorte que votre navigateur affiche leur page d'accueil, Internet Explorer affiche une page Microsoft et Firefox la page Mozilla, jusqu'à ce que vous choisissiez une autre page d'accueil.

Toutefois, si vous installez Firefox bien après Internet Explorer, le programme d'installation demande s'il doit ou non importer les Favoris et *cookies* utilisés dans Internet Explorer. À vous de décider du bien-fondé de votre réponse affirmative ou négative.

En haut de la fenêtre, on trouve un ensemble de boutons et la barre de navigation, ou barre d'adresse, qui contient l'URL

Figure 6.4 : Le nouvel Internet Explorer 9 !

(l'adresse) de la page actuellement visitée (Figure 6.5). Pour plus de détails, consultez l'encadré « Au royaume des URL » dans ce chapitre.

Figure 6.5 : Les outils de navigation d'Internet Explorer 9.

La plus grande partie de la fenêtre du navigateur est occupée par la page Web consultée. C'est quand même ce à quoi est censé servir un navigateur ! Les boutons, barres et menus servent à trouver votre chemin sur le Web et à réaliser des actions comme imprimer et enregistrer des pages.

Petite exploration

Pour aller d'une page à une autre sur le Web, il suffit de cliquer sur un lien. À l'écran, il peut se présenter sous la forme d'une image, d'un mot ou d'une suite de mots affichés dans une autre couleur que le texte normal (en bleu, le plus souvent) et souligné. Si vous n'êtes pas certain que ce soit bien un lien, observez le pointeur de la souris : de flèche, il se change en main lorsqu'il est placé sur un lien.

Au royaume des URL

L'une des raisons d'être du Web est de vous permettre d'aller d'un point à l'autre, d'un serveur à l'autre. C'est pourquoi la notion de lien est si importante. Mais encore faut-il savoir où aller.

Pour cela, le plus simple est de donner une adresse à tout ce qui peut être considéré comme une ressource du Web. Dans la vie quotidienne, c'est par une adresse que vous localisez la boutique où vous voulez faire quelques emplettes. Voyons comment se présente une adresse Web :

```
http://www.monserveur.fr/monfichier.html
```

L'URL se caractérise par son préfixe (ici : `http://`), qui indique le type de ressource. HTTP signifie *HyperText Transfer Protocol* (protocole de transfert hypertexte) et désigne le protocole utilisé sur le Web. Ne confondez pas « http », la façon dont les pages sont acheminées sur le Net, avec « html », la programmation de la page.

Les détails du reste de l'URL dépendent du modèle mais la plupart des modèles sont semblables. À la suite des deux-points, on trouve deux barres inclinées ainsi que le nom de l'ordinateur, l'hôte qui héberge la ressource (`www.monserveur.fr`). Viennent ensuite une autre barre et un *chemin d'accès* qui donnent le nom de la ressource sur cet hôte (ici, le fichier nommé `monfichier.html`).

On peut aussi trouver, dans une URL, un numéro de port précédé du caractère des deux-points « : », comme dans l'adresse `http://www.toto.fr:80/machin.html`. *Grosso modo*, cela indique le type de programme du serveur qui doit gérer l'adresse. Pour http, c'est 80, qui est la valeur par défaut. C'est pourquoi il est inutile de l'indiquer.

Enfin, une URL Web peut comporter un élément de recherche à la fin, après un point d'interrogation :

```
http://net.gurus.com:80/index.phtml?chickens
```

Lorsqu'une URL comporte une portion recherche, cela indique à l'ordinateur hôte ce qu'il faut rechercher. Il est rare que l'on tape soi-même la portion recherche – elle est construite automatiquement par les formulaires des pages Web.

Outre le préfixe `http://`, il existe aussi `ftp://`, `mailto:`, `file:///`, *etc.* Une URL avec `mailto:` indique qu'il s'agit d'une ressource de courrier électronique qui se présente ainsi :

```
mailto:infos@efirst.com
```

Cliquer sur une URL `mailto:` démarre le logiciel de messagerie, permettant d'envoyer un courrier au destinataire figurant juste après.

Une URL dont le préfixe est `ftp://` signale un serveur de fichiers accessible au moyen du protocole FTP. En voici un exemple :

```
ftp://ftp.univ.lille-1.fr/pc/coast/wulist.zip
```

Enfin, le préfixe `file:` (fichier) permet d'accéder à un document HTML local, c'est-à-dire situé sur la même machine. Dans ce cas, on ne passe pas par Internet. C'est le moyen couramment utilisé pour tester un document HTML. En voici un exemple :

```
file:///c|/web/index.html
```

Sous Windows, cela signifie que le document HTML `index.htm` situé dans le répertoire \web du disque C: sera ouvert. Notez le remplacement du caractère « : » par un caractère « | » (barre verticale), puisque le caractère des deux-points, comme nous venons de le voir, a une autre signification (il précède le numéro de port facultatif).

Arrière toute !

Les navigateurs n'ont pas la mémoire courte : ils se souviennent du chemin qu'ils ont parcouru et, en particulier, de la dernière page affichée. Si celle que vous venez d'afficher ne vous plaît pas et que vous souhaitiez revenir à la précédente, cliquez tout simplement sur l'icône la plus à gauche de la rangée supérieure, celle qui porte une flèche tournée vers la gauche. Vous pouvez également passer par le clavier : appuyez sur la touche fléchée pointant vers la gauche tout en maintenant enfoncée la touche Alt (celle qui se trouve à gauche de la barre d'espacement).

Parfois, en cliquant sur un lien, la page atteinte s'ouvre dans une nouvelle fenêtre du navigateur Web. En effet, que ce soit Internet Explorer, Firefox ou tout autre navigateur, chacun peut afficher plusieurs pages simultanément. Lorsqu'un lien s'ouvre dans une nouvelle fenêtre, le bouton Précédent ou Reculer d'une page n'est pas accessible.

Où aller ?

On appelle *page d'accueil* la page Web principale d'un site Web. La page d'accueil est comparable à la page de couverture d'un magazine : elle donne une idée de ce que vous trouverez dans le site. Voici comment accéder à une page d'accueil :

1. **Cliquez dans la zone de saisie de l'adresse, située en haut de la fenêtre de navigation (Figure 6.6).**

Figure 6.6 : Saisissez ici l'adresse du site Web à visiter.

2. **Saisissez l'URL de la page que vous voulez atteindre.**

   Exemple : `http://www.editionsfirst.fr/`. En général, vous pouvez vous contenter de taper `www.editionsfirst.fr/` (et même, lorsque le site se termine par `.com`, en tapant `editionsfirst` et en appuyant ensuite sur Ctrl+Entrée).

3. **Appuyez sur Entrée.**

Si l'URL de la page que vous désirez charger figure dans un courrier électronique, un message lu sur un forum ou dans un traitement de texte, vous pouvez la transférer dans la boîte de saisie de votre fenêtre de navigation au moyen d'un classique copier/coller, ce qui vous évite de la retaper avec les risques d'erreur que cela implique :

1. **Sélectionnez l'URL que vous souhaitez copier.**

   En général, en la balayant du pointeur de votre souris, tout en maintenant enfoncée la touche Maj.

   Vous sélectionnerez très rapidement l'URL en appuyant sur Alt+D.

2. **Appuyez sur Ctrl+C (cmd+C sur Mac) pour copier la chaîne de caractères dans le Presse-papiers.**

3. **Cliquez dans le champ de saisie d'adresse du navigateur.**

4. **Appuyez sur Ctrl+V (cmd+V sur Mac) pour coller le contenu du Presse-papiers et appuyez sur Entrée.**

De nombreux autres logiciels de courrier font mieux encore : ils interprètent automatiquement les URL placées dans leurs messages e-mail de sorte que, lorsque vous passez le pointeur de la souris sur une adresse que vous avez reçue, celui-ci se change en main. Il suffit alors de cliquer ou de double-cliquer pour démarrer le navigateur et afficher la page Web correspondante.

De malfaisants personnages, auteurs de pages Web frauduleuses, peuvent facilement créer des courriers contenant des URL qui, lorsque vous cliquez dessus, n'envoient pas du tout là où vous pensiez aller. Bien évidemment, vous ne vous rendez compte de rien. Méfiez-vous des messages dont l'origine semble suspecte. Par exemple, si vous recevez un message émanant soi-disant de votre banque, ne cliquez pas sur le lien proposé. En effet, vous risquez de tomber sur une fausse page identique à celle du site Web de votre banque. On vous demande votre nom d'utilisateur, votre mot de passe et votre numéro de compte bancaire. (Consultez le Chapitre 2 pour plus d'informations sur cette technique appelée *hameçonnage*.) Rendez-vous toujours sur le site de votre banque en saisissant son adresse dans la barre d'adresse de votre navigateur Web, mais jamais en cliquant sur un lien figurant dans un courrier.

Par où commencer ?

Nous en apprendrons davantage au Chapitre 8 sur l'art de rechercher des informations ou des fichiers sur le Web, mais, pour l'instant, voici un bon moyen de mettre le pied à l'étrier : allez à la page de Yahoo! France (Figure 6.7) en tapant `http://www.yahoo.fr`

Figure 6.7 : Accédez à la page d'accueil de Yahoo!.

Vous êtes aussitôt transporté sur Yahoo! car Internet Explorer 9 est bien plus rapide que ne le sont les anciennes versions de ce navigateur. Dans le domaine de la rapidité d'affichage des pages Web, Internet Explorer a rattrapé son retard sur Firefox. Sur la page de Yahoo! vous trouvez un répertoire contenant des millions d'adresses de pages Web classées par sujets. En fouinant çà et là, vous allez trouver sans aucun doute quelque chose d'intéressant.

Cette page est bizarre

Il arrive qu'une page Web soit abîmée ou que vous l'interrompiez (en cliquant sur le bouton Arrêter dans la barre d'outils ou en appuyant sur la touche Echap). Pour indiquer à votre navigateur de recharger le contenu de la page : dans Firefox, cliquez sur le bouton Actualiser ou appuyez sur Ctrl+R ; dans Internet Explorer 9, cliquez également sur le bouton Actualiser (icône ci-contre) ou appuyez sur F5.

Avec Internet Explorer 9, si une page ne s'affiche pas, vous pouvez essayer de cliquer sur le bouton de compatibilité qui permet à des sites anciens de s'afficher correctement.

Sortez-moi de là !

Tôt ou tard, il va bien falloir que vous vous arrêtiez de surfer sur le Web, ne serait-ce que pour aller manger ou satisfaire quelque besoin naturel. Vous fermez votre navigateur exactement comme vous quittez tout programme Mac ou Windows : vous choisissez la commande Fichier/Quitter ou appuyez sur la combinaison Alt+F4. Sous Windows, vous pouvez également cliquer sur le bouton de fermeture (X) placé dans le coin supérieur droit de la fenêtre d'affichage.

Installer un autre navigateur

Un navigateur est sans aucun doute déjà installé sur votre machine. Tous les navigateurs récents se ressemblent tellement que nous vous suggérons de garder celui qui s'y trouve, pour l'instant, du moins. Si vous n'avez pas de chance, vous n'avez pas de navigateur ou un vieux modèle que vous devez mettre à jour pour bénéficier des fonctions récentes exploitées dans les pages Web. Si vous utilisez une version de Firefox antérieure à la 2 ou d'Internet Explorer antérieure à la 9.0, vous risquez de passer à côté de nombreuses nouvelles fonctionnalités. Heureusement, les navigateurs ne sont pas difficiles à obtenir et à installer, et la plupart sont gratuits.

De nouvelles versions de Firefox et d'Internet Explorer paraissent régulièrement. Elles corrigent les *bugs* des versions précédentes et comblent aussi certaines failles de sécurité qui permettent aux pirates de s'introduire dans les systèmes informatiques. À cet égard, Internet Explorer 9.0 est beaucoup plus sécurisé, performant, confidentiel, et pratique que l'était la version 8.0.

Comment se procurer un navigateur ?

Pour obtenir ou mettre à jour Firefox, allez à l'adresse `http://www.mozilla-europe.org/fr/firefox/`. Si vous préférez Internet Explorer, qu'à cela ne tienne ! Rendez-vous à l'adresse `http://windows.microsoft.com/ie9/` (Figure 6.8).

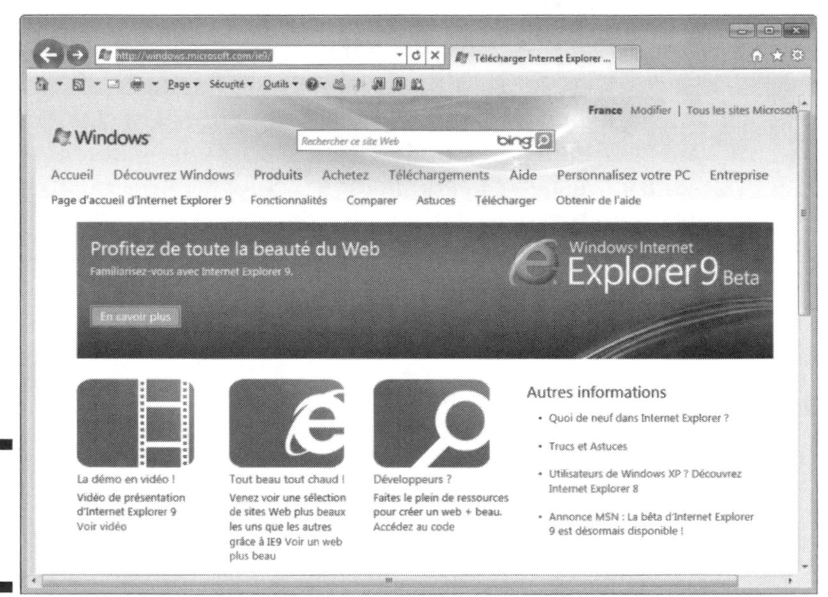

Figure 6.8 : Téléchargez Internet Explorer 9 !

Lors d'une mise à jour d'une version antérieure du navigateur vers une plus récente, l'ancienne version sera remplacée par la nouvelle. Le programme d'installation conservera vos réglages et signets ou Favoris.

La première fois que vous ouvrez le navigateur

Pour ouvrir votre nouveau navigateur, cliquez sur son icône dans la barre des tâches de Windows 7 ou sur le raccourci affiché sur le bureau.

Si vous installez Firefox en plus d'Internet Explorer, vous êtes invité à importer tous vos paramètres Internet Explorer (ou de tout autre navigateur Web que vous utilisiez avant lui). Cela est important si vous avez réuni une impressionnante liste de Favoris que vous désirez retrouver dans Firefox.

Navigation sécurisée avec Internet Explorer 9

Une des nouvelles fonctions les plus intéressantes d'Internet Explorer 9 est la possibilité de naviguer sans laisser d'informations personnelles sur le Web.

Voici comment utiliser la fonction InPrivate d'Internet Explorer 9 :

1. **Démarrez Internet Explorer.**

   La page d'accueil définie par défaut apparaît.

2. **Cliquez sur Sécurité/Navigation InPrivate, comme le montre la Figure 6.9.**

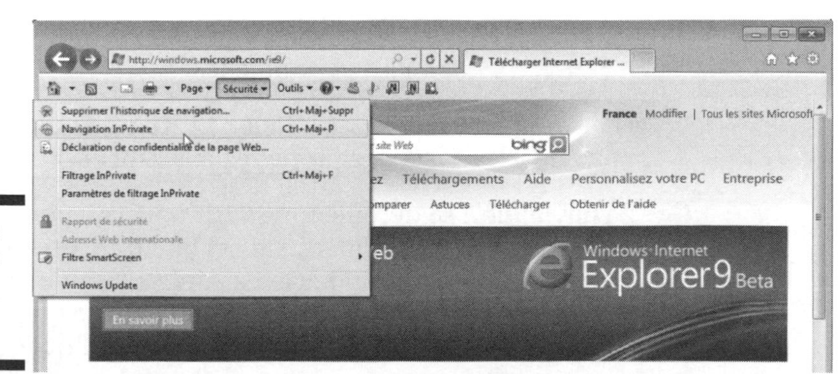

Figure 6.9 : Navigation InPrivate d'Internet Explorer 9.

Ce choix ouvre une nouvelle fenêtre d'Internet Explorer expliquant en quoi consiste InPrivate, comme le montre la Figure 6.10.

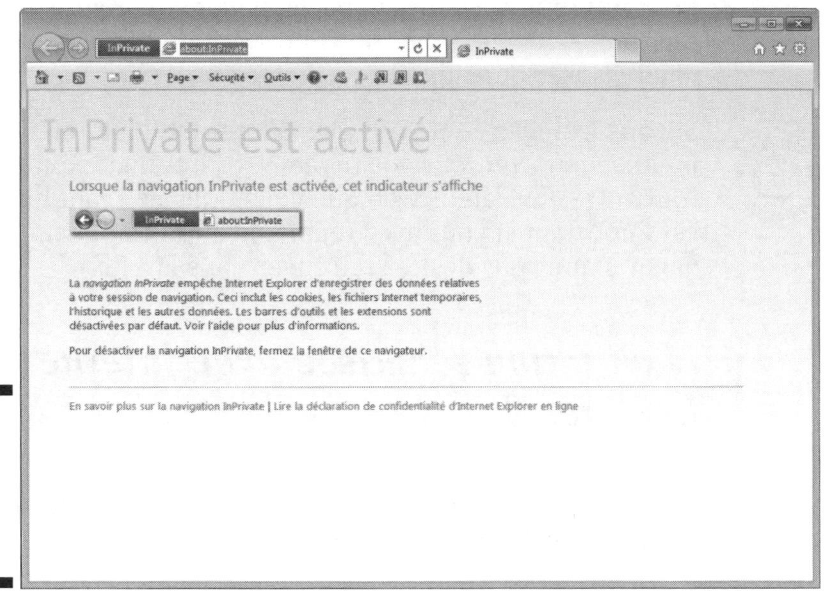

Figure 6.10 : Internet Explorer 9 en mode de navigation privée.

Comme vous le constatez, rien de ce qui vous concerne n'apparaît sur le Web lors d'une navigation en mode InPrivate. Internet Explorer empêche l'enregistrement :

- des cookies ;
- des fichiers Internet temporaires ;
- de l'historique de navigation ;
- d'autres données personnelles.

3. **Dans la barre d'adresses, tapez l'URL de la page que vous désirez visiter, et appuyez sur Entrée.**

   La navigation se déroule tout à fait normalement. La seule et importante différence est que tout site que vous visitez et pour lequel vous avez antérieurement saisi des données personnelles vous obligera à les taper de nouveau. Ce sera le cas des sites marchand qui gardent souvent en mémoire votre nom d'utilisateur et votre mot de passe pour accélérer vos achats sur Internet.

4. **Pour sortir du mode InPrivate, il suffit de fermer cette fenêtre spéciale d'Internet Explorer 9.**

Chapitre 7

Il était un joli petit Web

Dans ce chapitre :

- Enregistrer et imprimer des pages Web.
- Demander au navigateur de mémoriser les noms d'utilisateur et les mots de passe.
- Naviguer dans plusieurs fenêtres à la fois.
- Afficher des pages Web dans des onglets.
- Marquer vos pages préférées.
- Contrôler les *cookies*.
- Arrêter les *popups*.
- Ajouter des *plug-ins* au navigateur.

Vous avez appris au Chapitre 6 ce qu'est un navigateur Web. Vous apprendrez à présent à exploiter quelques fonctionnalités telles que l'impression des pages Web, l'affichage simultané de plusieurs pages et la mémorisation des pages que vous visitez régulièrement. Vous devez également apprendre à gérer les espiogiciels, une menace Internet détaillée au Chapitre 2.

Enregistrer des éléments du Web

Très souvent, vous rencontrerez des éléments d'une page que vous aurez envie de conserver. Il peut s'agir d'une image ou de tout autre type de fichier, voire même d'une page Web entière. L'enregistrement de ces éléments est très facile à réaliser.

Enregistrer une page Web

Lorsque vous enregistrez une page Web, vous devez décider si vous n'en gardez que le texte ou si vous sauvegardez sa version HTML. Cette dernière version inclut tous les codes qui président à la mise en forme de la page.

Voici comment enregistrer une page Web affichée :

1. **Cliquez sur Fichier/Enregistrer sous (aussi bien dans Internet Explorer que dans Firefox).**

   Dans Internet Explorer, lorsque la barre des menus n'est pas affichée en permanence, vous devrez appuyer sur la touche Alt pour afficher la barre de menus.

   Pour afficher de manière permanente la barre des menus d'Internet Explorer 9, appuyez sur Alt. Ensuite, cliquez sur Affichage/Barre d'outils/Barre de menus (Figure 7.1). Pour masquer la barre de menus, il suffit de répéter cette opération.

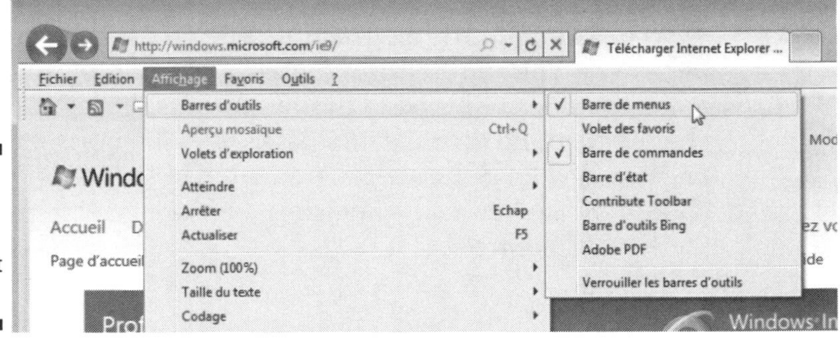

Figure 7.1 : Afficher la barre de menus d'Internet Explorer 9.

   Une boîte de dialogue d'enregistrement standard apparaît.

2. **Attribuez un nom à cette page dans le champ Nom du fichier, ou bien laissez le nom affiché par défaut.**

3. **Dans la liste Type, choisissez la forme sous laquelle vous allez sauvegarder cette page sur votre disque dur.**

   Choisissez :

   - **Fichier texte** pour ne conserver que la version texte de la page avec quelques petites marques indiquant l'emplacement des images.
   - **Page Web HTML uniquement** ou **Page Web complète** pour conserver cette page dans sa mise en forme actuelle, c'est-à-dire exactement telle que vous la voyez à l'écran.

4. **Cliquez sur le bouton Enregistrer.**

Enregistrer une image

Pour enregistrer une image affichée sur une page Web :

1. **Cliquez sur l'image du bouton droit de la souris.**

2. **Dans le menu contextuel, choisissez la commande Enregistrer l'image sous, comme le montre la Figure 7.2.**

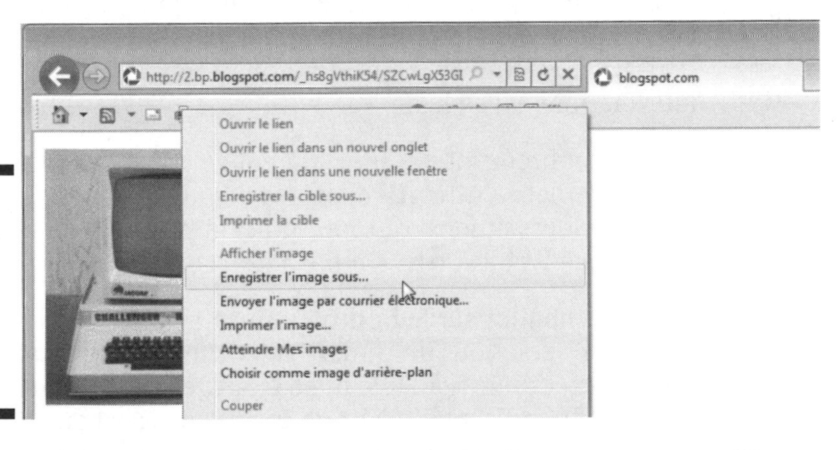

Figure 7.2 : Enregistrez, sur votre disque dur, une image trouvée sur une page Web.

3. **Dans la boîte de dialogue Enregistrer l'image, utilisez la liste Enregistrer dans. Utilisez ensuite le volet de**

gauche pour sélectionner le disque dur ou le dossier de stockage de cette image.

4. **Puis, dans le volet de droite, localisez le disque dur et/ou le dossier ou le sous-dossier de stockage.**
5. **Dans le champ Nom du fichier, modifiez si besoin le nom assigné par défaut.**
6. **Enfin, dans le champ Type, choisissez le format graphique sous lequel vous désirez enregistrer cette image. Cliquez sur Enregistrer.**

N'oubliez jamais que tout ce que vous voyez sur le Net est protégé par la loi sur les droits d'auteur. Par conséquent, vous ne pouvez pas utiliser les textes, les images, les vidéos, la musique, *etc.* comme bon vous semble car vous n'en avez pas la propriété artistique. En d'autres termes, vous ne pouvez jamais utiliser, sans autorisation écrite des auteurs, tout document dont vous n'êtes pas vous-même le créateur. Conclusion : n'utilisez jamais ces éléments sur votre site Web !

Imprimer des pages Web

Aux premières années du Web, toutes les pages affichaient une commande d'impression qui ne fonctionnait pas ! On pensait à l'époque que l'internaute ne souhaitait consulter les informations qu'en ligne.

Or, de nombreux internautes aiment se constituer des dossiers complets à titre privé, professionnel, ou encore dans le cadre de leurs études. Aujourd'hui, l'impression du contenu d'une page Web est très simple à réaliser.

Soit vous cliquez sur le bouton Imprimer cette page (ou Imprimer), soit vous invoquez Fichier/Imprimer. Le navigateur doit effectuer une nouvelle mise en page du contenu Web afin de le rendre présentable sur un format A4. Ceci demande un peu de temps. Une barre de progression permet de savoir où vous en êtes de cette impression.

Si vous cliquez sur l'icône d'impression de la barre d'outils d'Internet Explorer 9, la page Web est directement imprimée. En revanche, si vous exécutez la commande Imprimer du menu Fichier, vous accédez à la boîte de dialogue Imprimer où vous paramétrez votre impression.

Sous Internet Explorer 9, vous pouvez cliquer sur la petite flèche située à droite de l'icône de l'imprimante (Figure 7.3). Dans le menu local qui apparaît, choisissez Imprimer pour ouvrir la boîte de dialogue éponyme, Aperçu avec impression pour prévisualiser précisément ce que vous allez imprimer, ou Mise en page pour choisir ce qui sera ou non imprimé.

Figure 7.3 : Imprimer depuis la barre d'outils d'Internet Explorer 9.

Remplir des formulaires

Dans une page Web, un *formulaire* est une page remplie de champs de saisie, de cases à cocher, de boutons radio, de listes qui permettent de communiquer des informations à un site Web lorsque vous cliquez sur le bouton Envoyer. La Figure 7.4 présente un formulaire type.

Les *champs de saisie* permettent de taper des informations comme votre nom, votre courriel ou encore votre adresse postale. Les petits carrés sont des *cases à cocher*. Elles permettent de choisir plusieurs options (ou réponses) proposées. En

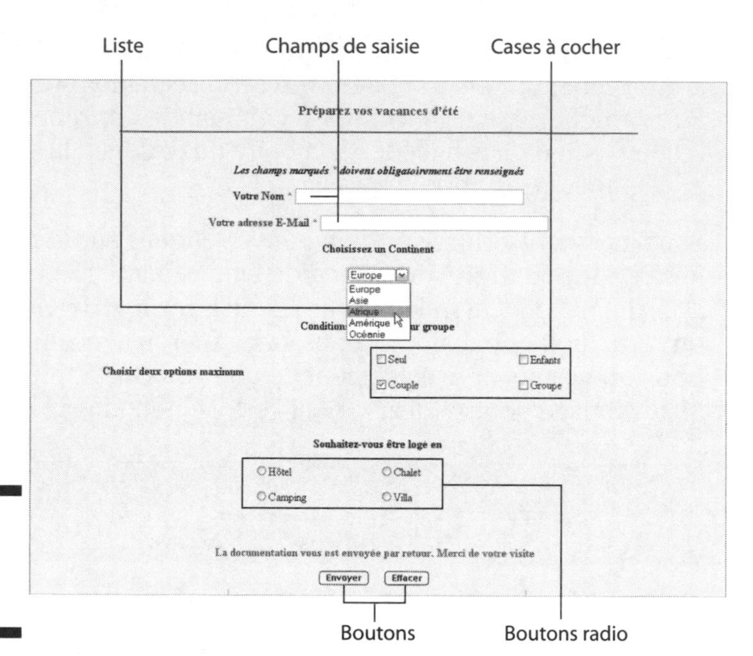

Figure 7.4 : Remplissez des formulaires.

revanche, les petits cercles sont des boutons d'option souvent appelés *boutons radio*. Dès que vous en activez un, les autres du même groupe ne peuvent plus l'être, contrairement aux *cases* permettant les choix multiples. Les formulaires contiennent également des *listes* dont les différentes natures permettent d'effectuer un ou plusieurs choix.

Les formulaires ont également des boutons. Ils sont généralement au nombre de deux : l'un pour envoyer, donc valider le formulaire, et l'autre pour l'annuler. Parfois, vous en verrez un troisième qui permet de purger le contenu afin de recommencer la saisie des informations.

Certaines pages Web comportent un *champ de recherche*. Cela permet d'effectuer une recherche d'informations sur un site en saisissant un mot-clé. Par exemple, la page Web de Google, à l'adresse `www.google.fr` et à la Figure 7.5, n'en a qu'un seul dans lequel vous tapez l'objet de la recherche. Pour trouver des sites Web consacrés au cinéma, saisissez simplement « cinéma » et cliquez sur le bouton Recherche Google. Une liste des sites sur le cinéma s'affichera dans le reste de la page.

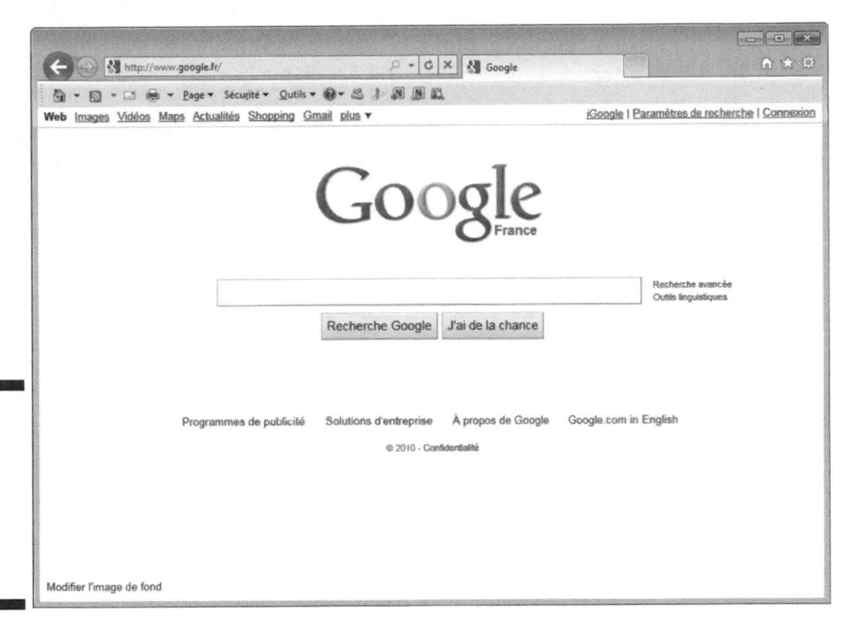

Figure 7.5 : La page d'accueil du célèbre moteur de recherche Google.

Internet Explorer est doté d'un champ de recherche situé en haut à droite de l'interface. Par défaut, il propose d'effectuer une recherche *via* le moteur Bing. Toutefois, si vous cliquez sur la petite flèche située à droite de la loupe, vous avez la possibilité de choisir d'autres moteurs en cliquant sur la commande Rechercher d'autres moteurs de recherche. Utilisez celui qui vous convient le mieux.

Les pages Web sécurisées

Lorsque vous remplissez un formulaire en ligne, vous êtes amené à communiquer des informations confidentielles, votre numéro de carte bancaire, par exemple. Heureusement, les pages Web savent crypter les données que vous envoyez et que vous recevez d'un *serveur Web sécurisé*.

L'icône d'un petit cadenas affichée à droite de l'adresse, dans la page de navigation, indique que toutes les transactions effectuées à partir de cette page sont cryptées. Si ce fameux petit cadenas est ouvert ou absent, cela signifie que la page n'est pas cryptée. Dans Firefox, le cadenas figure en bas à droite de la fenêtre du navigateur.

Le remplissage des formulaires s'effectue presque toujours dans une page Web sécurisée. Ceci évite tout détournement des informations par les cyberdélinquants. Le cryptage des données saisies est sécurisant, mais il suffit de lire le Chapitre 2 pour savoir que les vrais dangers d'Internet se situent ailleurs.

Comme expliqué au précédent chapitre, Internet Explorer 9 permet de surfer en mode InPrivate, c'est-à-dire un mode dans lequel aucune donnée personnelle n'est transmise aux sites Web. Pour cela :

1. **Cliquez sur Sécurité/Navigation InPrivate.**

   Internet Explorer ouvre une nouvelle fenêtre comme celle de la Figure 7.6.

2. **Pour quitter la mode InPrivate, fermez cette fenêtre.**

Pour savoir si vous êtes dans une fenêtre d'Internet Explorer affichée en mode InPrivate, regardez si cette mention figure à gauche de la barre d'adresses.

Laisser votre navigateur gérer vos mots de passe

De nombreux sites Web demandent la saisie d'un nom d'utilisateur et d'un mot de passe. Par exemple, lorsque vous achetez quelque chose sur un site Web, vous ouvrez généralement un compte qui stocke votre adresse de facturation et de livraison. Cela permet de régler vos achats plus rapidement. Pour accéder à ce compte, vous devez systématiquement saisir votre nom d'utilisateur et votre mot de passe. Comme vous avez probablement défini des quantités industrielles de mots de passe, il est parfois salutaire de demander à votre navigateur Web de les conserver en mémoire.

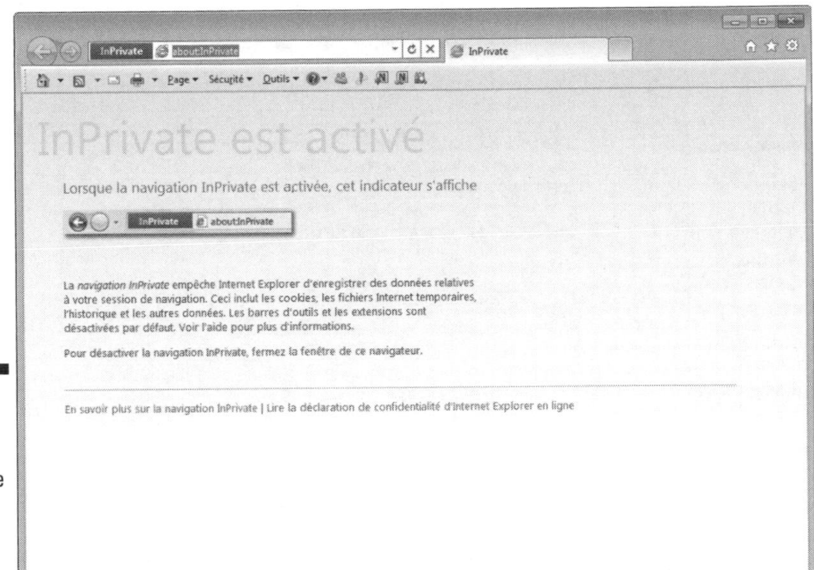

Figure 7.6 : Naviguer incognito avec le mode InPrivate d'Internet Explorer 9.

Firefox et Internet Explorer savent mémoriser les noms d'utilisateur et les mots de passe. Cependant, cette fonction pratique peut s'avérer dangereuse si d'autres personnes utilisent votre ordinateur dans un lieu public comme une bibliothèque ou un cybercafé. En revanche, si vous êtes seul à accéder à votre ordinateur, vous pouvez demander au navigateur de mémoriser certains de vos noms d'utilisateur et de vos mots de passe.

Lorsque vous accédez à une page Web qui requiert ces deux informations, votre navigateur affiche un message, comme celui d'Internet Explorer 9, représenté à la Figure 7.7. Cliquez sur Oui si vous désirez ne pas avoir à saisir le mot de passe lors de votre prochaine visite. Avec Firefox, vous disposez d'un bouton Jamais pour ce site (Figure 7.8). Si vous cliquez dessus, la cause est entendue. Vous serez systématiquement obligé de saisir le mot de passe pour ce site spécifique. Si vous répondez Non, aucune mise en mémoire n'est faite, mais le message s'affichera de nouveau lorsque vous reviendrez sur le site.

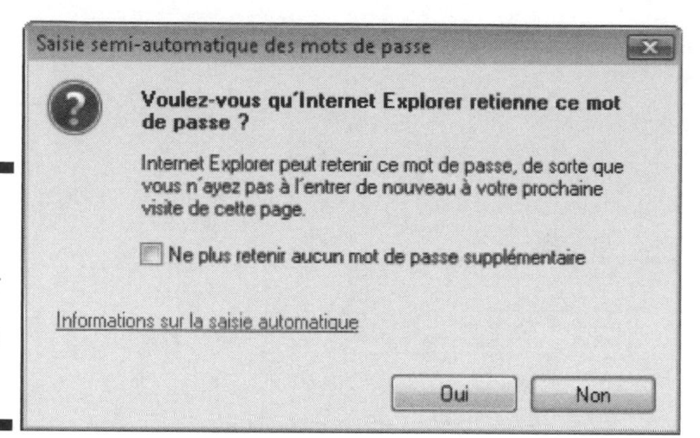

Figure 7.7 : Internet Explorer peut stocker les mots de passe saisis sur les sites Web.

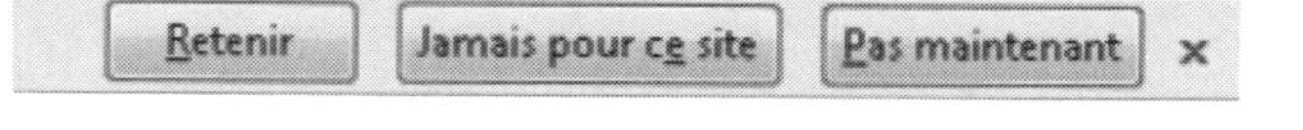

Figure 7.8 : Firefox peut stocker les mots de passe saisis sur les sites Web.

Voici comment contrôler la manière dont les mots de passe sont stockés par Internet Explorer 9 :

1. **Cliquez sur Outils/Options Internet.**
2. **Cliquez sur l'onglet Contenu.**
3. **Dans la section Saisie semi-automatique, cliquez sur le bouton Paramètres.**

   Vous affichez la boîte de dialogue Paramètres de la saisie-automatique illustrée à la Figure 7.9.

4. **Selon votre préférence, cochez ou décochez la case Me demander avant d'enregistrer les mots de passe.**

   Voici les options disponibles :

   • Si vous décochez l'option Me demander avant d'enregistrer les mots de passe, cette fonction est désactivée. Cochez la case pour la réactiver. Les mots de passe seront automatiquement enregistrés.

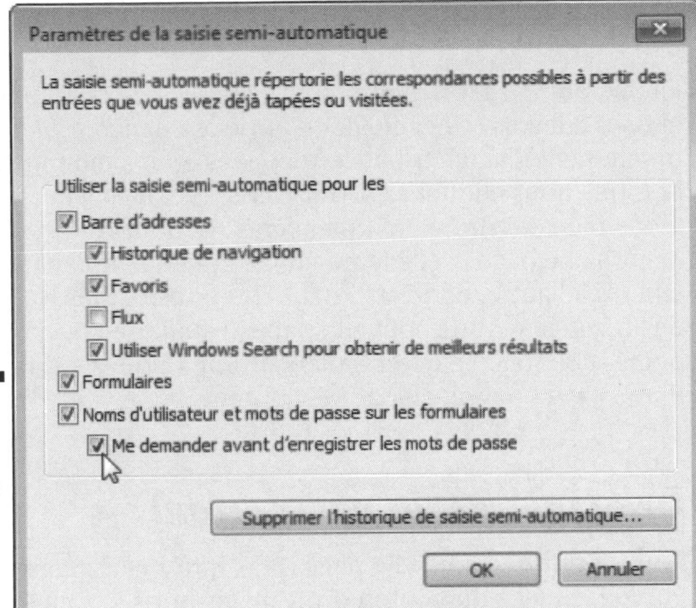

Figure 7.9 : Gérez la manière dont Internet Explorer doit stocker vos mots de passe.

- Cliquez sur le bouton Supprimer l'historique de la saisie semi-automatique pour éventuellement supprimer des noms d'utilisateur et des mots de passe qu'Internet Explorer 9 aurait mémorisés.
- Décochez la case Noms d'utilisateurs et mots de passe sur les formulaires pour qu'Internet Explorer n'essaie pas de les stocker.

4. **Cliquez sur OK pour quitter la boîte de dialogue Paramètres de la saisie semi-automatique.**

Personnellement, je laisse mon navigateur Web mémoriser les mots de passe de mes différents comptes quand ceux-ci n'engagent aucunement des informations personnelles et/ou bancaires. Par exemple, si nous avons un compte sur le site Web des fans de Harry Potter pour nous permettre de discuter en ligne avec d'autres personnes partageant notre passion, nous ne risquons pas grand-chose à mémoriser le mot de passe dans le navigateur. Nous ne procéderons bien sûr pas de la même manière avec le nom d'utilisateur et le mot de passe d'accès à un compte bancaire.

Des fenêtres ouvertes sur le monde

Firefox et Internet Explorer sont capables de faire plusieurs choses à la fois (c'est ce qu'on appelle du *multitraitement*), et notamment d'afficher plusieurs pages Web simultanément. Lorsque nous cliquons çà et là dans les pages Web, nous aimons bien ouvrir de multiples fenêtres pour retourner rapidement à une page précédente en basculant simplement d'une fenêtre à l'autre, ou mieux, dans des onglets. Dès que vous désirez afficher une nouvelle page, il suffit de l'ouvrir dans un onglet pour la conserver à disposition. Cliquez sur l'onglet d'une page pour en afficher le contenu.

Des fenêtres un peu partout

Pour ouvrir une nouvelle page dans Internet Explorer ou Firefox, cliquez du bouton droit de la souris sur un lien et, dans le menu qui surgit, choisissez la commande Ouvrir dans une nouvelle fenêtre, ou Ouvrir le lien dans une nouvelle fenêtre pour Firefox. Pour fermer une fenêtre, cliquez sur sa case de fermeture (représentée par une croix dans le coin supérieur droit) ou appuyez sur Alt+F4.

Vous pouvez également ouvrir une nouvelle fenêtre sans pour autant suivre un autre lien. Pour cela, appuyez sur Ctrl+N ou (après un appui sur Alt) cliquez sur Fichier/Nouvelle fenêtre dans Internet Explorer et Firefox.

Dans Firefox et dans Internet Explorer 9, cette commande ne produit pas le même effet. Ainsi, dans Internet Explorer 9, une nouvelle fenêtre va afficher le contenu de la fenêtre actuelle ; dans Firefox, vous partez d'une nouvelle fenêtre affichant la page d'accueil par défaut. Pour ouvrir, dans Internet Explorer 9, une nouvelle fenêtre affichant votre page d'accueil par défaut, vous devez cliquer sur Fichier/Nouvelle session.

À propos du téléchargement

Si vous demandez à votre navigateur de commencer à télécharger un gros fichier, il affichera généralement une petite fenêtre dans un coin de votre écran. Firefox ouvre la fenêtre Téléchargements. Vous y suivez la progression du transfert. Internet Explorer, lui, présente des petites pages voletant de gauche à droite, d'un dossier à un autre, ainsi qu'une barre de progression. Certains trouvent cela amusant ! Et, pendant ce temps-là, vous pouvez revenir à la fenêtre principale de votre navigateur et continuer votre promenade sur le Web.

Attention : faire deux ou trois choses à la fois avec votre navigateur lorsque vous êtes connecté à Internet par une ligne téléphonique peut vous faire gagner du temps. Tout dépend, en fait, du débit maximal du modem. La vitesse de transfert sera partagée entre les fenêtres actives du navigateur. Un seul transfert de fichier peut parfois solliciter presque toute la bande passante. Par conséquent, plusieurs activités se dérouleront toutes plus lentement.

Si une tâche est un téléchargement de gros fichiers et l'autre une simple promenade sur le Web, tout se passe généralement bien car vous passez plus de temps à regarder la page Web, permettant au fichier d'être transféré sans entrave. Mais ce n'est pas parce que Firefox et Internet Explorer permettent de télécharger plusieurs fichiers en même temps que vous allez y gagner quoi que ce soit. Il n'y a pas de raison d'en traiter plus d'un seul (deux, à la rigueur) à la fois, et, en plus, vous risquez de vous tromper.

Les navigateurs Web disposent d'un « cache ». Il s'agit d'une zone de stockage où le programme enregistre les images d'un site de manière à les réafficher lors d'une prochaine connexion au même site, ce qui fait gagner du temps. Le problème du cache est qu'il peut empêcher l'affichage de la version actualisée de la page, ce qui peut être gênant sur un site marchand, financier ou journalistique, les prix, cours et informations risquant d'être périmés. Pour éviter ce désagrément, recharger la page en appuyant sur la touche F5 du clavier (avec Internet Explorer ou Firefox). Sachez cependant que ces navigateurs, en règle générale, chargent systématiquement la nouvelle version des pages Web lorsque leur contenu a radicalement changé. Toutefois, l'appui sur F5 reste un excellent réflexe.

Jeux d'onglets

Apparus d'abord dans le méconnu navigateur Opera puis dans Firefox, avant d'être adopté par Internet Explorer 7, les *onglets* contiennent chacun une page Web. La Figure 7.10 montre Internet Explorer 9 avec quatre onglets. Pour afficher une des pages, il suffit de cliquer sur son onglet en haut de la fenêtre. Cliquez sur le minuscule onglet vide, à droite de ceux déjà ouverts (ou appuyez sur Ctrl+T), pour créer un nouvel onglet ou sur le X à droite de l'onglet courant pour le supprimer. Les onglets travaillent en *multithread*, c'est-à-dire qu'un chargement peut se dérouler à l'arrière-plan dans un onglet pendant que vous en consultez un autre. Nous trouvons les onglets généralement plus pratiques que les fenêtres. Les deux sont exploitables conjointement ; rien n'empêche d'ouvrir plusieurs fenêtres, chacune pouvant afficher plusieurs onglets.

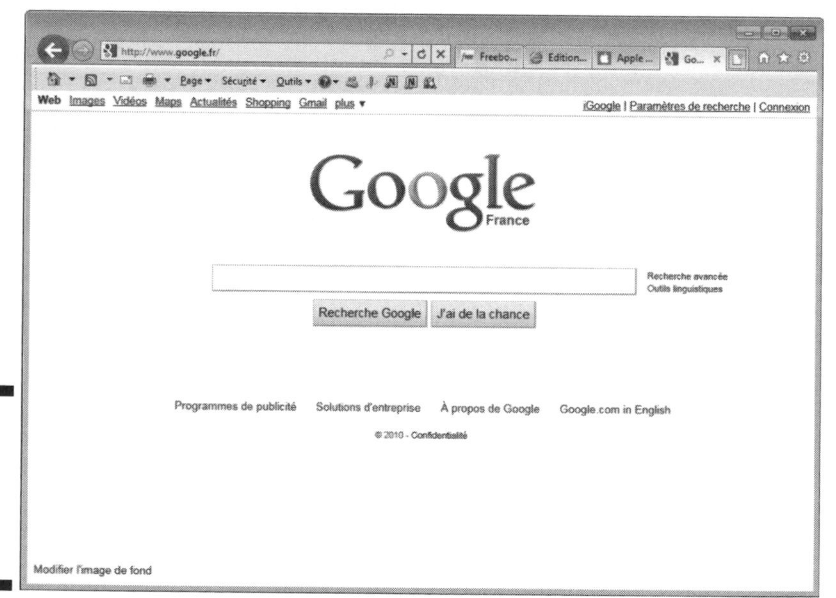

Figure 7.10 : Une fenêtre d'Internet Explorer 9 avec quatre onglets.

Favoris et signets

Il existe quantité de sites passionnants à visiter sur le Web, et vous voudrez revisiter bon nombre d'entre eux. Par bonheur, les programmeurs qui ont conçu les navigateurs ont pensé à un moyen de mémoriser les bonnes adresses, évitant ainsi de devoir noter manuellement des URL parfois compliquées. Ces moyens sont des *signets, marque-pages* ou *favoris*.

Le terme diffère d'un navigateur à un autre mais le principe reste le même. Votre navigateur vous permet d'enrichir votre « carnet d'adresses Web » en y ajoutant l'URL de la page affichée. Quand vous voudrez y revenir, vous n'aurez qu'à parcourir les signets à la recherche du site qui vous intéresse.

Il y a deux façons d'utiliser les signets. L'une consiste à se les représenter comme les entrées d'un menu qui viendrait s'ajouter aux menus de votre navigateur. L'autre est de les considérer comme une page de liens.

Les marque-pages de Firefox

Pour accéder aux signets de Firefox – pardon, aux marque-pages –, cliquez sur le menu Marque-pages. Pour en ajouter un, correspondant à la page actuellement affichée, cliquez sur Marquer cette page ou appuyez sur Ctrl+D. Les signets se présentent comme des entrées du menu qui apparaît lorsque vous cliquez sur le menu Marque-pages (Figure 7.11). Pour atteindre une des pages de la liste, il suffit de cliquer sur l'entrée correspondante.

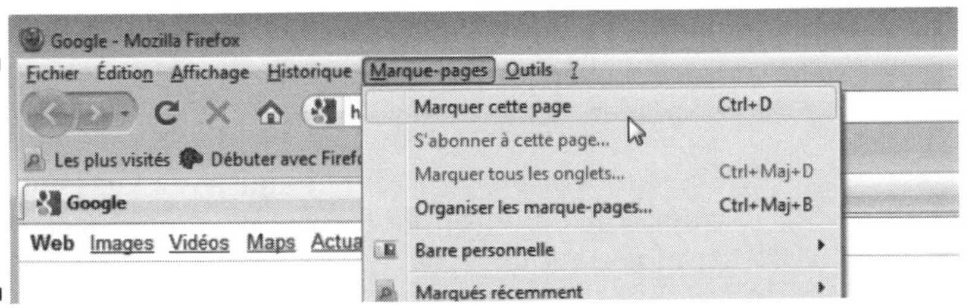

Figure 7.11 : Marquer des pages pour mieux les consulter dans Firefox.

Si vous êtes comme la plupart des surfeurs du Net, votre liste de signets va s'allonger, et bientôt votre écran ne sera plus assez grand pour l'afficher en entier. Il est cependant possible de donner au menu une forme plus manipulable :

1. Choisissez Marque-pages/Organiser les marque-pages pour afficher la fenêtre Bibliothèque (Figure 7.12).

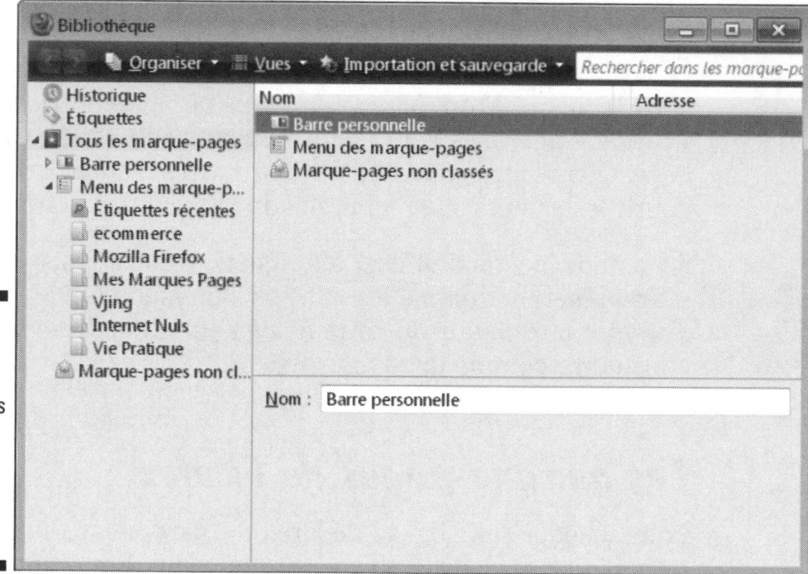

Figure 7.12 : La fenêtre Bibliothèque comporte des commandes pour déplacer, modifier et supprimer ces signets.

2. Double-cliquez sur Tous les marque-pages puis sur Menu des marque-pages pour afficher la liste de vos marque-pages.

Vous pouvez atteindre la page qu'un signet représente à l'aide d'un double-clic.

3. Cliquez ensuite sur le menu Organiser pour choisir ce que vous voulez réaliser comme action (supprimer, déplacer, etc.).

4. Lorsque vous avez fini de jouer avec vos signets, cliquez sur le bouton de fermeture de la fenêtre, ou bien appuyez sur Ctrl+W.

Marque-pages en un clic sous Firefox

La Barre personnelle est une rangée de boutons affichée juste au-dessous de la barre d'adresse. Si ce n'est pas le cas, choisissez Affichage/Barre d'outils/Barre personnelle. Cette rangée de boutons donne un accès rapide à un certain nombre de sites Web de Firefox. Il est pratique de les remplacer par vos propres favoris. Lorsque vous organisez vos signets dans la fenêtre Gestionnaire de marque-pages, placez vos sites favoris dans le dossier Barre personnelle ; tous les sites présents dans ce dossier apparaissent systématiquement dans la Barre personnelle. Il est même possible d'ajouter des dossiers et d'y insérer des signets. Nous apprécions beaucoup cette caractéristique de Firefox.

Les favoris d'Internet Explorer

Internet Explorer et Firefox utilisent une technique à peu près semblable, grâce à laquelle vous pouvez enrichir votre liste de Favoris avec l'URL de la page affichée, puis consulter et réorganiser votre dossier Favoris.

Pour ajouter la page actuelle à votre dossier Favoris :

1. **Dans la partie supérieure droite d'Internet Explorer, cliquez sur l'icône représentant une étoile.**

   La section Ajouter aux Favoris (Figure 7.13) apparait.

2. **Cliquez sur la flèche Ajouter aux favoris et indiquez l'emplacement de sauvegarde du favoris.**

Vous pouvez également ajouter une page aux favoris *via* Favoris/Ajouter aux favoris. Cela affiche la boîte de dialogue éponyme dans laquelle vous pouvez créer un dossier spécial pour y sauvegarder des pages traitant d'un même sujet.

3. **Pour réorganiser le dossier Favoris, choisissez Favoris/Organiser les Favoris.**

   La fenêtre Organisation des Favoris (Figure 7.14) permet de créer des dossiers pour les favoris, de déplacer les favoris, de les modifier et de les supprimer.

4. **Pour voir le contenu d'un dossier, cliquez dessus.**

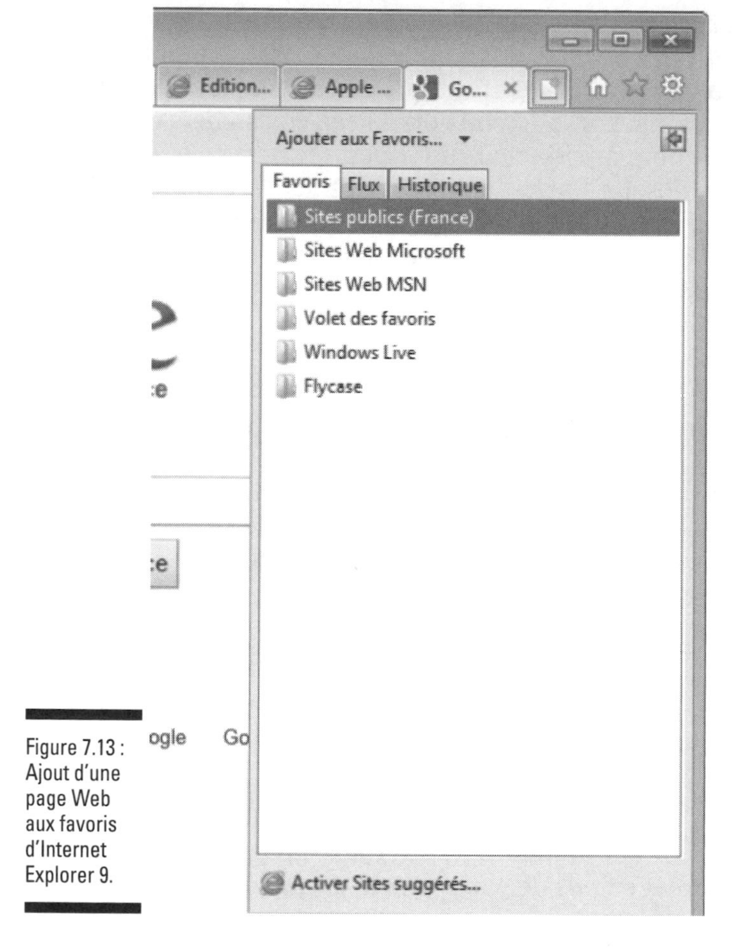

Figure 7.13 : Ajout d'une page Web aux favoris d'Internet Explorer 9.

5. **Lorsque vous avez fini d'organiser vos favoris, cliquez sur le bouton Fermer.**

Les dossiers créés dans la fenêtre Organiser les Favoris apparaissent dans le menu Favoris. Les éléments placés dans les dossiers apparaissent dans des sous-menus. Pour revenir à une page Web ajoutée au dossier Favoris, cliquez dessus dans le menu Favoris.

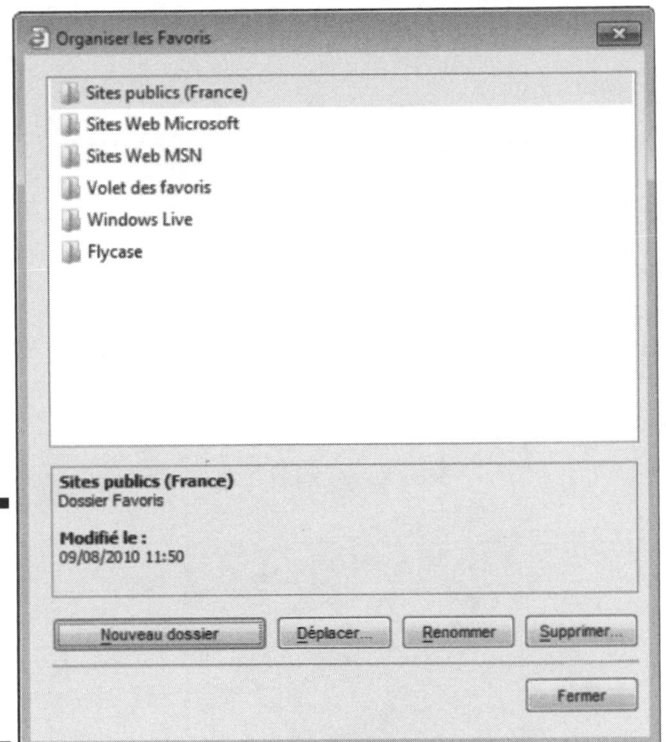

Figure 7.14 : Dans cette fenêtre, organisez les favoris définis dans Internet Explorer 9.

Favoris en un clic sous Internet Explorer

La barre d'outils Volets des favoris apparaît habituellement juste au-dessous ou à droite de la zone Adresse ou de la barre de menus. Si ce n'est pas le cas, appuyez sur la touche Alt et choisissez Affichage/Barres d'outils/Volet des favoris. Pour ajouter un bouton d'accès rapide à un site favoris :

1. **Affichez la page Web à laquelle vous désirez accéder en un clic de souris.**

2. **Dans le Volet des favoris, cliquez sur l'icône Ajouter au volet des favoris.**

   Un « bouton » d'accès direct au site apparaît dans le volet des favoris.

Comme le nom du bouton du favori est celui de la page affichée, il est souvent judicieux de lui en assigner un nouveau.

3. **Pour cela, faites un clic-droit sur le bouton du favoris. Dans le menu contextuel, choisissez Renommer, comme à la Figure 7.15.**

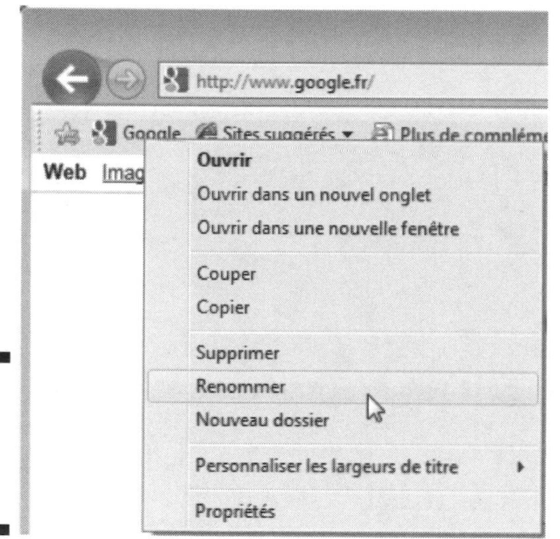

Figure 7.15 : Renommer un favori du volet des favoris.

4. **Dans la boîte de dialogue Renommer, assignez un nouveau nom, et cliquez sur OK.**

5. **Pour supprimer un favoris dans le volet des favoris, faites un clic-droit sur son bouton. Dans le menu contextuel, exécutez la commande Supprimer.**

Personnaliser le navigateur

À moins de bénéficier d'une connexion directe en haut débit à Internet, vous passerez beaucoup de temps à attendre que vos pages se chargent. Et, même dans ce cas, tout particulièrement en ce qui concerne les liaisons transatlantiques, les temps d'attente risquent d'être importants en cours de journée. Voici quelques astuces pour accélérer le téléchargement.

D'où partez-vous ?

À l'ouverture du navigateur, une *page d'accueil* s'affiche. Ainsi, Firefox charge systématiquement la page d'accueil de Mozilla, tandis qu'Internet Explorer affiche celle de MSN. Au bout d'une fois ou deux, malgré la beauté manifeste de la page, vous aurez probablement envie de ne pas la voir. Il suffit d'indiquer au navigateur la page qu'il doit afficher à chaque fois que vous l'exécutez.

Dans Firefox : si vous êtes lassé par la page d'accueil par défaut affichée par Firefox, voici comment indiquer au programme une autre page de démarrage :

1. **Dans le menu Outils, cliquez sur Options.**

   La fenêtre Options s'affiche.

2. **Assurez-vous que la catégorie Général est ouverte.**

   Sinon, cliquez sur l'onglet éponyme. La ligne intitulée Page d'accueil contient l'adresse Web par défaut de la page que Firefox affichera systématiquement au démarrage (Figure 7.16).

3. **Pour démarrer sans page Web, cliquez sur le bouton fléché à droite du champ Au démarrage de Firefox, et dans le menu, choisissez Afficher une page vide.**

4. **Cliquez sur OK.**

Firefox peut mémoriser et ouvrir plusieurs pages de démarrage. Chacune s'affichera dans un onglet. Pour les définir, commencez par les afficher sous forme d'onglets dans Firefox (appuyez sur Ctrl+T pour créer un onglet). Ensuite :

1. **Cliquez sur Outils/Options.**

2. **Dans la boîte de dialogue Options, sélectionnez Général.**

3. **Cliquez sur le bouton fléché à droite du champ Au démarrage de Firefox, et dans le menu, choisissez Afficher les derniers onglets et fenêtres utilisés.**

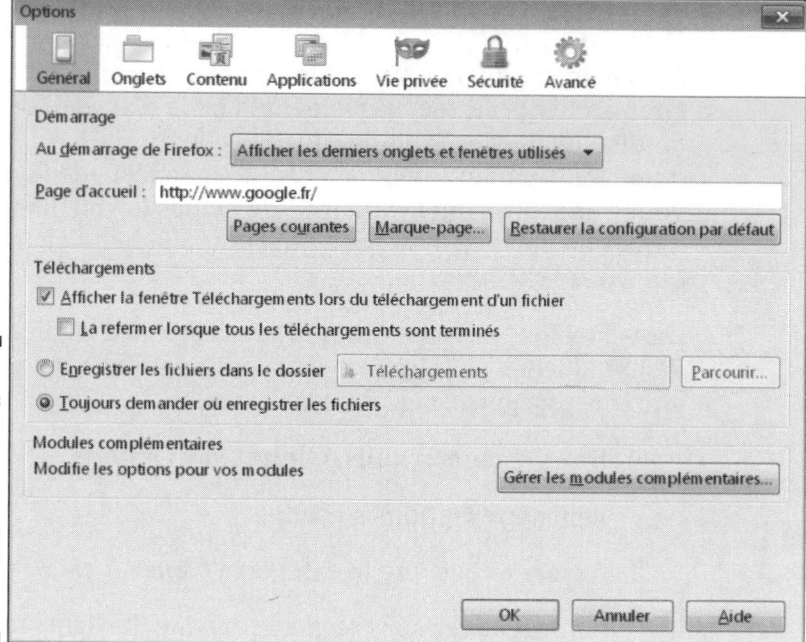

Figure 7.16 : Indiquez dans la fenêtre Options de Firefox le site Web qui s'affichera au démarrage du navigateur.

Désormais, les pages des sites visibles dans des onglets s'ouvriront systématiquement au démarrage de Firefox.

Dans Internet Explorer : par défaut, Internet Explorer charge la page d'accueil de MSN, c'est-à-dire le site portail de Microsoft. Vous pouvez cependant spécifier l'adresse d'une autre page ou démarrer avec une page vierge. Suivez ces étapes pour démarrer avec une page vierge au lancement d'Internet Explorer :

1. **Affichez la page Web à utiliser comme page de démarrage.**

   Par exemple, la page Yahoo! ou encore Google, le célèbre moteur de recherche.

2. **Si la barre de menus n'est pas visible, appuyez sur la touche Alt puis cliquez sur Outils/Options Internet.**

   Vous accédez à la boîte de dialogue Options Internet.

3. **Cliquez sur l'onglet Général.**

En réalité, il est probablement déjà sélectionné. Nous précisons cela au cas où vous auriez parcouru les autres onglets.

4. **Dans la section Page de démarrage de la boîte de dialogue, cliquez sur le bouton Page actuelle (Figure 7.17).**

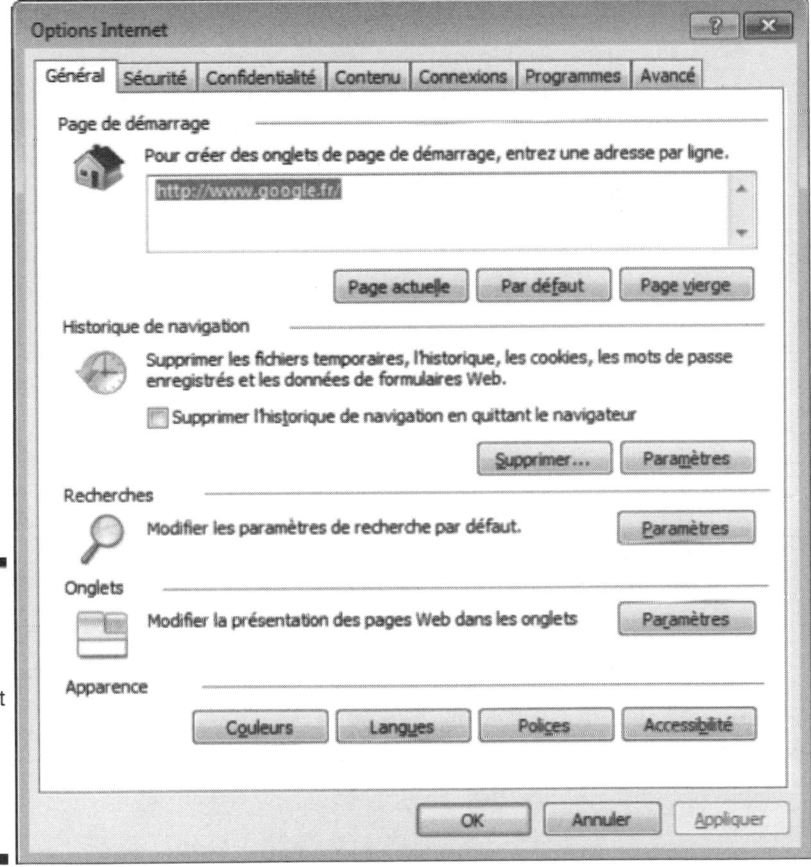

Figure 7.17 : La boîte de dialogue Options Internet permet notamment de définir la page Web affichée au démarrage.

L'URL de la page actuelle s'affiche dans la fenêtre le bouton Page vierge.

5. **Cliquez sur OK.**

Choisissez une page de démarrage contenant peu d'images : en commençant par une page Web qui se charge plus rapidement ou même sans aucune page, vous n'attendrez pas longtemps pour commencer à naviguer.

Personnaliser la barre d'outils

La barre d'outils est la rangée d'icônes qui se situe juste sous les menus du navigateur. Par défaut, le navigateur Web propose les boutons les plus utiles. Cependant, vos habitudes d'internaute démontreront sans doute que certains ne vous servent à rien et qu'en revanche, d'autres vous seraient bien utiles. Heureusement, il est possible de personnaliser les barres d'outils et d'y inclure les boutons qui exécutent les commandes dont vous avez besoin le plus souvent.

Dans Firefox, vous personnalisez une barre d'outils comme ceci :

1. **Ouvrez le menu Affichage/Barre d'outils/personnaliser.**

   Cette action ouvre la boîte de dialogue Modification des barres d'outils (Figure 7.18).

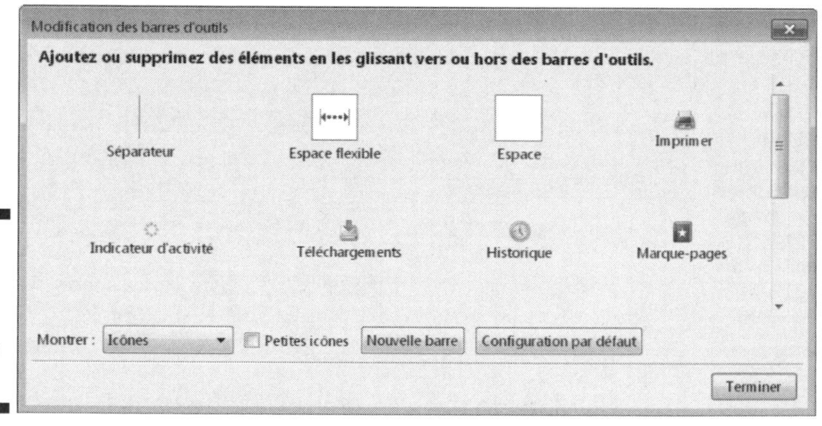

Figure 7.18 : Personnalisation des barres d'outils dans Firefox.

2. **Localisez le bouton correspondant à la commande que vous désirez exécuter.**

3. **Glissez-déposez-le jusqu'à la barre d'outils.**

4. **Pour vous débarrasser d'un bouton inutile. Cliquez dessus dans la barre d'outils de Firefox et, sans relâcher le bouton de la souris, faites-le glisser puis déposez-le dans la boîte de dialogue Modification des barres d'outils.**

Si la barre d'outils de Firefox n'est pas visible, cliquez sur Affichage/Barre d'outils/Barre personnelle.

Dans Internet Explorer :

1. **Cliquez avec le bouton droit de la souris sur la droite de la barre d'outils.**

2. **Dans le menu contextuel, choisissez Ajouter ou supprimer des commandes.**

   Vous accédez ensuite à la boîte de dialogue Personnalisation de la barre d'outils (Figure 7.19).

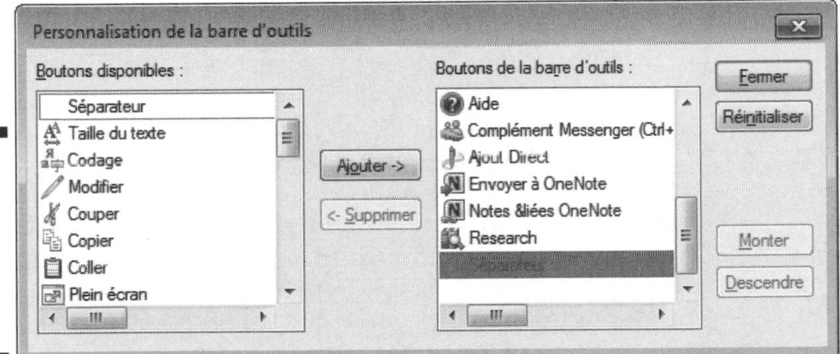

Figure 7.19 : Personnalisation des barres d'outils dans Internet Explorer.

La liste de gauche affiche les boutons disponibles, c'est-à-dire ceux que vous pouvez ajouter à la barre d'outils, et celle de droite affiche ceux qui sont actuellement situés sur ladite barre.

3. **Pour supprimer un bouton de la barre d'outils, sélectionnez-le dans la liste Boutons de la barre d'outils et cliquez sur le bouton Supprimer.**

4. Pour ajouter de nouveaux boutons, sélectionnez-les dans la liste Boutons disponibles et cliquez sur Ajouter.

Si la barre d'outils d'Internet Explorer 9 n'est pas visible, cliquez sur Affichage/Barre d'outils/Barre de commandes.

Si quelqu'un d'autre a utilisé et modifié votre navigateur, vous pouvez facilement rétablir votre présentation préférée :

- **Si toute la partie supérieure du navigateur a disparu**, c'est parce que le navigateur est affiché en mode plein écran. Appuyez sur la touche F11 pour rétablir l'affichage normal.
- **S'il manque des barres d'outils**, appuyez sur Alt puis cliquez sur Affichage/Barres d'outils. Une barre non cochée n'est jamais affichée. Il suffit alors de cliquer sur les noms des barres d'outils que vous désirez faire apparaître dans l'interface du navigateur. Une coche s'affiche à gauche du nom de la barre d'outils. Dans Internet Explorer, vous disposez des barres d'outils Boutons standard, Barre d'adresses, Barre de commandes, et Volet des favoris. Dans Firefox, ce sont la Barre de navigation et la Barre personnelle (qui affiche les marque-pages).
- **Si les boutons de votre barre d'outils ne sont pas ceux que vous avez l'habitude d'utiliser**, cliquez du bouton droit de la souris sur la barre d'outils (à l'exception des boutons Précédente, Suivante, Reculer d'une page et Avancer d'une page). Dans le menu contextuel, cliquez sur Personnaliser. Dans la boîte de dialogue Modification des barres d'outils de Firefox, cliquez sur le bouton Configuration par défaut. Dans la boîte de dialogue Personnalisation de la barre d'outils d'Internet Explorer, cliquez sur le bouton Réinitialiser. Ensuite, cliquez sur le bouton Fermer dans Internet Explorer et sur le bouton Terminer dans Firefox.

Effacer l'historique

Tous les navigateurs contiennent une fonction d'historique très utile. Près de la boîte dans laquelle vous entrez les URL des pages que vous souhaitez afficher, se trouve une petite flèche pointant vers le bas. Lorsque vous cliquez dessus, la liste des dernières pages Web affichées apparaît.

Pour afficher l'historique dans un volet indépendant d'Internet Explorer, appuyez sur Alt si la barre de menus n'est pas visible, puis cliquez sur Affichage/Volet d'exploration/Historique. La liste des sites Web visités s'affiche chronologiquement. Vous pouvez fermer l'historique par un clic sur le bouton de fermeture (X) du volet d'exploration ou du panneau latéral.

Une méthode plus rapide d'Internet Explorer consiste à cliquer sur le bouton représentant une étoile et libellé Favoris. Cette action ouvre le volet des favoris. Il suffit alors de cliquer sur l'onglet Historique comme à la Figure 7.20.

Des lecteurs nous ont demandé si ces adresses peuvent être effacées, car certaines sont un peu compromettantes (surtout celles avec des `xxx` dans l'URL...) Comme certaines de ces requêtes semblaient vraiment urgentes, nous leur expliquons comment procéder.

- **Firefox :** rien de plus simple. Choisissez Outils/Options et cliquez sur la catégorie Vie privée. Dans la liste Règles de conservations, choisissez « Ne jamais conserver l'historique ». Pour vous débarrasser immédiatement de l'historique enregistré, cliquez sur le lien `Effacer la totalité de l'historique actuel`. Dans la boîte de dialogue Supprimer l'historique récent, ouvrez la liste Intervalle à effacer. Là, choisissez le moment à partir duquel vous désirez supprimer l'historique. Pour ne laisser aucune trace, choisissez Tout. Cliquez sur le bouton Effacer maintenant.

- **Internet Explorer :** appuyez sur Alt si la barre de menus n'est pas affichée, et choisissez Outils/Options Internet. Sous l'onglet Général, cochez la case Supprimer l'histo-

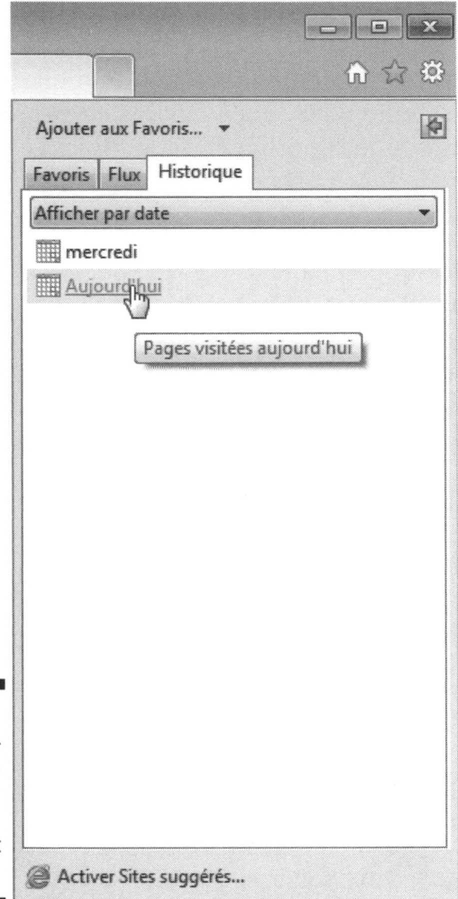

Figure 7.20 : Affichez rapidement votre historique de navigation dans Internet Explorer 9.

rique de navigation en quittant le navigateur. Validez par un clic sur OK.

Les Web slices d'Internet Explorer 9

Internet Explorer 9 facilite la navigation des internautes en proposant automatiquement des Favoris, des accélérateurs, et des moteurs de recherche. Pour cela, il faut activer la fonction Web slice. Grâce à elle, les sites que vous visitez le plus seront répertoriés par Internet Explorer, et vous pourrez très facilement les ajouter à vos Favoris. Mais, Microsoft vous proposera également des sites à ajouter à vos favoris, à utiliser comme accélérateur ou comme moteur de recherche.

Les accélérateurs permettent d'effectuer des tâches comme ouvrir une adresse postale sur un site de localisation ou rechercher la définition d'un mot dans un dictionnaire. Vous pouvez également choisir les services ou les sites Web que les accélérateurs doivent utiliser pour gérer différents types de tâches. Internet Explorer 9 est fourni avec une sélection d'accélérateurs inclus par défaut, mais vous pouvez en ajouter ou en supprimer selon vos besoins.

Voici comment activer et utiliser ces compléments Web :

1. **Cliquez sur Outils/Options Internet.**
2. **Dans la boîte de dialogue éponyme, cliquez sur l'onglet Contenu.**
3. **Dans la section Flux et composants Web Slice, cliquez sur le bouton Paramètres.**
4. **Cochez l'option Activer la découverte de composants Web Slice sur les pages.**
5. **Pour que la liste de ces compléments s'actualise automatiquement, définissez une périodicité de mise à jour en cochant l'option Rechercher automatiquement les mises à jour des flux et des composants Web Slice. Ensuite, Dans le menu local Fréquence, choisissez une périodicité.**
6. **Pour ajouter facilement des sites Web à vos favoris (ou à vos flux RSS), cliquez sur le bouton Favoris, puis sur le lien** `Voir les sites suggérés.`

   Internet Explorer affiche la lise des sites Web qu'il vous suggère d'ajouter à vos favoris comme le montre la Figure 7.21.

7. **Ajoutez tous les sites suggérés en cliquant sur le lien** `Ajouter Sites suggérés au volet des Favoris.`

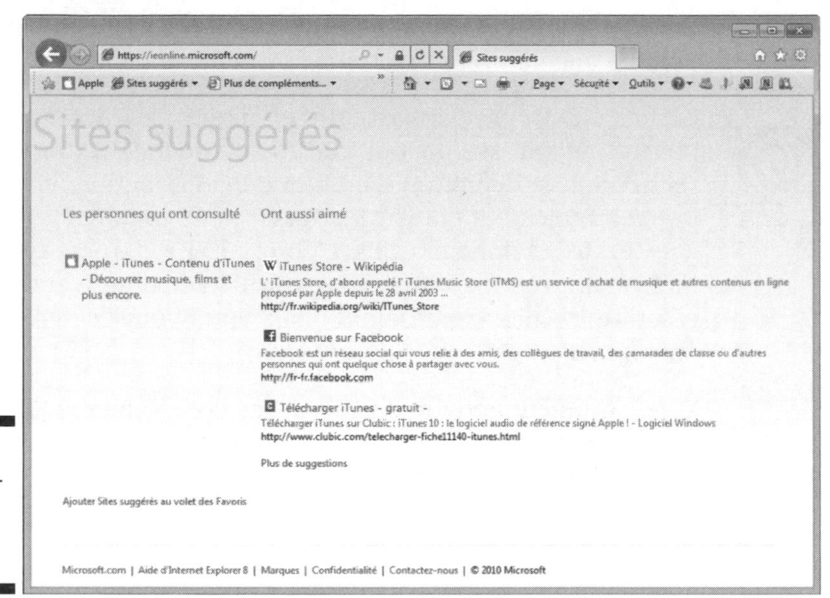

Figure 7.21 : Ajouter facilement des sites Web à vos favoris.

8. **Si les suggestions ne vous conviennent pas ou vous paraissent incomplètes, cliquez sur le lien** `Plus de suggestions`.

Vous pouvez également cliquer sur le bouton Plus de compléments de la barre de commandes d'Internet Explorer 9. Cliquez alors sur la petite flèche située en bas à gauche de ce menu local pour accéder à la Galerie de compléments d'Internet Explorer 9 (Figure 7.22). Vous pouvez alors parcourir les compléments par catégorie, popularité, classement, *etc.* Dès qu'un site Web vous intéresse, cliquez sur son bouton Ajoutez à Internet Explorer. Un message vous demande si le site doit être ajouté comme accélérateur ou comme moteur de recherche, et si vous acceptez ses suggestions. Dès qu'un complément est un simple site Web, Internet Explorer vous propose de l'ajouter immédiatement à vos favoris.

Contrôler les cookies

Pour améliorer votre vie en ligne, les éditeurs de navigateur Web ont inventé un type spécial de message qui permet à un

Figure 7.22 : Les Web slices et les compléments d'Internet Explorer 9 sont là pour accélérer et faciliter votre navigation.

site Web de vous reconnaître lorsque vous visitez à nouveau ce site. Ces informations, baptisées *cookies*, sont stockées sur votre propre machine.

En général, les *cookies* ne sont pas dangereux et se révèlent même utiles, comme nous l'expliquons au Chapitre 2. Toutefois, vous pouvez les contrôler aussi bien dans Firefox que dans Internet Explorer. Il existe plusieurs formes de *cookies* :

- ***Cookies* internes :** ce sont les *cookies* venant directement du serveur qui vous a fourni la page Web actuellement affichée. Ces *cookies* sont utilisés pour se souvenir de vous lorsque vous vous inscrivez comme membre du site. Le confort, c'est de ne pas avoir à saisir de nouveau, à chaque visite, votre nom d'utilisateur et votre mot de passe. Vous avez le choix entre Accepter, Bloquer ou Demander, auquel cas il vous sera demandé de choisir. Cette dernière option devient vite fastidieuse si vous tombez sur de nombreux *cookies*. Certains sites stockent plus de trois *cookies* par page.
- ***Cookies* tiers :** de nombreux sites Web font appel à des entreprises spécialisées pour fournir des publicités à leurs pages Web, et ces publicités, tierce partie, placent habituellement des *cookies* dans votre ordinateur afin de collecter des données *marketing*. Les options sont les mêmes que précédemment. Les *cookies* tiers font

les choux gras des officines de publicité ; il n'y a aucune raison de les accepter.

Contrôler les cookies dans Firefox

Cliquez sur Outils/Options, puis affichez le contenu de la catégorie Vie privée. Dans la liste Règles de conservation, choisissez Utiliser les paramètres personalisés pour l'historique. Comme le montre la Figure 7.23, plusieurs options vous sont proposées :

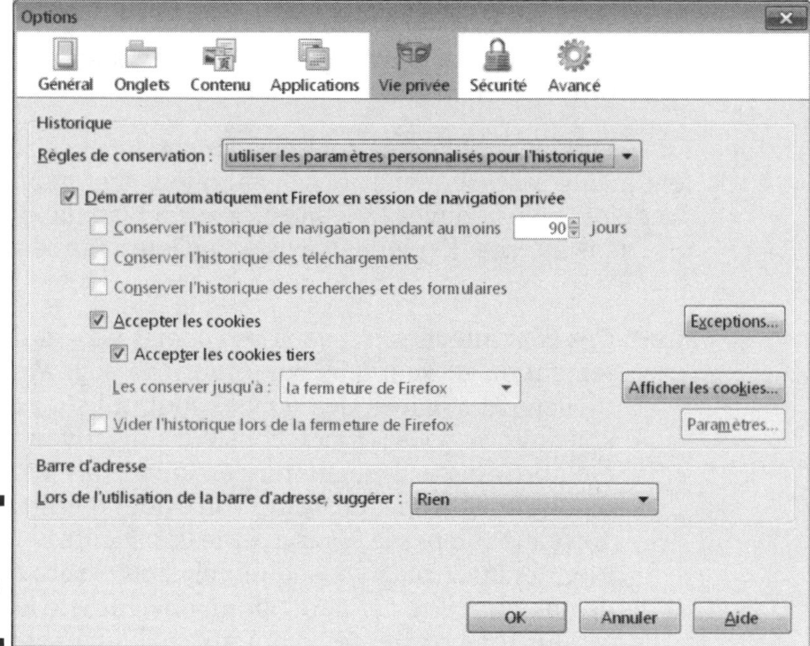

Figure 7.23 : Contrôler les cookies dans Firefox.

- **Accepter les cookies :** certains ne fonctionnent pas sans *cookie*, notamment les sites de conversation (*chat*) des groupes Yahoo! (`http://fr.groups.yahoo.com/`).
- **Exceptions :** vous spécifiez ici des sites dont les *cookies* seront bloqués, autorisés ou tous acceptés. Dans le champ Adresse du site Web, saisissez l'URL du site

concerné, puis cliquez sur l'un des trois boutons Bloquer, Autoriser pour la session ou Autoriser.

- **Afficher les cookies :** liste les *cookies* que Firefox a stockés depuis que vous surfez sur le Net. Vous pouvez également visualiser leur contenu ou supprimer n'importe quel *cookie* de la liste, ou les éliminer tous en cliquant sur Supprimer tous les cookies.
- **Les conserver jusqu'à :** vous indiquez à Firefox la période pendant laquelle il va garder les *cookies* : « jusqu'à leur expiration » (le paramètre habituel), « jusqu'à la fermeture de Firefox » ou « me demander à chaque fois » (option très agaçante).

Contrôler les cookies dans Internet Explorer

Si la barre des menus n'est pas affichée, appuyez sur Alt puis cliquez sur Outils/Options Internet pour afficher la boîte de dialogue Options Internet. Le contrôle des *cookies* se trouve sous l'onglet Confidentialité : cliquez sur le bouton Avancé pour afficher la boîte de dialogue Paramètres de confidentialité avancés (Figure 7.24). Par défaut, Internet Explorer gère les *cookies* de manière plutôt agressive, en autorisant l'accès à un *cookie* uniquement aux serveurs que vous avez contactés, et non aux serveurs tiers (serveurs Web autres que celui qui a stocké à l'origine le *cookie* sur votre ordinateur). Ces derniers envoient des publicités et autres *popups*. Vous pouvez choisir de les gérer vous-même en cochant la case Ignorer la gestion automatique des cookies dans la boîte de dialogue Paramètres de confidentialité avancés. Les options sont :

- **Cookies internes :** vous choisissez d'accepter, de refuser ou vous souhaitez que l'on vous demande de choisir à chaque fois. Cette dernière option devient fatigante à la longue.
- **Cookies tierce partie :** ces *cookies* viennent d'ailleurs, c'est-à-dire pas uniquement du site Web autorisé. Donc, refusez-les !

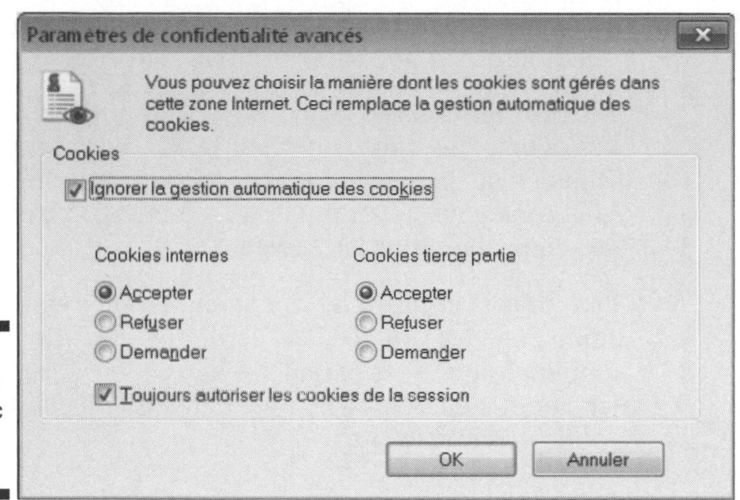

Figure 7.24 : Contrôle des cookies avec Internet Explorer.

- **Toujours autoriser les cookies de la session :** cette option laisse passer tous les *cookies* de session (type de *cookie* utilisé pour pister une unique occurrence de votre visite sur un site Web). Ces *cookies* sont couramment utilisés par des sites d'achats comme Amazon.fr.

Bloquer les fenêtres intempestives

Une des inventions dont nous nous serions bien passé est celle des fenêtres intempestives, ou *popups*, qui surgissent inopportunément sur votre écran (voir le Chapitre 2). Certaines apparaissent immédiatement, d'autres sont masquées par votre fenêtre principale et vous les découvrez en la fermant. Le plus souvent, les *popups* sont des publicités. Vous serez heureux d'apprendre que Firefox et Internet Explorer peuvent bloquer la majorité d'entre eux.

Pas de popups chez Firefox

Cliquez sur Outils/Options, puis sur Contenu. Vous y découvrez une option qui bloque les *popups*, comme le montre la Figure 7.25.

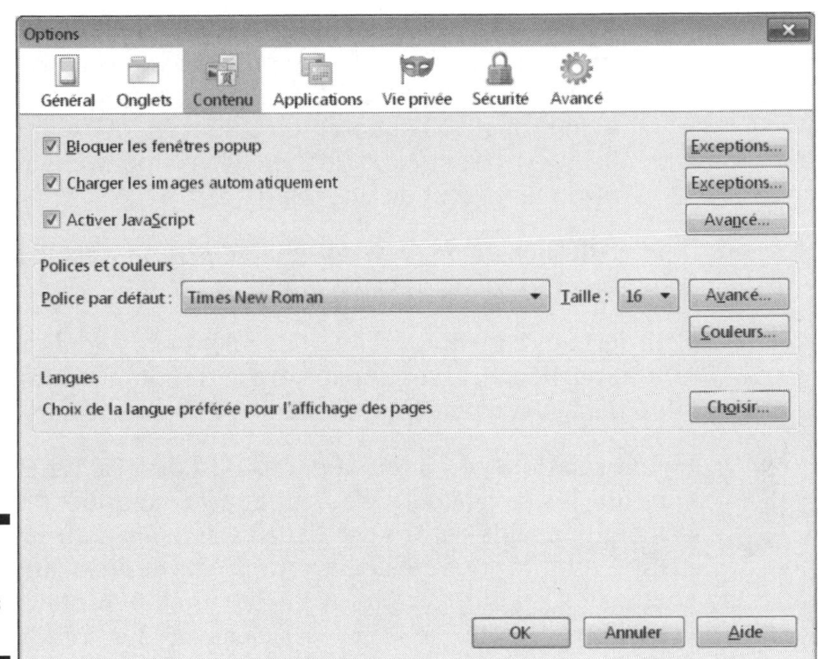

Figure 7.25 : Gestion des popups dans Firefox.

Le blocage des *popups* empêche certains sites Web de fonctionner. Certains sites d'achats affichent de petites fenêtres dans lesquelles vous devez taper vos informations de carte bancaire, par exemple. Firefox permet d'inclure dans les sites autorisés ceux pour lesquels le blocage ne doit pas s'opérer.

Dès qu'un site tente d'ouvrir un *popup*, un message apparaît en haut de la page Web. Il indique textuellement : « Firefox a empêché ce site d'ouvrir une fenêtre popup. » Cliquez sur le bouton Options de ce bandeau et choisissez l'une des options suivantes :

- **Autoriser les popups pour *nom du site*** place ce site dans la liste des sites dont les *popups* sont autorisés.
- **Modifier les options de blocage de popups** ouvre la boîte de dialogue Sites autorisés. Vous pouvez y modifier la liste des sites pour lesquels l'affichage des *popups* est autorisé.

- **Ne pas afficher ce message lorsque des popups sont bloqués.** Plutôt que d'être prévenu par un tel message lors de la tentative d'affichage de *popups*, une petite icône rouge (X) apparaît dans le coin inférieur droit de la fenêtre de Firefox. Cliquez dessus pour afficher les options de gestion du *popup*.
- **Afficher *adresse de la fenêtre popup*** affiche uniquement le *popup* qui vient d'être bloqué.

Pour fermer le message d'avertissement sans appliquer une option particulière, cliquez sur le bouton de fermeture (X) situé dans son coin supérieur droit.

En informatique, il y a toujours des parades. Au fur et à mesure que les navigateurs Web ont appris à bloquer les *popups*, des petits malins ont trouvé d'autres astuces pour les afficher malgré tout. Si vous êtes confronté à ce problème, installez l'extension gratuite de Firefox qui se nomme Adblock. Vous la trouverez sur le site `https://addons.mozilla.org/fr/firefox/`. Là, cliquez sur le bouton Ajouter à Firefox du module Adblock Plus. Dans la boîte de dialogue qui s'affiche, cliquez sur Installer maintenant.

Si vous ne trouvez pas Adblock, tapez ce nom dans le champ Recherche de modules, puis cliquez sur la flèche affichée à droite.

Plus de popups chez Internet Explorer

Les versions récentes d'Internet Explorer intègrent elles aussi un bloqueur de fenêtres intempestives.

Chaque fois qu'un *popup* tente de s'afficher, Internet Explorer affiche un message qui ressemble à celui de Firefox. Cliquez dessus pour y trouver des options similaires. Cliquez sur Outils/Bloqueur de fenêtres contextuelles/Activer le bloqueur de fenêtres contextuelles (Figure 7.26).

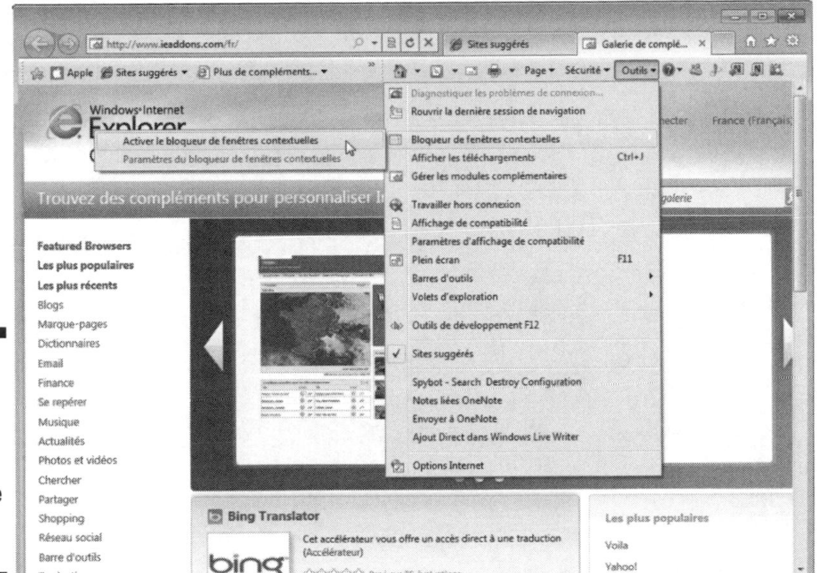

Figure 7.26 : Blocage et gestion des popups dans une page Web affichée par Internet Explorer 9.

Les flux RSS

Un flux RSS (*Really Simple Syndication,* agrégation vraiment simple ou parfois *Rich Site Summary,* sommaire d'un site enrichi), ou fil RSS, est une fonctionnalité récente des navigateurs. Elle permet de diffuser à tout moment les mises à jour et nouvelles des sites d'information, ce qui permet de prendre connaissance de ces changements sans avoir à visiter le site lui-même.

Lorsqu'une page Web propose un abonnement à des flux RSS, l'icône visible en marge devient active dans le navigateur. Cliquer dessus vous permet d'afficher le (ou les) service(s) au(x)quel(s) il est possible de s'abonner, comme le présente la Figure 7.27.

Après avoir choisi une rubrique, une page Web propose de s'abonner – c'est généralement gratuit – au flux RSS. La procédure est des plus simples, puisqu'elle consiste à cliquer sur le lien `S'abonner` et créer éventuellement un dossier auquel vous donnerez le nom du site, par exemple « Le Monde ».

Figure 7.27 : Un quotidien propose souvent un flux RSS par rubrique. Ici, ceux du journal Le Monde.

Pour prendre connaissance d'un flux RSS dans Internet Explorer, cliquez sur le bouton Favoris, cliquez sur le bouton Flux (ou sur l'onglet Flux dans Internet Explorer 9) puis sélectionnez le flux RSS que vous désirez consulter (Figure 7.28). Cliquez éventuellement sur le bouton Actualiser ce flux, à droite de celui que vous venez de sélectionner, pour obtenir les informations les plus récentes.

Les flux sélectionnés apparaissent sous forme de liens dans une page Web. Si un flux RSS est constitué de plusieurs rubriques, comme c'est le cas dans l'exemple (rubriques Médias, Sciences, technologies, *etc.* du journal *Le Monde*), chacune est affichée dans un onglet distinct. Cliquez sur la flèche, à droite de la date et de l'heure, pour accéder à l'article complet.

Le volet Windows contient un gadget qui affiche en permanence les flux RSS. Pour ne pas être submergé par un déferlement de nouvelles, cliquez sur le minuscule bouton en forme de clé plate, en haut à droite du gadget Flux RSS et, dans le menu Afficher ce flux, sélectionnez le flux à afficher.

Figure 7.28 : Accédez à tout moment à vos flux RSS.

Livre II

Animez et faites chanter votre navigateur !

Des images dans une page Web ? C'est du passé ! Maintenant, on voit des animations, des banderoles qui clignotent et qui défilent, et on entend des musiquettes. Chaque mois, des nouveautés apparaissent dans ce domaine et les navigateurs ont bien du mal à rester dans la course. Vous pouvez étendre les fonctionnalités de votre navigateur avec des *plug-ins* qui sont de petits programmes (des assistants, aussi appelés *compléments*) qui viennent l'aider à exécuter certaines fonctions. Côté Internet Explorer, ce sont des *contrôles ActiveX* (anciennement appelés *contrôles OCX*) – autre forme de programmes annexes – qui volent au secours d'Internet Explorer.

Que peut faire un navigateur lorsqu'il rencontre de nouvelles informations dans une page Web ? Télécharger le *plug-in* approprié pour traiter ce nouveau type d'information. Les fans de *Star Trek* y verront une forme de vie parasitaire qui se colle à votre navigateur et accroît son intelligence.

Au palmarès des plug-ins

Voici quelques-uns des *plug-ins* les plus courants :

- **Flash Player :** lit des fichiers audio et vidéo ainsi que d'autres types d'animations. Flash Player est disponible à l'adresse `http://get.adobe.com/fr/flashplayer/`.
- **RealPlayer :** reproduit les fichiers audio au fur et à mesure de leur téléchargement (d'autres programmes doivent attendre que le fichier audio soit complètement chargé avant de lancer sa reproduction). Vous trouverez une version gratuite du programme sur `http://france.real.com/realplayer/`.
- **QuickTime :** reproduit les animations permettant de les « jouer » au fur et à mesure de leur chargement (disponible sur `http://www.apple.com/fr/quicktime/`).
- **Adobe Reader :** affiche les fichiers Acrobat (au format PDF), formatés exactement de la façon prévue par l'auteur. On rencontre de très nombreux fichiers Acrobat bien utiles, notamment des formulaires administratifs. Il est disponible sur `http://www.adobe.com/fr/products/reader/`.

Comment utiliser des plug-ins avec un navigateur

Une fois que vous vous êtes procuré un *plug-in*, il faut le lancer, c'est-à-dire double-cliquer sur son nom de fichier dans l'Explorateur Windows afin de l'installer. Selon ses fonctionnalités, vous avez différents moyens de le tester. En général, choisissez un fichier que ce *plug-in* puisse lire et contentez-vous de regarder (ou d'écouter) ce qui se passe.

Chapitre 8

Rechercher sans temps perdu (hein Marcel ?)

Dans ce chapitre :

- Stratégies de base.
- Trouver des informations sur le Web.
- Recherche de personnes sur le Web.
- Modules de recherche intégrés.

Rechercher est le propre d'Internet. Sans la recherche, vous ne découvrez rien, n'apprenez rien. Donc, pour gagner du temps sur le Net et ainsi surfer efficacement, vous devez être capable d'effectuer vos recherches avec précision.

Sur le Web, la centralisation des informations se fait à travers des index. Internet contient plusieurs types d'index et de répertoires permettant de localiser tout ce que vous pouvez y trouver. Malheureusement, les index tendent à être organisés en fonction du type de service qu'ils procurent et non en fonction de la nature de ce qu'ils référencent, c'est pourquoi vous trouvez des ressources de type page Web à un endroit, des ressources de type messagerie à un autre, et ainsi de suite. Vous pouvez lancer vos recherches exactement comme vous l'entendez, selon ce que vous cherchez et selon la manière dont vous aimez procéder.

Pour structurer cette étude, nous avons défini plusieurs sortes de recherches :

- **Thèmes.** Endroits, choses, idées, entreprises – tout ce que vous désirez savoir sur le sujet.

Moteurs de recherche et répertoires : quelle est la différence ?

Quand nous parlons de *répertoire*, ce n'est pas au sens où on l'entend habituellement à propos d'un système d'exploitation, mais plutôt à celui de l'accessoire de bureau qu'on peut assimiler à un carnet d'adresses. Plus précisément, il s'agit d'une liste dont les entrées sont réparties par catégorie, partiellement ou totalement, par une main humaine et non par un ordinateur. On peut dire que le sommaire de ce livre est un répertoire.

En revanche, un *moteur de recherche* est un dispositif qui effectue régulièrement des analyses du contenu des pages Web. Il en extrait quelques mots-clés qui vont permettre de répertorier plus facilement les sites donc de les trouver assez rapidement. Ainsi, en fonction de cette analyse, le moteur de recherche sera capable de sortir les pages Web dont le contenu semble, selon ces fameux mots-clés, se rapprocher le plus des informations que vous souhaitez trouver.

Un *index* est une liste de mots-clés extraits d'articles desquels ont été supprimés tous les *le, la, au, aux, etc.*, c'est-à-dire tout ce qui n'est pas vraiment significatif. La recherche se concentre ainsi sur les mots et l'on obtient toutes les entrées qui les contiennent ; un peu comme l'index qui se trouve à la fin de ce livre. Chacun de ces systèmes présente des avantages et des inconvénients. Les répertoires bénéficient d'une meilleure organisation, mais les index recensent davantage de termes. Les répertoires utilisent une terminologie cohérente, alors que les index utilisent tous les termes, quels qu'ils soient, des pages Web référencées. Les répertoires comportent donc moins de pages inutiles, mais les index (dans la mesure où ils sont générés plus ou moins automatiquement) sont plus souvent mis à jour.

Ces deux techniques se recoupent. Yahoo!, par exemple, le répertoire de pages Web le plus connu, permet d'effectuer des recherches par mot-clé, tandis que Google, qui est avant tout un index, comporte également une version du répertoire ODP (*Open Directory Project*). De nombreux index classent leurs entrées par catégorie, ce qui vous aide à affiner votre recherche.

- **Recherches intégrées.** Recherches par thème qu'un navigateur est capable de lancer automatiquement.
- **Personnes.** Des gens que vous voudriez contacter ou espionner.
- **Produits et services.** Tout ce que vous pouvez acquérir, depuis un prêt hypothécaire jusqu'à du dentifrice.

Pour trouver quelque chose sur un sujet donné, nous allons utiliser l'un des nombreux index et répertoires disponibles tels que Yahoo! et Google. Pour rechercher des personnes, nous devrons utiliser des annuaires qui sont (par bonheur) différents des répertoires des pages Web. Quelque chose vous échappe ? Continuez de lire, vous allez comprendre.

Stratégies de base

Pour rechercher un sujet précis sur le Web, nous commençons toujours avec un des guides du Web (index et répertoires) que nous étudierons dans cette section.

Tous s'utilisent à peu près de la même façon :

1. **Lancez votre navigateur (Firefox, Internet Explorer ou un autre).**
2. **Allez sur votre moteur de recherche préféré, comme Google, illustré à la Figure 8.1.**

   De nombreux navigateurs permettent de définir un moteur de recherche par défaut. Si ce n'est pas le cas, il suffit d'en faire votre page d'accueil. Comme vous allez surtout sur Internet pour rechercher des informations, démarrer sur un moteur de recherche est une excellente idée.

3. **Dans le champ de saisie du moteur, tapez les mots-clés de la recherche puis cliquez sur le bouton Rechercher (le nom de ce bouton peut varier d'un moteur à un autre).**

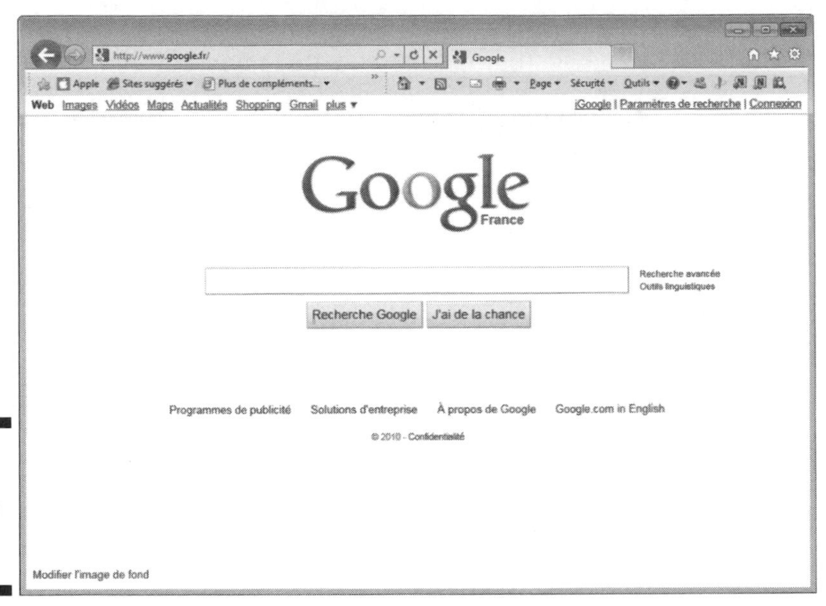

Figure 8.1 : Google affiché dans Internet Explorer 9.

Après un délai plus ou moins long, une page d'index est renvoyée, contenant des liens pointant vers les pages correspondant à vos critères de recherche, comme l'illustre la Figure 8.2.

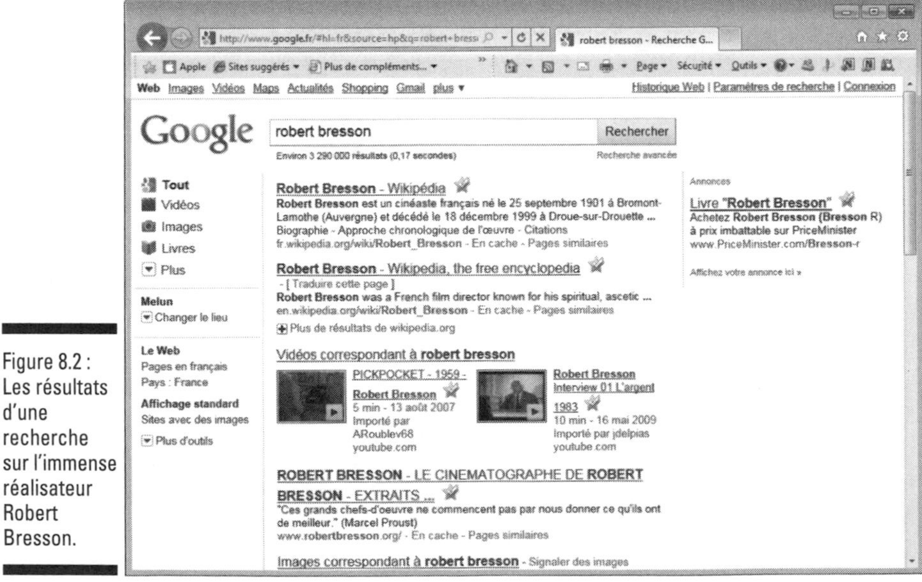

Figure 8.2 : Les résultats d'une recherche sur l'immense réalisateur Robert Bresson.

4. **Affinez et répétez votre recherche jusqu'à ce que vous trouviez quelque chose qui vous convienne.**

   De clic en clic, vous finirez par trouver ce que vous recherchez.

5. **Si le moteur de recherche retourne des résultats trop aléatoires pour être correctement utilisés et que vous ne trouviez pas de mots-clés pertinents, essayez un répertoire comme** `http://dmoz.org/World/Fran%C3%A7ais/`

   Cliquez sur le sujet qui vous intéresse. Dans cette approche spécifique d'une recherche sur Internet, partez du général pour arriver au particulier. À chaque clic, la recherche s'affine, et il est rare que vous ne finissiez pas par trouver ce qui vous intéresse.

Passons à la pratique

Tout ce que nous venons de dire est un peu une vue de l'esprit. Concrètement, nous allons vous expliquer comment nous procédons. Nous utiliserons pour cela nos moteurs de recherche favoris : Google, qui est principalement un index, puis ODP et Yahoo!, qui sont des répertoires.

Google, notre index favori

Notre index Web favori est Google (comme vous avez pu le remarquer dans la précédente section). Il dispose de petits robots qui passent leur temps à visiter des pages Web partout sur le Net et à rapporter ce qu'ils y trouvent. Cela produit un énorme index des mots rencontrés dans ces pages ; lorsque vous recherchez quelque chose, il choisit dans l'index les pages contenant les mots que vous avez demandés. Google utilise un système de classement sophistiqué, basé sur le nombre de sites Web qui se font référence les uns les autres, et qui donne le plus souvent des résultats proposant les meilleures pages en premier.

Raison numéro un d'échec de recherche

Ce n'est peut-être pas votre raison numéro un mais c'est en tout cas la nôtre : la mauvaise orthographe d'un des termes de recherche. Vérifiez-la soigneusement. John note que ses doigts insistent pour taper « Interent » au lieu d' « Internet », ce qui n'affiche que les pages Web des autres personnes ayant le même défaut. Merci à notre amie Jean Armour Polly pour nous avoir rappelé de parler de ce problème.

L'exploitation de Google ou dc tout autre index est un exercice de télépathie. Vous devez deviner les mots figurant dans les pages que vous recherchez. C'est parfois facile – si vous cherchez des produits du terroir, « produits terroir » est un bon jeu de termes de recherche car vous savez le nom de ce que vous recherchez. D'un autre côté, si vous avez oublié quels animaux ont donné l'alerte au Capitole (les oies), il sera assez difficile d'extraire une page d'index utile parce que vous ne savez pas exactement quels mots rechercher. Si vous tentez « animaux capitole », vous trouverez entre autres des informations sur le club Toulouse Capitole Agility (consacré à l'éducation canine) et sur le cinéma Capitole à Paris.

Maintenant que nous vous avons bien découragé, essayez quelques recherches sur Google. Pointez votre navigateur sur `www.google.fr`. Vous obtenez un écran comme sur la Figure 8.1 plus haut dans ce chapitre.

Saisissez certains termes de recherche. Google trouvera les pages qui répondent le mieux aux critères. Nous avons bien dit « le mieux » pas « exactement ». S'il ne peut trouver tous les termes, il trouve les pages qui s'approchent le plus du groupe de mots. Google ignore les mots qui reviennent trop souvent pour être utilisables en tant que termes d'index, comme « et », « le » ou « de » ainsi que des termes comme « internet » et « mail » (cependant, il est parfois intéressant d'employer des articles et prépositions). Ces règles peuvent être décourageantes, mais il n'est pourtant pas difficile d'obtenir des résultats utiles de Google. Il suffit de penser à de bons termes de recherche. Essayez notre exemple en tapant « recette des tomates farcies » et en cliquant sur le bouton Recherche Google. Vous obtenez la réponse présentée à la Figure 8.3.

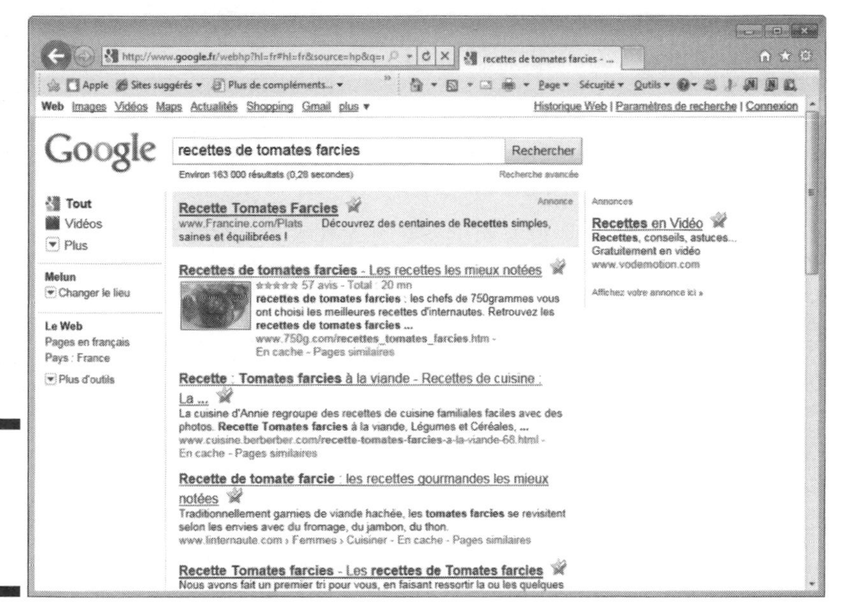

Figure 8.3 : Des pages sur les tomates farcies.

Les résultats que vous trouverez ne seront pas exactement les mêmes que sur la Figure 8.3 car Google aura actualisé sa base de données d'ici là. Google indique avoir trouvé 326 000 occurrences mais, ayant pitié de vous, n'en affiche que 10 à la fois (le nombre d'occurrences affichées simultanément est défini sous le lien `Préférences`). Bien que ce soit probablement plus que vous n'en attendiez, consultez au moins deux autres écrans de réponses si le premier écran ne comporte pas ce que vous voulez. Des numéros de page sont visibles en bas de l'interface de Google. Donc, faites défiler le contenu de la fenêtre, et cliquez sur Suivant pour afficher la page suivante de sites (Figure 8.4). Le bouton J'ai de la chance effectue la recherche et vous mène directement au premier lien, ce qui marche bien lorsque, effectivement, vous êtes chanceux.

En bas de la page, vous constatez que Google affiche une section nommée « Recherches associées à ». Cela permet d'affiner rapidement votre recherche en cliquant sur un des liens proposés. Par exemple, dans le cadre des tomates farcies, vous

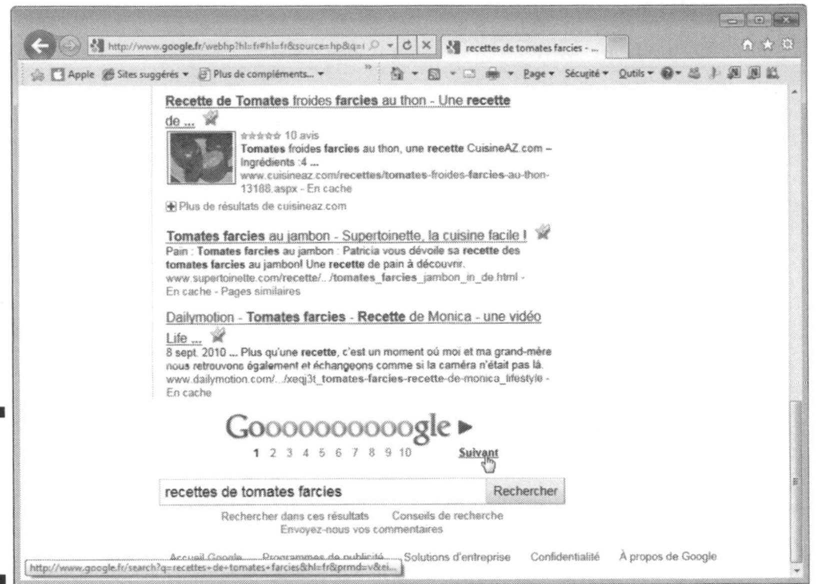

Figure 8.4 : Consultez les autres pages trouvées par Google.

Conseils pratiques pour la recherche sur index

Google facilite l'affinage de votre recherche pour cibler plus exactement ce que vous cherchez. Après chaque recherche, vos termes de recherche apparaissent dans une case en haut de la page pour que vous puissiez les modifier et réessayer. Voici quelques conseils sur la modification des termes :

- Saisissez la plupart des termes de recherche en minuscules. Tapez les noms propres avec une capitale initiale, comme « Elvis ». Ne tapez pas de mots entièrement en capitales.
- Si plusieurs mots doivent être recherchés ensemble, placez-les entre guillemets, comme « «Elvis Presley» ».
- Utilisez + et - pour indiquer les mots devant apparaître ou ne pas apparaître, comme +Elvis +Costello -Presley si vous faites une recherche sur l'Elvis moderne, et non sur l'Elvis classique.
- Pour trouver des fichiers très particuliers, par exemple de la musique au format MP3 d'un groupe spécifique tel que The Cure, saisissez ceci : « index the cure *.mp3 ». Ceci fonctionne pour n'importe quelle extension de fichier.

pouvez obtenir des résultats ciblés si vous cliquez sur le lien `tomates farcies viande hachée`.

Encore plus d'options dans Google

Bien que simple d'utilisation, Google est rempli d'options :

- **Vous pouvez trouver un itinéraire.** Saisissez une adresse et Google vous propose un lien vers un site spécialisé dans les plans et les itinéraires. Vous pouvez saisir le nom d'une personne, un code postal, et même un numéro de téléphone. Par exemple, essayez « 202-456-1414 ». Les informations sont collectées sur des sources publiques. Par conséquent, vous ne trouverez jamais quelqu'un qui veut rester anonyme (inscrit dans une liste rouge, par exemple). De plus, le premier résultat est celui d'une soustraction. Eh oui ! Google intègre une calculatrice !

  Vous en saurez plus sur les itinéraires au Chapitre 11, « Préparer ses vacances ».

- **Vous pouvez trouver des informations par *Usenet*.** *Usenet* est une collection géante de groupes de discussions ou *newsgroups* que l'on trouve sur le Web (Figure 8.5). Pour effectuer une telle recherche dans Google, cliquez sur le lien `Groupes`. Si un sujet a été traité il y a vingt ans, vous en trouverez encore des informations grâce à Usenet. C'est également le lieu idéal pour trouver de l'aide pour dépanner un ordinateur. En bref, toute question trouve sa réponse sur Usenet. Pour savoir comment fonctionne Usenet et ce qu'il recouvre, connectez-vous à `www.usenet-fr.net/`.

- **Vous pouvez chercher des images et du texte.** Si vous désirez que votre recherche affiche des images, cliquez simplement sur le lien `Images`. Par exemple, avec « tomates farcies », vous obtiendrez de belles photos de tomates farcies, comme le montre la Figure 8.6.

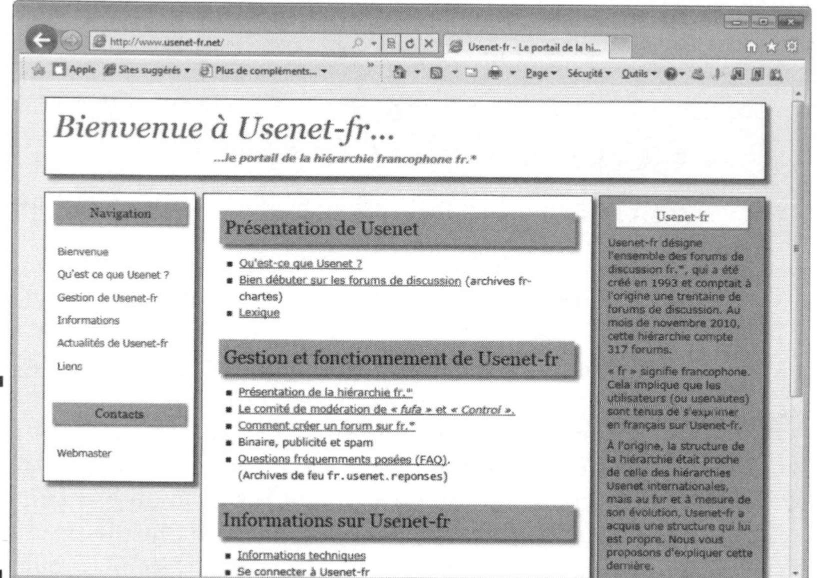

Figure 8.5 : La page d'accueil de la version Française de Usenet.

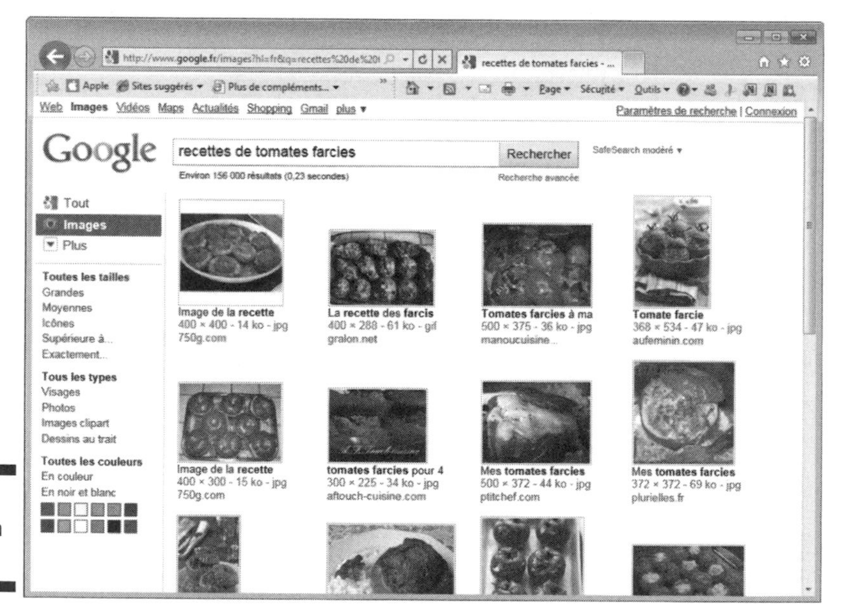

Figure 8.6 : Hum ! On en mangerait !

- **Vous pouvez obtenir des informations.** Pour obtenir des infos, cliquez sur le lien `Actualités`. Vous êtes alors dirigé vers `http://news.google.fr/news`. Sachez que, si un sujet d'actualité vous passionne, vous risquez de passer la journée à cliquer sur des liens qui s'y rapportent.

- **Vous pouvez facilement trouver des documents dans une langue étrangère.** Il n'y a aucun intérêt à chercher des pages dont vous ne savez pas lire le contenu. Cependant, Google peut essayer de les traduire, avec un succès assez mitigé. Cliquez sur le lien `Outils linguistiques`. En bas de la page qui apparaît, saisissez l'URL de la page à traduire et cliquez sur Traduire.

- **Google sait calculer.** Tapez « 2+2 » et Google vous répond « = 4 » (il faut au moins un processeur à double ou quadruple cœur pour réussir un calcul aussi compliqué).

- **Google sait convertir.** Il est très facile de convertir des mesures et des monnaies. Par exemple, si vous désirez convertir 15 pouces en centimètres, tapez « 15 pouces » dans le champ Rechercher, et cliquez sur le bouton éponyme. Le premier résultat donné par Google sera « 15 pouces = 38,1 centimètres ». *Idem* pour les monnaies. Si vous désirez convertir 150 dollars en Euros, tapez « 150 dollars » dans le champ Rechercher. Comme le montre la Figure 8.7, la conversion est effectuée à titre indicatif, mais reste un bon enseignement. Pour en savoir plus sur les fonctions de conversion de Google, cliquez sur le lien `Plus d'infos sur la conversion des devises`, ou `Plus d'infos sur la fonction calculatrice`.

- **Vous pouvez trouver rapidement des fichiers sur votre ordinateur.** Google permet de télécharger un programme appelé Google Desktop que vous installez sur votre PC. Dès cet instant, Google effectue, sur votre ordinateur, des recherches de fichiers stockés sur vos différents disques durs.

L'avantage de cette fonctionnalité est de pouvoir effectuer de telles recherches sans quitter votre navigateur Web. En revanche, n'oubliez pas que Windows Vista propose une fonction similaire. Pour la mettre en œuvre, il suffit de cliquer sur le bouton Démarrer, et de taper

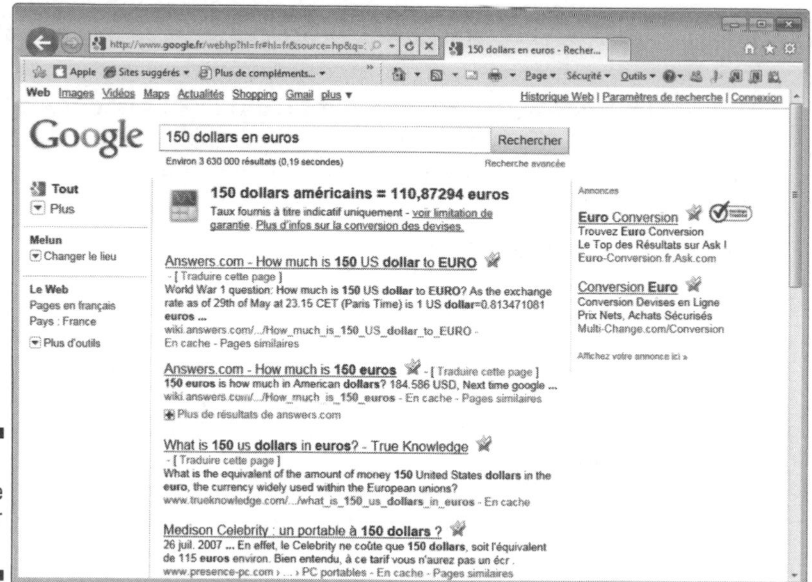

Figure 8.7 : Les talents de convertisseur de Google !

immédiatement les premières lettres de l'élément que vous désirez trouver sur votre ordinateur. Ce que vous saisissez s'affiche dans le champ Rechercher situé en bas du menu Démarrer. À chaque nouvelle lettre que vous tapez, ce menu actualise les résultats trouvés. Il ne vous reste plus qu'à cliquer sur l'élément que vous souhaitez utiliser ou exécuter.

Le blues du 404

Plus souvent qu'à notre tour, lorsque nous cliquons sur un des liens proposés par Yahoo! ou un de ses concurrents, nous aboutissons à un message du genre « *404 not found* » (404, pas trouvé). Qu'est-ce que cela signifie ? Tout simplement que la page est inexistante. Les sites et pages Web apparaissent et disparaissent si vite que les moteurs de recherche ont bien du mal à se tenir à jour.

À cet égard, les index automatisés comme ceux de Google et d'AltaVista sont mieux faits que les répertoires du genre de Yahoo! Les systèmes automatisés utilisent des robots logiciels qui visitent et revisitent périodiquement les adresses indexées et notent celles qui n'existent plus. Mais, même ainsi, il peut s'écouler plusieurs mois avant que ces disparitions ne soient repérées et, pendant ce temps-là, il peut se passer bien des choses sur le Web. Google *met en cache* (stocke) une copie de la plupart des pages visitées : si l'original a disparu, cliquez sur le lien `Cache` à la suite d'une entrée d'index Google, vous obtiendrez une copie de la page telle qu'elle était lorsque Google l'a indexée pour la dernière fois.

- Peu de choses se perdent sur Internet. Grâce au dispositif *Wayback Machine*, il est possible de retrouver les anciennes versions de certains sites Web. Rendez-vous sur `www.archive.org` et saisissez le lien perdu (adresse Web par exemple) dans le champ *Search*.
- Parfois, les sites Web connaissent une très légère modification qui entraîne avec elle la migration de certains liens. Si le lien auquel vous ne parvenez pas à accéder semble mort, essayez une version plus courte. Par exemple au lieu de saisir une longue dresse comme `www.microsoft.com/France/windows/windowsserver2003/ws2000_supportetendu.html`, essayez plutôt `www.microsoft.com/France/windows/windowsserver2003/`, voire `www.microsoft.com/France/windows/`. Si malgré cela, la page reste introuvable, effectuez une recherche dans Google en saisissant uniquement le nom du fichier. Peut-être en reste-t-il une copie sur un autre site Web.
- Enfin, sachez que parfois vous ne trouvez plus un site car il est en période de maintenance. Cette période tombe souvent un dimanche. Ne vous inquiétez pas ! Le site sera de nouveau opérationnel dans les meilleurs délais.

Recherche avec Yahoo!

Bien que Yahoo! soit principalement un répertoire de ressources disponibles sur le Web, c'est aussi un *portail*, ce qui signifie qu'il contient d'autres bases de données auxquelles vous pouvez accéder par son point d'entrée, ce qui est censé vous inciter à ne jamais trop vous éloigner de ce merveilleux et irremplaçable site. Chacune d'entre elles est identifiée par un lien sur lequel vous pouvez cliquer. Ces liens apparaissent dans la page d'accueil juste au-dessous de la boîte de saisie Recherche. En voici une liste non exhaustive :

- **Mon Yahoo! :** pour accéder à une page de démarrage personnalisée avec en-têtes, résultats sportifs, *etc.*, selon les préférences que vous avez définies.
- **Mail :** pour obtenir une adresse e-mail gratuite sur le format @yahoo.fr.
- **Messenger :** il vous permet de dialoguer en direct avec vos amis sur le Web.
- **TV :** liste impressionnante de chaînes TV et câble.
- **Voyages :** pour préparer tous vos futurs voyages.
- Et de nombreux autres liens, dont des accès vers tous les Yahoo! du monde qui vous permettront de trouver des sites spécifiques à ces pays ou encore les coordonnées de personnes y vivant.

ODP : ouvert, gigantesque et gratuit

Il serait pratique de disposer d'un gros répertoire contenant autant d'informations qu'un index. Certes, mais personne n'aurait les moyens de payer des gens pour construire un aussi gros répertoire. Ce sont des bénévoles qui s'en chargent. Netscape est à l'origine de l'*Open Directory Project* (ODP), effort bénévole pour créer le répertoire Web le plus grand et le meilleur du monde. Animé par le même esprit communautaire qui a construit Linux et Mozilla Firefox, ODP est effectivement devenu le meilleur répertoire Web. ODP est exploitable gratuitement par tout le monde. Des dizaines de moteurs de recherche fournissent ODP en plus de leurs propres informations indexées. Par exemple, la version de Google se trouve à `www.google.fr/dirhp` (Figure 8.8).

ODP se trouve sur `www.dmoz.org` (*dmoz* signifie à peu près *Directory Mozilla*) mais il est facile d'y accéder par Google. Le répertoire est un ensemble de catégories, sous-catégories, sous-sous-catégories, et ainsi de suite jusqu'à un impressionnant degré de détail. Chaque catégorie contient en général un grand nombre de pages Web. Pour l'afficher en Français, il

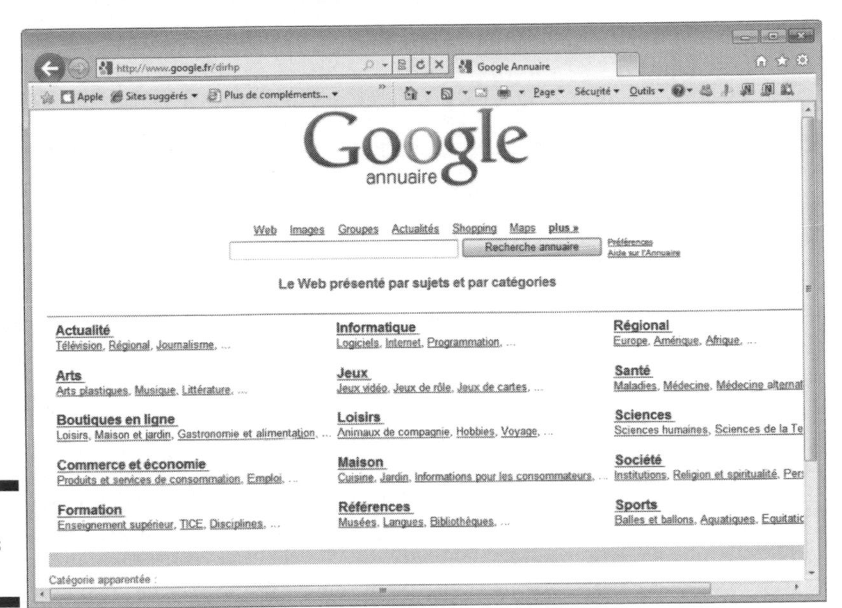

Figure 8.8 : ODP depuis Google.

suffit de cliquer sur le lien du même nom situé dans la catégorie World en bas de la page. Vous pouvez débuter au niveau de répertoire supérieur et progresser en cliquant sur les catégories (en commençant par cliquer sur l'onglet Répertoire dans la page d'accueil Google) ou opérer une recherche dans le répertoire pour y trouver des pages, puis consulter les catégories qui comportent des pages intéressantes.

Lorsque vous avez déjà fait une recherche dans Google, un clic sur l'onglet Répertoire, en haut de la page, affiche uniquement les pages en rapport dans ODP. Dans la mesure où ces pages ont toutes été vues par au moins une personne, leur qualité est en général meilleure que celle des pages de la liste générale de Google, qui ont été recueillies mécaniquement. Dans la liste de résultats de recherche Google, si une page appartient à une catégorie, vous pouvez cliquer sur son lien `Catégorie` pour afficher d'autres pages appartenant à la même catégorie. Vous obtenez non seulement des pages Web pertinentes mais également des liens vers les catégories apparentées. Les catégories ODP sont si nombreuses qu'il faut souvent continuer à cliquer pour trouver la sous-catégorie exacte désirée. Une fois trouvée, elle recèle généralement des liens intéressants. Si ce n'est pas le cas, lisez l'encadré « Vous êtes peut-être déjà un expert ».

Vous êtes peut-être déjà un expert

Les catégories de *l'Open Directory Project* sont gérées par des bénévoles – pourquoi pas vous ? Le temps passé par catégorie est assez modeste – quelques minutes par semaine pour voir ce qui a été suggéré, et l'ajouter ou le rejeter.

Pour participer bénévolement, cliquez sur le lien `Become an Editor` en bas de la fenêtre dmoz.org puis, dans la page qui s'ouvre, sur le lien français. Vous remplirez ensuite un questionnaire pour indiquer qui vous êtes, pourquoi vous êtes intéressé et quelles entrées vous voudriez ajouter à la catégorie. Si vous êtes accepté (ce qui est généralement le cas), vous commencerez à participer quelques jours plus tard. Des didacticiels et listes de messagerie sont à disposition des éditeurs.

Pour des faits concrets, essayez d'abord Wikipédia

Wikipédia, `http://fr.wikipedia.org/wiki/Accueil`, est une encyclopédie gratuite sur Internet (Figure 8.9). En hawaïen, *Wiki* signifie *rapide*. Le projet Wikipédia, qui a démarré en 2001, compte désormais plus de 6 millions d'articles disponibles dans plus de 250 langues. Bien évidemment, vous y trouverez des articles sur les tomates farcies.

Si vous cherchez des scoops, Wikipédia est un excellent lieu d'investigation. Vous y trouverez des titres et des textes d'articles. Dans les articles, les termes soulignés en bleu renvoient vers d'autres articles précisant et développant le terme en question. Beaucoup d'articles ont des liens renvoyant vers des sites Web externes qui proposent encore plus d'informations sur le sujet traité. Les articles sont créés, modifiés et publiés par une équipe de bénévoles qui compte plus de six mille contributeurs.

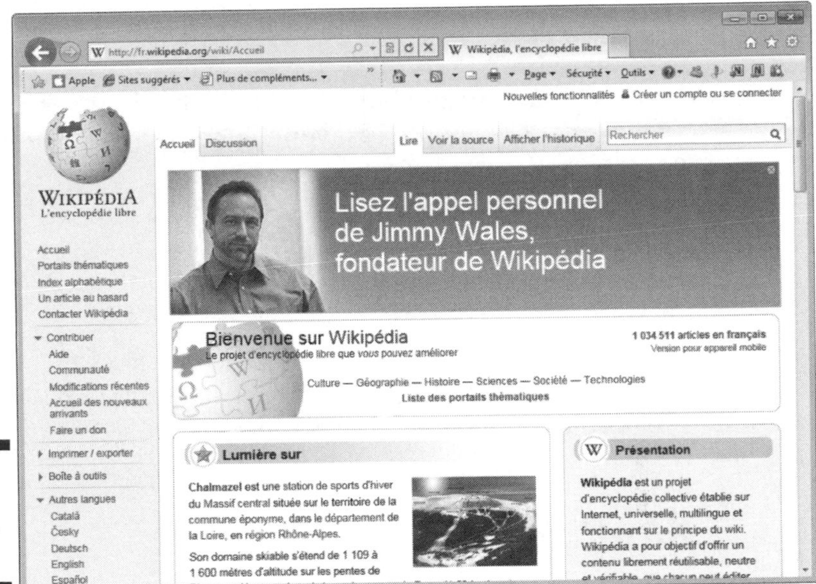

Figure 8.9 : La page d'accueil de Wikipédia.

Tout le monde peut écrire un article sur Wikipédia, ce qui est sa force mais aussi et surtout sa faiblesse. Des modérateurs empêchent la publication d'articles ne respectant pas la déontologie du site, mais il n'y a pas de comité de lecture validant l'exactitude des informations.

Les articles sont censés être purement informatifs. Il ne s'agit donc pas d'adopter une attitude partisane. La neutralité est de mise. Des sujets comme l'avortement, la peine de mort, la religion, la politique internationale sont de nature à créer des débats. Wikipédia ne fait pas autorité comme une œuvre aussi colossale et sérieuse que l'*Encyclopœdia Universalis* mais ses articles sont généralement à jour et la quantité d'informations suffisante pour se forger une opinion ou argumenter des discussions.

Si vous effectuez une recherche sur un sujet précis dans Google, il y a de grandes chances pour que vous tombiez sur un article publié sur Wikipédia.

Voilà ! Ici se termine notre grande recherche sur les tomates farcies. Il ne me reste plus qu'à aller les cuisiner.

Les autres...

Lorsque vous serez habitué à Yahoo!, Google et ODP, vous souhaiterez sans doute essayer quelques-uns de leurs concurrents.

About.com

www.about.com

About est un répertoire où plusieurs centaines de « guides » semi-professionnels gèrent les rubriques.

AltaVista

www.altavista.com

AltaVista est un index volumineux. Pendant longtemps, il est resté le plus grand, mais il est aujourd'hui dépassé par Google. Il n'a pas la faculté de Google de placer les pages les plus intéressantes en tête de liste mais pour la recherche de sujets particuliers dont vous connaissez déjà des mots-clés, il reste difficile à battre. Il propose également une recherche directe de fichiers MP3 et Audio en général.

Bing

www.bing.com

Bing est le moteur de recherche de Microsoft. Il remplace sous Windows 7 l'ancien *Live Search*. Imposé par défaut, il se veut le concurrent de Google mais reste très loin derrière la puissance d'indexation de celui-ci. Bing, à l'instar de Google, effectue des recherches dans tous les domaines.

Bytedog

www.bytedog.com

Bytedog rassemble les résultats de recherche d'autres moteurs de recherche et les présente sous forme de classement. La réponse met quelques longues secondes à vous parvenir du fait du filtrage des mauvais liens que vous n'aurez donc pas à gérer. Bytedog est un projet mené par deux étudiants de l'université de Waterloo, Ontario, USA.

Autres guides du Web

ODP a un répertoire de plusieurs centaines de guides : visitez dmoz.org/Computers/Internet/Searching/. Ensuite, cliquez sur le lien French pour afficher le contenu de la page en français.

Pages Jaunes

www.pagesjaunes.fr

Ces « Pages Jaunes » remplacent notre bon vieil annuaire papier et le Minitel.

Rechercher des personnes

Trouver quelqu'un sur le Net n'est pas aussi facile qu'on pourrait le croire. Tout au moins pour les personnes n'habitant pas les États-Unis. Il existe deux systèmes de recherche de personnes qui se recoupent : ceux qui recherchent des personnes sur le Net, avec adresse e-mail et/ou Web, et ceux qui recherchent des personnes dans la vie réelle avec adresse postale et numéro de téléphone. Pour ce dernier type de recherche, rappelons l'existence du Minitel, consultable à partir d'une interface Minitel sur ordinateur, et le site www.pagesjaunes.fr qui propose aussi la consultation des Pages Blanches de l'annuaire.

Dans la vie réelle

Ces annuaires sont compilés à partir des annuaires papier. Ceux qui ne figurent pas sur ces derniers depuis plusieurs années n'ont aucune chance de se trouver sur les annuaires du Web.

Sur le Net

Comme il n'existe pas de document comparable à un annuaire papier pour les adresses Internet, une telle recherche risque souvent d'être un coup d'épée dans l'eau. Les différents serveurs de recherche utilisent chacun des sources d'informations différentes, ce qui fait que leurs résultats ne se recoupent généralement pas. Aussi, si vous ne trouvez pas la personne recherchée dans l'annuaire utilisé, n'hésitez pas à en essayer un autre, vous aurez peut-être plus de chances.

Pour savoir si quelqu'un a une page Web, recherchez son nom avec Google. Vous pouvez aussi évaluer l'étendue de votre propre popularité en tapant votre nom dans les moteurs Google ou Yahoo ! : vous risquez d'avoir quelques surprises, particulièrement si votre patronyme est répandu ou à connotation historique.

Google, chasseur de têtes

Dans Google, saisissez le nom et l'adresse de quelqu'un. Vous verrez une longue liste s'afficher, mais n'espérez pas forcément y trouver la personne que vous cherchez.

Si vous désirez savoir si quelqu'un a une page Web, utilisez Google ou Yahoo! en saisissant simplement le nom de cette personne. Si vous recherchez l'adresse e-mail d'une personne, passez par Google.

Les Pages Blanches

www.pagesblanches.com

Ce n'est qu'une des rubriques du site pagesjaunes.fr, comme le montre la Figure 8.10.

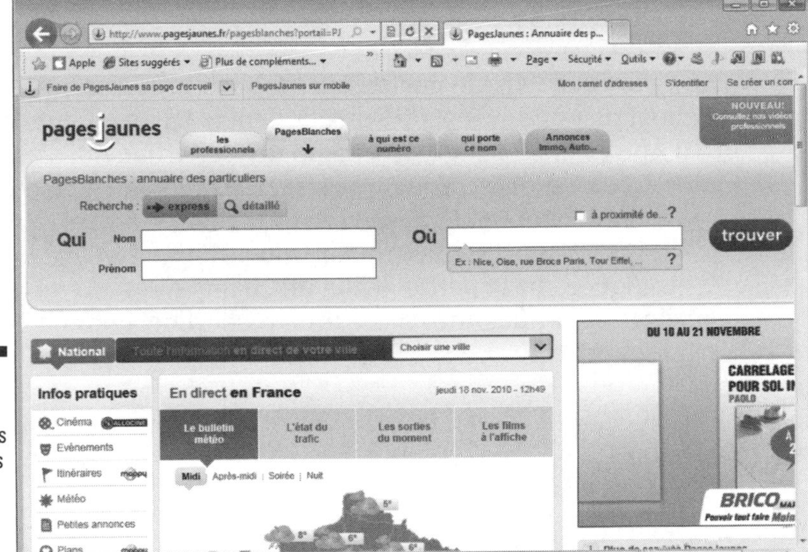

Figure 8.10 : C'est en cherchant les pages jaunes que l'on trouve les blanches !

Le courrier, une fois encore

Les listes de diffusion constituent une autre ressource d'importance. La plupart d'entre elles acceptent volontiers des questions correctement et poliment formulées concernant les sujets qu'elles traitent.

Avec votre navigateur

Microsoft et Mozilla sont arrivés sur le marché des moteurs de recherche. Firefox et Internet Explorer sont des navigateurs qui vous conduisent directement sur leur système de recherche préféré si vous leur en donnez la plus petite occasion.

Ces systèmes ne sont pas complètement dépourvus d'intérêt, mais, à moins d'être le genre de personne qui allume la télé et regarde ce qui apparaît à l'écran sans zapper une seule fois, vous préférerez probablement choisir vous-même votre propre moteur de recherche.

Firefox et Safari

Firefox et Safari (le navigateur Web historique du Mac également disponible sur PC surtout depuis l'avènement de iTunes d'Apple) disposent d'un champ de recherche qui s'apparente donc à un moteur. Vous y saisissez les mots-clés nécessaires à votre recherche et appuyez sur la touche Entrée. En fait, Firefox et Safari se basent sur Google. Dans Firefox, il suffit de cliquer sur la petite flèche du champ de recherche pour sélectionner un autre moteur de recherche, comme le montre la Figure 8.11.

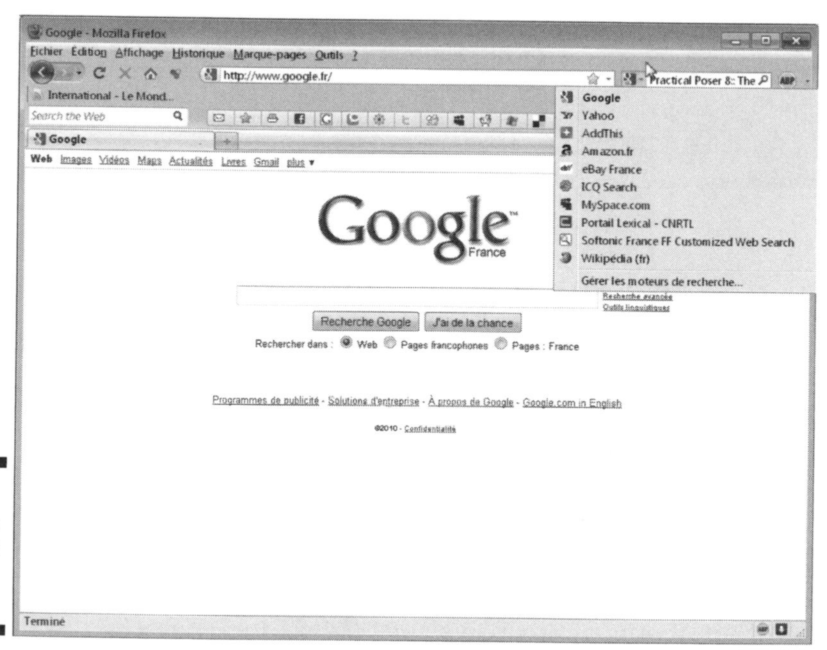

Figure 8.11 : Sélectionnez un moteur de recherche dans Firefox.

Les sites suggérés d'Internet Explorer 9

Internet Explorer 9 a été conçu pour offrir plus de rapidité et plus de souplesse aux utilisateurs effrénés du Web. Pour cela, Microsoft a créé une fonction appelée Sites suggérés. Elle permet, lorsque vous êtes dans une page, de trouver d'autres pages du même type qui peuvent vous apporter des informations supplémentaires et/ou complémentaires.

Avec cette fonction, vous allez très facilement trouver d'autres moteurs de recherche comme l'explique cette procédure :

1. **Ouvrez Internet Explorer 9, et affichez votre moteur de recherche par défaut, Google comme par hasard.**
2. **Veillez à afficher le Volet des favoris. Si ce n'est pas le cas, cliquez sur Affichage/Volet d'exploration/Favoris.**
3. **Cliquez sur l'onglet Favoris.**
4. **En bas du volet des favoris cliquez sur le lien** `Voir les sites suggérés`.

   La page des sites suggérés apparaît comme à la Figure 8.12. Elle consiste en un ensemble de suggestions basées sur vos goûts et ceux des personnes qui consultent les mêmes sites que vous.

5. **Pour trouver d'autres moteurs de recherche, faites défiler le contenu de cette page.**

   Vous constatez que dans la colonne de gauche figurent les sites que vous avez récemment consultés, et dans la colonne de droite des sites équivalents suggérés par Internet Explorer.

6. **Cliquez sur le site auquel vous désirez accéder.**
7. **Si les suggestions vous semblent insuffisantes, cliquez sur le lien** `Plus de suggestions`.
8. **Ajoutez des sites suggérés à vos favoris par un clic sur le lien** `Ajouter sites suggérés au volet des Favoris`.

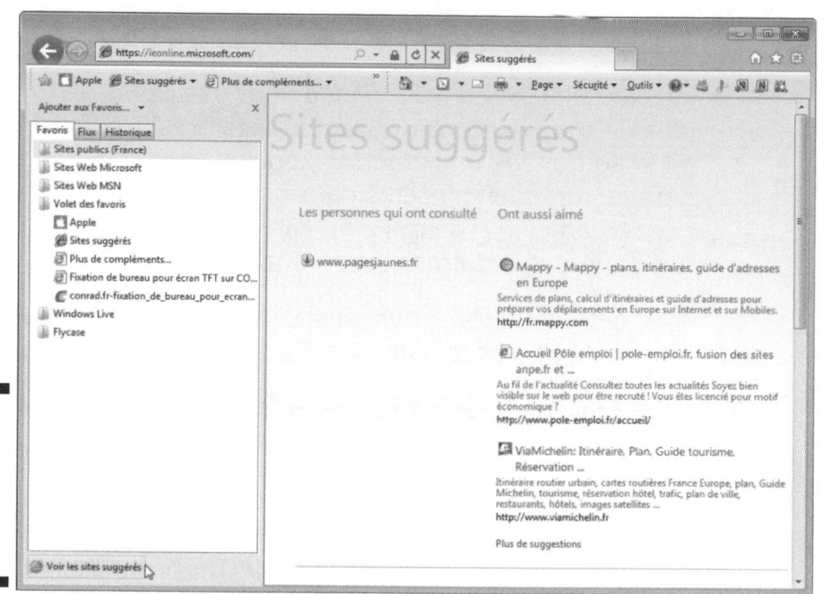

Figure 8.12 : Affichez les sites suggérés par Internet Explorer 9.

Internet Explorer affiche alors un message vous demandant si vous désirez ajouter cette page des sites suggérés en tant que composant Web slice. Il s'agit d'une portion spécifique d'une page Web à laquelle vous pouvez vous abonner gratuitement afin que son contenu soit automatiquement mis à jour. Ce composant fait alors partie du volet des favoris. Dès que le composant est mis à jour, il s'affiche en gras dans les favoris. C'est une sorte de flux RSS. Il suffit alors de cliquer sur le lien pour consulter le contenu mis à jour.

Vous pouvez également ajouter une page Web aux composants suggérés. Ainsi, chaque fois que vous visiterez cette page, il vous suffira de cliquer sur le bouton Sites suggérés d'Internet Explorer pour obtenir une liste de sites connexes. Voici comment procéder :

1. **Affichez la page Web du site qui vous intéresse.**

2. **Dans la barre Volet favoris, cliquez sur le bouton Sites suggérés.**

   Si le site visité est déjà répertorié par Microsoft, des sites équivalents sont alors suggérés comme à la Figure 8.13. Sinon, Internet Explorer propose de vous abonner au site.

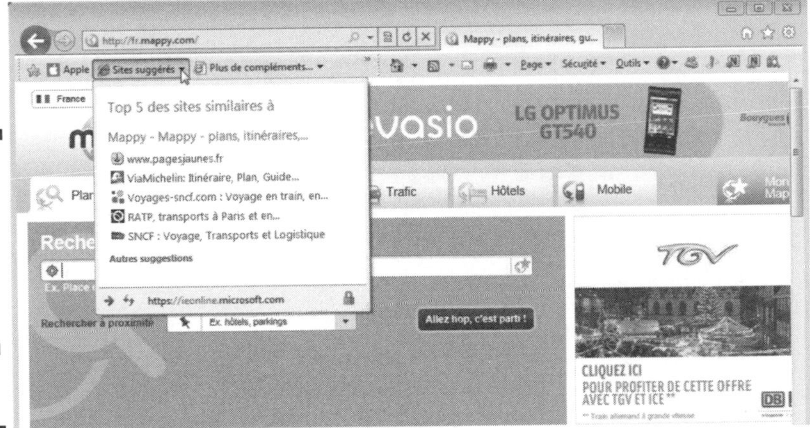

Figure 8.13 : Les sites suggérés par Internet Explorer 9 répondant à des critères identiques au site actuellement visité.

3. Dans la liste des sites suggérés, cliquez sur celui que vous désirez visiter.

Si le fait de cliquer n'ouvre pas la page Web du site en question dans un nouvel onglet, c'est que son accès est verrouillé pour des questions de sécurité. Pour forcer l'ouverture, appuyez sur la touche Ctrl de votre clavier, et cliquez sur le lien.

Le pari des dix minutes

Notre ami Doug Hacker prétend être capable de trouver la réponse à n'importe quelle question factuelle sur le Net en moins de dix minutes. Carol a voulu vérifier et lui a demandé de retrouver une citation dont elle se souvenait vaguement au sujet d'un album de Duke Ellington dont elle ne pouvait plus se rappeler le titre. Il lui a fallu environ une heure pour retrouver la citation complète, mais sans passer plus de cinq minutes sur son ordinateur. Comment ? Il a d'abord trouvé une liste de diffusion ayant pour sujet Duke Ellington, s'y est abonné et a posé la question. Il n'a fallu que quelques minutes pour que plusieurs abonnés proposent une réponse. Plus vous passerez de temps à apprendre à vous servir du Net et à vous y retrouver, plus vous en gagnerez lorsque vous aurez besoin de trouver quelque chose de précis.

Quatrième partie

Tout ce que vous avez toujours eu envie de faire sur Internet sans oser le demander

"Il a vu que t'avais un portable ; il te demande s'il peut consulter ses messages."

Dans cette partie...

Pour une nouveauté, c'est une nouveauté ! Certes, je ne connais pas tout sur le Web. Cependant, il ne me semble pas qu'il existe un ouvrage consacré à Internet qui vous explique concrètement ce que vous allez faire sur la Toile (ben oui, l'autre non du Web). Pour cette raison, je me suis mis au défi de vous apporter des pistes d'exploration en me basant sur quelques observations réalisées dans la vie quotidienne.

Internet fascine autant qu'il intimide. Vous avez probablement entendu dire ça et là qu'untel à fait ceci sur Internet, et que tel autre à fait cela. Plus vous entendez les gens parler d'Internet, plus vous vous rendez compte qu'il y a des choses pratiques, ludiques, et culturelles à y faire, mais par peur de passer pour une « buse », vous n'osez pas demander comment réussir à accomplir les exploits qui seront traités dans cette partie, c'est-à-dire :

- Télécharger, acheter, écouter, organiser vos musiques et vos vidéos (Chapitre 9).
- Acheter et vendre tout et n'importe quoi sur des sites qui vendent du neuf, de l'occasion, et même faire vos courses dans des supermarchés virtuels (Chapitre 10).
- Préparer vos vacances en trouvant une location, en faisant votre itinéraire, en calculant votre consommation de carburant, en localisant votre lieu de villégiature, et surtout en payant moins cher vos billets de train ou d'avion sans vous faire arnaquer (Chapitre 11).

Vous comprenez qu'apprendre ce qu'est Internet et à visiter des sites est une technique qui n'a de valeur que si elle a une véritable utilité. C'est de cette utilité dont il est question tout au long de cette partie.

Chapitre 9

Musique et vidéo sur le Web

Dans ce chapitre :

- Écouter de la musique en surfant.
- Écouter de la musique en vaquant à d'autres activités.
- Acheter et organiser vos musiques avec iTunes et le Lecteur Windows Media.
- Ecouter toutes les radios.
- Regarder la TV sur un 85 cm de diagonale tout en l'affichant dans une fenêtre de 10 cm.
- Les bons plans pour acheter ou écouter de la musique en toute légalité.

Il y a 20 ans déjà, les pages Web étaient essentiellement constituées de texte. Il était possible de télécharger des images dans des archives et il existait bien cette chose attirante et inquiétante appelée *World Wide Web* qui mélangeait texte et images mais, dans la majorité des cas, les pages n'affichaient que des mots. Cette restriction tenait au fait que les connexions Internet étaient trop lentes pour supporter les débits de données exigés par des médias plus volumineux. Les tentatives audio et vidéo furent catastrophiques, émaillées de nombreuses coupures, d'images totalement indéchiffrables, et, pour télécharger un clip vidéo digne de ce nom, il ne fallait pas moins d'une semaine. À la fin des années 1990, les débits se sont largement améliorés. L'audio fut l'un des premiers à en bénéficier, et quelques sites furent très fiers d'accueillir les internautes avec des messages audio.

Désormais, pour la majorité des adeptes d'Internet, ce temps est révolu. Les connexions sont désormais à haut débit et les disques durs des ordinateurs sont si volumineux et si bon marché que tout ordinateur moderne peut largement profiter des dernières technologies du Web. Ainsi, vous pouvez, sans difficulté, écouter la radio et regarder la télévision de tous les pays du monde. Ce chapitre tente de mettre un peu d'ordre dans cette immense contrée d'exploration que sont les médias « en ligne ».

Cinq manières d'accéder aux médias (plus une à ne pas utiliser)

Allez, sans exagérer, il y a au moins dix mille programmes et formats différents qui délivrent des images et des sons sur le Web. Heureusement, ils se répartissent dans un nombre limité de catégories : gratuits, en flux continu (*streaming*), loués, achetés, partagés et... volés.

Ne refusez pas les cadeaux

L'approche la plus sympathique consiste à télécharger des médias qui sont mis gratuitement à votre disposition sur les sites Web. Par exemple, si vous faites un tour sur le site de la NASA, à `www.nasa.gov/multimedia`, vous pourrez visualiser de nombreuses vidéos de la navette spatiale. Vous pouvez aussi visiter la base aérospatiale de Kourou à l'adresse suivante : `www.esa.int/esaCP/SEM1T81XDYD_France_0.html`.

Si les archives de notre patrimoine audiovisuel vous passionnent, pourquoi ne pas aller chercher des vidéos sur le site de l'INA à l'adresse `www.ina.fr`. Il suffit alors de parcourir les différentes rubriques du site pour localiser des vidéos qui vous intéressent. Vous pouvez même taper directement l'objet d'une recherche dans le champ Rechercher sur Ina.fr. Cliquez sur la liste de droite et sélectionnez Vidéo (normalement sélectionné par défaut). Cliquez sur OK. Cliquez sur la vignette d'une vidéo que vous désirez regarder. Elle s'affiche dans votre navigateur Web comme à la Figure 9.1.

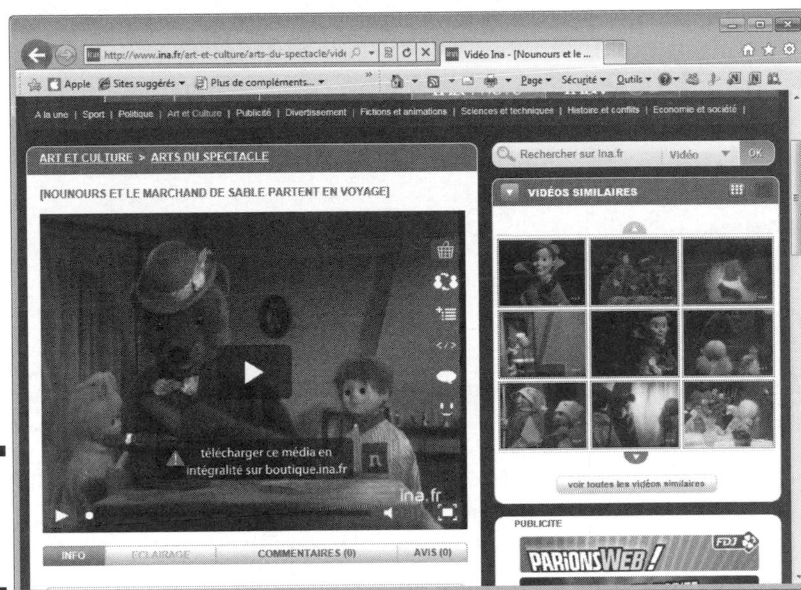

Figure 9.1 : Ah, nostalgie quand tu nous tiens !

Il en va de même pour la musique que vous trouverez gratuitement en nombre important sur Internet. Il s'agit de morceaux d'artistes inconnus du grand public et/ou qui ont décidé de donner leurs œuvres aux auditeurs. Vous pourrez écouter des choses aussi étonnantes qu'originales sur un site comme `http://www.easyzic.com/mp3-gratuits/`, illustré à la Figure 9.2.

Écoutez et regardez en ligne

Les connexions haut débit ne permettent pas de télécharger instantanément de la musique ou de la vidéo. Il faut toujours attendre que le fichier vienne du serveur et s'installe temporairement ou non sur votre disque dur. Toutefois, il existe une technologie qui délivre ces médias en temps réel sur Internet. On l'appelle *streaming* ou *diffusion en flux continu*. Le principe

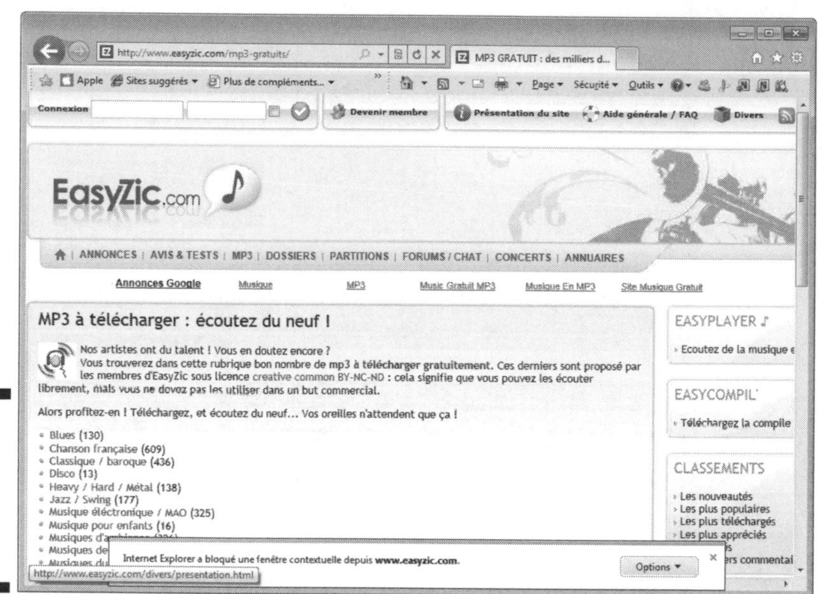

Figure 9.2 : La gratuité existe sur Internet… nous l'avons rencontrée.

est simple. Après quelques secondes d'attente, la diffusion commence, et, tout au long de celle-ci, le reste du fichier continue à se télécharger. De ce fait, vous entendez ou voyez toujours quelque chose. Bien évidemment, le *streaming* existait avant le haut débit, mais, depuis son avènement, la qualité des médias est devenue impressionnante.

La plupart des médias sont diffusés à la demande. Imaginez donc Internet comme un gigantesque *juke-box* audio et vidéo. D'autres médias reprennent les sacro-saints horaires de diffusion audiovisuelle. Par exemple, il est possible d'écouter les radios nationales et périphériques sur Internet, en direct. Vous en saurez davantage à ce sujet en lisant la section « La radio sur Internet », plus loin dans ce chapitre.

Quelles sont les grandes expériences de *streaming* aujourd'hui ? Voici deux éléments de réponses parmi d'autres :

- L'expérience Deezer que nous étudions d'une manière plus détaillée dans une prochaine section. Ce site totalement légal, qui paye des droits aux artistes dont les œuvres sont diffusées sur le site, permet d'écouter des chansons, de regarder des vidéos, d'écouter des radios, de créer des listes de lecture (*playslists*), et bien sûr d'acheter les musiques qui vous intéressent. La page d'accueil de Deezer (`http://www.deezer.com/fr/`) est illustrée à la Figure 9.3.

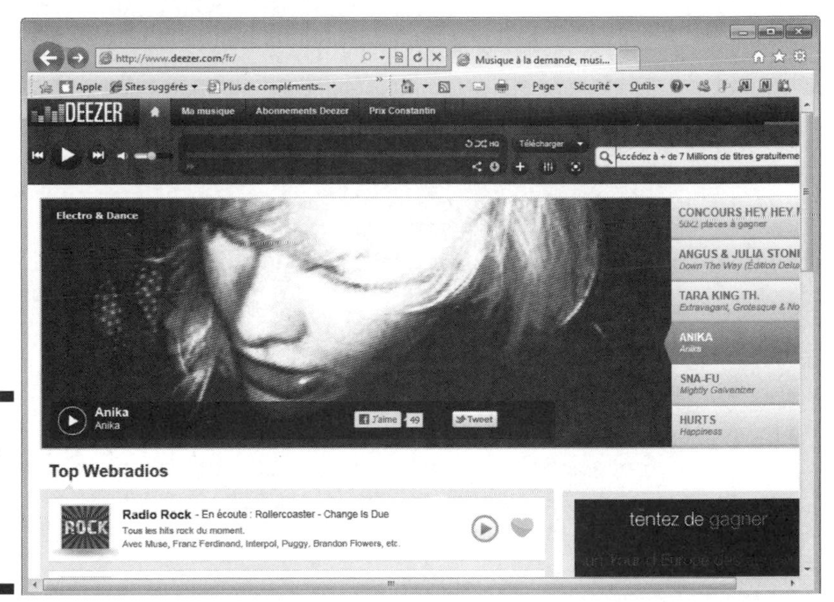

Figure 9.3 : Et si Deezer était le site de musique qui vous manquait ?

- Les sites de streaming vidéo, sont souvent appelés sites de VOD (*Video On Demand*, vidéo à la demande). Ils sont payants ou gratuits, et proposent des films récents et des séries dans des qualités variables. Les meilleures offres sont peu coûteuses et en haute définition. Toutefois, il existe des sites de streaming légaux, dont les responsables payent des droits pour diffuser les films ou des liens vers des films très récents. Sur ces sites, la qualité de l'image laisse parfois à désirer, et le téléchargement en temps réel dans la mémoire cache de votre ordinateur n'est pas toujours régulière.

Louez !

La musique est avant tout commerciale. De ce fait, la majorité des sites la vendent moyennant parfois le paiement d'un

Le streaming est-il illégal ?

« P'ête ben qu'oui, p'tête ben que non ! » Vous savez la lutte que mène l'industrie du cinéma (et du disque) contre le téléchargement illégal de musiques et de vidéos. La question que pose le streaming est celle de savoir s'il est illégal dans la mesure où vous ne téléchargez pas réellement un film ou une musique. Ces médias restent temporairement dans votre ordinateur le temps que vous les regardiez ou les écoutiez « en direct ».

La loi a condamné des sites de streaming, mais pour le moment, il n'existe pas de cas où un internaute a été condamné pour avoir regardé un film ou une série en streaming depuis un site *a priori* illégal. Pourtant, théoriquement, l'internaute risque la même peine qu'en effectuant un téléchargement sur des systèmes P2P (*Peer-to-Peer* que nous n'évoquerons pas dans ce livre), c'est-à-dire une grosse amende, voire de la prison.

Qui prend les plus gros risques en matière de streaming ? Les sites qui hébergent ces vidéos et ceux qui les y téléchargent, c'est-à-dire qui les mettent à la disposition des spectateurs internautes. Le problème est que ces sites se situent souvent à l'étranger, dans des pays où la législation est bien plus souple qu'en France. Pour le moment, il existe un vrai vide juridique sur le streaming vidéo. Alors que faire ? Je vous conseille simplement d'aller sur des sites où le streaming est légal, c'est-à-dire des sites de VOD (qui diffusent parfois en streaming et/ou qui permettent de télécharger des films moyennant paiement). Enfin, sachez qu'un site comme YouTube serait en tractation avec certaines sociétés de productions et de diffusion cinématographiques pour proposer gratuitement des longs métrages en streaming.

abonnement mensuel pour écouter une large collection de morceaux enregistrés. C'est ainsi que les choses se passent sur `www.virginmega.fr`. Vous pouvez louer un film pour 48 heures, ou bien l'acheter définitivement. La musique elle aussi est légalement téléchargeable sous forme d'albums complets ou de titres individuels.

Achetez !

Aujourd'hui, il est devenu très facile d'acheter, à moindre coût, de la musique sur Internet. Que vous utilisiez le Lecteur

Windows Media de Microsoft, RealPlayer ou le désormais très à la mode iTunes, vous accédez à un catalogue impressionnant d'albums et de titres téléchargeables pour un prix d'environ 90 centimes d'euros par chanson. Nous détaillons iTunes et le Lecteur Windows Media un peu plus loin dans ce chapitre.

Partagez !

Napster (www.napster.com) fut le premier site d'échange de musique en ligne. Il permettait à ses membres d'échanger des fichiers musicaux MP3, gratuitement et en toute impunité. Ce fut le premier système d'échange sur un réseau P2P, c'est-à-dire *Peer-to-Peer* ou *Pair à Pair*. Bien évidemment, les gros labels de distribution ne virent pas cela d'un bon œil et, face à la multiplication des réseaux P2P, il est aujourd'hui devenu totalement illégal de télécharger de la musique gratuitement et de mettre à libre disposition en ligne des morceaux et/ou des films dont vous n'êtes pas l'auteur.

Malgré les échanges sur P2P, il n'est pas possible d'interdire les réseaux eux-mêmes car ils ne forment qu'une passerelle entre des adultes consentants et responsables. Donc, s'il est possible d'utiliser des logiciels qui établissent la connexion à des réseaux P2P comme Kazaa, eMule, et j'en passe, il reste totalement interdit d'y télécharger les œuvres d'auteurs de musique, de films, de logiciels, de jeux, de bandes dessinées, *etc.* Vous en saurez davantage en fin de chapitre sur le P2P et ses dangers.

Volez ces médias ! (Mais non bien sûr !)

Internet regorge de fichiers piratés, c'est-à-dire mis en ligne sans aucune autorisation des auteurs de l'œuvre qui y est enregistrée. J'en appelle à l'éthique et à la citoyenneté des internautes. Prohibez tout ce qui est illégal ! Les réseaux P2P sont attirants, comme souvent ce qui est illégal, d'autant plus que, derrière l'écran d'un ordinateur, on se sent malgré tout à l'abri du regard des autres. C'est un leurre. On peut vous localiser facilement.

Des téléchargements littéraires

Il n'y a pas que de la musique ou de la vidéo à télécharger sur Internet. Depuis quelques mois, vous avez la possibilité d'acheter des livres audio. C'est un service absolument génial pour les personnes souffrant de déficiences visuelles. Cependant, les livres ainsi lus par des tierces personnes peuvent également séduire ceux qui n'ont pas le temps d'ouvrir un livre et qui préfèrent s'instruire au volant de leur voiture ou en pratiquant leur jogging quotidien.

La plus importante librairie de ce type se trouve à l'adresse `www.audible.fr/adfr/store/welcome.jsp` (Figure 9.4). Soit vous souscrivez un abonnement qui vous donne droit à un ou deux titres par mois, soit vous téléchargez vos livres à la carte. Pour « écouter » le livre, il suffit d'utiliser un des lecteurs audio compatibles dont vous trouverez la liste sur le site. Il est bien évidemment possible d'écouter le titre téléchargé avec le lecteur multimédia de votre ordinateur et de le graver sur CD audio. Il existe un *plug-in* pour iTunes qui permet de copier vos livres sur votre iPod, de même qu'un *plug-in* pour le Lecteur Windows Media et tous les périphériques qu'il prend en charge.

Figure 9.4 : Ne lisez pas les livres, écoutez-les !

Avec quoi écoutez-vous ?

Avec vos oreilles évidemment ! Oui, mais pour que le son (et l'image) arrivent jusqu'à vos oreilles (et vos yeux), il faut que votre ordinateur soit équipé d'un programme spécial appelé un *lecteur multimédia*. Si vous utilisez Windows, vous disposez en standard du Lecteur Windows Media dont la dernière version porte le numéro 12 (Figure 9.5). Il existe une quantité impressionnante d'autres lecteurs, souvent de bien meilleure qualité que le Lecteur Windows Media, mais avouons que cette version 12 a fait d'énormes progrès, et de plus elle est disponible en standard avec Windows 7. Généralement, les lecteurs multimédias sont gratuits. Les éditeurs attirent votre attention sur des lecteurs afin de vous vendre, par la suite, une version plus élaborée qui, par exemple, permettra de graver les fichiers audio ou vidéo sur CD et/ou DVD. Bien évidemment, vous n'êtes jamais obligé de faire migrer une version gratuite vers une version payante. Personnellement, j'utilise plusieurs lecteurs (appelés aussi *players*) que je n'ai jamais mis à jour vers une version plus sophistiquée. Les quelques sections qui suivent font le tour d'horizon des lecteurs multimédias les plus répandus.

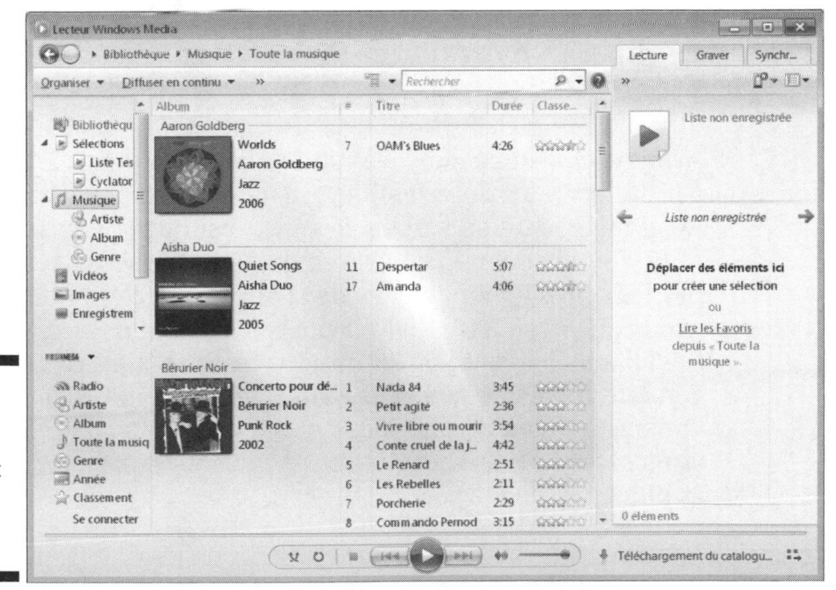

Figure 9.5 : Le Lecteur Windows Media 12 et sa bibliothèque de musique.

RealPlayer

`http://france.real.com/realplayer/`

RealPlayer est le lecteur historique du *streaming*, c'est-à-dire de la diffusion en flux continu (en direct et en temps réel) de médias disponibles sur Internet. RealPlayer est gratuit, et vous apercevez son interface à la Figure 9.6. Les fichiers typiquement Real sont au format .ra ou .ram. Pour les lire, il faut impérativement ce lecteur.

Figure 9.6 : De nombreux fichiers en streaming sont disponibles au format RealPlayer.

Avant d'utiliser ce lecteur multimédia, vous devez le télécharger et l'installer. Force est de constater que l'installation de RealPlayer, dans sa version gratuite, est devenue beaucoup plus simple que par le passé ce qui évite de se laisser piéger par les offres commerciales de la société RealNetworks. Dans le cas où vous seriez invité à passer à une autre version de Real Player, payante de surcroît, refusez tout autre téléchargement qui ne serait pas gratuit. Une fois installé, ce lecteur va vous assaillir de messages publicitaires. Régulièrement, vous serez sollicité pour passer à la version payante du programme. Ne cédez pas !

Ainsi, par défaut, au moment de choisir la version de RealPlayer à installer, le programme active par défaut RealPlayer Plus qui coûte 29,99 € ! Veillez bien, donc, à activer l'option RealPlayer de base !

RealPlayer intègre un navigateur Web qui ouvre un guide multimédia regorgeant de choses à écouter, à regarder, et surtout à acheter. Si vous avez l'âme d'un consommateur outrancier, cédez à ce plaisir, sinon, faites comme moi, entrez dans une résistance farouche pour acheter uniquement ce dont vous avez réellement besoin.

Real Player est un lecteur multimédia qui reconnait un nombre impressionnant de formats de fichiers, dont le format Flash Vidéo (.flv). Il dispose aussi d'un outil de téléchargement des vidéos à ce format. Par conséquent, une grande majorité de vidéo diffusée en streaming sur le Web, peuvent très facilement être enregistrée sur votre ordinateur. Dès lors, vous les lirez sans être connecté à Internet.

Lecteur Windows Media

`http://windows.microsoft.com/fr-FR/windows7/products/features/windows-media-player-12`

Microsoft a développé son propre format de fichiers audio et vidéo, diffusés en temps réel sur Internet, c'est-à-dire en *streaming*. Ce format de fichier ASF (*Advanced Systems Format*) porte l'extension .asf ou .asx. Bien évidemment, le Lecteur Windows Media prend en charge de nombreux autres formats audio et vidéo, notamment WMA et WMV (les deux formats natifs audio et vidéo de ce lecteur), ainsi que le MP3, et j'en passe.

Le Lecteur Windows Media met également à votre disposition une série de liens directs vers des magasins de vente de musique en ligne, mais aussi vers des radios périphériques et des radios plus confidentielles réparties sur toute la surface de la Terre.

Bien entendu ce lecteur est capable de lire vos CD audio et vos DVD vidéo.

QuickTime

www.apple.com/fr/quicktime

Le troisième format de *streaming* (diffusion en temps réel) est QuickTime d'Apple. Ce lecteur est disponible pour Mac et PC. Vous pouvez le télécharger à l'adresse ci-dessus. La dernière version illustrée à la Figure 9.7 porte le numéro 7.6. Vous avez la possibilité de migrer vers QuickTime Pro, une version plus élaborée pour créer vos propres films et qui s'intègre également dans certaines applications multimédias, permettant ainsi d'ajouter de l'interactivité à vos vidéos.

Figure 9.7 : Un excellent lecteur : QuickTime Player.

Lorsque vous installez QuickTime, vous pouvez également installer iTunes.

iTunes

http://www.apple.com/fr/itunes/

iTunes est, entre autres, la réponse d'Apple au Lecteur Windows Media de Microsoft. iTunes vit un parfait amour avec toute la gamme des lecteurs numériques portables iPod et le cellulaire iPhone qu'on ne présente plus. Ce programme permet de gérer vos fichiers MP3 (en autres), et de synchroniser vos bibliothèques avec celle de votre iPod. Ainsi, vous pouvez facilement avoir sur un iPod la copie conforme de votre audiothèque de bureau.

iTunes peut également diffuser de la vidéo, télécharger des films et des podcasts.

Comme si cela ne suffisait pas à être poings et mains liés avec Apple, vous disposez d'un lien direct avec le magasin de vente de musique en ligne, iTunes Store.

L'interface d'iTunes, illustrée à la Figure 9.8, sera détaillée plus loin dans ce chapitre.

Figure 9.8 : iTunes, le lecteur multimédia développé par Apple.

Un cas à part : Deezer !

Deezer n'est pas un lecteur multimédia tel que nous l'entendons habituellement. C'est pour cela que nous parlons d'un cas à part. En effet, Deezer est une sorte de lecteur multimédia en ligne. Son contenu est alimenté par les professionnels du disque et par les internautes eux-mêmes. Autant vous dire que tout ceci est légal puisque Deezer paye sa contribution de droits d'auteur.

La vocation de Deezer n'est pas mercantile, bien que ce système propose d'acheter ce que vous écoutez. Alors, d'où vient Deezer et que propose-t-il ? Deezer est l'ingénieuse idée de Daniel Marhely et Jonathan Benassaya. Pour ne pas concurrencer la distribution musicale traditionnelle, ils négocient un accord avec les sociétés qui régissent les droits d'auteur en France, c'est-à-dire la SACEM et la SESAM. Grâce à cette initiative, Deezer devint, le 22 août 2007, le premier site d'écoute de musique illimité, gratuit et légal. Aucun style musical n'est mis à l'index, et tous les artistes répertoriés touchent des droits. Mais, la puissance de Deezer tient au fait que ce système de diffusion en ligne est devenu un véritable réseau social. Ainsi, des *deezernautes* font quotidiennement évoluer l'offre gratuite sans pénaliser les artistes.

Le contenu de Deezer

Voici une liste non exhaustive de ce que vous pouvez attendre de Deezer, dont la page d'accueil est illustrée à la Figure 9.9 :

- Accéder à près de 4 millions de titres en un clic de souris et sans encombrer votre disque dur.
- Écouter des radios thématiques.
- Rester informé sur l'actualité des artistes, la sortie des albums, et les titres disponibles.
- Partager ses playlists (listes de lecture) avec ses amis.
- Écouter toutes les nouveautés.

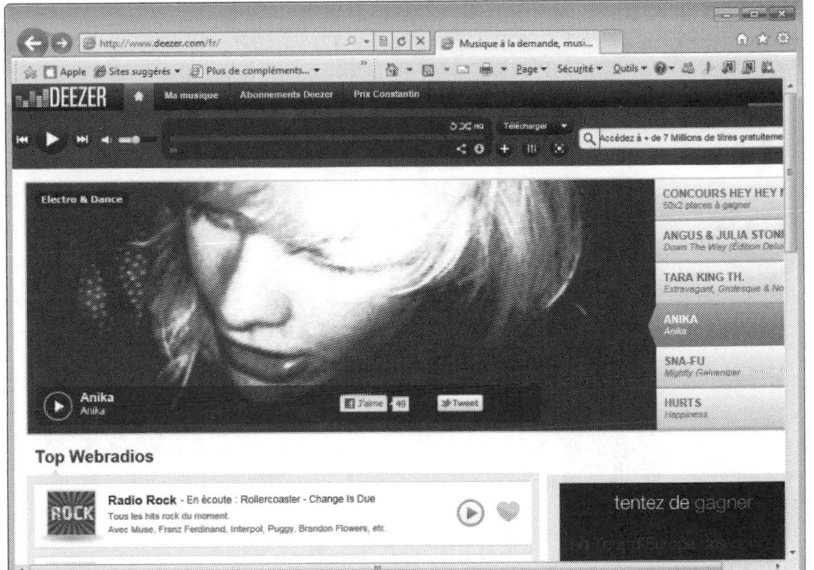

Figure 9.9 : Deezer réconcilie l'industrie du disque et de la vidéo avec la diffusion des œuvres gratuites sur Internet.

- Personnaliser son expérience Deezer en développant son propre univers musical et son ambiance sonore.
- Télécharger et stocker ses propres fichiers MP3.
- Regarder des vidéos.
- Diffuser vos propres créations et toucher des royalties sur les ventes *via* le site partenaire Zimbalam (`www.zimbalam.com`). Attention car la vente sur ce site est… payante !

Maintenant que vous avez l'eau à la bouche, comment ça marche cette affaire là ? Lisez les prochaines sections pour ne pas mourir ignorant !

S'inscrire gratuitement sur Deezer

Pour profiter de toutes les possibilités de Deezer, vous devez vous y inscrire. La procédure est simple et gratuite. Voici comment faire :

1. **Ouvrez votre navigateur Web, et tapez** `http://www.deezer.com/` **dans sa barre d'adresse.**

   Vous accédez à la version de Deezer correspond à votre pays, en l'occurrence la France.

   Si la page d'accueil de Deezer s'affiche dans une autre langue que le Français, cliquez sur le lien (ou le drapeau) situé en haut à droite dans l'interface. Un ensemble d'autres langues apparaît juste en-dessous. Cliquez sur celle dans laquelle vous désirez utiliser Deezer.

2. **Cliquez sur le lien** `Inscription maintenant` **(Figure 9.10).**

Figure 9.10 : Inscrivez-vous gratuitement pour profiter de toutes les fonctionnalités de Deezer.

   Vous accédez à un formulaire d'inscription assez traditionnel sur Internet. Spécifiez-y les informations suivantes :

   - Sélectionnez le type d'utilisation de Deezer qui vous intéresse. Les trois offres sont Deezer Gratuit, Deezer HQ, et Deezer Premium. Sachez que seul Deezer Gratuit est… gratuit ! Les deux autres options vous proposent des fonctionnalités avancées. Ainsi, Deezer Premium permet de télécharger toutes les musiques diffusées en contrepartie d'un abonnement mensuel de 9,99 €. De son côté, la version HQ permet de recevoir la musique en haut qualité et propose un Deezer sans publicité. Le coût ? 4,99 € par mois. Il faut savoir que sur Deezer Gratuit, vous écoutez toutes les musiques proposées dans une qualité parfois aléatoire, mais sans aucune possibilité légale de téléchargement, et avec des publicités qui se succèdent à un rythme parfois agaçant.

- Votre adresse e-mail.
- Un mot de passe (que vous confirmerez).
- Un Pseudo (dont vous vérifierez la disponibilité car en effet il n'y a pas qu'un âne qui s'appelle Martin).
- Des informations personnelles (les noms et prénoms sont facultatifs.)
- Acceptez ou non de recevoir des offres des partenaires de Deezer en cochant les cases adéquates.

Toutes les informations demandées qui sont suivies d'un astérisque (*) sont obligatoires. En d'autres termes, si vous ne renseignez pas le champ correspondant, vous ne pourrez pas vous inscrire sur Deezer.

3. **Cliquez sur le bouton Valider.**

   Félicitations ! Vous voici inscrit. Vous allez recevoir un mail demandant confirmation de votre inscription.

4. **Exécutez Windows Live Mail, c'est-à-dire le programme de messagerie électronique de Microsoft, et relevez votre courrier.**

Si vous n'utilisez pas Windows Live Mail, mais plutôt une messagerie basée sur le net comme celle de Orange, Free, ou encore Gmail, Yahoo!, ou GMX, connectez-vous-y et contrôlez vos messages.

5. **Dans le message expédié par Deezer, cliquez sur le lien de validation de votre inscription.**

   Ce lien est facile à identifier car c'est la seule ligne de texte soulignée en bleue.

   Dès que vous cliquez dessus, votre navigateur Web (ou un onglet) affiche une page de remerciements. Comme le montre la Figure 9.11, il vous suffit de cliquer sur le

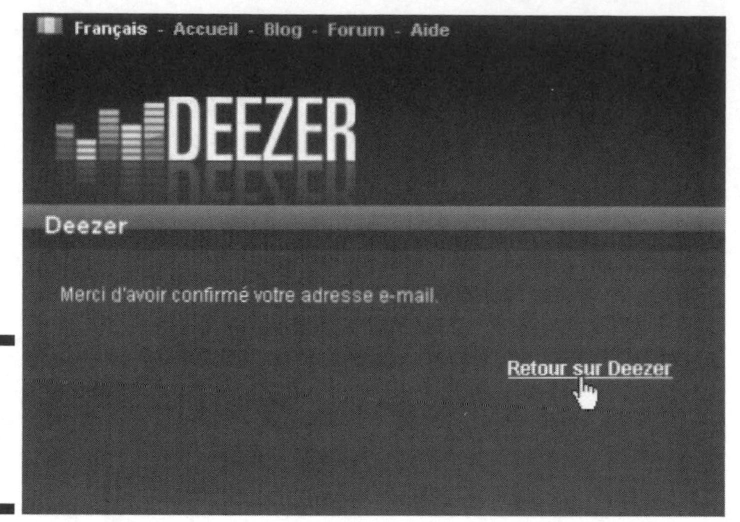

Figure 9.11 : Après confirmation, utilisez Deezer !

lien `Retour sur Deezer` pour commencer à utiliser ce super service.

Si vous ne vous inscrivez pas sur Deezer, vous pouvez tout de même écouter de la musique et regarder des vidéos. En revanche, vous ne pourrez pas créer des playlists, blogguer, ou encore devenir un *deezernaute* et partager vos émotions musicales avec les autres.

Utiliser Deezer

Pour utiliser Deezer il suffit de posséder un navigateur Web, une carte son, et des haut-parleurs. Je serais vraiment étonné que ce ne soit pas votre cas.

Une fois que vous êtes sur Deezer, plusieurs choses s'offrent à vous. Comme vous êtes inscrit, peut-être serait-il intéressant de commencer par définir au mieux votre profil afin d'intégrer le plus sympathiquement possible la communauté des *deezernautes.* Ensuite, nous verrons comment écouter de la musique, créer des playlists, et partager vos musiques.

Mettre à jour son profil

Lorsque vous vous êtes inscrit, les informations que vous avez communiquées étaient très succinctes. Dans la mesure où Deezer est à la fois lecteur multimédia en ligne et réseau social d'*aficionados* de la musique, donnez des renseignements plus précis sur ce que vous êtes et ce que vous aimez. Voici comment procéder :

1. **Accédez à la page d'accueil de Deezer.**

2. **Si nécessaire, cliquez sur le lien** `Connexion`**.**

   Cela permet de vous connecter à votre compte Deezer. Tapez votre nom d'utilisateur (adresse e-mail) et votre mot de passe.

   Dès que vous êtes connecté, votre pseudo apparait dans la partie supérieure droite de l'interface. Si, vous aviez ajouté une photo à votre profil, elle s'affiche également dans cette zone sous la forme d'une vignette.

2. **Cliquez sur votre nom d'utilisateur en haut à droite de l'interface.**

   Vous pouvez également cliquer sur votre photo.

   Vous accédez aux données de votre profil comme le montre la Figure 9.12.

3. **Pour ajouter une photo, cliquez sur Changer d'avatar.**

   Cette action ouvre la boîte de dialogue Choix du fichier à transférer.

4. **Pour télécharger une image, sélectionnez le dossier de stockage de vos images dans la liste Regarder dans.**

5. **Sélectionnez le fichier, et cliquez sur Ouvrir.**

   Deezer prend en charge les formats de fichiers JPEG, GIF, PNG, et BMP. Pour accélérer le téléchargement, il est conseillé de préparer une image de petite dimension de manière à transférer un fichier léger. Chaque fichier

Figure 9.12 : Corrigez et/ou complétez votre profil de Deezernaute.

ne peut pas excéder le poids de 4 Mo, ce qui est déjà énorme pour une photo d'identité.

Lors d'un essai, nous avons constaté que l'image ne se téléchargeait pas. Si vous êtes dans ce cas, ne paniquez pas ! Déconnectez-vous en cliquant sur Déconnexion puis reconnectez-vous ! Vous constaterez que vos modifications ont été prises en compte comme à la Figure 9.13.

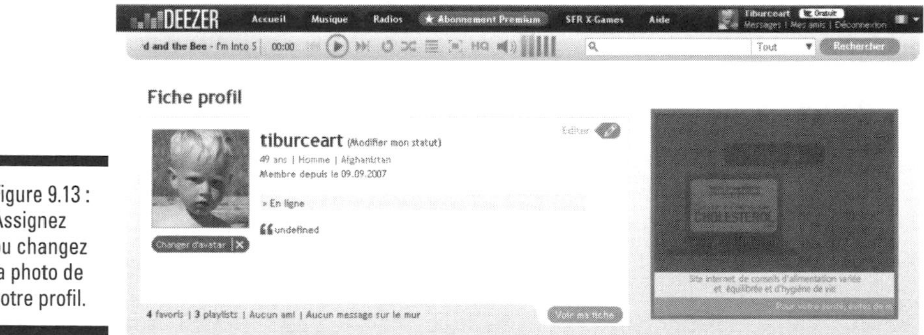

Figure 9.13 : Assignez ou changez la photo de votre profil.

Les autres rubriques parlent d'elles-mêmes et sont assez simples à remplir :

- **Mes Informations :** modifiez ou précisez les informations communiquées à Deezer. Si vous le souhaitez, indiquez les informations qui doivent rester privées et celles que vous acceptez de communiquer à vos amis. Validez vos données par un clic sur le bouton Sauvegarder.

- **Musique :** regroupe des outils de gestion de vos musiques sur Deezer. Ainsi, vous pouvez créer vos playlists, vos artistes, vos albums, et vos radios préférées.
- **Mes préférences :** un ensemble de cases à cocher permet de définir vos préférences de Deezer. Par exemple, choisissez d'afficher ou non vos styles musicaux, ou encore vos albums ou artistes favoris.
- **Mur du son :** tapez une citation, une réflexion, enfin tout ce que peut vous inspirer la musique.
- **Nous quitter ?** : permet de supprimer votre compte Deezer. Pour cela, tapez votre mot de passe Deezer et cliquez sur le bouton Supprimer mon compte.

Pour les autres catégories comme Mes amis, Mes messages, etc., vous les gérerez lorsque vous serez pleinement intégré à la communauté Deezer, ce qui ne va tarder à arriver, croyez-moi.

Bien ! S'inscrire sur Deezer et définir un profil c'est bien joli, mais on est surtout ici pour écouter de la musique.

Ecouter de la musique

L'écoute d'une ou plusieurs chansons sur Deezer est une activité très simple à réaliser. C'est un peu comme mettre une pièce dans un *Juke-box* et de sélectionner votre titre. La seule différence est que vous n'êtes pas obligé d'aller dans un café, et encore moins de débourser le moindre centime d'euro.

Pour écouter un morceau sur Deezer :

1. **Si ce n'est déjà fait, allez sur** `www.deezer.com`.

   Il n'est pas nécessaire de vous connecter en tant qu'utilisateur enregistré. En effet, l'écoute de musique est « anonyme ». En revanche, l'ouverture de votre session d'utilisateur de Deezer sera indispensable pour profiter des autres fonctionnalités du site que vous découvrirez dans les prochaine sections et procédures.

2. **Dans la page d'accueil de Deezer, soit vous cliquez sur Musique, soit vous saisissez directement le nom de l'artiste ou du titre d'une chanson dans le champ libellé Recherchez un titre, un artiste...**

   La Figure 9.14, montre que j'effectue une recherche sur le groupe Metric. Dès que j'ai saisi ce nom, une liste de proposition relative à ce nom apparaît. Cela permet de retrouver des artistes ou des chansons dont vous ne connaissez pas l'intégralité du nom.

Figure 9.14 : Vous devez indiquer ce que vous souhaitez écouter.

3. **Cliquez sur l'une des propositions, ou bien appuyez sur Entrée si vous êtes certain du nom ou du titre que vous avez saisi.**

Deezer affiche la liste de tous les titres trouvés sur le groupe concerné, ainsi qu'une photographie du groupe afin de mieux l'identifier.

4. **Pour écouter directement un des titres de cette liste, faites-en défiler le contenu. Ensuite, dans la colonne Artiste, localisez le nom réel de votre groupe.**

   Par exemple, sur la Figure 9.15, je constate que dans la colonne Artistes, plusieurs groupes ou chanteurs contiennent le nom Metric. Or, je souhaite entendre des morceaux du groupe qui se nomme Metric, point final.

AJOUTER À UNE PLAYLIST

TITRE	ARTISTE	ALBUM	DUREE
The Void	Metric Noise	Racing Laps Of Distortior	06:31
Bloody Seagull	Metric Noise	Racing Laps Of Distortior	06:44
Flame Effekt	Metric Noise	Racing Laps Of Distortior	04:03
Sick Son	Metric Noise	Racing Laps Of Distortior	04:18
Here She Comes	Metric Noise	Racing Laps Of Distortior	03:29
Wires	Metric Noise	Racing Laps Of Distortior	03:48
On Impact	Metric Noise	Racing Laps Of Distortior	03:04
Spilt Milk (Half Vox)	Metric and Bob Stand:	Spilt Milk	06:24
Ionas Sun	Metric Noise	Racing Laps Of Distortior	04:10
Teenage Drunk	Metric Noise	Racing Laps Of Distortior	03:07
Spilt Milk (Dub)	Metric and Bob Stand:	Spilt Milk	06:24
Spilt Milk (Vandal Mix)	Metric and Bob Stand:	Spilt Milk	06:13
Sore Creations	Metric Noise	Racing Laps Of Distortior	04:07
Mox Jive	Metric Noise	Racing Laps Of Distortior	04:50
Grow Up	Metric	Grow Up And Blow Away	04:13
Hardwire	Metric	Grow Up And Blow Away	04:42
Rock Me Now	Metric	Grow Up And Blow Away	03:52
The Twist	Metric	Grow Up And Blow Away	03:37
On The Sly	Metric	Grow Up And Blow Away	03:58
Soft Rock Star	Metric	Grow Up And Blow Away	04:01
Raw Sugar	Metric	Grow Up And Blow Away	03:38
White Gold	Metric	Grow Up And Blow Away	04:10
London Half Life	Metric	Grow Up And Blow Away	02:10
Soft Rock Star (Jimmy vs. Joe M	Metric	Grow Up And Blow Away	04:24
Empty	Metric	Live It Out	05:55

Figure 9.15 : Localisez le nom de votre groupe.

Pour retrouver plus facilement le groupe précis que vous cherchez dans cette liste, cliquez sur l'en-tête de la colonne Artistes. Les groupes se retrouvent alors classés par ordre alphabétique.

5. **Une fois le groupe localisé, repérez le titre à écouter dans la colonne Titre.**

6. Cliquez sur l'icône symbolisant le bouton Lecture situé à gauche du titre.

La lecture commence immédiatement dans le lecteur Deezer situé dans le coin supérieur droit de l'interface, comme le montre la Figure 9.16.

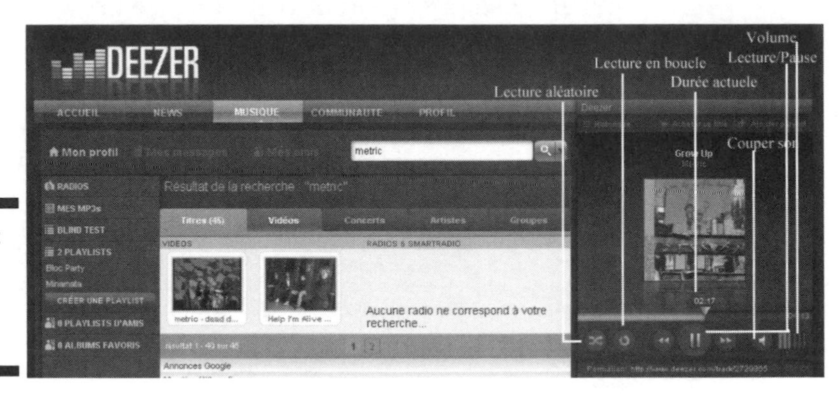

Figure 9.16 : Lecture en cours dans le lecteur Deezer.

Comme de nombreux lecteurs multimédias, Deezer dispose d'un certain nombre de boutons de commandes :

- Cliquez sur ce bouton pour lire aléatoirement le contenu d'une playlist (la création de playlists est expliquée à la prochaine section).

- Cliquez une fois sur ce bouton pour répéter la lecture de la liste de lecture (playlist). Cliquez deux fois pour répéter le morceau en cours de lecture. Pour quitter cette lecture en boucle, cliquez deux fois sur ce bouton.

- Ce bouton permet de lancer la lecture mais aussi de la mettre en pause.

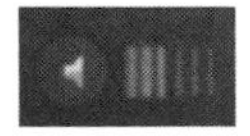

- Pour couper le son (mode Muet), cliquez sur l'icône du haut parleur. Pour régler le volume sonore de la chanson en cours de lecture sans toucher au volume de votre système d'exploitation, faites glisser le pointeur de la souris sur les barres verticales bleues. Plus il y a de barres bleues et plus le volume est fort.

7. **Pour changer rapidement de morceau pendant que vous en lisez un, cliquez simplement sur son bouton de lecture dans la colonne Titre.**

Vous constatez que la lecture d'un titre dans Deezer est une tâche facile à réaliser. Le gros avantage de Deezer est que vous n'êtes pas limité aux artistes et albums stockés sur votre disque dur, comme vous pouvez l'être avec n'importe quel autre lecteur multimédia comme iTunes et le Lecteur Windows Media. L'inconvénient de disposer d'autant de titres est qu'à un moment ou à un autre vous en aurez probablement assez d'être obligé de rechercher systématiquement les morceaux qui vous plaisent. Pour éviter cela, vous pouvez créer des playlists ou, si vous préférez, des listes de lecture.

Créer des playlists

Deezer emploi le terme de « playlist » que vous rencontrerez sous le nom de « liste de lecture » dans d'autres programmes.

Une playlist consiste en une liste de morceaux que vous pourrez écouter dans l'ordre ou dans le désordre, et surtout qui regroupe des titres que vous retrouverez en un clic de souris. Avec les playlists, vous pouvez :

- Créer une playlist regroupant tous les titres d'un groupe.
- Créer une playlist pour chaque album d'un groupe.
- Créer une playlist qui n'est rien d'autre qu'une compilation de vos morceaux préférés. Cette compilation sera composée des titres d'un seul groupe, de plusieurs groupes, ou de chansons totalement disparates, par exemple pour animer la « boum » organisée par votre fille de 15 ans (mais là je pense qu'elle pourra se débrouiller toute seule, et je dis cela sans minimiser votre capacité à organiser et à surveiller cet évènement).

Voyons comment créer une playlist regroupant les titres d'un groupe que vous adorez par-dessus tout. Sachez que cette procédure vaut pour n'importe quel type de liste de lecture que vous désirez créer :

1. **Dans la barre de navigation de Deezer, cliquez sur Musique.**
2. **Dans le volet gauche de Deezer, cliquez sur le bouton Nouvelle playlist, comme à la Figure 9.17.**

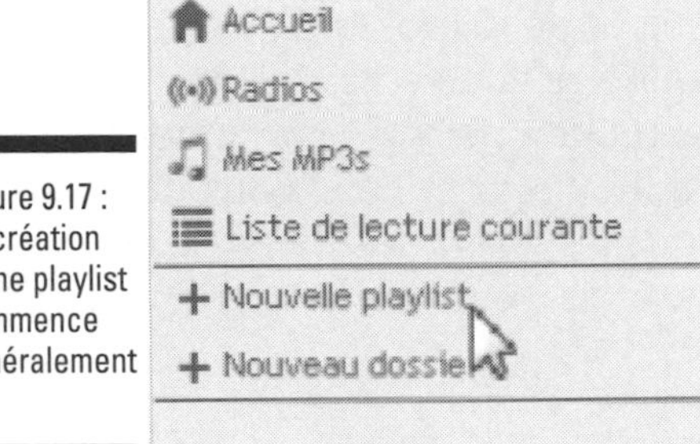

Figure 9.17 : La création d'une playlist commence généralement ici.

   Cette action crée une liste dont le nom est en surbrillance.

3. **Le nom de la nouvelle playlist étant sélectionné, donnez-lui un titre. Validez ce nom en appuyant sur la touche Tab ou sur Entrée, ou bien en cliquant en-dehors du champ de saisi.**

   Par exemple, si je souhaite créer une liste de lecture du groupe Bloc Party, je tape tout logiquement « Bloc Party ».

4. **Cliquez sur la liste de lecture pour afficher ses informations dans le volet central de Deezer.**
5. **Pour modifier ou compléter des informations, cliquez sur Editer, comme à la Figure 9.18.**
6. **Dans le menu local Généraliste, sélectionnez le style de musique dans lequel œuvre le groupe choisi.**

   Ici, j'opte pour Rock (Yeah !).

7. **Dans le champ entre guillemets, tapez une citation si vous en sentez la nécessité.**

Figure 9.18 : Editez les informations de la liste de lecture.

8. **Spécifiez le statut de la playlist :**

   - **Privée.** La playlist ne sera pas accessible aux autres utilisateurs de Deezer.

   - **Collaborative.** Votre liste de lecture sera visible et accessible à tous les utilisateurs de Deezer.

9. **Cliquez sur Valider.**

   Comme le montre la Figure 9.19, la liste de lecture apparaît dans la section Playlists de votre profil Deezer.

Figure 9.19 : Une playlist est créée, mais elle est vide !

Ajouter des morceaux à une playlist

Une playlist vide ne sert à rien. Dès lors que vous avez créé une liste de lecture pour un groupe particulier, partez en quête de morceaux disponibles sur Deezer.

Pour vous convaincre du contenu d'une liste de lecture, cliquez sur son nom. Et oui ! Si vous n'avez pas ajouté de morceaux, elle est cruellement vide.

1. **Dans le champ Recherchez un titre, un artiste..., tapez le nom du groupe, et cliquez sur la proposition qui se rapproche le plus de votre recherche.**

   En l'occurrence, je saisis « Bloc Party », et je clique sur Bloc Party. Deezer affiche tous les titres de ce groupe qu'il a trouvé.

2. **Pour ajouter rapidement des titres à ma liste de lecture, je clique si nécessaire sur l'en-tête de la colonne Artiste afin de regrouper les titres du groupe Bloc Party.**

3. **Pour trouver rapidement tous les morceaux d'un album de ce groupe, cliquez sur son nom dans la colonne Album.**

4. **Pour ajouter un titre à la playlist, cliquez sur le signe + situé à gauche de son.**

5. **Dans le menu incrusté qui s'affiche, cliquez sur le bouton Ajouter à une playlist.**

6. **Dans le menu incrusté qui apparait, choisissez la playlist dans laquelle vous désirez ajouter ces titres, comme à la Figure 9.20.**

   Le titre est ajouté à la liste de lecture.

7. **Répétez ces étapes pour ajouter d'autres titres.**

8. **Dans le volet gauche, cliquez sur le nom de votre playlist.**

   La partie centrale de l'interface de Deezer affiche le contenu de la playlist, comme à la Figure 9.21.

9. **Pour lire la playlist, cliquez sur le bouton de lecture situé à gauche du titre de cette liste que vous désirez lire en premier.**

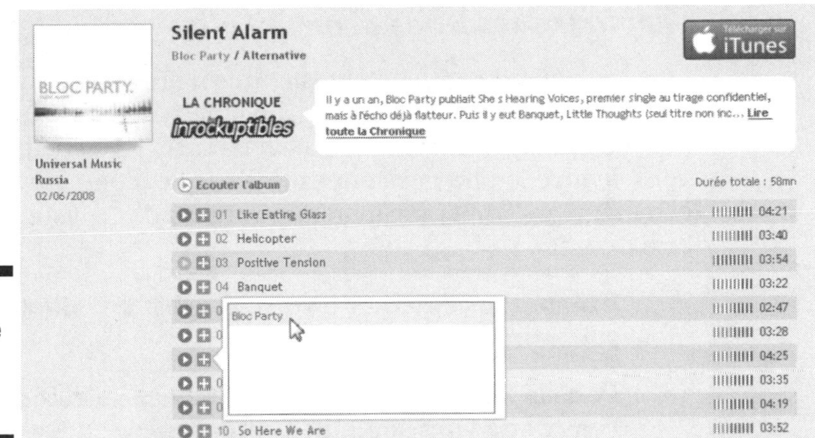

Figure 9.20 : Sélection de la liste de lecture de destination.

Figure 9.21 : Une première playlist vient d'être constituée.

Une fois la lecture du titre terminé, Deezer passe au titre suivant de cette playlist (et ainsi de suite).

10. **Pour sauter un titre, cliquez sur le bouton ci-contre du lecteur Deezer.**

    Pour revenir au titre précédent, cliquez sur le bouton opposé.

Que ce soit dans une playlist ou en lecture normale de titre, vous remarquerez parfois la présence de l'icône d'un téléviseur à gauche d'un titre. Cela signifie qu'un clip vidéo est associé au morceau. Pour écouter la chanson tout en visionnant ce clip, cliquez sur l'icône du téléviseur. Les images sont diffusées dans le lecteur multimédia de Deezer.

Supprimer des titres d'une playlist

Lorsque vous créez une playlist, vous n'êtes pas à l'abri de commettre une erreur. De plus, au fil des semaines, les goûts peuvent changer, et tel titre que vous trouviez génial le 7 avril, vous semble la pire des soupes le 23 de ce même mois. Voici comment supprimer facilement des titres d'une liste de lecture Deezer :

1. **Affichez le contenu de votre playlist en cliquant sur son nom.**

2 **Dans la liste, cochez les cases situées à droite des morceaux que vous souhaitez supprimer.**

3. **Cliquez sur le bouton Supprimer comme à la Figure 9.22.**

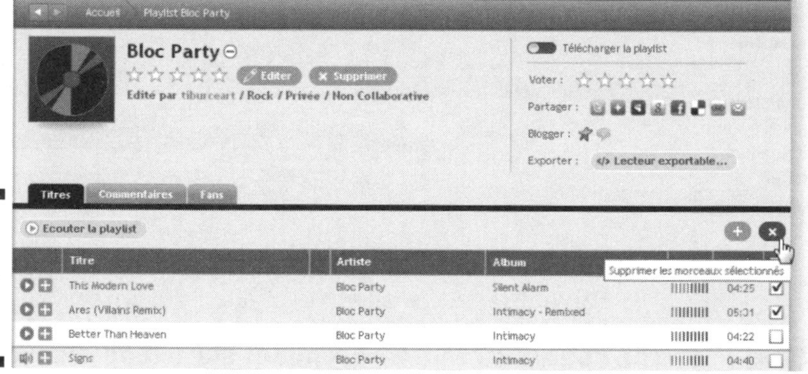

Figure 9.22 : Supprimer les chansons sélectionnées.

Cette action est irréversible et aucun message ne vous en demande confirmation !

Il existe de nombreuses choses à faire avec les playlists comme déplacer des titres dans une autre liste de lecture, en ajouter, mais aussi supprimer purement et simplement une playlist qui ne vous convient plus.

Supprimer une playlist

La suppression d'une playlist a pour conséquence irréversible d'en supprimer tous les titres. Voici comment procéder :

1. **Dans la section des playlists du volet gauche, cliquez sur la liste de lecture que vous envisagez de supprimer.**

2. **Dans la partie centrale de l'interface, cliquez sur Supprimer comme à la Figure 9.23.**

Figure 9.23 : Supprimer la totalité d'une playlist.

3. **Dans le message demandant confirmation, cliquez sur Oui pour entériner la suppression, ou sur Non si, finalement, vous désirez la garder, ou si vous avez un doute.**

Partager vos MP3 favoris sur Deezer

Deezer permet aussi de télécharger vos propres fichiers musicaux MP3. Cela signifie que toutes les musiques à ce format qui sont stockées sur votre disque dur peuvent être téléchargées sur Deezer. À partir de là, vous pourrez écouter votre musique non plus depuis le disque dur et des programmes comme iTunes ou le Lecteur Windows Media, mais directement sur Deezer. Voici quelques réflexions préalables à la description de la copie de vos fichiers MP3 sur Deezer :

- Pourquoi télécharger vos fichiers MP3 sur Deezer alors qu'il est simple de les écouter sur votre ordinateur ? Parce que vous pouvez accéder à Deezer depuis n'importe quel ordinateur du monde entier. D'une certaine manière votre musique est toujours à portée de main où que vous soyez.
- Deezer met à votre disposition un espace de stockage illimité !
- Vous disposez d'une sorte de sauvegarde de vos fichiers MP3.
- Un seul fichier MP3 ne peut pas dépasser les 10 Mo.
- Inconvénient : en cas de connexion Internet défaillante, vous ne pouvez plus écouter vos fichiers MP3 sur Deezer (ils restent néanmoins sur votre ordinateur !).
- Malgré la richesse de Deezer, vous n'y trouverez pas tout ! Il est alors intéressant de partager vos musiques avec les autres deezernaute.

Pour télécharger des fichiers MP3 sur Deezer :

1. **Sur Deezer, accédez à votre compte.**
2. **Dans la barre de navigation de Deezer, cliquez sur Musique.**
3. **Dans le volet gauche, cliquez sur Mes MP3s, comme à la Figure 9.24.**

   Vous accédez à une petite interface d'ajout de fichiers MP3.

Au moment de la rédaction de cette nouvelle édition de votre livre préféré sur Internet (mais si !), Deezer était en cours de modification de la procédure de téléchargement des fichiers MP3. Donc, si cette procédure est valide lorsque vous créerez un compte sur Deezer, téléchargez le programme de « upload » (mise à jour) qui vous permettra d'utiliser Deezer comme une sorte d'extension multimédia de toutes les musiques que vous avez légalement achetées ou bien personnellement composées.

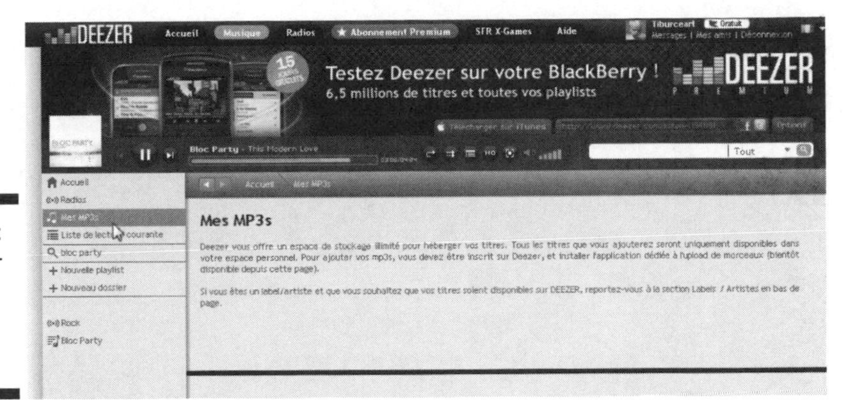

Figure 9.24 : Le téléchargement de vos fichiers MP3 commence ici.

Et la musique stockée sur votre ordinateur dans tout ça ?

Dans la très longue section consacrée à Deezer, nous avons appris à télécharger des fichiers MP3 sur ce site légal de partage et d'écoute de musique en ligne. Or, pour partager sur Deezer, ou pour utiliser ce service comme une espèce de lecteur multimédia en ligne dans lequel vous organisez vos fichiers MP3, encore faut-il savoir comment trouver de la musique sur Internet.

Ne nous voilons pas la face. Une des activités les plus importantes du Net est le téléchargement et le partage de fichiers MP3 (MP3 signifie *MPEG level 3* et correspond en fait à la couche audio des fichiers vidéo MPEG). Malgré le fait que la musique encodée en MP3 soit fortement compressée, le son reste tout à fait correct et surtout les fichiers ont une taille qui permet d'envisager sereinement leur téléchargement depuis le Web. Il existe de nombreux sites entièrement consacrés à la musique MP3, comme `www.mp3.com` (Figure 9.25) ou encore `www.hotzic.com` (Figure 9.26). Vous pouvez lire les fichiers MP3 avec n'importe quel lecteur multimédia informatique, notamment le Lecteur Windows Media (livré avec Windows), RealPlayer et iTunes (qui intègre les fonctionnalités QuickTime).

Figure 9.25 : La page d'accueil de mp3.com.

Figure 9.26 : La page d'accueil de hotzic.com.

Naturellement, Microsoft a développé un format concurrent appelé WMA dont les fichiers portent l'extension .wma. Le Lecteur Windows Media est capable d'extraire les pistes de musique de vos CD ou de vos disques durs pour les convertir en WMA ou en MP3 afin de les graver sur un CD. RealPlayer sait également lire les fichiers WMA, car ce lecteur peut lire presque tous les formats.

Les lecteurs multimédias présents dans l'univers du PC tournant sous Windows sont trop nombreux pour être tous étudiés. En fait nous n'allons pas les étudier du tout ! Eh oui, je vous sens déçu. N'oubliez quand même pas que vous avez entre les mains un livre consacré à Internet et non pas un guide d'utilisation de lecteurs multimédias. Je limiterai donc mon propos aux fonctionnalités Internet de ces lecteurs, et notamment au domaine de l'achat de musiques en ligne. Mais, ici encore, le propos doit être restreint car l'ensemble de cet ouvrage ne suffirait pas à traiter de tous ces lecteurs accessibles sous Windows. J'ai choisi de vous parler uniquement d'iTunes et du Lecteur Windows Media. Comme vous faites partie de ces lecteurs qui exigent de comprendre les raisons de mes choix, voici quelques justifications qui, j'espère, sauront vous satisfaire :

- Le Lecteur Windows Media (Figure 9.27) est livré en standard en version 12 avec Windows 7. Il est opérationnel dès que vous utilisez ce système d'exploitation. Inutile, donc, de télécharger et d'installer un autre programme.
- iTunes (Figure 9.28) vous sera indispensable (ou presque) si vous utilisez un iPod Nano, Shuffle, Touch, et autre iPhone. Mais, même sans ces lecteurs mobiles, vous pouvez parfaitement utiliser iTunes pour acheter de la musique en ligne, et organiser vos fichiers.

Pour tout connaitre des fonctions d'organisation, de transfert vers un lecteur mobile (iPod ou autre), consultez un livre consacré à iTunes et/ou au Lecteur Windows Media.

Télécharger et installer iTunes

Contrairement au Lecteur Windows Media qui est disponible en standard sous toutes les versions de Windows, et

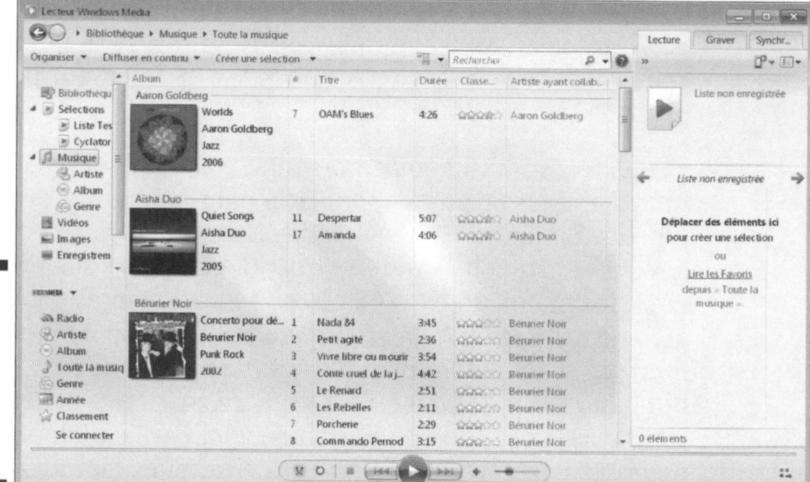

Figure 9.27 : Le Lecteur Windows Media est livré en standard avec Windows.

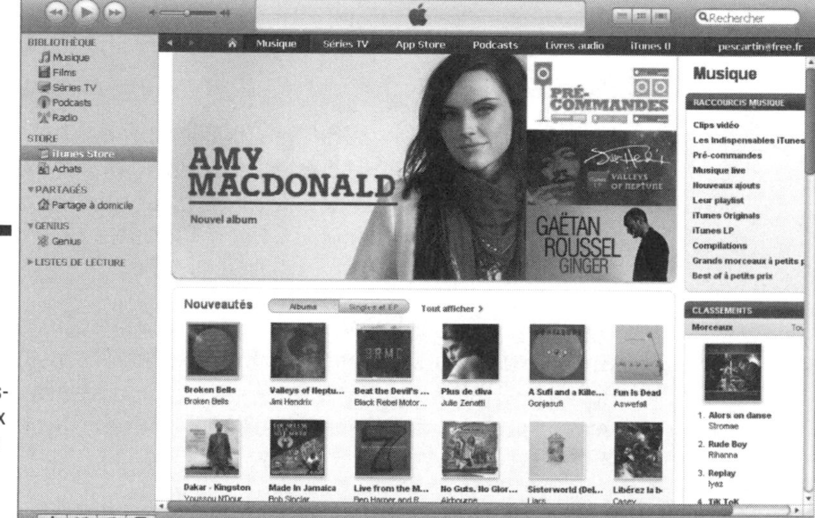

Figure 9.28 : iTunes est le lecteur/organiseur multimédia d'Apple indispensable aux possesseurs d'iPod et d'iPhone.

notamment celle qui nous intéresse plus particulièrement ici c'est-à-dire Windows 7, iTunes doit être téléchargé et installé sur votre PC. Ceci peut s'avérer astreignant pour l'utilisateur profane, mais voici les avantages d'une telle procédure :

- iTunes, comme la majorité des lecteurs multimédias, est gratuit. (Ne serait-ce que pour l'essayer, son installation en vaut certainement la peine.)
- iTunes est indispensable (ou presque) pour gérer et synchroniser le contenu multimédia de votre PC avec votre iPod ou votre iPhone.
- iTunes est un super organiseur de fichiers audio MP3 (et autres).
- iTunes est en lien direct avec iTunes Store pour acheter facilement votre musique en ligne et en toute légalité. Il est ensuite très facile d'organiser vos fichiers achetés avec iTunes et de les transférer sur votre iPod.

Pour télécharger et installer iTunes :

1. **Ouvrez votre navigateur Web et tapez l'adresse** `http://www.apple.com/fr/itunes/`.

   Vous accédez à la page Web du site Apple consacré aux iPod et à iTunes.

2. **Dans la partie droite de cette page, cliquez sur le bouton Télécharger, comme à la Figure 9.29.**

3. **Dans la nouvelle page qui apparaît, choisissez ou non de recevoir des informations sur iTunes et ses offres spéciales en décochant ou non les options actives par défaut.**

4. **Tapez votre adresse e-mail, et cliquez sur Télécharger.**

   Pour que le téléchargement s'exécute, vous devez désactiver temporairement le bloqueur de fenêtres publicitaires d'Internet Explorer 9. Sinon, le site Apple affichera une page vous remerciant d'avoir téléchargé iTunes, alors qu'en réalité aucun téléchargement de cette application ne se sera déroulé. Pour désactiver le bloqueur de fenêtres, cliquez sur Outils/Bloqueur de fenêtres/Désactiver le bloqueur de fenêtres publicitaires. Si nécessaire recommencez la procédure de téléchargement.

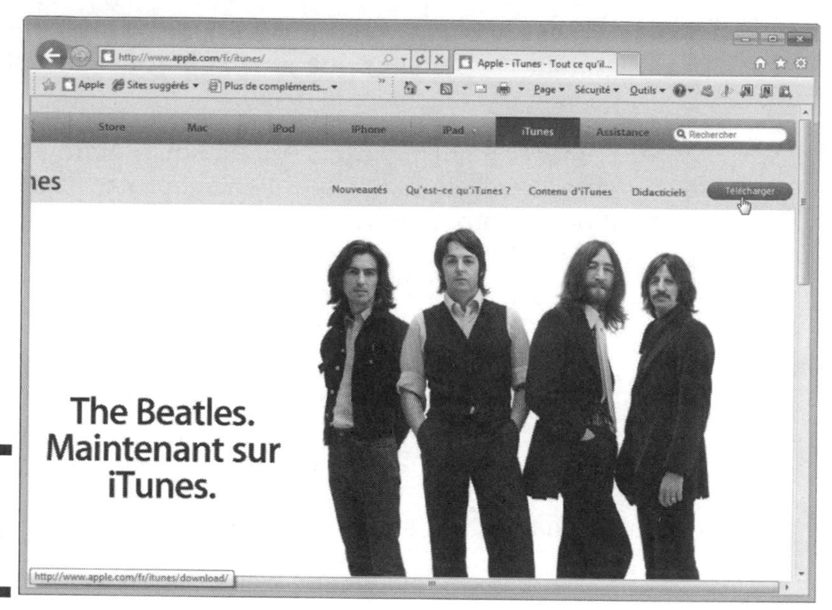

Figure 9.29 : Téléchargez iTunes sur le site Apple.

N'oubliez surtout pas de réactiver le bloqueur dès que le téléchargement commence.

5. **Dans la boîte de dialogue Téléchargement de fichiers, cliquez sur le bouton Enregistrer.**

Il est préférable d'enregistrer plutôt que d'exécuter. En effet, la commande Enregistrer de cette boîte de dialogue permet de stocker définitivement le fichier d'installation d'iTunes sur votre disque dur. Ainsi, en cas de problème lors de l'installation de ce programme, vous pourrez en relancer la procédure sans être obligé de télécharger de nouveau ce fichier.

6. **Dans la boîte de dialogue Enregistrer sous, sélectionnez le disque dur et/ou le dossier dans lequel vous désirez enregistrer le fichier d'installation.**

7. **Cliquez sur Enregistrer.**

Le téléchargement commence. Le fichier étant assez volumineux (pas loin de 100 Mo), l'opération peut prendre quelques minutes, en fonction de votre vitesse de connexion à Internet.

Une fois le téléchargement terminé, installez iTunes comme expliqué à l'étape 8.

8. **Dans la boîte de dialogue qui apparaît, cliquez sur le bouton Exécuter.**

   La procédure d'installation va débuter. Suivez les instructions qui s'affichent à l'écran.

9. **À l'étape Contrat de licence, activez l'option J'accepte..., et cliquez sur Suivant.**

   Si vous refusez, l'installation d'iTunes s'arrête.

10. **Dans les Options d'installation, choisissez ou non d'ajouter des raccourcis d'iTunes et de QuickTime sur votre bureau, et de faire ou non d'iTunes votre lecteur par défaut des fichiers audio. Indiquez la langue d'utilisation d'iTunes (en l'occurrence le Français). Ne modifiez pas le dossier d'installation du programme, et cliquez sur Installer.**

11. **À la demande d'autorisation d'installation cliquez sur Autoriser.**

    Comme le montre la Figure 9.30, vous suivez la progression de cette installation.

    Une fois l'installation terminée, un écran vous félicite d'avoir su mener à bien cette procédure.

12. **Cliquez sur le bouton Terminer (Figure 9.31).**

    Si vous ne décochez pas la case Ouvrir iTunes..., le programme s'ouvre sous vos yeux ébahis.

Acheter votre musique sur iTunes Store

Comme nous le savons, iTunes est l'œuvre d'Apple. C'est un lecteur qui vous met en relation directe avec iTunes Store, la boutique de vente de musique en ligne. Les utilisateurs de Mac comme ceux de PC peuvent profiter d'iTunes pour acheter des morceaux et les organiser sur leur ordinateur.

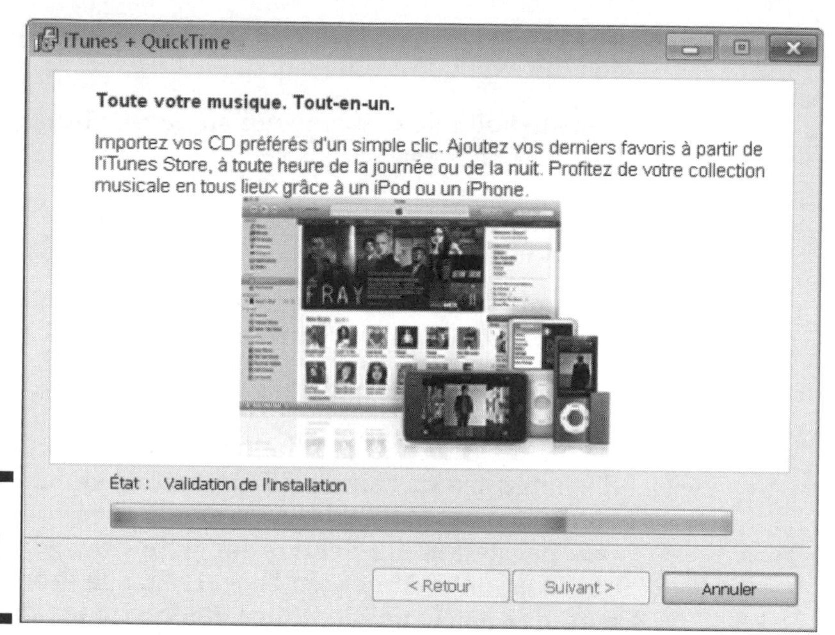

Figure 9.30 : L'installation d'iTunes est en cours.

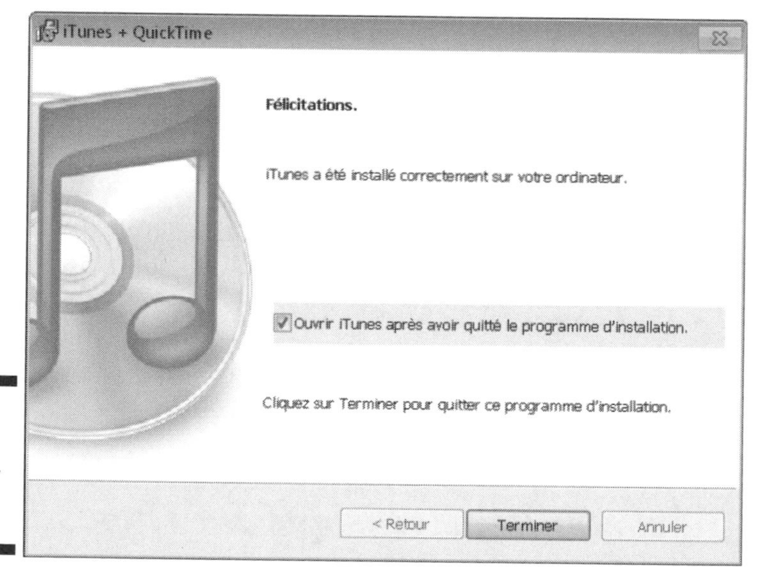

Figure 9.31 : Bravo ! Maintenant, lancez iTunes.

Apple pense qu'il est plus pratique pour l'utilisateur de gérer et d'acheter ses musiques dans une même interface. Cette acception de la consommation de la musique fait d'iTunes une réussite en la matière. Donc, si vous acceptez de rester poings et mains liés avec l'offre de musique en ligne légale d'Apple, utilisez son service iTunes Store de la manière suivante :

1. **Dans le volet gauche d'iTunes, localisez la catégorie Store, et cliquez sur iTunes Store.**

   Comme le montre la Figure 9.32, vous accédez au magasin en ligne d'Apple. Bien entendu, vous devez être connecté à Internet sans quoi l'iTunes Store ne vous ouvrira pas ses portes.

Figure 9.32 : Accédez à l'iTunes Store pour faire vos emplettes musicales.

Pour trouver ce que vous désirez acheter, plusieurs options s'offrent à vous :

- Effectuer une recherche sur le nom.
- Effectuer une recherche par catégorie musicale.
- Effectuer une recherche par nouveautés.

Pour bien connaître toutes les fonctions d'iTunes en matière de recherche sur iTunes Store, je vous conseille de lire un livre entièrement consacré à cette application.

2. **Si vous connaissez le nom du groupe ou le titre de la chanson qui vous intéresse, tapez-le dans le champ**

Recherche iTunes Store situé en haut à droite de l'interface d'iTunes.

Une liste de propositions apparaît (comme dans Deezer étudié plus haut dans ce chapitre).

3. **Cliquez sur la proposition qui correspond le mieux à votre recherche.**

4. **Dans la nouvelle page d'iTunes Store qui apparaît, localisez l'artiste, son album, ou sa chanson.**

   Par exemple, pour classer les artistes par ordre alphabétique, cliquez sur l'en-tête de colonne Artiste. Si vous préférez un classement par Album, cliquez sur l'en-tête de la colonne Album. (*Idem* pour toutes les autres colonnes.)

5. **Pour écouter un extrait d'une chanson, placez le pointeur de la souris sur le titre en question. Cliquez alors sur le bouton de lecture qui apparait sur la gauche du titre, comme à la Figure 9.33.**

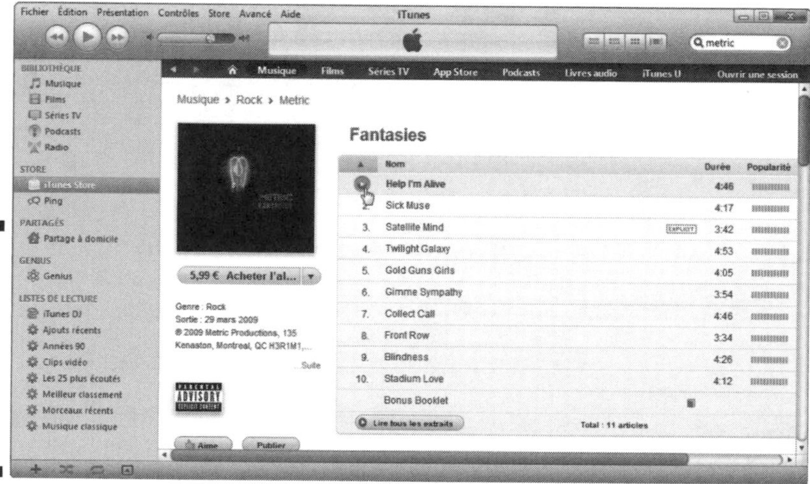

Figure 9.33 : Cliquez sur le bouton de lecture du titre dont vous désirez entendre un extrait.

Une méthode plus rapide consiste à double-cliquer sur le titre de la chanson.

7. **Si vous désirez acheter le morceau que vous écoutez, cliquez sur le bouton Acheter situé dans la colonne Prix (Figure 9.34).**

Morceaux 1-50 Tout afficher >

	Nom	Album	Artiste	Durée	Popularité	Prix
1.	Help I'm Alive	Fantasies	Metric	4:46		0,99 € ACHETER
2.	Monster Hospital	Grey's Anatomy (O...	Metric	3:30		AFFICHER
	Gold Guns Girls	Fantasies	Metric	4:05		0,99 € ACHETER
4.	Gimme Sympathy	Fantasies	Metric	3:54		0,99 € ACHETER
5.	Sick Muse	Fantasies	Metric	4:17		0,99 € ACHETER
6.	Satellite Mind EXPLICIT	Fantasies	Metric	3:42		0,99 € ACHETER
7.	Front Row	Fantasies	Metric	3:34		0,99 € ACHETER
8.	Collect Call	Fantasies	Metric	4:46		0,99 € ACHETER
9.	Twilight Galaxy	Fantasies	Metric	4:53		0,99 € ACHETER

Figure 9.34 : Acheter un titre sur iTunes est aussi simple qu'un clic de souris à condition que vous soyez inscrit sur iTunes.

8. **Dans la boîte de dialogue des identifiants, tapez votre identifiant Apple et votre mot de passe.**

Si vous possédez un iPod, vous l'avez probablement enregistré auprès d'Apple *via* iTunes. Lors de cet enregistrement, vous avez indiqué un identifiant Apple (en général votre adresse e-mail), et un mot de passe. Il vous suffit de les saisir de nouveau dans cette boîte de dialogue. Sinon, cliquez sur Créer un nouveau compte, et suivez les instructions qui s'affichent à l'écran.

9. **Une fois votre identifiant et votre mot de passe saisis, cliquez sur le bouton Acheter (Figure 9.35).**

10. **Dans le message demandant confirmation de votre achat, cliquez sur Acheter pour procéder au téléchargement ou sur Annuler pour y renoncer.**

Lors de la création de votre compte Apple, vous avez indiqué un mode de paiement. Il s'agit généralement d'une carte bancaire. Vous serez donc débité automatiquement par Apple pour votre achat. Alors, par pitié, faites attention que ce paiement virtuel ne vous lance pas dans des dépenses inconsidérés. Même à 0,99 € la chanson, la note risque d'être salée.

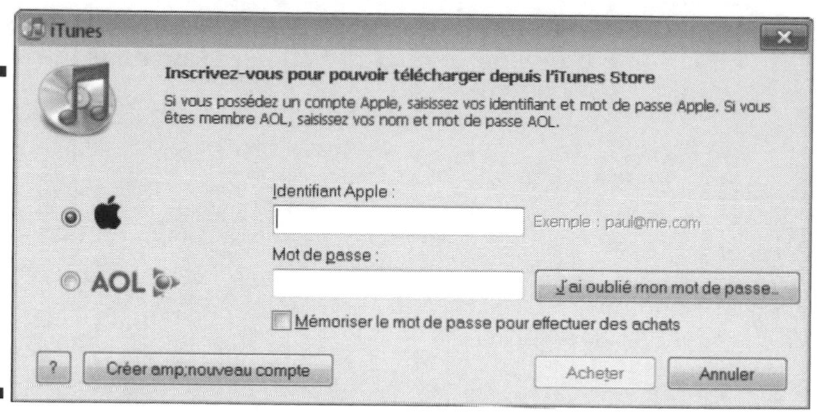

Figure 9.35 : Avec votre identifiant Apple ou Aol et votre mot de passe, l'achat s'effectue par un clic sur le bouton Acheter.

Dès que vous achetez, le morceau est automatiquement téléchargé dans le dossier iTunes de votre ordinateur. Il sera disponible dans votre bibliothèque iTunes et donc facilement transférable sur votre iPod (ou sur un autre lecteur portable, en passant tout simplement par l'Explorateur Windows).

L'achat d'un album se déroule de la même façon. La seule différence est que vous devez cliquer sur le bouton Acheter l'album (ou Buy Album).

Acheter votre musique avec le Lecteur Windows Media

Comme nous vous l'avons déjà indiqué, le Lecteur Windows Media version 12 est livré en standard avec Windows 7. En voici les avantages :

- Inutile de télécharger et d'installer le Lecteur Windows Media. Il est opérationnel dès que vous allumez un nouvel ordinateur sur lequel Windows 7 (ou Vista mais en version 11) est installé.
- Si le Lecteur Windows Media doit être mis à jour, cette mise à niveau sera automatiquement proposé par la fonction Windows Update de votre système d'exploi-

tation qui veille à ce que vous disposiez des dernières innovations de Windows.

- Vous n'êtes pas obligé de télécharger et d'installer iTunes si vous possédez un lecteur MP3 mobile autre qu'un iPod ou un iPhone.

Si vous ne possédez pas un iPod, vous n'avez pas, au niveau d'expérience qu'est le vôtre, de raisons objectives pour utiliser iTunes. De plus, vous n'avez peut-être pas envie d'acheter sur iTunes Store, et ceci même si vous possédez un iPod ou un iPhone.

Voici donc comment acheter de la musique via le Lecteur Windows Media :

1. **Ouvrez le Lecteur Windows Media via Démarrer/Tous les programmes/Lecteur Windows Media.**

   Une autre méthode bien plus rapide consiste à cliquer sur l'icône de ce programme dans la barre des tâches de Windows 7.

2. **Dans l'interface du Lecteur Windows Media 12, cliquez sur Aller dans la Bibliothèque, comme à la Figure 9.36.**

3. **Dans le volet de gauche Bibliothèque, cliquez sur le bouton Virginmega.**

   Le Lecteur Windows Media joue le rôle d'un navigateur Web exactement comme le fait iTunes. Au bout de quelques secondes vous voici sur VirginMega.fr.

Il se peut que vous soyez obligé de procéder à l'installation du logiciel de gestion proposé par Virginmega. Ainsi, le Lecteur Windows Media devient compatible avec les procédures d'achat du site. L'installation demande un certain temps et quelques clics de votre part.

Une fois le Lecteur Windows Media compatible avec VirginMega.Fr Premium, inscrivez-vous afin de réaliser vos achats en toute quiétude.

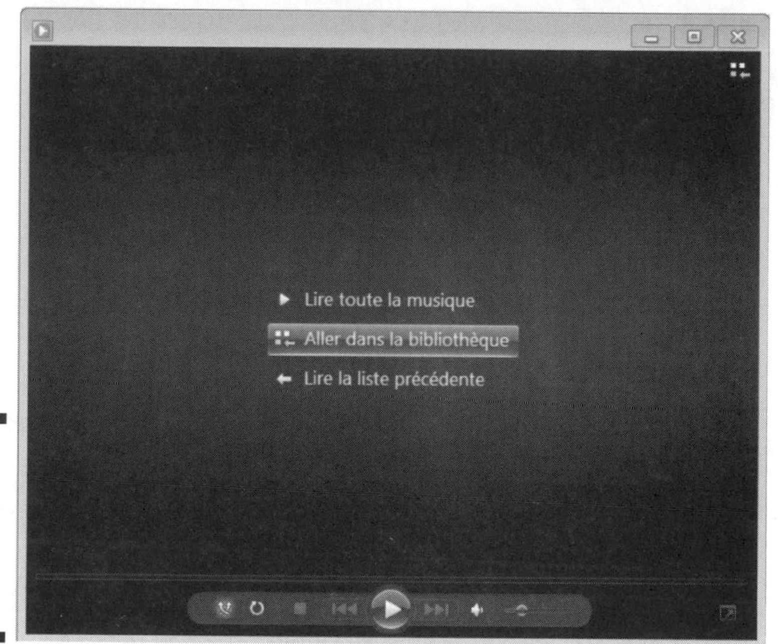

Figure 9.36 : Le Lecteur Windows Média affiche cette interface par défaut.

4. **Cliquez sur Inscription.**

   Vous accédez à un formulaire que vous devez remplir le plus précisément et le plus honnêtement possible pour profiter de toutes les fonctionnalités du site d'achat.

5. **Une fois le formulaire rempli, cliquez sur Continuer.**

   Un autre formulaire concerne des données personnelles.

6. **Remplissez le second formulaire et cliquez sur Valider.**

7. **Cliquez sur Accueil.**

   Ce n'est pas plus compliqué. Vous appartenez maintenant à la grande famille de ceux qui achètent sur VirginMega.Fr *via* le Lecteur Windows Media. Un e-mail vous confirmera votre inscription, récapitulant votre nom d'utilisateur et votre mot de passe.

8. **Effectuez vos recherches de titres et d'artistes :**

- Effectuez une recherche dans les nouveautés proposées par défaut sur le site.
- Choisissez de consulter les meilleures ventes.
- Faites votre choix dans les genres affichés en bas de la page Web.
- Tapez l'objet de votre recherche dans le champ Rechercher situé en haut du Lecteur Windows Media.

Supposons que vous souhaitiez trouver les titres et albums du groupe Metric.

9. **Pour aller plus vite, saisissez « Metric » dans le champ Rechercher, et validez en appuyant sur la touche Entrée.**

   Comme le montre la Figure 9.37, les correspondances de la recherche s'affichent dans la partie inférieure du site.

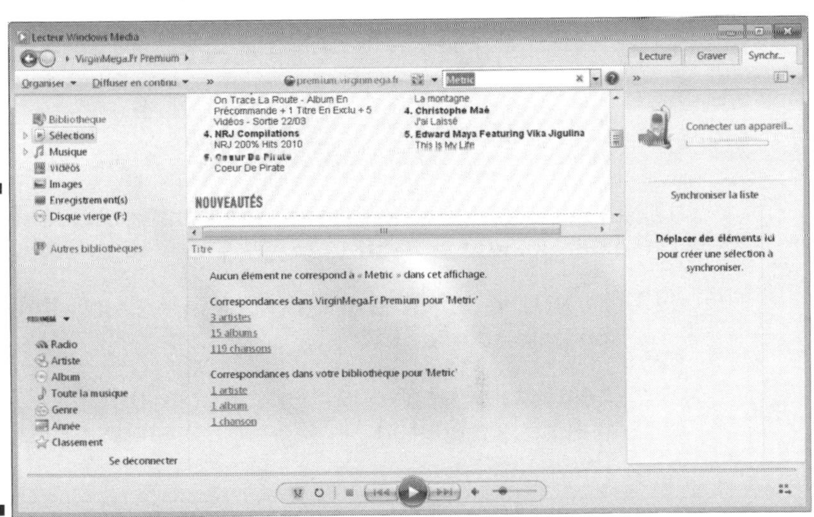

Figure 9.37 : Résultats d'une recherche réalisée sur le site VirginMega.Fr avec le Lecteur Windows Media.

10. **Cliquez sur le lien** `3 artistes`.

    C'est le seul moyen de savoir si le Metric que vous cherchez se trouve bien ici.

11. **Parmi les trois artistes affichés, double-cliquez sur l'icône de celui correspondant au groupe convoité.**

    Comme le montre la Figure 9.38, la liste des albums et des titres de ce groupe apparaît.

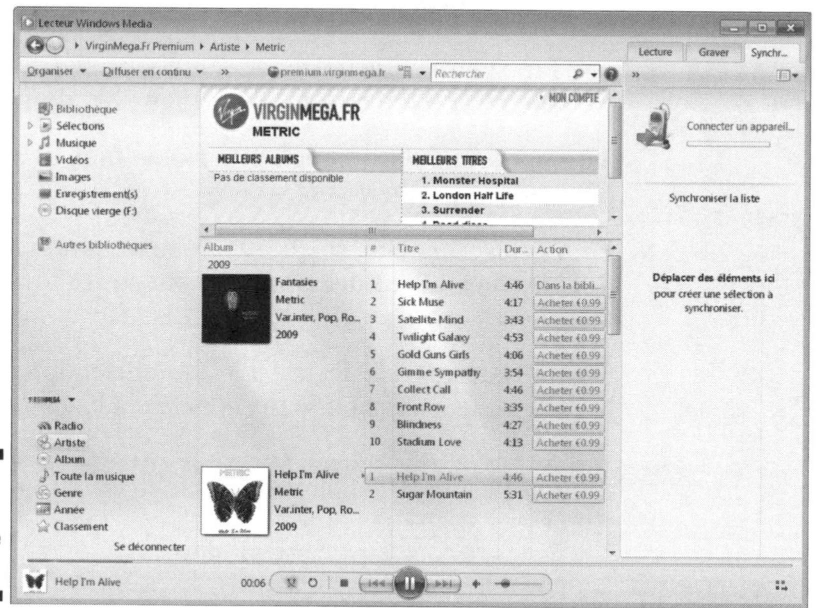

Figure 9.38 : J'ai bien trouvé ce que je cherche !

12. **Pour écouter un extrait d'une chanson, double-cliquez simplement sur son nom.**

13. **Pour acheter un titre qui vous intéresse, cliquez sur le bouton Acheter €0.99.**

    Cela signifie que vous allez payer ce titre 99 centimes d'euros. Le bouton Acheter se transforme en bouton Confirmer.

14. **Si vous êtes sûr de vouloir acheter le titre, cliquez sur le bouton Confirmer.**

    L'achat chez Virgin ne démarre pas automatiquement. Vous vous retrouvez en réalité dans une configuration semblable à celle d'Apple et de son iTunes Store. Vous devez indiquer à Virgin un moyen de paiement. Voici comment procéder :

15. **Cliquez sur la petite icône qui apparaît à gauche du titre que vous désirez acheter.**

16. **Cliquez sur Informations sur l'erreur.**

17. **Dans le message qui apparaît, cliquez sur le lien Renseigner un moyen de paiement.**

18. **Cliquez sur Renseigner un moyen de paiement, et entrez vos coordonnées bancaires.**

Comme avec iTunes Store, chaque achat sera directement débité sur votre compte bancaire. Attention aux découverts !

Une fois vos coordonnées bancaires contrôlées et validées, vous pouvez télécharger les morceaux que vous achetez.

Sachez qu'il n'y a pas de limites à l'utilisation des morceaux achetés légalement. Vous pouvez les transférer sur autant de support et lecteurs MP3 que vous possédez, voire les graver sur CD.

19. **Une fois vos téléchargements effectués, vous n'avez plus qu'à organiser vos titres dans le Lecteur Windows Media, et à les transférer vers votre lecteur MP3 préféré.**

Ces opérations dépassent le cadre d'un ouvrage comme celui-ci qui traite uniquement des fonctionnalités Internet des applications.

Que ce soit avec le Lecteur Windows Media qu'avec iTunes, nous constatons que la technique employée est celle de la fidélisation des clients en leur demandant leurs coordonnées bancaires. Bien sûr, rien ne vous empêche d'utiliser à la fois le Lecteur Windows Media et iTunes pour diversifier les sources de vos achats. Mais faites très attention car plus on s'offre de possibilités d'acheter, plus on achète sans compter. Alors, est-il possible d'acheter sans passer par iTunes et le

Lecteur Windows Media. Eh oui ! (Voir les bons plans en fin de chapitre.)

La radio sur Internet

Si vous aimez écouter de la musique pendant que vous travaillez, branchez-vous sur les stations radio d'Internet. Comme les stations qui émettent en FM ou sur les grandes et petites ondes, vous y trouverez des programmes musicaux (ou autres) tout à fait séduisants. En revanche, contrairement aux radios classiques, les radios sur Internet proposent souvent un programme en boucle qui n'est renouvelé que quelques jours par semaine. Très peu de radios marginales ont les moyens d'émettre en direct. Dans tous les cas de figure, vous les écoutez en *streaming*, c'est-à-dire sans téléchargement préalable de la totalité du programme radiophonique. Pour accéder à ces radios, utilisez votre lecteur multimédia comme iTunes ou le Lecteur Windows Media. La plupart de ces radios émettant sur le Net sont gratuites. Certaines exigent un abonnement si vous ne désirez pas être assailli de publicités.

N'oubliez pas que vous pouvez parfaitement écouter une radio avec votre navigateur Web comme Internet Explorer 9.

Ecouter la radio avec Internet Explorer 9 (ou autre)

Vous n'êtes pas marié avec le Lecteur Windows Media ou iTunes. Je dirais même que l'offre du Lecteur Windows Media en matière de radio frise le ridicule. iTunes est beaucoup plus éclectique.

Oubliez quelques instants ces deux lecteurs multimédias et reprenez la liberté d'écouter la radio sur Internet avec Internet Explorer 9 ou tout autre navigateur Web de votre choix.

1. **Démarrez Internet Explorer 9.**

2. **Si vous n'avez pas décidé de la radio à écouter, tapez Radio Internet dans le champ de recherche situé dans le coin supérieur droit de ce navigateur.**

   Une multitude de sites sera mise à votre disposition. Difficile de faire le choix pour vous. Alors, voyons comment les choses se passent sur Deezer, étudié un peu plus haut de chapitre.

3. **Dans le champ Adresses d'Internet Explorer 9 Tapez « Deezer.com », et appuyez sur Entrée.**

   Sachez que pour écouter la radio sur Deezer, vous n'êtes pas obligé de vous connecter à votre compte de *deezernaute*. Toutefois, le fait de vous connecter à votre compte (ou profil) vous permettra de gérer vos radios comme vous gérez vos chansons sur Deezer.

4. **Cliquez sur Ma Musique.**

5. **Dans le volet gauche, cliquez sur Radios.**

   Les choix sont nombreux et clairement définis, comme le montre la Figure 9.39. Vous avez accès à peu près à tous les styles de musique diffusés sur Internet. Pour vous en convaincre, faites défiler le contenu de cette page Web de Deezer.

   L'exemple d'écoute qui suit s'applique à tout type de radio proposé sur Deezer.

6. **Faites défiler le contenu de cette page pour afficher la radio thématique que vous désirez écouter, par exemple Pop.**

7. **Ensuite, cliquez sur le type de radio pop dont vous souhaitez entendre le programme, comme Pop Indé (Figure 9.40).**

8. **Pour écouter le programme de cette radio, cliquez sur le bouton de lecture affiché sur à l'extrême droite du logo.**

Figure 9.39 : Trouvez et écoutez facilement la radio sur Deezer.

Figure 9.40 : Sélection d'une radio sur Deezer.

La lecture commence. Vous en suivez la progression dans le lecteur de Deezer qui affiche la pochette de l'album dont est extraite la chanson que vous écoutez.

Si vous désirez acheter le titre qui passe, cliquez simplement sur le bouton Télécharger sur iTunes. Une nouvelle fenêtre de votre navigateur Web s'ouvre. Vous voici sur iTunes Store où vous pouvez acheter le morceau en cours de diffusion ou l'album dont il est extrait.

9. Pour retrouver facilement une radio, cliquez sur son nom dans la liste des radios afin de l'afficher dans la partie central de Deezer. Ajoutez cette radio à vos favoris en cliquant sur le bouton Devenir fan, comme à la Figure 9.41.

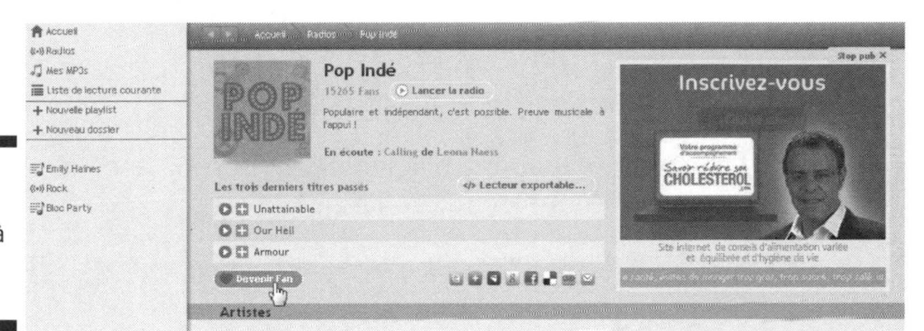

Figure 9.41 : J'ajoute cette radio à mes radios préférées.

Dès que vous avez cliqué sur ce bouton, la radio apparaît sous la catégorie Radios de votre profil.

De radio en radio vous allez disposer d'une liste de stations préférées qui couvrira toute votre sensibilité musicale. Deezer et sa fonction radiophonique est le meilleur moyen de rester dans le coup.

Comment faire pour écouter des radios qui ne sont pas disponibles sur Deezer, tout en utilisant son navigateur Web ? Je vous invite à lire la prochaine section.

Ecouter des stations de radio standard avec Internet Explorer 9

Je ne fais pas de prosélytisme en parlant de Deezer. Il est vrai que ce support musical en ligne offre des choix très diversifiés. Toutefois, vous n'y trouverez pas tout. Si vous êtes intéressé par un autre type de radio, accédez alors directement au site de la station en question *via* votre navigateur Web.

Pour illustrer mon propos, je vais vous expliquer comment écouter une station de Radio France *via* Internet Explorer 9 :

1. **Ouvrez Internet Explorer 9.**

2. **Dans le champ situé dans le coin supérieur droit de l'interface tapez le nom de la radio que vous désirez écouter, en l'occurrence Radio France.**

   Le moteur de recherche (disons Google) affichera le lien direct vers cette station de radio.

3. **Cliquez sur le lien** `Radio France`**.**

   Comme le montre la Figure 9.42, vous accédez à toutes les stations de Radio France.

Figure 9.42 : Choisissez la station de Radio France à écouter.

4. **Cliquez sur le logo de la station de Radio France à écouter, comme France Culture.**

5. **Placez le pointeur de la souris sur le nom de la radio à écouter. Dans le menu local qui apparait, cliquez sur Écouter.**

   Le site va télécharger sur votre ordinateur son propre *player* (lecteur) qui va vous permettre d'écouter correctement les émissions de France Culture en direct.

   Ce lecteur permet de mettre en pause, de reprendre le direct, de monter ou encore de baisser le son.

6. **Pour interrompre l'écoute de cette radio, il vous suffit de fermer votre lecteur en cliquant sur le bouton de fermeture situé dans son coin supérieur droit.**

Cet exemple basé sur Radio France vaut pour la majorité des autres stations de radio qui émettent à la fois sur les ondes traditionnelles et sur Internet. Rendez-vous sur le site de ces radios et écoutez !

Comme nous l'avons indiqué, vous pouvez écouter certaines radios à partir du Lecteur Windows Media ou d'iTunes, c'est-à-dire sans passer directement par Internet Explorer. Dans ces deux programmes, vous trouverez un lien `Radio`. Il suffit de cliquer dessus pour afficher les stations disponibles. Ainsi, la Figure 9.43 montre les deux radios directement accessibles *via* le Lecteur Windows Media. En revanche, dans iTunes, vous pouvez chercher vos radios par catégories. Les choix sont immenses. La Figure 9.44 montre l'ensemble des stations radiophoniques Internet en Classic Rock. Cliquez sur la station que vous désirez écouter. Bien entendu, pour écouter la radio avec le Lecteur Windows Media, iTunes, Internet Explorer 9, ou encore Firefox, vous devez être connecté à Internet.

Vidéos sur Internet

Le standard Web de la vidéo est le format MPEG et MOV. Il s'agit de *codecs* (codeur/décodeur) vidéo qui permettent de produire des fichiers vidéo de petite taille à la qualité d'images très variable. Les fichiers MPEG rencontrés sur Internet portent l'extension .mpeg ou .mpg.

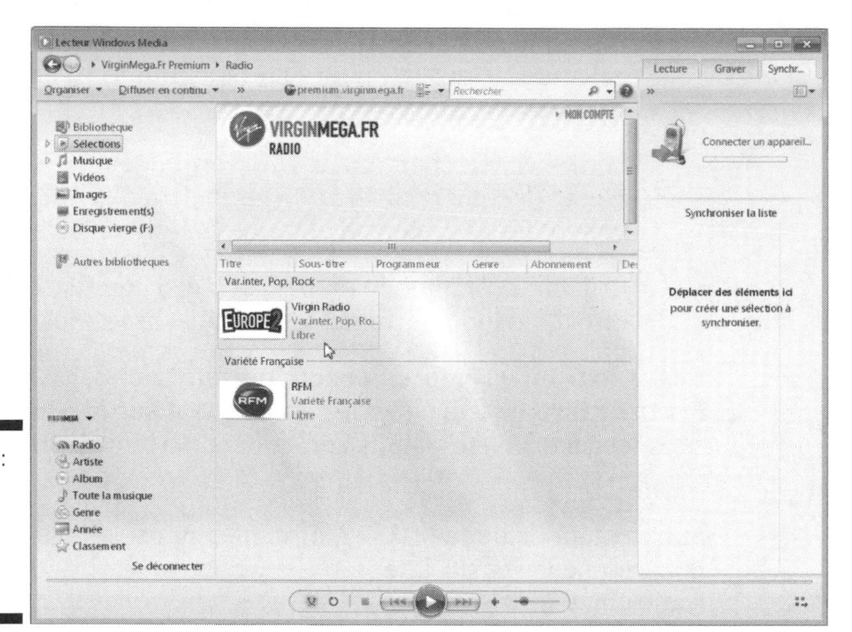

Figure 9.43 : Écouter la radio avec le Lecteur Windows Media.

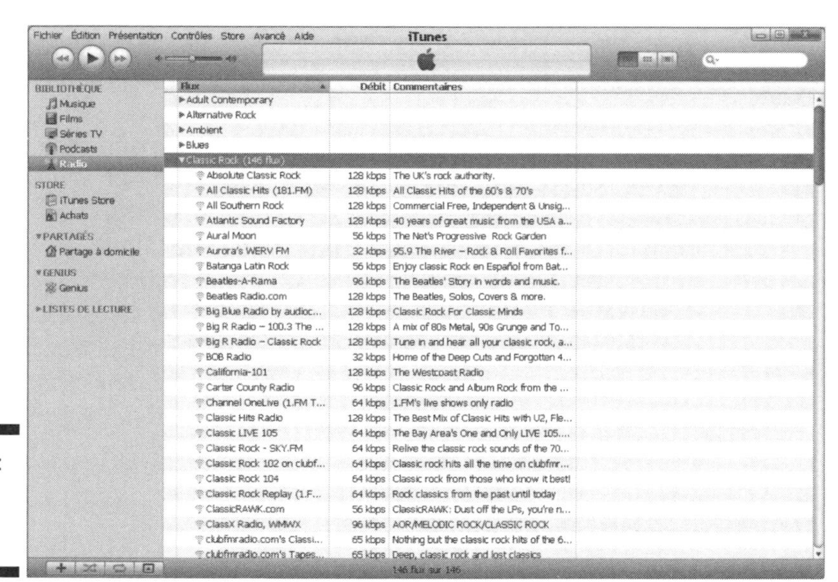

Figure 9.44 : Écouter la radio avec iTunes.

Microsoft, comme à son habitude, prend le train en marche en tentant d'imposer un format concurrent basé sur son propre format vidéo non compressé AVI (*Audio Video Interleaved*).

Une fois compressé, ce format devient .asf ou .asx. Il permet de délivrer du son et des images en *streaming*.

Trouver des vidéos

Un navigateur Web ne peut pas lire de la vidéo. Pour cela, il faut un lecteur spécial. Vous avez également besoin d'un ordinateur assez rapide pour afficher des vidéos en temps réel. Les lecteurs multimédias RealPlayer, Lecteur Windows Media et QuickTime/iTunes prennent en charge les fichiers vidéo. Parfois, vous rencontrerez des animations, voire de petits films, au format Flash d'Adobe (ou Shockwave). Il ne s'agit pas à proprement parler de fichiers vidéo, mais plutôt d'images vidéo intégrées dans une animation Flash. Cependant, pour lire ces animations, vous avez besoin d'un lecteur spécifique téléchargeable à `http://get.adobe.com/fr/flashplayer/`.

Lorsque votre navigateur Web arrive sur une page intégrant une animation Flash qu'il ne parvient pas à lire, il vous propose de télécharger le lecteur adéquat. Laissez-vous séduire par cette offre.

Si vous désirez voir rapidement des bandes-annonces ou des extraits de films récents, connectez-vous au site `www.allocine.fr/video/`.

Vous pouvez également voir des vidéos indépendantes d'une minute sur le très original site Web `www.uneminute.net`, et sur l'excellent `http://creative.gettyimages.com`.

Enfin, difficile de ne pas parler aujourd'hui des services de publication vidéo en ligne que sont DailyMotion ou YouTube. Vous y trouverez des millions de vidéo en tout genre et sur tous les sujets publiés par des gens comme vous et moi. Les Figures 9.45 et 9.46 montrent les pages d'accueil de ces deux sites. Consultez-les ! Le virus de la publication vidéo en ligne ne va pas tarder à vous gagner.

Figure 9.45 : Publiez et consultez des vidéos gratuites sur DailyMotion.

Figure 9.46 : Publiez et consultez des vidéos gratuites sur YouTube.

Regarder de vrais films : la VOD

L'offre vidéo sur Internet est immense. Mais, aujourd'hui, le cinéma, et la télévision se confrontent au développement des technologies liées à Internet. Il faut savoir qu'une des principales demandes des internautes reste le choix du programme et de l'heure à laquelle ce programme peut être vu. Nous constatons que les mentalités changent, et que la consommation des images évolue aussi vite que celle de la musique. Le maître mot est « liberté », c'est-à-dire se dégager des contraintes du petit écran.

Une solution existe et prend une place de plus importante dans le paysage Internet mondiale, je veux parler de la VOD. VOD est l'acronyme anglais de *Video On Demand*, c'est-à-dire en bon français littéral « Vidéo à la demande ». Nous pouvons assimiler cette offre à celle d'un vidéo club. Vous choisissez le film que vous désirez regarder, et vous le regardez quand bon vous semble avec quelques restrictions sur le nombre de visionnages, défini par le site vendant cette VOD.

Pour bien comprendre le fonctionnement de la VOD, voyons comment profiter ce cette vidéo à la demande auprès d'un site d'une télévision culturelle de la TNT : ARTE. Bien entendu, la grande majorité des chaînes de télévision propose de la vidéo à la demande. La différence entre chacune tient à la qualité de l'offre et au public visé par cette offre. Donc, ce qui est décrit ici pour ARTE vaut pour toutes les autres offres VOD avec quelques nuances sur l'utilisation des vidéos téléchargées et/ou regardées en streaming.

1. **Pour commander un film à la demande, ouvrez votre navigateur Web et rendez-vous sur le site de votre choix.**

Basant mon exemple sur la chaîne culturelle ARTE, rendez-vous sur le site `www.artevod.com`.

La VOD, qu'elle soit diffusée en streaming ou après téléchargement complet sur votre ordinateur, peut répondre à des critères techniques informatiques bien précis. Donc, avant d'acheter un film, vous devez vous assurer que votre système de lecture vidéo est compatible.

2. **Sur la page d'accueil de artevod, cliquez sur le lien** `Test de configuration`**, comme à la Figure 9.47.**

   Commencez par ce test avant de prendre connaissance des conditions d'utilisation de la VOD du site où vous désirez acheter le visionnage de films. Cela ne vous fera pas perdre inutilement votre temps si vous constatez que, techniquement, ce contenu vous est interdit.

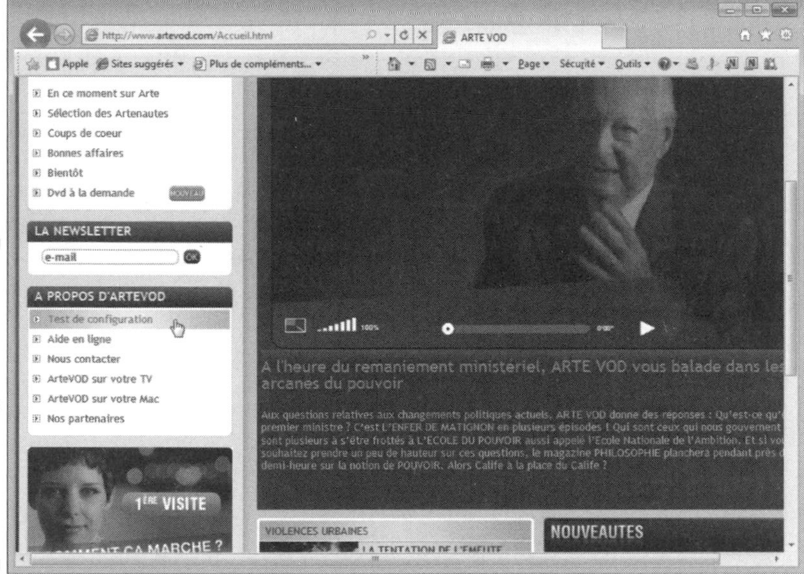

Figure 9.47 : Tester la compatibilité de votre système est indispensable pour profiter pleinement des offres VOD de certains sites.

La durée du test varie en fonction du site. Sur artevod, les choses sont très rapides. Pour consulter les résultats du test, faites défiler le contenu de la page Web. Avec le Lecteur Windows Média, vous ne devriez pas avoir de mauvaise surprise et ainsi profiter pleinement de la VOD sur ARTE.

DRM est l'acronyme de *Digital Rights Managment*, c'est-à-dire *gestion des droits numériques*. Il s'agit d'une technique de protection qui vise à limiter l'utilisation des œuvres diffusées sur un support numérique. Ces limitations peuvent concerner la zone géographique, les limites de copies sur plusieurs appareils de lecture, ou encore le nombre de visionnages possibles. La méthode de contrôle se base sur un *chiffrement* du fichier numérique. Cette protection ne permet la lecture et le respect de ses conditions que si elle est effectuée par un programme capable d'identifier et d'approuver ce certificat chiffré.

3. **Pour connaitre les conditions d'utilisation VOD de ce site (ou de tout autre site), cherchez une rubrique du style Comment ça marche, comme celle que l'on trouve sur la page d'accueil de la Figure 9.47 (voir plus haut). Cliquez sur ce lien !**

   Lorsque vous accédez aux conditions d'utilisation, deux choses sont primordiales :

   - Comment commander, donc payer ? Le service n'étant presque toujours payant, il est important de savoir si le système de paiement est bien sécurisé, et de vous assurer de ne payer que ce que vous regardez.

   - Comment regarder un programme ? C'est essentiel ! En fonction de l'offre et du programme, certaines VOD sont plus pérennes que d'autres. Je veux dire ici que certains films ne pourront être vus qu'une seule fois, et d'autres pourront être regardés autant de fois que vous le désirez mais dans un laps de temps bien défini, par exemple 24 ou 48 heures. Enfin, certains programmes n'ont aucune limite. C'est un peu comme si vous achetiez un DVD. Enfin, le fichier proposé en VOD ne peut-il être consulté que sur l'ordinateur qui l'a téléchargé ? La rubrique qui explique comment regarder un programme s'intéresse aussi aux impératifs techniques. Elle permet de vérifier que votre ordinateur dispose de tout ce qu'il faut pour regarder le programme dans de bonnes conditions.

   Globalement, voici ce que propose un service de VOD :

- Le paiement par carte bancaire ou par ouverture d'un compte un peu à la manière des systèmes iTunes Store ou VirginMega.fr en musique.

- La location des VOD. Dans ce cas, un lien vous permet d'accéder aux programmes loués pendant un certain nombre de jours (30 chez artevod). Attention, cela ne signifie pas que vous pouvez regarder cette vidéo pendant 30 jours. Non, cela indique que vous disposez de 30 jours pour lire cette VOD. En effet, après la première visualisation, vous disposerez de 24 heures pour la regarder autant de fois que vous le désirez. Une fois ces 24 heures écoulées, le programme loué ne sera plus visible.

Certains films en VOD ne peuvent être que loués !

- L'achat. La VOD achetée sera disponible au téléchargement pendant 30 jours. Ne laissez pas passer ce délai sinon vous aurez payé pour rien. Le programme ne sera plus téléchargeable. Une fois le film téléchargé, il sera lisible sur l'ordinateur à partir duquel vous l'avez téléchargé, et ceci sans limite de temps. Le programme, d'une certaine manière, est à vous. Son visionnage est infini !

4. **Pour profiter pleinement du service VOD, il est recommandé de s'inscrire, un peu comme vous l'avez fait en musique avec Deezer. Pour cela, cliquez sur le lien** `Mon Compte` **ou** `Inscription` **(selon le site).**

   Si vous êtes un nouveau client, cliquez sur le lien qui va vous permettre de vous enregistrer. S'enregistrer est important. En effet, c'est souvent la condition *sine qua non* pour pouvoir acheter ou louer de la VOD, mais c'est aussi le seul moyen d'accéder à un historique des téléchargements pour télécharger de nouveau un programme loué ou acheté au cas où le téléchargement initial aurait échoué. Je vous rappelle que vous disposez souvent de 30 jours pour télécharger la VOD choisie.

5. **Remplissez le formulaire d'inscription à l'offre VOD du site qui vous intéresse. Confirmez vos informations et votre inscription par un clic sur Valider.**

   Vous voici titulaire d'un compte VOD chez artevod. Cette procédure est sensiblement la même chez un autre fournisseur de contenu VOD.

   Il ne vous reste plus qu'à consulter l'offre, puis à louer ou à acheter. Voici comment trouver un film en VOD sur artevod :

8. **Consultez le catalogue du site.**

   Cette consultation peut se faire par ordre alphabétique, par thème, collections, et magazines. Sur d'autres sites de ce type, le système de classement et de recherche peut être différent. Si vous cherchez quelque chose de précis, tapez son nom dans le champ Recherche détaillée, situé en haut de la page d'accueil.

9. **Dès qu'un programme vous intéresse, cliquez sur le bouton Louer.**

   Souvent, le prix est indiqué. Attention, car il s'agit du prix à la location, c'est-à-dire un visionnage limité dans le temps, et hors taxe.

   Lorsque vous louez un film, votre « panier » vous permettra de l'acheter uniquement s'il est à la vente et à la location. Choisissez d'acheter un programme dans la liste Format, comme à la Figure 9.48.

10. **Si vous renoncez à la location ou à l'achat, cochez le programme à supprimer, et cliquez sur le lien Supprimer.**

11. **Si vous désirez en profiter pour ajouter un autre programme à votre commande, cliquez sur le bouton Choisir un autre film.**

12. **Dès que vous êtes satisfait de votre choix de VOD, cliquez sur Valider.**

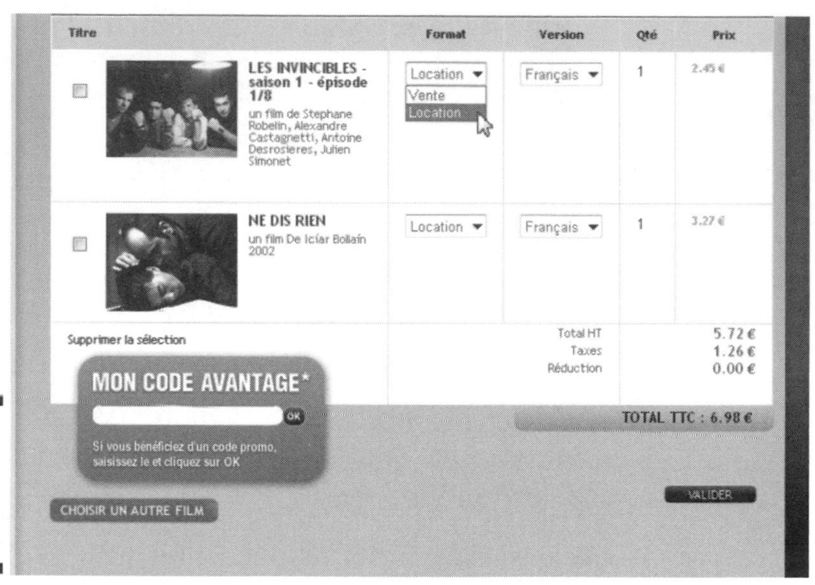

Figure 9.48 : Louez ou achetez un programme sur Arte VOD.

13. **Confirmez que c'est bien vous qui achetez avec le compte ouvert sur ce site de VOD, et cliquez sur Continuer.**

    Si nécessaire indiquez de nouveau votre identifiant (courriel chez artevod) et votre mot de passe.

14. **Payez !**

    Acceptez les conditions générales de vente en cochant la case adéquate, puis cliquez sur l'icône de votre mode de paiement, probablement une carte bancaire.

15. **Indiquez le numéro de carte bancaire, sa date d'expiration, et le cryptogramme visuel. Validez !**

Si vous n'avez jamais fait d'achat sur Internet, consultez le Chapitre 10 pour acheter en toute sécurité, notamment avec le système des cartes bancaires virtuelles comme e-carte bleue.

16. **Téléchargez le(s) fichier(s) acheté(s).**

    Je vous rappelle que vous disposez de 30 jours pour le faire. Ce délai peut varier en fonction du site de VOD.

Le fichier sera disponible dans votre bibliothèque VOD personnelle du site pendant toute la durée contractuelle du téléchargement.

Ce n'est pas parce que vous avez téléchargé une VOD sur votre ordinateur que vous êtes condamné à la regarder sur cet ordinateur. Vous pouvez connecter la seconde sortie vidéo de votre carte graphique sur un téléviseur LCP. Admirez le spectacle sur 107 cm et non plus sur 20 pouces !

L'offre VOD de votre FAI haut débit

Il suffit de tourner le bouton de son poste de télévision pour être submergé par les publicités sur les offres haut débit des différents FAI (fournisseur d'accès à Internet). Ces offres sont étudiées au Chapitre 4.

L'offre haut débit, comme vous le savez ou devriez le savoir, propose la télévision en plus d'Internet et du téléphone. Le gros avantage est que cette télévision par Internet est affichée sur votre téléviseur. En effet, les *Box* disposent d'un boîtier annexe et/ou d'une prise péritel, voire HDMI, que vous branchez directement sur le magnifique écran plat que le Père Noël a eu la gentillesse de vous apporter un beau matin du mois de Décembre (le 25 je crois). Donc, la télé vient d'Internet, sans être obligé d'avoir un ordinateur ! L'offre VOD de votre FAI permet, à l'inverse de ce que nous avons vu dans la précédente section, de regarder vos films directement sur votre télévision sans qu'il soit nécessaire d'y raccorder votre ordinateur.

Je sais que ma justification est devenue une constante mais, au regard de toutes les offres haut débit existantes, je ne peux pas présenter la VOD de chacune d'elles. Étant adepte de Free depuis près de 15 années, je vais baser ma démonstration sur ce FAI. Sachez simplement que le principe est sensiblement le même pour une LiveBox, une NeufBox, ou encore une Bbox.

1. **Allez sur le portail de votre FAI, en l'occurrence** `www.free.fr` **pour consulter son offre VOD.**

2. **Parcourez la page d'accueil pour localiser la section FHV (*Free Home Vidéo*).**

   Vous trouverez une rubrique équivalente chez votre FAI personnel.

3. **Cliquez sur le lien qui affichera une page consacrée à la VOD de votre FAI, comme celle de Free, illustrée à la Figure 9.49.**

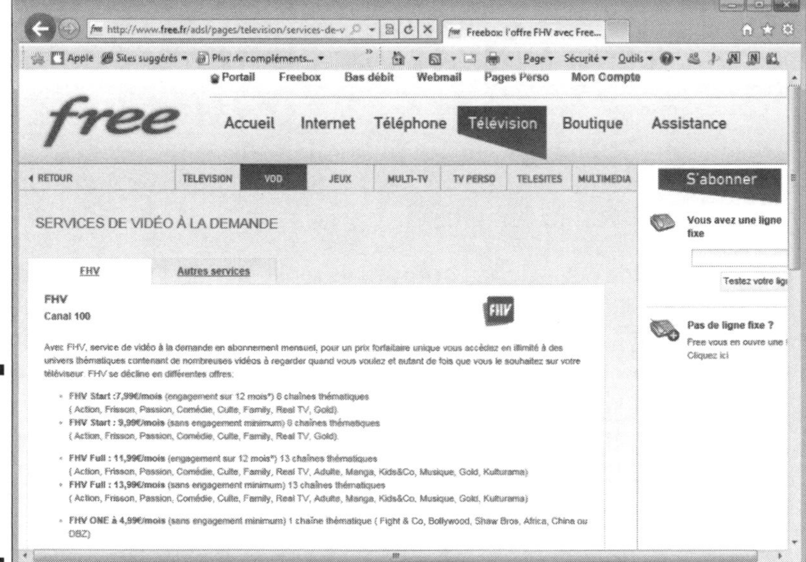

Figure 9.49 : La VOD existe aussi (et peut-être surtout) chez votre FAI !

   Très souvent, le FAI a une offre propriétaire, c'est-à-dire qui lui est propre. Chez Free, elle se nomme Free Home Vidéo. Vous pouvez la consulter en cliquant sur FHV. Toutefois, vous constaterez qu'il existe un second onglet dans la page VOD de Free appelée Autres services. Si vous cliquez dessus, vous avez des propositions VOD d'autres prestataires.

4. **Cliquez sur Autres services pour connaitre les offres VOD des partenaires de Free.**

La petite liste Services propose des liens qui permettent de consulter les détails de diverses offres comme celles de Canal Plus VOD, TF1 Vision, Vodeo.tv, *etc.*

5. **Cliquez sur le lien d'un des partenaires VOD de Free, comme Vodeo.tv**

   Vous constatez que vous pouvez vous abonner pour une consultation illimitée. Vous savez également sur quel canal de votre FreeBox ce service VOD est accessible (ici le canal 106).

   Lorsque vous souscrivez à une offre VOD de votre FAI, vous êtes directement débité sur votre forfait, initialement de 29,90 €. Ne soyez pas étonné que la note s'alourdisse en fonction du nombre de programmes regardés ou du nombre d'abonnements supplémentaires souscrits.

6. **Pour vous abonner, il suffit de passer par le menu TV de votre FreeBox et de vous rendre dans Video Club.**

   Une fois l'abonnement validé, la chaîne sera accessible depuis le boîtier FreeBox HD, ou tout autre système et canal de votre fournisseur haut débit personnel.

Les adresses utiles

Nous arrivons à la fin de cette première découverte de ce que vous pouvez faire sur Internet. La musique, la vidéo, et la télévision sont d'actualités dans la mesure où nous entrons dans une ère où les supports sont de plus en plus dématérialisés, et où l'offre à la demande va doucement l'emporter sur les sacro-saints horaires qui nous imposaient une discipline de consommation des images et des sons.

Je vous présente ici un nombre de sites Web où vous trouverez de la musique à acheter ou à télécharger gratuitement en toute légalité, des stations de radio en ligne, et des sites de VOD.

Musique gratuite et payante

- www.deezer.com
- www.les-artistes-unis.com
- www.musicme.com
- www.wizzmusic.com
- www.easyzik.net
- www.boxson.net
- www.hotzik.com
- www.fnac.com
- www.virginmega.fr
- www.universalmusic.fr/acheter/

Radios en ligne

- www.deezer.com
- www.radiofrance.com
- www.bide-et-musique.com
- www.virginradio.fr
- www.radiointernet.com
- www.europe1.fr
- www.rtl.fr
- www.nrj.fr
- www.cheriefm.fr
- www.radioclassique.fr

Sites de VOD

- www.vod.mk2.com
- www.universcine.com
- www.allocine.fr/vod/
- www.totalvod.com/
- www.tf1vision.com
- www.artevod.com
- www.imineo.com
- www.virginmega.fr/Video
- www.voirunfilm.com
- http://www.francetvod.fr/
- www.m6replay.fr

Chapitre 10

J'achète et je vends sur Internet

Dans ce chapitre :

- Achats en ligne : le pour et le contre.
- Le problème des cartes bancaires.
- Allons faire nos courses !
- Comparer les prix.
- Le supermarché virtuel.
- Acheter et vendre d'occasion.
- Acheter à l'étranger.

Si, pour une raison quelconque (insomnie ou autre), vous lisez la presse informatique, vous avez certainement eu l'occasion de parcourir beaucoup d'articles consacrés au commerce électronique. Aussi étonnant que cela puisse paraître, il y a beaucoup de vrai dans ce que vous avez pu lire, et vous pouvez raisonnablement acheter toutes sortes de choses sur le Net. Pour notre part, c'est ce que nous faisons, des livres jusqu'aux billets d'avion en passant par les sous-vêtements, les actions, les pièces détachées d'ordinateurs et les consommables de toutes sortes. Malgré quelques légendes – parfois avérées –, nous sommes toujours bel et bien vivants pour vous conter l'histoire fabuleuse des achats en ligne.

Achats en ligne : le pour et le contre

Voici quelques bonnes raisons de faire ses achats en ligne :

- Les magasins en ligne offrent des commodités appréciables. Ils sont ouverts toute la nuit, et vous n'agacez aucun vendeur si vous ne faites que regarder pendant des jours et des jours avant de vous décider à acheter. La Figure 10.1 montre un magasin en ligne typique.

Figure 10.1 : Un, deux, trois... faites vos courses !

- Les prix sont souvent inférieurs aux prix que vous trouvez en magasin, et vous pouvez comparer les tarifs de plusieurs boutiques en quelques minutes, comme nous l'expliquons plus loin dans ce chapitre. Même si vous finissez par acheter dans un magasin réel, ce que vous aurez trouvé en ligne est susceptible de vous faire économiser de l'argent. Les frais d'expédition sont les mêmes que lorsque vous commandez par courrier postal (ils sont même offerts à partir d'une certaine somme, en général 100 euros d'achats) et vous n'aurez pas besoin de prendre votre voiture et de trouver un parking.

- Les boutiques en ligne offrent parfois une meilleure sélection. L'expédition est habituellement réalisée à partir d'une centrale d'achat – pas de stocks à gérer. Si vous êtes à la recherche d'une pièce rare – par exemple, une pièce du vieux four que vous réparez – le Web peut vous épargner des semaines de recherche.
- Certains auteurs de ce livre vivent dans des petites villes perdues dans la campagne. Ils trouvent sur le Net de nombreux articles difficiles à dénicher, sinon introuvables localement.
- Contrairement aux centres commerciaux, on n'est pas obligé de faire ses courses avec une musique de supermarché en bruit de fond. Vous pouvez même lancer iTunes ou le Lecteur Windows Media et ainsi choisir la musique qui accompagnera vos emplettes.
- Vous pouvez acheter dans tous les magasins de la planète, à des prix défiant toute concurrence.
- À partir d'une certaine somme, souvent 100 euros, ou sur certains produits, vous pouvez payer en plusieurs fois sans frais.
- Vous pouvez acheter sur Internet, mais aussi vendre ! Le marché de l'occasion est florissant, et vous allez trouver des affaires incroyables.

D'un autre côté, voici quelques raisons qui nous incitent à ne pas *tout* acheter sur le Net :

- Vous ne pouvez pas physiquement essayer, tester ou regarder ce que vous achetez, et il arrive que les délais de livraison soient assez longs. Toutefois, les sites indiquent la plupart du temps les délais de disponibilité des produits. Quand le produit est disponible, vous n'attendez guère plus de quarante-huit heures ; en revanche quand il ne l'est pas, l'attente est difficile à évaluer.
- Nous aimons bien nos petits commerces locaux et nous essayons de contribuer à l'économie de notre région aussi souvent que nous le pouvons.

- Vous ne pouvez pas flirter avec le personnel des magasins en ligne.
- Plus vous êtes devant un ordinateur et moins vous sortez de chez vous ! Ne coupez pas trop le lien social !

Le problème des cartes bancaires

Comment s'effectue le paiement des achats en ligne ? La plupart du temps avec une carte bancaire, de la même façon que dans un magasin ordinaire. Mais n'est-il pas risqué de donner son numéro de carte bancaire en ligne ? Eh bien, non !

Nombre de personnes craignent que des individus malintentionnés et armés de divers outils électroniques, analyseurs de réseaux et autres gadgets de haute technologie, soient à l'affût pour tenter de s'approprier les numéros de cartes bancaires voyageant sur le Net. Nous avons surveillé pendant plusieurs années l'occurrence de tels événements et nous n'avons jamais rien trouvé. D'abord, parce que la plupart des entreprises de vente en ligne s'arrangent pour sécuriser les transactions de ce type en cryptant les informations que vous leur envoyez (dans la fenêtre du navigateur, un petit cadenas fermé affiché en bas de la fenêtre). Ensuite, parce que tenter d'intercepter une information de ce type dans le flot du trafic d'Internet est une véritable gageure, même sans chiffrement.

Si vous acceptez de confier votre carte bancaire dans un restaurant à un serveur, vous pouvez aussi bien vous servir de votre carte bancaire pour acheter en ligne. Si nous voulions dérober un numéro de carte de crédit, ce n'est pas la technique d'Internet que nous utiliserions mais celle des *pickpockets*.

Si, après cette mise au point, vous ne voulez toujours pas confier votre numéro de carte bancaire à Internet ou que vous soyez de ceux qui répugnent à l'usage des cartes en plastique, sachez que la plupart des entreprises de VPC en ligne accepteront que vous leur indiquiez ce numéro par téléphone ou que vous leur envoyiez un chèque.

Les cartes bancaires virtuelles : e-Carte Bleue et consorts

Une des dernières innovations des banques est la mise en circulation, pour qui en fait la demande, d'une carte bancaire virtuelle destinée au paiement des achats sur Internet. Comment fonctionne la carte virtuelle ? Nous baserons notre explication sur une expérience personnelle : la e-Carte Bleue (ce système est repris sous des noms divers par la majorité des établissements bancaires).

Vous souscrivez un contrat auprès de votre banque pour bénéficier de la carte bancaire virtuelle. Si votre banquier est reconnaissant de votre fidélité, il ne devrait rien vous facturer de plus que vos sempiternels frais de gestion mensuels. Quelques jours après la souscription à e-Carte Bleue, par exemple, vous recevez un premier courrier indiquant un identifiant à ne surtout pas égarer. Il s'agit d'un code aussi facile à retenir que BCMYSKPM. Cet identifiant vous permet d'aller sur le site Web de votre banque et d'y télécharger un petit programme qui n'est autre que votre carte bancaire virtuelle. Installez ce programme sur votre ordinateur. Si vous l'exécutez, une connexion Internet s'établit, et une sorte de carte affichant deux champs de saisie apparaît au premier plan de votre bureau. Elle couvre systématiquement tous les programmes que vous ouvrez, dont Internet Explorer ou Firefox, qui permettront de faire vos achats en ligne. Les champs de saisie exigent deux choses : l'identifiant et le mot de passe que vous recevrez environ quarante-huit heures après votre premier courrier. Conservez bien ces deux numéros, c'est-à-dire identifiant et mot de passe, dans un lieu sûr, et tentez de vous en souvenir (ce ne sera pas du gâteau).

Pour utiliser la carte virtuelle, c'est très simple. Faites vos emplettes, c'est-à-dire cherchez les produits qui vous intéressent sur un site, ajoutez-les à votre panier virtuel, et enfin passez à la caisse. À cet instant, choisissez un paiement par carte bancaire VISA ou E-Carte Bleue (certains sites proposent ce mode de paiement) et lancez le programme de votre carte bancaire virtuelle, tel que e-Carte Bleue (Figure 10.2). La carte virtuelle vous demande de saisir votre identifiant et votre mot de passe, puis de cliquer un bouton pour les valider. Une fois votre identification réalisée, plusieurs autres boutons permettent d'effectuer diverses tâches, dont l'une se nomme Payer. Cliquez dessus. Un message vous avertit qu'un numéro unique va vous être attribué. À ce moment-là, votre carte virtuelle prend l'apparence d'une carte bancaire identique à celle que vous avez dans votre portefeuille, mais elle est animée : c'est-à-dire que vous voyez tous les chiffres tourner de manière aléatoire, puis se figer en un numéro traditionnel utilisable une seule fois. Saisissez le numéro ainsi attribué et le code à trois chiffres dans les champs adéquats du site Web. Validez. Le site interroge alors votre banque, et le paiement est accepté. Voilà, votre achat est fait. Même si quelqu'un a pu détourner ce numéro de carte, il ne pourra plus l'utiliser, car il est à usage unique. Vous pouvez alors fermer le petit programme. Si vous ne le faites pas, la carte virtuelle disparaît au bout d'une quinzaine de minutes.

Lors de votre prochain achat sur Internet, vous répéterez ces opérations et vous obtiendrez alors un nouveau numéro unique qui permettra de payer vos achats en toute sécurité. Ce système est absolument génial !

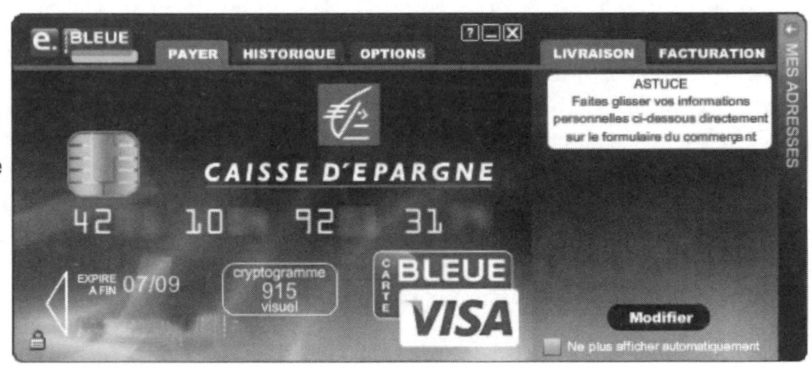

Figure 10.2 : Une carte bancaire virtuelle ressemble à une vraie carte bleue ! Inutile d'essayer d'utiliser celle-ci, le numéro est unique pour un achat et un montant unique.

Comment acheter sur Internet

Les entreprises de VPC en ligne fonctionnent généralement selon l'un ou l'autre des deux systèmes suivants : avec ou sans « caddie virtuel », communément appelé « panier » dans l'Hexagone. Ceux qui n'utilisent pas ce concept proposent la commande d'un seul article à la fois, ou un formulaire de commande que vous remplissez en cochant des cases en face des articles commandés. Parmi ceux qui proposent le système du caddie, vous choisissez un article et cliquez un bouton du type « Ajouter au panier ». Vous visualisez le récapitulatif et choisissez votre mode de paiement ainsi que toutes indications utiles pour la livraison. À tout moment vous pouvez ajouter ou retirer des articles, comme dans un vrai magasin, à ce détail près que vous n'êtes pas obligé, ici, de remettre l'article dans son rayon.

Parler d'acheter du neuf sur Internet est une chose, mais franchir le pas et en comprendre la pratique en est une autre. Nous prétendons, à juste titre d'ailleurs, que la vente en ligne permet de payer moins cher et de disposer d'un vaste choix de produits. Le problème est de savoir comment trouver ce produit au meilleur prix. Pour cela, il existe les comparateurs de prix !

Comparer les prix

Trouver la bonne affaire… et en neuf par-dessus le marché. Je crois saisir votre niveau d'exigence de consommateur surtout en ces périodes de crise économique internationale. Donc, si vous venez sur Internet c'est pour acheter au meilleur prix. Mais se pose une question cruciale : comment trouver le meilleur prix parmi ces centaines voire ces milliers de boutiques en ligne ? Il y a deux attitudes possibles :

- Aller de site en site et noter soigneusement le prix que chacun propose sur un produit particulier. Le gros problème est que votre exploration se limite aux sites que vous connaissez, ce qui *de facto* élimine de votre recherche tous ceux que vous ne connaissez pas.
- Comparer les prix avec un ou plusieurs comparateurs de prix.

C'est cette seconde attitude que je vous propose d'adopter. Pour cela nous partirons d'un exemple très simple : vous souhaitez changer de réfrigérateur.(Mais si puisque je vous le dis !)

Tout ce qui est expliqué ci-dessous vaut pour n'importe quel produit bien évidemment.

Lorsque l'on désire acheter un produit, comme changer son réfrigérateur, soit nous connaissons le modèle que nous désirons acheter, soit nous ne savons pas très bien, soit encore le choix sera dicté par notre budget.

Trouver des comparateurs de prix

Voici la démarche à suivre pour comparer les prix et trouver le produit qui correspond à un ou plusieurs critères de recherche :

1. **Ouvrez votre navigateur Web, comme Internet Explorer 9.**

2. **Dans le champ de recherche situé dans son coin supérieur droit, tapez « Réfrigérateurs » et appuyez sur Entrée.**

   Si vous achetez autre chose qu'un réfrigérateur, tapez le nom générique du produit : lave-vaisselle, lecteur MP3, chaussettes, sous-vêtements, voiture, etc.

   Le moteur de recherche, Google par exemple, va vous proposer divers liens dont certains vous renvoient vers des comparateurs de prix, comme le montre la Figure 10.3.

3. **Cliquez sur un des liens renvoyant vers un comparateur de prix.**

   Vous accédez au site Web du comparateur, comme à la Figure 10.4.

Dans la mesure où votre recherche porte sur des réfrigérateurs, le comparateur compare les prix des réfrigérateurs. Mais comment trouver la meilleure offre ?

Utiliser un comparateur

Maintenant que vous voici à comparer les prix, comment allez-vous utiliser les multiples fonctionnalités de ce comparateur ? Les étapes suivantes en expliquent la procédure :

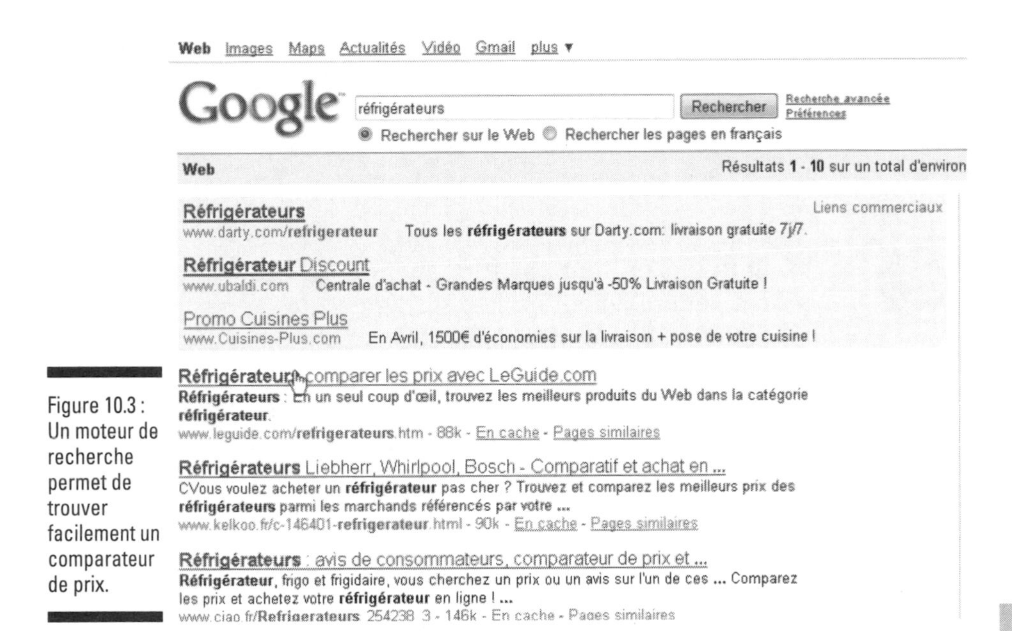

Figure 10.3 : Un moteur de recherche permet de trouver facilement un comparateur de prix.

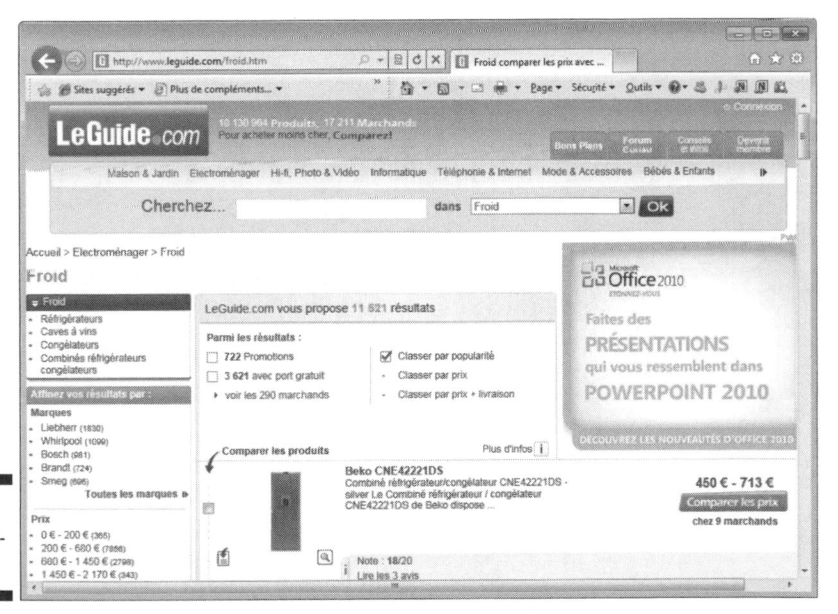

Figure 10.4 : Un comparateur de prix.

1. Dans un comparateur de prix, vous pouvez affiner les résultats de plusieurs manières :

- Selon la **marque.** Peut-être êtes-vous sensible à une marque, c'est-à-dire un fabricant, plus qu'à un autre. Dans ce cas, cliquez sur la marque du produit qui vous intéresse. (Rares sont les comparateurs qui ne proposent pas cette option.)

Dans la page des résultats du comparateur, toutes les marques ne sont pas forcément affichées. Vous trouverez généralement un lien du type `Plus de marques`. Il suffit de cliquer dessus pour accéder à d'autres fabricants de réfrigérateurs (par exemple). Ne vous laissez pas intimider et restreindre par les propositions par défaut du comparateur de prix. Les marques les plus en vue payent pour être citées en premier dans un comparateur.

- En fonction du **prix.** C'est peut-être le critère de recherche le plus sensible pour vous. N'oubliez pas qu'Internet doit permettre de faire de bonnes affaires, sinon autant aller dans un magasin traditionnel. Les comparateurs listent des fourchettes de prix. Vous voyez d'ailleurs le nombre de produits existants dans la fourchette spécifiée.

Bien entendu, en fonction du produit convoité, d'autres critères peuvent être proposés. Ainsi, en électroménager, la classe énergétique, voire la consommation annuelle d'électricité, est un critère extrêmement sensible pour tout consommateur qui garde une attitude citoyenne, et qui veille à ne pas pénaliser la survie de la planète par son comportement consumériste.

Comme il est fondamental de définir un ou plusieurs critères pour ne pas passer des heures et des heures à éplucher tous les modèles, je vous propose de comprendre la méthode de sélection en passant à la deuxième étape.

2. **Définissez le type de produit.**

Pour mon réfrigérateur (toujours lui !), je sais qu'il me faut un modèle à 2 portes. Je clique donc sur ce critère dans le volet gauche du comparateur.

3. **Choisissez en fonction de la marque ou de votre budget.**

   Comme je suis un consommateur averti, je dépense, certes, mais pas n'importe comment. J'opte pour le budget comme le montre l'étape suivante.

4. **Cliquez sur la fourchette correspondant au budget dont vous disposez.**

   Ici je ne veux pas dépenser plus de 550 euros. Je clique donc sur la fourchette 490 € à 550 €.

   Le comparateur fait une première sélection qui présente :

   1. Les réfrigérateurs 2 portes…
   2. … dont le prix se situe entre 490 et 550 €.

   À partir de ces résultats vous disposez de nouvelles options :

   - Consulter les modèles d'une marque précise.
   - Trier les résultats par prix total voire par promotion.
   - Taper directement les références d'un modèle dans le champ « Vous recherchez » (ou équivalent), et cliquer sur le bouton Rechercher.

5. **Comme je veux faire une bonne affaire, je clique sur Prix total car ce dernier prend en compte les frais de livraison.**

Le comparateur de prix propose généralement d'effectuer un tri par prix croissants ou décroissants. Il suffit alors de cliquer sur un signe + ou un signe -, voire de cliquer une nouvelle fois sur le lien `Prix total`. L'ordre de présentation de divers produits se fait en fonction de la fourchette de prix dans laquelle il se trouve.

6. **Faites défiler le contenu de la fenêtre du comparateur et cochez les cases des modèles de réfrigérateur que vous désirez comparer, comme le montre la Figure 10.5.**

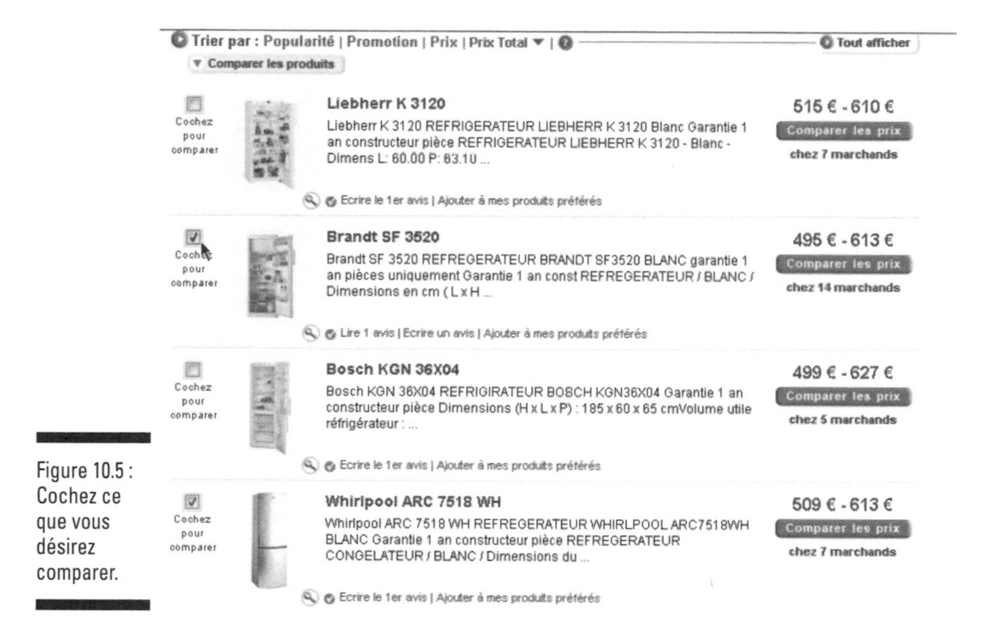

Figure 10.5 : Cochez ce que vous désirez comparer.

7. **Une fois les produits cochés, cliquez sur le bouton Comparer les produits.**

   La Figure 10.6 montre que le comparateur affiche les modèles pour vous permettre d'en comparer les caractéristiques techniques. Cela va orienter le choix du modèle qui répond le mieux à vos besoins.

8. **Dès que vous avez vu le modèle qui vous convient, cliquez sur le bouton Comparer les prix.**

   Le comparateur affiche la liste des prix et des sites qui vendent ce produit. Vous pouvez trier cette liste en fonction de critères identiques à ceux présentés à l'étape 1.

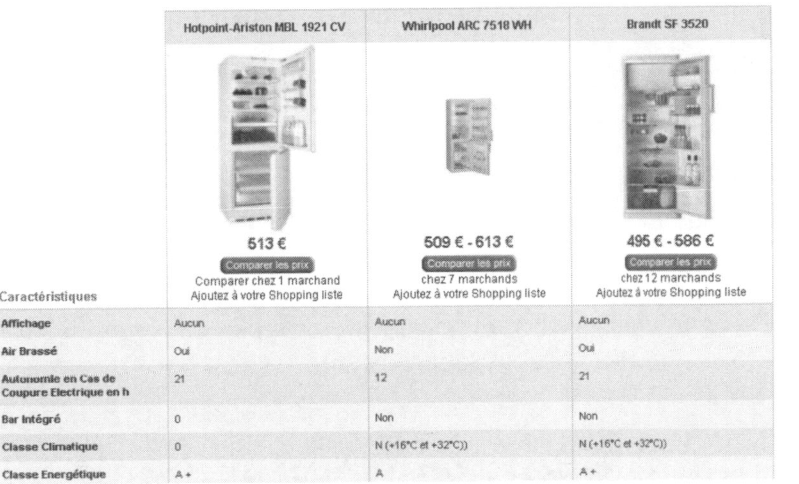

Comparaison de produits

Caractéristiques	Hotpoint-Ariston MBL 1921 CV	Whirlpool ARC 7518 WH	Brandt SF 3520
	513 €	509 € - 613 €	495 € - 586 €
	Comparer les prix	Comparer les prix	Comparer les prix
	Comparer chez 1 marchand	chez 7 marchands	chez 12 marchands
	Ajoutez à votre Shopping liste	Ajoutez à votre Shopping liste	Ajoutez à votre Shopping liste
Affichage	Aucun	Aucun	Aucun
Air Brassé	Oui	Non	Oui
Autonomie en Cas de Coupure Electrique en h	21	12	21
Bar Intégré	0	Non	Non
Classe Climatique	0	N (+16°C et +32°C))	N (+16°C et +32°C))
Classe Energétique	A +	A	A +

Figure 10.6 : La première comparaison est d'ordre technique.

Si aucun modèle ne vous convient, relancez une recherche comme expliqué au début de cette procédure.

9. **Pour trouver le modèle le moins cher, cliquez sur Prix total.**

   Il vous faudra alors sortir la calculette pour ajouter au prix indiqué le montant des frais de ports. Le produit dont le prix indique « Livraison : Gratuite » est bien entendu l'idéal !

Le critère de sélection que vous appliquez aux meilleures offres proposées par le comparateur de prix peut être très subjectif. Certes, le prix est important, mais la disponibilité ne l'est pas moins. Si êtes dans l'urgence du produit, vous accepterez peut-être de payer plus cher et de le recevoir dans les meilleurs délais. Dans ce cas, cliquez sur le lien `Disponibilité` pour réorganiser la liste des produits trouvés en fonction des stocks disponibles. Dans ce cas, seuls les produits mentionnant « Disponibilité : En stock » auront votre préférence.

10. **Dès qu'un produit proposé par un site spécifique semble bien vous convenir, cliquez sur le bouton Voir cette offre.**

    Le comparateur vous envoie directement sur la page Web du site traitant de ce produit. Si vous êtes séduit, commandez comme nous l'expliquons plus loin dans ce chapitre.

Le prix n'est pas l'unique critère d'un achat par correspondance. Certains d'entre vous préféreront payer un peu plus cher un produit car le site propose de payer en 3 fois sans frais (nous en reparlerons).

Comparer les prix d'un modèle précis

Dans la précédente section, nous avons appris à comparer les prix d'un produit sur lequel le choix n'est pas complètement arrêté. Il s'agissait d'un réfrigérateur dont le prix importait plus que le modèle ou la marque en elle-même. En revanche, lorsque vous connaissez le modèle exact de l'appareil que vous désirez acheter, la démarche est un peu différente.

Nous allons baser notre exemple sur un autre comparateur de prix très populaire, Kelkoo que vous trouverez à l'adresse `www.kelkoo.fr`.

1. **Ouvrez votre navigateur Web et rendez-vous sur un comparateur de prix, en l'occurrence Kelkoo.**

   Partons de l'hypothèse que vous souhaitez acheter un appareil photo numérique Nikon D90.

2. **Dans le champ Que recherchez-vous, commencez par taper le nom précis du modèle d'appareil photo numérique objet de votre recherche.**

   Il s'agit ici du Nikon D90. Dès que vous commencez à taper des lettres, une liste déroulante affiche des résultats correspondants. Plus vous saisissez de lettres et plus le choix s'affine automatiquement. Comme le montre la Figure 10.7, il suffit de cliquer sur « nikon d90 ».

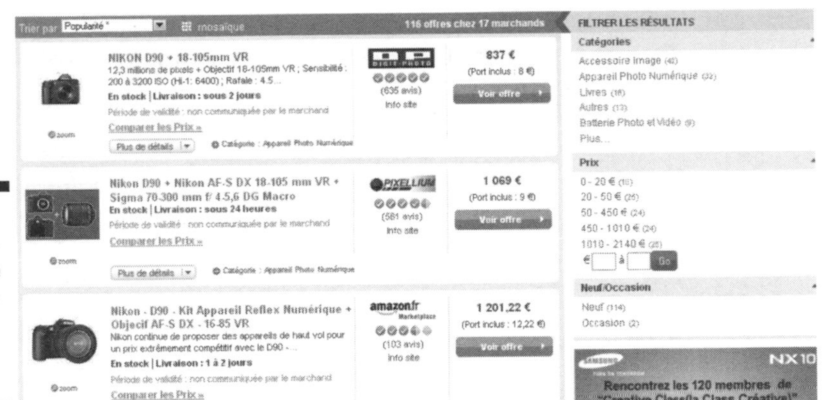

Figure 10.7 : Le comparateur propose des produits en fonction de votre saisie.

Une autre méthode consiste à ignorer cette liste de proposition. Dans ce cas, vous tapez entièrement « Nikon D90 » et vous appuyez sur Entrée ou vous cliquez sur le bouton Chercher.

Le comparateur de prix indique le nombre d'offres trouvées. C'est assez impressionnant. Il va falloir trier tout cela pour trouver la meilleure d'entre-elles.

3. **Cliquez sur la flèche de la liste Trier par.**

   Chez Kelkoo, vous avez le choix entre Popularité, Du moins cher au plus cher, et Du plus cher au moins cher. Si les deux dernières options parlent d'elles-mêmes, peut-être que Popularité vous est moins familière. Il s'agit d'un tri des offres en fonction de la popularité du site Web qui le vend. Cette popularité se base sur le nombre d'avis favorables que les internautes ont émis sur le site. C'est un moyen d'acheter en toute confiance.

4. **Cliquez sur Du – cher au + cher.**

   Les résultats sont alors très étonnants car vous trouvez des produits à… 5 euros ! Ne vous méprenez pas. Il s'agit de simples accessoires. Pour limiter la recherche à l'appareil photo numérique lui-même, vous devez passer à l'étape 5.

5. **Dans le volet droit de Kelkoo, sous la rubrique Filtrer les résultats Catégories, cliquez sur Appareil Photo Numérique.**

   Cette fois c'est bon. Comme le montre la Figure 10.8, vous avez la liste des différents prix croissants du Nikon D90.

Figure 10.8 : Les offres allant de la moins cher à la plus cher.

Il est à noter que le prix est indiqué port compris. Si vous souhaitez avoir plus d'informations sur le produit sans quitter le comparateur, cliquez sur Plus de détails.

Bien que ce ne soit pas véritablement un danger, je tiens malgré tout à vous préciser que certains comparateurs de prix incluent dans leurs résultats les matériels d'occasion, c'est-à-dire vendus sur des sites spécialisés dans ce domaine comme nous l'expliquons à la section « Le marché de l'occase », plus loin dans ce chapitre.

6. **Faites défiler le contenu des offres. Dès que l'une d'elles vous intéresse, cliquez sur le bouton Voir l'offre.**

   Vous êtes alors directement envoyé sur la page Web du site présentant le produit qui vous intéresse. L'achat se passe comme expliqué dans la prochaine section.

Choisir, commander, et payer

Comme nous venons de le voir, vous pouvez arriver sur un site marchand depuis un comparateur de prix. Bien entendu rien ne vous y oblige. Le comparateur est souvent utilisé pour trouver le meilleur prix sur un produit bien précis. Toutefois, dans de nombreuses circonstances, vous déambulerez dans des magasins virtuels exactement comme vous déambulez dans les rayons des boutiques que vous fréquentez habituellement dans la réalité. Fondamentalement, le choix des produits n'est pas tellement différent de celui effectué avec un comparateur de prix. La seule différence est que, dans une boutique précise, vous êtes pieds et poings liés aux prix pratiqués. Ensuite, commander et payer sont deux opérations qui se déroulent de la même façon quelle que soit la manière par laquelle vous avez accédé aux produits.

Choisir un produit en ligne

Prenons un exemple simple en visitant le site Web appelé Rue du commerce, qui propose tout ce qui touche principalement à l'informatique et à l'audiovisuel. Pointez votre navigateur sur l'URL `www.rueducommerce.fr`. Comme ce site a toujours des annonces à faire, un anniversaire à fêter ou des promotions à communiquer, cliquez directement sur l'animation qui apparaît, ou attendez quelques secondes avant de parvenir à la page d'accueil du site.

Voici comment acheter un disque dur externe et une imprimante sur un site Web comme Rue du commerce :

Dans la mesure où tous les sites marchands fonctionnent sensiblement de la même manière, les étapes ci-dessous peuvent être reproduites pour la majorité des achats que vous effectuez en ligne, et ceci quel que soit le site choisi.

1. **Repérez-vous dans l'interface du site.**

   La première fois que l'on arrive sur un site marchand, c'est un peu la foire. Il y a des publicités dans tous les sens, des messages qui clignotent, et des bannières dont le contenu ne cesse de changer.

La page d'accueil de ce magasin diffuse systématiquement une publicité promotionnelle. Pour la passer immédiatement, cliquez sur le lien Accès direct au site, situé en bas et au centre de l'offre.

2. **Localisez la barre de navigation qui contient en fait tous les rayons du magasin en ligne, comme le montre la Figure 10.9.**

Figure 10.9 : Les rayons d'un magasin virtuel prennent souvent la forme d'onglets.

3. **Notre achat intéressant l'informatique, placez le pointeur de la souris sur l'onglet Informatique.**

   Une liste de catégories apparaît.

4. **Parcourez la liste et cliquez sur Disque dur.**

   Vous accédez à une page affichant quelques promotions sur certains disques durs. Cependant, ne perdons pas de vue que vous souhaitez acheter un disque dur externe.

5. **Dans la section Disque dur, cliquez sur Disque dur externe comme à la Figure 10.10.**

   Vous accédez à une sous-catégorie qui permet de mieux définir le type de disque dur externe qui vous convient. Si votre budget est limité, effectuez une recherche en cliquant sur une des options de la section Par gamme de prix. (Vous trouverez des critères de recherche équivalents sur les autres sites Web marchands.)

Figure 10.10 : Pour choisir votre disque dur externe.

6. **Par exemple, cliquez sur Disque dur de bureau pour choisir un disque dur que vous connecterez à votre PC de bureau ou portable.**

   Comme le nombre de disques durs disponibles est colossal, bien plus que vous ne le proposera jamais un magasin réel, vous devez une fois encore restreindre les résultats en précisant davantage les options techniques de votre disque dur.

   Bien entendu, si vous n'y connaissez rien, consultez l'ensemble des offres que vous classerez en fonction du prix, plus loin dans cette procédure.

7. **Dans les huit options affichées vous pouvez préciser :**

   - **La marque** : cette liste affiche l'ensemble des marques de disques durs vendus sur le site. Si vous avez une marque préférée, choisissez-la. Si la marque qui vous intéresse n'est pas vendue sur ce site, allez ailleurs !
   - **Format :** définit la taille du disque dur lui-même. En général, vous opterez pour un disque dur de 3,5 pouces.

- **La capacité :** il s'agit de préciser la capacité de stockage du disque dur exprimée en giga-octets.
- **La mémoire cache :** critère technique auquel vous risquez de ne pas comprendre grand-chose. Sachez simplement que plus la mémoire cache est élevée plus le disque dur transmet rapidement les données au processeur pour les traiter.
- **La rotation par minute :** critère technique important car la vitesse de rotation détermine la rapidité d'accès aux données du disque. Elle est en général de 5 400, 7 200 ou 10 000 tours par minute. Si vous faites de la vidéo ou du son, optez pour un disque dur dont la vitesse de rotation est d'au moins 7 200 tours. 5 400 tours suffisent pour le stockage de données, et s'avèrent un peu faible pour traiter des informations en temps réel comme l'exigent les programmes vidéo et audio.
- **Interface :** critère essentiel pour que le produit soit compatible avec votre PC. En règle générale, vous choisirez une interface de type USB 2.0. En d'autres termes, le disque dur externe se connectera à une prise USB 1 ou 2.0 de votre ordinateur.
- **En stock :** cochez cette case pour que le site n'affiche que les disques durs disponibles.
- **Prix max : p**ermet de limiter la recherche à votre budget maximal.

8. **Une fois vos critères de recherche définis, cliquez sur le bouton OK.**

Si la recherche est infructueuse, supprimez un ou deux critères de recherche et cliquez de nouveau sur OK.

Le site liste les disques durs externes disponibles répondant à vos critères de recherche.

9. **Pour comparer plus facilement les prix, cliquez sur la petite flèche de gauche située dans la colonne Prix afin de trier par prix croissants (Figure 10.11).**

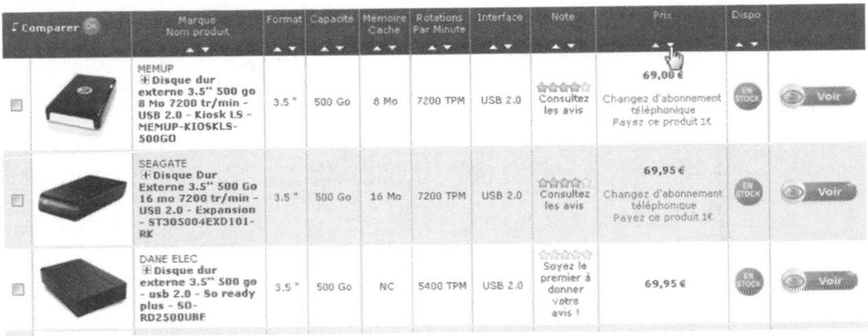

Comparer OK		Marque Nom produit	Format	Capacité	Mémoire Cache	Rotations Par Minute	Interface	Note	Prix	Dispo	
		MEMUP Disque dur externe 3.5" 500 go 8 Mo 7200 tr/min - USB 2.0 - Kiosk LS - MEMUP-KIOSKLS-500GO	3.5 "	500 Go	8 Mo	7200 TPM	USB 2.0	Consultez les avis	69,00 € Changez d'abonnement téléphonique Payez ce produit 1€	EN STOCK	Voir
		SEAGATE Disque Dur Externe 3.5" 500 Go 16 mo 7200 tr/min - USB 2.0 - Expansion - ST305004EXD101-RK	3.5 "	500 Go	16 Mo	7200 TPM	USB 2.0	Consultez les avis	69,95 € Changez d'abonnement téléphonique Payez ce produit 1€	EN STOCK	Voir
		DANE ELEC Disque dur externe 3.5" 500 go - usb 2.0 - So ready plus - SO-RD2500UBF	3.5 "	500 Go	NC	5400 TPM	USB 2.0	Soyez le premier à donner votre avis !	69,95 €	EN STOCK	Voir

Figure 10.11 : Trier les résultats par prix croissants.

Au sein d'un site marchand, vous pouvez comparer plusieurs modèles entre lesquels vous hésitez.

10. **Cochez la case située à gauche de chaque modèle que vous souhaitez comparer, puis cliquez sur le bouton OK en haut de la colonne Comparer.**

    Comme le montre la Figure 10.12, une nouvelle fenêtre de votre navigateur Web affiche un comparatif technique des modèles à ne pas confondre avec les comparateurs de prix que nous avons étudiés plus haut dans ce chapitre.

11. **Dès que vous trouvez un modèle qui vous convient, cliquez sur le bouton Acheter. Si vous ne comparez pas de modèles, cliquez sur Voir, puis dans la nouvelle fenêtre qui s'affiche, cliquez sur Acheter.**

12. **En bas de la fenêtre qui apparait vous voyez deux boutons : Finaliser ma commande et Poursuivre mes achats.**

    Finaliser ma commande signifie que vous désirez valider votre commande et la régler. Poursuivre mes achats signifie que vous avez d'autres emplettes à faire.

13. **Comme nous voulons également acheter une imprimante, cliquez sur Poursuivre mes achats.**

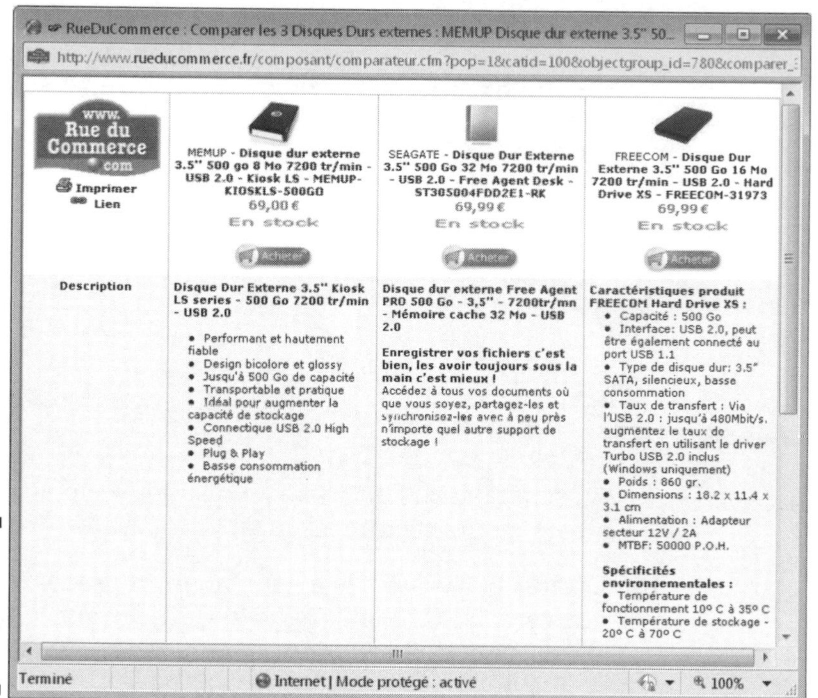

Figure 10.12 : Comparez plusieurs modèles pour bien choisir.

Ne vous inquiétez pas si vous cliquez sur Terminer ma commande. Au moment de la valider vous aurez la possibilité d'ajouter d'autres produits… fort heureusement.

Vous revenez à la page Web dans laquelle vous avez effectué le choix du disque dur.

14. **Placez de nouveau le pointeur de la souris sur l'onglet Informatique.**

15. **Dans la liste qui apparaît, cliquez sur Imprimante/Scanner.**

16. **Dans la section Imprimante/Scanner de la nouvelle page qui s'affiche, cliquez sur le type d'imprimante que vous désirez acheter.**

Ici, nous optons pour ce que le grand public utilise le plus souvent, c'est-à-dire une imprimante jet d'encre multifonction.

17. **Cliquez sur Multifonction Jet d'encre.**

    À titre indicatif je vous apprends (ou vous rappelle) qu'une imprimante multifonction fait office de scanner et d'imprimante.

    Le site précise le nombre de rayons dans lesquels vous pouvez trouver votre bonheur. Vous pouvez choisir une imprimante en fonction de votre budget, ou bien privilégier ses capacités techniques.

18. **Choisissez l'imprimante en fonction de son prix, de sa qualité (photo), ou de sa marque.**

    Souhaitant m'offrir une imprimante photo, je clique sur Qualité photo.

    Vous voici dans une page semblable à celle où vous avez choisi votre disque dur externe. La différence ici est que les critères de sélection sont définis pour une imprimante :

    - **Marque** : permet de sélectionner l'imprimante en fonction de son constructeur, par exemple Epson.
    - **Vitesse monochrome** : critère qui intéresse les utilisateurs qui impriment beaucoup de texte et qui souhaitent une vitesse d'impression rapide.
    - **Vitesse couleur** : *idem* que pour la vitesse monochrome mais pour les photos et les graphiques.
    - **Lecteur de cartes** : choisissez Oui si vous désirez imprimer directement vos photos depuis la carte mémoire de votre appareil photo numérique, c'est-à-dire sans passer par un ordinateur.
    - **Ecran LCD** : option souvent liée à la précédente car un écran LCD permet de sélectionner plus aisément les photos à imprimer directement depuis la carte mémoire.
    - **Format papier maximum :** permet de sélectionner les imprimantes en fonction de la dimension maxi-

male du papier qu'elle prend en charge. En règle générale, vous optez pour du A4.

- **En stock** : permet de n'afficher que les imprimantes immédiatement disponibles.
- **Prix max** : permet d'indiquer une somme que vous ne souhaitez pas dépasser.

19. Une fois vos critères définis, cliquez sur OK.

Comme à la Figure 10.13, le résultat peut se limiter à une seule imprimante.

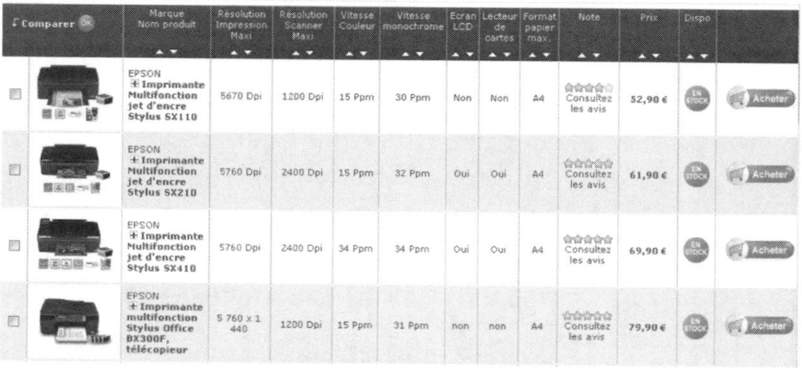

Comparer	Marque Nom produit	Résolution Impression Maxi	Résolution Scanner Maxi	Vitesse Couleur	Vitesse monochrome	Ecran LCD	Lecteur de cartes	Format papier max.	Note	Prix	Dispo	
	EPSON Imprimante Multifonction jet d'encre Stylus SX110	5670 Dpi	1200 Dpi	15 Ppm	30 Ppm	Non	Non	A4	Consultez les avis	52,90 €		Acheter
	EPSON Imprimante Multifonction jet d'encre Stylus SX210	5760 Dpi	2400 Dpi	15 Ppm	32 Ppm	Oui	Oui	A4	Consultez les avis	61,90 €		Acheter
	EPSON Imprimante Multifonction jet d'encre Stylus SX410	5760 Dpi	2400 Dpi	34 Ppm	34 Ppm	Oui	Oui	A4	Consultez les avis	69,90 €		Acheter
	EPSON Imprimante multifonction Stylus Office BX300F, télécopieur	5 760 x 1 440	1200 Dpi	15 Ppm	31 Ppm	non	non	A4	Consultez les avis	79,90 €		Acheter

Figure 10.13 : Mes critères de choix ne correspondent, sur ce site, qu'à un seul modèle d'imprimante.

20. Pour connaitre les caractéristiques techniques de l'imprimante proposée, cliquez sur sa photo ou sur le texte de la colonne Marque – Nom du produit.

21. Pour passer commande de ce modèle, cliquez sur le bouton Acheter de la page des critères ou de la page des détails de l'appareil.

Si vous n'avez plus d'achat à faire, cliquer sur le bouton Finaliser la commande. Si vous pensez effectuer d'autres achats, cliquez sur Terminer mes achats.

Valider votre panier

Dans le vocabulaire de l'e-commerce, *valider un panier* signifie passer commande, en cliquant sur le bouton Finaliser ma commande de votre panier.

Envisageons une hypothèse très souvent rencontrée : vous avez commencé à remplir votre panier de quelques produits, puis vous choisissez de continuer vos achats. Mais plus rien ne vous tente. Voici comment terminer malgré tout votre commande :

1. **Sur la page principale du site ou sur la page du produit que vous consultez, cliquez sur Valider de la toute petite section Mon panier (ou équivalent).**

   La Figure 10.14 montre cette action sur le site Rue du commerce.

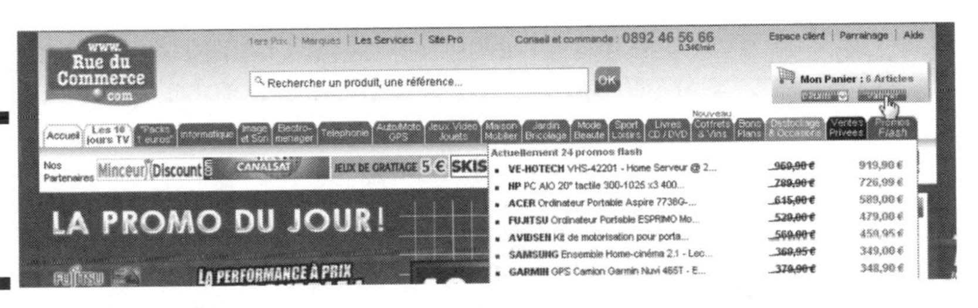

Figure 10.14 : Validation d'un panier bien garni.

Pour passer commande auprès d'un site Web, il est souvent nécessaire d'ouvrir un compte. Cette inscription est gratuite. Elle sert uniquement à conserver en mémoire vos coordonnées afin que vous ne soyez pas obligé de les communiquer chaque fois que vous effectuez une commande sur ce site. Rassurez-vous ! Vous ne communiquez pas vos informations bancaires mais simplement l'adresse de facturation et de livraison. Vous disposerez ainsi d'un espace client au sein de ce site. Cet espace permettra de consulter vos commandes passées et en cours, d'en suivre l'évolution, et d'imprimer vos factures. Vous accédez à votre compte client grâce à un nom d'utilisateur et à un mot de passe.

Lorsque vous validez un panier, vous accédez à un récapitulatif identique à celui de la Figure 10.15. Ce récapitulatif est celui qui s'affiche chaque fois que vous ajoutez un produit à votre panier.

Boutique	Référence	Produit	Prix TTC unitaire	Quantité	Prix total	Disponibilité		Actualiser
Composants	MEMUP-KIOSKLS-500GO	**Disque dur externe 3.5" 500 go 8 Mo 7200 tr/min - USB 2.0 - Kiosk LS - MEMUP-KIOSKLS-500GO** Cliquez pour choisir les garanties associées	69,00 €	1	**69,00 €**	En stock		
RueDuCommerce vous conseille l'achat de ce service pour votre produit		Assurance Casse : Ordinateur PC-Imprimante-Scanner-Fax-Tel Fixe-Disque Dur Externe : 200€ - 1 an	17,00 €	1	**17,00 €**	En stock		
RueDuCommerce vous conseille l'achat de ce service pour votre produit		Un produit neuf en cas de panne. Valeur >= 50€ et < 100 € : durée 1 an	18,17 €	1	**18,17 €**	En stock		
Périphériques, réseaux et wifi	C11CA46302	**Imprimante Multifonction jet d'encre Stylus SX110** Cliquez pour choisir les garanties associées	52,90 €	1	**52,90 €**	En stock		
RueDuCommerce vous conseille l'achat de ce service pour votre produit		Assurance Casse : Ordinateur PC-Imprimante-Scanner-Fax-Tel Fixe-Disque Dur Externe : 200€ - 1 an	17,00 €	1	**17,00 €**	En stock		
RueDuCommerce vous conseille l'achat de ce service pour votre produit		Un produit neuf en cas de panne. Valeur >= 50€ et < 100 € : durée 1 an	18,17 €	1	**18,17 €**	En stock		
		Vous bénéficiez d'une **réduction**?	Entrez ici votre code :					
		Total de vos achats * Réglez vos achats en 3 fois + infos dont TVA dont éco-participation			**192,24 €** 3x 65,81 € 19,98 € 0,04 €	PAYEZ EN 3X		

Figure 10.15 : Récapitulatif des produits commandés avant validation de l'achat.

Vous constatez qu'un certain nombre d'options d'achat ont été ajoutées. Il s'agit en général d'assurances en cas de casse et/ou de panne. Vous n'êtes pas obligé d'y souscrire.

2. **Pour supprimer un produit que vous ne voulez plus acheter ou pour ne pas souscrire aux assurances proposées, cochez les cases de la section Supprimer (identifiée parfois par l'icône d'une corbeille).**

3. **Cliquez sur un des boutons OK des produits et des services que vous refusez.**

   Le contenu de votre panier s'actualise, ne montrant que les produits et services que vous souhaitez commander. Le prix s'ajuste en conséquence.

4. **Si vous vous ravisez et désirez commander d'autres produits, cliquez sur le bouton Poursuivre mes achats, situé en bas à droite du récapitulatif.**

   Dans ce cas, suivez la procédure décrite dans la précédente section.

5. **Si vos achats vous conviennent, cliquez sur le bouton Finaliser ma commande.**

   Il va falloir payer, comme nous l'expliquons dans la section suivante.

Régler la commande et choisir le mode de livraison

Le fait de valider un panier vous envoie généralement dans votre espace client. Si vous avez déjà acheté sur ce site, indiquez votre e-mail ou votre pseudo, et tapez votre mot de passe, comme à la Figure 10.16. Sinon, vous devez créer un compte client. Pour cela, activez l'option Non, c'est la première fois que je commande sur RueDuCommerce(ou équivalent), et suivez la procédure d'inscription.

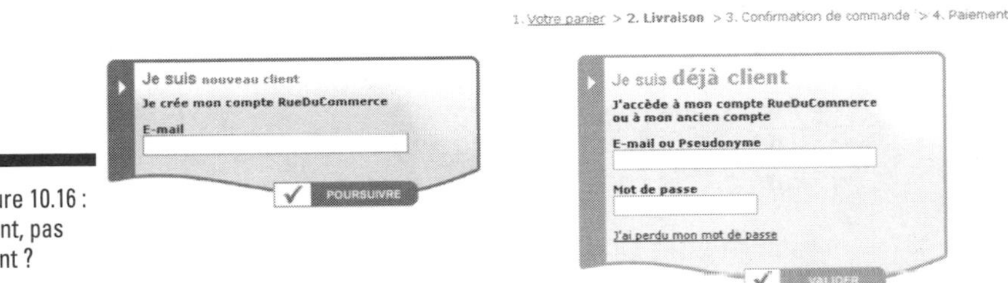

Figure 10.16 : Client, pas client ?

Une fois inscrit, voici comment régler votre commande et déterminer son mode de livraison :

1. **Pour pouvoir calculer le prix réel de votre commande, indiquez le mode de livraison choisi.**

   Ces modes de livraison varient d'un site à un autre. Toutefois, globalement, nous retrouvons un peu partout les mêmes.

2. **Une fois le mode de livraison choisi, cliquez sur Valider et continuer.**

   Vous accédez à une page de confirmation de paiement comme le montre la Figure 10.17.

Votre récapitulatif de commande

Boutique	Référence	Produit	Prix TTC unitaire	Quantité	Prix total	Disponibilité
Composants	MEMUP-KIOSKLS-500GO	**Disque dur externe 3.5" 500 go 8 Mo 7200 tr/min - USB 2.0 - Kiosk LS - MEMUP-KIOSKLS-500GO**	69,00 €	1	69,00 €	En stock
	RDC-9085	Assurance Casse : Ordinateur PC-Imprimante-Scanner-Fax-Tel Fixe-Disque Dur Externe : 200€ - 1 an	17,00 €	1	17,00 €	En stock
	RDC-5500	Un produit neuf en cas de panne. Valeur >= 50€ et < 100 € : durée 1 an	18,17 €	1	18,17 €	En stock
Périphériques, réseaux et wifi	C11CA46302	**Imprimante Multifonction jet d'encre Stylus SX110**	52,90 €	1	52,90 €	En stock
	RDC-9085	Assurance Casse : Ordinateur PC-Imprimante-Scanner-Fax-Tel Fixe-Disque Dur Externe : 200€ - 1 an	17,00 €	1	17,00 €	En stock
	RDC-5500	Un produit neuf en cas de panne. Valeur >= 50€ et < 100 € : durée 1 an	18,17 €	1	18,17 €	En stock
		Total de vos achats			192,24 €	
		Livraison par Colissimo			8,90 €	
		Total TTC			201,14 €	
		Réglez vos achats en 3 fois + infos			3x 68,86 €	
		dont TVA			21,44 €	
		dont éco-participation			0,04 €	

Votre adresse de facturation

Vos informations de livraison

Figure 10.17 : Regardez bien le contenu de votre commande avant de la régler.

3. **Vérifiez votre adresse de facturation et de livraison.**

   Si des données ont changé ou si vous avez commis une erreur, cliquez sur le bouton Modifier afin de saisir les bonnes informations vous concernant.

4. **Cochez l'option par laquelle vous avez pris connaissance des conditions générales de vente.**

   Sans activation de cette option, vous ne pouvez pas commander !

5. **Choisissez un mode de paiement.**

   C'est peut-être le moment le plus critique, surtout si vous effectuez votre premier achat sur Internet. En effet, vous avez peur ! Voici les modes de paiement généralement proposés, et leurs avantages et leurs inconvénients :

   - **Paiement par carte :** vous réglez vos achats avec une des nombreuses cartes bancaires ou de crédit existantes. Que risquez-vous ? Je vous conseille de vous reporter à la section « Le problème des cartes bancaires » en début de chapitre. Le moyen de paiement le plus sûr reste le système e-carte bleue.
   - **Paiement en plusieurs fois :** c'est un des grands avantages du Web. À partir d'une certaine somme,

vous pouvez régler en 3 fois (avec de petits frais), ou en plusieurs mensualités en effectuant un prêt auprès d'un organisme partenaire du site sur lequel vous achetez.

- **Paypal :** système de paiement sécurisé sur Internet, qui est principalement utilisé sur des sites de ventes aux enchères ou de matériels d'occasion.
- **Chèque ou mandat :** vous avez peur de délivrer des informations bancaires sur le Web ? Dans ce cas, envoyez un chèque. Votre commande sera traitée par le site dès réception de votre chèque. *Idem* si vous optez pour le mandat.

Les cookies

Peut-être avez-vous entendu ou lu d'horribles histoires au sujet de ces petites choses appelées *cookies* que certains sites visités vous envoient, soi-disant pour vous espionner, dérober les secrets de votre disque dur, ravager votre ordinateur, injecter de la cellulite dans vos cuisses pendant que vous dormez, dérober les confitures dans l'armoire, bref, rendre votre existence infernale. À la suite d'investigations très complètes, nous avons fini par découvrir que ces étranges créatures sont loin d'être aussi méchantes et même peuvent vous aider dans vos achats à distance. (Si vous êtes ignorant en la matière, rafraîchissez-vous la mémoire au Chapitre 2.)

Un *cookie* n'est rien d'autre qu'un petit morceau de texte envoyé par un site Web à un PC accompagné d'une demande (et non pas d'une commande) de renvoyer le *cookie* lors des visites ultérieures au même site. Le *cookie* est stocké sur votre ordinateur sous la forme d'un petit fichier (pas plus de 4 Ko de texte). Et c'est tout ! Vous pouvez le vérifier en consultant un fichier ayant pour nom cookies.txt si vous utilisez Netscape. Internet Explorer crée un fichier séparé pour chaque *cookie*. En ce qui concerne les achats en ligne, les *cookies* permettent à votre serveur Web de mieux suivre votre caddie virtuel contenant les produits sélectionnés mais non encore achetés, même si vous déconnectez votre ordinateur entre-temps. Si vous ne voulez vraiment pas que des *cookies* restent stockés dans votre ordinateur, reportez-vous au Chapitre 7.

6. **Suivez les instructions liées au mode de paiement choisi.**

7. **Une fois l'ensemble de la procédure terminée, vous recevez un mail de confirmation.**

   Si les produits sont en stock, vous les recevrez dans les 72 heures. Normalement, vous êtes débité au moment de l'expédition.

Bravo ! Vous venez de mener à bien un achat sur Internet. Bientôt, vous ne pourrez plus vous en passer.

Fini le supermarché !

À la lecture du titre de cette nouvelle section, n'allez surtout pas conclure que le fait de surfer sur la vague d'Internet va désormais vous permettre de vivre d'amour et d'eau fraîche.

Rassurez-vous ou inquiétez-vous, mais il va tout de même falloir, malgré votre ordinateur et Internet, continuer à faire vos courses quotidiennes ou hebdomadaires, c'est-à-dire acheter vos salades, vos conserves, vos boissons, vos produits d'entretiens, vos surgelés, j'en passe et des meilleurs (ou des pires). En quoi alors Internet vous est-il utile dans cette vie quotidienne parfois rébarbative ? Eh bien, vous allez pouvoir faire vos courses alimentaires (et autres) dans des supermarchés ou des superettes virtuelles, comme celui illustré à la Figure 10.18.

Les avantages et les inconvénients du supermarché en ligne

Bien qu'Internet présente de nombreux inconvénients, je suis tout de même là pour vous en montrer les aspects les plus positifs. Je dois dire qu'en matière de courses, de commissions, et autres synonymes, le supermarché en ligne présente des avantages indéniables. Ces avantages ne sauraient toutefois masquer quelques inconvénients.

Figure 10.18 : Un supermarché en ligne.

Voici une liste des avantages que nous trouvons dans les supermarchés en ligne :

- Vous gérez votre temps ! C'est peut-être l'aspect le plus important dans une vie de plus en plus trépidante où faire ses courses est plus une contrainte qu'un plaisir. En effet, vous décidez de l'heure à laquelle vous irez dans le supermarché en ligne.
- Un supermarché en ligne est ouvert 24h/24, 7j/7 ! Finis les samedis après-midi passés à déambuler dans les rayons la liste de courses dans une main et le caddie dans l'autre.
- Un supermarché en ligne vous présente toutes les promotions du jour sans que vous soyez obligé de passer votre temps à comparer les prix de tel ou tel produit.
- Vous êtes instantanément informé sur les nouveaux produits.
- Vous êtes seul dans les rayons ! Terminées les bousculades, les « pardons », « excusez-moi », « Pardon Monsieur, vous qui êtes grand vous pourriez m'attraper le paquet de café qui se trouve tout là-haut ».
- Vous connaissez en temps réel le montant de vos achats !

- Vous n'êtes plus obligé de faire tous les rayons pour retrouver un produit particulier qui a changé de place suite à un réaménagement du magasin.
- Vous connaissez immédiatement les produits manquants ce qui vous évite de perdre du temps à les chercher. (Parce que là vous n'êtes pas prêt de les trouver !)
- Vous ne faites plus la queue au rayon traiteur, boucherie, charcuterie, et surtout à la caisse !
- Vous n'êtes plus contraint d'emmener vos enfants avec vous qui au bout de 10 minutes commencent à échapper à votre vigilance, déballent tout dans les rayons, et tentent à grand renforts de cris et de colère d'obtenir un paquet de bonbon, de gâteau, ou toute autre cochonnerie alors que pour leur santé ils ne comprennent pas qu'ils doivent manger 5 fruits et légumes par jour.
- Vous ne courez plus dans les rayons parce que vous avez garé votre voiture à l'étage et que le supermarché ne vous offre qu'une heure de parking gratuit.
- Vous faites un geste écologique puisque vous économisez du carburant et que vous n'émettez pas de CO2 !

Les avantages semblent si nombreux que l'on se demande où sont les inconvénients. Il y en a quand même :

- En ligne, vous vous coupez du monde réel et du contact avec les commerçants, à qui il arrive d'être fort agréables (si si) !
- Certains prix sont plus chers. (Oui mais le coup d'opportunité n'est-il pas plus important quand on pense à tous les avantages que propose le supermarché en ligne.)
- Vous n'avez pas accès au produit 1er Prix.
- Vous ne pouvez pas apprécier la qualité des fruits, des légumes, du poisson, et de la charcuterie à la découpe.

- Vous ne pouvez par regarder la date limite de consommation.
- Que faire si un produit est ouvert ?
- Que faire s'il manque des berlingots dans le paquet de lessive ?
- Finalement votre geste écologique n'est pas aussi important que cela puisqu'un camion viendra vous livrer.
- En dessous d'une certaine somme des frais de préparation s'ajoutent à votre commande.
- Vous habitez peut-être dans une zone où le supermarché ne livre pas. Dans ce cas, vous devrez faire vos courses dans le magasin le plus proche de chez vous.
- Si votre ordinateur ou votre connexion haut débit est en panne, vous risquez de faire un sérieux régime. (Enfin, vous pouvez toujours faire vos courses à la supérette en attendant.)
- Vous ne pourrez pas aller dans la galerie marchande annexée au super marché.
- Vous êtes obligé d'acheter des quantités plus importantes pour que cela vaille le coup.

Avantages ? Inconvénients ? Et si vous testiez, rien qu'une fois, les supermarchés en ligne ? Si cela vous convient, vous poursuivrez cette expérience, et dans le cas contraire, vous irez vous détendre ou vous stresser au supermarché du coin.

Acheter dans un supermarché en ligne

Pour acheter dans un supermarché en ligne encore faut-il en trouver un. Pas d'inquiétude à ce sujet. La majorité des grandes et petites enseignes proposent un équivalent virtuel. Vous pouvez ouvrir un moteur de recherche comme Google et y taper « Supermarché en ligne ». Vous trouverez alors une liste de sites permettant de faire vos courses. Je pense toutefois que vous aurez une préférence pour le site du supermarché où vous avez l'habitude vous rendre dans la réalité car vous connaissez les produits qui y sont disponibles.

Si vous ne désirez pas effectuer la recherche suggérée, voici quelques sites à visiter :

- `www1.ooshop.com` : version en ligne de l'enseigne Carrefour.
- `www.houra.fr` : supermarché en ligne du groupe Cora.
- `www.expressmarche.com` : version en ligne de l'enseigne Intermarché.
- `www.auchandirect.fr/frontoffice` : version en ligne de l'enseigne Auchan.
- `www.telemarket.fr`
- `www.natoora.fr` : supérette en ligne qui dispose d'un superbe rayon bio.

Quel que soit le supermarché que vous choisissez, le principe des achats en ligne est sensiblement le même. La première question qui se pose est de savoir si vous vivez dans une ville éligible.

Êtes-vous éligible ?

L'éligibilité est une notion très simple à appréhender. Il s'agit de savoir si le supermarché où vous désirez faire vos courses en ligne effectue des livraisons dans votre ville, donc à votre domicile.

Voici comment connaître votre éligibilité :

1. **Commencez par vous rendre dans un supermarché en ligne, comme** `http://www.auchandirect.fr/frontoffice/`**.**

2. **Sur le site cherchez un lien permettant de savoir si votre région est desservie par le supermarché.**

Comme le montre la Figure 10.19, il est possible qu'un message propose immédiatement de vérifier votre éligibilité.

Figure 10.19 : Le supermarché peut-il vous livrer ?

Il est important de vérifier au plus tôt si votre zone géographique se situe dans le secteur de livraison du supermarché. Il serait en effet dommage de faire intégralement vos courses pour finalement vous apercevoir que vous ne pouvez pas être livré.

Certains supermarchés en ligne vérifient cette éligibilité lorsque vous ajoutez un premier produit à votre caddie virtuel.

3. **Tapez votre code postal, et cliquez sur OK.**

   La réponse tombe immédiatement comme le montre la Figure 10.20.

Si vous n'êtes pas éligible par un site cela ne signifie pas que vous ne le serez pas par un autre. Tentez votre chance ailleurs !

Livre II

Figure 10.20 : Ouf ! Je peux être livré !

Dès que vous êtes éligible, vous pouvez commencer vos achats. Nous verrons qu'il est nécessaire de s'inscrire pour profiter de certains avantages, et notamment des cartes de fidélité.

1, 2, 3... partez dans les rayons virtuels

Les explications qui suivent s'appliquent à tous les supermarchés virtuels. Il peut exister quelques variantes qui, toutefois, ne remettent pas en cause la procédure ci-dessous.

Voici comment se déroulent vos courses dans un supermarché virtuel :

1. **Connectez-vous au site Web du supermarché dans lequel vous souhaitez faire vos courses.**

   Nous basons notre exemple sur Ooshop de l'enseigne Carrefour, mais rien ne vous empêche de suivre cette procédure sur le site de votre choix.

2. **Dans l'interface du site, placez le pointeur de la souris sur le rayon dans lequel vous voulez acheter des produits.**

   Par exemple, sur la Figure 10.21, je veux effectuer un achat dans boîtes de conserves dans le rayon Epicerie.

Figure 10.21 : Vous êtes au rayon Epicerie/ Conserves et bocaux.

3. **Cliquez sur la catégorie de produits dont vous désirez voir les marchandises.**

   Ici, j'ai choisi Conserves & bocaux. Le rayon Epicerie vous ouvre les portes de cette catégorie de produit. En d'autres termes, je choisis quel type de conserves et/ou de bocaux je désire acheter.

4. **Cliquez sur la sous-catégorie de produits qui vous intéresse.**

   Je souhaite acheter des légumes en conserve. Je clique donc sur Légumes.

5. **Dans le rayon des conserves de légumes, cliquez sur le type de légumes en conserve que vous désirez acheter, comme à la Figure 10.22.**

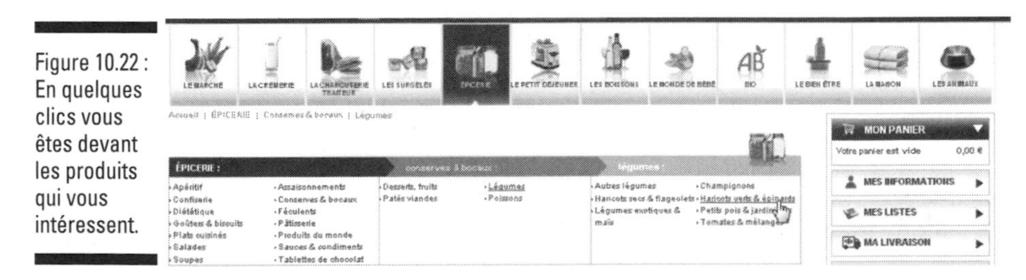

Figure 10.22 : En quelques clics vous êtes devant les produits qui vous intéressent.

Comme je souhaite acheter des haricots verts, je clique sur Haricots verts & épinards.

6. **Faites défiler le contenu de la page pour voir tous les produits proposés.**

   La liste est assez impressionnante. Vous avez souvent plus de choix que dans votre magasin réel. Le prix est indiqué en gros avec juste en-dessous le prix au kilo. Donc, pas de mauvaises surprises.

7. **Indiquez la quantité de produit à acheter par des clics successifs sur le petit bouton + situé à droite du champ qui affiche le chiffre 1.**

   La Figure 10.23 montre que je veux acheter 2 boîtes de haricots verts extra fins.

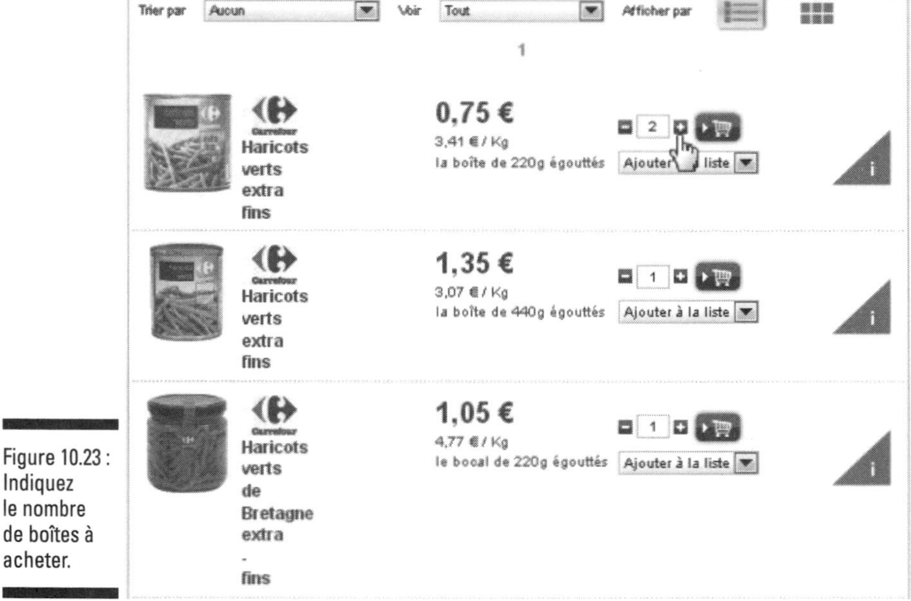

Figure 10.23 : Indiquez le nombre de boîtes à acheter.

À l'inverse d'un magasin réel, vous pouvez trier les produits des rayons d'un magasin virtuel. Ainsi, dans notre rayon des haricots verts, je peux :

- Trier par prix au kilo croissant ou décroissant, ou par prix à l'unité croissant et décroissant. Pour cela, cliquez sur la liste Trier par et choisissez votre option de tri.

- Voir les produits d'une marque spécifique. Pour cela, cliquez sur la liste Voir, et choisissez la marque qui vous intéresse.

- Afficher les produits par liste ou par images en cliquant sur l'une des icônes de la section Afficher par.

Vous constatez qu'il est très rapide de trouver les produits d'une marque spécifique.

8. **Dès que vous avez trouvé le produit et spécifié sa quantité, cliquez sur le bouton dont l'icône est un caddie, comme à la Figure 10.24.**

Figure 10.24 : Ajouter ce produit dans votre caddie.

Il suffit maintenant de regarder la section Mon Panier pour voir que le produit a été ajouté, qu'il indique le nombre d'articles que vous y avez mis, et le prix total de vos achats en cours (Figure 10.25).

9. **Poursuivez vos achats selon ce même principe.**

Figure 10.25 : À tout moment vous savez où vous en êtes de vos achats.

10. **Pour ajouter plus rapidement un produit dans votre panier, tapez sa marque et son nom dans le champ Rechercher.**

    Par exemple, si vous désirez acheter du cappucino Nescafé, tapez « Nescafé cappucino » dans le champ Rechercher du supermarché virtuel, et cliquez sur OK.

    La Figure 10.26 montre tous les types de capuccino de cette marque qui ont été trouvés.

11. **Pour retirer un produit ou une quantité d'un produit de votre panier, affichez la section Mon Panier du site, et cliquez sur le bouton – situé à droite de la quantité d'article que vous avez mis dans votre caddie virtuel.**

    Le panier et son montant sont immédiatement mis à jour.

    Faites vos courses en répétant l'ensemble de ces étapes. Mettez dans le panier, enlevez, ajoutez, faites comme bon vous semble !

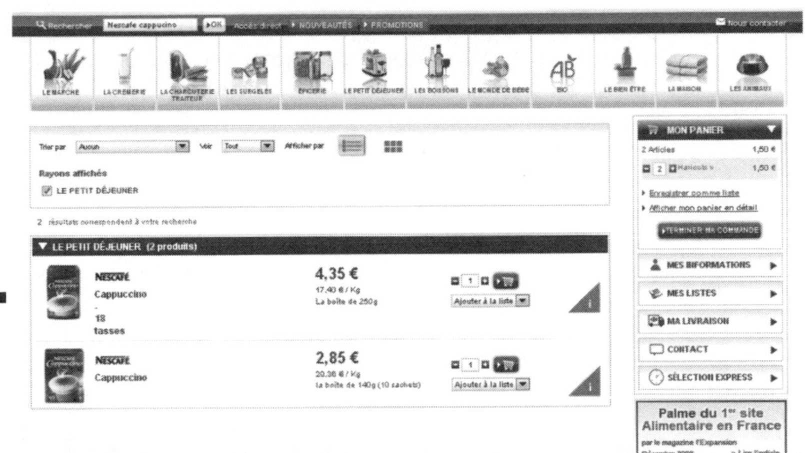

Figure 10.26 : Trouver rapidement ce que vous cherchez.

12. **Une fois vos courses effectuées, affichez le contenu de votre caddie en cliquant sur le bouton Afficher mon panier en détail.**

Vous accédez au récapitulatif de votre commande, illustré à la Figure 10.27.

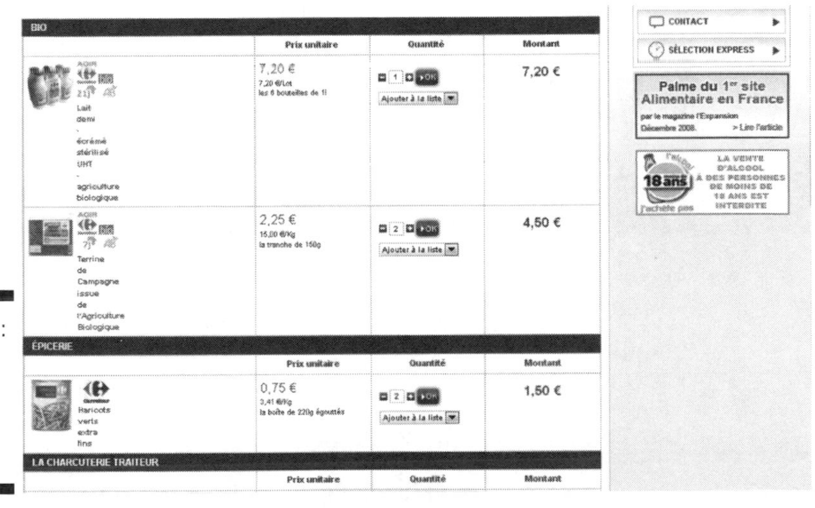

Figure 10.27 : Vérifiez vos courses avant de passer à la caisse.

Vous pouvez ajouter et supprimer des quantités.

13. **Pour reprendre vos courses si vous vous apercevez que quelque chose manque, faites défiler le contenu de la page et cliquez sur le lien** `Reprendre vos courses`.

    Votre panier est bien entendu conservé. Tout ce que vous allez acheter maintenant y sera automatiquement ajouté.

14. **En bas de cette page, vous disposez de deux autres options :**

    - **Vider le panier :** le message est clair. Si vous cliquez dessus, le panier est entièrement vidé. Vous n'avez plus qu'à recommencer la procédure ou à prendre votre voiture pour aller faire vos courses.
    - **Valider ma commande :** vous êtes sûr du contenu de votre panier et vous allez passer commande.

Je vous propose donc de valider votre commande comme cela est expliqué dans la prochaine section.

Pour vous montrer comment se déroule un achat dans un supermarché virtuel, nous avons fait nos courses tout simplement. Sur l'ensemble des articles que nous souhaitions acheter, seuls trois n'étaient pas vendus sur le site. Pas grave, nous irons faire un tour à pied à la supérette du quartier.

Passer commande (Valider votre panier)

Vous voici arrivant à la caisse de votre supermarché virtuel en toute sérénité. Pas de bruit, pas de bousculades, pas de musique insupportable, pas de publicités et pas d'annonces personnelles. Ouf !

Pour valider votre panier et payer :

1. **Vous pouvez valider votre panier de deux manières différentes :**

    - Par un clic sur Terminer ma commande dans la section Mon Panier du site.

- Par un clic sur le bouton Valider ma commande en bas de votre panier affiché en détail à la fin de la précédente procédure.

Normalement, lors d'un premier achat dans un supermarché en ligne, vous devez créer un compte client. Cela vous évitera de saisir vos coordonnées de livraison à chaque fois que vous reviendrez y faire vos courses.

La création du compte peut se faire avant de commander. Toutefois, elle peut s'effectuer après. Sachez que, dans ce cas, votre panier est heureusement gardé en mémoire.

En général, vous ne pouvez valider une commande que si elle dépasse un certain montant. Ainsi, sur Ooshop, le montant minimum est de 60 €. Un message apparait si votre commande est inférieure à cette somme.

2. **Dans le message qui vous invite à créer votre compte, cliquez sur OK ou sur Cliquez ici (ou encore tout terme validant le fait que vous souhaitez créer votre compte).**

   Vous accédez à un formulaire d'inscription semblable à celui de la Figure 10.28.

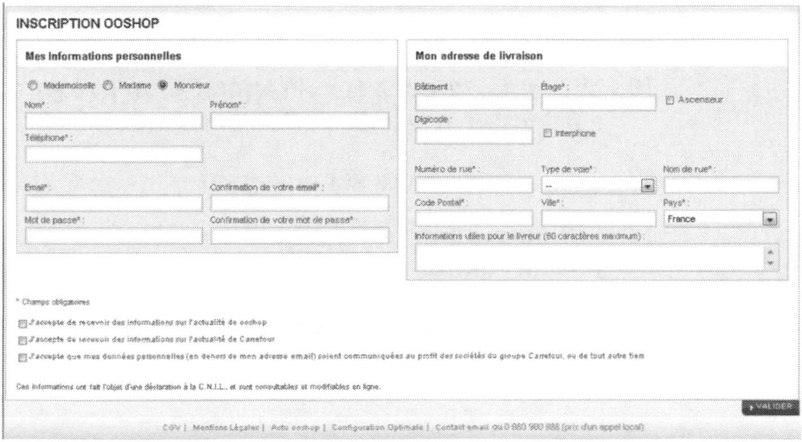

Figure 10.28 : Créez un compte pour faciliter vos futurs achats et automatiser certaines tâches.

3. **Remplissez le formulaire et cliquez sur Valider.**

Un message confirme la création du compte et vous propose d'afficher ce compte ou de faire vos courses.

4. **Cliquez sur l'option qui vous permet d'accéder à votre panier, et sur le bouton qui termine votre commande.**

   Vous allez enfin pouvoir payer !

5. **Si vous avez un code de promotion, saisissez-le.**

   C'est une dernière occasion de pouvoir vérifier le contenu de la commande et d'y apporter des modifications.

6. **Si tout vous paraît correct, cliquez sur le bouton Valider ma commande.**

   Vous accédez à la page de livraison, illustrée à la Figure 10.29.

7. **Vérifiez que votre domicile est bien sélectionné comme lieu de livraison.**

8. **Ensuite, cliquez sur la tranche horaire du jour où vous désirez être livré.**

   Un message vous remercie de faire désormais partie de la grande famille du supermarché en ligne où vous venez de faire vos courses. Fermez ce message.

9. **De retour à la page Livraison, lisez le récapitulatif.**

10. **Si besoin, cliquez sur Imprimer mon panier afin de garder une trace de votre commande.**

    C'est un peu un ticket de caisse.

11. **Indiquez au livreur ce qu'il doit faire en cas d'absence de votre part.**

    Par exemple, vous serez livré le lendemain à la même heure mais en étant facturé. Ou alors, le livreur peut déposer vos courses chez votre voisin.

12. **Prenez connaissance des conditions générales de ventes !**

Oui ! C'est impératif ! Vous devez savoir dans quoi vous mettez les pieds.

13. **Cliquez sur Accepter les CVG et payer.**
14. **Dans la nouvelle page Web qui apparaît, vous pouvez :**
    - Régler par carte bancaire.
    - Régler en téléphonant à un chargé de clientèle pour le prix d'un appel local.
15. **Une fois le paiement accepté, la page Web affiche un message de confirmation.**

    Gardez précieusement ces informations en cas de litige.

    Maintenant, vous pouvez quitter Internet et reprendre une activité normale.

Et voilà ! Le tour est joué. Vous avez tranquillement fait vos courses depuis votre domicile ou votre bureau.

Avant de valider un panier, rien ne vous empêche d'ouvrir un nouvel onglet dans Internet Explorer 9 et de faire exactement les mêmes courses dans un autre supermarché virtuel. Comparez la note finale, et commandez chez le moins cher.

Il y a un autre avantage aux achats effectués dans un supermarché en ligne. Vous avez passé un certain temps à faire vos courses, c'est-à-dire à sélectionner des produits dans des rayons thématiques. Or, nous achetons presque toujours les mêmes choses chaque semaine. Imaginez-vous être obligé de refaire ces mêmes gestes encore et encore exactement comme cela se déroule dans un magasin réel. Non, et vous avez raison ! C'est pour cela que la prochaine section vous explique comment créer des listes de courses qui permettront de faire vos achats en deux ou trois clics de souris.

Les listes pour vous faciliter la vie

Vous pouvez créer des listes de course à tout moment, c'est-à-dire en validant votre panier en tant que liste, en transformant un panier payé en liste, ou encore en créant une liste sans acheter.

Créer une liste

Restons dans notre hypothèse actuelle : nous avons payé nos courses. Comment créer, malgré cela, une liste de courses à partir d'un panier qui ne semble plus accessible :

1. **Connectez-vous de nouveau au site de votre supermarché en ligne.**

   Ici nous revenons chez Ooshop.

2. **Si nécessaire connectez-vous à votre compte en tapant votre identifiant et votre mot de passe.**

   La création d'un compte est décrite dans la précédente section.

3. **Dans la section Mon compte (ou équivalent), cliquez sur le lien qui permet d'accéder aux détails de votre compte.**

   Dans notre exemple, il s'agit de Mon compte en détail.

4. **Dans vos Informations personnelles, localisez la section Mes courses, et cliquez sur Dernières commandes.**

   Vous accédez aux dernières commandes réalisées sur ce site. Normalement, il n'y en a qu'une !

5. **Dans l'historique des commandes, cliquez sur l'icône de la disquette de la colonne Enregistrer en tant que liste, comme le montre la Figure 10.30.**

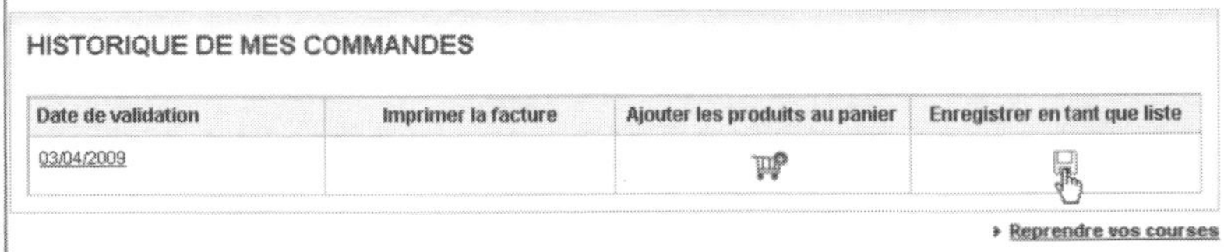

HISTORIQUE DE MES COMMANDES

Date de validation	Imprimer la facture	Ajouter les produits au panier	Enregistrer en tant que liste
03/04/2009			

Reprendre vos courses

Figure 10.30 : Transformer une commande en liste de courses.

La liste est ajoutée à la liste des listes (Ah !). Selon le site, vous pouvez conserver plusieurs listes.

Par défaut, la liste est identifiée par la date de votre commande. Voici comment lui donner un nom plus personnel :

6. **Dans la section Mon panier, cliquez sur Mes listes.**

   Vous développez le contenu de cette section en faisant apparaitre le libellé Gérer mes listes.

7. **Cliquez sur le nom de la liste (une date).**

   Ceci affiche le contenu de la liste ainsi que ses références.

8. **Cliquez sur Renommer.**

9. **Dans la boîte de dialogue Renommer une liste, tapez le nouveau nom de la liste et cliquez sur OK.**

   Voilà, la liste est renommée.

Voyons maintenant comment commander rapidement à partir d'une liste.

Commander avec une liste

Le gros avantage des listes est de pouvoir accélérer le remplissage de votre caddie. Finalement, seul le premier achat en ligne prend du temps. Par la suite, ce n'est que répétition d'une même tâche que je vous dévoile dans les étapes qui suivent :

1. **Connectez-vous au site du supermarché et à votre compte.**

2. **Dans la section Mon Panier, cliquez sur Mes listes.**

3. **Cliquez sur le nom de la liste dont vous désirez voir le contenu et probablement commander les produits.**

La liste et ses produits apparaissent. Vous pouvez la modifier ou la conserver en l'état.

4. **Pour supprimer un article de la liste, cliquez sur Supprimer de la liste.**

5. **Faites défiler le contenu de cette liste et cliquez sur Ajouter les produits de la liste au panier.**

   Vous allez passer commandes des produits de cette liste.

   Consultez le panier ! Il contient tous les articles de la liste. Bien entendu, vous pouvez modifier des quantités, supprimer certains articles, mais aussi compléter vos achats en cliquant sur le lien `Reprendre vos courses`, situé tout en bas de la liste des produits.

Vous comprenez l'importance des listes. En deux temps trois mouvements elles permettent de refaire des courses similaires à celles qui exigeaient jusqu'alors que vous sortiez la voiture, les sacs, remplissiez le caddie, vidiez le caddie sur le tapis de la caisse, remettiez les articles dans vos sacs, vos sacs dans la voiture, puis de la voiture à la maison, et enfin sortir les produit des sacs pour les ranger dans vos placards et votre réfrigérateur. Arrêtez ça !

Le marché de l'occase !

Les affaires sont les affaires, et les bonnes sont bien meilleures que les mauvaises. Chouette observation ne trouvez-vous pas ? Nous n'avons pour le moment abordé les achats sur Internet que du point de vue des produits neufs. D'ailleurs, en matière alimentaire, il est préférable d'acheter des articles qui n'ont jamais été utilisés. Je me vois assez mal finir la boîte de cassoulet qu'une personne aura entamée depuis plusieurs semaines. Bien, trêve de plaisanterie. Je vous l'ai dit et vous le répète : Internet est l'endroit rêvé pour les bonnes affaires. Or, bien souvent, les bonnes affaires se trouvent sur le marché de l'occasion. Internet est devenu le meilleur support qui soit pour trouver l'introuvable, partout dans le monde, et à des prix défiants toute concurrence.

Le marché de l'occasion se présente sous deux formes sur Internet :

- La forme classique de petites annonces sur quantité de sites pluralistes ou spécialisés.
- La forme d'enchères, largement popularisées par le système eBay, où particuliers et professionnels vendent au plus offrant ou au plus réactif.

Que concluez-vous sur le marché de l'occasion ? Une chose bien simple : si vous pouvez acheter, c'est aussi parce que vous pouvez vendre !

Dans les sections qui suivent, nous allons découvrir l'achat et la vente d'occasion sur Internet en passant par des sites de ventes classiques et de ventes aux enchères.

L'achat et la vente d'occasion classiques

Internet est devenu un support de publication de petites annonces absolument incontournable. Voici les avantages des petites annonces en ligne :

- Vous pouvez vendre tout ce que vous désirez dès lors que les matériels et autres produits n'entrent pas en conflit avec les conditions d'utilisation du site.
- Vous pouvez publier gratuitement une annonce dans plusieurs catégories. Par exemple, si vous vendez un livre d'informatique, vous publierez l'annonce aussi bien dans la rubrique Livres qu'Informatique.
- La gratuité permet de publier une même annonce sur plusieurs sites afin de toucher le plus grand nombre de personnes.
- Vous ne payez que sur le produit de votre vente. Pas de publications facturées au nombre de mots et de lignes.

- Vous mettez à jour vos annonces sans aucune difficulté.
- Les vendeurs sont notés par les acheteurs ce qui permet d'acheter en toute confiance auprès des vendeurs qui ont les meilleurs notes.
- Vous trouvez des produits inimaginables. Un ami a récemment trouvé une développeuse de photo couleur d'un constructeur réputé qui a cessé son activité, victime qu'il est de la technologie numérique. Il n'y avait que deux modèles disponibles dans le monde, un en Allemagne et l'autre en Pologne.
- Vous trouvez parfois du matériel neuf à des prix imbattables.
- Si ce que vous cherchez n'est pas en vente d'occasion dans une des rubriques du site, des liens commerciaux permettent de vous rabattre aisément sur un matériel neuf.

Nous allons commencer par vous apprendre à acheter sur un site de matériel d'occasion, et ensuite vous expliquer comment vendre vos propres objets.

Trouver un matériel d'occasion

Pour acheter du matériel d'occasion, vous devez trouver un site de petites annonces en ligne. Comme souvent, cette recherche peut s'effectuer de plusieurs manières :

- Dans un moteur de recherche comme Google, tapez simplement « sites de vente d'occasion ». Comme le montre la Figure 10.31, une liste impressionnante de sites apparaît dans votre navigateur Web.
- Dans un moteur de recherche, tapez le nom du matériel que vous recherchez. Par exemple, saisissez « Nikon D200 occasion » pour trouver cet appareil photo numérique sur le marché de l'occasion.

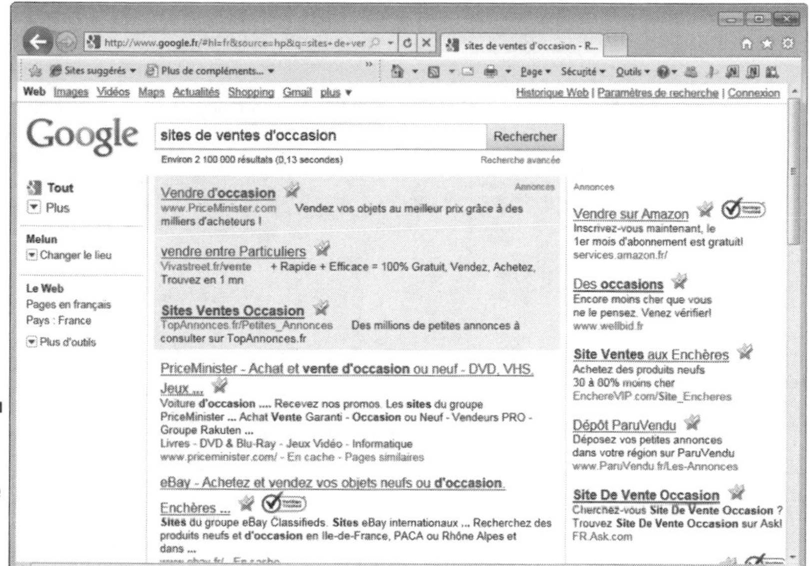

Figure 10.31 : Trouver des sites de vente d'occasion en ligne.

- Passez par un comparateur de prix comme kelkoo.fr. En effet, certains comparateurs permettent d'effectuer une recherche du meilleur prix sur le matériel neuf et d'occasion. Les comparateurs de prix ont été étudiés un peu plus haut dans ce chapitre.

Quelle que soit la méthode utilisée pour accéder à un site de vente de matériels d'occasion, la procédure de recherche et d'achat est sensiblement la même d'un site à un autre.

Comme nous ne pouvons pas étudier la procédure mise en place sur tous les sites existants, nous allons baser notre exemple sur l'un des sites les plus réputés, je veux parler de PriceMinister que vous trouverez à l'adresse `www.priceminister.com`.

1. **Ouvrez votre navigateur Web, et rendez-vous sur le site PriceMinister à l'adresse indiquée ci-dessus.**

   Vous accédez à la page d'accueil du site, illustrée à la Figure 10.32. Les informations sont tellement nombreuses que vous risquez d'être un peu déconcerté. Ne vous inquiétez pas, les recherches et les achats sont faciles à réaliser.

Figure 10.32 : Le site de petites annonces PriceMinister.

Je ne vous oblige pas à acheter *via* PriceMinister. Vous remarquez que je dis «*via*» et non pas «sur». En effet, vous effectuez vos achats auprès de particuliers ou de professionnels, le site n'est qu'un intermédiaire, sans vendeur ce dernier ne saurait exister. Bien entendu, vous pouvez aller, et je vous le conseille, sur d'autres sites de ventes d'occasion afin de comparer les produits et les prix. Vous trouverez une liste de bonnes adresses dans la dernière section de ce chapitre.

2. **Pour rechercher un matériel, un livre, ou je ne sais quoi d'autre, plusieurs possibilités s'offrent à vous :**

   - **Tapez directement le nom de ce que vous cherchez :** dans le champ Rechercher, saisissez le nom du produit d'occasion que vous cherchez, par exemple « Nikon D200 ». Dans la liste affichant « Sur tout le site », vous pouvez sélectionner une rubrique afin de limiter le nombre de résultats. Ensuite, cliquez sur OK.

   - **Si vous ne savez pas précisément ce que vous voulez :** effectuez une recherche dans la catégorie correspondant au produit qui vous intéresse. Dans l'exemple d'un appareil photo numérique, vous allez consulter la catégorie Image & Son.

- **Si vous désirez avoir une vue plus précise des rubriques :** cliquez sur le bouton Voir les produits. Le nombre de rubriques qui apparaît est assez impressionnant. Il n'y a plus qu'à cliquer sur le lien de la rubrique dans laquelle vous désirez trouver la perle rare.

Peu importe la méthode utilisée pour trouver un matériel quel qu'il soit. L'achat se déroule toujours de la même manière comme le prouvent les étapes suivantes.

3. **Pour acheter, par exemple, un appareil photo numérique d'occasion sans être fixé sur la marque mais plutôt sur votre budget, placez le pointeur de la souris sur le bouton Image & Son.**

   Comme le montre la Figure 10.33, un menu déroulant permet de préciser le type de matériel objet de votre recherche.

Figure 10.33 : Chercher un produit d'occasion en fonction de son type.

4. **Cliquez sur Appareil Photo numérique.**

5. **Définissez un critère de recherche basé sur la marque, la résolution (nombre de pixels), ou le prix.**

Vous pourrez mixer deux critères. Ainsi, en choisissant une marque, vous aurez la possibilité de réduire la recherche à une fourchette de prix.

Supposons que votre budget soit limité à 350 euros.

6. **Dans le critère Prix, cliquez sur De 200 à 350 €.**

Vous remarquez qu'un chiffre est affiché entre parenthèses à droite de chaque fourchette de prix. Il indique le nombre de produits disponibles dans cette fourchette.

7. **(Facultatif) Une fois la fourchette de prix spécifiée, vous pouvez de nouveau affiner votre recherche par marque ou par résolution.**

8. **Par exemple, cliquez sur Nikon.**

Une fois encore, un critère reste disponible : Résolution.

9. **Cliquez sur Plus de 10 mégapixels.**

Certes, vous cherchez un matériel d'occasion, mais de qualité tout de même !

Les offres disponibles dans les appareils photos Nikon, dont le prix se situe entre 200 et 350 €, avec un capteur de plus de 10 mégapixels apparaissent, comme à la Figure 10.34.

10. **(Facultatif) Dans la section où vous avez défini vos critères de sélection, vous pouvez demander au site d'afficher Tout les matériels vendus, uniquement le matériel Neuf, ou d'Occasion.**

Si vous cliquez sur Occasion uniquement, vous avez dix appareils de disponibles. (Attention, le nombre d'offres sera plus ou moins important en fonction de l'actualité de ce site.)

Figure 10.34 : Votre recherche d'un appareil photo numérique d'occasion commence à se préciser.

Dans la description de chaque produit, vous remarquez la présence de la rubrique Nombre d'articles. Elle indique combien d'articles neufs et d'occasion sont vendus sur le site.

11. **Si vous désirez comparer plusieurs offres, il vous suffit de cliquer sur le lien Ajouter à mon comparateur.**

12. **Si l'un des modèles vous intéresse, cliquez sur le bouton Voir les annonces.**

    Dans notre exemple, je souhaite voir les annonces du Nikon D200. Je clique logiquement sur le bouton Voir les annonces situés à sa droite.

    Une page affiche l'ensemble des annonces disponibles. Comme le montre la Figure 10.35, dix appareils me sont proposés : 3 sont d'occasion, et 1 est neuf.

13. **Pour chaque annonce, vous pouvez cliquer sur le lien :**

    - `Voir le détail de l'annonce`. Cette action affiche des informations plus précises sur l'annonce concernée. Vous pouvez notamment accéder aux questions qui ont déjà été posées au vendeur à

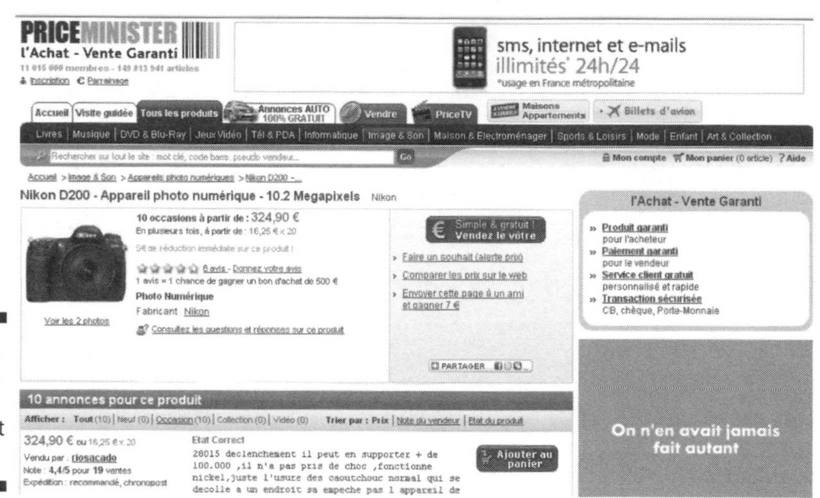

Figure 10.35 : Dix appareils photo numérique me sont proposés.

propos de cet article, ou bien vous pouvez poser la vôtre. Il est également possible de négocier le prix.

`Poser une question`. Utile lorsque vous avez un doute ou une question technique à laquelle le vendeur n'a pas encore répondu.

14. **Dès qu'un modèle vous convient, achetez-le par un clic sur Ajouter au panier.**

    Nous verrons un peu plus tard comment se déroule cette opération. Pour le moment, détaillons les options d'un achat d'occasion.

Les options d'achat

Lorsque vous êtes intéressé par un produit, vous devez veiller à un certain nombre de choses avant d'en décider l'achat. Nous allons les détailler en nous basant sur le contenu de la Figure 10.35 (voir plus haut) :

- **Note du vendeur :** sur les sites de ventes d'occasion, la note est souvent sur 5. Plus elle est élevée, et plus vous pouvez avoir confiance dans le vendeur. Lorsque vous avez un doute, vous pouvez détailler la note et lire les avis émis par les différents acheteurs qui, je le rappelle, attribuent obligatoirement une note après la réception de la marchandise. Pour lire les avis, cliquez sur le pseudonyme du vendeur affiché dans la section Vendu par. Vous accédez à un nouveau contenu relatif à l'appareil et au profil du vendeur. C'est ce profil qui nous intéresse. Comme à la Figure 10.36, cliquez sur le lien `Voir ses notes`. Vous accédez aux commentaires des acheteurs. À vous de vous faire une opinion en fonction de leurs observations.

Figure 10.36 : Il est conseillé de savoir ce que les anciens acheteurs pensent du vendeur. C'est la solidarité du marché de l'occasion.

- **Poser une question au vendeur :** cliquez sur ce lien si vous désirez demander des précisions au vendeur. Vous accédez à la rubrique Poser une question. Dans le champ de saisie qui vous est proposé, vous disposez de 250 caractères pour poser la question. Une fois le texte tapé, cliquez sur le bouton Envoyer ma question. Pour que l'envoi puisse être réalisé, vous devez créer un compte auprès du site. Eh oui ! C'est ça la grande famille de l'occasion. Donc, le site vous propose d'y procéder immédiatement. La création d'un compte est expliquée dans la section consacrée à la vente, plus loin dans ce chapitre.

Livre II

Achetez !

Un site de petites annonces, c'est un peu comme un supermarché. Vous déambulez dans des rayons virtuels à la recherche d'un ou plusieurs produits qui vous intéressent. Une fois que vous les avez trouvés, vous devez vous constituer un panier. La procédure d'achat est un jeu d'enfant :

1. **Dans la majorité des pages affichant un matériel, vous disposez d'un bouton Ajouter au panier.**

   Le nom de ce bouton peut varier d'un site de vente à un autre.

2. **Cliquez sur ce bouton pour ajouter le produit à votre panier.**

   Le contenu de votre panier s'affiche, comme à la Figure 10.37. Il récapitule les produits déjà mis dans votre panier, le prix de l'article, les frais de livraison, et quelques options supplémentaires.

Figure 10.37 : Votre panier ! (Le mien en l'occurrence.)

L'option Mémorisez-le pour acheter une prochaine fois permet de vous constituer une sorte de liste de produits à acheter. Bien entendu, comme l'achat n'est pas immédiat, rien n'assure que les produits inscrits dans votre liste seront encore disponibles lorsque vous vous déciderez à les acheter.

3. **Pour commander le produit, cliquez sur Terminer ma commande.**

   La validation de la commande impose l'ouverture gratuite d'un compte client.

4. **Cliquez sur le bouton Ouvrir un compte.**

   Vous accédez au formulaire de création d'un compte dont vous devez remplir les champs et sélectionner les options (Figure 10.38).

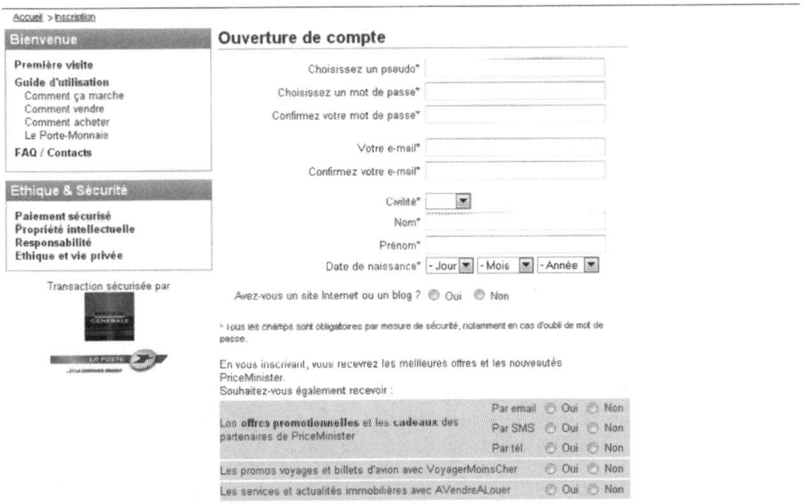

Figure 10.38 : La création d'un compte passe par ce type de formulaire.

5. **En bas de la page, cliquez sur le bouton Créer mon compte.**

   Comme pour tout formulaire, si une information est erronée ou déjà utilisée par un autre compte, un message vous demande de modifier les données en cause.

6. **Dans la page Adresse de livraison, indiquez précisément vos coordonnées postales.**

   C'est essentiel pour recevoir vos produits !

Un mail vous confirmera votre inscription sur le site et vous invitera à mettre immédiatement quelque chose en vente. (Voir la prochaine section.)

7. **Cliquez sur Continuer.**

8. **Il ne reste plus qu'à confirmer votre commande, et à en payer le prix.**

   Vous remarquez qu'une option vous est proposée par défaut : Contrat « Bris & vol ». Pour prendre connaissance des conditions et de la portée de cette garantie, cliquez sur ce lien. Si vous ne souhaitez pas souscrire cette assurance, décochez l'option.

9. **Cliquez sur Continuer.**

10. **Sélectionnez votre mode de paiement, et cliquez sur Continuer.**

    Une fois encore, pour un achat sur Internet, nous conseillons le système e-carte bleue présenté au début de ce chapitre.

11. **Allez jusqu'au bout de la procédure de paiement.**

Vous recevrez rapidement l'acceptation ou le refus du vendeur. En cas d'acceptation, l'objet commandé vous parviendra selon le mode d'expédition spécifié dans l'annonce. En cas de refus, votre carte bancaire n'est pas débitée.

Vous remarquerez que sur la majorité des sites de ventes de matériel d'occasion, vous pouvez bénéficier de facilités de paiement.

Vous verrez que l'on se prend facilement au jeu de la vente de matériel d'occasion, d'autant qu'il y a des affaires à faire. Alors, rapidement vous sentirez naître en vous le besoin de laisser tomber les brocantes pour vendre directement vos matériels en ligne.

Vendre du matériel d'occasion

Vous savez, l'occasion n'est qu'une idée. Je veux dire ici que rien ne vous empêche de vendre un produit neuf sur un site de petites annonces de ce type. Qui n'a pas vendu un cadeau de Noël jamais utilisé ? Vous ! C'est le moment d'apprendre à le faire.

Pour vendre sur un site comme celui-ci, vous devez créer un compte. Votre compte est créé dès lors que vous avez acheté un produit, comme cela est expliqué dans la précédente section. En revanche, si vous venez sur un tel site pour vendre sans aucune intention d'acheter, commencez par créer un compte, au moins ce sera fait. Pour cela, cliquez simplement sur le lien `Inscription`, affiché dans le coin supérieur gauche de la page d'accueil du site PriceMinister. Si vous vous inscrivez sur un autre site, cherchez un lien de ce type. Ensuite, reportez-vous aux étapes de la précédente section consacrée à la création d'un compte.

Une fois votre compte créé, voici comment vendre un produit d'occasion :

1. **Dans la page d'accueil de PriceMinister, cliquez sur l'onglet Vendre maintenant, illustré à la Figure 10.39.**

Figure 10.39 : Vendez !

2. **Faites défiler le contenu de la page pour afficher la partie inférieure de la section Que souhaitez-vous vendre ?**

Livre II

3. **Dans le champ Mise en vente rapide, tapez le code barre du produit que vous désirez vendre.**

   Ce code barre figure sur l'emballage du produit. Il peut s'agir de n'importe quel article, comme un livre.

4. **Une fois le code barre saisi, cliquez sur Go.**

   Si le produit est répertorié par PriceMinister, il l'affiche et préconise un prix de vente comme le montre la Figure 10.40.

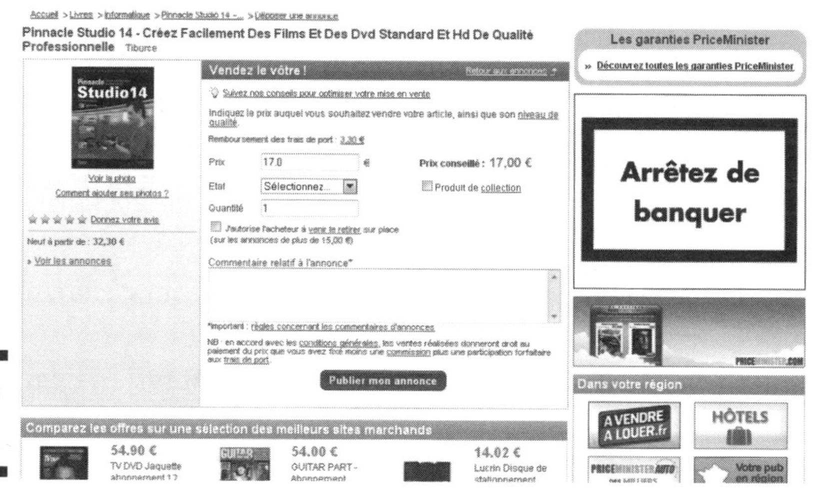

Figure 10.40 : Une mise en vente rapide.

5. **Dans la page de mise en vente, spécifiez les points suivants :**

   - **Prix.** Le prix indiqué est une suggestion. Il tient compte de plusieurs paramètres comme l'ancienneté du produit et le prix de vente relevé dans d'autres annonces. Rien ne vous empêche de le modifier en tapant un autre prix dans ce champ.

   - **État.** Dans cette liste, sélectionnez l'état de votre produit. Vous avez le choix entre : Comme neuf, Très bon état, Bon état, et État correct. Attention ! Ne mentez pas ! Si vous surévaluez l'état de votre produit, vous serez sanctionné par l'acheteur qui vous mettra une mauvaise note avec un commentaire adapté. Vous remarquez également qu'au regard des états proposés, vous ne pouvez pas vendre des reliques sans aucune valeur et qui sont dans un état lamentable.

- **Quantité.** Indiquez le nombre d'exemplaires que vous vendez si, bien entendu, vous en avez plusieurs. À chaque vente réalisée, la quantité disponible sera automatiquement actualisée.

6. **Dans le champ Commentaire relatif à l'annonce, décrivez le produit, les raisons de sa vente, « faites l'article » comme on dit.**

Pour ne pas contrevenir à la charte de fonctionnement du site, cliquez sur le lien `Règles concernant les commentaires d'annonce`. Respectez ces règles sinon votre annonce risque d'être annulée.

7. **Une fois l'ensemble de ces renseignements fournis, cliquez sur Publier mon annonce.**

Vous accédez à une page indiquant que l'annonce a été enregistrée. En fait, l'annonce a été ajoutée à votre inventaire. Vous avez la possibilité d'ajouter une vidéo ou une photo. (En général, lorsque le produit est connu du site, la photo est ajoutée automatiquement.)

8. **Surveillez votre courrier électronique pour répondre aux messages que vous envoie le site afin de valider et d'ouvrir votre boutique en ligne.**

Lorsque vous vendez des articles, vous ne recevez pas directement de l'argent. Les sommes sont consignées dans un « porte-monnaie ». Grace à lui, vous pourrez acheter directement des produits mis en vente sur PriceMinister, ou bien demander à ce que l'argent vous soit envoyé ou viré sur votre compte bancaire. Vous en saurez davantage à la prochaine section.

Dès lors que vous validez l'ouverture de votre boutique, vos futures annonces seront passées très rapidement puisque vous avez déjà fournis la majorité des renseignements vous concernant.

Vous pourrez facilement gérer votre boutique comme l'explique la prochaine section.

Gérer votre boutique

La gestion de la boutique permet de faire un certain nombre de choses :

- Faire le bilan de toutes vos ventes.
- Consulter les notes et les commentaires de vos acheteurs.
- Gérer vos annonces.
- Gérer vos stocks.
- Indiquer votre absence.
- Définir vos préférences de vendeur.
- Gérer votre porte-monnaie.

Pour gérer votre boutique :

1. **Allez sur PriceMinister et connectez-vous à votre compte.**

   Vous devez pour cela fournir le nom d'utilisateur (pseudo) et le mot de passe que vous avez créé lors de l'ouverture de votre compte.

   Vous accédez immédiatement à votre compte, comme le montre la Figure 10.41.

2. **Pour modifier les informations vous concernant ainsi que votre mot de passe, cliquez sur le lien approprié de la section Mes Informations.**

3. **Cliquez sur les catégories que vous désirez consulter.**

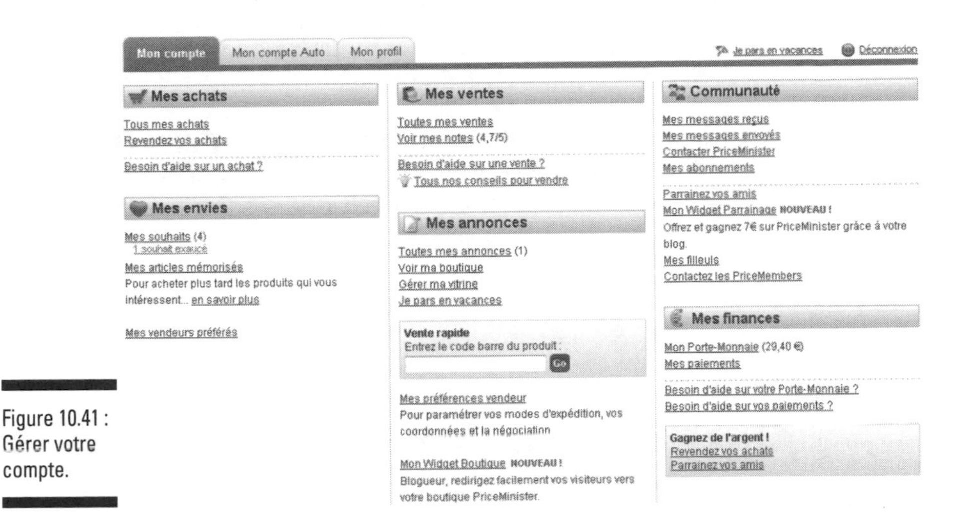

Figure 10.41 : Gérer votre compte.

Vous pouvez gérer vos ventes, voir vos notes, consulter l'ensemble de vos annonces, *etc.*

Voyons, par exemple, comment supprimer un article que vous ne possédez plus :

4. **Dans la section Mes Annonces, cliquez sur Toutes mes annonces.**

   Vous accédez à votre inventaire.

5. **Localisez le produit à retirer de la vente.**

6. **Sous le descriptif du produit, cliquez sur le bouton Supprimer.**

Dans votre inventaire, vous pouvez également modifier l'annonce pour, par exemple, indiquer un nouveau prix.

TRUC

Lorsque vous partez en vacances, il est important de le signaler au site. En effet, cela évite de rater des ventes faute d'avoir répondu à temps, et surtout de voir PriceMinister décider arbitrairement que vous êtes en vacances du fait de votre silence. Pour spécifier aux acheteurs que vous êtes absent :

7. **Dans la section Mes annonces, cliquez sur Je pars en vacances.**

Si vous n'êtes pas connecté à votre compte, tapez votre pseudo et votre mot de passe.

8. **Dans la fenêtre Je pars en vacances, activez l'option Je connais ma date de retour, et tapez la date à laquelle vous pourrez vendre de nouveau des produits. Sinon, activez l'option Je ne connais pas ma date de retour (Figure 10.42).**

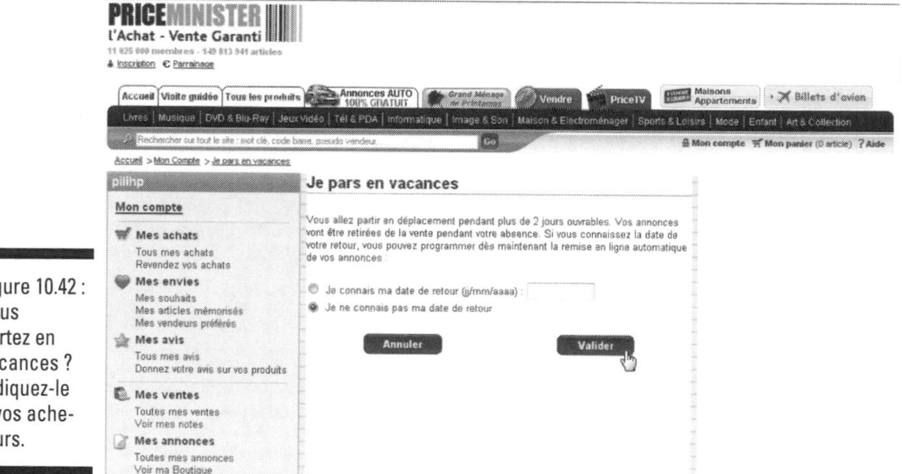

Figure 10.42 : Vous partez en vacances ? Indiquez-le à vos acheteurs.

9. **Cliquez sur Valider.**

Un e-mail vous avertit de la mise en vacances de votre boutique. Si vous avez indiqué une date de retour, votre inventaire sera automatiquement réactivé à la date indiquée. En revanche, si vous ne connaissez pas votre date de retour, vous devrez cliquer sur le lien du message qui vous a été envoyé pour réactiver votre boutique, ou bien le faire directement sur le site. Dans ce cas, retournez à la section Mes annonces et cliquez sur le lien `Je rentre de vacances`. Un message demande confirmation. C'est tout.

L'un des points les plus importants de votre activité de vendeur d'occasion est la gestion de votre porte-monnaie. En effet, c'est à travers lui que vous gérez vos entrées et éventuellement vos sorties d'argent. Voici comment l'utiliser :

1. Accédez à votre compte PriceMinister.

2. Dans la section Mes finances, cliquez sur le lien `Mon porte monnaie`, comme à la Figure 10.43.

Figure 10.43 : Gérez votre porte monnaie de vendeur (et d'acheteur).

Lorsque vous avez vendu quelque chose, votre porte-monnaie est crédité du montant de cette vente.

Vous accédez ainsi à la page de gestion de votre porte monnaie. Il contient tout l'historique de ventes réalisées sur le site depuis la création de votre compte.

3. **Si vous utilisez votre porte monnaie pour acheter sur PriceMinister, vous pouvez en augmenter le crédit en cliquant sur le lien** `Alimenter mon porte monnaie par chèque ou par virement bancaire.`

   Toutefois, vous n'êtes pas obligé de dépenser sur Price-Minister l'argent gagné sur ce site.

4. **Pour que l'argent de votre porte monnaie soit transféré sur votre compte bancaire traditionnel, cliquez sur Demander un reversement vers mon compte bancaire dans la section Gestion des reversements vers mon compte bancaire.**

Comme le montre la Figure 10.44, vous avez le choix entre un reversement ponctuel et un reversement régulier.

Mon Porte-Monnaie

Vous avez actuellement **99,64 €** disponibles sur votre Porte-Monnaie.

Demander un reversement vers mon compte bancaire

Etape 1 : Fréquence de votre reversement

Effectuer un reversement ponctuel

Enregistrer un reversement régulier (uniquement par virement)

Annuler et revenir sur 'Mon Porte-Monnaie'

Etape suivante

L'intégralité du processus de demande de reversement est effectuée en mode sécurisé SSL.
Cela signifie que toutes les données sont cryptées de manière à rendre impossible leur récupération par des tiers.

La présence de symbole ou sur la barre d'état de votre navigateur indique que vous êtes en mode sécurisé.

Conformément à la loi du 6/01/1978 modifiée vous disposez d'un droit d'accès, de rectification et d'opposition aux informations vous concernant qui peut s'exercer à tout moment à partir de la page suivante.

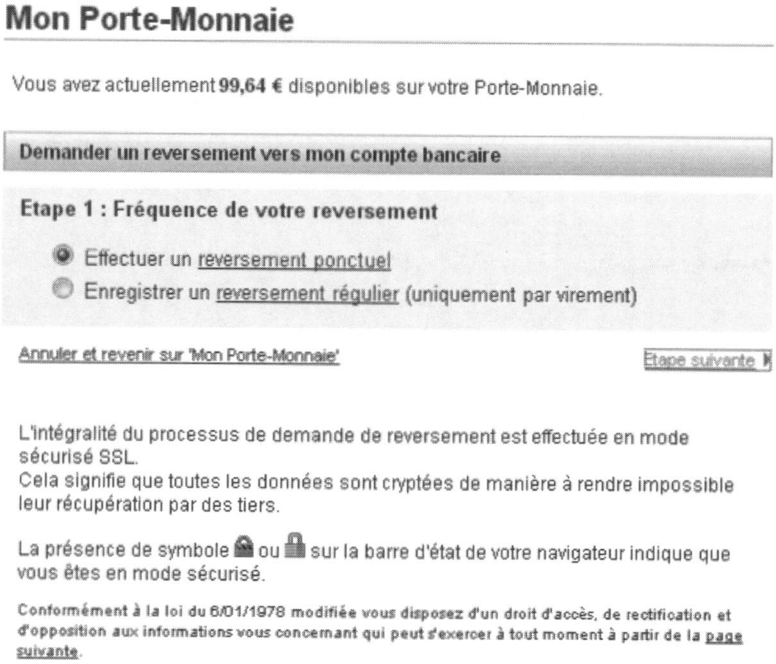

Figure 10.44 : Demandez un versement du montant de votre porte monnaie sur votre compte bancaire traditionnel.

Voici une explication sur ces deux types de versement :

- **Reversement ponctuel :** cela vous permet de récupérer tout ou une partie de votre porte monnaie en une seule fois. Vous pouvez demander un reversement par chèque ou par virement bancaire. Toutefois, ce reversement ne peut se faire que si vous disposez d'au moins 30 € dans votre porte-monnaie.
- **Reversement régulier :** cela vous permet de reverser automatiquement le solde de votre porte-monnaie selon une périodicité de 10 jours. Ce reversement ne peut se faire que par virement et sera d'au moins 10 € à chaque fois. Il est cependant possible d'indiquer un montant minimum devant rester sur

votre porte-monnaie de manière à réaliser de futurs achats sur PriceMinister.

Bien entendu, si vous achetez régulièrement sur PriceMinister, il est conseillé de laisser suffisamment d'agent dans votre porte-monnaie. Cette réserve évitera de devoir payer vos achats par carte bancaire.

Nous en avons terminé avec notre découverte du fonctionnement des sites de ventes de matériel neuf ou d'occasion. Ces systèmes marchent à la manière des bons vieux hebdomadaires où vous publiiez autrefois vos annonces. La grande différence est leur gratuité et toutes les fonctions qui permettent de gérer une véritable petite boutique en ligne. Internet ne s'arrête pas là dans la vente de produits neufs ou d'occasion. En effet, comme nous l'expliquons dans la prochaine section, il est possible de vendre et d'acheter aux enchères.

L'achat et la vente aux enchères

Sur Internet, il existe une seconde manière de vendre et d'acheter des produits neufs et d'occasion. Il s'agit des enchères. Même si vous n'avez jamais fréquenté les salles de ventes où un commissaire priseur scande les fameux « une fois, deux fois, trois fois… », puis écrase violemment son maillet sur la table en criant « Adjugé, vendu ! », vous savez *grosso modo* ce qu'est une vente aux enchères.

Un des sites les plus réputés en la matière se nomme eBay. Vous y trouvez tout ce que vous ne trouvez pas ailleurs et ceci quelle qu'en soit la qualité. Récemment, des êtres humains se sont symboliquement mis en vente sur eBay pour attirer l'attention d'éventuels employeurs.

Le principe des enchères sur Internet est le même que dans la vie réelle. Vous mettez en vente des produits avec une mise de base. Vous déterminez ensuite la durée de l'enchère au terme de laquelle l'internaute le plus offrant emporte l'objet.

Cette section vous explique comment acheter et vendre aux enchères sur eBay. Toutefois, vous pouvez appliquer ces procédures sur d'autres sites de ce type dont vous trouverez une liste dans la section « Les adresses utiles », en fin de chapitre.

Nous découvrirons également un autre type d'enchères qui, sans être une arnaque, n'en pose pas moins un problème d'évaluation des risques. Il s'agit des sites qui mettent aux enchères des objets neufs à un prix de départ de 0 euros. Attrayant non ? Lisez l'encadré, « Quand les enchères perdues vous coûtent de l'argent », plus loin dans ce chapitre, pour comprendre qu'il n'y a pas de philanthropisme sur Internet.

Acheter aux enchères

Pour acheter aux enchères, il faut accéder à un site de vente aux enchères et y ouvrir un compte.

Vous constaterez que, à l'instar des sites de vente de matériels d'occasion, vous pouvez effectuer l'ouverture de ce compte au moment de valider votre enchère. Vous en concluez qu'il est possible de déambuler dans un site de vente aux enchères sans créer de compte. En revanche, pour profiter de toutes ses fonctionnalités, l'ouverture d'un compte est indispensable.

Ouvrir un compte sur un site de vente aux enchères

Nous allons baser notre propos sur le très célèbre site de vente aux enchères eBay. Pour y créer un compte qui vous permettra d'acheter mais aussi de vendre, suivez cette procédure :

1. **Ouvrez votre navigateur Web et accédez au site** `http://www.ebay.fr/`.

   Vous arrivez sur la page d'accueil du site, illustrée à la Figure 10.45. Il est alors très facile de vous y inscrire.

Une inscription à eBay ne vous coûte absolument rien. Je vous conseille donc de créer votre compte une bonne fois pour toutes. Ainsi, vous ne serez pas freiné dans

Figure 10.45 : eBay, le plus grand site de vente aux enchères du monde.

votre élan de vendre ou d'acheter. Vous existerez pour eBay tout comme eBay existera pour vous.

2. **Cliquez sur le lien** `Inscrivez-vous`, **situé en haut à droite de la page d'accueil.**

   Le grand intérêt de cette inscription est de vous ouvrir les portes de tous les eBay du monde entier. Il vous sera alors facile de trouver un matériel que vous pensiez absolument introuvable.

3. **Remplissez le formulaire de la nouvelle page qui apparaît.**

   Si vous avez déjà ouvert un compte sur un site de vente d'occasion, ce formulaire vous sera familier. S'il s'agit de votre toute première inscription, sachez que les informations que vous allez communiquer ici sont importantes pour recevoir les produits que vous achèterez et pour vendre les vôtres.

eBay veille au respect de votre vie privée donc à la confidentialité des informations que vous fournissez ici.

4. **Une fois le formulaire rempli et les conditions générales d'utilisation du site acceptées, cliquez sur le bouton J'accepte les conditions ci-dessous, situé en bas de la page.**

   Une fois la validation effectuée, une page vous indique qu'un message a été envoyé à l'adresse mail saisie. C'est ce message qui va vous permettre d'activer votre compte eBay.

5. **Relevez votre courrier électronique.**

6. **Dans le message envoyé par eBay, cliquez sur le bouton Activer maintenant.**

   Cette action affiche une nouvelle page dans votre navigateur Web. Elle confirme votre inscription sur eBay et ce que vous pouvez y faire, c'est-à-dire acheter ou vendre.

Avant de vendre du matériel aux enchères, voyons comment acheter aux enchères.

Faire monter les enchères

Une fois votre inscription validée et votre compte eBay activé, vous pouvez :

- Rechercher un objet en tapant son nom et en sélectionnant une catégorie d'articles.
- Parcourir toutes les catégories du site.

Si vous ne choisissez pas l'une ces deux propositions, et que vous vous décidez de remettre à plus tard votre découverte d'eBay, vous devrez aller sur le site et ouvrir une session. Cette ouverture de session se fait par saisie de votre pseudo et de votre mot de passe (indiqués dans le formulaire d'inscription). Pour que votre session eBay reste ouverte, c'est-à-dire pour que vous n'ayez plus à ressaisir ces données si vous fermez votre navigateur Web, cochez la case Maintenir ma session ouverte toute la journée.

Vous recevrez également un nouveau mail vous félicitant pour votre inscription. Il suffira alors de cliquer sur le bouton Commencer pour accéder directement à la page de vente aux enchères par catégories d'objets (Figure 10.45).

La procédure qui suit explique comment participer à une enchère :

1. **Dans la page de bienvenue d'eBay, cliquez sur le lien** `Enchères et achat immédiat`

   Vous accédez à la page de vente par catégories, illustrée à la Figure 10.46.

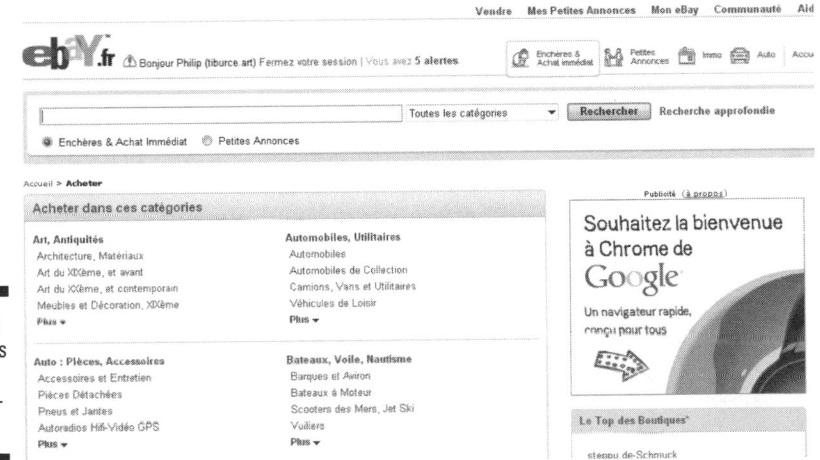

Figure 10.46 : Vos enchères vont bientôt pouvoir commencer.

2. **Dans la liste des catégories, cliquez sur celle où vous désirez chercher un objet plus ou moins rare.**

   Si vous ne trouvez pas de catégorie en lien direct avec l'objet recherché, cliquez sur le lien `Plus`. Cette action développe le contenu de la catégorie.

3. **Cliquez sur le lien correspondant à la catégorie susceptible de proposer l'objet recherché.**

   Si vous ne recherchez rien de particulier, les catégories vous permettent tout simplement de vous promener dans cette sorte d'immense salle des ventes virtuelle qu'est eBay.

Vous accédez au contenu de la catégorie sur laquelle vous avez cliqué. Là aussi, il est possible de regarder tous les objets vendus aux enchères.

4. **Pour préciser votre recherche, définissez des critères dans la section Affiner la recherche.**

   Comme le montre la Figure 10.47, vous pouvez choisir une sous-catégorie, définir une fourchette de prix, l'état de l'objet, voire ne demander que les objets proposés par des vendeurs particuliers.

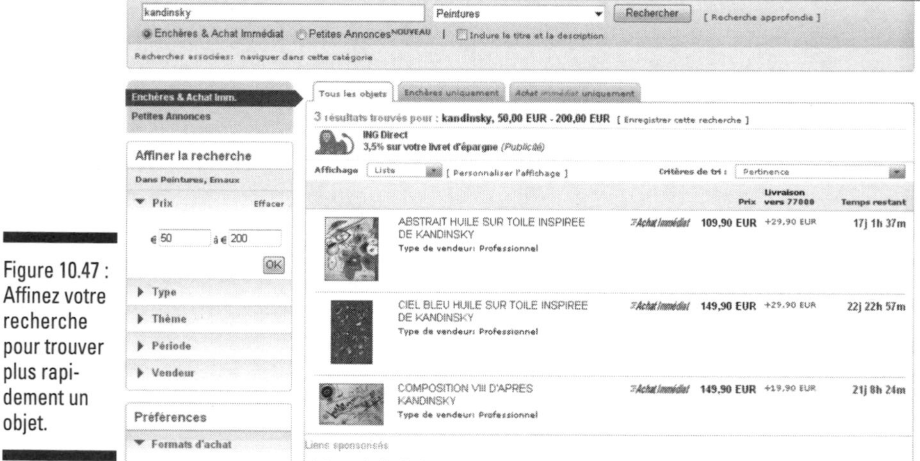

Figure 10.47 : Affinez votre recherche pour trouver plus rapidement un objet.

5. **Une fois que vous avez choisi une sous-catégorie, vous pouvez encore y affiner votre recherche.**

   Par ce principe, il est possible de trouver des objets très rares, notamment quand il s'agit d'objets d'art.

6. **Pour élargir la recherche à tous les sites eBay du monde entier, faites défiler le contenu de la page jusqu'à afficher la section Lieu du volet gauche. Là, activez l'option « dans le monde entier ».**

   De précision en précision, vous finirez bien par trouver ce qui vous intéresse. En ultime recours, vous pouvez tapez le nom de l'objet ou de son auteur dans le champ Recherche situé en haut de la page comme à la Figure 10.48. Vous constatez qu'à mesure que vous tapez des caractères, eBay vous fait des suggestions. Cliquez sur la suggestion correspondant à votre recherche.

Figure 10.48 : Une ultime précision pour trouver une œuvre de Kandinsky par exemple.

Une fois que vous êtes face à une liste d'objet, voici comment en décrypter les codes de gauche à droite :

- **Photo :** correspond à la photo de l'objet à droite de laquelle figure une brève description de l'objet, ainsi que le pays de résidence de l'acheteur.
- ***P*** **:** ce symbole indique que le vendeur accepte le système de paiement Paypal.
- **Achat immédiat :** définit un produit sans enchères ou un prix à partir duquel les enchères en cours tombent. En d'autres termes, l'achat immédiat se fait dans l'instant. Vous n'avez pas à attendre la fin de la durée de mise en vente aux enchères.
- **x Enchères :** précise le nombre d'enchères en cours sur l'objet.
- ***x*** **Euros :** prix de vente actuel, c'est-à-dire de la dernière enchère. À droite de ce prix figurent les frais de livraison estimés (nous verrons en effet que cela ne reflète pas toujours la réalité).

- **Livraison vers :** indique les frais de ports vers votre habitation.
- **Temps restant :** exprimé en jours, heures, et minutes, sauf bien entendu quand il ne reste plus que quelques heures ou quelques minutes.

7. **Cliquez sur la photo de l'objet qui vous intéresse.**

Comme le montre la Figure 10.49, vous accédez à une page qui détaille l'enchère en cours et qui vous offre un certain nombre de possibilités.

Figure 10.49 : Faites monter les enchères !

Faites défiler le contenu de la page pour accéder à la description du produit et à des photos supplémentaires. Attention car lorsqu'un objet est vendu à l'étranger, la description est très souvent dans la langue du pays de vente. Pour connaitre le montant des frais de ports et le mode de paiement, cliquez sur l'onglet Livraison et paiements. Pour trouver des objets se rapprochant de celui que vous cherchez, cliquez sur l'onglet Objets similaires. Enfin, l'onglet Acheter en toute sécurité rappelle quelques principes de base pour acheter en toute confiance.

8. **Pour faire monter l'enchère en cours, tapez une nouvelle offre dans le champ Votre enchère maximum, et cliquez sur le bouton Enchérir.**

Ne faites pas n'importe quoi ! Enchérir est un acte responsable. En effet, si personne n'a enchérit sur votre dernière enchère et que la durée de mise en vente arrive à son terme, vous êtes dans l'obligation d'acheter l'objet au prix de votre enchère. Alors, pas de blague. En cas de litige, et si vous êtes fautif, vous engagez votre responsabilité civile et pénale, et vous serez très mal noté en tant qu'acheteur. Qui voudra vous vendre quoi que ce soit par la suite ?

Lorsque vous enchérissez, vous êtes tenu informé des enchères qui seront plus élevées que les vôtres.

Un système permet d'enchérir automatiquement jusqu'à une certaine somme.

Pour connaitre l'historique des enchères et ainsi avoir une idée sur les chances que vous avez d'emporter l'objet, cliquez sur le lien `Afficher l'historique`, juste en-dessous du compte à rebours.

Vous retrouvez sur eBay à peu près les mêmes services que sur un site de vente d'occasion. Ainsi, la rubrique Mon eBay permet de connaitre :

- Le récapitulatif de toutes vos actions.
- Les affaires à suivre.
- Les enchères en cours.
- Les objets achetés.
- Vos ventes.
- Vos recherches favorites.
- Vos messages.

Maintenant que vous connaissez la procédure générique de recherche et d'achat d'objets vendus aux enchères sur eBay, voyons comment vendre vos propres objets.

Vendre aux enchères

Sur eBay, vous vendez des objets allant des plus communs aux plus rares. Tout peut être vendu aux enchères dès lors que rien ne contrevient à l'éthique du site.

Comme vous avez déjà un compte sur eBay, la mise en vente d'un objet est très facile à réaliser :

1. **En haut de la page d'accueil d'eBay, placez le pointeur de la souris sur le bouton Vendre. Dans le menu local qui s'affiche, cliquez sur Vendre.**

   Si vous souhaitez des conseils de vente supplémentaires, cliquez sur le lien `Comment vendre`.

2. **Cliquez sur le bouton Mettre votre objet en vente.**

3. **Dans le champ Mettre vente votre objet, décrivez-le en quelques mots.**

4. **Activez l'option Mise en vente simplifiée, et cliquez sur Commencer à vendre, comme à la Figure 10.50.**

Vendre

Mettre votre objet en vente
Décrivez votre objet en trois à cinq mots. Par exemple : Figurine Transformers
MINAMATA - CYCLATOR 2
Mise en vente simplifiée (ne convient pas pour une mise en vente au format Annonce classique)
Mettez votre objet en vente rapidement avec les options les plus courantes
Mise en vente standard (formulaire classique)
Accédez à l'ensemble des options disponibles (Prix de réserve, Titre en gras etc.)
Commencer à vendre
Naviguer dans les catégories | Catégories récemment utilisées
Vendre ou louer un bien immobilier

Figure 10.50 : Mise en vente simplifiée d'un objet.

5. **Dans la nouvelle étape Créer votre annonce, tapez un titre descriptif de votre objet.**

6. **Cliquez sur le bouton Trouver une catégorie. Si la catégorie dans laquelle vous désirez vendre n'est pas affichée, cliquez sur Naviguer dans les catégories.**

   Par exemple, comme je désire vendre une interface audio, je choisis PC: Informatique > Composants > Cartes son, comme à la Figure 10.51.

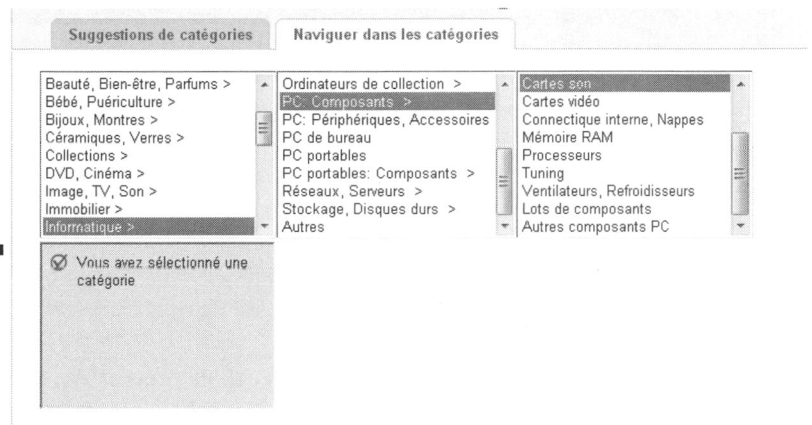

Figure 10.51 : La catégorie dans laquelle je veux vendre mon objet.

7. **En bas de la page, cliquez sur le bouton Continuer.**

8. **Pour remplir automatiquement la description du produit vendu, indiquez les informations demandées dans le champ Marque, type de produit ou modèle. Ensuite, cliquez sur Rechercher.**

   Lorsque le produit est rare ou obsolète, aucune réponse n'est trouvée.

9. **Dans la section Ajoutez des photos à votre annoncée, cliquez sur le bouton Ajouter.**

   Notez que la première photo est gratuite. Chaque photo supplémentaire coûte 0,15 €.

10. **Décrivez votre objet sans la section 4 de la procédure de mise en vente. Indiquez son état, c'est-à-dire neuf ou occasion.**

Ici, l'honnêteté est primordiale. Ne faites pas croire que vous vendez ce que vous ne possédez pas. Cette manœuvre s'appelle de l'escroquerie !

11. **Dans la section 5, indiquez le prix de départ et la durée de l'enchère comme à la Figure 10.52.**

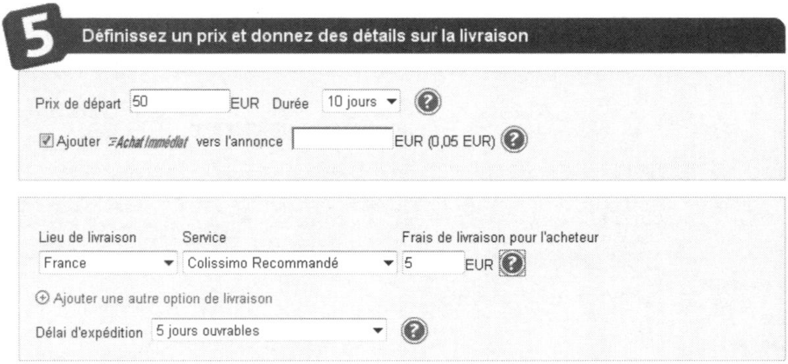

Figure 10.52 : Prix de départ de la mise en vente.

12. **Indiquez les modes de livraison possibles, et si nécessaire modifiez le lieu où le produit est disponible.**

13. **Sélectionnez un mode de paiement, et offrez des options supplémentaires à vos acheteurs.**

    Il est recommandé d'opter pour Paypal, même si ce service de paiement en ligne prend une petite commission au passage. Vous êtes en effet certain d'être payé.

14. **Cliquez sur Enregistrer et continuer.**

    En bas de cette fenêtre, vous trouverez le prix d'insertion dont vous êtes redevable auprès de ebay.

    Vous accédez à un récapitulatif de votre commande. Vérifiez toutes les informations, apportez les modifications qui s'imposent, prévisualisez l'annonce, et cliquez sur Mettre votre objet en vente. Une nouvelle page Web vous félicite pour cet exploit, comme à la Figure 10.53.

Voilà ! Nous en avons terminé avec le grand principe des enchères. S'il y a vraiment un coin sur le Web où vous pouvez faire des affaires, c'est bien ici.

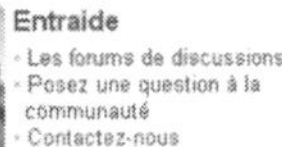

Figure 10.53 : Bravo, votre première mise en vente est un succès.

Quand les enchères perdues vous coûtent de l'argent

Nous voyons se développer de nos jours un nouveau type d'enchères. Il s'agit de sites qui mettent en vente des articles neufs à un prix défiant toute concurrence puisque la mise de départ est de, tenez-vous bien, 0 euros ! Waouh !!! « Je le veux ! » vous écriez-vous avec un enthousiasme non dissimulé. En effet, qui ne souhaiterait pas acquérir un objet dont la mise à prix est si faible.

Comment se déroule la vente ? D'abord, il n'y a pas d'escroquerie. Bonne nouvelle ! En effet, vous devez vous inscrire gratuitement sur le site, comme à l'adresse `www.ziinga.com`. Et là vous pouvez immédiatement enchérir sur divers articles souvent initialement très chers (comme des téléviseurs LCD, des ordinateurs portables etc.). L'offre est d'autant plus séduisante que vous avez accès au prix de vente des objets dont l'enchère est terminée. Vous constatez alors que les articles sont effectivement vendus à environ 30 % de leur prix en magasin. Mais comment est-ce possible ? Vous remarquez que les produits sont mis en vente pendant un certain nombre d'heures. Par exemple un portable est mis en vente pendant 10 heures avec une mise à prix de zéro euro. Derrière son écran, chaque internaute qui souhaite acheter l'objet clique tout simplement sur le bouton Offrez. Là, l'enchère augmente de 0,01 euros (une misère), et le temps de mise en vente augmente lui aussi entre 10 secondes et 2 minutes en fonction de l'objet vendu. Vous remarquez aussi que peu de personnes enchérissent quand il reste de nombreuses heures avant la clôture de l'enchère. Mais, restez sur le site, et observez ce qui se passe quand l'heure fatidique de résolution des ventes s'approche, c'est-à-dire quand il reste quelques minutes voire secondes, et surtout quand le compteur atteint quasiment 0. Les enchères fleurissent et le temps augmente. Si vous avez la chance de faire une offre et que le compteur atteint 0 seconde, l'objet est à vous pour le prix indiqué. Charmant n'est-ce pas ? Imaginez que vous cliquiez pour emporter un ordinateur portable pour la modique somme de 100 euros alors qu'il en coûte 600 ! Mouais. Vous vous dites c'est trop beau pour être vrai. Et vous avez raison. D'abord, il faut beaucoup de ténacité pour emporter une enchère qui, comme vous le verrez, s'accélère plus on s'approche du terme. De plus, combien cela vous coûte-t-il ? Vous allez me répondre : « le prix affiché ! » Certes, mais pas seulement. Voici comment fonctionne ce type de site :

En réalité, lorsque vous vous inscrivez, vous passez un contrat avec le site par lequel vous achetez, sans rien dépenser dans un premier temps, le droit de faire des enchères. Voilà une astuce des plus intelligentes. Sachez qu'à chaque fois que quelqu'un clique sur le bouton Offrez, il lui en coûte entre 0,30 et 0,90 euros en fonction de l'objet convoité. Donc, lorsque vous emportez une enchère, vous payez le prix affiché plus votre nombre de clics sur ledit bouton multiplié par le prix du clic. Imaginez ceci : vous emportez une enchère à 100 euros, mais en 100 clics sur le bouton Offrez. Si le clic vaut 0,50 centimes, l'objet vous revient à 100 + (100 x 0,5) = 100 + 50 = 150 euros. Certes, cela reste très intéressant pour un ordinateur portable qui en coûte 600. Alors, comment ce site peut-il parvenir à proposer des objets neufs si peu chers. Tout simplement en faisant payer ceux qui perdent cette enchère. Ainsi, si vous aviez perdu l'enchère malgré vos 50 clics, vous auriez tout de même été obligé de payer 25 euros au site. Faites ce calcul assez simple. Sachant que la mise à prix est de zéro centime, et que l'objet a atteint la somme 100 euros cela signifie que 10 000 clics ont été effectués, soit un gain de 10 000 x 0,5 = 5 000 euros pour Ziinga. Dans ces conditions, facile de proposer un ordinateur portable de 600 euros ! En conclusion : vous pouvez faire une superbe affaire, mais aussi perdre de l'argent si vous ne l'emportez pas, voire si vous tombez contre quelques acharnés, payer le produit plus cher qu'il ne vaut en réalité. À vous de juger !

Nous allons terminer ce chapitre en vous indiquant quelques bons plans pour vendre et acheter sur Internet. Ces plans s'agrémentent d'adresses Internet de sites qui vous seront d'une grande utilité.

Les bons plans pour vendre et acheter

Voici quelques autres sites d'achats sur le Web que nous avons visités. Il nous est même arrivé d'y commander des articles.

Livres et produits culturels

Bien que, dans un magasin virtuel, il ne vous soit pas possible de feuilleter un livre avant de l'acheter, si vous savez ce que vous voulez, il vous est facile de l'acquérir.

- **Amazon** (`www.amazon.fr`) : c'est l'une des plus grandes *success stories* du commerce du livre en ligne. Parti de rien (si vous acceptez l'idée que quelques millions de dollars ne représentent plus grand-chose de nos jours), Amazon compte aujourd'hui parmi les plus grands sites marchands consacrés aux livres d'Internet. Malheureusement, il a du mal à atteindre un bon équilibre financier et continue de supporter d'assez lourdes pertes financières qui, curieusement, ne semblent pas trop compromettre son existence. Son catalogue est absolument énorme, et vous pouvez recevoir en quelques jours la plupart des articles qui y figurent. Cette entreprise dispose aussi d'un programme par lequel d'autres sites Web peuvent vous faire connaître leurs livres favoris, créant ainsi une librairie virtuelle. Les prix pratiqués sont parfois légèrement supérieurs à ceux en vigueur dans les librairies en raison des frais de port.

- **La FNAC** (`www.fnac.com`) : en France, le site de la FNAC vous permet de commander en ligne des livres, des disques, des voyages, des spectacles, *etc.*, pouvant être livrés sous vingt-quatre heures, mais offre également d'autres informations dans le domaine culturel ou multimédia.

Sachez, toutefois, que vous ne pourrez pas accéder à ce site si votre navigateur refuse les *cookies*.

Livre II

Prêt-à-porter

Vous trouverez sur Yahoo! des tonnes d'autres références dans ce domaine.

- **La Redoute** (`www.redoute.fr`) : un catalogue très complet (sous-ensemble du catalogue imprimé) est proposé avec un classement par type d'articles. On peut aisément choisir la taille et la couleur lorsqu'il s'agit d'un vêtement. Il est possible d'effectuer l'achat soit par Internet, en mode sécurisé, soit par Minitel.
- **Les 3 Suisses** (`www.3suisses.fr`) : la présentation du catalogue permet d'effectuer facilement son choix. La commande finale peut être faite en ligne ou par Minitel.
- **Cdiscount** (`www.cdiscount.com`) : site pluridisciplinaire qui offre un lien Prêt-à-porter pour Homme, Femme et Chaussures (?!). Vous y trouverez souvent des vêtements de grandes marques à des prix (fra)cassés.

Ordinateurs

Avant d'acheter dans ces boutiques en ligne, assurez-vous qu'elles acceptent les retours de marchandises en cas d'insatisfaction et qu'elles accordent une garantie suffisante.

Voici quelques vendeurs réputés :

- **Dell Computer** (`www.dell.com`) : on y trouve un catalogue complet ainsi que la possibilité d'établir des configurations sur mesure.
- **Apple Computer** (`http://store.apple.com/fr`) : beaucoup d'informations sur les produits Apple et la possibilité d'acheter des systèmes complets et des mises à jour.

Ces deux magasins virtuels ne sont pas les seuls, loin de là ! Généralement, les boutiques virtuelles les plus connues, comme Rue du commerce, Top achat, Cdiscount, Pixmania, *etc.*, vendent des PC à la carte ou prêts à l'emploi. Des facilités de paiement sont souvent proposées.

Lesarnaques.com

Si vous avez peur d'un site parce que vous n'en connaissez pas la réputation, visitez `www.lesarnaques.com`. Saisissez l'objet de votre recherche, c'est-à-dire le nom du site, et vous tomberez sur une série d'articles rapportant les problèmes rencontrés par les consommateurs. Si ces problèmes vous semblent graves et systématiques, ne commandez pas auprès de ce site. Vous-même pouvez rapporter des problèmes et converser avec des clients dans un forum. Lesarnaques.com peut également vous aider à régler un litige avec les vendeurs peu scrupuleux. Cependant, à la lecture de ces expériences diverses et variées, ne tombez pas dans la paranoïa.

La garantie Or

Ce contrat est proposé par la plupart des sites commerciaux. Il s'agit d'une assurance supplémentaire, donc un surcoût qui vous garantit, en plus de la garantie légale d'un an, le remplacement de votre matériel par un neuf s'il tombe en panne dans l'année de la garantie légale. À vous de décider si cette garantie est judicieuse.

Cette garantie est souvent ajoutée par défaut à votre panier virtuel. Donc, regardez bien le récapitulatif de votre commande avant de la valider. Si vous ne souhaitez pas cette garantie cliquez sur le lien qui permet de la supprimer. Souvent, les sites insistent et vous renvoient vers une page vantant les mérites de cette garantie. Cela vous oblige à chercher l'option permettant de désactiver la souscription de ce contrat.

La check-list de l'acheteur en ligne

Voici quelques-unes des questions que vous devez vous poser lorsque vous effectuez des achats en ligne. Vous pourrez remarquer qu'elles ne sont pas très différentes de celles qui s'appliquent aux achats traditionnels.

- Est-ce que la description des articles est suffisamment claire pour que vous vous rendiez bien compte de la nature de votre achat ?
- Est-ce que les prix proposés sont compétitifs, comparativement à d'autres entreprises de VPC ou au commerce traditionnel ?
- Est-ce que les produits proposés sont en stock, sinon quel est leur délai de livraison ?
- Est-ce que l'entreprise jouit d'une bonne réputation ? (Voir l'astuce quelques lignes plus haut.)
- Pouvez-vous suivre votre commande en ligne ?
- Pouvez-vous entrer en contact direct avec un interlocuteur du site ?
- Pouvez-vous rendre les articles ne convenant pas ?

Les adresses utiles

Pour illustrer un propos aussi vaste que l'achat et la vente en ligne, nous avons été obligé de nous baser sur des exemples précis. Dans la mesure où ces choix ont imposé de parler de sites et d'enseignes plus que d'autres, ne croyez pas que nous soyons de parti pris. Seule l'expérience vous fidélisera à tel ou tel site. Pour cette raison voici quelques adresses supplémentaires.

Les comparateurs de prix

- `www.kelkoo.fr`
- `www.achetezfacile.com`
- `www.i-comparateur.com`
- `www.monsieurprix.com`
- `www.acheter-moins-cher.com/`
- `www.quiestlemoinscher.com`

Les sites standards de vente en ligne

- www.rueducommerce.com
- www.cdiscount.com
- www.topachat.com
- www.pixmania.com/fr
- www.discounteo.com
- www.monsieurdiscount.com
- www.fnac.com
- www.alapage.com
- www.chapitre.com

Les supermarchés en ligne

- www.ooshop.com (Carrefour)
- www.auchandirect.fr/frontoffice/ (Auchan)
- www.expressmarche.com (Intermarché)
- http://courses.monoprix.fr/
- www.coursesu.com (U)
- www.houra.fr (Casino)
- www.supermarche.tv
- www.coursengo.com
- www.natoora.fr (Bio)

Les sites de petites annonces

- www.priceminister.com
- www.2xmoinscher.com

- www.leboncoin.fr
- www.venduweb.com
- www.annonz.com
- http://paris.kijiji.fr
- www.gusbazar.com
- www.topannonces.fr

Les sites d'enchères

- www.ebay.fr
- www.aucland.fr
- www.freebazar.net
- www.onatoo.com
- www.toutencheres.com

Chapitre 11

Préparer ses vacances

Dans ce chapitre :

- Trouver une location.
- Réserver.
- Arriver à bon port.
- Localiser le lieu de ses vacances
- Payer moins cher

J'ai écris ce chapitre au Printemps, époque de l'année où tout bon travailleur qui se respecte songe aux vacances d'été. Nous savons que la préparation des vacances se fait presqu'un an à l'avance. Je peux donc considérer que ce chapitre ne vous servira probablement pas pour vos prochains congés d'été. Ce n'est pas grave car tout ce qui est expliqué ici vous permettra de préparer vos séjours en France et à l'étranger tout au long de l'année, et ceci quelle que soit la durée de vos vacances.

Je me rappelle d'un temps où la préparation des vacances se faisait bien souvent par le bouche à oreille. Un voisin, un parent, ou un ami nous parlait d'un lieu particulièrement séduisant où les locations et les campings n'étaient pas très chers. Une adresse d'un propriétaire suffisait pour que l'on passe ses vacances au même endroit pendant 15 ans, à la même période de l'année, avec les mêmes voisins de location. Comme cela changeait des habitudes de la vie quotidienne. Ce temps est bien révolu. Tout le monde souhaite varier ses vacances, et en payant le moins cher possible. Tout le monde souhaite également pouvoir préparer ses séjours le plus facilement possible. Dans ce domaine particulier, Internet fait aussi (décidemment) des merveilles.

Trouver une location et comment s'y rendre

Il existe plusieurs manières de partir en vacances, et ce n'est pas à moi de vous dire quelle est la meilleure. Certains préfèrent les hôtels, d'autres les locations, voire le camping pour des vacances plus libres. Quel que soit votre mode et votre niveau de vie, le budget que vous consacrez à vos congés, vos envies de dépaysement et la durée de vos vacances, vous devrez trouver un lieu et évaluer l'itinéraire pour vous y rendre.

L'intérêt d'utiliser Internet pour effectuer ces deux opérations est que vous pourrez très précisément évaluer le coût de vos vacances, la durée du voyage, et la part du budget allouée à l'essence. Vous pourrez également apprécier l'environnement proche de votre lieu de séjour et ainsi savoir si vous vous retrouverez en pleine cambrousse, ravitaillée par les corbeaux, ou si des commerces se situent à proximité. Bien plus qu'un simple compte rendu écrit, vous pourrez voir des photographies de la maison ou de l'appartement que vous envisagez de louer. Vous disposez d'un lien direct et rapide avec l'agence ou le prioritaire qui s'occupe de la location des lieux, et vous aurez la possibilité d'organiser vos congés en fonction des disponibilités de la location et de son prix.

Trêve de blabla. Entrons dans le vif du sujet. Voyons comment préparer ses vacances. Il ne s'agit pas de vous donner une méthode infaillible mais plutôt des astuces et des conseils pour réussir ces congés que vous avez bien mérités.

Trouver une location

Comme toujours, Internet étant une source d'informations abondantes, vous avez plusieurs méthodes pour préparer vos vacances. Soit vous partez en quête d'une location, d'un voyage organisé, d'un village vacances, et j'en passe, en effectuant des recherches pour chacune des étapes de votre préparation, soit vous passez directement par un site spécialisé. Nous allons détailler cette seconde solution qui est très complète et séduisante.

Peu d'internautes le savent, mais il existe un site qui se nomme `preparersesvacances.com`. Il permet aussi bien de louer que de mettre en location.

Je vous propose de découvrir comment se déroule la recherche d'une location sur ce site.

Rechercher une location

Pour préparer ses vacances sur un site comme celui-ci, conformez-vous aux étapes suivantes :

Rien ne vous oblige à préparer vos vacances en passant par ce site. Toutefois, testez-le car la logique de cette préparation vous donnera une méthode pour effectuer, *via* d'autres sites, des recherches plus singulières.

1. **Ouvrez votre navigateur Web et connectez-vous à l'adresse** `www.preparersesvacances.com`**.**

   Vous accédez à la page d'accueil de ce site, illustrée à la Figure 11.1. Sur ce site, vous pouvez trouver des locations dans le monde entier.

   La carte de France va permettre de choisir le pays de vos vacances, ou plus simplement de faire des recherches dans divers pays pour comparer les offres.

2. **Si nécessaire, faites défiler le contenu de la page pour accéder à la liste Centrer la carte sur.**

   Cette liste se situe en bas à droite de la carte.

3. **Cliquez sur la liste et choisissez un pays.**

   Comme vous pouvez le voir sur la Figure 11.2, un grand nombre de pays sont répertoriés. À droite du nom de

Figure 11.1 : Quoi de plus logique que de préparer vos vacances sur un site qui se nomme preparersesvacances.com !

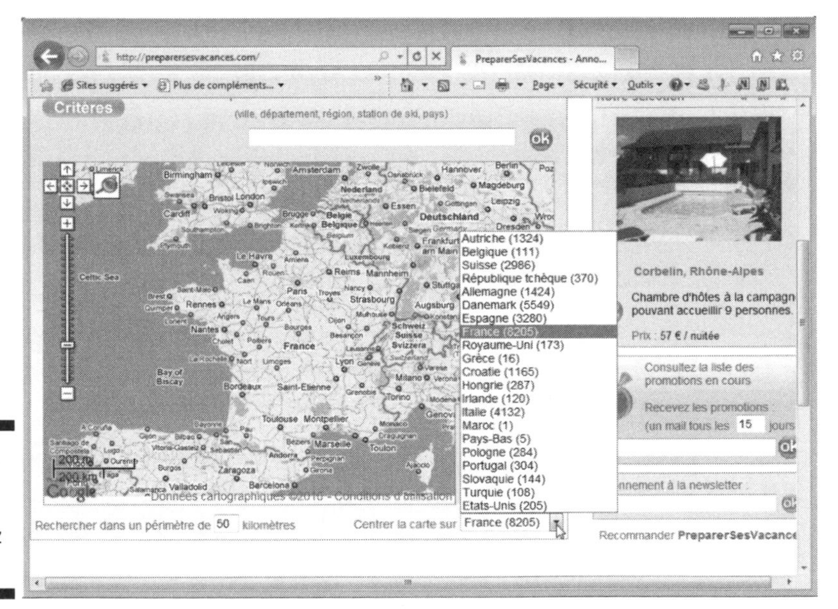

Figure 11.2 : Voici les pays où vous pouvez séjourner.

chaque pays, et entre parenthèses, figure le nombre de locations disponibles.

La technique de recherche expliquée ici vaut pour n'importe quel pays.

Vous pouvez également afficher un pays en tapant son nom dans le champ situé dans le coin supérieur droit de la carte. Ensuite, cliquez sur OK. Attention, vous ne trouverez pas de locations dans des pays qui ne sont pas répertoriés dans la liste.

Dans mon exemple, je souhaite passer mes vacances en Espagne ou du moins regarder les offres de locations dans ce pays ensoleillé. Ce que j'explique ici vaut pour n'importe quelle destination.

4. **Pour effectuer plus rapidement ma recherche sur l'Espagne, je tape « Espagne » dans le champ situé en haut à droite de la carte, et je clique sur OK.**

   Les locations disponibles dans toutes l'Espagne et répertoriées par le site s'affichent (Figure 11.3).

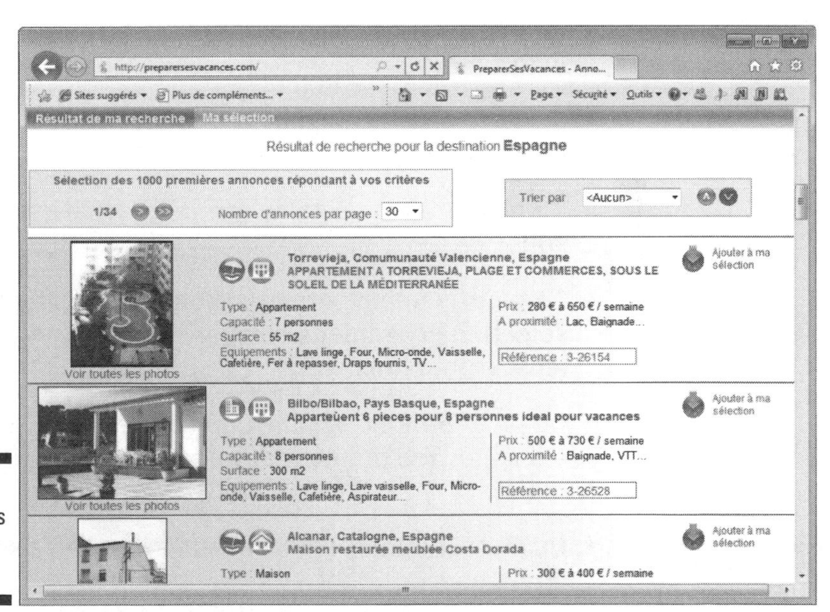

Figure 11.3 : Les locations disponibles en Espagne.

Une autre technique consiste à cliquer directement sur le point de la carte correspondant à une ville où vous souhaitez séjourner. Le problème est que vous risquez de perdre du temps. En effet, si la ville en question n'a aucune location de disponible, vous serez obligé de répéter l'opération. En revanche, en tapant le nom du pays, le site dresse la liste de toutes les locations disponibles en Espagne (ou ailleurs).

5. **Faites défiler le contenu de la page pour détailler chacune des locations.**

   Chaque annonce contient un certain nombre d'informations :

   - La majorité des offres de location présente une photo. Toutefois, certaines n'en proposent pas. Il est certain qu'une belle photo est plus engageante que n'importe quel discours.

   - Ce pictogramme signifie que la location se situe à proximité de la mer.

   - Ce pictogramme signifie que la location se situe en ville.

   - Ce pictogramme signifie que la location est un appartement.

   - Ce pictogramme signifie que la location est une maison.

   - Ce pictogramme permet d'ajouter la location à votre sélection pour mieux comparer les offres et faciliter ainsi votre choix.

   - Ce pictogramme signifie que vous pouvez accéder à un site Web donnant davantage de précision sur l'offre.

   - Ce pictogramme signifie que la location se situe à la montagne.

   - Ce pictogramme signifie que la location se situe à la campagne.

- Ce pictogramme indique que la location fait l'objet de promotions.

- Ce pictogramme indique que vous pouvez contacter directement le loueur par e-mail.

Comme le montre la Figure 11.4, ce détail d'une annonce permet de bien en comprendre le contenu :

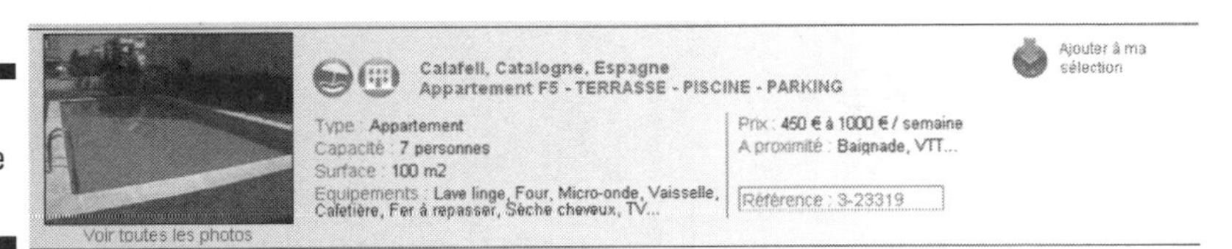

Figure 11.4 : Détails d'une annonce.

- **Type :** précise s'il s'agit d'une villa, d'une maison, ou d'un appartement.
- **Capacité :** indique le nombre de personnes que peut accueillir la location.
- **Surface :** précise la superficie de la location en mètres carrés. La mention N.C. signifie *non communiqué*.
- **Équipements :** permet de connaitre tous les appareils ou commodités disponibles dans l'habitation. Il faudra consulter l'annonce en détail pour connaitre précisément les services sur lesquels vous pouvez compter.
- **Prix :** indique une fourchette définie en fonction des basses et hautes saisons touristiques. Les écarts sont parfois impressionnants.
- **À proximité :** précise les visites, commodités, ou attractions situées à proximité de la location.

6. **Pour obtenir de nombreux détails sur la location, cliquez sur le texte écrit en bleu.**
7. **Si nécessaire, faites défiler le contenu de la page pour accéder aux informations suivantes, illustrées à la Figure 11.5.**

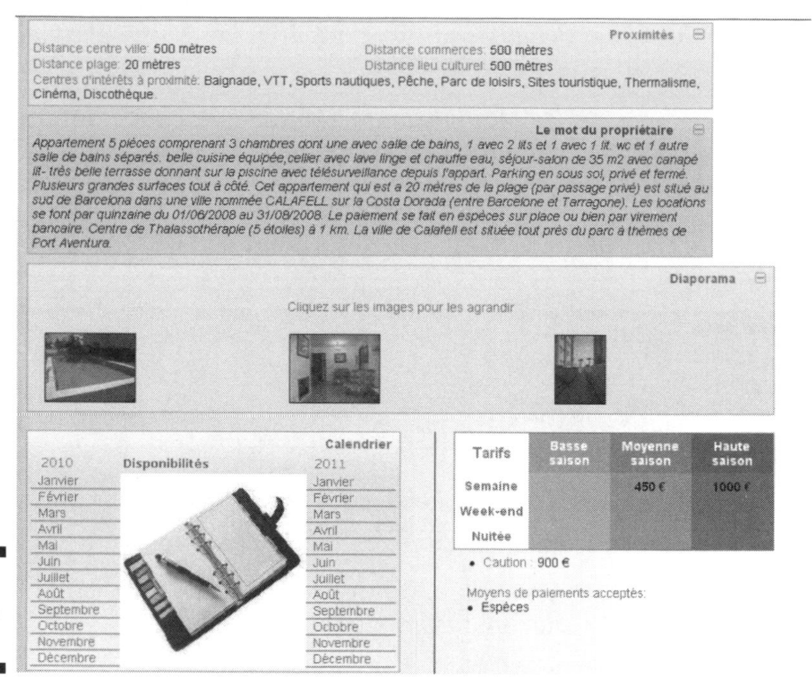

Figure 11.5 : Détails sur la location.

- **Géolocalisation.** C'est-à-dire une vision aérienne que vous pouvez mettre à l'échelle de votre choix. Cette géolocalisation n'étant pas toujours précise, nous vous conseillons de lire la section « Mieux voir le lieu de vos vacances avec Google Earth » plus loin dans ce chapitre.

- **Prestations.** Les équipements y sont précisés comme la présence d'une piscine, ou encore si les animaux sont ou non autorisés.

- **Le mot du propriétaire.** Donne des précisions sur l'habitat lui-même.

- **Diaporama.** Affiche un diaporama de photos de la location.

- **Calendrier.** Permet de connaitre les périodes de disponibilités de la location. Ne vous fiez pas au calendrier, qui n'est pas très bien tenu à jour. Vous connaitrez les disponibilités lorsque vous souhaiterez réserver.

8. **Si la location ne vous séduit pas, cliquez sur Revenir à la liste des annonces.**

Si une location vous intéresse, peut-être que le prix et la beauté du lieu ne sont pas vos seuls critères de sélection. Le voyage en est un. Alors, avant de vous décider pour telle ou telle location, calculez l'itinéraire comme expliqué à la prochaine section.

Vous apprendrez à calculer des itinéraires précis à la section « À pied, à cheval, ou en voiture » plus loin dans ce chapitre.

Evaluer l'itinéraire

Une location peut être séduisante esthétiquement et financièrement mais s'avérer un véritable gouffre financier car trop éloigné de chez vous. L'itinéraire fait aussi partie de la préparation de vos voyages. Peut-être vous faudra-t-il y aller en deux étapes en passant une nuit dans un hôtel pour éviter à votre famille une fatigue trop importante toujours source d'énervement.

Lorsque vous préparez vos vacances sur `preparersesvacances.com`, voici comment calculer votre itinéraire :

1. **Comme expliqué dans la précédente section, affichez les détails de la location qui vous intéresse.**

2. **Dans la partie supérieure droite de cette page de détails, cliquez sur le lien** `Recherche d'itinéraire`, **comme à la Figure 11.6.**

Figure 11.6 : Calculez l'itinéraire de vos vacances.

Livre II

3. **Dans la section Vos coordonnées, précisez les informations suivantes :**

   - Votre adresse aussi précise que possible, c'est-à-dire le numéro et le nom de la rue.
   - Le code postal de votre commune de départ qui sera souvent celle de résidence.
   - Le nom de la ville.
   - Le pays.

4. **Dans la section Paramètres optionnels, vous pouvez indiquer :**

   - Itinéraire. Aller ou retour.
   - Type de route. Avec ou sans autoroutes.
   - Votre langue de recherche d'itinéraire.

5. **Cliquez sur Rechercher votre itinéraire.**

   En fonction de la distance qui vous sépare du lieu de location et des paramètres spécifiés, le calcul de l'itinéraire va prendre un certain temps.

Comparez des locations

Lorsque l'on prépare des vacances, on ne sait pas toujours où on va les passer. La décision est souvent familiale, et plusieurs pistes sont explorées. L'intérêt d'un site comme `preparerses-vacances.com` est d'ajouter toutes les locations qui vous intéressent dans une sélection personnelle. Ainsi, une fois vos choix arrêtés, il ne vous restera plus qu'à comparer pour décider. De cette décision découlera la réservation de votre location.

Comparer est fondamental pour éviter toute perte de temps. Partez du principe que rien n'assure que la location sera vacante à la date où vous pensez prendre vos congés. Émettre ainsi plusieurs choix en créant une sélection de locations augmente vos chances de partir dans un endroit qui vous a séduit et dans la période qui vous convient.

1. **Si nécessaire, répétez les étapes de la section « Trouver une location ».**

2. **Dès qu'une offre vous intéresse, cliquez sur l'icône Ajouter à la sélection.**

3. **Revenez à la liste des locations, ou bien effectuez une recherche dans un autre pays.**

4. **Une fois que vous disposez des sélections souhaitées, consultez-les en cliquant sur Ma sélection, située à droite de Résultat de ma recherche.**

   Toutes les sélections effectuées apparaissent comme à la Figure 11.7.

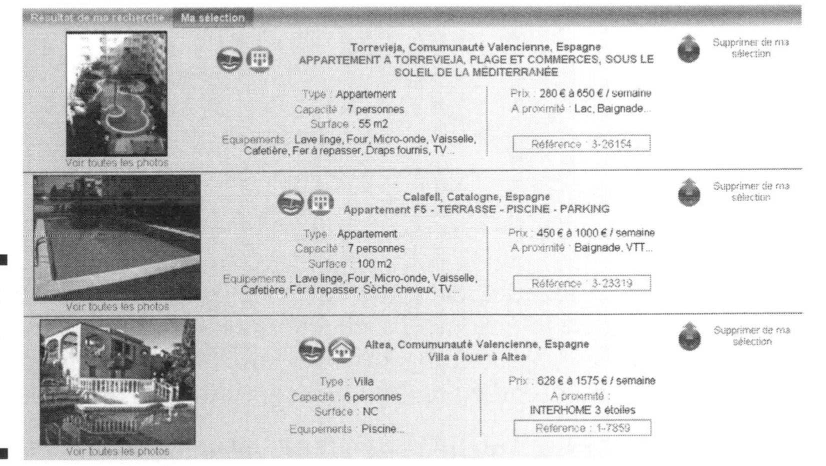

Figure 11.17 : Les sélections restent le meilleur moyen de bien choisir.

5. **Si vous désirez réduire le nombre de vos sélections, cliquez simplement sur l'icône Supprimer de ma sélection, située à droite des locations qui ne vous intéressent plus.**

Dès qu'une location vous intéresse, réservez-la !

Réserver !

La réservation est un engagement. Il n'y a rien de virtuel. D'ailleurs, vous allez devoir débourser de l'argent. Voici comment se déroule la réservation sur un site tel que `preparersesvacances.com` :

1. **Que vous partiez de votre sélection ou directement d'une annonce, cliquez sur le texte en bleu (ou en violet si vous avez déjà accédez aux détails de l'offre).**
2. **Dans la partie inférieure du calendrier, c'est-à-dire tout en bas de la page Web, cliquez sur le lien** `Interhome Réservez cette location`**, comme à la Figure 11.8.**

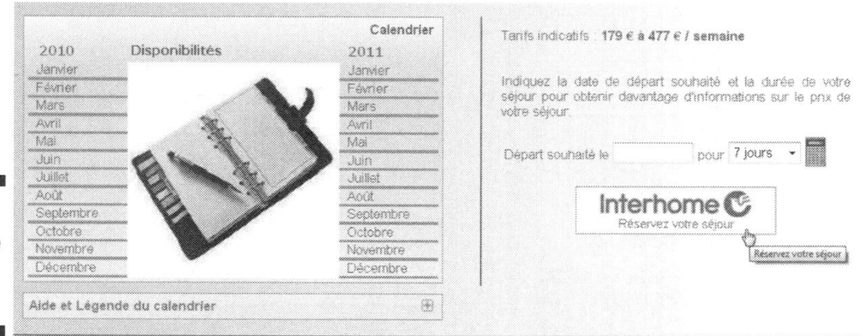

Figure 11.8 : Réservez une location qui vous plait !

La location est prise en charge par un site partenaire appelé Interhome. De ce fait, une nouvelle fenêtre de votre navigateur Web s'ouvre pour afficher le site de la société qui prend en charge la réservation.

3. **Le site affiche le détail de votre location.**

Ici les descriptions sont complètes. Si vous faites défiler le contenu de cette page, vous accéderez à une série de points ayant une note allant de 0 à 5 et qui concernent :

- **La situation de la location**, notée en fonction de la proximité de la mer, des lacs, *etc.*

- **L'espace extérieur** est une évaluation faite sur la présence de balcon, de terrasse, les meubles de jardin, et le type de jardin.
- **L'aménagement** tient compte de la qualité des meubles.
- **La tranquillité** est calculée en fonction de la présence de sources de nuisance sonore comme les autoroutes, les routes fréquentées, les lignes de chemin de fer, *etc.*
- **La cuisine** tire sa note du type et de la qualité des équipements électroménagers et autres.
- **Route d'accès** obtient sa note en fonction du degré de difficulté de l'accès, des accès disponibles aux abords de la location, et des escaliers. (Ceci peut être un critère de choix pour les personnes âgées ou handicapées.)

Le nombre d'étoile de la section Catégorie est une sorte de moyenne attribuée à la location. Cela va de zéro à cinq rectangles. Voici comment vous devez interpréter le nombre d'étoiles :

- **Aucune.** Correspond à des logements récemment inscrits au catalogue et qui n'ont pas fait l'objet d'une visite de la part d'Interhome.
- **Une.** Correspond à un logement convenable dont les aménagements sont simples. Les imperfections sont tolérables et ne rendent pas l'espace inhabitable ou insalubre. Ces habitats sont idéaux pour les vacanciers peu exigeants qui ne disposent pas d'un gros budget.
- **Deux.** Logement dont le confort est élémentaire mais qui dispose d'un aménagement agréable. Ici, le côté pratique l'emporte sur tous les autres. L'équipement est fonctionnel et l'aspect général de la location est soigné.

- **Trois.** À partir de trois rectangles, l'aménagement est à la fois confortable et de bonne qualité. Le logement dispose d'accessoires supplémentaires utiles. Ce type location est idéal pour les clients qui recherchent la qualité sans vouloir du luxe.
- **Quatre.** Il s'agit de logements dont l'aménagement intérieur est de haut standing. Le mobilier est assorti et confortable. Le prix est à la hauteur de ce confort.
- **Cinq.** Logement de haut standing à l'infrastructure exceptionnelle. Les clients exigeant y évolueront dans un cadre luxueux de grande qualité.

4. **Pour connaitre les périodes de disponibilité de la location et les tarifs, cliquez sur l'onglet Disponibilité & Prix.**

   Vous accédez à des calendriers et à une grille de prix comme à la Figure 11.9.

5. **Cliquez sur le mois durant lequel vous envisagez de louer.**

   L'affichage des dates se fait par bimestre. Voici comment décoder les légendes du calendrier :

   - **Cases vert foncé :** indiquent un début de période de location donc de disponibilité. Cela signifie que vous ne pouvez pas faire débuter cette location avant ou après cette date. Une date soulignée dans une case vert foncé indique en revanche la date de début de la location.
   - **Cases vert clair :** correspondent à une période de disponibilité pendant laquelle vous ne pouvez pas commencer un séjour. Je m'explique. Sur la Figure 11.9, vous remarquez que la date du 18 Septembre est en vert.

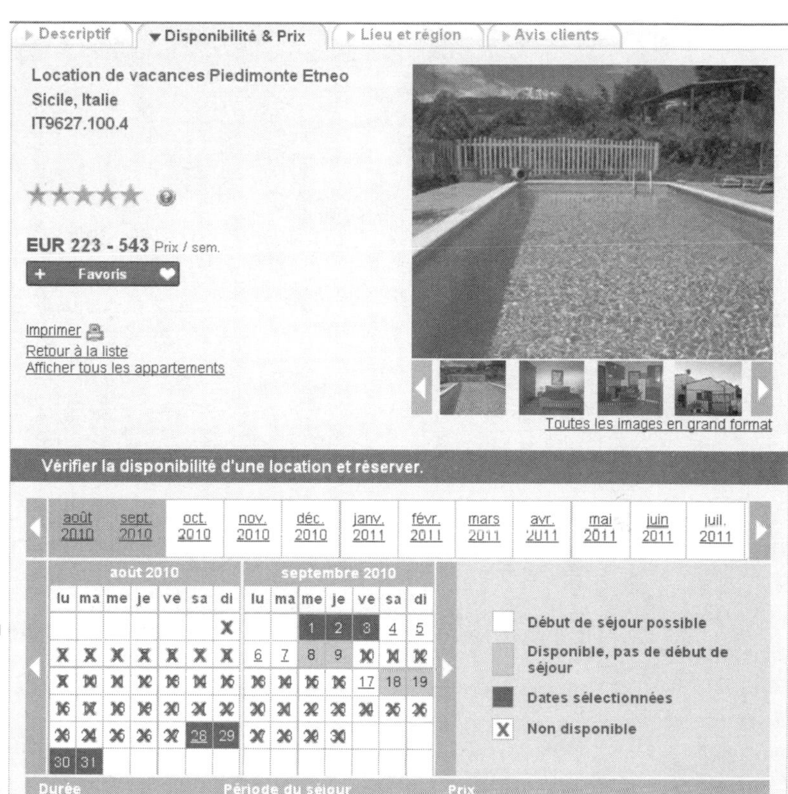

Figure 11.9 : Les prix dépendent de la période de location.

- **Cases blanches avec croix rouge :** pas de disponibilité. Cela correspond généralement à une période où l'habitation est louée.

6. **Cliquez sur la date de début de location qui correspond à vos vacances.**

   Par exemple, je clique sur le 28 Août. Instantanément, la semaine du 18 au 24 s'affiche en bleu. Cela indique ma période de location sélectionnée, comme le montre la Figure 11.10. Dans cet exemple, le prix d'une semaine est de 387 euros.

7. **Pour réserver, cliquez sur le bouton Réserver.**

8. **Remplissez le formulaire qui apparaît.**

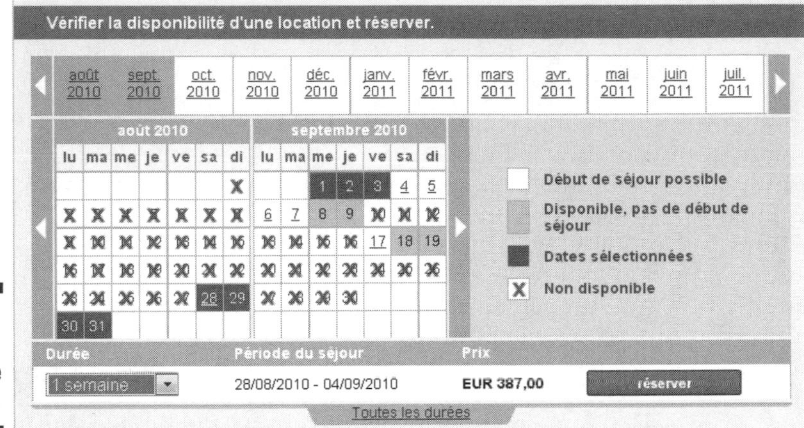

Figure 11.10 : Sélection d'une période de location.

Il s'agit d'un formulaire des plus simples. Il récapitule votre séjour, et le montant augmenté des frais de dossier.

9. **Une fois le formulaire rempli, cliquez sur Continuer.**

   Vous passez à l'étape des Options.

10. **Conservez ou non l'assurance annulation (dédit) proposée par défaut.**

    Quelques frais supplémentaires de lingerie et de caution seront à régler sur place.

    Vous pouvez également demander des prestations supplémentaires qui, bien entendu, vous seront facturées.

11. **Cochez la case « J'ai lu et j'accepte les conditions de vente ».**

    Cliquez sur le lien `Conditions de vente` pour connaitre précisément le contrat qui vous lie avec Interhome.

12. **Dans la nouvelle page qui apparaît, vérifiez les données concernant votre séjour et vos informations personnelles.**

13. **Vérifiez le prix du séjour.**

14. **Dans la section Merci de choisir votre mode de paiement, versez un acompte ou payez la totalité de la réservation.**

15. **Cliquez sur Réserver.**

    Dans la nouvelle page Web qui apparaît, indiquez votre numéro de carte bancaire.

16. **Une fois vos coordonnées de carte bancaire saisies, cliquez sur Continuer.**

La réservation est terminée ! Elle vous sera confirmée par e-mail.

Si la virtualité vous fait peur, un numéro de hotline est à votre disposition 24h/24. Il ne coûte que le prix d'une communication locale. Il est parfois rassurant d'avoir un être humain au bout du fil.

Vous remarquez que vous pouvez très bien organiser vos vacances depuis le site Interhome, en y trouvant quelques bons plans, comme cela est expliqué à la fin de ce chapitre.

La préparation des vacances sur Internet se déroule sensiblement de la même manière quel que soit le site que vous utilisez. Il est également possible de préparer ses vacances en passant par des sites de petites annonces comme nous en avons étudiés plus haut dans ce chapitre.

La préparation des vacances exige souvent une bonne organisation pour éviter le stress et en assurer leur réussite. Que vous ayez choisi une location, ou que vous vous apprêtiez à le faire, il est important de savoir comment va se dérouler votre voyage. Pour cela, vous devez faire votre itinéraire.

À pied, à cheval, ou en voiture

Je profite de la préparation des vacances pour traiter des itinéraires dans cette nouvelle section. Bien entendu, vous pouvez en reproduire les diverses procédures pour n'importe quelle circonstance occasionnant un déplacement.

Savoir faire un itinéraire sur Internet est important même si vous possédez un GPS. En cas de panne ou de dysfonctionnement de cet appareil, vous ne serez pas totalement perdu.

Préparer un itinéraire est un acte citoyen ! Avant Internet, si vous saviez le nombre de fois où je me suis perdu, consommant énormément d'essence pour retrouver mon chemin. Avec un itinéraire correctement préparé, la marge d'erreur devient très faible, donc la pollution beaucoup moins importante.

Dans cette section nous verrons comment faire un itinéraire en utilisant les fonctionnalités du site Mappy. Sachez que ces explications sont reproductibles sur la majorité des sites d'itinéraires.

Les sites d'itinéraires

Il existe énormément de sites qui permettent de faire un itinéraire. Toutefois, certains sont plus performants et réputés que d'autres. Bien que notre démonstration se base sur un site bien précis, vous utiliserez un site d'itinéraire proposant des services qui répondent à vos besoins.

Pour choisir un site d'itinéraire, il suffit d'ouvrir votre navigateur Web et de taper « itinéraire » dans un moteur de recherche. Vous obtiendrez une liste assez impressionnante de sites comme le montre la Figure 11.11.

Vous n'allez pas consulter toutes les réponses ! Pour vous piloter, c'est le cas de le dire, vers des sites qui ont fait leurs preuves, nous allons dresser une liste d'adresses Web. Tapez-les dans la barre d'adresses de votre navigateur, puis testez-les en appliquant les procédures décrites dans la prochaine section.

Les plus connus

Les deux sites d'itinéraires les plus connus et réputés sont Mappy et Via Michelin. Vous les trouverez aux adresses suivantes :

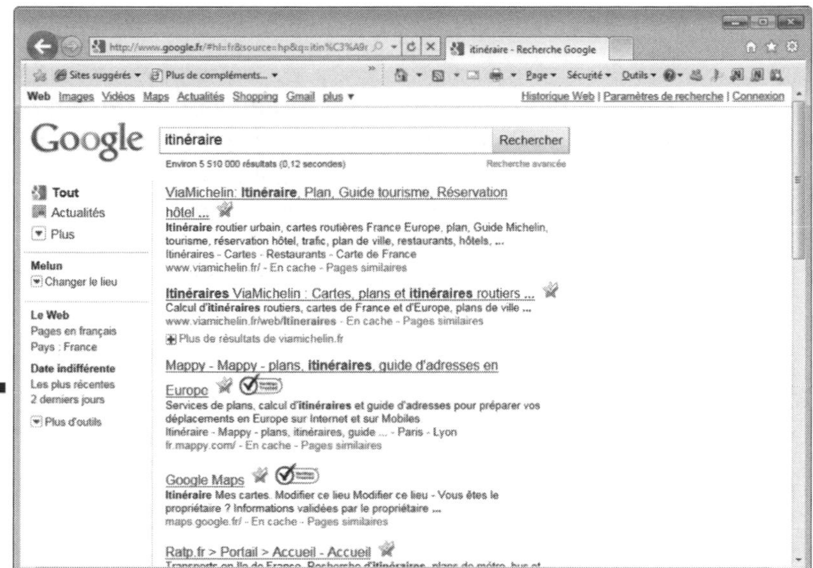

Figure 11.11 : Plus de 2 millions de réponses sur les itinéraires.

- Mappy à `www.mappy.fr`.
- Via Michelin à `www.viamichelin.fr`.

Les portails Web

De nombreux portails Web, comme celui de votre FAI, peuvent proposer un lien direct vers son service d'itinéraire. C'est le cas des portails suivants :

- Yahoo! propose Yahoo! Maps à l'adresse suivante : `http://fr.maps.yahoo.com/`
- Google avec Google Maps. Pour y accéder, tapez `www.google.fr`, puis cliquez sur le lien `Maps` situé dans la barre de navigation du site.
- Voilà propose aussi un service de calcul d'itinéraire à l'adresse `http://itineraire.voila.fr/`.
- MSN avec son extension MSN Auto met à votre disposition un système de calcul d'itinéraire. Il se trouve à l'adresse `http://auto.fr.msn.com/carte-itineraire`.

- Le FAI Orange propose ce type de service à l'adresse http://auto.orange.fr/itineraire-et-plan.html.

D'une manière générale, rendez-vous sur le portail de votre FAI ou sur celui du site où vous avez créé une messagerie gratuite. Vous y trouverez probablement un lien permettant d'accéder à un service d'itinéraire en ligne. Nous avons constaté que, très souvent, ces services mis en place par les FAI reposent sur la technologie Mappy que nous étudions dans la prochaine section.

Les itinéraires spécialisés

Certains sites sont spécialisés dans des types d'itinéraires particuliers. Voici quelques exemples :

- Pour vous déplacer facilement en Ile-de-France, visitez les sites http://www.transilien.com/web/site et http://www.transport-idf.com.
- Pour calculer un itinéraire empruntant le métro et/ou le bus, allez sur le site www.ratp.info/orienter/sncf.php.
- Pour visiter le patrimoine de notre beau pays, rendez-vous sur www.culture.gouv.fr/culture/inventai/inventai/som-inv.htm.

Quelques autres sites

- www.maporama.com
- www.1bis.com
- http://itineraire.express-map.com/

En fonction de vos besoins et de la richesse et ou de l'ergonomie des sites d'itinéraires, vous vous orienterez vers celui qui répond le mieux à votre logique et à votre sens de l'organisation. Pour trouver un tel site, je vous conseille de tester un même itinéraire sur plusieurs d'entre eux. Vous saurez ainsi lequel donne l'itinéraire le plus précis.

Pour l'heure, entrons dans le vif du sujet en calculant un itinéraire *via* le site Mappy. Les diverses procédures de la prochaine section sont reproductibles sur la majorité des sites d'itinéraire. Seules quelques fonctionnalités spécifiques risquent d'être indisponibles.

Faire un itinéraire sur Mappy

Historiquement Mappy est le plus ancien des sites d'itinéraire sur Internet. C'est la référence absolue en matière de calcul d'itinéraire en France et en Europe. Sa précision est proverbiale et ses services très nombreux. Par conséquent, voici comment faire un itinéraire sur Mappy :

1. Ouvrez votre navigateur Web.

2. **Dans la barre d'adresses, tapez** `www.mappy.fr`.

   Vous accédez à la page d'accueil de Mappy illustrée à la Figure 11.12.

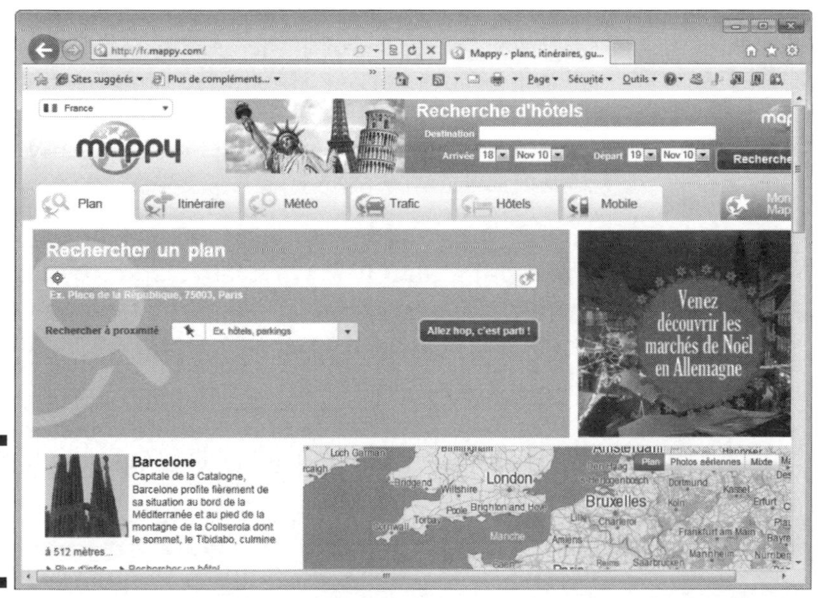

Figure 11.12 : Faites votre itinéraire sur Mappy !

3. **Dans la partie supérieure de la page d'accueil, cliquez sur l'onglet Itinéraire.**

4. **Dans la section Départ, tapez les informations suivantes :**

   - Le numéro et le nom de la rue. À défaut, vous pouvez saisir le nom d'une station de métro, d'un quartier, ou encore d'une gare.
   - Le nom de la ville, du lieu-dit, ou encore d'un aéroport.
   - Votre code postal.
   - Spécifiez le pays de départ en le sélectionnant dans la liste qui affiche France – Dom.

Si le point de départ de votre itinéraire se situe en dehors de l'Europe, cliquez sur le lien `Autres continents`.

5. **Dans la section Arrivée, tapez les coordonnées du lieu de destination.**

Il n'est pas nécessaire de connaitre l'adresse exacte. Ainsi, pour vous rendre à Casazza sans adresse précise, tapez simplement « Casazza » dans le champ Ville, tapez une virgule et « Italie ». Cependant, pour arriver à une adresse bien particulière, il faut impérativement la connaitre.

6. **Si vous désirez effectuer votre voyage en plusieurs étapes, par exemple si vous faites un circuit touristique ou si le voyage est si long que vous allez dormir une ou plusieurs fois en route, cliquez sur Ajouter une étapes. (Figure 11.13.)**

7. **Ensuite, indiquez par quel moyen de locomotion vous souhaitez vous rendre dans la ville de destination.**

   Vous avez le choix entre Voiture, Piéton et Vélo.

8. **Lorsque vous optez pour Voiture, cliquez sur le triangle situé à gauche de Plus d'options. Là, précisez Le plus rapide ou Le plus court. Ensuite, indiquez si vous désirez ou non Éviter les cols, Éviter les péages, ou bien encore afficher les distances en miles.**

Figure 11.13 : Il est possible de faire un itinéraire de plusieurs étapes.

9. **Validez ces options par un clic sur OK.**
10. **Pour savoir combien ce trajet va vous coûter, cliquez sur le triangle noir situé à gauche de Calcul de frais.**
11. **Indiquez le type de véhicule que vous utilisez en effectuant un choix dans la liste Véhicule.**
12. **Dans la liste Carburant, indiquez le type de carburant que vous utilisez comme Gazole, puis spécifiez le prix moyen selon vous.**
13. **Si vous disposez d'indemnités kilométriques, tapez-en le montant dans le champ éponyme.**
14. **Validez par un clic sur OK.**
15. **Une fois l'ensemble des renseignements donnés, cliquez sur Allez hop, c'est parti !**

Si Mappy hésite entre plusieurs villes indiquées, il affiche une liste. Cliquez sur celle correspondant à votre ville de destination ou à votre ville étape.

Il ne faut que quelques secondes à Mappy pour calculer l'itinéraire qu'il vous présente sous deux formes personnalisables, comme le montre la Figure 11.14.

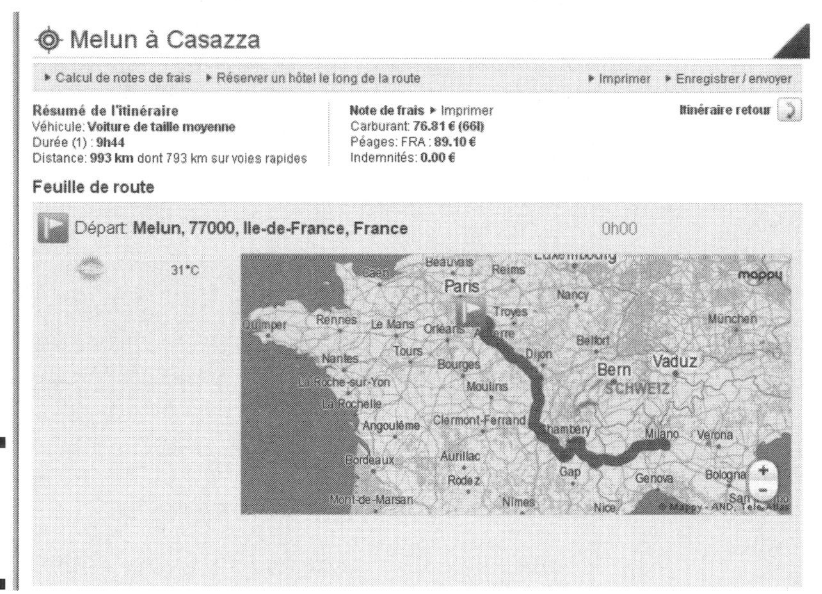

Figure 11.14 : Mappy a fini le calcule de l'itinéraire.

Un certain nombre d'informations vous sont alors délivrées :

- La durée du voyage.
- La distance avec le nombre de kilomètres en voies express. Ici je sais que je vais parcourir 993 km dont 793 en voies express.
- Le nombre de litres de carburant nécessaires et la somme que cela représente.
- Le coût du péage.

Notez que vous pouvez calculer votre itinéraire de retour en cliquant sur le lien éponyme.

16. Sous ces premières informations, une série d'icônes représentent les services proposés par Mappy :

Cliquez sur Enregistrer/Envoyer pour recevoir votre itinéraire par e-mail. Ceci est très pratique lorsque vous calculez un itinéraire au bureau ou chez un ami, voire dans un cybercafé. Cette fonction permet aussi d'envoyer un itinéraire à une personne qui ne peut pas se connecter à Internet (mais si, je vous assure, ça existe encore !).

Cliquez sur Imprimer pour imprimer votre itinéraire. En effet, je vous vois assez mal conduire avec un ordinateur portable sur les genoux. Nous verrons comment procéder dans la section « Imprimer un itinéraire », plus loin dans ce chapitre.

17. **La section Feuille de route établit la carte de votre itinéraire et en affichent les étapes majeures. Cliquez sur Agrandir la carte.**

    • Pour détailler une partie de votre itinéraire, faire varier l'échelle d'agrandissement située sur le côté inférieur droit de la carte. Plus vous faites glisser le curseur vers le haut, et plus vous agrandissez une portion de la carte. Plus vous le glissez vers le bas, et plus l'affichage de la carte se réduit. Vous pouvez effectuer ces deux opérations en cliquant sur les boutons + et – situés en haut et en bas de la glissière.

    • Pour vous déplacer sur la carte lorsque vous avez agrandi une de ses portions, placez le pointeur de la souris à l'intérieur. Cliquez et ne relâchez pas le bouton de la souris. Quatre flèches apparaissent sous le curseur. Faites-le glisser dans la direction que vous souhaitez afficher. Une autre méthode consiste à cliquer sur les petites flèches vertes situées dans les angles et sur les côtés de la carte.

    • Dans le coin supérieur droit de la carte, vous voyez un certain nombre d'icônes. Elles proposent, par défaut, d'afficher les Stations services, les Sites et monuments, les Parkings, *etc.* Si vous souhaitez afficher d'autres services, cliquez sur la petite flèche située en bas des icônes. Vous pourrez alors afficher les cinémas, les distributeurs de billets, *etc.* Par exemple, pour connaitre les stations services accessibles à proximité de la zone de la carte actuellement affichée, cliquez sur Stations services. Comme vous pouvez le voir à la Figure 11.15, Mappy affiche les stations services, les prix, et les adresses. Vous pouvez changer de carburant en le sélectionnant dans le menu local situé en haut de la liste. Mappy trie les stations services par prix croissants. Sous la carte, vous disposez de la liste des stations trouvées à proximité de la ville la plus importante affichée par la zone agrandie de la carte. Si vous cliquez sur l'une de ces stations, la carte affiche des informations pour s'y rendre. Les stations sont également affichées sous la carte principale. Des icônes permettent de mémoriser la station qui vous intéresse, et de savoir comment vous y rendre.

Figure 11.15 : Mappy permet de localiser quelques points d'intérêts comme les stations services.

- Sous la carte, vous retrouvez les icônes décrites un peu plus haut dans cette section.

18. Pour quitter l'agrandissement de la carte, cliquez sur le lien Feuille de route situé au-dessus de cette carte.

19. Faites défiler le contenu de la page Web pour analyser l'itinéraire en détail.

Comme le montre la Figure 11.16, l'itinéraire est très précis et comporte beaucoup de détails. Pour se perdre,

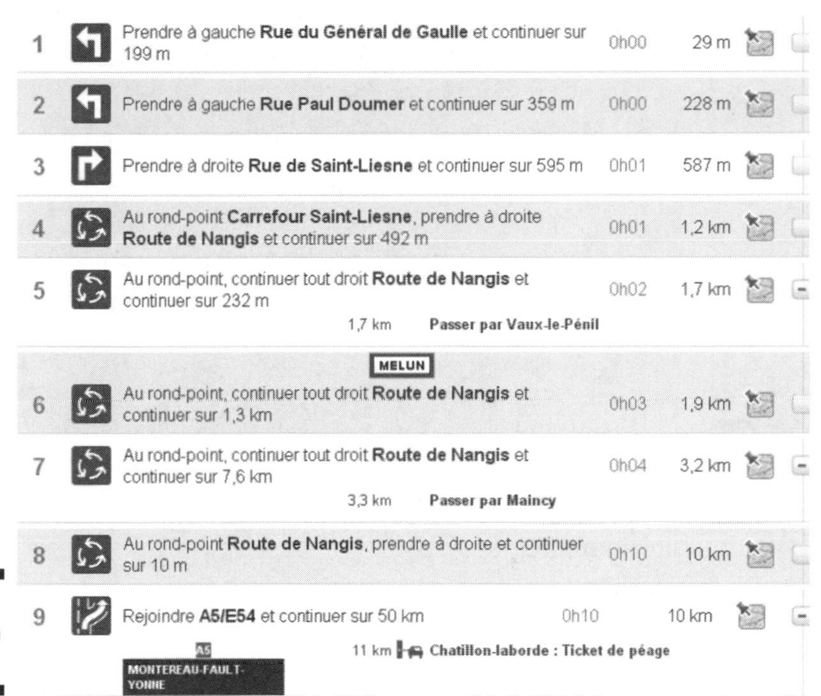

Figure 11.16 : L'itinéraire en détails.

il faut vraiment le faire exprès ou être inattentif au possible.

En cas de doute sur une instruction, cliquez sur le lien `Plan` situé juste à sa droite.

Cliquez sur les icônes situées à droite d'une étape de votre itinéraire pour accéder à des informations très intéressantes, comme le montre la Figure 11.17. Vous disposez en effet d'informations sur la position des radars fixes, sur la prise des tickets de péages, et sur les péages eux-mêmes et la somme à débourser.

L'itinéraire détaillé montre les panneaux routier que vous allez rencontrer. Il indique également à chaque étape, le nombre d'heures écoulées depuis votre départ, et le nombre de kilomètres parcourus si vous avez respecté les limitations de vitesse, et si vous n'avez pas été pris dans les embouteillages.

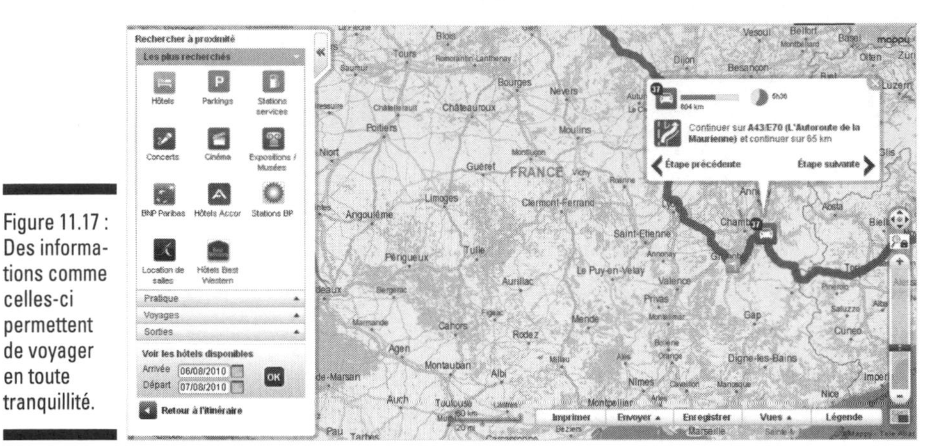

Figure 11.17 : Des informations comme celles-ci permettent de voyager en toute tranquillité.

Quand l'itinéraire vous convient, il serait peut-être judicieux de la sauvegarder si, par exemple, vous souhaitez le modifier ultérieurement.

Sauvegarder un itinéraire

Pour sauvegarder un itinéraire afin de mieux l'étudier ultérieurement, l'imprimer, le soumettre à votre famille, ou encore le modifier, cliquez sur l'icône Enregistrer.

Ensuite, voici comment procéder :

1. **Dans la nouvelle page qui apparaît, cliquez sur le bouton S'inscrire.**

   L'inscription est indispensable car elle permet de créer un compte, donc de sauvegarder vos préférences et vos itinéraires. L'ouverture de ce compte est gratuite.

   Par exemple, un compte permet de sauvegarder un carnet d'adresses ce qui facilite la saisie des coordonnées de départ et d'arrivée.

2. **Remplissez le formulaire que vous soumet Mappy.**

   Il n'y a rien que vous ne connaissiez déjà !

3. **Cochez la case J'accepte les conditions d'utilisation.**

Lisez ces conditions !

4. **Cliquez sur le bouton Valider.**

   Une page vous remercie pour votre inscription et vous indique qu'un courriel vous a été envoyé à l'adresse mail spécifiée dans le formulaire.

5. **Relevez votre courrier électronique.**

6. **Dans le message envoyé par Mappy, cliquez sur le lien nécessaire à la validation de votre inscription.**

7. **Dans la page Web qui apparaît, cliquez sur Accéder à mon espace personnel.**

   Votre espace personnel va permettre, comme son nom le laisse supposer, de personnaliser votre utilisation de Mappy. Ainsi, vous pouvez :

   • Confectionner un carnet d'adresses.

   • Créer des plans.

   • Créer des itinéraires. Cette fonction est fondamentale. Pour la personnaliser, cliquez sur Options. Là, spécifiez les caractéristiques techniques de votre véhicule. Indiquez le carburant utilisé, et le coût moyen au litre. Toutes ces informations seront utilisées par Mappy pour calculer vos frais de voyage au plus juste.

   Pour enregistrer l'itinéraire qui vous a amené jusqu'à la création de votre compte, vous devez utiliser une petite astuce. En effet, le site n'est pas très bien conçu à ce niveau là. Le fait d'avoir validé le compte ne vous donne plus accès à l'itinéraire en cours. Soit vous le recréez en cliquant sur Créer des itinéraires dans votre espace personnel, soit vous vous conformez à l'étape 8 :

8. **Dans votre navigateur Web, cliquez sur le bouton Précédent de la barre de navigation jusqu'à ce que vous reveniez à la page contenant votre itinéraire. Là,**

cliquez de nouveau sur l'icône de la disquette (Sauvegarder).

Cette fois, une page demande confirmation de cette sauvegarde comme à la Figure 11.18.

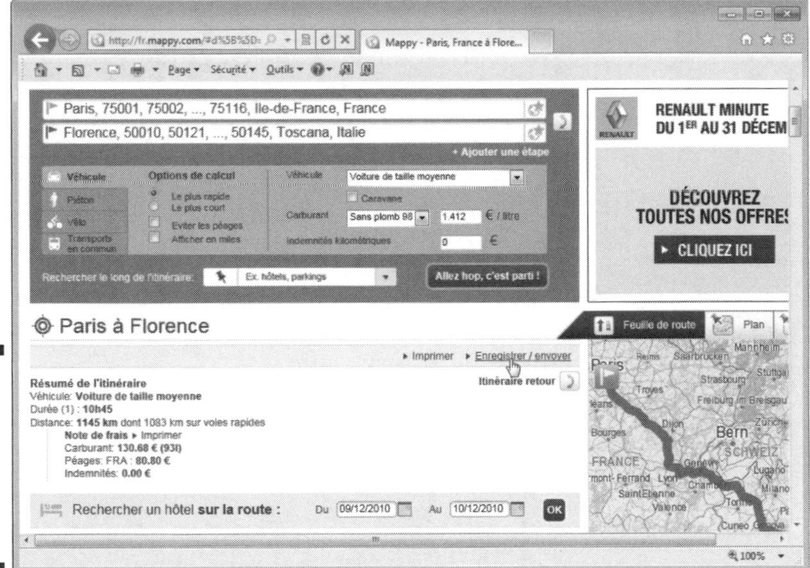

Figure 11.18 : Sauvegarder un itinéraire après avoir créé un compte sur Mappy.

9. **Vérifiez les coordonnées de votre itinéraire.**

   Si elles sont obsolètes, changez-les ! (Ce serait étonnant puisque vous venez de créer l'itinéraire.)

10. **Donnez un titre (nom) à votre itinéraire, et cliquez sur Valider.**

    L'itinéraire est ajouté aux 20 sauvegardes possibles sur votre compte (Figure 11.19).

11. **Pour consulter votre itinéraire, accédez à votre compte, et cliquez sur son nom.**

12. **Pour modifier votre itinéraire, accédez à votre compte, et cliquez sur Modifier.**

Maintenant que vous avez un ou plusieurs itinéraires, voyons comment les imprimer.

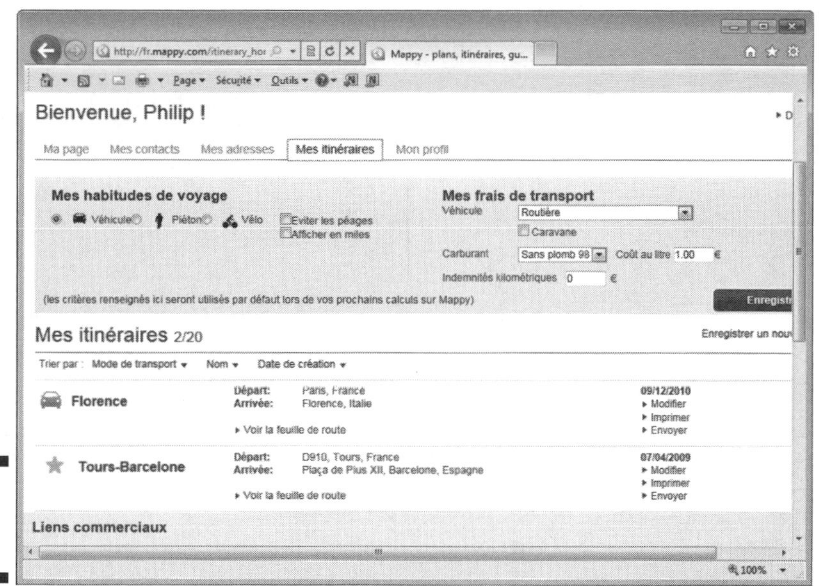

Figure 11.19 : Un itinéraire sauvegardé.

Imprimer un itinéraire

Il est nécessaire d'imprimer un itinéraire pour pouvoir le consulter en cours de route, votre conjoint ou vous-même servant de copilote.

Pour imprimer un itinéraire :

1. **Commencez par créer un itinéraire, ou bien affichez un itinéraire sauvegardé.**

2. **Cliquez sur l'icône représentée ci-contre.**

   Mappy ouvre une nouvelle fenêtre dédiée à l'impression de votre itinéraire, illustrée à la Figure 11.20.

3. **Choisissez le type d'impression :**

   - **Impression Standard.** Mode d'impression proposé par défaut. Il imprime les détails et les plans que vous affichez. La gestion des détails à imprimer se fait directement dans l'aperçu de l'itinéraire affiché dans la page.

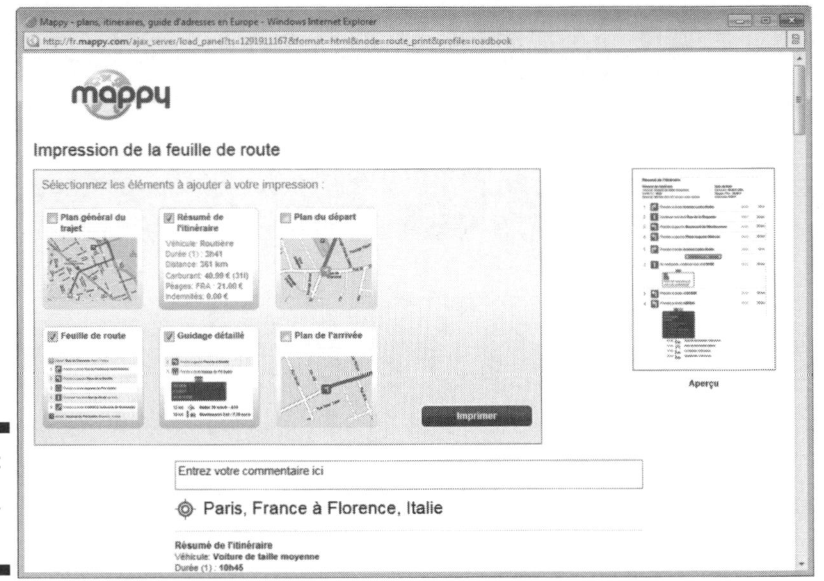

Figure 11.20 : Imprimer un itinéraire sur Mappy.

- **Impression en mode guidé.** Peu de différence avec le mode Standard si ce n'est que les plans sont affichés en plus petits sur le côté droit de chaque étape.
- **Impression carte.** Imprime votre itinéraire sous la forme d'une carte peu détaillée.

Rien ne vous empêche d'imprimer trois versions différentes de votre itinéraire.

4. **Une fois que vous avez choisi le mode d'impression, cliquez sur le bouton Imprimez.**
5. **Dans la boîte de dialogue Imprimer, sélectionnez votre imprimante.**

   Reportez-vous au manuel d'utilisation de votre imprimante pour la configurer correctement.

6. **Cliquez sur le bouton Imprimer.**

Au bout de quelques minutes, vous disposez d'une version imprimée de votre itinéraire. Il tiendra une place de choix dans votre boîte à gants, ou sur les genoux du passager. Bien entendu, vous ne consulterez jamais l'itinéraire en conduisant !

Mieux voir le lieu de ses vacances avec Google Earth

Dans la partie de ce chapitre consacrée au site preparerses-vances.com, nous avons vu une fonctionnalité appelée *géolocalisation.* Approximative sur se site, sachez qu'elle est d'une précision diabolique avec l'application Google Earth. Je vous invite donc à mieux localiser le lieu de vos vacances (ou tout autre lieu) en utilisant ce petit programme.

Télécharger et installer Google Earth

Google Earth est un programme à part entière qui permet de localiser, par vision satellite, tous les pays du monde avec une grande précision, surtout quand il s'agit d'espaces bien répertoriés sur notre bonne vielle terre. Avant de pouvoir utiliser Google Earth, téléchargez-le et installez-le.

1. **Pour avoir des informations sur Google Earth et télécharger cette application, ouvrez votre navigateur Web et rendez-vous à l'adresse suivante :** `http://earth.google.fr/`.

   Vous accédez à la page illustrée à la Figure 11.21. Profitez-en pour cliquer sur le lien `Présentation du produit` pour connaitre un peu mieux Google Earth.

2. **Cliquez sur le bouton Télécharger Google Earth 5.0.**

3. **Dans la nouvelle page qui s'ouvre, cliquez sur Accepter et télécharger.**

   Je vous invite à prendre connaissance des conditions d'utilisation du logiciel avant de cliquer sur ce bouton.

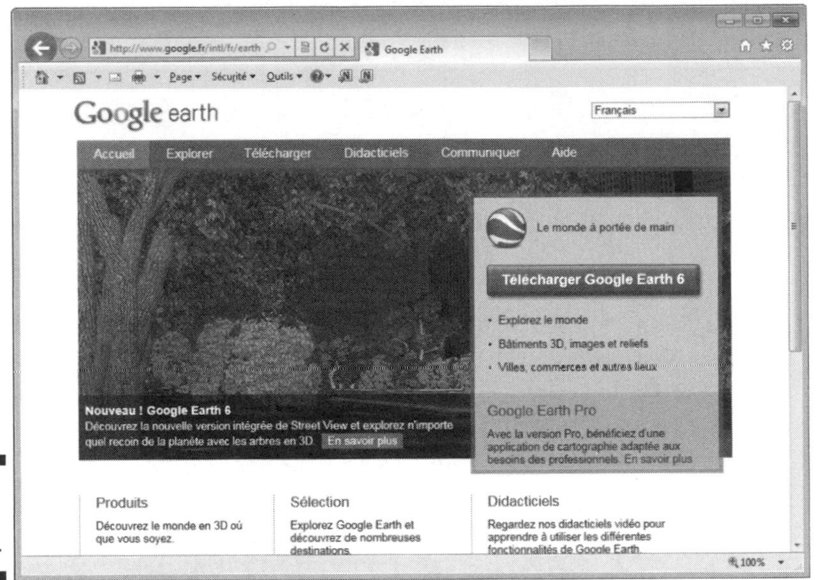

Figure 11.21 : Le site Google Earth.

4. **Sous Windows Vista, si le téléchargement ne démarre pas immédiatement, cliquez sur la barre du navigateur indiquant que le téléchargement est bloqué pour des raisons de sécurité.**

5. **Dans le menu local qui apparaît, cliquez sur Télécharger le fichier.**

6. **Dans la boîte de dialogue Téléchargement de fichiers, cliquez sur Enregistrer.**

Il est conseillé d'enregistrer le fichier plutôt que de l'exécuter. En effet, si l'installation se déroule mal pour une raison ou pour une autre, vous n'aurez qu'à la relancer sans être obligé de télécharger une nouvelle fois le fichier.

7. **Dans la boîte de dialogue Enregistrer sous, indiquez le disque dur et/ou le dossier dans lequel vous souhaitez télécharger (donc stocker) le fichier.**

8. **Cliquez sur Enregistrer.**

En haut débit, le téléchargement ne prend que quelques secondes.

9. **Dans la boîte de dialogue Téléchargement terminé, cliquez sur Ouvrir le dossier.**

10. **Dans la fenêtre de l'Explorateur Windows qui apparaît, double-cliquez sur le fichier GoogleEarthSetup. exe.**

11. **Suivez scrupuleusement la procédure d'installation du programme.**

L'installation nécessite une connexion Internet active.

Patientez pendant toute la durée de l'installation.

12. **Une fois l'installation terminée, cliquez sur le bouton Fermer.**

Inutile d'attendre plus longtemps ! Utilisez Google Earth pour voir où vous allez passer vos prochaines vacances.

Afficher un lieu avec Google Earth

Voici la procédure à suivre pour localiser et apprécier un lieu particulier. Comme le sujet de ce chapitre est la préparation de vos vacances, nous allons partir du principe qu'avant de louer quoi que ce soit il est peut-être judicieux d'en apprécier la situation géographique, surtout si vous effectuez toute l'opération de location *via* Internet sans jamais vous rendre sur les lieux.

Dans la précédente section vous avez téléchargé et installé l'application Google Earth. Voici comment la mettre en œuvre :

1. **Accédez au bureau de Windows.**

2. **Localisez le raccourci de l'application Google Earth (voir ci-contre), et double-cliquez dessus.**

Si vous ne trouvez pas ce raccourci sur le bureau de Windows, cliquez sur le bouton Démarrer de la Barre des tâches. Commencez à taper « Google Earth ». Dès les premières lettres, Windows affiche des éléments correspondant à la saisie en cours. Une fois que vous voyez l'application Google Earth dans la liste des éléments trouvés, double-cliquez dessus.

Pour utiliser Google Earth vous devez disposer d'une connexion Internet active. En d'autres termes, vous devez être connectés à Internet !

Comme vous le constatez sur la Figure 11.22, la fenêtre de l'application Google Earth apparaît avec une boîte de dialogue intitulée Conseil de démarrage. Vous pouvez en profiter pour découvrir les nouveautés de la version 5 du programme, mais aussi pour naviguer parmi les conseils en cliquant sur les boutons Conseil suivant et Conseil précédent.

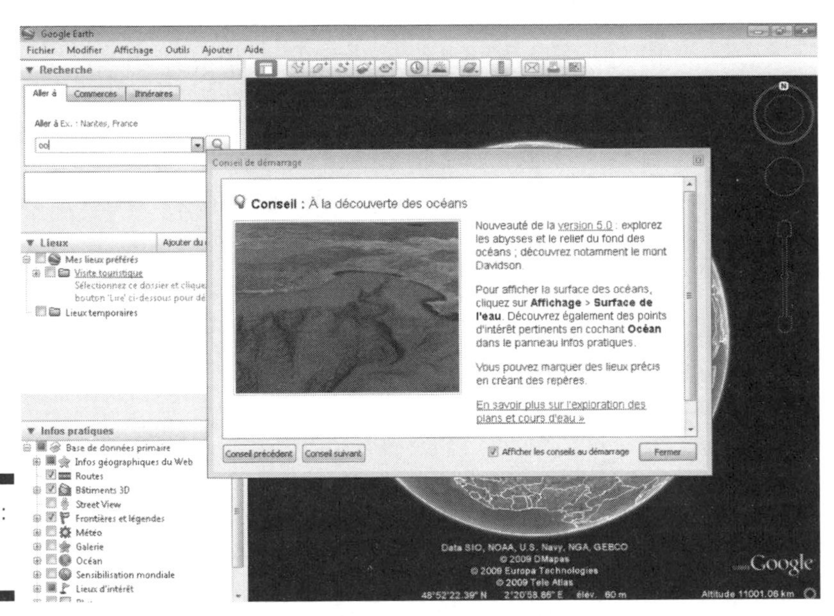

Figure 11.22 : Google Earth !

2. **Quittez la fenêtre Conseil de démarrage par un clic sur le bouton Fermer.**

Si vous ne voulez plus que cette fenêtre s'affiche à chaque démarrage de Google Earth, décochez l'option

Afficher les conseil au démarrage, située à gauche du bouton Fermer.

3. **Pour trouver un lieu et l'afficher dans Google Earth, il suffit de saisir des informations dans le champ Aller à de l'onglet éponyme.**

   Voici les formats de saisies reconnus par Google Earth :

   - Ville, département
   - Ville, pays
   - Numéro de rue, pays
   - Numéro de rue, ville, département
   - Code postal
   - Latitude longitude

4. **Imaginez que votre lieu de vacances soit Valence en Espagne, et que la maison à louer se situe Calle de la Alzina. Vous tapez précisément ces informations dans le champ Aller à sous la forme suivante :**

   « `Calle de la Alzina, Valence` »

   Dans l'onglet Aller à, Google Earth affiche immédiatement le lieu trouvé. Parallèlement, le planisphère s'anime, et en quelques secondes, le lieu est affiché comme à la Figure 11.23.

5. **Cliquez sur Affichage/Afficher l'outil de navigation/Toujours.**

   Ceci fait apparaitre divers éléments de navigation dans le coin supérieur droit du « plan ».

6. **Pour vous rapprocher de l'adresse précise, faites glisser le curseur de la boussole vers le haut, ou bien cliquez plusieurs fois sur le bouton +.**

7. **Agissez sur la boussole supérieure pour ajuster la rotation de la vue.**

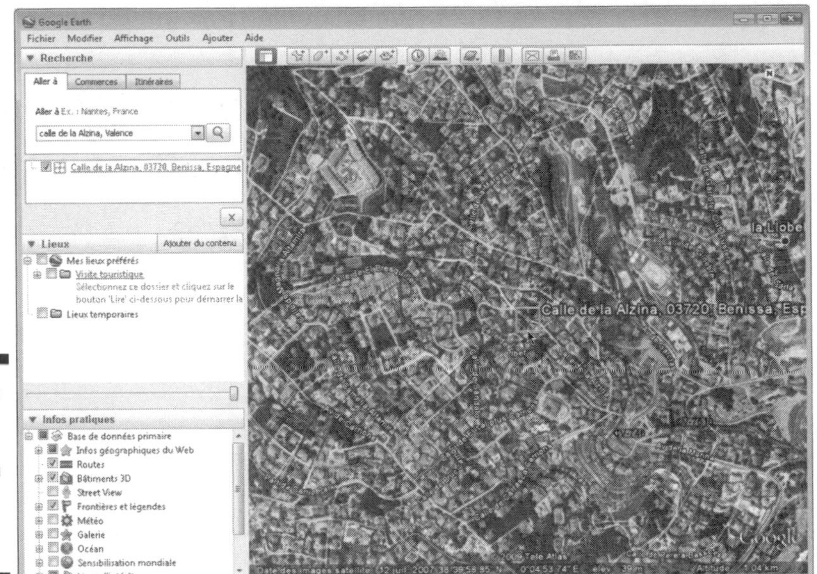

Figure 11.23 : En quelques secondes Google Earth localise l'adresse saisie.

Cette boussole permet de rester en vue aérienne, mais aussi de vous mettre au niveau du sol. Dans ce cas, l'image semble assez plate sauf quand des bâtiments répertoriés par Google Earth sont représentés en 3D.

8. **Agissez sur la boussole inférieure pour déplacer la vue sur les quatre points cardinaux.**

   La Figure 11.24 montre la vue précise que l'on peut obtenir en quelques manipulations réalisées à l'aide de la souris.

À partir de l'agrandissement et de la localisation exacte de votre lieu de vacances, vous pouvez modifier l'orientation du plan de manière très intuitive. Pour cela, faites un clic-droit sur la maison. Une boussole contextuelle apparaît. Sans relâcher le bouton de la souris, faites glisser le curseur vers le haut pour reprendre de l'altitude, vers le bas pour vous rapprocher, vers la droite pour effectuer une rotation dans le sens horaire, et vers la gauche pour effectuer une rotation dans le sens antihoraire.

Figure 11.24 : Facile d'apprécier la situation de votre prochain lieu de vacances !

Google Earth propose un certain nombre de lieux touristiques dont les coordonnées sont mémorisées. Pour accéder à de tels endroits, cliquez sur le signe + du dossier Visite touristique. Cochez le lieu à visiter comme Mont Saint-Michel. Ensuite, cliquez sur le texte du dossier pour le sélectionner. Dans la partie inférieure du panneau Lieux, cliquez sur le bouton Lancer la visite (icône d'un dossier avec une flèche noire). Une animation démarre. Elle vous transporte vers les différents lieux du dossier Visite touristique. Dès que vous atteignez le lieu qui vous intéresse, cliquez sur le bouton Pause de la barre de lecture qui s'incruste sur le plan. Une fois que vous êtes en pause, utilisez les boussoles pour voir le Mont Saint-Michel sous tous les angles. Vous constatez que Google Earth affiche en 3D les bâtiments les plus connus, comme le montre la Figure 11.25. Il est possible

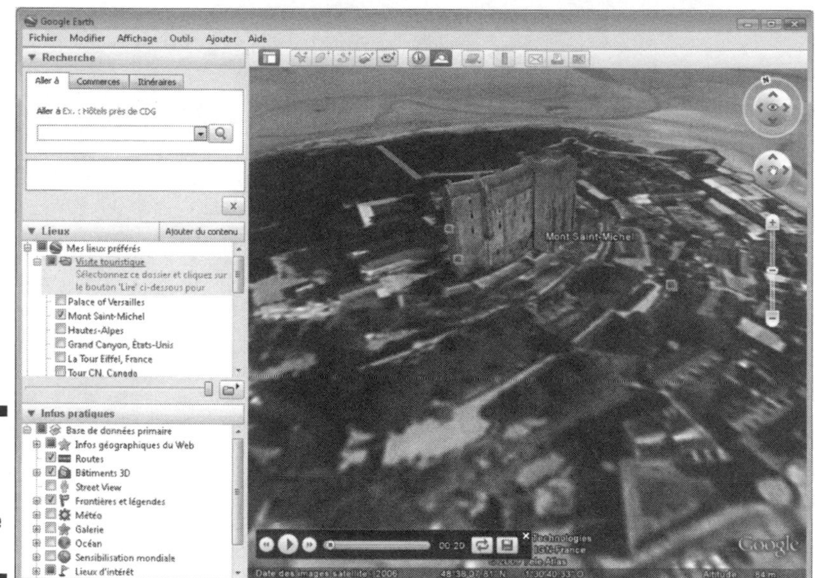

Figure 11.25 : Visitez le Mont Saint-Michel, entre autres !

de sauvegarder l'animation en cliquant sur l'icône de la disquette affichée sur la barre de contrôle de lecture.

À partir d'un tel affichage, vous disposez de plusieurs options, décrites ci-dessous :

9. **Dans la section Infos pratiques située dans le volet gauche de Google Earth, déterminez les éléments que vous souhaitez afficher sur le plan.**

   Par exemple, si vous cochez l'option Routes, le nom des rues apparaît sur le plan. Si vous cochez l'option Météo, cliquez sur son bouton + pour définir ce que Google Earth doit afficher, par exemple les nuages. Les autres options fonctionnent de la même manière et leur libellé est représentatif de ce qu'elles font ou non apparaitre sur le plan.

10. **Pour apprécier la lumière du lieu à une heure particulière, cliquez sur l'icône ci-contre affichée dans la barre d'outils située au-dessus du plan.**

    Utilisez la réglette pour définir l'heure à laquelle vous souhaitez simuler la lumière du lieu. Si vous déplacez lentement le curseur, vous voyez évoluer cette lumière. Pour régler les options d'heure et d'animation de la lumière, cliquez sur l'icône de la clef anglaise située dans le coin supérieur droit de la réglette.

11. **Pour retrouver rapidement des lieux, donc ne plus être obligé de taper leur adresse, cliquez sur l'icône de l'épingle.**

    Vous allez définir ce que Google Earth appelle un lieu préféré.

12. **Dans la boîte de dialogue qui apparaît, donnez un nom à ce lieu, entrez si besoin une description, et changez ou non le type du repère. Validez vos choix par un clic sur OK.**

    La Figure 11.26 montre un repère placé sur le Mont Saint-Michel.

Figure 11.26 : Repérez vos lieux préférés pour y accéder en un clic de souris.

13. **Pour atteindre instantanément un lieu préféré, affichez le contenu du panneau Lieux.**

14. **Cliquez sur le signe + du dossier Mes lieux préférés.**

15. **Double-cliquez sur le lieu à afficher dans Google Earth.**

Il y a beaucoup d'autres choses à découvrir grâce à Google Earth. Toutefois, l'objet de ce livre n'est pas de vous apprendre toutes les fonctionnalités de cette application, mais de vous montrer comment localiser et afficher des lieux, notamment de vacances. La procédure ci-dessus vous en apprend assez pour atteindre cet objectif. Il reste cependant une fonctionnalité qui intéresse le voyageur invétéré que vous êtes, je veux parler des itinéraires. Il est facile d'en créer un avec Google Earth.

Créer un itinéraire avec Google Earth

La création d'un itinéraire avec Google Earth est à la fois utile, ludique, et magique. Pour vous en expliquer les principes, je vais tester un itinéraire m'emmenant de Paris à Marseille.

Pour visualiser un itinéraire dans Google Earth :

1. **Démarrez l'application Google Earth comme expliqué dans la section « Afficher un lieu avec Google Earth ».**
2. **Dans le panneau Recherche, cliquez sur l'onglet Itinéraires.**
3. **Dans le champ De, saisissez les coordonnées de départ, et dans le champ Vers, celles d'arrivée.**

   Ici, je tape respectivement l'adresse exacte de départ et d'arrivée.

   Si vous ne les connaissez pas, tapez simplement le nom des deux villes.

4. **Cliquez sur l'icône de la loupe pour lancer la recherche.**

   En quelques secondes, Google Earth affiche l'itinéraire complet sur le plan.

5. **Dans le panneau Itinéraires, double-cliquez sur l'étape que vous désirez visualiser sur le planisphère, comme à la Figure 11.27.**

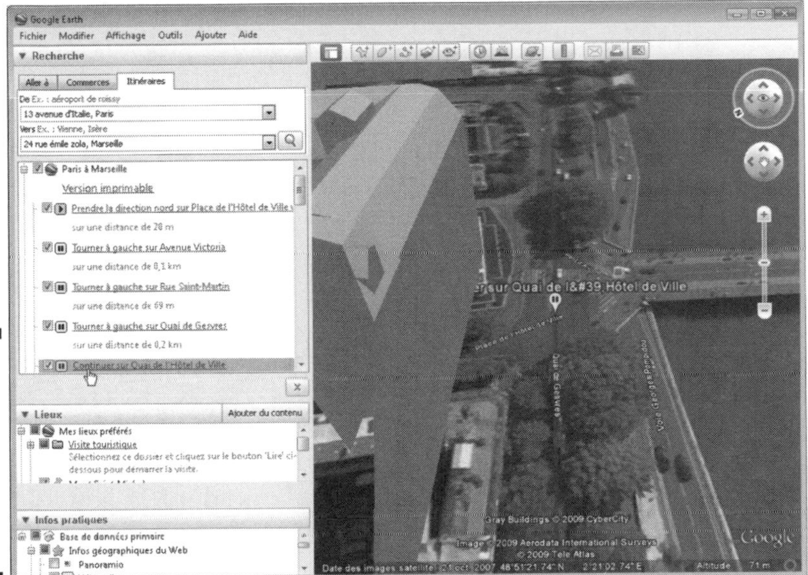

Figure 11.27 : Google Earth vous transport rapidement à un point précis de votre itinéraire.

6. **Pour connaitre le kilométrage et la durée du voyage, faites défiler le contenu du panneau Itinéraires, et cliquez sur le lien** `Itinéraire`**.**

   Les informations s'affichent en incrustation sur le plan.

7. **Pour imprimer cet itinéraire, cliquez sur Version imprimable.**

   Votre navigateur Web ouvre une nouvelle fenêtre ou un nouvel onglet dans lequel s'affiche l'itinéraire calculé par Google Maps.

8. **Dans Google Maps, cliquez sur Imprimer.**

9. **Dans la nouvelle page Web qui apparaît, choisissez d'imprimer l'itinéraire en mode texte ou en mode plan, comme à la Figure 11.28.**

10. **Cliquez sur le bouton Imprimer.**

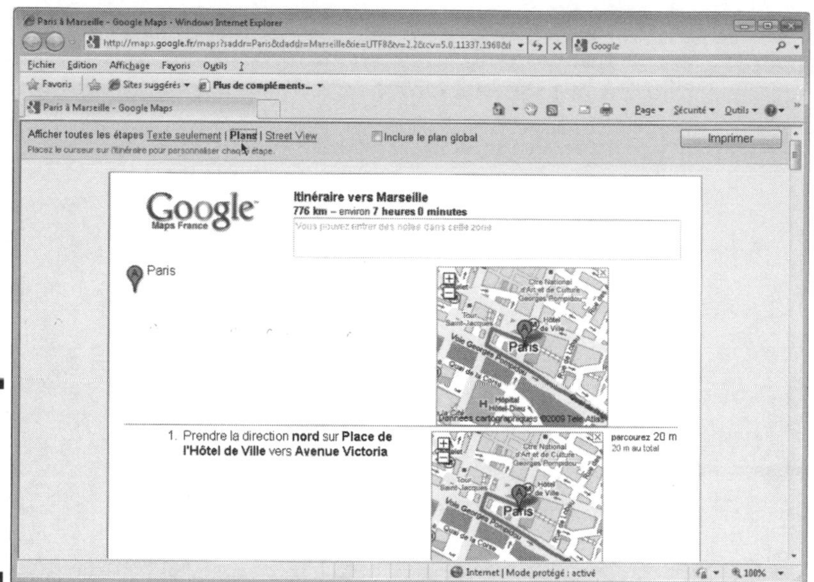

Figure 11.28 : Impression de l'itinéraire en mode plan dans Google Maps.

11. Configurez votre imprimante dans la boîte de dialogue Imprimer, puis cliquez sur le bouton Imprimer.

Au bout de quelques minutes, vous disposez d'une version imprimée de votre itinéraire.

Notre voyage au pays des vacances préparées par Internet touche à sa fin. Nous allons terminer en beauté avec quelques bons plans et adresses utiles qui permettent de passer des vacances au meilleur prix, ou de voyager à des tarifs défiant toute concurrence.

Les bons plans pour payer moins cher

Qui n'a jamais cherché des bons plans pour partir en vacances. En général il s'agit pour vous de dénicher l'affaire du siècle. Avant Internet, trouver des plans de vacances intéressants n'était possible que par le jeu du bouche-à-oreille. Désormais, il existe des sites spécialisés dans les bons plans.

Partir à la dernière minute

Partir à la dernière minute signifie plusieurs choses :

- Vous êtes prêt à partir dans la minute qui suit s'il le faut.
- Vous prenez le risque de ne pas partir du tout.
- Vous prenez le risque de partir en payant plus cher que prévu si aucun plan de dernière minute n'est possible. (Bon, j'exagère un peu car vous pouvez choisir la date de votre départ.)
- Vous choisissez de ne pas préparer vos vacances.
- Vous choisissez d'apprendre au dernier moment quelle sera la destination de vos vacances.

Si vous et/ou votre famille êtes d'accord avec ces contraintes, partez à la dernière minute. Comme nous le verrons à la section « Les adresses utiles », il existe plusieurs sites qui offrent de partir à la dernière minute. La procédure qui suit explique comment partir à la dernière minute *via* le site `lastminute.com`.

1. **Ouvrez, votre navigateur Web. Dans la barre d'adresses tapez l'URL suivante :** `www.fr.lastminute.com`**.**

   Vous accédez au site Lastminute.com, dont la page d'accueil est illustrée à la Figure 11.29.

2. **Dans la section Séjour, indiquez vos préférences de vacances.**

   Ne pas avoir de préférences est le meilleur moyen de partir à bas prix. Si vous laissez les paramètres par défaut, vous trouverez les séjours les plus intéressants.

3. **Cliquez sur Rechercher.**

   En effectuant une recherche en précisant que la ville de départ est Paris et que je souhaite un séjour de plus ou moins 7 jours, j'obtiens 1 106 séjours possibles. Il

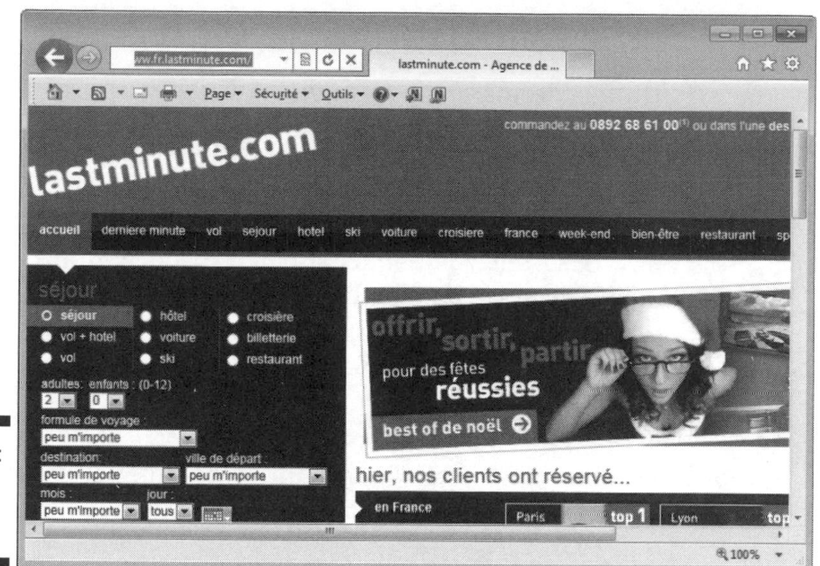

Figure 11.29 : Partez à la dernière minute !

n'est pas envisageable de les consulter les uns après les autres. (Enfin, à vous de juger.)

4. **Dans la nouvelle page Web qui s'affiche, cliquez sur le bouton Affiner votre recherche.**

   Dans cet affinement, essayez de rester le plus vague possible de manière à obtenir les meilleurs prix. Voici les critères que vous pouvez spécifier :

   - Le pays de destination.
   - La ville de destination.
   - Les dates de vacances envisagées.
   - Le budget dont vous disposez.
   - Le type d'hébergement souhaité.

   Comme le montre la Figure 11.30, je définis un séjour la semaine du 17 Août, pour un budget inférieur à 600 euros par personne.

5. **Cliquez sur le bouton Recherchez.**

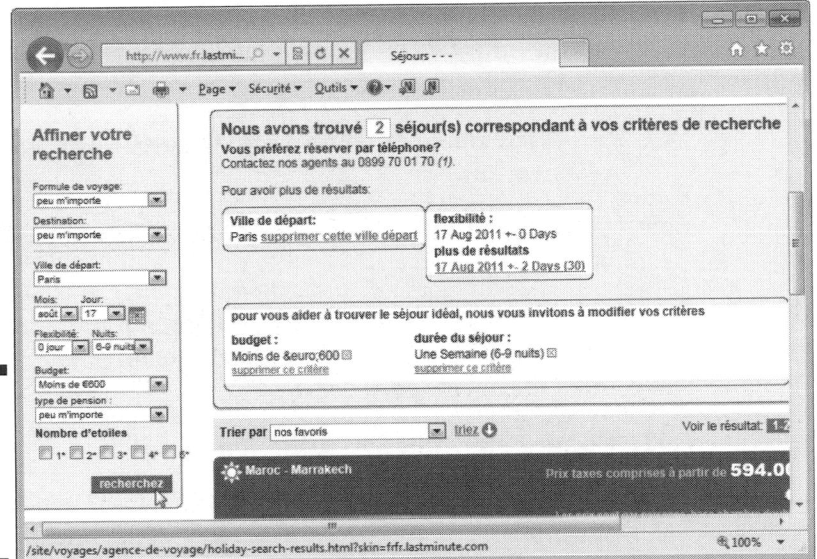

Figure 11.30 : Partir une semaine à moins de 600 euros par personne.

Je trouve alors un seul séjour, mais à un excellent prix. Il s'agit d'un séjour à Londres à partir de 260 euros par personne.

6. **Cliquez sur le bouton Sélectionner.**

   Vous accédez aux détails de l'offre où vous pouvez préciser :

   - Une autre ville de départ.
   - Une autre date de départ dans la liste prévue à cet effet.
   - Le nombre de participants.

7. **Une fois les précisons apportées, cliquez sur Continuez votre réservation.**

Il est également possible d'envoyer cette offre à un ami en cliquant sur le lien éponyme, ou encore d'ajouter cette page à vos favoris pour vous permettre de comparer plusieurs bons plans pour partir.

Vous accédez à un récapitulatif. Je constate que mon séjour pour trois adultes dans un hôtel de Londres s'élèvera à 699 euros.

8. **Si l'offre vous convient, cliquez sur Continuez votre réservation.**

9. **Indiquez le nom des personnes qui feront partie du voyage.**

10. **Prenez connaissance des conditions particulières et générales de ventes, et cochez la case par laquelle vous les acceptez.**

11. **Cliquez sur Acheter maintenant.**

    Il n'y a plus qu'à suivre la procédure habituelle d'achat sur Internet.

Sur ce genre de sites, vous disposez de nombreuses offres. Par exemple, pour connaître les promotions en cours, cliquez sur le bouton Promo de la page d'accueil. Croyez-moi, vous n'aurez que l'embarras du choix pour organiser des vacances de plusieurs jours, ou bien de petits week-ends en famille ou en amoureux.

Pour recevoir régulièrement des offres par mail, inscrivez-vous à la lettre d'information du site !

Payez moins cher vos billets de train

Les billets de train ne sont pas faciles à négocier puisqu'en France ils sont régis par la SNCF (Société Nationale des Chemins de Fer). Depuis de nombreuses années, il est possible d'acheter ses billets de train sur Internet. La SNCF propose même des promotions spéciales Internet à des prix défiant toute concurrence (mais quelle concurrence d'ailleurs ?). Ces billets vous seront envoyés par courrier, retirés dans une gare, ou encore directement imprimés *via* votre imprimante de bureau.

Que faut-il faire pour payer moins cher ses billets de train ? Le plus souvent, en dehors de promotions spéciales, il faut réserver le plus tôt possible.

Pour réserver *via* Internet, il suffit de vous rendre sur le site `www.sncf.fr`, et de lancer une recherche de prix en fonction de la gare et des dates de départ et d'arrivée.

Mais le site de la SNCF joue le jeu du modernisme et des promotions. Sur le site, vous remarquerez la présence d'une section et d'un onglet Bon plans, dont le contenu est illustré à la Figure 11.31. Ces bons plans proposent les meilleurs tarifs possibles ainsi que des séjours à départ immédiat (ou presque). À ce petit jeu, on peut noter des réductions de l'ordre de 40 % sur des séjours de 500 euros.

Figure 11.31 : Profitez des bons plans proposés par la SNCF.

Pour être tenu informé en temps réel des bons plans de la SNCF, vous pouvez l'utiliser comme flux RSS. Pour résumer, il s'agit de conserver en mémoire le site de la SNFC dont le contenu sera actualisé périodiquement. Dès que de nouvelles offres seront disponibles, vous les verrez en priorité lorsque vous vous connecterez au site.

Payez vos billets d'avions moins cher

À l'exception de quelques offres proposées par les grandes compagnies aériennes, le meilleur moyen de payer vos billets d'avions moins cher consiste à vous en remettre aux services d'une compagnie aérienne discount.

Dans la section « Les adresses utiles », nous vous indiquons le site d'un certain nombre de compagnies discount. Bien évidemment, il est tout à fait possible de procéder à vos réservations directement sur le site de ces compagnies. Les trois gros inconvénients des compagnies discount sont les suivants :

- Elles ne desservent que certaines villes de certains pays.
- Les aéroports sont rarement dans des villes importantes, ce qui nécessite un voyage supplémentaire en voiture ou en transports en commun.
- Le service à bord est réduit à son strict minimum.

Le gros avantage de ces compagnies est de pratiquer des prix incroyablement bas, c'est-à-dire moins chers que le train. Par exemple, un vol aller-retour Paris-Beauvais/Girone (Barcelone) ne coûte que 102 euros en pleine saison, comme le propose le site Ryanair. L'équivalent en train vous coûtera plus du double et durera quasiment 7 fois plus longtemps.

Les adresses utiles

Traiter de la préparation des vacances impose de privilégier des sites plus que d'autres. La démocratie étant l'essence de la liberté de déplacement donc de choix, voici quelques adresses supplémentaires.

Quelques sites pour préparer vos vacances

- `www.preparersesvacances.com`
- `www.interhome.fr`

- www.lastminute.com
- www.promovacances.com
- www.marmara.com
- www.maeva.com
- www.odalys-vacances.com
- www.thomascook.fr
- www.sncf.fr

Quelques sites pour calculer un itinéraire

- www.mappy.fr
- www.viamichelin.fr
- http://maps.google.fr
- http://fr.maps.yahoo.com
- www.itimap.com
- http://world.maporama.com
- www.1bis.com/1bis/default.asp
- http://plan.voila.fr/itineraire.html

Quelques sites pour payer ses billets de voyage moins chers

- www.sncf.fr
- www.opodo.fr
- www.govoyages.com
- www.expedia.fr
- www.voyagermoinscher.com

- www.bourse-des-vols.com
- http://billet-avion.illicotravel.com/fr/billet-avi-on
- www.kayak.fr
- www.bravofly.fr
- www.edreams.fr

Index

A

B

C

D

E

F

G

H

I

J

L

M

N

O

P

Q

R

S

T

U

V

W

Y

Z

Achevé d'imprimer en avril 2011
Dépôt légal avril 2011 / N°d'impression L 74368
Imprimé en France